About Pearson

Pearson is the world's learning company, with presence across 70 countries worldwide. Our unique insights and world-class expertise comes from a long history of working closely with renowned teachers, authors and thought leaders, as a result of which, we have emerged as the preferred choice for millions of teachers and learners across the world.

We believe learning opens up opportunities, creates fulfilling careers and hence better lives. We hence collaborate with the best of minds to deliver you classleading products, spread across the Higher Education and Test Preparation spectrum.

Superior learning experience and improved outcomes are at the heart of everything we do. This product is the result of one such effort.

Your feedback plays a critical role in the evolution of our products and you can contact us - reachus@pearson.com. We look forward to it.

एनटीए
यूजीसी

नेट/सेट/जेआरएफ

पेपर-I

विगत वर्षों के प्रश्न पत्र हल सहित 2026

के. वी. एस. मदान

Pearson

परम श्रद्धेय गुरु
माता श्रीमती देविका रानी
एवं
पिता स्वर्गीय श्री प्रेम सिंह मदान

ISBN: 978-93-713-6420-1

प्रथम मुद्रण, 2026
दूसरा पुनर्मुद्रण

प्रकाशक: पियर्सन इंडिया एजुकेशन सर्विसेज प्राइवेट लिमिटेड, सीआईएन: U72200TN2005PTC0571228.

मुख्य कार्यालय: पहली मंजिल, बर्जर टॉवर, प्लाट नं. सी-001ए/2, सेक्टर 16 बी, नोएडा-201 301, उत्तर प्रदेश, भारत
पंजीकृत कार्यालय: छठी मंजिल, टावर ए, यूनिट ए और बी, इंटरनेशनल टेक पार्क, कैपिटालैंड, 200 फीट रेडियल रोड, जामीन पल्लवरम, ओल्ड पल्लवरम, चेन्नई – 600 117, तमिलनाडु, भारत
फैक्स: 080-30461003, फोन: 044-66540100
Website: in.pearson.com, E-mail: companysecretary.india@pearson.com

टाइपसेटर: सक्षम प्रिन्टोग्राफिक्स, दिल्ली

मुद्रक: पुष्प प्रिंट सर्विसेज

विषय - वस्तु

प्रस्तावना

एन.टी.ए नेट परीक्षा के बदलते स्वरूप और जटिलता ने वर्तमान में अभ्यर्थियों के लिए कई चुनौतियाँ उत्पन्न की हैं, जिसमें एक चुनौती प्रश्न पत्र -1 में पास होने के लिए न्यूनतम अंक लाना है। लेखक ने इन चुनौतियों को ध्यान में रखते हुए तथा अपने कई वर्षों के अनुभव का प्रयोग करते हुए इस पुस्तक को तैयार किया है। एन.टी.ए नेट के प्रथम पत्र की परीक्षा में अभ्यर्थियों को जिस समस्या का सामना करना पड़ता है उसे ध्यान में रखते हुए लेखक ने उसका समाधान करने का भी सम्पूर्ण प्रयास किया है।

वर्तमान में एन.टी.ए नेट के प्रथम प्रश्न पत्र में - शिक्षण अभिक्षमता, शोध अभिक्षमता, बोध, सम्प्रेषण, गणितीय तर्क और अभिवृति, युक्तियुक्त तर्क, आंकड़ा व्याख्या, सूचना एवं संचार प्रौद्योगिकी, लोक विकास और पर्यावरण तथा उच्च शिक्षा प्रणाली शामिल है। प्रश्न पत्र में उपरोक्त सभी विषयों से प्रश्न पूछे जाते हैं। इसलिए अभ्यर्थियों के लिए सभी विषयों को तैयार करने की आवश्यकता है।

इस पुस्तक में सभी विषयों के विगत वर्षों के प्रश्नों को विस्तार से समझाया गया है तथा यह नेट परीक्षा के लिए एकल बिन्दु समाधान के रूप में अभ्यर्थियों के समक्ष प्रस्तुत है। अभ्यर्थी इस पुस्तक के माध्यम से अपनी तैयारी को अंतिम रूप से परिमार्जित कर सकते हैं। मुझे पूर्ण विश्वास है कि यह पुस्तक अभ्यर्थियों के लिए उपयोगी सिद्ध होगी।

मैं अपने प्रकाशन पियर्सन को धन्यवाद करना चाहूँगा जिन्होंने मुझे इस पुस्तक के लेखन हेतु प्रेरणा दी। पुस्तक के लिए नये सुझाव का स्वागत है।

अभिस्वीकृति

भारतीय विश्वविद्यालयों एवं कॉलेजों में असिस्टेंट प्रोफेसर और जूनियर रिसर्च फ़ेलोशिप (जे.आर.एफ) के पद पर चयन के लिए उम्मीदवारों की योग्यता की जाँच को सुनिश्चित करने के लिए राष्ट्रीय पात्रता परीक्षा (नेट) का आयोजन किया जाता है। इस परीक्षा में सफलता पेपर-1 और पेपर-2 में उम्मीदवार के प्रदर्शन पर निर्भर करता है। परीक्षा में चयनित होने के लिए दोनों ही प्रश्नपत्र का अपना-अपना महत्व है। एक ओर जहाँ प्रश्न पत्र -2 अभ्यर्थियों के अपने विषय के अध्ययन और ज्ञान की जाँच करता है वहीं दूसरी ओर प्रश्न पत्र -1 अभ्यर्थियों के शिक्षण व शोध अभिवृति, सम्प्रेषण, गणितीय तर्क, युक्तियुक्त तर्क, आंकड़ा विश्लेषण, सूचना व प्रौद्योगिकी में हुए विकास, लोक विकास व पर्यावरण तथा उच्च शिक्षा प्रणाली में समझ की जाँच करता है।

यह पुस्तक लेखक के अथक प्रयास से तैयार की गयी है जिसमें लेखक और पियर्सन का सामूहिक प्रयास भी शामिल है। लेखक ने पुस्तक को वर्तमान पाठ्यक्रम के अनुरूप तैयार करके अभ्यर्थियों के लिए सरल बना दिया है। पुस्तक में नेट के पाठ्यक्रम को वर्ष वार तैयार किया गया है जिससे अभ्यर्थियों को नेट परीक्षा के प्रश्न पत्र के प्रारूप को समझने में सहूलियत मिलेगी। इस पुस्तक से पाठ्यक्रम के सभी प्रकार के प्रश्नों के स्तर की स्पष्ट जानकारी मिलेगी।

लेखक ने पुस्तक में वर्ष 2018-2026 तक के विगत वर्ष के प्रश्न-पत्र को व्याख्या सहित समावेशित किया है, सभी प्रश्नों की विस्तृत और प्रमाणिक व्याख्या दी गई है। इससे नेट के प्रश्न पत्र के प्रवृति विश्लेषण करने में अभ्यर्थियों को सहायता मिलेगी।

मैं अभ्यर्थियों को आश्वस्त करता हूँ कि यह पुस्तक वर्तमान प्रतियोगिता परीक्षा के अनुरूप सम्पूर्ण पुस्तक है। अभ्यर्थियों को नेट परीक्षा के प्रथम पत्र में पर्याप्त और सम्पूर्ण पाठ्यक्रम के लिए सहायता मिलेगी।

लेखक के विषय में

केवीएस मदान, अरनी स्कूल ऑफ बिजनेस मैनेजमेंट, अरनी विश्वविद्यालय, हिमाचल प्रदेश में पूर्व सहयोगी निर्देशक थे और एक प्रसिद्ध लेखक और शिक्षाविद् भी हैं। वह हरियाणा स्कूल ऑफ बिजनेस, गुरु जम्भेश्वर विज्ञान और प्रौद्योगिकी विश्वविद्यालय, हिसार (हरियाणा), हिसार से व्यवसाय प्रबन्धन विषय में स्नातकोत्तर हैं। उन्होंने अपने कैरियर के हजारों उम्मीदवारों को अपने लक्ष्यों को प्राप्त करने में सहायता की है। उन्होंने कई विश्वविद्यालयों और संस्थानों में शीर्ष पदों पर काम किया है। वह यूजीसी और एआईसीटीई प्रायोजित संकाय विकास कार्यक्रमों में मुख्य वक्ता रहे हैं।

इस पुस्तक में हमारी रणनीति नेट-जे आर एफ परीक्षा में अर्हता कैसे प्राप्त की जाए, इस विषय का विशेष ध्यान रखा गया है, इसलिए इस परीक्षा के विद्यार्थियों से भी हमारी यही अपेक्षा है, कि इस पुस्तक की सहायता से अपनी परीक्षा की प्रभावी ढंग से रूप रेखा तैयार करें।

यूजीसी नेट प्रश्न पत्र 1 जनवरी, 2026

नोट:

- इस प्रश्नपत्र में पचास (50) बहु-विकल्पीय प्रश्न हैं। प्रत्येक प्रश्न के दो (2) अंक हैं।
- सभी प्रश्न अनिवार्य हैं।

नीचे दी गई तालिका का ध्यानपूर्वक अध्ययन करें और उसके नीचे पूछे गए प्रश्न का उत्तर दें।

एक कॉलेज में चार पाठ्यक्रम बी.ए., बी.एससी. बी.कॉम, और बी.बी.ए., हैं। नीचे दी गई तालिका में सेमेस्टर मध्य और सेमेस्टर अंत परीक्षाओं के परिणाम दर्शाए गए हैं।

परिणाम	छात्रों की संख्या			
	बी.ए.	बी.एससी.	बी.कॉम.	बी.बी.ए.
दोनों परीक्षाओं में अनुत्तीर्ण	28	23	17	27
सेमेस्टर मध्य परीक्षा में अनुत्तीर्ण लेकिन सेमेस्टर अंत परीक्षा में उत्तीर्ण	14	12	8	13
सेमेस्टर मध्य परीक्षा में उत्तीर्ण लेकिन सेमेस्टर अंत परीक्षा में अनुत्तीर्ण	6	17	9	15
दोनों परीक्षाओं में उत्तीर्ण	64	55	46	76

1. किस पाठ्यक्रम में सेमेस्टर अंत परीक्षा में उत्तीर्ण प्रतिशत सबसे कम है?

(a) बी.ए. (b) बी.एससी.
(c) बी.कॉम. (d) बी.बी.ए.

2. यदि दोनों परीक्षाओं के कठिनाई स्तर की तुलना करने के लिए परीक्षा में उत्तीर्ण छात्रों की संख्या को एक मानदंड मान लिया जाए, तो निम्नलिखित में से किस पाठ्यक्रम की सेमेस्टर-मध्य परीक्षा सबसे कम कठिन थी?

(a) बी.ए. (b) बी.एससी.
(c) बी.कॉम. (d) बी.बी.ए.

3. किस पाठ्यक्रम में से सेमेस्टर-मध्य परीक्षा में अनुत्तीर्ण दर सर्वाधिक है?

(a) बी.ए. (b) बी.एससी.
(c) बी.कॉम. (d) बी.बी.ए.

4. बी.एससी. पाठ्यक्रम में छात्रों की संख्या और बी.कॉम पाठ्यक्रम में छात्रों की संख्या का अनुपात क्या है?

(a) 80:107 (b) 107:131
(c) 107:80 (d) 80:131

5. चारों पाठ्यक्रमों में कुल कितने छात्र हैं?

(a) 420 (b) 430
(c) 320 (d) 330

6. राष्ट्रीय शिक्षा नीति, 2020 के अनुसार, निम्नलिखित में से किस वर्ष तक सभी एकल (स्टैंड एलोन) अध्यापक शिक्षा संस्थानों को बहुविषयक संस्थानों में परिवर्तित होना होगा:

(a) 2025 (b) 2030
(c) 2035 (d) 2040

7. नीचे दो कथन दिए गए हैं: एक **अभिकथन (A)** के रूप में लिखित है तो दूसरा उसके **कारण (R)** के रूप में है।

अभिकथन (A): मीडिया में प्रबल दृष्टिकोण के विपरीत दृष्टिकोण रखने वाले व्यक्ति ऐसे दृष्टिकोण को अभिव्यक्त नहीं करते हैं।

कारण (R): ऐसे व्यक्ति अपने इर्द-गिर्द वाले लोगों से अलगाव या पृथक होने से डरते हैं।

उपरोक्त कथन के आलोक में, नीचे दिए गए विकल्पों में से **सबसे उपयुक्त उत्तर** का चयन कीजिए:

(a) दोनों (A) और (R) सत्य हैं और (R), (A) की सही व्याख्या है।

(b) दोनों (A) और (R) सत्य हैं लेकिन (R), (A) की सही व्याख्या नहीं है।

(c) (A) सत्य है, लेकिन (R) असत्य है।

(d) (A) असत्य है, लेकिन (R) सत्य है।

8. नीचे दो कथन दिए गए हैं: एक **अभिकथन (A)** के रूप में लिखित है तो दूसरा उसके **कारण (R)** के रूप में है।

अभिकथन (A): वैधता और अवैधता के पद आगमनात्मक युक्तियों पर प्रयुक्त नहीं होते।

कारण (R): किसी आगमनात्मक युक्ति में, निष्कर्ष का आधारिकाओं में पर्याप्त आधार नहीं होता।

उपरोक्त कथन के आलोक में, नीचे दिए गए विकल्पों में से **सबसे उपयुक्त उत्तर** का चयन कीजिए:

(a) दोनों (A) और (R) सत्य हैं और (R), (A) की सही व्याख्या है।

(b) दोनों (A) और (R) सत्य हैं लेकिन (R), (A) की सही व्याख्या नहीं है।

(c) (A) सत्य है, लेकिन (R) असत्य है।

(d) (A) असत्य है, लेकिन (R) सत्य है।

9. सूची-I का सूची-II से मिलान करें।

सूची-I	सूची-II
(1) फ़िशिंग	(i) अनधिकृत पहुँच प्राप्त करने का कार्य
(2) हैकिंग	(ii) किसी मेलिंग सूची में शामिल प्राप्तकर्ता को इंटरनेट के माध्यम से भेजा गया अवांछित ईमेल
(3) स्पैम	(iii) उपयोगकर्ता के कंप्यूटर पर संग्रहीत छोटी फ़ाइल या कोड
(4) कुकीज़	(iv) निर्माता लक्षित उपयोगकर्ताओं को वैध दिखने वाले ईमेल भेजता है

नीचे दिए गए विकल्पों में से **सही** उत्तर चुनें:

(a) (1)–(ii), (2)–(iii), (3)–(iv), (4)–(i)

(b) (1)–(iv), (2)–(i), (3)–(iii), (4)–(ii)

(c) (1)–(iv), (2)–(i), (3)–(ii), (4)–(iii)

(d) (1)–(i), (2)–(iv), (3)–(ii), (4)–(iii)

10. विभिन्न प्रतिचयन वितरण से संबंधित मानक विचलन (σ) और प्रतिदशों की कुल संख्या (*n*) के निम्नलिखित युग्मों को उनकी मानक त्रुटि के घटते क्रम में रखें।

A. $\sigma = 1.6$ $n = 16$
B. $\sigma = 1.5$ $n = 25$
C. $\sigma = 0.6$ $n = 36$
D. $\sigma = 1.4$, $n = 49$

नीचे दिए गए विकल्पों में से **सही उत्तर** का चयन कीजिए:

(a) A, B, C, D
(b) A, B, D, C
(c) D, C, B, A
(d) C, B, D, A

11. जलीय पारिस्थितिकी तंत्र में सूक्ष्मजीवों द्वारा कार्बनिक यौगिक के ऑक्सीकरण में उपयोग की जाने वाली ऑक्सीजन ______ कहलाती है।

(a) विलयित ऑक्सीजन

(b) रासायनिक ऑक्सीजन माँग

(c) सैद्धांतिक ऑक्सीजन माँग

(d) जैवरासायनिक ऑक्सीजन माँग

12. सूची-I से सूची-II का मिलान कीजिए:

सूची-I (आश्रम विभाग)	सूची-II (विषय)
(1) विष्णु स्थान	(i) सैन्य शिक्षा
(2) विवस्ता स्थान	(ii) ज्योतिष
(3) गरुण स्थान	(iii) राजनीति
(4) महेंद्र स्थान	(iv) यात्रा एवं परिवहन

नीचे दिए गए विकल्पों में से **सही** उत्तर चुनें:

(a) (1)–(ii), (2)–(iv), (3)–(iii), (4)–(i)

(b) (1)–(i), (2)–(iii), (3)–(ii), (4)–(iv)

(c) (1)–(iii), (2)–(ii), (3)–(iv), (4)–(i)

(d) (1)–(i), (2)–(ii), (3)–(iii), (4)–(iv)

13. नीचे दो कथन दिए गए हैं: एक **अभिकथन (A)** के रूप में लिखित है तो दूसरा उसके **कारण (R)** के रूप में है।

अभिकथन (A): प्रक्षेपीय प्रविधियां व्यक्तित्व मापन के प्रति वह अभिगम प्रस्तुत करती हैं जो स्व-वर्णनात्मक तालिकाओं से भिन्न होता है।

कारण (R): स्व-वर्णनात्मक तालिकाओं में व्यक्तित्व मूल्यांकन करते समय उक्त व्यक्ति को स्वयं का वर्णन करने की आवश्यकता होती है।

उपरोक्त कथन के आलोक में, नीचे दिए गए विकल्पों में से **सबसे उपयुक्त उत्तर** का चयन कीजिए:

(a) दोनों (A) और (R) सत्य हैं और (R), (A) की सही व्याख्या है।

(b) दोनों (A) और (R) सत्य हैं लेकिन (R), (A) की सही व्याख्या नहीं है।
(c) (A) सत्य है, लेकिन (R) असत्य है।
(d) (A) असत्य है, लेकिन (R) सत्य है।

14. **सूची-I** से **सूची-II** का मिलान कीजिए:

सूची-I क्रमिक बट्टा (छूट)	सूची-II समतुल्य बट्टा (छूट)
(1) 10% और 15%	(i) 28%
(2) 20% और 30%	(ii) 32.5%
(3) 10% और 20%	(iii) 23.5%
(4) 10% और 25%	(iv) 44%

नीचे दिए गए विकल्पों में से **सही उत्तर** का चयन कीजिए:
(a) (1)–(i), (2)–(ii), (3)–(iv), (4)–(iii)
(b) (1)–(ii), (2)–(iii), (3)–(i), (4)–(iv)
(c) (1)–(iii), (2)–(iv), (3)–(i), (4)–(ii)
(d) (1)–(iv), (2)–(i), (3)–(ii), (4)–(iii)

15. निम्नलिखित ग्रीनहाउस गैसों को पृथ्वी के वायुमंडल में उनके जीवन काल के बढ़ते क्रम में रखें :
A. SF_6
B. N_2O
C. H_2O वाष्प
D. CH_4
नीचे दिए गए विकल्पों में से सही उत्तर का चयन कीजिए:
(a) C, D, B, A
(b) C, D, A, B
(c) A, B, C, D
(d) B, A, D, C

16. निम्नलिखित श्रृंखला को पूरा कीजिए:
N7V, K9T, H12R, ?, B21N
(a) E14R
(b) E13Q
(c) E16P
(d) F16R

17. निम्न में से कौन सर्वाधिक उदार मुक्त शिक्षा संसाधन लाइसेंस है?
(a) CC-BY
(b) CC-BY-SA
(c) CC-BY-ND
(d) CC-BY-NC

18. निम्न में से वह कौन सा सिद्धांत है जिसके कथनानुसार किसी प्रदत्त समय पर जनता के बीच विचारण की जन समस्याओं अथवा मुद्दों की छोटी संख्या के निर्णयन में मीडिया का प्रबल प्रभाव हो सकता है?
(a) कार्य सूची निर्धारण सिद्धांत (एजेंडा सैटिंग थ्योरी)
(b) ज्ञान-अंतराल सिद्धांत (नालेज गैप थ्योरी)
(c) सीमित प्रभाव सिद्धांत (लिमिटेड इफैक्ट्स थ्योरी)
(d) वैयक्तिक प्रभाव सिद्धांत (पर्सनल इन्फ्लुऐंस थ्योरी)

19. सृजनात्मक विचारण प्रक्रिया के चरणों को सही क्रम में व्यवस्थित कीजिए:
A. तैयारी
B. मूल्यांकन
C. प्रकाशन
D. संशोधन
E. उद्भवन
नीचे दिए गए विकल्पों में से **सही** उत्तर का चयन कीजिए:
(a) A, B, C, D, E
(b) E, D, C, B, A
(c) D, C, B, E, A
(d) A, E, C, B, D

20. सूची-I का सूची-II से मिलान कीजिए:

सूची-I (श्रेणीबद्ध प्रस्तावों के प्रकार)	सूची-II (स्पष्टीकरण)
(1) A प्रस्ताव	(i) कर्ता और विधेय दोनों को वितरित करता है।
(2) E प्रस्ताव	(ii) केवल विधेय पद को वितरित करता है।
(3) I प्रस्ताव	(iii) केवल कर्ता पद को वितरित करता है।
(4) O प्रस्ताव	(iv) न तो कर्ता पद को वितरित करता है और न ही विधेय पद को।

नीचे दिए गए विकल्पों में से सही उत्तर चुनें:
(a) (1)–(ii), (2)–(i), (3)–(iv), (4)–(iii)
(b) (1)–(iii), (2)–(i), (3)–(iv), (4)–(ii)
(c) (1)–(i), (2)–(ii), (3)–(iii), (4)–(iv)
(d) (1)–(iv), (2)–(iii), (3)–(ii), (4)–(i)

21. सही गणितीय कथनों की पहचान कीजिए:
A. $\frac{1}{4}+\frac{1}{4\times5}+\frac{1}{4\times5\times6}$ का मान $\frac{37}{120}$ के समान है।
B. $1+2\div\left\{1+2\div\left(1+\frac{1}{3}\right)\right\}$ का मान $\frac{4}{5}$ के समान है।
C. यदि 6 संख्याओं का औसत 7 है और उनमें से 3 संख्याओं का औसत 5 है, तो शेष संख्याओं का औसत 9 है।
D. यदि एक संख्या के 75% को 75 में जोड़ा जाए तो परिणाम स्वयं वह संख्या होगी तो संख्या 300 है।
E. $\frac{9}{31}, \frac{6}{23}, \frac{3}{17}, \frac{4}{11}$ में सर्वाधिक बड़ी भिन्न $\frac{9}{31}$ है
नीचे दिए गए विकल्पों में से सही उत्तर का चयन कीजिए:
(a) केवल A और B
(b) केवल A, C और D
(c) केवल C और D
(d) केवल C, E और D

22. निम्न में से कौन सा पद कंप्यूटर हार्डवेयर से संबंधित नहीं है?

(a) बस (b) स्विच

(c) विंडोज (d) माउस

23. 'परंपरागत ज्ञान आधारित समाजों और उनकी आजीविका' से संबंधित मुद्दे को ________ संबंधी राष्ट्रीय मिशन में संबोधित किया गया है।

(a) संवर्धित ऊर्जा दक्षता वृद्धि

(b) हिमालयी पारिस्थितिकी तंत्र को बनाए रखने

(c) सतत पर्यावास

(d) ग्रीन इंडिया

24. निम्नलिखित में से कौन सा/से कथन सत्य है/हैं:

A. O कथन का रूपांतरण वैध है।

B. A कथन का रूपांतरण स्वयं एक A कथन है।

C. E कथन का रूपांतरण सीमा द्वारा रूपांतरण है।

D. I कथन का रूपांतरण वैध है।

नीचे दिए गए विकल्पों में से **सही** उत्तर चुनें:

(a) केवल A और D (b) केवल A और B

(c) केवल C (d) केवल D

25. सूची-I से सूची-II का मिलान कीजिए:

सूची-I	सूची-II
(1) सच्चे प्रायोगिक डिजाइन में स्वतंत्र चर	(i) परिणाम चर
(2) आश्रित चर	(ii) नियंत्रण चर
(3) अंत:स्थ चर	(iii) अप्रामाणिक चर
(4) भ्रामक चर	(iv) स्वतंत्र चर व आश्रित चर के मध्य स्थित

नीचे दिए गए विकल्पों में से **सही उत्तर** का चयन कीजिए:

(a) (1)–(iv), (2)–(iii), (3)–(ii), (4)–(i)

(b) (1)–(ii), (2)–(i), (3)–(iv), (4)–(iii)

(c) (1)–(i), (2)–(ii), (3)–(iii), (4)–(iv)

(d) (1)–(ii), (2)–(iii), (3)–(iv), (4)–(i)

26. निम्नलिखित में से कौन गुणात्मक शोध रणनीतियों के सत्तामूलक अभिविन्यास को निरूपित करता है?

(a) निगमनात्मक (b) प्रत्यक्षवाद

(c) विषयनिष्ठवाद (d) निर्मितिवाद

27. **सूची-I** से **सूची-II** का मिलान कीजिए:

सूची-I	सूची-II
(1) प्राथमिक वायु प्रदूषक	(i) परऑक्सीऐसिल नाइट्रेट
(2) द्वितीयक वायु प्रदूषक	(ii) कार्बन मोनो ऑक्साइड
(3) ओजोन अवक्षायक पदार्थ	(iii) ऐरोसॉल
(4) मेघ संघनन केन्द्रक	(iv) क्लोरोफ्लोरोकार्बनस्

नीचे दिए गए विकल्पों में से **सही उत्तर** का चयन कीजिए:

(a) (1)–(i), (2)–(ii), (3)–(iii), (4)–(iv)

(b) (1)–(ii), (2)–(i), (3)–(iv), (4)–(iii)

(c) (1)–(i), (2)–(ii), (3)–(iv), (4)–(iii)

(d) (1)–(ii), (2)–(i), (3)–(iii), (4)–(iv)

28. **सूची-I** से **सूची-II** का मिलान कीजिए:

सूची-I (विकास के प्रकार)	सूची-II (संबंधित है)
(1) मनो-यौनिक विकास	(i) पहचान बनाम भूमिक विभ्रम
(2) मनो-सामाजिक विकास	(ii) गुदा चरण
(3) संज्ञानात्मक विकास	(iii) प्राक्कल्पित-निगमनात्मक तर्कणा
(4) नैतिक विकास	(iv) आचार विषयक दुविधा का समाधान

नीचे दिए गए विकल्पों में से **सही उत्तर** का चयन कीजिए:

(a) (1)–(ii), (2)–(iii), (3)–(i), (4)–(iv)

(b) (1)–(iii), (2)–(i), (3)–(iv), (4)–(ii)

(c) (1)–(i), (2)–(iv), (3)–(ii), (4)–(iii)

(d) (1)–(ii), (2)–(i), (3)–(iii), (4)–(iv)

29. केंद्रीय विश्वविद्यालय के निम्नलिखित वरिष्ठ पदाधिकारियों को सही क्रम में व्यवस्थित करें:

A. विजिटर B. संकाय के डीन

C. कुलाधिपति D. विभागाध्यक्ष

E. कुलपति

नीचे दिए गए विकल्पों में से सही उत्तर चुनें:

(a) A, C, E, D, B (b) C, A, E, D, B

(c) A, C, E, B, D (d) B, D, E, C, A

30. मापन वैधता मुख्यत: निम्नलिखित से संबंधित है:

(a) गुणात्मक शोध (b) मात्रात्मक शोध

(c) निर्वचनवाद (d) निर्मितिवाद

31. निम्न को जनता के बीच नव प्रवर्तन के विसरण के संदर्भ में अंगीकार किए जाने के आरोही क्रम में व्यवस्थित कीजिए:

A. मत अनुयायी B. मत अग्रज
C. आरंभिक अंगीकार कर्ता D. परिवर्तन के एजेंट
E. फिसड्डी (लैगर्डस्)

नीचे दिए गए विकल्पों में से सही उत्तर का चयन कीजिए:

(a) A, D, C, B, E (b) D, C, B, A, E
(c) C, D, B, A, E (d) A, B, C, D, E

32. सक्रिय श्रोता सिद्धांत का फोकस इसका मूल्यांकन करना है कि ______

(a) लोग मीडिया के साथ क्या करते हैं।
(b) मीडिया लोगों के साथ क्या करता है।
(c) प्रशासन मीडिया के साथ क्या करता है।
(d) कौन से विनियम मिडिया पर प्रभाव डालते हैं।

33. सर्वेक्षण अनुसंधान में संवृत (क्लोज एंडेड) प्रश्नों के लाभ पहचानिए:

A. उत्तरों का प्रक्रमण करना आसान होता है।
B. उत्तरदाता अपने शब्दों में उत्तर दे सकते हैं।
C. वे उत्तरदाताओं द्वारा पूरा किए जाने के लिए आसान होते हैं।
D. उनसे असामान्य उत्तर निकाले जा सकते हैं।

नीचे दिए गए विकल्पों में से **सही उत्तर** का चयन कीजिए:

(a) केवल A और B (b) केवल A और C
(c) केवल A, B और C (d) केवल B, C और D

34. निम्नलिखित को उनकी कवरेज के अनुसार बढ़ते क्रम में व्यवस्थित करें:

A. PAN B. MAN
C. WAN D. LAN

नीचे दिए गए विकल्पों में से सही उत्तर चुनें:

(a) D, B, A, C (b) A, B, D, C
(c) A, D, C, B (d) B, A, D, C

35. नीचे दो कथन दिए गए हैं: एक **अभिकथन (A)** के रूप में लिखित है तो दूसरा उसके **कारण (R)** के रूप में है।

अभिकथन (A): यदि किसी पवन चक्की को जमीन से अधिक ऊँचाई पर स्थापित किया जाता है तो वह कम ऊँचाई पर स्थापित पवन चक्की की तुलना में अधिक प्रभावी होगी।

कारण (R): सामान्यत:, पृथ्वी की सतह के ऊपर ऊँचाई बढ़ने के साथ-साथ हवा की गति बढ़ती जाती है।

उपरोक्त कथन के आलोक में, नीचे दिए गए विकल्पों में से **सबसे उपयुक्त उत्तर** का चयन कीजिए:

(a) दोनों (A) और (R) सत्य हैं और (R), (A) की सही व्याख्या है।
(b) दोनों (A) और (R) सत्य हैं लेकिन (R), (A) को सही व्याख्या नहीं है।
(c) (A) सत्य है, लेकिन (R) असत्य है।
(d) (A) असत्य है, लेकिन (R) सत्य है।

36. कंप्यूटर द्वारा समझी और संसाधित की जा सकने वाली सूचना की सबसे छोटी इकाई को क्या कहा जाता है?

(a) Digit (b) Byte
(c) Nibble (d) Bit

37. दो साइकिल चालक एक समान दूरी को क्रमश: 15 कि.मी/घंटा व 16 कि.मी/घंटा की गति से तय करते हैं। यदि एक साइकिल चालक दूसरे की अपेक्षा 16 मिनट अधिक समय लेता है तो प्रत्येक साइकिल चालक द्वारा तय की गई दूरी निम्न में से कितनी है?

(a) 64 कि.मी. (b) 16 कि.मी.
(c) 68 कि.मी. (d) 12 कि.मी.

38. निम्न भिन्नों को आरोही क्रम में व्यवस्थित कीजिए:

A. $\frac{2}{3}$ B. $\frac{7}{19}$
C. $\frac{9}{11}$ D. $\frac{8}{9}$
E. $\frac{7}{9}$

नीचे दिए गए विकल्पों में से **सही उत्तर** का चयन कीजिए:

(a) B, A, E, C, D (b) B, E, A, D, C
(c) A, B, C, D, E (d) B, C, A, E, D

39. नीचे दो कथन दिए गए हैं: एक **अभिकथन (A)** के रूप में लिखित है तो दूसरा उसके **कारण (R)** के रूप में है।

अभिकथन (A): राष्ट्रीय शिक्षा नीति, 2020 (एन ई पी 2020) ने 'शोध-साध्य विश्वविद्यालयों' की कल्पना की है।

कारण (R): एन ई पी 2020 ने विश्वविद्यालय की उस स्थान के रूप में कल्पना की जो शिक्षण और शोध पर समान रूप से बल देता है।

उपरोक्त कथन के आलोक में, नीचे दिए गए विकल्पों में से **सबसे उपयुक्त उत्तर** का चयन कीजिए:

(a) दोनों (A) और (R) सत्य हैं और (R), (A) की सही व्याख्या है।

(b) दोनों (A) और (R) सत्य हैं लेकिन (R), (A) की सही व्याख्या नहीं है।

(c) (A) सत्य है, लेकिन (R) असत्य है।

(d) (A) असत्य है, लेकिन (R) सत्य है।

40. निम्नलिखित में से कौन से सत्य नहीं हैं?

A. अज्ञान मूलक युक्ति तर्कदोष में, किसी चीज को इसलिए स्वीकार कर लिया जाता है क्योंकि उसे गलत सिद्ध नहीं किया गया है।

B. अविचारित सामान्यीकरण तर्कदोष में, किसी विशिष्ट मामले की अद्वितीयता पर ध्यान दिए बिना सामान्य सत्य को लागू किया जाता है।

C. आत्माश्रय तर्कदोष में, किसी घटना को किसी अन्य घटना के कारण के रूप में गलत तरीके से स्वीकार कर लिया जाता है।

D. वाक्यछल तर्कदोष तब होता है जब हम ऐसे आधार वाक्यों से तर्क प्रस्तुत करते हैं जिनकी रचना में उनकी वैयाकरणीय संरचना के कारण अस्पष्ट होती है।

नीचे दिए गए विकल्पों में से **सही उत्तर** का चयन कीजिए:

(a) केवल A, B और C (b) केवल A, B और D

(c) केवल B और C (d) केवल A और D

41. निम्नलिखित में से कौन-कौन अनुप्रयोग सॉफ्टवेयर हैं?

A. स्प्रेडशीट B. शब्द संसाधित्र

C. प्रचालन प्रणाली D. डाटाबेस

E. संकलक (कंपाइलर)

नीचे दिए गए विकल्पों में से **सही उत्तर** का चयन कीजिए:

(a) केवल A, C और D (b) केवल B, C और E

(c) केवल A, D और E (d) केवल A, B और D

42. सूची-I से सूची-II का मिलान कीजिए:

सूची-I	सूची-II
(1) आलंकारिक	(i) संचार को प्राधान्य विचारधारात्मक शक्तियों के संबंध में तर्क मूलक चिंतन मानना।
(2) संकेत विज्ञान संबंधी	(ii) संचार को प्रामाणिक संवाद के जरिए अन्यत्व का अनुभव करने की क्षमता मानना।
(3) घटना क्रिया विज्ञानी	(iii) संचार को एक व्यवहारिक कला मानना।
(4) आलोचनात्मक (क्रिटिकल)	(iv) संचार को संकेतों के माध्यम से अंतर्विषय निष्ठ साधना मानना।

नीचे दिए गए विकल्पों में से **सही उत्तर** का चयन कीजिए:

(a) (1)–(iii), (2)–(iv), (3)–(ii), (4)–(i)

(b) (1)–(ii), (2)–(iv), (3)–(iii), (4)–(i)

(c) (1)–(i), (2)–(iv), (3)–(ii), (4)–(iii)

(d) (1)–(iii), (2)–(ii), (3)–(iv), (4)–(i)

43. निम्नलिखित में से कौन जैविक प्रेरणा का उदाहरण है?

(a) उपलब्धि (b) भूख

(c) शक्ति (d) संबद्धता

44. निम्न में से कौन सत्प्रतिपक्ष के तर्कदोष (हेत्वाभास) का सही रूप में वर्णन करता है?

(a) एक तर्कदोष जहाँ एक अनुमान का प्रत्यक्ष अथवा किसी अन्य गैर अनुमानिक प्रमाण द्वारा व्याघात होता है।

(b) एक तर्कदोष जहां एक अनुमान का दूसरे अनुमान द्वारा व्याघात होता है।

(c) एक तर्क दोष जो उसी प्रतिज्ञप्ति को असिद्ध करता है जिसे इसे सिद्ध करना है।

(d) अनियमित मध्य का तर्कदोष।

45. ऐसी पत्रिकाएँ जो अध्ययन की गुणवत्ता की कीमत पर स्वार्थ को प्राथमिकता देती हैं और जिनमें झूठी या भ्रामक जानकारी, सर्वोत्तम संपादकीय/प्रकाशन प्रथाओं से विचलन, पारदर्शिता की कमी और/या आक्रामक और असंपर्कित प्रलोभन प्रथाओं का उपयोग शामिल होता है, उन्हें कहा जाता है:

(a) ओपन एक्सेस पत्रिकाएँ (b) प्रोप्राइटरी पत्रिकाएँ

(c) व्यावसायिक पत्रिकाएँ (d) प्रीडेटरी पत्रिकाएँ

निम्नलिखित गद्यांश पढ़िए और प्रश्नों के उत्तर दीजिए:

कार्यों की योजना बनाने, संगठित करने, नेतृत्व करने और नियंत्रित करने के लिए जिम्मेदार लोगों द्वारा निर्देशित संगठित प्रयास हजारों वर्षों पहले से मौजूद हैं। उदाहरण के लिए मिस्त्र के पिरामिड और चीन की महान दीवार विशाल पैमाने की परियोजनाओं के मूर्त साक्ष्य हैं, इन परियोजनाओं में दसों हजार लोगों को काम पर लगाया गया और ये आधुनिक काल से बहुत पहले शुरू की गई थीं। पिरामिड विशेष रूप से रोचक उदाहरण है। एक पिरामिड का निर्माण करने के लिए 100,000 श्रमिकों ने 20 वर्ष तक कार्य किया। प्रत्येक श्रमिक को किसने बताया कि क्या करना है? किसने यह सुनिश्चित किया कि निर्माण स्थल पर पर्यात्त पत्थर होने चाहिए ताकि श्रमिक व्यस्त रहें? ऐसे प्रश्नों का उत्तर

है- प्रबंधक। उस समय प्रबंधकों को किसी भी नाम से जाना जाता हो, लेकिन किसी ने यह योजना बनाई होगी कि क्या करना है, और इसे करने के लिए लोगों और सामग्री को संगठित किया होगा, श्रमिकों का नेतृत्व और मार्गदर्शन किया होगा, और यह सुनिश्चित करने के लिए कुछ नियंत्रण लागू किए होंगे कि हर काम योजनाबद्ध तरीके से हो।

आरंभिक प्रबंधन का एक अन्य उदाहरण इटली के वेनिस शहर में पंद्रहवी शताब्दी के दौरान देखा जा सकता है, जो एक प्रमुख आर्थिक और व्यापारिक केन्द्र था। वेनिस के निवासियों ने एक आरंभिक रूप का व्यवसाय उद्यम विकसित किया और वर्तमान संगठनों के समान अनेक कार्य किए। उदाहरण के लिए, वेनिस के शस्त्रागार में युद्धपोतों को नहरों में तैराया जाता था और प्रत्येक ठहराव पर पोत में सामग्री और साज-सामान जोड़ा जाता था। क्या यह ऑटोमोबाइल असेम्बली लाइन में कार 'फ्लोटिंग' के समान नहीं है, जब कार में पुर्जे जोड़ें जाते हैं? वेनिस के निवासियों ने असेम्बली लाइन के अतिरिक्त सामग्री पर नजर रखने के लिए भंडार और मालसूची प्रणाली, श्रम बल का प्रबंध करने के लिए मानव संसाधन प्रबंधन प्रणाली तथा राजस्व और लागत पर नजर रखने के लिए लेखांकन प्रणाली का भी उपयोग किया।

46. दिए गए गद्यांश से पाठक को यह जानकारी मिलती है कि :

(a) प्रबंधन एक नवीनतम रचना है।

(b) प्रबंधन की उपाधि प्राचीन काल से है।

(c) संगठित प्रयासों का मार्गदर्शन करने वाले लोग युगों से देखे जा सकते हैं।

(d) असेम्बली लाइन प्रणाली चीन, मिस्त्र और इटली में प्रचलित थी।

47. गद्यांश के अनुसार, असेम्बली लाइन के प्राचीन समुतल्य का उपयोग कहाँ किया गया था?

(a) मिस्त्र (b) चीन

(c) वेनिस (d) गीजा

48. गद्यांश के अनुसार, प्रबंधक की भूमिका में निम्नांकित में से कौन-सा सम्मिलित नहीं है?

(a) पिरामिडों के लिए पत्थरों का ढेर लगाना।

(b) यह योजना बनाना कि क्या करना है।

(c) पिरामिड निर्माण स्थल के लिए लोगों को संगठित करना।

(d) पिरामिड श्रम बल का मार्गदर्शन करना।

49. गद्यांश में इसका वर्णन है कि पिरामिडों को बनाने वाले मिस्र के लोगों के पास:

(a) पत्थरों का रिकार्ड रखने के लिये एक तालिका प्रणाली थी।

(b) क्या करना है, इसके लिए एक योजना थी।

(c) धन का रिकार्ड रखने के लिये एक लेखांकन प्रणाली थी।

(d) सामग्री प्रबंधन के लिये भंडारण प्रणाली।

50. गद्यांश के अनुसार, नियंत्रण, संगठन और योजना बनाने के लिये जिम्मेदार व्यक्ति कब से संगठित प्रयासों का मार्गदर्शन करते रहे हैं?

(a) पन्द्रहवीं शताब्दी से (b) 100,000 वर्षों से

(c) बीस वर्षों से (d) हजारों वर्षों से

उत्तरमाला

1. (c)	**2.** (d)	**3.** (a)	**4.** (c)	**5.** (b)	**6.** (b)	**7.** (a)	**8.** (a)	**9.** (c)	**10.** (b)
11. (d)	**12.** (a)	**13.** (a)	**14.** (c)	**15.** (a)	**16.** (c)	**17.** (a)	**18.** (a)	**19.** (d)	**20.** (b)
21. (b)	**22.** (c)	**23.** (b)	**24.** (d)	**25.** (b)	**26.** (d)	**27.** (b)	**28.** (d)	**29.** (c)	**30.** (b)
31. (b)	**32.** (a)	**33.** (b)	**34.** (c)	**35.** (a)	**36.** (d)	**37.** (a)	**38.** (a)	**39.** (a)	**40.** (c)
41. (d)	**42.** (a)	**43.** (b)	**44.** (b)	**45.** (d)	**46.** (c)	**47.** (c)	**48.** (a)	**49.** (b)	**50.** (d)

संकेत और स्पष्टीकरण

1. (c)

किस पाठ्यक्रम में सेमेस्टर-अंत परीक्षा में उत्तीर्ण प्रतिशत सबसे कम है?

सेमेस्टर-अंत में उत्तीर्ण = (सेमेस्टर-अंत में उत्तीर्ण लेकिन मध्य में अनुत्तीर्ण) + (दोनों में उत्तीर्ण)

- बी.ए. = 14 + 64 = 78
- बी.एससी. = 12 + 55 = 67
- बी.कॉम. = 8 + 46 = 54
- बी.बी.ए. = 13 + 76 = 89
- सबसे कम = बी.कॉम.

2. (d)

किस पाठ्यक्रम में सेमेस्टर-मध्य परीक्षा सबसे कम कठिन थी?

(कम कठिन = अधिक उत्तीर्ण)

सेमेस्टर-मध्य में उत्तीर्ण = (मध्य में उत्तीर्ण, अंत में अनुत्तीर्ण) + (दोनों में उत्तीर्ण)

- बी.ए. = 6 + 64 = 70
- बी.एससी. = 17 + 55 = 72
- बी.कॉम. = 9 + 46 = 55
- बी.बी.ए. = 15 + 76 = 91
- सबसे अधिक = बी.बी.ए.

3. (a)

किस पाठ्यक्रम में सेमेस्टर-मध्य परीक्षा में अनुत्तीर्ण दर सर्वाधिक है?

सेमेस्टर-मध्य में अनुत्तीर्ण = (दोनों में अनुत्तीर्ण) + (मध्य में अनुत्तीर्ण लेकिन अंत में उत्तीर्ण)

- बी.ए. = 28 + 14 = 42
- बी.एससी. = 23 + 12 = 35
- बी.कॉम. = 17 + 8 = 25
- बी.बी.ए. = 27 + 13 = 40
- सबसे अधिक = बी.ए.

4. (c)

बी.एससी. और बी.कॉम. में छात्रों की संख्या का अनुपात क्या है?

कुल छात्र = चारों श्रेणियों का योग

- बी.एससी. = 23 + 12 + 17 + 55 = 107
- बी.कॉम. = 17 + 8 + 9 + 46 = 80

अनुपात = 107 : 80

5. (b)

चारों पाठ्यक्रमों में कुल कितने छात्र हैं?

- बी.ए. = 28 + 14 + 6 + 64 = 112
- बी.एससी. = 107
- बी.कॉम. = 80
- बी.बी.ए. = 27 + 13 + 15 + 76 = 131

कुल = 112 + 107 + 80 + 131 = 430

6. (b)

राष्ट्रीय शिक्षा नीति (NEP) 2020 शिक्षक शिक्षा को बहु-विषयक विश्वविद्यालयों के साथ एकीकृत करने पर जोर देती है। यह नीति इस संक्रमण के लिए स्पष्ट रूप से 2030 की समयसीमा निर्धारित करती है।

7. (a)

अभिकथन (A): वे लोग, जिनके विचार मीडिया में प्रचलित विचारों के विपरीत हैं, अपने विचारों को अपने तक ही सीमित रखते हैं।

यह संचार की 'स्पाइरल ऑफ साइलेंस' (मौन का सर्पिल) सिद्धांत को दर्शाता है, जहाँ व्यक्ति अल्पमत के विचारों को दबा देते हैं।

कारण (R): ऐसे लोग अपने आस-पास के लोगों से अलगाव या पृथक्करण के भय से ग्रस्त होते हैं।

यह सिद्धांत बताता है कि सामाजिक अलगाव का भय ही लोगों को चुप रहने के लिए प्रेरित करता है।

8. (a)

अभिकथन (A): वैधता और अवैधता की शब्दावली आगमनात्मक तर्कों पर लागू नहीं होती है।

वैधता और अवैधता की शब्दावली केवल निगमनात्मक तर्कों के लिए प्रयुक्त होती है।

- आगमनात्मक तर्कों का मूल्यांकन उनकी प्रबलता या दुर्बलता से किया जाता है, अवैधता से नहीं।

कारण (R): 'एक आगमनात्मक तर्क में, निष्कर्ष की परिसरों में पर्यात्त आधार नहीं होता।'

आगमनात्मक तर्क विशिष्ट उदाहरणों से सामान्य निष्कर्ष की ओर बढ़ता है, इसलिए परिसर कभी भी निष्कर्ष की पुष्टि नहीं करते — वे केवल संभाव्य समर्थन प्रदान करते हैं।

9. (c)

A. फ़िशिंग (Phishing): यह एक धोखाधड़ी की तकनीक है जिसमें हमलावर विश्वसनीय स्रोत जैसा दिखने वाला नकली ईमेल भेजते हैं, ताकि पासवर्ड, क्रेडिट कार्ड विवरण जैसी संवेदनशील जानकारी प्राप्त कर सकें।

B. हैकिंग (Hacking): किसी कंप्यूटर प्रणाली या नेटवर्क की कमजोरियों को पहचानकर उनका उपयोग करते हुए डेटा तक अनधिकृत पहुँच बनाने की प्रक्रिया।

C. स्पैम (Spam): इंटरनेट पर बड़ी संख्या में भेजे जाने वाले अप्रासंगिक या अवांछित संदेश, जो प्राय: विज्ञापन या हानिकारक सॉफ़्टवेयर (मैलवेयर) फैलाने के लिए होते हैं।

D. कुकीज़ (Cookies): वेब ब्राउज़र द्वारा आपके उपकरण पर सहेजी गई छोटी डेटा फ़ाइलें, जो वेबसाइटों को आपकी पसंद, लॉगिन स्थिति और ब्राउज़िंग गतिविधि याद रखने में सहायता करती हैं।

10. (b)

हमें दिए गए जोड़ों को मानक त्रुटि (SE) के घटते क्रम में व्यवस्थित करना है।

सूत्र:

$$SE = \frac{\sigma}{\sqrt{n}}$$

A. $\sigma = 1.6, n = 16$

$$SE = \frac{1.6}{\sqrt{16}} = \frac{1.6}{4} = 0.40$$

B. $\sigma = 1.5, n = 25$

$$SE = \frac{1.5}{\sqrt{25}} = \frac{1.5}{5} = 0.30$$

C. $\sigma = 0.6, n = 36$

$$SE = \frac{0.6}{\sqrt{36}} = \frac{0.6}{6} = 0.10$$

D. $\sigma = 1.4, n = 49$

$$SE = \frac{1.4}{\sqrt{49}} = \frac{1.4}{7} = 0.20$$

11. (d)

A. विलयित ऑक्सीजन (DO): यह पानी में उपस्थित ऑक्सीजन को दर्शाता है, न कि उसकी खपत को।

B. रासायनिक ऑक्सीजन माँग (COD): यह कार्बनिक पदार्थों के रासायनिक ऑक्सीकरण के लिए आवश्यक ऑक्सीजन की मात्रा को मापता है। यह एक रासायनिक प्रक्रिया है, जैविक नहीं।

C. सैद्धांतिक ऑक्सीजन माँग (ThOD): यह ऑक्सीजन की माँग का मान है जो रससमीकरण (Stoichiometry) पर आधारित गणना से प्राप्त होता है। यह वास्तविक माप नहीं, बल्कि सैद्धांतिक अनुमान है।

D. ऑक्सीजन खपत (BOD): सूक्ष्मजीवों द्वारा कार्बनिक पदार्थों के ऑक्सीकरण में प्रयुक्त ऑक्सीजन को जैवरासायनिक ऑक्सीजन माँग (Biochemical Oxygen Demand - BOD) कहा जाता है।

12. (a)

प्रत्येक आश्रम विभाग एक विशिष्ट विषय से जुड़ा हुआ था — विष्णु ज्योतिष से, विवस्त्र यात्रा से, गरुड़ राजनीति से, और महेंद्र सैन्य शिक्षा से।

13. (a)

अभिकथन (A) सत्य है - प्रक्षेपीय प्रविधियां/प्रश्नपत्रीय प्रविधियाँ (जैसे रॉरशाह इंकब्लॉट, TAT) व्यक्तित्व मापन का एक अप्रत्यक्ष दृष्टिकोण प्रस्तुत करती हैं, जो स्व-वर्णनात्मक तालिकाओं (जैसे MMPI, बिग फाइव) से स्पष्ट रूप से भिन्न है।

कारण (R) भी सत्य है - स्व-वर्णनात्मक तालिकाओं में व्यक्ति को स्वयं के बारे में प्रश्नों के उत्तर देने होते हैं, अर्थात् स्वयं का वर्णन करना होता है।

14. (c): क्रमिक बट्टा/छूट के लिए समतुल्य एकल छूट का सूत्र है:

a% और b% की क्रमिक छूट = $a + b - \left(\frac{a \times b}{100}\right)$

गणना:

A. 10% और 15%→10 + 15− $\left(\frac{10 \times 15}{100}\right)$ = 25 − 1.5 = 23.5%

B. 20% और 30% → 20 + 30 − $\left(\frac{20 \times 30}{100}\right)$ = 50 − 6 = 44%

C. 10% और 20% → 10 + 20 − $\left(\frac{10 \times 20}{100}\right)$ = 30 − 2 = 28%

D. 10% और 25% → 10 + 25 − $\left(\frac{10 \times 25}{100}\right)$ = 35−2.5 = 32.5%

15. (a)

C. H_2O वाष्प -बहुत कम जीवनकाल (कुछ दिन)

D. CH_4 (मीथेन) -लगभग 12 वर्ष

B. N_2O (नाइट्रस ऑक्साइड) -लगभग 120 वर्ष

A. SF_6 (सल्फर हेक्साफ्लोराइड) -बहुत लंबा जीवनकाल (3,200 वर्ष)

16. (c)

हल:

पहला अक्षर (अंग्रेजी वर्णमाला):

$N \rightarrow K \rightarrow H \rightarrow ? \rightarrow B$

हर बार 3 अक्षर पीछे जा रहे हैं।

Missing = E

संख्यात्मक भाग (संख्या):

$7 \rightarrow 9 \rightarrow 12 \rightarrow ? \rightarrow 21$

अंतर क्रमश: +2, +3, +4, +5

Missing = 16

अंतिम अक्षर :

$V \rightarrow T \rightarrow R \rightarrow ? \rightarrow N$

हर बार 2 अक्षर पीछे जा रहे हैं।

Missing = P

17. (a)

- CC-BY (सर्वाधिक उदार लाइसेंस): यह किसी भी व्यक्ति को कार्य का उपयोग करने, साझा करने, रूपांतरित करने और उस पर आधारित नई रचना बनाने की अनुमति देता है। यहाँ तक कि व्यावसायिक प्रयोजन के लिए भी इसका उपयोग किया जा सकता है, बशर्ते मूल रचनाकार को श्रेय दिया जाए।
- CC-BY-SA (साझा करने की शर्त वाला लाइसेंस): इसमें श्रेय देना आवश्यक है और साथ ही यह शर्त भी है कि कार्य को उसी प्रकार के लाइसेंस के अंतर्गत साझा किया जाए।
- CC-BY-ND (संशोधन निषेध लाइसेंस): इसमें कार्य का किसी भी प्रकार से रूपांतरण या संशोधन करने की अनुमति नहीं होती। केवल मूल रूप में ही इसका उपयोग किया जा सकता है।
- CC-BY-NC (गैर-व्यावसायिक लाइसेंस): इसमें कार्य का उपयोग केवल गैर-व्यावसायिक उद्देश्यों के लिए किया जा सकता है।

18. (a)

(a) कार्य सूचि निर्धारण सिद्धांत → यह बताता है कि मीडिया लोगों को यह नहीं बताता कि क्या सोचना है, बल्कि यह बताता है किस बारे में सोचना है। मीडिया कुछ मुद्दों को प्रमुखता देता है, जिससे वे सार्वजनिक चर्चा में अधिक महत्वपूर्ण प्रतीत होते हैं।

(b) ज्ञान-अंतराल सिद्धांत → यह विभिन्न समूहों के बीच ज्ञान के स्तर में अंतर पर केंद्रित है।

(c) सीमित प्रभाव सिद्धांत → यह सुझाव देता है कि मीडिया का प्रभाव अन्य कारकों की तुलना में बहुत कम होता है।

(d) व्यक्तिगत प्रभाव सिद्धांत → यह मीडिया एजेंडा के बजाय पारस्परिक संचार के महत्व पर बल देता है।

19. (d)

A. प्रारंभिक तैयारी: यह आरंभिक चरण है जिसमें आवश्यक सूचनाएँ एकत्र की जाती हैं, समस्या को स्पष्ट रूप से परिभाषित किया जाता है और ज्ञान का आधार तैयार करने हेतु अनुसंधान किया जाता है।

E. उद भवन /अवचेतन प्रक्रिया: यह एक निष्क्रिय अवस्था होती है जब व्यक्ति समस्या से कुछ समय के लिए दूर हो जाता है। इस दौरान अवचेतन मन सूचनाओं को प्रसंस्कृत करता है और छिपे हुए संबंधों को जोड़ता है।

C. अंतर्दृष्टि की प्राप्ति (प्रकाशन): यह अचानक आने वाला 'आहा!' क्षण होता है, जब कोई संभावित समाधान या नया विचार अप्रत्याशित रूप से चेतन मन में प्रकट होता है।

B. मूल्यांकन: इस चरण में नए विचार का गहन परीक्षण किया जाता है। यह देखा जाता है कि वह विचार वैध, उपयोगी और व्यावहारिक है या नहीं।

D. संशोधन एवं परिष्करण: मूल्यांकन के आधार पर विचार को परिष्कृत किया जाता है, उसमें आवश्यक सुधार किए जाते हैं और उसे अंतिम रूप दिया जाता है।

20. (b)

A-प्रस्ताव (सार्वभौमिक सकारात्मक: 'सभी S, P हैं'): यह विषय वर्ग (Subject class) के प्रत्येक सदस्य के बारे में दावा करता है, लेकिन विधेय वर्ग (Predicate class) के प्रत्येक सदस्य के बारे में नहीं। अत: यह केवल विषय पदों (Subject terms) का वितरण करता है।

E-प्रस्ताव (सार्वभौमिक नकारात्मक: 'कोई भी S, P नहीं है'): यह बताता है कि विषय वर्ग का प्रत्येक सदस्य विधेय वर्ग से बाहर है। अत: यह विषय और विधेय दोनों पदों का वितरण करता है।

I-प्रस्ताव (विशिष्ट सकारात्मक: 'कुछ S, P हैं'): यह केवल यह दावा करता है कि कम-से-कम एक सदस्य S का, P का भी सदस्य है। यह सभी सदस्यों के बारे में कोई दावा नहीं करता। अत: यह न तो विषय और न ही विधेय पदों का वितरण करता है।

O-प्रस्ताव (विशिष्ट नकारात्मक: 'कुछ S, P नहीं हैं'): यह दावा करता है कि कम-से-कम एक सदस्य S का, पूरे P वर्ग से बाहर है। अत: यह केवल विधेय पदों का वितरण करता है।

21. (b)

A. $\frac{1}{4} + \frac{1}{4 \times 5} + \frac{1}{4 \times 5 \times 6} = \frac{37}{120}$

गणना: $\frac{30}{120} + \frac{6}{120} + \frac{1}{120} = \frac{37}{120}$

B. $1+2+\left(1+2+\left(1+\frac{1}{3}\right)\right) = \frac{22}{3}(\approx 7.33),\ \frac{4}{5}(0.8)$

C. 6 संख्याओं का योग = 6 × 7 = 42
3 संख्याओं का योग = 3 × 5 = 15
शेष 3 संख्याओं का योग = 42 – 15 = 27
औसत = 27 ÷ 3 = 9

D. माना संख्या x है।
प्रश्न के अनुसार (सामान्य अर्थ): x के 75% में 75 जोड़ने पर परिणाम आता है।
$0.75x + 75 = x \Rightarrow 0.25x = 75 \Rightarrow x = 300$

E. भिन्नों के दशमलव मान:
$\frac{9}{31} \approx 0.29, \frac{6}{23} \approx 0.26, \frac{3}{17} \approx 0.176, \frac{4}{11} \approx 0.363$

सबसे बड़ी भिन्न $\frac{4}{11}$ है, $\frac{9}{31}$

22. (c)

हार्डवेयर पद: कंप्यूटर प्रणाली के वे भौतिक भाग जिन्हें आप प्रत्यक्ष रूप से छू सकते हैं।

सॉफ्टवेयर: निर्देशों और प्रोग्रामों का समूह जो हार्डवेयर को कार्य करने योग्य बनाता है। उदाहरण: Windows ऑपरेटिंग सिस्टम।

हार्डवेयर पद

(a) बस (Bus):यह एक संचार प्रणाली है या समानांतर तारों का समूह, जो कंप्यूटर के भीतर विभिन्न घटकों के बीच डेटा का आदान-प्रदान करता है। उदाहरण: CPU और मेमोरी के बीच डेटा स्थानांतरण।

(b) स्विच (Switch): यह एक नेटवर्किंग उपकरण है जो कंप्यूटर नेटवर्क पर कई उपकरणों को जोड़ता है। यह पैकेट स्विचिंग तकनीक का उपयोग करके डेटा को केवल उसी गंतव्य तक पहुँचाता है जिसके लिए वह भेजा गया है।

(d) माउस (Mouse): यह एक हाथ में पकड़ा जाने वाला पॉइंटिंग उपकरण है। यह सतह के सापेक्ष द्वि-विमीय गति का पता लगाता है और उपयोगकर्ता को ग्राफ़िकल यूज़र इंटरफ़ेस (GUI) नियंत्रित करने की सुविधा देता है।

23. (b)

राष्ट्रीय जलवायु परिवर्तन कार्य योजना (NAPCC) के अंतर्गत राष्ट्रीय हरित भारत मिशन (Green India Mission) में पारंपरिक ज्ञान पर आधारित समुदायों (जैसे आदिवासी एवं वन-निवासी समुदाय) तथा उनकी आजीविका से जुड़े मुद्दों को स्पष्ट रूप से संबोधित किया गया है। इस मिशन के प्रमुख उद्देश्यों में शामिल हैं:

1. वनों एवं पारिस्थितिकी तंत्र की रक्षा, पुनर्बहाली और वृद्धि करना।
2. वन-आधारित आजीविका के अवसर बढ़ाकर स्थानीय समुदायों की आय में वृद्धि करना।
3. पारंपरिक ज्ञान और सामुदायिक भागीदारी को समर्थन देना।

24. (d)

A. (O कथन): कुछ S, P नहीं हैं → इसका रूपान्तरण (Conversion) वैध नहीं है।

B. (A कथन): सभी S, P हैं → इसका रूपान्तरण I कथन में होता है, A कथन में नहीं।

C. (E कथन): कोई भी S, P नहीं है → इसका रूपान्तरण सीधे E कथन में होता है, सीमाबद्ध रूपान्तरण द्वारा नहीं।

D. (I कथन): कुछ S, P हैं → इसका रूपान्तरण वैध है।

25. (b)

A. (सच्चे प्रायोगिक डिजाइन में स्वतंत्र चर): प्रयोग में स्वतंत्र चर को शोधकर्ता द्वारा नियंत्रित या परिवर्तित किया जाता है, अत: इसे नियंत्रण चर से जोड़ा जा सकता है।

B. (आक्रांति चर): यहाँ 'आक्रांति चर' से आश्रित चर (परिणाम चर) लिया गया है, जो प्रयोग का परिणाम होता है। अत: इसका मिलान परिणाम चर से होता है।

C. (अंत:स्थ चर): यह चर स्वतंत्र चर और आक्रांति (आश्रित) चर के बीच स्थित होता है, जो उनके संबंध को समझाता है। अत: यह स्वतंत्र चर व आक्रांति चर के मध्य स्थित से है।

D. (भ्रमण चर): यह एक अवांछित चर है जो प्रयोग के परिणामों को अमान्य कर सकता है, अत: इसे अप्रमाणिक चर से मिलाया गया है।

26. (d)

निर्मितिवाद (Constructionism): यह गुणात्मक शोध का मूल अभिविन्यास है। गुणात्मक शोध यह मानता है कि वास्तविकता कोई स्थिर, एकल वस्तु नहीं है जिसे खोजा जाना है। बल्कि यह वास्तविकता को मानवीय अनुभवों, भाषा और अंत:क्रियाओं के माध्यम से सामाजिक रूप से निर्मित मानता है। इसका अर्थ है कि वास्तविकता एक नहीं बल्कि अनेक हो सकती है, जो व्यक्ति के दृष्टिकोण पर निर्भर करती है, न कि किसी एक वस्तुनिष्ठ सत्य पर।

निम्नलिखित में क्यों नहीं

(c) वस्तुनिष्ठवाद (Objectivism): वस्तुनिष्ठवाद वह अस्तित्वगत (Ontological) दृष्टिकोण है जिसमें सामाजिक घटनाएँ और उनके अर्थ सामाजिक अभिनेताओं से स्वतंत्र रूप से मौजूद माने जाते हैं। यह मात्रात्मक शोध (Quantitative Research) की नींव है, जो एकल और स्थिर वास्तविकता को मापने का प्रयास करता है।

(b) प्रत्यक्षवाद (Positivism): प्रत्यक्षवाद एक ज्ञानमीमांसीय (Epistemological) अभिविन्यास है (यानी हम जो जानते हैं उसे कैसे जानते हैं), न कि अस्तित्वगत। यह प्रेक्षणीय और मापने योग्य तथ्यों पर आधारित होता है और सामान्यत: वस्तुनिष्ठवाद तथा मात्रात्मक विधियों से जुड़ा होता है।

(a) निगमनात्मक (Deductive): निगमनात्मक तर्क एक शोध रणनीति है जिसमें आप पहले सिद्धांत से शुरू करते हैं और फिर उसे परखते हैं। गुणात्मक शोध सामान्यत: आगमनात्मक (Inductive) तर्क का उपयोग करता है, जिसमें सिद्धांत डेटा से उत्पन्न होते हैं।

27. (b)

A. प्राथमिक वायु प्रदूषक → कार्बन मोनोऑक्साइड
यह सीधे वायुमंडल में उत्सर्जित होने वाली हानिकारक गैस है।

B. द्वितीयक वायु प्रदूषक → पेरोक्सीएसिल नाइट्रेट
यह वायुमंडल में रासायनिक अभिक्रियाओं द्वारा निर्मित होता है, सीधे उत्सर्जित नहीं किया जाता।

C. ओज़ोन-क्षयकारी पदार्थ → क्लोरोफ्लोरोकार्बन (CFC)
सीएफसी समताप मंडल में ओज़ोन परत को नष्ट करते हैं।

D. मेघ संघनन केंद्रक → एयरोसोल
ये सूक्ष्म कण होते हैं जिन पर जलवाष्प संघनित होकर बादलों का निर्माण करता है।

28. (d)

A. मनो-यौनिक विकास - फ्रॉयड के सिद्धांत से संबंधित है, जिसमें गुदा चरण एक प्रमुख अवस्था है।

B. मनो-सामाजिक विकास - एरिक एरिकसन के सिद्धांत से संबंधित है, जिसमें पहचान बनाम भूमिका विश्वम किशोरावस्था की प्रमुख समस्या है।

C. संज्ञानात्मक विकास - पियाजे के सिद्धांत से संबंधित है, जिसमें प्राक्कल्पित-निगमनात्मक तर्कणा औपचारिक संक्रियात्मक अवस्था की विशेषता है।

D. नैतिक विकास - कोह्लबर्ग के सिद्धांत से संबंधित है, जिसमें आचार विषयक दुविधा का समाधान नैतिक विकास का मुख्य तत्व है।

29. (c)

A. Visitor (आगंतुक/विजिटर): राष्ट्रपति (उच्चतम अधिकार)

C. Chancellor (कुलाधिपति): औपचारिक अध्यक्ष

E. Vice-Chancellor (कुलपति): कार्यकारी एवं शैक्षणिक प्रमुख

B. Dean of the Faculty (संकाय अध्यक्ष): संकाय का शैक्षणिक प्रमुख (कुलपति के बाद, विभागाध्यक्ष से ऊपर)

D. Head of Department (विभागाध्यक्ष): एक विभाग का प्रमुख

30. (b)

(b) मापन में वैधता (Validity) का अर्थ है: क्या उपकरण वास्तव में उसी वस्तु को मापता है, जिसे वह मापने का दावा करता है?

(a) यह अवधारणा मात्रात्मक शोध (Quantitative Research) में अत्यंत महत्वपूर्ण है, क्योंकि इसमें मानकीकृत उपकरणों, मापनी (स्केल) और संख्यात्मक आँकड़ों पर निर्भरता होती है।

(b) गुणात्मक शोध (Qualitative Research) में मुख्य ध्यान विश्वसनीयता (Credibility), भरोसेमंदता (Trustworthiness) और व्याख्या (Interpretation) पर होता है, न कि कठोर मापन-वैधता पर।

(c, d) निमिर्तीवाद (Interpretivism) और निर्माणवाद (Constructionism) दार्शनिक दृष्टिकोण हैं, जिनका सीधा संबंध मापन-वैधता से नहीं होता।

31. (b)

D. परिवर्तन प्रेरक / एजेंट (Change Agents/Innovators): ये वे लोग होते हैं जो किसी भी नवाचार को सबसे पहले प्रारंभ करते हैं।

C. आरंभिक अंगीकारकर्ता (Early Adopters): ये नए विचारों और तकनीकों को तुरंत स्वीकार कर लेते हैं।

B. मत नेता (Opinion Leaders): ये प्रभावशाली व्यक्ति होते हैं जो नवाचार को समाज में आगे फैलाते हैं।

A. मत अनुयायी (Opinion Followers): ये बाद में नवाचार को अपनाते हैं और प्राय: मत नेताओं से प्रभावित होते हैं।

E. पिछड़े/फिसड्डी (Laggards): ये अंतिम समूह होते हैं, जो परिवर्तन के प्रति प्रतिरोधी रहते हैं और सबसे अंत में नवाचार को अपनाते हैं।

32. (a)

सक्रिय दर्शक सिद्धांत यह मानता है कि दर्शक निष्क्रिय नहीं बल्कि सक्रिय होते हैं। वे मीडिया सामग्री को अपने अनुभवों, संदर्भों और आवश्यकताओं के आधार पर व्याख्या करते हैं। इसलिए शोध का ध्यान इस बात पर होता है कि 'लोग मीडिया के साथ क्या करते हैं' (Uses and Gratifications) न कि 'मीडिया लोगों के साथ क्या करता है'।

33. (b)

A. क्लोज़-एंडेड प्रश्नों में निश्चित विकल्प होते हैं, इसलिए डेटा विश्लेषण आसान होता है।

B. यह ओपन-एंडेड प्रश्नों की विशेषता है, क्लोज़-एंडेड की नहीं।

C. केवल विकल्प चुनने होते हैं, इसलिए भरना आसान होता है।

D. क्लोज़-एंडेड प्रश्नों में उत्तर सीमित होते हैं, नए/असामान्य उत्तर नहीं मिलते।

34. (c)

नीचे दिए गए तालिका में कंप्यूटर नेटवर्क के विभिन्न प्रकारों को उनके पैमाने और कवरेज के आधार पर सारांशित किया गया है:

नेटवर्क प्रकार	पूरा नाम	कवरेज क्षेत्र	सामान्य उदाहरण
PAN	पर्सनल एरिया नेटवर्क	सबसे छोटा; व्यक्ति के आसपास कुछ मीटर तक फैला होता है।	ब्लूटूथ, वायरलेस हेडफोन, व्यक्तिगत उपकरण।
LAN	लोकल एरिया नेटवर्क	एक छोटे स्थानीय क्षेत्र जैसे एक इमारत, घर, या ऑफिस कैंपस को कवर करता है।	ईथरनेट, स्कूल या ऑफिस में वाई-फाई।
MAN	मेट्रोपॉलिटन एरिया नेटवर्क	एक बड़े भौगोलिक क्षेत्र जैसे पूरा शहर या बड़ा कस्बा कवर करता है।	केबल टीवी नेटवर्क, शहर-व्यापी वाई-फाई।
WAN	वाइड एरिया नेटवर्क	सबसे बड़ा; दूर-दूर तक फैला होता है जैसे देश, महाद्वीप, या पूरी दुनिया।	इंटरनेट।

35. (a)

अभिकथन (A) सत्य है: पवन चक्की को जमीन से अधिक ऊँचाई पर लगाने से वह अधिक प्रभावी होती है, क्योंकि ऊँचाई पर हवा की रफ़्तार अधिक होती है और वायु प्रवाह में कम अवरोध होते हैं।

कारण (R) सत्य है: पृथ्वी की सतह से ऊपर की ओर जाने पर हवा की गति सामान्यतः बढ़ती जाती है, क्योंकि सतही घर्षण कम हो जाता है।

36. (d)

(a) अंक (Digit): यह 0 से 9 तक की संख्याओं को दर्शाता है। यह कंप्यूटर की सबसे छोटी इकाई नहीं है, बल्कि सामान्य गणना में प्रयुक्त संख्यात्मक प्रतीक है।

(b) बाइट (Byte): यह 8 बिट्स के बराबर होता है। बाइट, बिट से बड़ी इकाई है और कंप्यूटर में डेटा संग्रहण की मानक इकाई के रूप में प्रयुक्त होती है।

(c) निबल (Nibble): यह 4 बिट्स के बराबर होता है। निबल भी बिट से बड़ी इकाई है और आधे बाइट के रूप में जाना जाता है।

(d) बिट (Bit): यह बाइनरी अंक (0 या 1) का दर्शाता है। बिट कंप्यूटर द्वारा प्रोसेस की जाने वाली सूचना की सबसे छोटी और मूलभूत इकाई है।

37. (a)

पहले साइकिल चालक की गति = 15 कि.मी./घं.

दूसरे साइकिल चालक की गति = 16 कि. मी./घं.

पहले चालक को दूसरे से 16 मिनट अधिक समय लगता है

$= \frac{16}{60} = \frac{4}{15}$ घंटा

मान लें तय की गई दूरी = D कि.मी.

समय का अंतर:

$$\frac{D}{15} - \frac{D}{16} = \frac{4}{15}$$

LCM

$$\frac{16D - 15D}{240} = \frac{4}{15}$$

$$\frac{D}{240} = \frac{4}{15}$$

$$D = \frac{4 \times 240}{15} = 64$$

इसलिए प्रत्येक साइकिल चालक द्वारा तय की गई दूरी = 64 कि.मी.

38. (a): भिन्नों को दशमलव में बदलकर तुलना करें—

B. 7/19 = 0.368

A. 2/3 = 0.667

E. 7/9 =0.778

C. 9/11 =0.818

D. 8/9 = 0.889 (सबसे बड़ा)

इसलिए आरोही क्रम है: B < A < E < C < D

39. (a)

अभिकथन (A): राष्ट्रीय शिक्षा नीति, 2020 (NEP 2020) ने '*शोध-साध्य विश्वविद्यालयों*' की परिकल्पना की है।

यह कथन सत्य है, क्योंकि NEP 2020 में शोध पर बल देने वाले विश्वविद्यालयों की कल्पना की गई है।

कारण (R): NEP 2020 ने विश्वविद्यालय को उस स्थान के रूप में देखा है जो शिक्षण और शोध दोनों पर समान रूप से बल देता है।

यह भी सत्य है, क्योंकि नीति में विश्वविद्यालयों को शिक्षण और शोध के संतुलित केंद्र के रूप में प्रस्तुत किया गया है।

(A और R): चूँकि '*शोध-साध्य विश्वविद्यालयों*' की परिकल्पना का कारण यही है कि विश्वविद्यालय शिक्षण और शोध दोनों पर समान बल दें, अत: (R), (A) की सही व्याख्या है।

40. (c)

- कथन A सत्य है – अज्ञान मूलक युक्ति (argument from ignorance) में वस्तुत: किसी चीज़ को सिर्फ इसलिए स्वीकार कर लिया जाता है क्योंकि उसे गलत सिद्ध नहीं किया गया है।
- कथन B असत्य है – अविचारित सामान्यीकरण (hasty generalization) वास्तव में अपर्याप्त उदाहरणों से व्यापक निष्कर्ष निकालने का दोष है, न कि किसी सामान्य सत्य को विशिष्ट मामले पर बिना विचार किए लागू करना (यह 'दुर्घटना दोष' fallacy of accident है)।
- कथन C असत्य है – आत्माश्रम (शायद आत्माश्रय या पोस्ट होक का गलत नाम) दोष का वर्णन कारण–कार्य भ्रम के रूप में किया गया है, परंतु यह नाम और विवरण सटीक रूप से मेल नहीं खाते।
- कथन D सत्य है – वाक्यशील तर्कदोष (fallacy of amphiboly) तब होता है जब वाक्य की व्याकरणिक संरचना के कारण अर्थ अस्पष्ट होता है।

41. (d)

A. स्प्रेडशीट - एप्लिकेशन सॉफ़्टवेयर (जैसे - एमएस एक्सेल)

B. शब्द संसाधात्रित - एप्लिकेशन सॉफ़्टवेयर (जैसे - एमएस वर्ड)

C. प्रचारण प्रणाली – सिस्टम सॉफ़्टवेयर (एप्लिकेशन सॉफ़्टवेयर नहीं)

D. डेटाबेस – एप्लिकेशन सॉफ़्टवेयर (जैसे – ओराकल, MySQL के फ्रंट-एंड टूल्स)

E. कंपाइलर – सिस्टम सॉफ़्टवेयर (इसका उपयोग कोड का अनुवाद करने के लिए किया जाता है)

42. (a)

A. आलंकारिक (Rhetorical): यह संचार को प्रभावी ढंग से बोलने या लिखने की एक व्यावहारिक कला मानता है जिसका उद्देश्य दूसरों को प्रभावित करना है।

B. संकेत विज्ञान संबंधी (Semiotic): यह संचार को संकेतों, प्रतीकों और चिन्हों के माध्यम से अर्थ साझा करने की एक प्रक्रिया के रूप में देखता है।

C. घटना क्रिया विज्ञानी (Phenomenological): यह संचार को व्यक्तिगत अनुभवों और प्रामाणिक संवाद के माध्यम से दूसरों के दृष्टिकोण (अन्यत्व) को समझने का माध्यम मानता है।

D. आलोचनात्मक (Critical): यह संचार को सामाजिक शक्ति और विचारधाराओं के प्रभाव को समझने के लिए एक तर्कमूलक और विश्लेषणात्मक चिंतन मानता है।

43. (b)

भूख: एक शारीरिक आवश्यकता (Hunger: A Physiological Need)

- जीवन के लिए अनिवार्य: भूख एक शारीरिक आवश्यकता है जो जीवन के अस्तित्व के लिए आवश्यक है।
- जैविक बनाम सामाजिक प्रेरक: उपलब्धि (Achievement) या शक्ति (Power) जैसे सामाजिक प्रेरकों के विपरीत, भूख का संबंध शरीर के जीवित रहने और ऊर्जा की पूर्ति से है।
- असंतुलन की स्थिति: जब शरीर में ऊर्जा या पोषक तत्वों की कमी होती है, तो यह एक आंतरिक तनाव (Drive) पैदा करता है, जो हमें भोजन खोजने और खाने के लिए प्रेरित करता है।

44. (b)

सतप्रतिपक्ष (कुछ ग्रंथों में प्रकरणसम भी कहा गया है) न्याय-तर्कशास्त्र (Nyāya logic) में हेत्वाभास (अनुमान का तर्कदोष) का एक प्रकार है। यह तब होता है जब किसी अनुमान का मध्य पद (हेतु) किसी अन्य उतने ही प्रबल अनुमान (भिन्न मध्य पद के साथ) द्वारा संतुलित या खंडित कर दिया जाता है, जो विपरीत निष्कर्ष (अर्थात् मूल साध्य का निषेध) सिद्ध करता है।

(a) यह अन्य प्रकार का दोष है, सतप्रतिपक्ष नहीं।

(c) यह स्वयंसिद्ध विरोध जैसा दोष है, सतप्रतिपक्ष नहीं।

(d) यह अलग प्रकार का दोष है, सतप्रतिपक्ष से संबंधित नहीं।

45. (d)

(a) मुक्त अभिगम पत्रिकाएँ (Open Access Journals): ये वैध पत्रिकाएँ होती हैं जो सामग्री को नि:शुल्क उपलब्ध कराती हैं। इन्हें हानिकारक नहीं माना जाता।

(b) स्वामित्व वाली पत्रिकाएँ (Proprietary Journals): ये किसी संगठन या प्रकाशक के स्वामित्व में होती हैं, परंतु इन्हें अनैतिक प्रथाओं से परिभाषित नहीं किया जाता।

(c) व्यावसायिक पत्रिकाएँ (Professional Journals): ये विद्वत्तापूर्ण और सहकर्मी-समीक्षित (Peer-reviewed) होती हैं तथा सामान्यत: प्रतिष्ठित मानी जाती हैं।

(d) शोषणकारी पत्रिकाएँ (Predatory Journals): ये लेखकों का शोषण करती हैं, बिना उचित सहकर्मी समीक्षा के शुल्क लेती हैं, भ्रामक तरीकों का उपयोग करती हैं और विद्वत्ता की अपेक्षा लाभ कमाने को प्राथमिकता देती हैं।

46. (c)

47. (c)

48. (a)

49. (b)

50. (d)

यूजीसी नेट प्रश्न पत्र 1 जून, 2025

नोटः

- इस प्रश्नपत्र में पचास (50) बहु-विकल्पीय प्रश्न हैं। प्रत्येक प्रश्न के दो (2) अंक हैं।
- सभी प्रश्न अनिवार्य हैं।

निम्न तालिका में वर्ष 2023 व 2024 में छह भिन्न-भिन्न विद्यालयों (A-F) से 10+2 परीक्षा में उत्तीर्ण विद्यार्थियों (बालक व बालिकाओं) की संख्या और बालिकाओं का प्रतिशत दर्शाया गया है। तालिका में प्रदत्त डाटा के आधार पर आगे पूछे गए प्रश्नों के उत्तर दीजिए:

10+2 परीक्षा में उत्तीर्ण विद्यार्थियों का विद्यालय-वार विवरण

विद्यालय	वर्ष			
	2023		2024	
	उत्तीर्ण विद्यार्थियों की संख्या	उत्तीर्ण बालिकाओं का प्रतिशत	उत्तीर्ण विद्यार्थियों की संख्या	उत्तीर्ण बालिकाओं का प्रतिशत
A	500	46%	550	44%
B	600	42%	640	40%
C	650	56%	560	45%
D	720	60%	800	48%
E	600	54%	840	55%
F	650	50%	750	36%

1. सभी छह विद्यालयों (A-F) को मिलाकर वहां से वर्ष 2024 में 10+2 परीक्षा में उत्तीर्ण बालकों की औसत संख्या क्या है?

(a) 376 (b) 377
(c) 378 (d) 379

2. वर्ष 2023 में विद्यालय A से उत्तीर्ण बालकों की संख्या का वर्ष 2023 में विद्यालय E से उत्तीर्ण बालिकाओं की संख्या से क्या अनुपात है?

(a) 4:3 (b) 5:4
(c) 5:6 (d) 6:7

3. विद्यालय F के लिए वर्ष 2024 में उत्तीर्ण बालकों की संख्या वर्ष 2023 में उत्तीर्ण बालकों की संख्या से लगभग ________% अधिक है।

(a) 42.5 (b) 47.7
(c) 52.8 (d) 57.5

4. वर्ष 2024 में सभी छह विद्यालयों से उत्तीर्ण बालिकाओं की औसत संख्या वर्ष 2023 में विद्यालय A से उत्तीर्ण विद्यार्थियों की संख्या का ________% है।

(a) 61.1 (b) 62.2
(c) 63.3 (d) 64.4

5. वर्ष 2023 और वर्ष 2024 में केवल ________ विद्यालयों में परीक्षा में उत्तीर्ण बालकों की संख्या 300 से अधिक है।

(a) दो (b) तीन
(c) चार (d) पांच

6. अनुभवजन्य अधिगम में शिक्षक की भूमिका ________ की नहीं हो सकती।

(a) शिक्षक (कोच) (b) परामर्शदाता (मेंटर)
(c) अनुशिक्षक (ट्यूटर) (d) प्रौद्योगिकी (तकनीकी)

7. निम्नलिखित में से किसे स्व-उत्पन्न प्रतिपुष्टि नहीं माना जाता है?

(a) आश्वासन (b) पूर्वदर्शन करना
(c) प्रारंभ से अवलोकन (d) पर्यवेक्षण

8. ब्लूम टेक्सोनॉमी के स्तर को संज्ञानात्मक क्षेत्र में नीचे से ऊपर के क्रम में व्यवस्थित कीजिए:

A. विश्लेषण करना B. समझना
C. प्रयोग में लाना D. मूल्यांकन करना
E. स्मरण करना

नीचे दिए गए विकल्पों में से सही उत्तर चुने:

(a) B, E, C, A, D (b) E, B, C, A, D
(c) E, B, C, D, A (d) E, B, D, A, C

9. निम्नलिखित में से किसे आंकलन का साधन माना जाता है?

A. टेस्ट B. परीक्षायें
C. निर्देशन D. वर्कशीटें
E. प्रश्नोत्तरियाँ

नीचे दिए गए विकल्पों में से सही उत्तर चुनें:

(a) केवल A, B और E (b) केवल B, C, D और E
(c) केवल D और E (d) केवल A, B, D और E

10. सूची-I के साथ सूची-II का मिलान कीजिए:

सूची-I (सिद्धांत)	सूची-II (आशय)
(1) अधिगम उद्देश्यों के प्रति छात्रों की गहन अभिवृत्ति को प्रोत्साहित करना	(i) आंकलन प्रथाओं के भीतर ही प्रतिपुष्टि शामिल की जानी चाहिए
(2) संकलनात्मक और निर्माणात्मक आंकलन अधिगम-उन्मुख होने चाहिए	(ii) कर्यक्रम-विस्तार परिप्रेक्ष्य से कार्य डिजाइन तक पहुँचा जाना चाहिए
(3) प्रतिपुष्टियों को संवाद-रूप में सुकर बनाना	(iii) छात्रों द्वारा स्वामित्व की अधिक भावना
(4) कुछ व्यक्तिगत छात्र निवेश को शामिल करना	(iv) छात्रों के अभिप्रेरण के लिए विविध प्रकार के आंकलन

नीचे दिए गए विकल्पों में से सही उत्तर का चयन कीजिए:

(a) (1)–(i), (2)–(ii), (3)–(iii), (4)–(iv)
(b) (1)–(ii), (2)–(iv), (3)–(i), (4)–(iii)
(c) (1)–(iv), (2)–(ii), (3)–(iii), (4)–(i)
(d) (1)–(iii), (2)–(i), (3)–(ii), (4)–(iv)

11. निम्न में से क्या शोध नहीं है?

(a) शोध ज्ञान के उन्नयन के उद्देश्य से किसी परिघटना की सावधानीपूर्वक व विस्तृत जांच होता है।
(b) यह सामान्य सिद्धांत निगमित करने के उद्देश्य हेतु समस्या के अध्ययन के लिए व्यवस्थित और वस्तुपरक प्रयास होता है।
(c) शोध सहज बुद्धि ज्ञान पर आधारित होता है, लोगों के संचित अनुभवों व विश्वासों पर आधारित होता है।
(d) यह समस्या के समाधान की खोज हेतु, सुव्यवस्थित जांच होता है।

12. वैज्ञानिक प्रेक्षण निम्न में से किस पर आधारित होता है?

(a) सत्यापन योग्य साक्ष्य अथवा उद्धरण योग्य सबूत का सुव्यवस्थित निकाय
(b) संचित अनुभव
(c) पूर्वग्रह
(d) जन विश्वास

13. डाटासेटों के भिन्न-भिन्न समुच्चयों X व Y हेतु, X व Y का सहसंबंध गुणांक अर्थात् R, और X व Y का मानक विचलन अर्थात् S(X) and S(Y) नीचे दिया गया है। प्रत्येक डाटा सेट हेतु X व Y के बीच के सहप्रसरण का आकलन कीजिए और उसे आरोही क्रम में व्यवस्थित कीजिए:

A. R = 0.5, S(X) = 8, S(Y) = 10
B. R = 4/7, S(X) = 7, S(Y) = 9
C. R = 0.7, S(X) = 12, S(Y) = 5
D. R = 19/42, S(X) = 14, S(Y) = 6

नीचे दिए गए विकल्पों में से सही उत्तर चुनें:

(a) B, A, D, C (b) C, B, A, D
(c) B, D, A, C (d) A, C, D, B

14. प्राक्कल्पना रचना हेतु मानदंड हैं:

A. इसे केवल एक मामले का वर्णन करना चाहिए।
B. इसे अनेक मामलों का वर्णन करना चाहिए।
C. इसे उन चरों को विनिर्दिष्ट करना चाहिए जिनके बीच संबंध स्थापित किया जाना है।

D. इसे स्पष्ट और सुनिश्चित होना चाहिए।

E. यह आनुभविक रूप से जांच योग्य होना चाहिए चाहे यह सही हो अथवा गलत।

नीचे दिए गए विकल्पों में से सही उत्तर चुनें:

(a) केवल B (b) केवल A, B और C

(c) केवल A, C, D और E (d) केवल A, B, C और D

15. सूची-I के साथ सूची-II का मिलान कीजिए:

सूची-I (अवधारणाएं)	सूची-II (अर्थ)
(1) सिद्धांत	(i) किसी तंत्र या वस्तु का सामान्यीकृत निरूपणं, जो उस तंत्र के कुछ पहलुओं या समग्र तंत्र के अनुरूप रचित है।
(2) निदर्श/प्रतिरूप	(ii) शोध समस्या को एक गणितीय निदर्श के द्वारा निरुपित किया गया है।
(3) सर्वेक्षण	(iii) यह एक व्यवस्थित ढंग से अन्त: सम्बन्धित प्रस्थापनाओं का समुच्चय है जो किसी परिघटना या तथ्य को व्याख्यायित या अनुमानित करता है।
(4) निदर्शन/प्रतिरुपण	(iv) यह किसी प्रश्नावली का उपयोग करके डाटा संग्रहण की एक तकनीक है।

नीचे दिए गए विकल्पों में से सही उत्तर का चयन कीजिए:

(a) (1)–(i), (2)–(ii), (3)–(iii), (4)–(iv)

(b) (1)–(iv), (2)–(iii), (3)–(ii), (4)–(i)

(c) (1)–(ii), (2)–(iii), (3)–(iv), (4)–(i)

(d) (1)–(iii), (2)–(i), (3)–(iv), (4)–(ii)

16. जब कोई व्यक्ति स्वयं से बात कर रहा होता है अथवा निद्रावस्था में सोच अथवा स्वप्न देख रहा होता है, तो इस प्रकार का संचार निम्न रूप से जाना जाता है ________

(a) अंतर्वैयक्तिक (b) अन्त: वैयक्तिक

(c) अंतर्सांस्कृतिक (d) अंतर्राष्ट्रीय

17. यदि प्रेषक ने विचार, सोच अथवा संदेश का समुचित रूप से निरूपण नहीं किया है तो यह संचार में अवरोध बन सकता है। यह अवरोध किस स्तर पर हो सकता है?

(a) संचरण चरण (b) विसंकेतक के अंत में

(c) संकेतक के स्तर पर (d) तकनीकी चरण

18. 28 फरवरी, 2025 की स्थिति अनुसार निम्न भारतीय फिल्मों में से उच्चतम से न्यूनतम आय करने वाली फिल्मों का सही क्रम क्या है?

A. बाहुबली-2 B. आर आर आर

C. पुष्पा-2 D. के जी एफ- चैप्टर 2

E. दंगल

नीचे दिए गए विकल्पों में से सही उत्तर चुनें:

(a) E, A, C, B, D (b) A, B, C, D, E

(c) B, A, D, E, C (d) D, B, C, A, E

19. निम्न में से कौन-कौन मीडिया संगठन हैं?

A. भारत के समाचार पत्र पंजीयक (आर एन आई)

B. राष्ट्रीय फैशन प्रौद्योगिकी संस्थान (एन आई एफ टी)

C. भारतीय प्रेस परिषद (पी सी आई)

D. आडिट ब्यूरो ऑफ़ सर्कुलेशन लि. (ए बी सी)

E. यूनिवर्सिटी स्कूल ऑफ़ मास कम्युनिकेशन (यू एस एम सी)

नीचे दिए गए विकल्पों में से सही उत्तर चुनें:

(a) केवल B और E (b) केवल A और B

(c) केवल A, C और D (d) केवल A, B और C

20. सूची-I के साथ सूची-II का मिलान कीजिए:

सूची-I (फ़िल्में)	सूची-II (जारी होने का वर्ष)
(1) मुगले आज़म	(i) 1975
(2) शोले	(ii) 1973
(3) बॉबी	(iii) 1989
(4) मैंने प्यार किया	(iv) 1960

नीचे दिए गए विकल्पों में से सही उत्तर का चयन कीजिए:

(a) (1)–(i), (2)–(ii), (3)–(iii), (4)–(iv)

(b) (1)–(iv), (2)–(i), (3)–(ii), (4)–(iii)

(c) (1)–(iv), (2)–(iii), (3)–(ii), (4)–(i)

(d) (1)–(iii), (2)–(ii), (3)–(iv), (4)–(i)

21. निम्नश्रृंखला में गलत संख्या का पता लगाएं: 3, 12, 36, 144, 432, 1738, 5184

(a) 12 (b) 432

(c) 1738 (d) 5184

22. कतिपय भाषा में 'GERMANY' को 9, 7, 20, 15, 3, 16, 27 के रूप में कूटबद्ध किया गया है। तो उपयुक्त भाषा में 'FRANCE' को कैसे कूटबद्ध किया जाएगा?

(a) 7, 19, 2, 15, 4, 6 (b) 8, 20, 30, 16, 5, 7

(c) 8, 20, 3, 16, 5, 7 (d) 6, 18, 1, 14, 3, 5

23. किसी योजना में 2 वर्ष के लिए प्रतिवर्ष 7% के साधारण ब्याज पर निवेश की गई धनराशि ₹8000 पर अर्जित ब्याज इसी योजना में 5 वर्ष के लिए उसे ब्याज दर पर निवेश की गई अन्य धनराशि P पर अर्जित ब्याज का आधा है। तो धनराशि P का मूल्य ज्ञात कीजिए।

(a) ₹ 6200 (b) ₹ 6000

(c) ₹ 6400 (d) ₹ 5000

24. निम्न में से कौन सा/से कथन सही है?

A. x मी./से. की गति $x\frac{5}{18}$ कि.मी./घंटे के बराबर है

B. यदि कोई रेलगाड़ी अपनी सामान्य गति के $\frac{5}{6}$ रफ्तार से चलती है तो इसे 10 मिनट की देरी होती है। उस यात्रा को पूरा करने में रेलगाड़ी को सामान्यता 40 मिनट का समय लगता है।

C. एक कार 80 कि.मी./घंटे की गति से चलती है। कार की गति मीटर प्रति सेकंड में $22\frac{2}{9}$ है।

D. एक व्यक्ति 600 मीटर लंबी गली को 5 मिनट में पूरा करता है। उस व्यक्ति की गति कि.मी. प्रति घंटे में 7.2 है।

नीचे दिए गए विकल्पों में से सही उत्तर चुनें:

(a) केवल A, B और C (b) केवल A और B

(c) केवल B, C और D (d) केवल C ओर D

25. कोई व्यक्ति 5% साधारण ब्याज पर ऋण लेता है। वह एक वर्ष बाद उसे ₹ 3000 लौटाता है। 2 वर्ष के अन्त में उसे देय धन चुकाने के लिए कितनी धनराशि देनी होगी?

(a) ₹ 2450 (b) ₹ 2500

(c) ₹ 2350 (d) ₹ 2400

26. निम्नलिखित कथन में कौन-सा तर्कदोष विद्यमान है-
'मैं अपेक्षा कर सकता हूँ कि गर्भपात को गैर क़ानूनी बनाने में आपको कुछ अनैतिक नहीं लगेगा, क्योंकि महिलाओं के अधिकारों के लिए सहानुभूति महसूस करने की आपकी क्षमता आमतौर पर बहुत सीमित है'?

(a) आत्माश्रय दोष (b) व्यक्ति पर आघात

(c) अविचारित सामान्यीकरण (d) फिसलनयुक्त ढलान

27. निम्नलिखित में से कौन-से कथन तार्किक दृष्टि से समान हैं?

A. कोई भी साबुन लेखन-उपकरण नहीं होता है।

B. सभी साबुन गैर-लेखन उपकरण होते हैं।

C. कोई भी गैर-लेखन उपकरण साबुन नहीं होता है।

D. कोई भी लेखन उपकरण साबुन नहीं होता है।

नीचे दिए गए विकल्पों में से सही उत्तर चुनें:

(a) केवल A और D (b) केवल A, B और D

(c) केवल B और C (d) केवल A और C

28. निम्नलिखित में से कौन-सी प्रतिज्ञप्तियाँ इस प्रकार संबंधित हैं कि वे दोनों असत्य नहीं हो सकतीं, हालाँकि वे दोनों सत्य हो सकती हैं?

A. कुछ कविताएँ कलाकृतियाँ होती हैं।

B. सभी कविताएँ कलाकृतियाँ होती हैं।

C. कुछ कविताएँ कलाकृतियाँ नहीं होती हैं।

D. कुछ कलाकृतियाँ कविताएँ होती हैं।

नीचे दिए गए विकल्पों में से सही उत्तर चुनें:

(a) केवल A और D (b) केवल A और C

(c) केवल B और C (d) केवल A और B

29. निम्नलिखित पद को बढ़ते वस्त्वर्थ के क्रम में व्यवस्थित कीजिए:

A. शतरंज B. बोर्ड गेम्स

C. खेलकूद D. इनडोर गेम्स

नीचे दिए गए विकल्पों में से सही उत्तर चुनें:

(a) A, B, C, D (b) C, D, A, B

(c) C, D, B, A (d) A, B, D, C

30. 'विश्व एक परिणाम है और इसलिए इसका फलोत्पादक और बौद्धिक कारण होना चाहिए। वह फलोत्पादक और बौद्धिक कारण ईश्वर है' इस युक्ति में प्राचीन भारतीय तर्कशास्त्र मत (न्याय) के अनुसार ज्ञान के किस साधन का प्रयोग किया जाता है?

(a) प्रत्यक्ष (b) अनुमान

(c) उपमान (d) मौखिक सत्ता

31. ________ में सूचना प्रदान करने वाला प्रत्येक उपकरण कंप्यूटर नेटवर्क में प्रत्येक अन्य उपकरण से जुड़ा होता है।

(a) स्टार टोपोलॉजी (b) मेश टोपोलॉजी

(c) बस टोपोलॉजी (d) रिंग टोपोलॉजी

32. निम्नलिखित में से कौन-सा वेब ब्राउजर नहीं है?

(a) ओपेरा (b) सफारी

(c) फायरफाक्स (d) गूगल

33. A से D तक के शब्दों के अनुक्रम की पहचान कीजिए जिनसे निम्नलिखित पैराग्राफ में रिक्त स्थानों को सही रूप में भरा जाता है:
किसी टैग में एकत्रित सूचनाओं को पढ़ने और प्राप्त करने के लिए रेडियो ________ आइडेंटिफिकेशन सिस्टम में रेडियो वेव्स का

प्रयोग किया जाता है, जिन्हें कई मीटर दूर से पढ़ा जा सकता है। यह ________ डेटा का भंडारण और प्रक्रमण करने के लिए ________ से बना है और डेटा को प्राप्त करने और प्रेषित करने के लिए ________ से बना है।

A. टैग B. फ्रीक्वेंसी
C. एंटेना D. माइक्रोचिप

नीचे दिए गए विकल्पों में से सही उत्तर चुनें:

(a) B, D, A, C (b) C, A, D, B
(c) B, A, D, C (d) A, C, B, D

34. निम्नलिखित में से कौन-से कथन सत्य हैं?

A. वर्म हार्डवेयर और सॉफ्टवेयर हो सकते हैं।
B. ब्राउजिंग जानकारी का भंडारण करने के लिए कुकीज का प्रयोग किया जाता है।
C. सैंडबॉक्स को ढूँढना, मालवयर पहचान करने की पद्धति है।
D. एच टी टी पी में एच टी टी पी एस से बेहतर सुरक्षा है।
E. ट्रोजन एक एंटीवायरस है।

नीचे दिए गए विकल्पों में से सही उत्तर चुनें:

(a) केवल A, B और C (b) केवल C और E
(c) केवल B और C (d) केवल B और D

35. सूची-I के साथ सूची-II का मिलान कीजिए:

सूची-I (रिकागनिशन सिस्टम)	सूची-II (एप्लीकेशन)
(1) एम आई सी आर	(i) कारों की नम्बर प्लेटों को पढ़ना
(2) ओ सी आर	(ii) प्रोडक्ट संबंधी सूचनाएँ प्राप्त करना ताकि इसे ग्राहकों के कुल खरीद बिल में शामिल किया जा सके।
(3) ओ एम आर	(iii) किसी बैंक के चेक पर पाई जाने वाली संख्याओं को पढ़ना
(4) बारकोड रीडर	(iv) पेन्सिल या पेन का प्रयोग कर विशेष रूप से मुद्रित कागज पर लिखे गए चिह्नों को पढ़ना

नीचे दिए गए विकल्पों में से सही उत्तर का चयन कीजिए:

(a) (1)–(iv), (2)–(i), (3)–(iii), (4)–(ii)
(b) (1)–(ii), (2)–(i), (3)–(iv), (4)–(iii)
(c) (1)–(iii), (2)–(iv), (3)–(i), (4)–(ii)
(d) (1)–(iii), (2)–(i), (3)–(iv), (4)–(ii)

36. मानव शिशुओं में ब्लु बेबी रोग, मेथेमोग्लोबिनेमिया का प्रारंभ से लेकर अंतिम तक का सही क्रम क्या है?

A. मानव शरीर में सूक्ष्म जीवों द्वारा नाइट्रेट आयन्स का नाइट्राइट आयन्स में रूपांतरण
B. नाइट्राइट आयन्स द्वारा हीमोग्लोबिन में Fe(II) से Fe(III) तक आयन्स का ऑक्सीकरण
C. नाइट्रेट-प्रदूषित जल का उपयोग
D. मेथेमोग्लोबिन नामक असामान्य हीमोग्लोबिन का निर्माण

नीचे दिए गए विकल्पों में से सही उत्तर चुनें:

(a) C, B, A, D (b) C, A, B, D
(c) A, D, B, C (d) A, C, B, D

37. निम्नलिखित में से किस वायु प्रदूषक को हटाने के लिए ताप विद्युत संयंत्रों में, स्थिर वैद्युत अवक्षेपण का, प्रयोग किया जाता है।

(a) पोलिसाइक्ली एरोमैटिक हाइड्रोकार्बन्स
(b) गैसयुक्त प्रदूषक
(c) फ्लाई ऐश
(d) वाष्पशील जैव यौगिक

38. सूची-I के साथ सूची-II का मिलान कीजिए:

सूची-I (जलप्रदूषण के प्रकार)	सूची-II (उदाहरण)
(1) रोगजंक कर्मक (एजेंट)	(i) चिकनी मिट्टी के परिष्कृत कण
(2) ऑक्सीजन उपभोगकारी अपशिष्ट	(ii) कोलिफॉर्म जीवाणु (बैक्टीरिया)
(3) पादप पोषक	(iii) जलीय पर्यावास में जन्तु और पौधे
(4) प्रलंबित कण (सस्पेंडेड सॉलिड)	(iv) फॉस्फोरस

नीचे दिए गए विकल्पों में से सही उत्तर का चयन कीजिए:

(a) (1)–(ii), (2)–(iii), (3)–(i), (4)–(iv)
(b) (1)–(ii), (2)–(iii), (3)–(iv), (4)–(i)
(c) (1)–(i), (2)–(ii), (3)–(iii), (4)–(iv)
(d) (1)–(i), (2)–(ii), (3)–(iv), (4)–(iii)

39. सूची-I के साथ सूची-II का मिलान कीजिए:

सूची-I (अपशिष्ट जल उपचार प्रक्रिया)	सूची-II (विवरण)
(1) ओजोनीकरण	(i) लौह व मैंगनीज की अधिकता को हटाना

सूची-I (अपशिष्ट जल उपचार प्रक्रिया)	सूची-II (विवरण)
(2) वातन	(ii) बड़े ठोस को हटाना
(3) ऊर्णन	(iii) विसंक्रमण
(4) स्क्रीनिंग	(iv) अत्यधिक लघु कणों का एक साथ गुच्छ

नीचे दिए गए विकल्पों में से सही उत्तर का चयन कीजिए:

(a) (1)–(iii), (2)–(i), (3)–(iv), (4)–(ii)
(b) (1)–(iii), (2)–(i), (3)–(ii), (4)–(iv)
(c) (1)–(i), (2)–(iii), (3)–(ii), (4)–(iv)
(d) (1)–(iv), (2)–(ii), (3)–(iii), (4)–(i)

40. निम्न में यू-235 (विखंडनीय यूरेनियम) अनुपात का सही वर्धमान क्रम क्या है?

A. प्राकृतिक यूरेनियम
B. यूरेनियम अयस्क
C. आयुद्ध ग्रेड यूरेनियम
D. रिएक्टर ग्रेड यूरेनियम

नीचे दिए गए विकल्पों में से सही उत्तर चुनें:

(a) B, A, C, D
(b) B, A, D, C
(c) D, C, A, B
(d) D, C, B, A

41. भारत में उच्चतर शिक्षा के विकास के लिए कौन से चार मार्गदर्शक सिद्धान्त हैं?

(a) पहुंच/सुगम्यता, प्राधिकार, समता (इक्विटी), समानता
(b) उत्तरदायित्व, स्वतंत्रता, सुगम्यता और नि:शुल्कता पर आधारित
(c) सुगम्यता, समता, उत्तरदायित्व, समानता
(d) आकलन, समानता, वहनीय, शोध-उन्मुख

42. ए. आइ. सी. टी. इ. (AICTE) का पूर्ण रूप क्या है?

(a) अकेडेमिक इंस्टीट्यूशन्स काउन्सिल ऑफ़ टीचर एजूकेशन
(b) ऑल इन्डिया काउन्सिल फॉर टेक्नीकल एजूकेशन
(c) ऑल इन्डिया कान्स्टीट्यूशन फॉर टीचर्स एजूकेशन
(d) ऑल इन्डिया इंस्टीट्यूट फॉर टीचर एजूकेशन

43. 'प्रभावी अधिगम वातावरण' के सन्दर्भ में निम्नलिखित घटकों (A-E) को सही क्रम में लगाइए:

A. सतत निर्माणात्मक आकलन
B. छात्रों का पर्याप्त समर्थन
C. समुचित पाठ्यचर्या
D. संलग्नतापूर्ण शिक्षणशास्त्र
E. उपयुक्त संसाधन और आधारभूत ढाँचा प्रदान करना

नीचे दिए गए विकल्पों में से सही उत्तर चुनें:

(a) E, B, A, C, D
(b) B, A, C, D, E
(c) C, D, A, B, E
(d) A, B, C, D, E

44. बुद्ध-काल में, मठों के साथ, कौन से शिक्षा-केन्द्र स्थापित किए गए थे?

A. बल्लभी विश्वविद्यालय
B. बाबा मस्तनाथ
C. नालन्दा
D. विक्रमशिला
E. तक्षशिला

नीचे दिए गए विकल्पों में से सही उत्तर चुनें:

(a) केवल B, C और E
(b) केवल A, B, C और D
(c) केवल A, C, D और E
(d) केवल B, D और E

45. सूची-I के साथ सूची-II का मिलान कीजिए:

सूची-I (लेखक)	सूची-II (विषय-क्षेत्र)
(1) संकारा	(i) वेदान्त- सूत्र
(2) रामानुज	(ii) बीजगणित और ज्योतिष
(3) विद्यापति	(iii) बिहार की बोली
(4) भास्कर	(iv) वेदान्त सूत्र और भगवद् गीता

नीचे दिए गए विकल्पों में से सही उत्तर का चयन कीजिए:

(a) (1)–(i), (2)–(ii), (3)–(iii), (4)–(iv)
(b) (1)–(iv), (2)–(i), (3)–(iii), (4)–(ii)
(c) (1)–(iv), (2)–(iii), (3)–(ii), (4)–(i)
(d) (1)–(i), (2)–(iii), (3)–(iv), (4)–(ii)

निम्नलिखित गद्यांश को सावधानीपूर्वक पढ़िए व उसके बाद पूछे गए प्रश्नों के उत्तर दीजिए:

समाज की पूंजीवादी व्यवस्था मनुष्यों के बीच स्वस्थ संबंधों का पोषण नहीं करती है। बहुत थोड़े लोग उत्पादन के सभी साधनों के स्वामी होते हैं और अन्य- यद्यपि नाम मात्र के लिए कुछ को स्वयं पर थोपी गई शर्तों के अधीन अपनी श्रम शक्ति को बेचना पड़ता है। चूँकि पूंजीवाद का जोर भौतिक संपदा के सर्वोच्च महत्त्व पर होता है इसलिए इसकी अपील की तीव्रता अर्जनशील तीव्रता की ओर होती है। यह आर्थिक शक्ति की उपासना को बढ़ावा देती है और इसके अर्जन के लिए नियोजित साधनों पर कोई ध्यान नहीं देती है और यह लक्ष्य पूर्ति को बढ़ावा देती है। मानवीय सहन-शीलता की चरम सीमा तक मनुष्यों के इसके शोषण से, इसका संकेन्द्रण अधिकतम उत्पादन पर न होकर सर्वाधिक मुनाफे पर होता है।

अतः मानव परिवार का विभाजन आर्थिक स्थिति के आधार पर किया जाता है। यह सब मानवीय गरिमा के विभाजन के लिए हानिकारक है। और जब उत्पीड़ित निर्धन सहायता के लिए धर्म के संस्थापकों की ओर मुड़ता है, तो वे स्थापित व्यवस्था का चालाकी पूर्वक बचाव करते हैं। वे उनके वर्तमान दुखों के लिए भावी सुखों का वचन देते हैं और संतप्त मनुष्यों के दु:ख व विद्रोह पर मरहम लगा कर संतुलन बनाए रखने हेतु स्वर्ग का मायाजाल बुनते हैं। व्यवस्था अन्याय थोपती है और धर्म उसे उचित ठहराता है।

46. गद्यांश को पढ़ने के पश्चात यह निष्कर्ष निकाला जा सकता है कि पूंजीवादी व्यवस्था________

(a) महत्वाकांक्षी है (b) पक्षपातपूर्ण है

(c) मानवीय है (d) यथार्थपरक है

47. उत्पादन के साधनों पर अधिकतम नियंत्रण निम्न में से किसके अधीन होता है?

(a) समस्त हितधारक (b) सर्वहारा वर्ग

(c) व्यवस्था के स्वामी (d) श्रमिक वर्ग

48. पूंजीवादी व्यवस्था में

(a) साध्य साधन का औचित्य देता है।

(b) साधन साध्य का औचित्य देते हैं।

(c) शोषण की ओर ले जाने वाले साधन कड़ाई के साथ निषिद्ध हैं।

(d) साधनों से संबंधित विषयों का निर्णय धर्म करता है।

49. पूंजीवाद समानता के प्रति हानिकारक है क्योंकि यह समाज को निम्न दो समूहों में विभाजित कर देता है________

(a) कार्य करने वाले व कार्य न करने वाले

(b) क्रेता व विक्रेता

(c) शोषक व शोषित

(d) धार्मिक व नास्तिक

50. पूंजीवादी व्यवस्था निम्न में से किस पर केन्द्रित करती है?

(a) अधिकतम उत्पादन (b) असामान्य लाभ

(c) मानव संसाधनों पर निवेश (d) व्यय में कमी

उत्तरमाला

1. (d)	**2.** (c)	**3.** (b)	**4.** (b)	**5.** (a)	**6.** (d)	**7.** (a)	**8.** (b)	**9.** (d)	**10.** (c)
11. (c)	**12.** (a)	**13.** (c)	**14.** (c)	**15.** (d)	**16.** (b)	**17.** (c)	**18.** (a)	**19.** (c)	**20.** (b)
21 (c)	**22.** (c)	**23.** (c)	**24.** (d)	**25.** (c)	**26.** (b)	**27.** (b)	**28.** (b)	**29.** (d)	**30.** (b)
31. (b)	**32.** (d)	**33.** (c)	**34.** (c)	**35.** (d)	**36.** (d)	**37.** (c)	**38.** (b)	**39.** (a)	**40.** (b)
41. (c)	**42.** (b)	**43.** (c)	**44.** (c)	**45.** (b)	**46.** (b)	**47.** (c)	**48.** (a)	**49.** (c)	**50.** (b)

संकेत और स्पष्टीकरण

1. (d)

वर्ष 2024 में पहले प्रत्येक विद्यालय में बालकों की संख्या ज्ञात करें।

सूत्र: बालक = कुल उत्तीर्ण विद्यार्थी – बालिकाएँ

विद्यालय	कुल (2024)	बालिकाओं का %	बालिकाएँ	बालक
A	550	44%	242	308
B	640	40%	256	384
C	560	45%	252	308
D	800	48%	384	416
E	840	55%	462	378
F	750	36%	270	480

कुल बालक = 308 + 384 + 308 + 416 + 378 + 480 = 2274

औसत बालक = 2274 ÷ 6 = 379

सही उत्तर (d) है।

2. (c)

विद्यालय A (2023): बालक

- कुल विद्यार्थी = 500
- बालिकाएँ = 500 का 46% = 230
- बालक = 500 – 230 = 270

विद्यालय E (2023): बालिकाएँ

- कुल विद्यार्थी = 600
- बालिकाएँ = 600 का 54% = 324

आवश्यक अनुपात

बालक (A): बालिकाएँ (E)

= 270 : 324

= 5 : 6

सही उत्तर (c) है।

3. (b)

विद्यालय F (2023):

- कुल विद्यार्थी = 650
- बालिकाएँ = 650 का 50% = 325
- बालक (2023) = 650 – 325 = 325

विद्यालय F (2024):

- कुल विद्यार्थी = 750
- बालिकाएँ = 750 का 36% = 270
- बालक (2024) = 750 – 270 = 480

बालकों में प्रतिशत वृद्धि:

वृद्धि = 480 – 325 = 155

प्रतिशत वृद्धि = (155/325) × 100 = 47.7%

सही उत्तर (b) है।

4. (b)

वर्ष 2024 में उत्तीर्ण बालिकाएँ (प्रत्येक विद्यालय)

विद्यालय	कुल (2024)	% बालिकाएँ	बालिकाएँ
A	550	44%	242
B	640	40%	256
C	560	45%	252
D	800	48%	384
E	840	55%	462
F	750	36%	270

कुल बालिकाएँ (2024)

= 242 + 256 + 252 + 384 + 462 + 270 = 1866

चरण 2: बालिकाओं की औसत संख्या (2024)

औसत = 1866 ÷ 6 = 311

चरण 3: विद्यालय A का प्रतिशत (2023 में कुल = 500)

$$\frac{311}{500} \times 100 = 62.2\%$$

सही उत्तर (b) है।

5. (a)

सबसे पहले, दोनों वर्षों में बालकों की संख्या ज्ञात करें।

2023 में उत्तीर्ण बालक

विद्यालय	कुल	% बालिकाएँ	बालक
A	500	46%	270
B	600	42%	348
C	650	56%	286
D	720	60%	288
E	600	54%	276
F	650	50%	325

2024 में उत्तीर्ण बालक

विद्यालय	बालक
A	308
B	384
C	308
D	416
E	378
F	480

वे विद्यालय जिनमें 2023 और 2024 दोनों में बालक 300 से अधिक हैं

विद्यालय B, विद्यालय F

कुल = 2 विद्यालय

सही उत्तर (a) है।

6. (d)

अनुभवजन्य अधिगम में शिक्षक एक मानवीय सहायक (फैसिलिटेटर) की भूमिका निभाता है।

- कोच – अभ्यास और आत्म-चिंतन का मार्गदर्शन करता है।
- परामर्शदाता (मेंटर) – विकास और सीखने में सहायता करता है।
- अनुशिक्षक (ट्यूटर) – समझ विकसित करने में सहायता करता है।
- प्रौद्योगिकी (तकनीकी) – एक उपकरण है, शिक्षक की भूमिका नहीं।

7. (a)

आश्वासन (Assurance) – आत्मविश्वास या आत्म-जाँच

पूर्वदर्शन (Previewing) – भविष्य के प्रदर्शन की मानसिक जाँच

प्रारंभ से अवलोकन – (Retracing) – अपने कार्यों को याद करना और उनकी समीक्षा करना

पर्यवेक्षण (Observation) – दूसरों को देखकर या बाहरी घटनाओं से प्राप्त प्रतिपुष्टि

8. (b)

ब्लूम के टैक्सोनॉमी (संज्ञानात्मक क्षेत्र) में सीखने की प्रक्रिया सरल से जटिल की ओर बढ़ती है।

सही क्रम (निम्न $\rightarrow$ उच्च):

1. **स्मरण (E)** – तथ्यों को याद करना
2. **समझ (B)** – विचारों को समझाना
3. **अनुप्रयोग (C)** – ज्ञान का प्रयोग करना
4. **विश्लेषण (A)** – विषय को भागों में बाँटना
5. **मूल्यांकन (D)** – निर्णय करना और आलोचना करना

9. (d)

A. टेस्ट (Tests) – ज्ञान के आकलन के लिए सामान्यत: उपयोग किए जाते हैं।

B. परीक्षाएँ (Examinations) – औपचारिक मूल्यांकन उपकरण हैं।

C. निर्देशन (Rubrics) – स्वयं एक उपकरण नहीं, बल्कि उपकरणों के साथ उपयोग किया जाने वाला अंकन/मूल्यांकन मार्गदर्शक है।

D. वर्कशीट्स (Worksheets) – अभ्यास और समझ के आकलन के लिए उपयोग होती हैं।

E. प्रश्नोत्तरीयं (Quizzes) – समझ की जाँच के लिए छोटे आकलन होते हैं।

अत: A, B, D और E वास्तविक मूल्यांकन उपकरण हैं, जबकि C निर्देशन (रूब्रिक्स) उत्तरों का मूल्यांकन करने का साधन है, न कि उन्हें एकत्र करने का

10. (c)

11. (c)

शोध केवल सामान्य समझ, संचित अनुभवों या विश्वासों पर आधारित नहीं होता। अनुसंधान (शोध) व्यवस्थित जांच, साक्ष्यों और कठोर कार्यप्रणाली पर निर्भर करता है ताकि परिकल्पनाओं का परीक्षण किया जा सके और विश्वसनीय ज्ञान का निर्माण हो सके, जो अनौपचारिक या कथानक समझ से आगे बढ़ता है।

12. (a)

सत्यापनीय साक्ष्य का अर्थ है ऐसा डेटा या प्रमाण जिसे व्यवस्थित रूप से देखा, परखा और दूसरों द्वारा पुष्टि किया जा सके। यही वैज्ञानिक पद्धति की आधारशिला है।

इसके विपरीत, लोगों के संचित अनुभव, पूर्वाग्रह या विश्वास व्यक्तिगत और विषयगत होते हैं। इन्हें न तो विश्वसनीय रूप से परखा जा सकता है और न ही दोहराया जा सकता है, इसलिए ये वैज्ञानिक अवलोकन का आधार नहीं बन सकते।

13. (c)

सहप्रसरण को निम्नलिखित सूत्र का उपयोग करके निकाला जाता है:

$\text{Cov}(X,Y) = R \times S(X) \times S(Y)$

प्रत्येक डेटा सेट के लिए गणना:

A: $0.5 \times 8 \times 10 = 40$

B: $\frac{4}{7} \times 7 \times 9 = 36$

C: $0.7 \times 12 \times 5 = 42$

D: $\frac{19}{42} \times 14 \times 6 = 38$

इनको आरोही क्रम में व्यवस्थित करना: 36 (B), 38 (D), 40 (A), 42 (C)।

14. (c)

A: प्राक्कल्पना को स्पष्ट और परीक्षण योग्य बनाए रखने के लिए उसे एक ही मुद्दे पर केंद्रित होना चाहिए।

C: इसमें सम्मिलित चर (variables) को स्पष्ट रूप से निर्दिष्ट किया जाना चाहिए, ताकि परीक्षण किए जाने वाले संबंध को सही ढंग से परिभाषित किया जा सके।

D: प्राक्कल्पना विशेष और सटीक होनी चाहिए, जिससे उचित परीक्षण संभव हो सके।

E: यह अनुभवजन्य रूप से परीक्षण योग्य होनी चाहिए, ताकि साक्ष्य के आधार पर उसका सत्यापन या खंडन किया जा सके।

15. (d)

सिद्धांत (A): सिद्धांत में व्यवस्थित रूप से परस्पर संबंधित कथन (प्रस्ताव) होते हैं, जो घटनाओं की व्याख्या करते हैं और उनके पूर्वानुमान में सहायक होते हैं।

प्रतिरूप (B): प्रतिरूप किसी प्रणाली या वस्तु का सामान्यीकृत निरूपण होता है, जो उसके कुछ विशिष्ट पहलुओं पर केंद्रित रहता है।

सर्वेक्षण (C): सर्वेक्षण एक डेटा संकलन विधि है, जिसमें प्रश्नावली का प्रयोग करके जानकारी एकत्र की जाती है।

प्रतिरूपण/निदर्शन (D): प्रतिरूपण (मॉडलिंग) में किसी शोध समस्या को गणितीय मॉडल के माध्यम से प्रस्तुत किया जाता है।

16. (b)

अंतर्वैयक्तिक (Intera-personal) संचार उस संचार को कहा जाता है जो व्यक्ति के भीतर होता है, जैसे— स्वयं से बात करना (self-talk), मनन, आंतरिक चिंतन, या स्वप्न देखना।

अन्तः वैयक्तिक (Inter-personal) संचार दो या दो से अधिक व्यक्तियों के बीच होता है।

अंतर्सांस्कृतिक (Inter-cultural) संचार विभिन्न सांस्कृतिक पृष्ठभूमि के व्यक्तियों के बीच होता है।

अंतर-राष्ट्रीय (Inter-national) संचार विभिन्न देशों के बीच होता है।

17. (c)

यदि प्रेषक (sender) विचार को ठीक से स्पष्ट नहीं कर पाता, तो समस्या संदेश भेजे जाने से पहले ही संकेतक (encoder) के स्तर पर उत्पन्न हो जाती है।

इसे कूटन बाधा (Encoding Barrier) कहा जाता है, क्योंकि संदेश प्राप्तकर्ता के लिए स्पष्ट या प्रभावी ढंग से निर्मित नहीं किया गया होता।

18. (a)

आँकड़ों और वर्ष 2025 की शुरुआत तक की सामान्य रैंकिंग के आधार पर, विश्व स्तर पर सबसे अधिक कमाई करने वाली भारतीय फ़िल्म दंगल है। इसके बाद क्रमशः बाहुबली 2, पुष्पा 2, आरआरआर, और केजीएफ: चैप्टर 2 का स्थान आता है।

19. (c)

A. **भारत के समाचार-पत्रों का पंजीयक (RNI)**- यह एक सरकारी निकाय है, जो समाचार-पत्रों के पंजीकरण और उनके प्रसार (सर्कुलेशन) की निगरानी करता है।

C. **भारत प्रेस परिषद् (PCI)**- यह एक वैधानिक संस्था है, जो मुद्रित मीडिया के आचरण को नियंत्रित करती है और पत्रकारिता की नैतिकता को बनाए रखती है।

D. **ऑडिट ब्यूरो ऑफ सर्कुलेशन लिमिटेड (ABC)**- यह एक संस्था है, जो समाचार-पत्रों और पत्रिकाओं के प्रसार से संबंधित आँकड़ों का ऑडिट और सत्यापन करती है तथा मीडिया और विज्ञापन उद्योग की सेवा करती है।

B. **राष्ट्रीय फैशन प्रौद्योगिकी संस्थान (NIFT)** एक फैशन संस्थान है और E **यूनिवर्सिटी स्कूल ऑफ़ मास कम्युनिकेशन (USMC)** जनसंचार अध्ययन का एक शैक्षणिक विभाग है। इनमें से कोई भी मीडिया संगठन के रूप में नियामक या उद्योग-ऑडिट की भूमिका नहीं निभाता।

20. (b)

(A) मुग़ल-ए-आज़म का विमोचन 1960 में हुआ।

(B) शोले का विमोचन 1975 में हुआ।

(C) बॉबी का विमोचन 1973 में हुआ।

(D) मैंने प्यार किया का विमोचन 1989 में हुआ।

21. (c)

इस श्रृंखला में 4 और 3 से गुणा करने का है:

$3 \times 4 = 12$

$12 \times 3 = 36$

$36 \times 4 = 144$

144 × 3 = 432

432 × 4 = 1728 (लेकिन दी गई संख्या 1738 है)

1728 × 3 = 5184

अत: 1738 गलत संख्या है (सही संख्या 1728 होनी चाहिए)

22. (c)

कूट प्रत्येक अक्षर की वर्णमाला में स्थिति लेकर उसमें 2 जोड़कर बनाया गया है।

- G (7) → 7 + 2 = 9
- E (5) → 5 + 2 = 7
- R (18) → 18 + 2 = 20
- M (13) → 13 + 2 = 15
- A (1) → 1 + 2 = 3
- N (14) → 14 + 2 = 16
- Y (25) → 25 + 2 = 27

इसी नियम को FRANCE पर लागू करने पर:

- F (6) → 6 + 2 = 8
- R (18) → 18 + 2 = 20
- A (1) → 1 + 2 = 3
- N (14) → 14 + 2 = 16
- C (3) → 3 + 2 = 5
- E (5) → 5 + 2 = 7

23. (c)

पहला निवेश:

₹8000 पर 2 वर्ष का ब्याज

$\frac{8000 \times 7 \times 2}{100}$ = ₹1120

दूसरा निवेश:

धनराशि = P, समय = 5 वर्ष

अर्जित ब्याज = पहले ब्याज का आधा

$= \frac{1120}{2}$ = ₹2240

अब, $\frac{P \times 7 \times 5}{100} = 2240$

$P = \frac{2240 \times 100}{35}$ = ₹6400

24. (d)

A. x मी./से. = $x \times \frac{18}{5}$ कि.मी./घं. होता है।

लेकिन यहाँ लिखा है $x \times \frac{5}{18}$ कि.मी./घं.

B. सामान्य समय = 40 मिनट।

धीमी गति = सामान्य गति → समय = मिनट।

देरी = 48 − 40 = 8 मिनट (प्रश्न में 10 मिनट लिखा है)

C. 80 कि.मी./घं. = मी./से.

D. दूरी = 600 मीटर, समय = 5 मिनट = 300 सेकंड।

गति = $\frac{600}{300}$ = 2 मी./से. = $\frac{2 \times 18}{5}$ = 7.2 कि.मी./घं.

25. (c)

प्रथम वर्ष का ब्याज = $\frac{PRT}{100}$ के अनुसार 5000 का 5% = 250

वह 1 वर्ष के अंत में 3000 रुपये चुका देता है।

यह MCQ साधारण ब्याज (Simple Interest) पर आधारित है (अर्थात ब्याज पर ब्याज नहीं लगेगा और कुल समय 2 वर्ष है)।

शेष मूलधन = 5000 − 3000 = 2000

द्वितीय वर्ष का ब्याज = 2000 का 5% = 100

कुल ब्याज = 250 + 100 = 350

2 वर्ष के अंत में देय कुल राशि = 2000 + 350 = 2350

26. (b)

(Ad hominem fallacy): यह तब होती है जब किसी मुद्दे के तर्क के गुण-दोषों पर विचार करने के बजाय व्यक्ति के चरित्र पर हमला किया जाता है। उदाहरणत: गर्भपात को अवैध बनाने के तर्क पर चर्चा करने के बजाय उसकी 'सहानुभूति महसूस करने की क्षमता' पर प्रश्न उठाना।

आत्माश्रय दोष (Begging the Question): यह तब होता है जब बिना किसी प्रमाण के निष्कर्ष को पहले से सत्य मान लिया जाता है।

अविचारित सामान्यीकरण (Hasty Generalization): इसमें सीमित उदाहरणों के आधार पर व्यापक निष्कर्ष निकाल लिया जाता है।

फिसलन भरी ढलान (Slippery Slope): इसमें यह तर्क दिया जाता है कि एक छोटा कदम उठाने से घटनाओं की एक लंबी और अत्यधिक श्रृंखला शुरू हो जाएगी।

27. (b)

कथन A: 'कोई भी साबुन लेखन-उपकरण नहीं है।'

इसका अर्थ है कि साबुन और लेखन-उपकरण पूरी तरह अलग-अलग समूह हैं।

कथन D: 'कोई भी लेखन-उपकरण साबुन नहीं है।'
यह वही बात उल्टे क्रम में कही गई है। इसलिए A और D समतुल्य हैं।
कथन B: 'सभी साबुन गैर-लेखन-उपकरण हैं।'
'कोई भी साबुन लेखन-उपकरण नहीं है' कहने का अर्थ यही है कि हर साबुन गैर-लेखन-उपकरण की श्रेणी में आता है। इसलिए A और B भी समतुल्य हैं।
कथन C: 'कोई भी गैर-लेखन-उपकरण साबुन नहीं है।'
यह कथन भिन्न है, क्योंकि इसमें यह गलत संकेत मिलता है कि साबुन गैर-लेखन-उपकरण नहीं हैं। यह कथन B के विपरीत है।

28. (b)

प्रस्ताव/प्रस्तावना A: 'कुछ कविताएँ कलाकृतियाँ हैं।' (I-प्रकार, विशेष सकारात्मक)
प्रस्ताव/प्रस्तावना C: 'कुछ कविताएँ कलाकृतियाँ नहीं हैं।' (O-प्रकार, विशेष नकारात्मक)
परंपरागत श्रेणीबद्ध तर्कशास्त्र (Traditional Categorical Logic) में जब हम मानते हैं कि विषय रिक्त नहीं है (यानी उस वर्ग में कम-से-कम एक सदस्य उपलब्ध है), तब A और C कथन उप-विरोधी (Subcontraries) कहलाते हैं।
दोनों एक साथ असत्य नहीं हो सकते:
यदि A असत्य है, तो कोई भी कविता कलाकृति नहीं है, अर्थात सभी कविताएँ कलाकृतियाँ नहीं हैं, जिससे C सत्य हो जाता है।
इसी प्रकार, यदि C असत्य है, तो सभी कविताएँ कलाकृतियाँ हैं, और चूँकि कविताएँ उपलब्ध हैं, इसलिए कम से कम एक कविता कलाकृति होगी— इससे A सत्य हो जाता है।
दोनों एक साथ सत्य हो सकते हैं:
यह स्थिति तब होती है जब कुछ कविताएँ कलाकृतियाँ हों और कुछ कविताएँ कलाकृतियाँ न हों।

29. (d)

A. शतरंज → एक बहुत ही विशिष्ट खेल।
B. बोर्ड गेम्स → एक व्यापक श्रेणी, जिसमें शतरंज और अन्य समान खेल शामिल हैं।
D. इनडोर गेम्स → इससे भी व्यापक श्रेणी, जिसमें बोर्ड गेम्स, कार्ड गेम्स आदि आते हैं।
C. खेल (Sports) → सबसे व्यापक श्रेणी, जिसमें इनडोर और आउटडोर दोनों प्रकार के खेल शामिल होते हैं।

30. (b)

यह तर्क कार्य (संसार) से कारण (ईश्वर) की ओर जाता है।
इस प्रकार का कारण-कार्य पर आधारित तर्क अनुमान (Anumāna) का एक शास्त्रीय उदाहरण है।
यह प्रत्यक्ष (Perception) नहीं है, क्योंकि इसमें इंद्रियों द्वारा सीधा ज्ञान नहीं है।
यह उपमान (Analogy) भी नहीं है, क्योंकि यहाँ तुलना नहीं की गई है।
यह शब्द प्रमाण (Verbal authority) भी नहीं है, क्योंकि यह किसी शास्त्रीय या मौखिक साक्ष्य पर आधारित नहीं है।
अत: यहाँ प्रयुक्त ज्ञान का साधन अनुमान (Inference) है।

31. (b)

स्टार टोपोलॉजी → प्रत्येक उपकरण एक केंद्रीय हब से जुड़ा होता है, न कि एक-दूसरे से सीधे।
बस टोपोलॉजी → सभी उपकरण एक ही संचार रेखा (बस) को साझा करते हैं।
रिंग टोपोलॉजी → उपकरण वृत्ताकार रूप में जुड़े होते हैं, जहाँ प्रत्येक उपकरण अपने दो पड़ोसी उपकरणों से जुड़ा होता है।
मेश टोपोलॉजी → नेटवर्क में प्रत्येक उपकरण हर दूसरे उपकरण से सीधे जुड़ा होता है। इससे अधिकतम पुनरावृत्ति (redundancy) और विश्वसनीयता (reliability) सुनिश्चित होती है।

32. (d)

ओपेरा (Opera) → एक मान्यता प्राप्त वेब ब्राउज़र
सफारी (Safari) → एप्पल का वेब ब्राउज़र
फ़ायरफ़ॉक्स (Firefox) → मोज़िला का वेब ब्राउज़र
गूगल (Google) → एक सर्च इंजन कंपनी है, स्वयं ब्राउज़र नहीं (हालाँकि यह क्रोम, जो एक ब्राउज़र है, विकसित करती है)

33. (c)

34. (c)

A. वर्म (Worms) एक प्रकार का मैलवेयर होते हैं, जो सॉफ़्टवेयर-आधारित होते हैं; इन्हें सामान्यत: हार्डवेयर की श्रेणी में नहीं रखा जाता।
B. कुकीज़ (Cookies) का उपयोग वास्तव में ब्राउज़िंग से संबंधित जानकारी, जैसे सत्र (सेशन) डेटा और उपयोगकर्ता की प्राथमिकताएँ, संग्रहीत करने के लिए किया जाता है।
C. सैंडबॉक्स डिटेक्शन (Sandbox Detection) मैलवेयर का विश्लेषण और पहचान करने की एक विधि है, जिसमें उसे एक पृथक (अलग) वातावरण में चलाया जाता है।
D. HTTPS डेटा को एन्क्रिप्ट करता है और HTTP की तुलना में अधिक सुरक्षित होता है।
E. ट्रोजन (Trojan) एक प्रकार का दुर्भावनापूर्ण सॉफ़्टवेयर है, न कि कोई एंटीवायरस प्रोग्राम।

35. (d)

A. MICR → मैग्नेटिक इंक कैरेक्टर रिकग्निशन का उपयोग बैंकों द्वारा चेक पर छपे नंबर पढ़ने के लिए किया जाता है।

B. OCR → ऑप्टिकल कैरेक्टर रिकग्निशन का उपयोग मुद्रित या हस्तलिखित पाठ को मशीन-पठनीय रूप में बदलने के लिए किया जाता है, जैसे वाहन नंबर प्लेट की पहचान करना।

C. OMR → ऑप्टिकल मार्क रिकग्निशन का उपयोग परीक्षाओं और सर्वेक्षणों में भरे गए गोले/चिह्न पढ़ने के लिए किया जाता है।

D. Barcode Reader– बारकोड रीडर का उपयोग चेकआउट काउंटर पर उत्पादों के कोड स्कैन करने के लिए किया जाता है।

36. (d)

ब्लू बेबी रोग (मेटहीमोग्लोबिनेमिया/मेथेमोग्लोबिनेमिया) की प्रक्रिया को चरणबद्ध रूप में इस प्रकार व्यवस्थित किया जा सकता है:

C. नाइट्रेट-प्रदूषित पानी का सेवन
शिशु नाइट्रेट से दूषित पानी का सेवन करते हैं।

A. मानव शरीर में सूक्ष्मजीवों द्वारा नाइट्रेट आयनों का नाइट्राइट आयनों में रूपांतरण
आंत में उपस्थित बैक्टीरिया नाइट्रेट को नाइट्राइट में बदल देते हैं।

B. नाइट्राइट आयनों द्वारा हीमोग्लोबिन में Fe(II) का Fe(III) में ऑक्सीकरण
नाइट्राइट आयन हीमोग्लोबिन के लौह तत्व को ऑक्सीकरण कर देते हैं, जिससे ऑक्सीजन वहन करने की क्षमता प्रभावित होती है।

D. मेटहीमोग्लोबिन नामक असामान्य हीमोग्लोबिन का निर्माण
यह असामान्य हीमोग्लोबिन ऑक्सीजन को प्रभावी रूप से नहीं ढो पाता, जिससे सायनोसिस (शिशु का नीला पड़ना) होता है।

37. (c)

इलेक्ट्रोस्टैटिक प्रीसिपिटेटर (ESP) एक उपकरण है, जिसका उपयोग तापीय विद्युत संयंत्रों में वायु प्रदूषण को नियंत्रित करने के लिए किया जाता है।
यह उपकरण कणों (जैसे राख) को विद्युत आवेश देकर विपरीत आवेशित प्लेटों पर एकत्र कर लेता है।
फ्लाई ऐश वह सूक्ष्म कणीय पदार्थ है, जो विद्युत संयंत्रों में कोयला जलाने पर उत्पन्न होता है।
ESP विशेष रूप से फ्ल्यू गैसों से फ्लाई ऐश को वातावरण में छोड़ने से पहले हटाने के लिए डिज़ाइन किया गया है।

- पॉलीसाइक्लिक एरोमैटिक हाइड्रोकार्बन (PAHs) → ये कार्बनिक प्रदूषक हैं; ESP इन्हें नहीं हटाता।
- गैसीय प्रदूषक → ESP इन पर प्रभावी नहीं होता; इनके लिए स्क्रबर या कैटेलिटिक कन्वर्टर का उपयोग किया जाता है।
- वाष्पशील कार्बनिक यौगिक (VOCs) → ये भी गैसीय होते हैं और ESP द्वारा नहीं हटाए जाते।

38. (b)

A. रोगजनक कारक (एजेंट)– कोलीफॉर्म जीवाणु (बैक्टीरिया)
रोग उत्पन्न करने वाले सूक्ष्मजीव रोगजनक कारक कहलाते हैं।

B. ऑक्सीजन उपभोगकारी अपशिष्ट– जलीय पारितंत्र में जंतु और पौधे
इनसे प्राप्त कार्बनिक पदार्थ अपघटन के दौरान घुली हुई ऑक्सीजन का उपभोग करते हैं।

C. पादप पोषक– फॉस्फोरस
फॉस्फोरस एक प्रमुख पोषक तत्व है, जो शैवाल की अत्यधिक वृद्धि को बढ़ावा देता है।

D. प्रलंबित कण (सस्पेंडेड सॉलिड)– चिकनी मिट्टी के परिरूद्ध कण
ये कण जल में निलंबित रहते हैं और जल की पारदर्शिता को कम करते हैं।

39. (a)

A. ओज़ोन एक शक्तिशाली ऑक्सीकारक है, जिसका उपयोग पानी में मौजूद बैक्टीरिया और वायरस को नष्ट करने के लिए किया जाता है।

B. वातन/वायुकर्षण (Aeration) घुले हुए लौह और मैंगनीज़ का ऑक्सीकरण करता है, जिससे उन्हें हटाना आसान हो जाता है।

C. सूक्ष्म कणों को बड़े गुच्छों (फ्लॉक्स) में बाँधने के लिए रसायन मिलाए जाते हैं।

D. स्क्रीन भौतिक रूप से डंडे, प्लास्टिक और कपड़े जैसे बड़े कचरे को रोककर अलग कर देती हैं।

40. (b)

B. यूरेनियम अयस्क (Uranium Ore) → इसमें U-235 की सांद्रता सबसे कम होती है (मुख्यत: U-238 होता है, U-235 केवल अत्यल्प मात्रा में पाया जाता है)।

A. प्राकृतिक यूरेनियम (Natural Uranium) → इसमें लगभग 0.7% U-235 होता है।

D. रिएक्टर-ग्रेड यूरेनियम (Reactor grade uranium) → परमाणु रिएक्टरों में उपयोग के लिए इसे लगभग 3-5% U-235 तक समृद्ध किया जाता है।

C. आयुद्ध-ग्रेड यूरेनियम (Weapon grade uranium) → यह अत्यधिक समृद्ध होता है, सामान्यत: 90% से अधिक U-235

41. (c)

पहुँच/सुगमयता (Access)→ समाज के सभी वर्गों के लिए उच्च शिक्षा में प्रवेश के अवसर सुनिश्चित करना।

समता (Equity)→ विभिन्न समूहों के बीच असमानताओं को कम करते हुए न्याय और समावेश को बढ़ावा देना।

उत्तरदायित्व (Accountability)→ संस्थाओं को गुणवत्ता, पारदर्शिता और परिणामों के लिए जिम्मेदार होना चाहिए।

समानता (Equality)→ सामाजिक-आर्थिक पृष्ठभूमि, लिंग या क्षेत्र की परवाह किए बिना समान अवसर प्रदान करना।

42. (b)

AICTE भारत में तकनीकी शिक्षा में मानदंडों और मानकों की योजना, निर्माण और रखरखाव के लिए जिम्मेदार वैधानिक संस्था है। अन्य विकल्प सही विस्तार का प्रतिनिधित्व नहीं करते।

43. (c)

C. समुचित पाठ्यक्रम (Appropriate Curriculum) → सीखना एक सुव्यवस्थित पाठ्यक्रम से शुरू होता है जो यह निर्धारित करता है कि क्या पढ़ाया जाएगा।

D. संलग्नतापूर्ण शिक्षणशास्त्र (Engaging Pedagogy) → पाठ्यक्रम को प्रभावी और रोचक शिक्षण विधियों के माध्यम से प्रस्तुत किया जाना चाहिए।

A. सतत निर्माणात्मक आंकलन (Continuous Formative Assessment) → नियमित मूल्यांकन से सीखने की प्रगति का पता चलता है और अंतराल की पहचान होती है।

B. छात्रों का पर्याप्त समर्थन (Adequate Student Support) → छात्रों को सफलता के लिए मार्गदर्शन, मेंटरिंग और भावनात्मक/शैक्षणिक समर्थन की आवश्यकता होती है।

E. उपयुक्त संसाधन और आधारभूत संरचना प्रदान करना (Providing suitable resources and infrastructure) → अंत में, उचित सुविधाएँ और संसाधन सीखने के वातावरण को बनाए रखते हैं।

44. (c)

A. बल्लभी - (जिसे वल्लभी भी कहा जाता है) बौद्ध शिक्षा का एक महत्वपूर्ण केंद्र था।

C. नालंदा एक प्रसिद्ध बौद्ध मठीय विश्वविद्यालय था।

D. विक्रमशिला एक अन्य प्रमुख बौद्ध मठीय विश्वविद्यालय था।

E. तक्षशिला प्राचीन काल का एक शिक्षा केंद्र था, जो बुद्ध के समय में अस्तित्व में था और बौद्ध अध्ययन से जुड़ा हुआ था।

45. (b)

A. आदि शंकराचार्य ने वेदान्त सूत्रों और भगवद्गीता पर भाष्य लिखे तथा अद्वैत वेदान्त की स्थापना की।

B. रामानुजाचार्य वेदान्त सूत्रों पर अपने भाष्य के लिए प्रसिद्ध हैं और विशिष्टाद्वैत दर्शन का प्रतिपादन करते हैं।

C. विद्यापति मैथिली भाषा (बिहार की एक बोली) में रचनाएँ करने वाले कवि थे।

D. भास्कर (भास्कराचार्य) ने गणित और खगोलशास्त्र, विशेषकर बीजगणित, में महत्वपूर्ण योगदान दिया।

46. (b)

47. (c)

48. (a)

49. (c)

50. (b)

यूजीसी नेट प्रश्न पत्र 1 जनवरी, 2025

नोट:

- इस प्रश्नपत्र में पचास (50) बहु-विकल्पीय प्रश्न हैं। प्रत्येक प्रश्न के दो (2) अंक हैं।
- सभी प्रश्न अनिवार्य हैं।

निम्न तालिका में दो कंपनियों A व B द्वारा वर्ष 2018 से 2023 के छह वर्षों में अर्जित प्रतिशत (%) लाभ दर्शाया गया है। तालिका में प्रदत्त डेटा के आधार पर, आगे के प्रश्नों के उत्तर दीजिए:

दो कंपनियों के लाभ का वर्ष-वार विवरण

वर्ष	कंपनी द्वारा अर्जित लाभ प्रतिशत	
	(A)	(B)
2018	40%	25%
2019	25%	30%
2020	30%	50%
2021	60%	45%
2022	45%	30%
2023	50%	40%

टिप्पणी: $\text{लाभ\%} = \dfrac{\text{आय-व्यय}}{\text{व्यय}} \times 100$

1. वर्ष 2022 में, यदि कंपनी B की आय ₹52 करोड़ थी और दोनों कंपनियों A और B का व्यय समान था, तो उस वर्ष दोनों कंपनियों A और B की आय का औसत क्या था?

(a) ₹22 करोड़ (b) ₹33 करोड़
(c) ₹55 करोड़ (d) ₹44 करोड़

2. यदि वर्ष 2021 में, कंपनी A का व्यय कंपनी B के व्यय के समान था, तो उनकी अपनी-अपनी आय का अनुपात क्या था?

(a) 3:2 (b) 32:29
(c) 2:5 (d) 7:5

3. यदि 2019 और 2023 में कंपनी A के व्ययों का अनुपात 4:3 है, तो 2019 में कंपनी A की आय 2023 में कंपनी A की आय से ____% अधिक है।

(a) $\frac{70}{9}\%$ (b) $\frac{80}{9}\%$
(c) $\frac{40}{9}\%$ (d) $\frac{100}{9}\%$

4. यदि वर्ष 2018 में, कंपनी B की आय वर्ष 2020 में उसके व्यय के बराबर थी, तो 2018 में कंपनी B की आय का 2020 में उसकी आय से क्या अनुपात था?

(a) 2:3 (b) 3:2
(c) 2:5 (d) 5:2

5. यदि वर्ष 2023 में कंपनी B की आय ₹70 करोड़ थी, तो उस वर्ष में कंपनी B का व्यय क्या था?

(a) ₹20 करोड़ (b) ₹30 करोड़
(c) ₹40 करोड़ (d) ₹50 करोड़

6. नैयायिकों के अनुसार शब्दों का अर्थ है:

(a) केवल सामान्य (जाति)
(b) केवल विशेष (व्यक्ति)
(c) केवल आकृति (आकृति)
(d) सामान्य, विशेष और आकृति (जाति, व्यक्ति और आकृति)

7. निम्न की आकृति व आकार (मूड) की पहचान कीजिए:

'सभी सोडियम लवण जल में घुलनशील पदार्थ होते हैं। सभी साबुन सोडियम लवण होते हैं। अतः सभी साबुन जल में घुलनशील पदार्थ होते हैं।'

कूट:

(a) AEI; द्वितीय आकृति (b) AAA; तृतीय आकृति
(c) IIA; चतुर्थ आकृति (d) AAA; प्रथम आकृति

8. पिता की आयु बड़े पुत्र की आयु से दोगुनी है। दस वर्ष पश्चात पिता की आयु छोटे पुत्र की आयु से तीन गुना हो जाएगी। यदि दो पुत्रों की आयु के बीच का अंतर 15 वर्ष है तो पिता की आयु क्या है?

(a) 50 वर्ष (b) 45 वर्ष
(c) 43 वर्ष (d) 40 वर्ष

9. निम्नलिखित विषयों में से किनकी पढ़ाई प्राचीन भारतीय विश्वविद्यालयों में की जाती थी?

(1) पत्रकारिता
(2) पर्यावरंण विज्ञान
(3) तर्कशास्त्र
(4) चिकित्सा शास्त्र
(5) दर्शन शास्त्र

नीचे दिए गए विकल्पों में से सही उत्तर का चयन कीजिए:

(a) केवल (1), (2), (3) (b) केवल (2), (3), (4)
(c) केवल (3), (4), (5) (d) केवल (1), (2), (5)

10. निम्नलिखित यू जी सी के अध्यक्षों का कालक्रमानुसार अनुक्रम बताइए:

(1) अरमैती एस देसाई
(2) जी राम रेड्डी
(3) मनमोहन सिंह
(4) यशपाल
(5) माधुरी आर शाह

नीचे दिए गए विकल्पों में से सही उत्तर का चयन कीजिए:

(a) (1), (5), (2), (4), (3) (b) (2), (3), (5), (1), (4)
(c) (3), (4), (1), (5), (2) (d) (5), (4), (3), (2), (1)

11. रीता के स्मार्टफोन में मुक्त स्रोत (ओपनसोर्स) प्रचालन प्रणाली (आपरेटिंग सिस्टम) का प्रयोग होता है। ओपन सोर्स आपरेटिंग सिस्टम में स्रोत कोड का निम्न में से कौन सर्वोत्तम वर्णन करता है?

(a) इसका स्वामित्व इसे विकसित करने वाली कंपनी का होता है।
(b) यह प्रयोक्ताओं को उपलब्ध कराया जाता है।
(c) यह अधिक सुरक्षित है।
(d) यह कम प्रक्रमण ऊर्जा का प्रयोग करता है।

12. निम्नलिखित में से कौन जल गुणवत्ता के रासायनिक प्राचल हैं?

(1) pH
(2) कठोरता
(3) आविलता (टर्बिडिटी)
(4) DO
(5) BOD

नीचे दिए गए विकल्पों में से सही उत्तर का चयन कीजिए:

(a) केवल (1), (2), (3) और (4)
(b) केवल (1), (2), (4) और (5)
(c) केवल (2), (3), (4) और (5)
(d) केवल (1), (3) और (5)

13. सूची-I के साथ सूची-II का मिलान कीजिए:

सूची-I (विषैले पदार्थ समूह)	सूची-II (कैंसरजनकता का स्तर)
(1) समूह A	(i) प्रसामान्य मानव कैंसरजन
(2) समूह B	(ii) वर्गीकृत नहीं
(3) समूह C	(iii) मानव कैंसरजन
(4) समूह D	(iv) संभावित मानव कैंसरजन

नीचे दिए गए विकल्पों में से सही उत्तर का चयन कीजिए:

(a) (1)–(ii), (2)–(iv), (3)–(i), (4)–(iii)
(b) (1)–(ii), (2)–(i), (3)–(iv), (4)–(iii)
(c) (1)–(iii), (2)–(iv), (3)–(i), (4)–(ii)
(d) (1)–(iii), (2)–(i), (3)–(iv), (4)–(ii)

14. डिजिटल संचार के संबंध में, निम्न कथनों A-D में से कौन से कथन सही हैं?

(1) रेडियो प्रसारण स्वचालित प्रकार की प्रेषण पद्दति का उदाहरण है।
(2) कंप्यूटर के साथ संचारित की-बोर्ड सिंप्लेक्स प्रकार की प्रेषण पद्दति का उदाहरण है।
(3) वॉकी-टॉकी अर्ध-द्विदिश प्रेषण पद्दति पर कार्य करते हैं।
(4) टेलीफोन कॉलें पूर्ण-द्विदिश प्रेषण पद्दति के उदाहरण हैं।

नीचे दिए गए विकल्पों में से सही उत्तर का चयन कीजिए:

(a) केवल (1) और (2) (b) केवल (2) और (3)
(c) केवल (1) और (3) (d) केवल (2), (3) और (4)

15. लंदन धूम कोहरा (स्मॉग) आपदा के धूमकोहरे का निर्माण किनके संकेद्रण के कारण हुआ था?

(1) नाइट्रोजन डॉय-ऑक्साइड
(2) सल्फर डॉय-ऑक्साइड
(3) पेरॉक्सी एसिटाइल नाइट्रेट (पी ए एन)
(4) कणाकार पदार्थ

नीचे दिए गए विकल्पों में से सही उत्तर का चयन कीजिए:

(a) केवल (1) और (2) (b) केवल (1) और (3)

(c) केवल (3) और (4) (d) केवल (2) और (4)

16. निम्न में से अधिसंज्ञान के कौन-कौन से लाभ हैं?

(1) अधिसंज्ञानात्मक पद्धतियां शिक्षार्थी को योजना बनाने, निगरानी रखने और अपनी स्वयं की प्रगति का मूल्यांकन करने में सहायता करती हैं।

(2) अधिसंज्ञानात्मक पद्धतियां संज्ञानात्मक योग्यता के प्रभाव से कहीं अधिक अधिगम में अनुपम योगदान करती हैं।

(3) अधिसंज्ञानात्मक पद्धतियां शिक्षार्थियों की शैक्षणिक उपलब्धियों में सुधार करने में सहायता करती हैं।

(4) अधिसंज्ञानात्मक कौशल विद्यार्थियों ने जो कुछ सीखा है उसे एक संदर्भ से दूसरे संदर्भ में स्थानांतरित करने में सहायक होते हैं।

नीचे दिए गए विकल्पों में से सही उत्तर का चयन कीजिए:

(a) केवल (1) और (4) (b) केवल (2) और (3)

(c) (1), (2), (3) और (4) (d) केवल (3)

17. सूची-I के साथ सूची-II का मिलान कीजिए:

सूची-I (मैलवेयर प्रकार)	सूची-II (परिभाषा)
(1) बहुरूपी वाइरस	(i) उपयोगी लगने वाला प्रोग्राम जिसमें हानिकारक प्रोग्राम कोड छिपा होता है।
(2) रूपांतरिक वाइरस	(ii) दोहराव के दौरान बनी प्रत्येक प्रति के साथ अपना हस्ताक्षर बदलता है।
(3) ट्रोजन होर्स	(iii) एक ऐसा मैलवेयर जो प्रयोक्ता से अंतक्रिया किए बगैर नेटवर्क के माध्यम से अपनी प्रतियों का प्रसार करता है।
(4) वोर्म	(iv) प्रत्येक बार दोहराव होने पर स्वयं को पूर्णतया पुनर्लिखित करता है, कभी-कभी अपने व्यवहार को बदलता है।

नीचे दिए गए विकल्पों में से सही उत्तर का चयन कीजिए:

(a) (1)–(ii), (2)–(i), (3)–(iv), (4)–(iii)

(b) (1)–(iii), (2)–(iv), (3)–(i), (4)–(ii)

(c) (1)–(ii), (2)–(iv), (3)–(i), (4)–(iii)

(d) (1)–(i), (2)–(iii), (3)–(iv), (4)–(ii)

18. निम्नलिखित में से कौन भारतीय शिक्षा आयोग, 1964-66 का प्रासंगिक अवलोकन था?

(a) पिरामिड प्रकार के संगठन के स्थान पर चौरस संगठन का प्रतिस्थापन

(b) भारतीय विश्वविद्यालय विशेषता में वैश्विक है।

(c) विदेशी विश्वविद्यालय भारतीय विद्यार्थियों का प्रचुर वित्त पोषण कर रहे हैं।

(d) सभी विश्वविद्यालयी स्नातकों को भारत में नौकरी की गारंटी दी जाती है।

19. उन प्रतिचयन तकनीकों की पहचान कीजिए जिन्हें प्रच्छन्न जनसंख्या के अध्ययन के लिए प्रयोग किया जाता है:

(1) सरल यादृच्छिक प्रतिचयन

(2) हिम कन्दुक (स्नोबॉल) प्रतिचयन

(3) स्तरीकृत यादृच्छिक प्रतिचयन

(4) मुख्य सूचना-प्रदाता प्रतिचयन

नीचे दिए गए विकल्पों में से सही उत्तर का चयन कीजिए:

(a) केवल (1) और (2) (b) केवल (1) और (3)

(c) केवल (2) और (4) (d) केवल (3) और (4)

20. शिक्षा मंत्रालय का पूर्ववर्ती नाम क्या था?

(a) युवा कार्य मंत्रालय

(b) मानव संसाधन मंत्रालय

(c) शिक्षा और अनुसंधान मंत्रालय

(d) केंद्रीय कार्य मंत्रालय

21. सूची-I के साथ सूची-II का मिलान कीजिए:

सूची-I (विद्वान)	सूची-II (कृति)
(1) बौद्धयान	(i) रसरत्नाकर
(2) नागार्जुन	(ii) अर्थशास्त्र
(3) ब्रह्म गुप्त	(iii) सुल्व सूत्र
(4) विष्णु गुप्त	(iv) ब्रह्म स्पूत सिद्धांतिका

नीचे दिए गए विकल्पों में से सही उत्तर का चयन कीजिए:

(a) (1)–(i), (2)–(iv), (3)–(ii), (4)–(iii)

(b) (1)–(iv), (2)–(ii), (3)–(iii), (4)–(i)

(c) (1)–(iii), (2)–(i), (3)–(iv), (4)–(ii)

(d) (1)–(ii), (2)–(iii), (3)–(i), (4)–(iv)

22. किसी पाठ के सांस्कृतिक अर्थ को निम्न नाम से जाना जाता है:

(a) अधिसूचना (नोटिफिकेशन)

(b) वाच्यार्थ (डिनोटेशन)

(c) गुणार्थ (कोनोटेशन)

(d) संवृत्त पाठ (क्लोज्ड टेक्स्ट)

23. निम्न एम एस-एक्सेल स्प्रेडशीट पर विचार कीजिए:

	A	B	C	D	E
(1)	मद	मात्रा	मूल्य	राजस्व	
(2)	A-11	12	5	60	
(3)	B-32	31	9	279	
(4)	C-44	24	12	288	

यदि प्रकोष्ठ E2 में सूत्र = \$B\$2 * \$C\$2 की प्रविष्टि की जाती है और फिर प्रकोष्ठ E3 और E4 में इसकी कॉपी की जाती है तो प्रकोष्ठ E2, E3 व E4 में मान निम्नानुसार होंगे:

(a) क्रमश: 60, 60 और 60 (b) क्रमश: 60, 279 व 288

(c) क्रमश: 0, 0 और 0 (d) क्रमश: 60, 40 और 36

24. सादृश्यता द्वारा युक्ति निम्न में से क्या है?

(a) वैध के रूप में वर्गीकृत

(b) अवैध के रूप में वर्गीकृत

(c) अपनी आधारिकाओं से तार्किक आवश्यकता के साथ प्रतिफलित होने का दावा करती है।

(d) संभाव्य

25. यदि आधार-M अंक प्रणाली में $(L)_M$ अंक L को दर्शाता है, तो दशमलव अंक प्रणाली में परिवर्तित होने पर निम्न अंकों A-D के सही आरोही क्रम की पहचान कीजिए:

(1) $(11111.11)_2$

(2) $(102.3)_6$

(3) $(42.5)_8$

(4) $(32.6)_{16}$

नीचे दिए गए विकल्पों में से सही उत्तर का चयन कीजिए:

(a) (2), (1), (3), (4) (b) (1), (3), (2), (4)

(c) (3), (1), (4), (2) (d) (4), (3), (2), (1)

26. किसी चर के सह परिवर्ती होने का पता लगाने का अध्ययन निम्न में से किससे संबंधित है:

(a) व्यक्ति/प्रकरण अध्ययन (b) अनुदैर्ध्य शोध

(c) सह-संबंध शोध (d) पुरालेख संबंधी शोध

27. सूची-I के साथ सूची-II का मिलान कीजिए:

सूची-I (समष्टि माध्य (μ) और $\left(\frac{1}{N}\sum x_i^2\right)$	सूची-II (समष्टि मानक विचलन (σ))
(1) $\mu = 7, \frac{1}{N}\sum x_i^2 = 85$	(i) 9
(2) $\mu = 3, \frac{1}{N}\sum x_i^2 = 58$	(ii) 8
(3) $\mu = 7, \frac{1}{N}\sum x_i^2 = 113$	(iii) 7
(4) $\mu = 6, \frac{1}{N}\sum x_i^2 = 117$	(iv) 6

नीचे दिए गए विकल्पों में से सही उत्तर का चयन कीजिए:

(a) (1)–(i), (2)–(ii), (3)–(iii), (4)–(iv)

(b) (1)–(ii), (2)–(iii), (3)–(iv), (4)–(i)

(c) (1)–(iii), (2)–(iv), (3)–(i), (4)–(ii)

(d) (1)–(iv), (2)–(iii), (3)–(ii), (4)–(i)

28. एक नौका की स्थिर जल में गति 10 कि.मी. प्रति घंटा (10 किमी/घंटा) है। यदि यह प्रवाह की दिशा में 26 किलोमीटर और 14 कि.मी. प्रवाह के विरुद्ध एक ही समय में तय कर सकती है तो जल प्रवाह की गति है:

(a) 4.5 कि.मी./घंटा (b) 5 कि.मी./घंटा

(c) 3 कि.मी./घंटा (d) 4 कि.मी./घंटा

29. वाल्टर जे. ओंग द्वारा बताए गए मौखिक विचारों का अन्त: सम्बन्धित मनोगतिकी के चरणों का सही क्रम बताइए।

(1) संयोजी/योगात्मक

(2) समूहित

(3) प्रचुर

(4) परम्परावादी

(5) मानवजीवन के निकट

नीचे दिए गए विकल्पों में से सही उत्तर का चयन कीजिए:

(a) (1), (2), (3), (4), (5)

(b) (2), (3), (4), (5), (1)

(c) (3), (4), (5), (1), (2)

(d) (4), (5), (1), (2), (3)

30. जब कोई कार सड़क पर आपके समीप से हो कर निकलती है और दूर जाने पर सिकुड़ती हुई प्रतीत होती है, तब निम्न में से कौन सी परिघटना आपको यह अनुभव कराती है कि वास्तव में कार छोटी नहीं हो रही है?

(a) आत्म सिद्धि (b) संक्रामिकता
(c) बोधात्मक स्थिरता (d) समानता

31. निम्नलिखित में से कौन 'राष्ट्रीय जलवायु परिवर्तन कार्य योजना' के राष्ट्रीय मिशन हैं?

(1) राष्ट्रीय ओजोन मिशन
(2) राष्ट्रीय सौर मिशन
(3) राष्ट्रीय जल मिशन
(4) राष्ट्रीय वायु मिशन
(5) राष्ट्रीय हरित भारत मिशन

नीचे दिए गए विकल्पों में से सही उत्तर का चयन कीजिए:

(a) केवल (1), (2) और (4)
(b) केवल (1), (4) और (5)
(c) केवल (2), (3) और (5)
(d) केवल (3), (4) और (5)

32. उस संख्या का पता लगाइए जो नीचे दी गई श्रृंखला में प्रश्न चिन्ह (?) को प्रतिस्थापित कर सके:

4, 27, 16, 125, 36, ?, 64, 729

(a) 343 (b) 81
(c) 49 (d) 161

33. सूची-I के साथ सूची-II का मिलान कीजिए:

सूची-I (संकल्पना)	सूची-II (वर्णन)
(1) हस्तलिपि संस्कृति	(i) छपाई
(2) मुद्रण संस्कृति	(ii) शब्द का अनुभव करने के लिए बोलना
(3) मौखिक संस्कृति	(iii) छवियों के माध्यम से स्थानिक समझ/बोध
(4) दृश्य संस्कृति	(iv) लेखन

नीचे दिए गए विकल्पों में से सही उत्तर का चयन कीजिए:

(a) (1)–(i), (2)–(ii), (3)–(iii), (4)–(iv)
(b) (1)–(ii), (2)–(iii), (3)–(iv), (4)–(i)
(c) (1)–(iii), (2)–(iv), (3)–(i), (4)–(ii)
(d) (1)–(iv), (2)–(i), (3)–(ii), (4)–(iii)

34. एक कूट भाषा में

'617' का अर्थ है 'Sweet and hot'
'735' का अर्थ है 'Coffee is sweet'
'263' का अर्थ है 'Tea is hot'

'Coffee is hot' के लिए क्या कूट होगा?

(a) '675' (b) '537'
(c) '536' (d) '573'

35. एक महिला उत्तर की ओर 100 मीटर चलती है। फिर वह अपनी बायीं ओर मुड़ती है और 50 मीटर चलती है। पुनः वह बायीं ओर मुड़ती है और 120 मीटर चलती है। अंत में वह अपनी दायीं ओर 45 डिग्री के कोण पर मुड़ती है और चलना आरंभ करती है। अब वह महिला किस दिशा में जा रही है?

(a) उत्तर (b) दक्षिण-पश्चिम
(c) पश्चिम (d) उत्तर-पश्चिम

36. निम्नलिखित ग्रीन हाउस गैसों को उनकी वैश्विक ऊष्मण क्षमता (जी डब्ल्यू पी) के न्यूनतम से उच्चतम मान के अनुक्रम में व्यवस्थित कीजिए:

(1) CH_4 (मीथेन)
(2) CO_2 (कार्बन डाइऑक्साइड)
(3) CFC-11 (क्लोरो फ्लोरो कार्बन-11)
(4) N_2O (नाइट्रस ऑक्साइड)

नीचे दिए गए विकल्पों में से सही उत्तर का चयन कीजिए:

(a) (3), (1), (2), (4)
(b) (1), (4), (2), (3)
(c) (2), (1), (3), (4)
(d) (2), (1), (4), (3)

37. उस तर्क दोष को क्या कहा जाता है जिसमें विरोधी की अवस्थिति को, जितना अभिकथन द्वारा उचित ठहराया गया था, उससे अधिक उग्र अथवा अविवेकी दर्शाया जाता है?

(a) दया हेतु आग्रह
(b) घास का पुतला
(c) भ्रामक संकेत
(d) जनदृष्टि के लिये आग्रह

38. सूची-I के साथ सूची-II का मिलान कीजिए:

सूची-I (सहकारी अधिगम रणनीति)	सूची-II (अर्थ)
(1) चक्रीय विचार मंथन (राउंड रॉबिन ब्रेन स्टोर्मिंग)	(i) केन्द्रीय समूह के विचार विमर्श का अवलोकन व श्रवण
(2) नंबर्ड हैड्स टुगेदर	(ii) विद्यार्थियों द्वारा एक विशेष विषय को अन्यों को पढ़ाना
(3) फिश बाउल	(iii) एक छोटे समूह में विषय पर बारी-बारी से चर्चा करना
(4) समकक्षी (पीयर) शिक्षण	(iv) भूमिकाएं निर्दिष्ट करना और समूह के प्रतिनिधियों को बारी-बारी से बदलना

नीचे दिए गए विकल्पों में से सही उत्तर का चयन कीजिए:

(a) (1)–(iv), (2)–(iii), (3)–(ii), (4)–(i)

(b) (1)–(iii), (2)–(iv), (3)–(i), (4)–(ii)

(c) (1)–(ii), (2)–(iii), (3)–(i), (4)–(iv)

(d) (1)–(iii), (2)–(ii), (3)–(iv), (4)–(i)

39. दो या उससे अधिक प्रेक्षक जिस सीमा तक उनके द्वारा प्रेक्षण और अभिलिखत किए जा रहे व्यवहारों के कूटबद्ध करने और अंकन में सहमत हों, वह किससे संबंधित है?

(a) प्रेक्षक का पूर्वाग्रह (b) प्रेक्षक का अपसरण

(c) विषय प्रतिक्रियाशीलता (d) अंतर-प्रेक्षक विश्वसनीयता

40. निम्नलिखित में से किन पाठ-पठनों की पहचान स्टुअर्ट हॉल ने की थी?

(1) जटिल पठन

(2) निरन्तर/सतत पठन

(3) प्रधान/प्रमुख पठन (डॉमिनेंट रीडिंग)

(4) प्रतिकूली पठन (ऑपोजिशनल रीडिंग)

(5) वार्तातय/परक्रमित पठन (निगोशिएटेड रीडिंग)

नीचे दिए गए विकल्पों में से सही उत्तर का चयन कीजिए:

(a) केवल (1), (2), (3) (b) केवल (3), (4), (5)

(c) केवल (2), (3), (4) (d) केवल (1), (4), (5)

41. जब समान उद्देश्य व विधेय पद वाले दो तर्क वाक्य, गुणवत्ता में सहमत हों परन्तु जिनमें मात्रा में अंतर हो, निम्न में से किस रूप में जाने जाते हैं?

(a) विपरीत (b) उप-विपरीत

(c) व्याघातक (d) अनुरूपी

42. यदि 'Z' मानक सामान्य विचर को दर्शाता है तो निम्नलिखित प्रायिकताओं को बढ़ते क्रम में व्यवस्थित कीजिए:

(1) $P(0 \leq Z \leq 1)$

(2) $P(-\infty \leq Z \leq 0)$

(3) $P(1 \leq Z \leq 3)$

(4) $P(2 \leq Z \leq +\infty)$

नीचे दिए गए विकल्पों में से सही उत्तर का चयन कीजिए:

(a) (1), (2), (3), (4) (b) (2), (3), (4), (1)

(c) (3), (4), (1), (2) (d) (4), (3), (1), (2)

43. एक शिक्षक ऐसी अधिगम प्रबंधन प्रणाली (एल एम एस) ढूंढ रहा है जो बहु आकलन उपकरणों का समेकन कर सके और विद्यार्थी की प्रगति की खोज खबर रखे। इस कार्य के लिए सर्वाधिक उपयुक्त मंच कौन सा होगा?

(a) मूडल (b) ज़ूम

(c) ग्रामरली (d) टर्निटिन

44. किसी विशेष संस्कृति के अन्दर, दृश्य और भाषाई संकेतों के उपयोग का संचालन करने वाले नियमों के समुच्चय को निम्न कहा जाता है:

(a) मीडिया नियम (b) पाठ-ढाँचा (टेक्स्ट फ्रेम)

(c) तकनीकी मानदण्ड (d) कोड/संहिता

45. निम्न में से कौन-कौन प्रेक्षण अधिगम के तत्व हैं?

(1) प्रतिधारण

(2) ध्यान

(3) अनुकूलन

(4) उत्पादन

(5) अभिप्रेरण

नीचे दिए गए विकल्पों में से सही उत्तर का चयन कीजिए:

(a) केवल (1), (2), (4) और (5)

(b) केवल (3) और (5)

(c) केवल (1), (2), (3) और (5)

(d) केवल (2) और (4)

निम्नलिखित गद्यांश को पढ़िए और उसके बाद दिए गए प्रश्नों के उत्तर दीजिए:

आयुर्वेद स्वास्थ्य को आन्तरिक परिवेश के एक गतिमान सन्तुलन के रूप में परिभाषित करता है जो संवेदी अंगों, मन और स्व को सकारात्मक ढंग से प्रभावित करता है। हर व्यक्ति विशेष होता है और उसकी एक विशिष्ट मानसिक और शारीरिक संरचना होती है। इसी से रोग की भेद्यता और स्वास्थ्य के ऊँचे स्तर को हासिल करने का अवसर निर्धारित होता है। ऐतिहासिक काल से ही आयुर्वेद व्यक्तिपरक औषधि की पैरवी करने में अग्रणी रहा है। मानव आनुवांशिकी और औषधीय आनुवांशिकी में प्रगति ने आज औषधि के प्रति एक व्यक्तिपरक पहुँच के उद्भव को जन्म दिया है जो औषधीय हस्तक्षेप को व्यक्तिगत आवश्यकताओं के अनुरूप ढालती है।

आयुर्वेद यह इंगित करता है कि आन्तरिक परिवेश का सन्तुलन बनाए रखने के लिए बाह्य परिवेश के साथ सामंजस्य स्थापित करना आवश्यक है। आयुर्वेद यह घोषित करता है कि मनुष्य ब्रह्माण्ड का प्रतिनिधि है। लघु जगत विराट विश्व का ही छोटा प्रतिरूप है और मनुष्य उन्हीं तत्वों से बना है जिनसे प्रकृति बनी है। इस प्रकार आयुर्वेद स्वास्थ्य देखभाल की एक पारिस्थितिकी-चेतना व्यवस्था के रूप में विकसित हुआ। किसी स्थान-विशेष में रहने वाले लोगों के लिए उनके आसपास उगने वाले पौधे सर्वाधिक उपयुक्त होते हैं। हर व्यक्ति को अपने लिए एक ऐसी जीवन शैली तराशनी है जो उस भौगोलिक क्षेत्र और बदलते मौसमों को ध्यान में रखे।

46. आयुर्वेद के अनुसार हर व्यक्ति की जीवन शैली को निम्न बातों का ध्यान रखना चाहिए:

(a) उनकी पसन्द की चीजें

(b) फल आधारित आहार का पालन

(c) उनके विशेष भौगोलिक क्षेत्र और बदलते मौसम

(d) सस्ते तौर पर उपलब्ध चीजें

47. आयुर्वेद निम्न की पैरवी करता है:

(a) एक व्यक्तिपरक उपचार

(b) सभी व्यक्तियों के लिए एक जैसा उपचार

(c) रोग के प्रति केवल निवारक उपागम

(d) एलोपैथी उपचार

48. इस गद्यांश का उपयुक्त शीर्षक होगा:

(a) गतिमान सन्तुलन

(b) भारत में रोग-उपचार

(c) आयुर्वेद

(d) आन्तरिक और बाह्य परिवेश

49. आयुर्वेद के अनुसार शरीर के आन्तरिक परिवेश का सन्तुलन ______।

(a) बाहरी परिवेश से कोई सम्बन्ध नहीं रखता।

(b) बाहरी परिवेश से नाम मात्र का सम्बन्ध रखता है।

(c) बाहरी परिवेश से घनिष्ठता से सम्बन्धित है।

(d) बाहरी परिवेश पर कभी कभी निर्भर करता है।

50. स्वास्थ्य की आयुर्वेदी व्यवस्था

(a) परिवेश का ध्यान नहीं रखती।

(b) परिवेश को नष्ट करने में विश्वास करती है।

(c) पारिस्थितिकी-चेतन है।

(d) परिवेश को प्रदूषित करती है।

उत्तरमाला

1. (c)	**2.** (b)	**3.** (d)	**4.** (a)	**5.** (d)	**6.** (d)	**7.** (d)	**8.** (a)	**9.** (c)	**10.** (d)
11. (b)	**12.** (b)	**13.** (d)	**14.** (d)	**15.** (d)	**16.** (c)	**17.** (c)	**18.** (a)	**19.** (c)	**20.** (b)
21. (c)	**22.** (c)	**23.** (d)	**24.** (d)	**25.** (b)	**26.** (c)	**27.** (d)	**28.** (c)	**29.** (b)	**30.** (c)
31. (c)	**32.** (a)	**33.** (d)	**34.** (c)	**35.** (b)	**36.** (d)	**37.** (b)	**38.** (b)	**39.** (d)	**40.** (b)
41. (d)	**42.** (d)	**43.** (a)	**44.** (d)	**45.** (a)	**46.** (c)	**47.** (a)	**48.** (c)	**49.** (c)	**50.** (c)

संकेत और स्पष्टीकरण

1. (c)

कंपनी B का 2022 में व्यय ज्ञात करें:

माना 2022 में B का व्यय = x करोड़

लाभ% = [(आय − व्यय)/व्यय] × 100

$30 = [(52 - x)/x] \times 100$

$30x = 5200 - 100x$

$130x = 5200$

$x = 5200/130 = 40$ करोड़

चूँकि दोनों कंपनियों का व्यय समान है, A का 2022 में व्यय भी 40 करोड़ है।

कंपनी A की 2022 में आय:

माना आय = y करोड़

$45 = [(y - 40)/40] \times 100$

$45 \times 40 = 100y - 4000$

$1800 = 100y - 4000$

$100y = 5800$

$y = 58$ करोड़

2022 में दोनों कंपनियों की औसत आय:

औसत आय = (A की आय + B की आय)/2

= (58 + 52)/2 = 110/2 = 55 करोड़

इस प्रकार, (c) सही उत्तर है।

2. (b)

माना 2021 में दोनों कंपनियों का व्यय = x

कंपनी A की 2021 में आय:

लाभ% = [(आय A − x)/x] × 100

60 = [(आय A − x)/x] × 100

$0.6x$ = आय A − x

आय A = $1.6x$

कंपनी B की 2021 में आय:

45 = [(आय B − x)/x] × 100

$0.45x$ = आय B − x

आय B = $1.45x$

आय का अनुपात:

आय A: आय B = $1.6x : 1.45x$ = 32:29

इस प्रकार, (b) सही उत्तर है।

3. (d)

माना 2019 में A का व्यय = $4x$ और 2023 में = $3x$

2019 में A की आय:

25 = [(आय 2019 − $4x$)/$4x$] × 100

$100x$ = 100 × आय 2019 − $400x$

आय 2019 = $5x$

2023 में A की आय:

50 = [(आय 2023 − $3x$)/$3x$] × 100

$150x$ = 100 × आय 2023 − $300x$

आय 2023 = $4.5x$

आय में प्रतिशत वृद्धि:

% वृद्धि = [($5x - 4.5x$)/$4.5x$], × 100

= ($0.5x/4.5x$) × 100 = 100/9%

इस प्रकार, (d) सही उत्तर है।

4. (a)

कंपनी B के लिए मान लें:

दिया गया: आय 2018 = व्यय 2020 = P

2018 के लिए:

लाभ% = [(आय − व्यय)/व्यय] × 100

25% = [(आय 2018 − व्यय 2018)/व्यय2018] × 100

आय 2018 = 1.25 × व्यय 2018

P = 1.25 × व्यय 2018

अत:, व्यय 2018 = P/1.25

2020 के लिए:

लाभ% = [(आय 2020 − व्यय 2020)/व्यय 2020] × 100

50% = [(आय 2020 − P)/P] × 100

आय 2020 = 1.5 × P

आय 2018: आय 2020 का अनुपात:

= P : 1.5P

= 1 : 1.5

= 2 : 3

अत:, B की 2018 और 2020 की आय का अनुपात 2:3 है।

इस प्रकार, (a) सही उत्तर है।

5. (d)

कंपनी B का 2023 में व्यय:

माना व्यय = x

लाभ% = 40%

आय = 70 करोड़

$40 = [(70 - x)/x] \times 100$

$40x = 7000 - 100x$

$140x = 7000$

$x = 7000/140 = 50$ करोड़

इस प्रकार, (d) सही उत्तर है।

6. (d)

न्यायिका शब्द	व्याख्या	सरलीकृत उदाहरण
केवल सामान्य (जाति)	एक श्रेणी के सभी सदस्यों द्वारा साझा किया गया सामान्य गुण।	'मानव' (मानव होने का गुण)
केवल विशेष (व्यक्ति)	जाति का एक विशिष्ट उदाहरण।	कोई भी व्यक्तिगत मनुष्य (जैसे, 'आप')
केवल आकृति	वह आकार या संरचना जो हमें किसी व्यक्ति को जाति के रूप में पहचानने की अनुमति देती है।	आपकी विशिष्ट उपस्थिति (चेहरा, ऊंचाई, आदि)
सामान्य, विशेष और आकृति (जाति, व्यक्ति और आकृति)	सामान्य वर्ग, विशिष्ट व्यक्तियों और उनके रूपों को संदर्भित करता है, जो सभी पूर्ण समझ के लिए आवश्यक हैं।	एक प्रजाति के रूप में मनुष्य, और सभी व्यक्तिगत मनुष्य, उनकी व्यक्तिगत उपस्थिति के साथ।

7. (d)

आकार (मूड) और आंकड़े मूल रूप से न्यायवाक्य कथनों के विषय में पाए जाते हैं।

आकार: हमें निरपेक्ष प्रस्तावों के प्रकारों का पता लगाने की आवश्यकता है – A, E, I, O

आधारिका 1: सभी सोडियम लवण जल में घुलनशील पदार्थ होते हैं: **A** (सार्वत्रिक सकारात्मक)

आधारिका 2: सभी साबुन सोडियम लवण होते हैं: **A** (सार्वत्रिक सकारात्मक)

निष्कर्ष: अत:, सभी साबुन जल में घुलनशील पदार्थ होते हैं: A (सार्वत्रिक सकारात्मक)

इस प्रकार, आकार (मूड) AAA है।

आकृति (Figure)

आकृति आधारिकाओं में मध्य पद की व्यवस्था पर निर्भर करती है। मध्य पद वह पद है जो दोनों आधारिकाओं में दिखाई देता है लेकिन निष्कर्ष में नहीं। इस प्रकार, **सोडियम लवण** मध्य पद (Middle Term) है।

इस विषय में, मध्य पद 'सोडियम लवण' है।

आधारिका 1: M – P (मध्य पद – प्रमुख पद)

आधारिका 2: S – M (गौण पद – मध्य पद)

निष्कर्ष: S – P (गौण पद – प्रमुख पद)

इस व्यवस्था की चार आकृतियों से तुलना करें:

पहली आकृति: M - P, S - M, S - P

दूसरी आकृति: P - M, S - M, S - P

तीसरी आकृति: M - P, M - S, S - P

चौथी आकृति: P - M, M - S, S – P

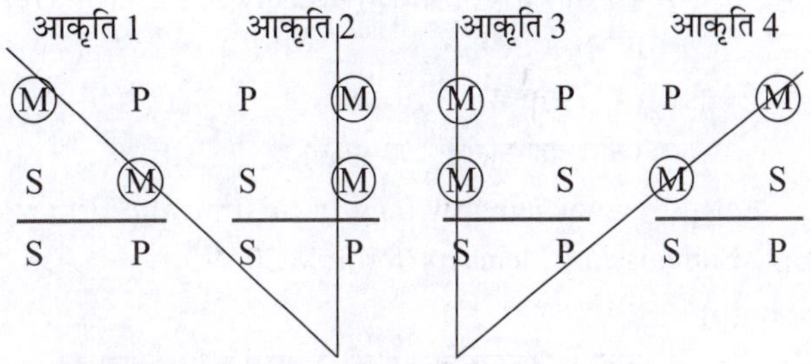

दिया गया न्यायवाक्य, पहली आकृति से मेल खाता है।

इसलिए, सही उत्तर (d) AAA; पहली आकृति है।

8. (a)

मान लीजिए कि बड़े पुत्र की आयु x है, पिता की वर्तमान आयु = $2x$ वर्ष है।

छोटे पुत्र की वर्तमान आयु = $x - 15$ वर्ष

10 वर्षों के बाद, पिता की आयु = $2x + 10$ वर्ष

10 वर्षों के बाद, छोटे पुत्र की आयु = $(x - 15) + 10 = x - 5$

प्रश्न के अनुसार, $2x + 10 = 3\ (x - 5)$

हल करने पर, $x = 25$, यानी बड़े पुत्र की आयु

इस प्रकार, पिता की वर्तमान आयु = $2 \times 25 = 50$ वर्ष

परीक्षा में उपलब्ध समय के आधार पर, उम्मीदवार उत्तर की सटीकता जांचने के लिए तथ्यों को सत्यापित कर सकते हैं।

9. (c)

सही उत्तर निम्न हैं:

C. तर्कशास्त्र (Logic): प्राचीन भारत में इसके समकक्ष जैसे तर्क या हेतु-विद्या का अत्यधिक विकास हुआ था। दिङ्नाग और धर्मकीर्ति ने तर्कशास्त्र में अपार योगदान दिया।

D. चिकित्सा शास्त्र (Medicine): आयुर्वेद फिर से लोकप्रिय हो रहा है – चिकित्सा और शल्य चिकित्सा पर महत्वपूर्ण ग्रंथ सुश्रुत और चरक द्वारा बनाए गए थे।

E. **दर्शनशास्त्र (Philosophy)** (दर्शन शास्त्र **(Darshan Shastra)):** सांख्य, योग, न्याय, वैशेषिक, मीमांसा और वेदांत वैदिक प्रणाली के मुख्य भाग हैं। ये नालंदा और तक्षशिला जैसे विश्वविद्यालयों के पाठ्यक्रम के केंद्र में थे।

इस प्रकार, (c) C, D, E सही उत्तर है।

10. (d)

अध्यक्षों का सही कालक्रमानुसार अनुक्रम निम्न हैं:

1. E (माधुरी आर. शाह (Madhuri R. Shah)): 1981 – 1986
2. D (यशपाल (Yashpal)): 1986 – 1991
3. C (मनमोहन सिंह (Manmohan Singh)): 1991 – 1991
4. B (जी. राम रेड्डी (G. Ram Reddy)): 1991 – 1995
5. A (अरमायटी एस. देसाई (Armaity S. Desai)): 1995 – 1999

अत: (d) सही उत्तर है।

ऐसी जानकारी यहां प्राप्त की जा सकती है:

https://www.ugc.gov.in/Administration/Former_Commission_Members?form=MG0AV3

11. (b)

(b) सही उत्तर है 'यह प्रयोक्ताओं को उपलब्ध कराया जाता है।'

ओपन-सोर्स ऑपरेटिंग सिस्टम अपने सोर्स कोड को प्रयोक्ताओं (उपयोगकर्ताओं) के लिए उपलब्ध कराते हैं, जिससे उन्हें सॉफ्टवेयर तक पहुंचने, संशोधित करने और स्वतंत्र रूप से वितरित करने की अनुमति मिलती है। यह ऑपरेटिंग सिस्टम के विकास में अधिक पारदर्शिता, सहयोग और सामुदायिक भागीदारी को सक्षम बनाता है।

गलत विकल्प हैं:

(a) ओपन-सोर्स कोड का स्वामित्व या नियंत्रण केवल उस कंपनी के पास नहीं होता है, जिसने इसे विकसित किया है।

(b) जबकि खुले स्वभाव सामुदायिक जांच और बग फिक्स को तेजी से करने की अनुमति देता है, इसका अर्थ यह भी हो सकता है कि कमजोरियां अधिक सरलता से प्रकट हो जाती हैं।

(d) अब सही विषय पर आते हैं – यह कम प्रोसेसिंग पावर का उपयोग करता है। प्रदर्शन विशिष्ट कोड, सुविधाओं और अनुकूलन पर निर्भर करता है, लाइसेंसिंग मॉडल पर नहीं।

इस प्रकार, सही उत्तर (b) है।

12. (b)

A, B, D और E जल के रासायनिक गुणों को संदर्भित करते हैं।

A. pH: pH किसी जल घोल की अम्लीयता या क्षारीयता का माप है।

B. कठोरता (Hardness): कठोरता जल में घुले हुए खनिजों (आमतौर पर कैल्शियम और मैग्नीशियम) की सांद्रता को संदर्भित करती है।

D. DO (Dissolved Oxygen) (घुली हुई ऑक्सीजन): DO जल में विद्यमान ऑक्सीजन गैस की मात्रा है, जो जलीय जीवन के लिए महत्वपूर्ण है।

E. BOD (Biochemical Oxygen Demand) (जैवरासायनिक ऑक्सीजन मांग): BOD जल में कार्बनिक पदार्थों के अपघटन के दौरान सूक्ष्मजीवों द्वारा खपत ऑक्सीजन की मात्रा को मापता है। यह रासायनिक कारकों से प्रभावित एक जैविक प्रक्रिया है।

C. आविलता (मैलापन) (Turbidity): यह जल का एक भौतिक गुण है, यह निलंबित कणों के कारण इसके बादलपन या स्पष्टता की कमी को संदर्भित करता है। यह रासायनिक कारकों से प्रभावित हो सकता है।

इस प्रकार, (b) A, B, D और E सही उत्तर है।

13. (d)

कैंसरजनकता (Carcinogenicity): कैंसर पैदा करने की किसी पदार्थ या एजेंट की क्षमता।

विषैले पदार्थों को उनकी कैंसरजनकता के प्रमाण के स्तर के आधार पर विभिन्न समूहों में वर्गीकृत किया जाता है:

A. समूह A: मानव कैंसरजन (उच्चतम साक्ष्य स्तर) – III

B. समूह B: प्रसामान्य मानव कैंसरजन – I

C. समूह C: संभावित मानव कैंसरजन – IV

D. समूह D: वर्गीकृत नहीं (सीमित या अपर्याप्त साक्ष्य वाले पदार्थ, संभवत: कैंसरजन नहीं) – II

14. (d)

सही विकल्प हैं:

B. कीबोर्ड-कंप्यूटर (Keyboard-Computer): जबकि एक कीबोर्ड कंप्यूटर को जानकारी भेजता है, उसी कनेक्शन के माध्यम से इसके विपरीत सत्य नहीं है। यह एकतरफा संचार 'सिम्प्लेक्स' है।

C. वॉकी-टॉकी (Walkie-Talkies): वॉकी-टॉकी दो-तरफा संचार की अनुमति देते हैं, लेकिन एक समय में केवल एक व्यक्ति ही बात कर सकता है। आप बात करने के लिए एक बटन दबाते हैं और सुनने के लिए उसे छोड़ते हैं। यह 'हाफ-डुप्लेक्स' संचार है।

D. टेलीफोन कॉल (Telephone Calls): फोन कॉल के दौरान, दोनों लोग एक ही समय में बात बोल और सुन सकते हैं। यह दोतरफा एक साथ संचार 'फुल डुप्लेक्स' है।

जो सही विकल्प नहीं हैं:

A. रेडियो प्रसारण (Radio Broadcast): यह केवल एक दिशा में संकेत भेजता है- स्टेशन से श्रोता तक। इसलिए, इसे 'स्वचालित' प्रसारण के रूप में नहीं, बल्कि 'सिम्प्लेक्स' (एकतरफा) के रूप में वर्णित किया गया है।

अत: सही उत्तर (d) B, C और D है।

15. (d)

1952 के लंदन धूम कोहरा (स्मॉग) का मुख्य कारण कोयला जलाने से उच्च स्तर के सल्फर डाय-ऑक्साइड (SO_2) और कणाकार पदार्थ थे।

A. **नाइट्रोजन डाय-ऑक्साइड (NO_2)** - जबकि NO_2 एक प्रमुख प्रदूषक है, यह लंदन स्मॉग का प्राथमिक घटक नहीं था। यह सही उत्तर का भाग नहीं है।

B. **सल्फर डाय-ऑक्साइड (SO_2)** - SO_2 कोयला दहन से बड़ी मात्रा में निकला और स्मॉग बनाने में महत्वपूर्ण भूमिका निभाई। यह सही उत्तर का भाग है।

C. **पेरॉक्सी-एसीटाइल नाइट्रेट (PAN)** - PAN एक फोटोकेमिकल प्रदूषक है, जो आमतौर पर 1952 के कोयला आधारित स्मॉग के बजाय आधुनिक शहरी स्मॉग से जुड़ा होता है। यह सही उत्तर का भाग नहीं है।

D. **कणाकार पदार्थ (पार्टिकुलेट मैटर - PM)** - कोयला जलाने से उच्च सांद्रता वाले पार्टिकुलेट प्रदूषकों के कारण स्मॉग घना था। यह सही उत्तर का भाग है।

इस प्रकार, (d) B और D सही उत्तर है।

16. (c)

अधिसंज्ञानात्मक शब्द में, अधि का अर्थ है - के बारे में या उससे भी परे। संज्ञान का अर्थ है सोचना। अधिसंज्ञानात्मक (metacognition) का अर्थ है - सोचने के बारे में सोचना है - To Think about Thinking.यह एक तथ्य है कि हम स्वयं के बारे में कई बार अत्याधिक सोचते हैं, ऐसी सोच किस प्रकार से विकसित होती है। यह किसी की अपनी संज्ञानात्मक प्रक्रियाओं के बारे में जागरूकता, समझ और नियंत्रण को संदर्भित करता है। यह जानने के बारे में है कि आप कैसे सीखते हैं, आप क्या जानते हैं, और आप अपनी सोच और सीखने की रणनीतियों को कैसे श्रेष्ठ बना सकते हैं।

A. यह अधिसंज्ञान का एक मुख्य पहलू है - अपनी सीखने की प्रक्रिया के बारे में जागरूक होना और उसे नियंत्रित करना।

B. अनुसंधान से पता चलता है कि अधिसंज्ञान एक विशिष्ट कौशल है जो सामान्य बुद्धि को ध्यान में रखने के बाद भी सीखने को बढ़ाता है।

C. अपने सीखने को समझने और नियंत्रित करने से, छात्र बेहतर शैक्षणिक परिणाम प्राप्त कर सकते हैं।

D. अधिसंज्ञान गहरी समझ को बढ़ावा देता है, जो ज्ञान और कौशल को नई स्थितियों में स्थानांतरित करने की सुविधा प्रदान करता है।

इसमें सभी विकल्प आते हैं, अत: सही उत्तर (c) है।

17. (c)

A. **बहुरूपी वाइरस (Polymorphic Virus) - II:** प्रतिकृति के दौरान बनाई गई प्रत्येक प्रति के साथ अपना हस्ताक्षर बदलता है। यह पता लगाने से बचने के लिए अपने कोड को थोड़ा बदलता है।

B. **रूपांतरिक वाइरस (Metamorphic Virus) - IV:** हर बार जब इसे दोहराया जाता है तो पूर्ण रूप से स्वयं को फिर से लिखता है, यानी अपने कोड को बदलते हैं, कभी-कभी अपना व्यवहार बदलता है, यही रूपांतरिक वायरस को अधिक उन्नत बनाता है।

C. **ट्रोजन हॉर्स (Trojan Horse) - I:** ट्रोजन हॉर्स एक प्रकार का मैलवेयर है जो स्वयं को एक उपयोगी प्रोग्राम के रूप में छिपाकर उपयोगकर्ताओं को धोखा देता है। यह वैध कार्यक्रमों के भीतर दुर्भावनापूर्ण कोड छुपाता है और जब उपयोगकर्ता इस प्रोग्राम को चलाते हैं, तो यह हानिकारक गतिविधियाँ करता है।

D. **वॉर्म (Worm) - III:** एक मैलवेयर जो उपयोगकर्ता की बातचीत के बिना नेटवर्क के माध्यम से अपनी प्रतियां फैलाता है: वर्म स्व-प्रचारित होते हैं और उन्हें होस्ट प्रोग्राम की आवश्यकता नहीं होती है।

इस प्रकार, (c) A-II, B-IV, C-I, D-III सही उत्तर है।

18. (a)

(a) पिरामिड प्रकार के संगठन को एक (चौरस या सपाट) संगठन द्वारा प्रतिस्थापित किया जा रहा है: कोठारी आयोग का अर्थ अधिक न्यायसंगत और सुलभ शिक्षा प्रणाली था, जहाँ आधार विस्तृत हो। उच्च शिक्षा का अर्थ है उस विस्तृत आधार पर उन्नत संरचना।

(b) और (c) वैश्विक या विदेशी से जुड़े थे जो उस समय परिदृश्य नहीं था।

(d) भारत में सभी विश्वविद्यालय स्नातकों को नौकरी की गारंटी है: ध्यान रोजगार क्षमता बढ़ाने के लिए व्यावसायिक शिक्षा और कौशल विकास पर था।

19. (c)

B. **हिम कंदुक प्रतिचयन (Snowball sampling):** यह छिपे हुए समूहों के खोजने में सहायता प्रदान करता है। शोधकर्ता एक समूह में एक व्यक्ति के साथ संपर्क स्थापित करता है। वह किसी अन्य व्यक्ति से संपर्क साधन में सहायता करता है। इस प्रकार, एक श्रृंखला स्थापित की जा सकती है, इस प्रकार, एक हिम कंदुक बड़ा होता जाता है, एक शोधकर्ता छिपे हुए समूह में अधिक लोगों तक पहुंचता है। बीमा उद्योग को एक उदाहरण के रूप में लिया जा सकता है।

D. **मुख्य सूचना-प्रदात प्रतिचयन (Key informant sampling):** यह विशेषज्ञों का उपयोग करता है। एक शोधकर्ता समूह के बारे में जानने और उसमें अधिक लोगों को खोजने के लिए प्रमुख सूचनादाताओं से बात करता है।

अन्य विकल्प क्यों कार्य नहीं करते, इसके मुख्य कारण हैं:

A. **सरल यादृच्छिक प्रतिचयन (Simple random sampling):** हर किसी शोधकर्ता को सूची की आवश्यकता होती है। यदि समूह छिपा हुआ है, तो आपके पास वह सूची नहीं हो सकती है। इसलिए, आप लोगों को यादृच्छिक रूप से नहीं चुन सकते।

B. **स्तरीकृत यादृच्छिक प्रतिछाया (Stratified random sampling):** इसके लिए भी एक सूची की आवश्यकता होती है। आपको पहले सूची को छोटे समूहों (स्तरों) में विभाजित करने की आवश्यकता है। लेकिन आप यह जाने बिना ऐसा नहीं कर सकते कि छिपे हुए समूह में कौन है।

इसलिए, छिपे हुए समूहों का अध्ययन करने के सबसे अच्छे ढंग से हिम-कुंदक और मुख्य सूचना प्रदाता प्रतिचयन हैं। उन्हें समूह की पूरी सूची की आवश्यकता नहीं है।

इस प्रकार, (c) B और D सही उत्तर है।

20. (b)

भारत में शिक्षा मंत्रालय को पहले मानव संसाधन विकास मंत्रालय (MHRD) के नाम से जाना जाता था। यह परिवर्तन वर्ष 2020 में किया गया था। पहले शिक्षा MHRD का भाग थी, वर्ष 2020 से इसे स्वतंत्र प्रभार दिया गया, जबकि नई शिक्षा नीति की घोषणा भी साथ ही की गई थी। इससे व्यापक सुधारों का संकेत मिलता है। यह परिवर्तन केवल नाम के लिए नहीं था।

21. (c)

A. **बौद्धयान (Boudhayana) - III. सुल्व (शुल्व) सूत्र (Sulva Sutra):** यह वैदिक वेदियों के डिजाइन में उपयोग किए जाने वाले ज्यामितीय निर्माणों से संबंधित है।

B. **नागार्जुन (Nagarjuna) - I. रसरत्नाकर (Rasaratnakara):** यह भारतीय कीमिया (Alchemy) रसायन विज्ञान से जुड़ा है।

C. **ब्रह्मगुप्त (Brahma Gupta) - IV. ब्रह्म स्पूत सिद्धांतिका (Brahma Sputa Siddhantika):** यह खगोल विज्ञान और गणित पर एक प्रमुख कृति है।

D. **विष्णुगुप्त (Vishnu Gupta) - II. अर्थशास्त्र (Arthashastra):** यह राजकला/शासनकला और राजनीतिक अर्थव्यवस्था पर एक प्राचीन भारतीय ग्रंथ है। कौटिल्य और चाणक्य के नाम भी इस कार्य से जुड़े हैं।

इस प्रकार, सही उत्तर (c) A-III, B-I, C-IV, D-II है।

22. (c)

(a) **अधिसूचना (Notification):** यह प्रकृति में औपचारिक (formal) होती है।

(c) **संवृत (बंद) पाठ (Closed text):** संस्कृति से जुड़ा नहीं है जिसका वास्तव में प्रदर्शन किया जाना है।

(b) **वाच्यार्थ (Denotation):** किसी शब्द की शाब्दिक, शब्दकोश परिभाषा है। यह बिना किसी भावनात्मक या सांस्कृतिक बोझ के वस्तुनिष्ठ अर्थ है। उदाहरण के लिए, 'घर' का अर्थ उस भौतिक संरचना से है जहाँ कोई रहता है।

निम्नलिखित सही उत्तर है।

(c) **गुणार्थ (लक्ष्यार्थ) (Connotation):** किसी शब्द या पाठ से जुड़े सांस्कृतिक या भावनात्मक जुड़ाव हैं। गुणार्थ व्यक्तिपरक (subjective) है, इसलिए इसके अर्थ सांस्कृतिक संदर्भ, व्यक्तिगत अनुभवों और सामाजिक मूल्यों पर निर्भर करते हैं। ये लक्ष्यार्थ संस्कृतियों और व्यक्तियों में भिन्न हो सकते हैं। घर का अर्थ गर्मी, आराम, परिवार, अपनापन, सुरक्षा आदि हो सकता है।

इस प्रकार, (c) संस्कृति के संदर्भ में सबसे प्रासंगिक है।

23. (d)

प्रकोष्ठ E2: सूत्र = \$B\$2*C2 है।

- \$B\$2 एक निरपेक्ष संदर्भ है, इसलिए यह हमेशा प्रकोष्ठ B2 (मान 12) को संदर्भित करता है।
- C2 एक सापेक्ष संदर्भ है, इसलिए यह E2 के बाईं ओर के प्रकोष्ठ (मान 5) को संदर्भित करता है।
- परिणाम 12 * 5 = 60 है।

प्रकोष्ठ E3: जब सूत्र को नीचे कॉपी किया जाता है, तो सापेक्ष संदर्भ C2, C3 में बदल जाता है।

- \$B\$2 एक निरपेक्ष संदर्भ (मान 12) बना रहता है।
- C3 एक सापेक्ष संदर्भ है (मान 9)।
- परिणाम 12 * 9 = 108 है। मूल प्रश्न में यहाँ एक टाइपो है। यह 108 होना चाहिए, 40 नहीं।

प्रकोष्ठ E4: जब सूत्र को फिर से नीचे कॉपी किया जाता है, तो C2, C4 में बदल जाता है।

- \$B\$2 एक निरपेक्ष संदर्भ (मान 12) बना रहता है।
- C4 एक सापेक्ष संदर्भ है (मान 12)।
- परिणाम 12 * 12 = 144 है। फिर से, मूल प्रश्न में एक टाइपो है। यह 144 होना चाहिए, 36 नहीं।

इस प्रकार, सही उत्तर है, (d) क्रमशः 60, 40 और 36

24. (d)

एक सादृश्य एक प्रकार की तुलना (comparison) है। तुलनात्मक सोच: सादृश्य एक ऐसा ढंग है, जिससे हम दो भिन्न-भिन्न वस्तुओं के मध्य समानताएँ दिखाते हैं। ये वस्तुएं बिल्कुल भिन्न हो सकती हैं, जैसे कि कंप्यूटर और मस्तिष्क, लेकिन उनमें कुछ विशेष पहलू एक जैसे होते हैं, जैसे कि कंप्यूटर जानकारी को प्रोसेस करता है, और मस्तिष्क भी ऐसा ही करता है। इस प्रकार यह एक संभावना के दर्शन करवाते हैं, किंतु सदैव सत्य नहीं होते। इस प्रकार, सादृश्य एक सहायक उपकरण है, लेकिन इससे मिलने वाले निष्कर्षों को संभावित मानना चाहिए, न कि पत्थर की लकीर।

इस प्रकार, (d) सही उत्तर है।

25. (b)

A $(11111.11)_2$

पूर्णांक भाग: $1 \times 2^4 + 1 \times 2^3 + 1 \times 2^2 + 1 \times 2^1 + 1 \times 2^0$
$= 16 + 8 + 4 + 2 + 1 = 31$

भिन्नात्मक भाग: $1 \times 2^{-1} + 1 \times 2^{-2} = 0.5 + 0.25 = 0.75$

दशमलव समतुल्य: 31.75

B $(102.3)_6$

पूर्णांक भाग: $1 \times 6^2 + 0 \times 6^1 + 2 \times 6^0 = 36 + 0 + 2 = 38$

भिन्नात्मक भाग: $3 \times 6^{-1} = 3 \times 0.1667 = 0.5$

दशमलव समतुल्य: 38.5

C $(42.5)_8$

पूर्णांक भाग: $4 \times 8^1 + 2 \times 8^0 = 32 + 2 = 34$

भिन्नात्मक भाग: $5 \times 8^{-1} = 5 \times 0.125 = 0.625$

दशमलव समतुल्य: 34.625

D $(32.6)_{16}$

पूर्णांक भाग: $3 \times 16^1 + 2 \times 16^0 = 48 + 2 = 50$

भिन्नात्मक भाग: $6 \times 16^{-1} = 6 \times 0.0625 = 0.375$

दशमलव समतुल्य: 50.375

इस प्रकार, सही आरोही क्रम उत्तर है (b) A, C, B, D

26. (c)

(c) सहसंबंध शोध (Correlational research): विशेष रूप से दो या दो से अधिक चरों के बीच संबंध की जांच करने के लिए डिज़ाइन किया गया है। इसका उद्देश्य यह निर्धारित करना है कि क्या और कैसे ये चर सह-परिवर्तित होते हैं।

अन्य विकल्प:

(a) व्यक्ति/प्रकरण अध्ययन (Case Study): यह शोध एकल व्यक्ति, समूह, घटना या यहां तक कि एक काल्पनिक परिदृश्य की गहन जांच है। जबकि यह कई चरों की जांच कर सकता है, इसका प्राथमिक लक्ष्य उस विशिष्ट मामले की जटिलताओं को समझना है। यह अक्सर व्यक्तिपरक होता है।

(b) अनुदैर्ध्य शोध (Longitudinal research): यह शोध समय के साथ समान विषयों में समान चरों को ट्रैक करता है। यह समय के साथ परिवर्तन के बारे में है, विशेष रूप से इस बारे में नहीं कि वस्तुएं एक साथ कैसे परिवर्तित होती हैं।

(d) पुरालेख संबंधी शोध (Archival research): यह शोध विद्यमान डेटा का उपयोग करता है जिसे अन्य उद्देश्यों (ऐतिहासिक अभिलेख, जनगणना डेटा) के लिए एकत्र किया गया है।

इस प्रकार, (c) सही उत्तर है।

27. (d)

σ मानक विचलन के लिए और Σ योग के लिए है।

हालांकि SD एक बहुत ही महत्वपूर्ण अवधारणा है, यहां तक कि अनुसंधान में भी, हम पहले सूत्रों पर ध्यान केंद्रित कर सकते हैं।

$\sigma = \sqrt{[(1/N) \times \Sigma (x_i^2 - \mu^2)]}$

चूंकि हमें $(1/N) * \Sigma x_i^2$ और μ दिया गया है, हम इस रूप का उपयोग कर सकते हैं:

$\sigma = \sqrt{[1/N) \times \Sigma x_i^2 - \mu^2]}$

गणनाएँ इस प्रकार हैं:

A. $\mu = 7, (1/N)\Sigma x_i^2 = 85$

$\sigma = \sqrt{(85 - 7^2)} = \sqrt{(85 - 49)} = \sqrt{36} = 6$

B. $\mu = 3, (1/N)\Sigma x_i^2 = 58$

$\sigma = \sqrt{(58 - 3^2)} = \sqrt{(58 - 9)} = \sqrt{49} = 7$

C. $\mu = 7, (1/N)\Sigma x_i^2 = 113$

$\sigma = \sqrt{(113 - 7^2)} = \sqrt{(113 - 49)} = \sqrt{64} = 8$

D. $\mu = 6, (1/N)\Sigma x_i^2 = 117$

$\sigma = \sqrt{(117 - 6^2)} = \sqrt{(117 - 36)} = \sqrt{81} = 9$

मिलान करने पर, सही उत्तर (d) A-IV, B-III, C-II, D-I है।

28. (c)

मान लीजिए कि 'b' स्थिर जल में नौका की गति = 10 किमी/घंटा

हमें 's' ज्ञात करना है जो जल प्रवाह धारा की गति है।

't' दोनों प्रकार की यात्राओं में लगा समय है, जो समान है।

प्रवाह की दिशा में **(Downstream)**: गति = दूरी/समय $(b + s)$ = 26/t

प्रवाह के विरुद्ध **(Upstream)**: गति = दूरी/समय $(b - s)$ = 14/t

$t = 26 / (b + s)$ ...(1)

$t = 14 / (b - s)$ ...(2)

(1) और (2) से,

$26/(b + s) = 14/(b - s)$

इस समीकरण में $b = 10$ किमी/घंटा का मान रखने पर,

26/(10 + s) = 14/(10 – s)

s = 3, इसलिए, सही उत्तर (c) है।

29. (b)

वाल्टर जे. ओंग ने अपनी पुस्तक 'ओरैलिटी एंड लिटरेसी' में मौखिक विचार की विशेषताओं का वर्णन किया है। निम्नलिखित विशेषताएं आपस में जुड़ी हुई हैं और मौखिक संस्कृतियों की विचार प्रक्रियाओं की प्रकृति को दर्शाती हैं।

B. समूहित (समेकित) (Aggregative): यह विचारों को तोड़ने के बजाय संबंधित विचारों को एक साथ समूहीकृत करता है। मौखिक विचार विश्लेषणात्मक की तुलना में अधिक समेकित होता है।

C. प्रचुर (Copious): यह स्मृति और जुड़ाव के लिए पुनरावृत्ति और विस्तार का उपयोग करता है। यहाँ 'अधिक है अधिक' सौंदर्यबोध है।

D. परंपरावादी (Traditionalist): मौखिक संस्कृतियाँ मौजूदा ज्ञान को संरक्षित करती हैं, नवाचार पर परंपरा को महत्व देती हैं।

E. मानव जीवन के निकट (Close to human life): मौखिक विचार अमूर्त विचारों के बजाय ठोस, रोजमर्रा के अनुभवों पर केंद्रित होता है।

A. योगात्मक (Additive): मौखिक विचार विचारों को एक साथ जोड़ता है, यह उन्हें पदानुक्रम और जटिल संरचनाओं में व्यवस्थित नहीं करता है।

इस प्रकार, (b) B, C, D, E, A सही उत्तर है।

30. (c)

(c) बोधात्मक (प्रत्यक्षज्ञानात्मक) स्थिरता (Perceptual constancy): यह वास्तव में किसी वस्तु को वैसा ही मानने की प्रवृत्ति है, भले ही उसके बारे में हमें मिलने वाली संवेदी जानकारी परिवर्तित हो जाए। उदाहरण के लिए, एक कार हमारी धारणा में समान दिखाई देती है, हालांकि हमारी आंखों का रेटिना इसे कुछ चिकित्सीय समस्या के रूप में समर्थन करता है जो हमारी आंखों में विकसित होता है।

गलत विकल्पों की व्याख्याएँ:

(a) आत्म सिद्धि (आत्म-वास्तविकीकरण) (Self-actualization): यह मास्लो की आवश्यकताओं के पदानुक्रम की एक अवधारणा है, यह किसी की पूरी क्षमता के अहसास को संदर्भित करता है। यह दृश्य धारणा से संबंधित नहीं है।

(b) संक्रामिकता (Transitivity): यह तार्किक गुण को संदर्भित करता है कि यदि A = B और B = C, तो A = C। यह इस बात से प्रासंगिक नहीं है कि हम आकार को कैसे देखते हैं।

(d) समानता (Similarity): यह सिद्धांत है कि हम समान चीजों को एक साथ समूहीकृत करते हैं। हालांकि यह एक प्रत्यक्षज्ञानात्मक सिद्धांत है, यह नहीं बताता कि हम कार के आकार को स्थिर क्यों मानते हैं।

इस प्रकार, (c) सही उत्तर है।

31. (c)

NAPCC जलवायु परिवर्तन से निपटने के वैश्विक प्रयासों के साथ भारत की भागीदारी का एक अभिन्न अंग है। यह अंतर्राष्ट्रीय समझौतों के प्रति देश की प्रतिबद्धता को दर्शाता है, वैश्विक सर्वोत्तम प्रथाओं को शामिल करता है, प्रौद्योगिकी हस्तांतरण और सहयोग को बढ़ावा देता है, और सतत विकास लक्ष्यों की प्राप्ति में योगदान देता है।

NAPCC के मुख्य लाभ क्षेत्र:

1. **शमन या न्यूनीकरण (Mitigation):** ग्रीनहाउस गैसों के स्रोतों को कम करने और उनके कार्बन सिंक को बढ़ाने के लिए उठाए गए कदम, जिससे जलवायु परिवर्तन के प्रभाव को कम किया जा सके।
2. **अनुकूलन (Adaptation):** IPCC के अनुसार, अनुकूलन वास्तविक या अपेक्षित जलवायु उत्तेजनाओं या उनके प्रभावों के जवाब में प्राकृतिक या मानव प्रणालियों में समायोजन के रूप में है, जो नुकसान को कम करते हैं या लाभकारी अवसरों का दोहन करते हैं।
3. **सतत विकास (Sustainable Development):** विकास जो वर्तमान की आवश्यकताओं को पूरा करता है, वह भी भविष्य की पीढ़ियों की अपनी आवश्यकताओं को पूरा करने की क्षमता से समझौता किए बिना। मुख्य उदाहरण MDG और SDG हैं।

अब विशेष रूप से प्रश्न पर आते हैं:

मूल आठ NAPCC मिशन (2008):

1. **राष्ट्रीय सौर मिशन:** सौर ऊर्जा को बढ़ावा देना।
2. **राष्ट्रीय संवर्धित ऊर्जा दक्षता मिशन:** ऊर्जा की खपत को कम करना।
3. **राष्ट्रीय सतत पर्यावास मिशन:** सतत शहरों और बस्तियों को बढ़ावा देना।
4. **राष्ट्रीय जल मिशन:** जल संरक्षण और प्रबंधन पर ध्यान केंद्रित करना।
5. **हिमालयी पारिस्थितिकी तंत्र को बनाए रखने के लिए राष्ट्रीय मिशन:** हिमालय क्षेत्र की रक्षा करना।
6. **राष्ट्रीय हरित भारत मिशन:** वन आवरण और पारिस्थितिक तंत्र को बढ़ाना।
7. **राष्ट्रीय सतत कृषि मिशन:** जलवायु के अनुकूल कृषि को बढ़ावा देना।

8. **जलवायु परिवर्तन के लिए रणनीतिक ज्ञान पर राष्ट्रीय मिशनः** ज्ञान और क्षमता का निर्माण करना।

इस प्रकार, राष्ट्रीय ओजोन मिशन, राष्ट्रीय वायु मिशन सूची में गायब हैं, वह कभी आरंभ ही नहीं किए गए।

राष्ट्रीय हाइड्रोजन मिशन 2021 में आरंभ किया गया था।

सही उत्तर (c) केवल B, C और E है।

32. (a)

पैटर्न को एकल रूप से लिया जा सकता है (या दो भागों में विभाजित किया जा सकता है):

4, 27, 16, 125, 36, ?, 64, 729 – यह 2, 3, 4, 5, 6, 7, 6, 9 के वर्ग और घन हैं ...

$= 2^2, 3^3, 4^2, 5^3, 6^2, 7^3, 8^2, 9^3$

इस प्रकार, सही उत्तर (a) है यानी $7^3 = 343$

33. (d)

सूची-I (अवधारणा)	सूची-II (विवरण)
(1) हस्तलिपि संस्कृति (Chirographic Culture)	(iv) लेखन-ज्ञान को संप्रेषित और संरक्षित करने का प्राथमिक रूप।
(2) मुद्रण संस्कृति (Typographic Culture)	(i) छपाई-मूवेबल टाइप-लिखित सामग्री का बड़े पैमाने पर उत्पादन।
(3) मौखिक संस्कृति (Oral Culture)	(ii) शब्द का अनुभव करने के लिए बोलना-ज्ञान संचरण और सांस्कृतिक संरक्षण के लिए भी।
(4) दृश्य संस्कृति (Visual Culture)	(iii) छवियों के माध्यम से स्थानिक समझ/बोध-दृश्य तत्वों की व्याख्या करना।

इस प्रकार, सही उत्तर है: (d) A -IV, B- I, C – II, D - III

34. (c)

'617' का अर्थ है -Sweet and हॉट

'735' का अर्थ है – Coffee is sweet

'263' का अर्थ है – Tea is hot

आइए इसे तोड़ें (Let's break it down):

Sweet पहले और दूसरे कोड में समान है, और '7' भी समान है।

इसलिए Sweet का अर्थ 7 है।

इसी प्रकार, hot का अर्थ '6' है।

इसी प्रकार, 'है' का अर्थ '3' है।

'735' का अर्थ है – Coffee is sweet, हम अब यह जानते हैं कि

Sweet = 7, is = 3, इसलिए coffee = 5

Coffee is hot = 536.

इस प्रकार, सही उत्तर है: (c) 536.

35. (b)

पहला चरणः वह उत्तर दिशा में 100 मीटर चलती है।

दूसरा चरणः वह बाएँ मुड़ती है (पश्चिम दिशा) और 50 मीटर चलती है।

तीसरा चरणः फिर से बाएँ मुड़ती है (दक्षिण दिशा) और 120 मीटर चलती है।

अंतिम मोड़ः अब वह दक्षिण दिशा से 45 डिग्री दाएँ मुड़ती है। दक्षिण से दाएँ 45 डिग्री मुड़ने पर दिशा दक्षिण-पश्चिम (South-West) होगी।

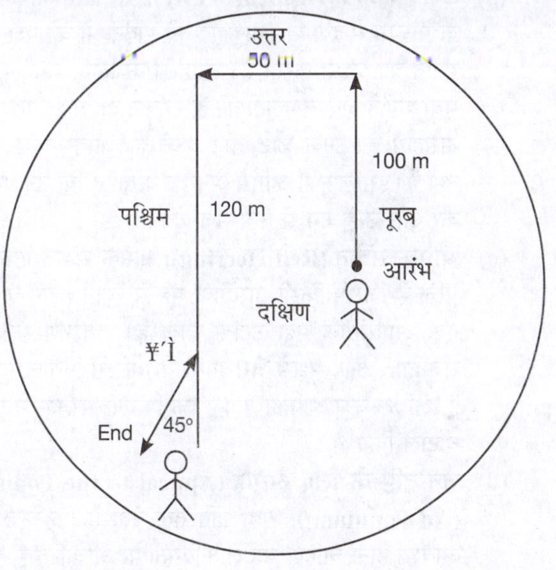

36. (d)

वैश्विक ऊष्मन क्षमता (GWP): GWP मापता है कि ग्रीनहाउस गैस CO_2 (GWP = 1) की तुलना में एक विशिष्ट अवधि (आमतौर पर 100 वर्ष) में वातावरण में कितनी ऊष्मा फंसाती (trap) है।

GWP विभिन्न ग्रीनहाउस गैसों के प्रभाव की तुलना करने में सहायता करता है। GWP जलवायु नीतियों और उत्सर्जन कटौती रणनीतियों का मार्गदर्शन करता है जैसे कि क्योटो प्रोटोकॉल और पेरिस समझौता।

A. **CO_2 (कार्बन डाइऑक्साइड)** → GWP = 1 (मानक आधार रेखा)

B. **CH_4 (मीथेन)** → GWP ≈ 25 – 30

C. **N_2O (नाइट्रस ऑक्साइड)** → GWP ≈ 298

D. **CFC-11 (क्लोरोफ्लोरोकार्बन-11)** → GWP ≈ 4600

इस प्रकार, सही आरोही क्रम है – (d) B, A, D, C

नोटः GWP के 20 वर्ष और 100 वर्ष के अंतराल से जुड़ा एक MCQ PYP में आ चुका है।

37. (b)

(b) **घास का पुतला (The Strawman):** इस भ्रांति में प्रतिद्वंद्वी के तर्क को गलत ढंग से प्रस्तुत करना शामिल है ताकि उस पर हमला करना सरल हो जाए। यह तर्क का एक कमजोर, अतिरंजित या विकृत संस्करण - 'स्ट्रॉमैन' - बनाकर किया जाता है और फिर वास्तविक तर्क के बजाय उस कमजोर संस्करण का खंडन किया जाता है।

हालांकि ऐसे प्रश्न व्यक्तिपरक होते हैं, इनमे निम्न सही विकल्प नहीं है।

(a) **दया हेतु आग्रह (Appeal to Pity):** यह भ्रांति तार्किक तर्क के माध्यम से दया या सहानुभूति की भावनाओं को पैदा करके मनाने का प्रयास करती है। उदाहरण के लिए, वकील, 'मेरे मुवक्किल ने अवश्य गलती की है, लेकिन वह बहुत गरीब और असहाय हैं। उनके छोटे-छोटे बच्चे हैं जिनका कोई सहारा नहीं है। इसलिए, मैं आपसे अनुरोध करता हूं कि उन पर दया करें और उन्हें कम से कम सज़ा दें।'

(c) **भ्रामक संकेत (Red Herring):** भ्रामक संकेत एक ऐसी युक्ति है जिसमें किसी प्रासंगिक मुद्दे से ध्यान हटाने के लिए एक अप्रासंगिक मुद्दा उठाया जाता है। उदाहरण के लिए, राजनेता: 'आप मुझसे बेरोजगारी के बारे में सवाल पूछ रहे हैं, लेकिन क्या आपको पता है कि पिछली सरकार ने कितने घोटाले किए थे?'

(d) **जन दृष्टि के लिए आग्रह (Appeal to the Populace (Ad Populum)):** यह भ्रांति तर्क देती है कि कुछ सत्य आवश्य होना चाहिए, यह लोकप्रियता पर आधारित है, साक्ष्य या तर्क पर नहीं।

राजनेता: 'हमारे देश के अधिकतर लोग इस बात से सहमत हैं कि यह नीति देश के लिए सबसे अच्छी है, इसलिए आपको भी इसका समर्थन करना चाहिए। राजनेता यह तर्क दे रहा है कि नीति सही है क्योंकि यह लोकप्रिय है, न कि इसलिए कि इसके ठोस साक्ष्य या तर्क हैं।

इस प्रकार, (b) सही उत्तर है।

38. (b)

A. चक्रीय विचार मंथन (Round Robin Brainstorming): एक छोटे समूह विषय पर बारी-बारी से चर्चा करना (III)

B. नंबर्ड हेड्स टुगेदर (Numbered Heads Together): क्रमांकित भूमिकाओं और घूर्णन प्रतिनिधियों का उपयोग करना (IV)

C. फिश बाउल (Fishbowl): केंद्रीय समूह के विचार विमर्श अवलोकन व श्रवण (I)

D. समकक्षी (पीयर) शिक्षण (Peer Teaching): विद्यार्थियों द्वारा एक विशेष विषय को अन्यों को पढ़ाना (II)

इस प्रकार, सही उत्तर है: (b) A-III, B-IV, C-I, D-II

39. (d)

(a) **प्रेक्षक का पूर्वाग्रह (Observer Bias):** एक शोधकर्ता का अपना अनुभव या विश्वास होता है जो उनके अवलोकन को प्रभावित कर सकता है। इस प्रकार, वे वास्तविकता को अनदेखा कर सकते हैं, और वे जो कहना चाहते हैं उसे रिपोर्ट कर सकते हैं।

(b) **प्रेक्षक का अपसरण (Observer Drift):** समय के साथ, एक प्रेक्षक अनजाने में बदल सकता है कि वे कोडिंग प्रणाली को कैसे लागू करते हैं। यह क्रमिक बदलाव उनके अवलोकनों में असंगतता पैदा कर सकता है।

(c) **विषय प्रतिक्रियाशीलता (Subject Reactivity):** व्यक्ति अपना व्यवहार बदल सकते हैं जब उन्हें पता होता है कि उनका अवलोकन किया जा रहा है। इसे 'हॉथोर्न' प्रभाव (Hawthrone Effect) के रूप में भी जाना जाता है।

(d) **अंतर-प्रेक्षक विश्वसनीयता (Inter-observer Reliability):** यह उस सीमा को संदर्भित करता है जिस तक विभिन्न प्रेक्षक समान व्यवहार या घटनाओं के अपने कोडिंग या स्कोरिंग पर सहमत होते हैं। उच्च विश्वसनीयता प्रेक्षकों के बीच स्थिरता को इंगित करती है।

इस प्रकार, (d) सही उत्तर है।

40. (b)

स्टुअर्ट हॉल का एन्कोडिंग/डिकोडिंग मॉडल विशेष रूप से मीडिया संदेशों की व्याख्या करते समय तीन स्थितियों के रूप में प्रभावी, विरोधी और बातचीत रीडिंग की पहचान करता है।

C. प्रधान/प्रमुख/प्रभावी (Dominant): इच्छित अर्थ को स्वीकार करना।

D. प्रतिकूली (विरोधी) पठन (Oppositional): इच्छित अर्थ को अस्वीकार करना।

E. वार्तातय/परक्रमित पठन (Negotiated): आंशिक रूप से स्वीकार करना और अर्थ को संशोधित करना।

इस प्रकार, (b) C, D और E सही उत्तर है।

41. (d)

अनुरूपी (Corresponding propositions): अनुरूपी प्रस्तावनाएँ दो ऐसी प्रस्तावनाएँ होती हैं जिनमें विषय और विधेय पद समान होते हैं और जो गुणवत्ता में सहमत होती हैं (दोनों सकारात्मक या दोनों नकारात्मक)। वे मात्रा में भिन्न होती हैं, जिसमें एक सार्वत्रिक (universal) होती है और दूसरी विशेष (particular)।

उदाहरण के लिए:

1. सभी मनुष्य नश्वर हैं। (सार्वत्रिक सकारात्मक)
2. कुछ मनुष्य नश्वर हैं। (विशेष सकारात्मक)

या

1. कोई भी मनुष्य अमर नहीं है। (सार्वत्रिक नकारात्मक)
2. कुछ मनुष्य अमर नहीं हैं। (विशेष नकारात्मक)

42. (d)

1. **Z-स्कोर (Z-score):**

   Z-स्कोर हमें बताता है कि हमारा डेटा औसत से कितनी दूर है। इसे मानक विचलनों (सिग्मा) में मापा जाता है। इसे 'हमारा डेटा कितना असामान्य' (औसत से कितना अलग) है, इसके माप के रूप में सोचें। एक उच्च Z-स्कोर (चाहे धनात्मक हो या ऋणात्मक) इंगित करता है कि डेटा बिंदु औसत से दूर है और इसलिए कम सामान्य है।

Z टेस्ट का उपयोग निम्नलिखित स्थिति में किया जाता है:

- नमूना आकार बड़ा है (आमतौर पर $n > 30$)।
- जनसंख्या भिन्नता ज्ञात है।
- डेटा लगभग सामान्य रूप से वितरित है।

2. **P-वैल्यू (P-value)**

   P-वैल्यू आपको बताता है कि यदि शून्य परिकल्पना वास्तव में सत्य होती, तो हमारे डेटा के जितना चरम (या इससे भी अधिक चरम) डेटा प्राप्त करने की कितनी संभावना है। एक छोटा P-वैल्यू का अर्थ है कि यदि शून्य परिकल्पना सत्य है तो हमारा डेटा असंभव है।

हम पहले Z-स्कोर की गणना करते हैं। फिर, हम P-वैल्यू खोजने के लिए Z-स्कोर का उपयोग करते हैं। P-वैल्यू हमें यह तय करने में सहायता करता है कि हमें इस विचार को अस्वीकार करना चाहिए या नहीं कि हमारे परिणाम केवल संयोग के कारण हैं।

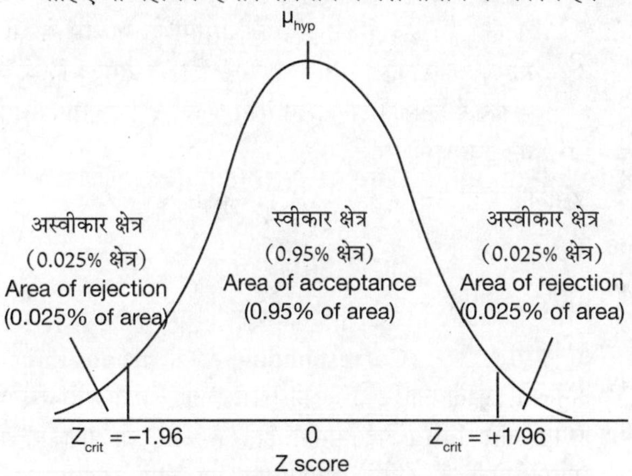

सामान्य वितरण (Normal Distribution)

मानक सामान्य वक्र (घंटी वक्र) प्रश्नों को हल करने में निम्नलिखित समझ हमारी सहायता कर सकती है। ये सामान्य वितरण (Normal Distribution) से जुड़े हैं।

1. **समरूपता (symmetry):** वक्र 0 के चारों ओर सममित होता है। इसका अर्थ है कि $P(Z \leq 0) = P(Z \geq 0) = 0.5$
2. **क्षेत्रफल प्रायिकता (probability) को दर्शाता है:** वक्र के नीचे का क्षेत्रफल प्रायिकता को दर्शाता है।
3. **कुल क्षेत्रफल 1 है:** वक्र के नीचे का संपूर्ण क्षेत्रफल 1 के बराबर होता है।
4. जैसे-जैसे आप माध्य (0) से किसी भी दिशा में दूर जाते हैं, प्रायिकताएँ घटती जाती हैं।

विकल्पों का विश्लेषण:

A. $P(0 \leq Z \leq 1)$: यह माध्य (0) और 1 मानक विचलन के बीच की प्रायिकता है। यह वितरण का एक महत्वपूर्ण भाग है।

D. सबसे छोटी प्रायिकता है क्योंकि यह पूंछ में सबसे दूर है।

C. अगली सबसे छोटी है क्योंकि यह पूंछ में भी है लेकिन D की तुलना में करीब है।

A, C और D से बड़ा है क्योंकि इसमें माध्य के करीब एक महत्वपूर्ण भाग शामिल है।

B सबसे बड़ा है क्योंकि इसमें वितरण का बिल्कुल आधा भाग ($-\infty$ से 0 तक) शामिल है।

इसलिए, सही उत्तर (d) D, C, A, B है।

43. (a)

मूडल (Moodle): मूडल एक सशक्त, ओपन-सोर्स लर्निंग मैनेजमेंट सिस्टम (LMS) है जो विशेष रूप से शिक्षकों के लिए डिज़ाइन किया गया है। यह एकीकरण, ट्रैकिंग और शिक्षक की जरूरतों के अनुसार अनुकूलन में उत्कृष्ट है।

विशिष्ट आवश्यकताओं के लिए अन्य विकल्प हैं:

(b) ज़ूम (Zoom): यह वीडियो कॉन्फ्रेंसिंग और ऑनलाइन मीटिंग के लिए उत्कृष्ट है, यह एक पूर्ण विकसित LMS नहीं है।

(c) ग्रामर्ली (Grammarly): यह लेखन सहायता उपकरण व्याकरण और शैली में मदद करता है, विशेष रूप से पाठ्यक्रम प्रबंधन, मूल्यांकन एकीकरण और प्रगति ट्रैकिंग में।

(d) टर्निटिन (Turnitin): टर्निटिन मुख्य रूप से एक साहित्यिक चोरी का पता लगाने वाला सॉफ्टवेयर है। जबकि यह एक मूल्यवान मूल्यांकन उपकरण है, यह मौलिकता जांच पर केंद्रित है, न कि मूल्यांकन और ट्रैकिंग की व्यापक श्रेणी पर जो एक शिक्षक को LMS में चाहिए।

इस प्रकार. (a) मूडल सही उत्तर है।

44. (d)

सही विकल्प:

(d) **कोड/संहिता (Code):** किसी विशेष संस्कृति के भीतर दृश्य और भाषाई संकेतों के उपयोग को संचालित करने वाले

नियमों की एक प्रणाली को संदर्भित करता है। इसमें इन संकेतों की साझा समझ और व्याख्या शामिल है।

यह सेमियोटिक्स (Semiotics) का ही भाग है जो कि एक अध्ययन का क्षेत्र है जो संकेतों और प्रतीकों और उनकी व्याख्या पर केंद्रित है।

अन्य विकल्प क्यों उपयुक्त नहीं हैं:

(a) **मीडिया नियम (Media Rule):** हालांकि मीडिया के अपने विशिष्ट नियम और परंपराएं हैं, यह शब्द बहुत व्यापक है और विशेष रूप से सांस्कृतिक संदर्भ और संकेतों की साझा समझ को संबोधित नहीं करता है।

(b) **पाठ-ढाँचा (टेक्स्ट फ्रेम) (Text Frame):** यह शब्द किसी पाठ की संरचना और संगठन को संदर्भित करता है, लेकिन इसमें व्यापक सांस्कृतिक संदर्भ और दृश्य और भाषाई संकेतों की व्याख्या शामिल नहीं है।

(c) **तकनीकी मानदण्ड (Technical Norms):** यह तकनीकी विशिष्टताओं और दिशानिर्देशों को संदर्भित करता है, जो अक्सर प्रौद्योगिकी या औद्योगिक प्रक्रियाओं से संबंधित होते हैं। यह संकेतों की सांस्कृतिक व्याख्या को सीधे संबोधित नहीं करता है।

इस प्रकार, (d) कोड/संहिता सही उत्तर है।

45. (a)

अल्बर्ट बंडुरा का प्रेक्षण (अवलोकन - observation) संबंधी अधिगम सिद्धांत:

इस सिद्धांत को सामाजिक अधिगम सिद्धांत के रूप में भी जाना जाता है, यह समझाने पर केंद्रित है कि हम दूसरों को देखकर कैसे सीखते हैं। यह सिद्धांत मानता है कि सीखना केवल प्रत्यक्ष अनुभव से ही नहीं होता, बल्कि दूसरों के व्यवहार को देखकर, उनका अनुकरण करके और उनके परिणामों का अवलोकन करके भी होता है।

अवलोकन संबंधी अधिगम के मुख्य चरण

बंडुरा ने अवलोकन संबंधी अधिगम के चार मुख्य चरण बताए हैं:

A. प्रतिधारण (Retention): देखे गए व्यवहार को याद रखना और उसे भविष्य में दोहराने के लिए संग्रहीत करना आवश्यक है। यह मानसिक छवियों, प्रतीकों या भाषा के माध्यम से किया जा सकता है।

उदाहरण: एक छात्र अपने गणित के शिक्षक को बार-बार समीकरण हल करते हुए देखता है और उन चरणों को अपने स्मरण में संगृहीत करता है ताकि वह परीक्षा के समय में सही तरीके से समस्याओं को हल कर सके।

B. ध्यान (Attention): सबसे पहले, व्यक्ति को मॉडल के व्यवहार पर ध्यान देना होगा। यह व्यवहार जितना अधिक ध्यान आकर्षित करने वाला होगा, उतनी ही अधिक संभावना है कि व्यक्ति उसे देखेगा और सीखेगा।

उदाहरण: एक छात्र उस शिक्षक पर पूरी तरह से ध्यान केंद्रित करता है जो जटिल अवधारणा को समझाने के लिए रोचक कहानियों और दृश्य सामग्री का उपयोग करता है।

D. उत्पादन (Production): याद किए गए व्यवहार को वास्तविक रूप से करने की क्षमता। इसमें शारीरिक और मानसिक दोनों कौशल शामिल होते हैं।

उदाहरण: एक छात्र एक विज्ञान प्रयोग का प्रदर्शन देखता है और फिर उसी प्रयोग को प्रयोगशाला में सफलतापूर्वक पुन: उत्पादित करता है, जैसा कि उसने देखा था।

E. अभिप्रेरण (Motivation): व्यवहार को दोहराने के लिए व्यक्ति के पास पर्याप्त प्रेरणा होनी चाहिए। यह प्रेरणा सकारात्मक पुनर्बलन (जैसे पुरस्कार) या नकारात्मक पुनर्बलन (जैसे सजा से बचाव) से मिल सकती है।

उदाहरण: एक छात्र विज्ञान प्रयोग को सही ढंग से दोहराने के लिए प्रेरित होता है क्योंकि वह अच्छा ग्रेड प्राप्त करना चाहता है और अपने शिक्षक से प्रशंसा प्राप्त करना चाहता है।

C. **अनुकूलन (Adaptation)** सीखने का एक महत्वपूर्ण परिणाम है, लेकिन यह अवलोकन संबंधी अधिगम का एक अलग पहलू है। अनुकूलन वह प्रक्रिया है जिसके द्वारा व्यक्ति अपने पर्यावरण के अनुकूल होने के लिए अपने व्यवहार को बदलते हैं। अवलोकन संबंधी अधिगम के माध्यम से सीखे गए व्यवहार को भी अनुकूलन के लिए इस्तेमाल किया जा सकता है, लेकिन अनुकूलन स्वयं अवलोकन संबंधी अधिगम का एक चरण नहीं है।

इसलिए, सही उत्तर है (a) A, B, D और E

46. (c)

47. (a)

48. (c)

49. (c)

50. (c)

यूजीसी नेट प्रश्न पत्र 1 अगस्त, 2024

नोट:

- इस प्रश्नपत्र में पचास (50) बहु-विकल्पीय प्रश्न हैं। प्रत्येक प्रश्न के दो (2) अंक हैं।
- सभी प्रश्न अनिवार्य हैं।

निम्न तालिका में छह भिन्न भिन्न शहरों A-F में वर्ष 2019 व 2023 में एक आईटी पत्रिका के पाठकों की संख्या का प्रतिशत (%) वितरण दर्शाया गया है। तालिका में प्रदत्त डेटा के आधार पर आगे पूछे गए प्रश्नों के उत्तर दीजिए:

आईटी पत्रिका के पाठकों की संख्या का शहर-वार विवरण

शहर	वर्ष में पाठकों का प्रतिशत	
	(2019)	(2023)
A	10%	15%
B	14%	16%
C	17%	28%
D	9%	10%
E	24%	9%
F	26%	22%

1. यदि सभी छह शहरों A-F को मिलाकर 2023 में पाठकों की कुल संख्या 50,000 थी, तो उसी वर्ष ठीक-ठीक कितने शहरों में पाठकों की संख्या 7,400 से अधिक थी?

(a) 2 (b) 3
(c) 4 (d) 5

2. यदि सभी छह शहरों A-F से पाठकों की कुल संख्या वर्ष 2019 और 2023 में क्रमश: 4.3 लाख और 5.7 लाख थी, तो शहरों B और शहर C से पाठकों की 2019 की कुल संख्या और 2023 की कुल संख्या के बीच का अंतर कितना था?

(a) 1.175 लाख (b) 1.415 लाख
(c) 1.625 लाख (d) 1.596

3. यदि शहर A से पाठकों की वर्ष 2019 की संख्या का वर्ष 2023 की संख्या से अनुपात 2:5 था, तो सभी छह शहरों से पाठकों की वर्ष 2019 की कुल संख्या का 2023 की संख्या से अनुपात कितना था?

(a) 3:5 (b) 4:5
(c) 4:9 (d) 2:5

4. यदि वर्ष 2019 व 2023 में शहर D में पाठकों की संख्या क्रमश: 77,400 व 1,14,000 थी, तो शहर F में पाठकों कों वर्ष 2023 की संख्या और वर्ष 2019 की संख्या के बीच का अंतर कितना है?

(a) 24,800 (b) 27,200
(c) 28,400 (d) 33,600

5. यदि वर्ष 2019 में शहर C से और वर्ष 2023 में शहर E से पाठकों की संख्या क्रमश: 73,100 व 51,300 थी, तो शहर B से 2019 में पाठकों की संख्या से वर्ष 2023 में पाठकों की संख्या लगभग .... % थी।

(a) 53.7 (b) 50.3
(c) 52.8 (d) 51.5

6. सूची-I के साथ सूची-II का मिलान कीजिए:

सूची-I (संक्षिप्त रूप)	सूची-II (अर्थ)
(1) et.al.,	(i) उसी स्थान पर
(2) ante.,	(ii) और अन्य
(3) cf.,	(iii) पहले
(4) ibid.,	(iv) तुलना

नीचे दिए गए विकल्पों में से सही उत्तर का चयन कीजिए:

(a) (1)–(i), (2)–(ii), (3)–(iii), (4)–(iv)
(b) (1)–(ii), (2)–(iii), (3)–(iv), (4)–(i)
(c) (1)–(iii), (2)–(iv), (3)–(i), (4)–(ii)
(d) (1)–(iv), (2)–(iii), (3)–(ii), (4)–(i)

7. फोटो-रासायनिक धूम्र कोहरे के बनने के लिए निम्न में से कौन-कौन सी अनिवार्य आवश्यकताएं हैं?

(1) कार्बन मोनोआक्साइड (CO)
(2) नाइट्रोजन डाई आक्साइड (NO_2)
(3) कार्बन डाईऑक्साइड (CO_2)
(4) वाष्पशील कार्बनिक यौगिक (VOCs)
(5) सूर्य प्रकाश

नीचे दिए गए विकल्पों में से **सबसे उपयुक्त** उत्तर का चयन कीजिए:

(a) केवल (1), (2) और (4)
(b) केवल (1), (3) और (5)
(c) केवल (2), (3), (4) और (5)
(d) केवल (2), (4) और (5)

8. सही कथनों को चुनिये:

(1) y का x% 100 x के y% के बराबर है।
(2) यदि किसी संख्या के $\left(\frac{3}{5}\right)$ भाग का 60% का 40%, 504 है तो उस संख्या के $\left(\frac{2}{5}\right)$ भाग का 25% 350 के बराबर है।
(3) यदि A, B से 15% अधिक है, तो B,A से ~13.04% कम है।
(4) 5 के 10% तथा 10 के 5% का योग 0.1 है।

नीचे दिए गए विकल्पों में **सही** उत्तर का चयन कीजिए:

(a) केवल (1) और (2) (b) केवल (2) और (3)
(c) केवल (3) और (4) (d) केवल (1) और (4)

9. निम्नलिखित कथन में कौन सा तर्क दोष निहित है?

''फ्लू से पीड़ित लोगों को क्वारंटाइन में रखना चहिए, क्योंकि इसे कभी भी रोग को फैलने से रोकने वाले साधन के रूप में असिद्ध नहीं किया गया है।''

(a) पराज्ञानमूलक युक्ति
(b) अविचारित सामान्यीकरण
(c) फिसलन युक्त ढलान
(d) मिथ्या कारण

10. एक मोटर नाव नदी की धारा की दिशा में कतिपय दूरी को 5 घंटे में तय करती है किंतु आरंभिक बिंदु तक नदी की धारा को विपरीत दिशा में वापस लौटने में 6 घंटे का समय लेती है। यदि धारा की गति 4 किमी/घंटा है तो स्थिर जल में मोटर नाव की गति कितनी है।

(a) 40 किमी/घंटा (b) 42 किमी/घंटा
(c) 44 किमी/घंटा (d) 46 किमी/घंटा

11. यर्थाथ के अध्ययन का निम्नलिखित में से कौन सा उपागम व्यंजित करता है कि केवल अनुभव और इंद्रियबोध द्वारा प्राप्त ज्ञान स्वीकार्य है?

(a) निर्मितिवाद (b) नृजातिवर्णन
(c) अनुभववाद (d) संक्रियावाद

12. निम्नलिखित में से कौन गैर-तकनीकी परा-स्नातक शिक्षा हेतु स्वयं पाठयक्रम का राष्ट्रीय समन्वयक (कोआर्डिनेटर) है?

(a) अखिल भारतीय तकनीकी-शिक्षा परिषद (ए आई सी टी ई)
(b) राष्ट्रीय तकनीकी शिक्षक-प्रशिक्षण एवं शोध संस्थान (एन आई टी टी टी आर)
(c) राष्ट्रीय शैक्षिक शोध एवं प्रशिक्षण परिषद (एन सी ई आर टी)
(d) विश्वविद्यालय अनुदान आयोग (यू जी सी)

13. सूची-I के साथ सूची-II का मिलान कीजिए:

सूची-I (प्राचीन ग्रंथ)	सूची-II (लेखक)
(1) लीलावती	(i) चाणक्य
(2) योग सूत्र	(ii) गौतम
(3) न्याय-सूत्र	(iii) पतंजलि
(4) अर्थदर्शन	(iv) भास्कराचार्य

नीचे दिए गए विकल्पों में से सही उत्तर का चयन कीजिए:

(a) (1)–(iv), (2)–(iii), (3)–(ii), (1)–(i)
(b) (1)–(iii), (2)–(iv), (3)–(ii), (1)–(i)
(c) (1)–(iv), (2)–(iii), (3)–(i), (1)–(ii)
(d) (1)–(i), (2)–(iii), (3)–(ii), (1)–(iv)

14. पी ओ पी (POPs) का पूर्ण रूप क्या है?

(a) पर्सिस्टेंट आर्गेनिक पौल्यूटेंट्स
(b) पर्सिस्टेंट आक्सिजनेटिड पौल्यूटेंट्स
(c) पॉलीसाइक्लिक आर्गेनिक पौल्यूटेंट्स
(d) पॉलीमेराइज्ड आर्गेनिक पौल्यूटेंट्स

15. निम्न भिन्नों को बढ़ते क्रम में व्यवस्थित कीजिये:

(1) $\frac{6}{7}$ (2) $\frac{11}{13}$
(3) $\frac{16}{19}$ (4) $\frac{19}{22}$

नीचे दिए गए विकल्पों में से सही उत्तर का चयन कीजिए:

(a) (1), (2), (3), (4) (b) (4), (3), (2), (1)
(c) (3), (2), (1), (4) (d) (4), (1), (2), (3)

16. सूची-I के साथ सूची-II का मिलान कीजिए:

सूची-I (प्रयोग)	सूची-II (उपयुक्त कंप्यूटर निवेश युक्ति)
(1) किसी प्रस्तुतिकरण के लिए वाइसओवर्स निवेश करने हेतु	(i) माउस
(2) पिन निविष्ट करने के लिए	(ii) जॉयस्टिक
(3) किसी मेन्यू से विकल्पों को चुनने के लिए	(iii) माइक्रोफोन
(4) फ्लाइट अनुरूपक को संचालित करने के लिए	(iv) नंबर पैड

नीचे दिए गए विकल्पों में से सही उत्तर का चयन कीजिए:

(a) (1)–(ii), (2)–(iv), (3)–(i), (4)–(iii)
(b) (1)–(iii), (2)–(iv), (3)–(i), (4)–(ii)
(c) (1)–(iv), (2)–(ii), (3)–(i), (4)–(iii)
(d) (1)–(i), (2)–(iii), (3)–(ii), (4)–(iv)

17. संचार हेतु किसी कंप्यूटर के डिजिटल संकेत को किसी अनुरूप (एनालॉग) संकेत में रूपांतरित करने के लिए प्रयुक्त युक्ति कहलाती है:

(a) ब्रिज
(b) मॉडेम
(c) स्विच
(d) नेटवर्क अंतरापृष्ठ कार्ड (एन आई सी)

18. सूची-I के साथ सूची-II का मिलान कीजिए:

सूची-I (डिजिटल पहल)	सूची-II (उद्देश्य)
(1) शोध सिन्धु	(i) भारतीय विश्वविद्यालयों में शोध-विषयों के संक्षेप की मेजबानी करता है।
(2) शोध गंगोत्री	(ii) शिक्षा हेतु स्वतंत्र/उदार एवं मुक्त सॉफ्टवेयर
(3) शोध शुद्धि	(iii) ई-संसाधनों को विश्वविद्यालयों एवं महाविद्यालयों तक पहुँच प्रदत्त करता है।
(4) एफओ एस एस ई ई	(iv) अकादमिक लेखों में मौलिकता को सुनिश्चित करने के उद्देश्य हेतु साहित्यिक चोरी की रोकथाम करने हेतु पहल

नीचे दिए गए विकल्पों में से सही उत्तर का चयन कीजिए:

(a) (1)–(iv), (2)–(iii), (3)–(ii), (4)–(i)
(b) (1)–(iii), (2)–(i), (3)–(iv), (4)–(ii)
(c) (1)–(i), (2)–(ii), (3)–(iii), (4)–(iv)
(d) (1)–(ii), (2)–(iv), (3)–(iii), (4)–(i)

19. जब संचार किसी समूह की अपने लक्ष्यों की प्राप्ति में सहायक होता है तो उसे निम्न में से किस रूप में जाना जाता है?

(a) विघटनकारी भूमिका
(b) संवर्धक भूमिका
(c) प्रतिक्रियात्मक भूमिका
(d) उपास्य भूमिका

20. स्थिर जल में किसी नाव की गति 5 किमी./घंटा है और धारा की गति 1 किमी./घंटा है। एक व्यक्ति 24 किमी. की दूरी पर स्थित स्थान तक नाव खेता है और आरंभिक बिंदु तक वापस आता है। उसके द्वारा लिए गए समय को ज्ञात कीजिए।

(a) 8 घंटा
(b) 10 घंटा
(c) 12 घंटा
(d) 15 घंटा

21. प्रजनक रिएक्टरों के बारे में निम्न में से कौन-कौन सही हैं?

(1) वे उपभोग की तुलना में अधिक विदल्य सामग्री उत्पन्न करते हैं।
(2) भारत में कोई प्रजनक रिएक्टर नहीं है।
(3) प्रजनक रिएक्टर दो प्रकार (द्रुत व मंद) होते हैं।
(4) प्रजनन प्रचालन हेतु परिवर्तन अनुपात (विदल्य सामग्री उत्पादित/विदल्य सामग्री उपभोग की गई) एक से अधिक होना चाहिए।
(5) पारंपरिक रिएक्टरों की तुलना में प्रजनक रिएक्टर अधिक नाभिकिय अपशिष्ट उत्पन्न करते हैं।

नीचे दिए गए विकल्पों में से सही उत्तर का चयन कीजिए:

(a) केवल (1), (3) और (4)
(b) केवल (1), (2) और (4)
(c) केवल (2), (3) और (5)
(d) केवल (1), (3), (4) और (5)

22. निम्नलिखित को बढ़ते गुणार्थ के क्रम में व्यवस्थित कीजिए:

(1) फील्डर (क्षेत्र रक्षक)
(2) बॉल प्लेयर
(3) बेसबॉल खिलाड़ी
(4) एथलीट

नीचे दिए गए विकल्पों में से सही उत्तर का चयन कीजिए:

(a) (2), (3), (1), (4)
(b) (2), (1), (3), (4)
(c) (4), (2), (3), (1)
(d) (1), (3), (2), (4)

23. जब आप एक या एकाधिक चरों से प्राप्त परिणाम के मान को अनुमान करने का प्रयत्न करते हैं, तो आप प्रयोग करते हैं:

(1) पीयर्सन गुणन-आघूर्ण सहसंबंध

(2) द्विचर प्रतिगमन

(3) बहुचर प्रतिगमन

(4) प्रसरण विश्लेषण

नीचे दिए गए विकल्पों में से सही उत्तर का चयन कीजिए:

(a) केवल (1), (2) और (3) (b) केवल (2) और (3)

(c) केवल (2), (3) और (4) (d) केवल (1) और (4)

24. यदि किसी अनुसंधान परियोजना को इस प्रकार स्थापित किया जाता है जिससे कि समष्टि में प्रत्येक को प्रतिदर्श में शामिल होने का समान अवसर मिलता है, तो अनुसंधान में निहित है।

(a) कोटा प्रतिचयन (b) निर्णयात्मक प्रतिचयन

(c) प्रायिकता प्रतिचयन (d) सुविधाजनक प्रतिचयन

25. निम्नलिखित कथनों में से कौन सा कथन सही है?

(a) न्याय-न्यायवाक्य में तीन प्रतिज्ञप्तियाँ होती हैं।

(b) न्याय-न्यायवाक्य में पाँच पद होते हैं।

(c) न्याय-न्यायवाक्य में पाँच प्रतिज्ञप्तियाँ होती हैं।

(d) न्याय-न्यायवाक्य में तीन प्रतिज्ञप्तियाँ और तीन पद होते हैं।

26. निम्न में से किस प्रौद्योगिकी ने परिवहन व संचार के वीच सर्वप्रथम वियोजन को चिह्नित किया था?

(a) तार (b) प्रक्षेपण

(c) मुद्रण (d) फोटोग्राफी

27. राष्ट्रीय क्रेडिट फ्रेमवर्क (एन सी टी एफ) के अनुसार चार वर्ष की अवधि वाले प्रोग्राम को स्नातक डिग्री (आनर्स/अनुसंधान/इंजीनियरिंग) प्राप्त करने के पश्चात ग्रहण किया गया क्रेडिट स्तर है:

(a) 5.5 (b) 6

(c) 6.5 (d) 7

28. अभिगम समय के संदर्भ में सबसे धीमे से सबसे तीव्र के रूप में श्रेणीबद्ध कंप्यूटर घटकों की निम्नलिखित सूची के सही क्रम को चिह्नित कीजिए:

(1) सी पी यू कैशे

(2) रैम

(3) एस एस डी

(4) ऑप्टिकल ड्राइव

नीचे दिए गए विकल्पों में से सही उत्तर का चयन कीजिए:

(a) (4), (3), (2), (1) (b) (1), (2), (3), (4)

(c) (2), (1), (4), (3) (d) (3), (4), (1), (2)

29. 'मस्तिष्क से मस्तिष्क' संचार में निम्न में से किन के माध्यम से संचार अंतर्ग्रस्त होता है?

(1) भौतिक विन्यास

(2) साझी धारणायें

(3) मूल्य

(4) शोर का हेर-फेर

(5) संदर्भ

नीचे दिए गए विकल्पों में से सही उत्तर का चयन कीजिए:

(a) केवल (1), (2) और (4)

(b) केवल (2), (3) और (4)

(c) केवल (1), (2), (3) और (5)

(d) केवल (3), (4) और (5)

30. निम्नलिखित में कौन अन्तर्निहित (अचेतन) स्मृति (मेमोरी) के उपभोग हैं:

(1) प्राइमिंग

(2) उपख्यानात्मक (एपीसोडिक) स्मृति

(3) शास्त्रीय अनुबंधन प्रभाव

(4) अर्थगत स्मृति

(5) कार्यविधिक स्मृति

नीचे दिए गए विकल्पों में से सबसे उपयुक्त उत्तर का चयन कीजिए:

(a) केवल (2) और (4)

(b) केवल (1), (2), (4) और (5)

(c) केवल (1), (3) और (5)

(d) केवल (1), (2), (3), (4) और (5)

31. क्रि यान्वन हेतु द्वितीय पंचवर्षीय योजना में निम्नलिखित की अनुशंसाओं को शामिल किया गया था:

(1) विश्वविद्यालय शिक्षा आयोग

(2) भारतीय भाषा आयोग

(3) ग्रामीण उच्चतर शिक्षा समिति

(4) नये विश्वविद्यालयों की स्थापना संबंधी समिति

(5) त्रि-वर्षीय डिग्री पाठयक्रम संबंधी समिति

नीचे दिए गए विकल्पों में से सही उत्तर का चयन कीजिए:

(a) केवल (1), (2) और (3)

(b) केवल (2), (3) और (4)

(c) केवल (3), (4) और (5)

(d) केवल (1), (2) और (5)

32. निम्नलिखित में कौन-सी डिजिटल पहल अग्रणी अकेदमिक संस्थानों एवं आर एण्ड डी संगठनों में कार्यरत वैज्ञानिकों /शोधकर्ताओं और अन्य फैकल्टी सदस्यों के प्रोफाइल संबंधी डाटाबेस को उपलब्ध कराती है?

(a) स्वयं प्रभा
(b) ई-विद्वान
(c) राष्ट्रीय अकादेमी निक्षेपागार (एन ए डी)
(d) ई-शोधसिन्धु

33. मीडिया गुणवता में सुधार हेतु, मीडिया उतरदायित्व प्रणाली निम्न में से किन पर केन्द्रित करती है?

(1) मूल्यांकन
(2) श्रोता नियंत्रण
(3) अनुश्रवण
(4) शिक्षा
(5) प्रतिपुष्टि

नीचे दिए गए विकल्पों में से सही उत्तर का चयन कीजिए:

(a) केवल (1), (2) और (3)
(b) केवल (2), (3) और (4)
(c) केवल (2), (4) और (5)
(d) केवल (1), (3), (4) और (5)

34. निम्नलिखित में से कौन से कथन सही हैं?

(1) वैधता कभी भी स्वयं से किसी एकल प्रतिज्ञप्ति पर लागू नहीं हो सकती है।
(2) सत्य की संकल्पना एकल प्रतिज्ञप्तियों पर लागू हो सकती है।
(3) प्रतिज्ञप्तियाँ स्वयं से ही वैध हो सकती हैं किन्तु अवैध नहीं हो सकती हैं।
(4) प्रतिज्ञप्ति स्वयं से ही वैध नहीं हो सकती हालाँकि वह स्वयं से अवैध हो सकती है।

नीचे दिए गए विकल्पों में से सबसे उपयुक्त उत्तर का चयन कीजिए:

(a) केवल (4) (b) केवल (1) और (2)
(c) केवल (2) और (3) (d) केवल (2) और (4)

35. "कोई भी घोड़ा विडाल नहीं है।"

निम्नलिखित में से कौन सा कथन तार्किक रूप से उपर्युक्त कथन के समतुल्य है?

(a) कोई भी विडाल घोड़ा नहीं है।
(b) कोई भी घोड़ा गैर-विडाल नहीं है।
(c) सभी गैर-घोड़े विडाल हैं।
(d) सभी गैर-विडाल घोड़े हैं।

36. कंप्यूटर मेमोरी आकार के बारे में A-D के निम्नलिखित कथनों में से कौनसा/से सही है/हैं?

(1) 25 KB, 100 MB से बड़ा होता है।
(2) 999 MB, 50 GB से बड़ा होता है।
(3) 3500 KB, 2 GB से छोटा होता है।
(4) 2350 बाइट, 2 KB से छोटा होता है।

नीचे दिए गए विकल्पों में से सही उत्तर का चयन कीजिए:

(a) केवल (1) (b) केवल (3)
(c) केवल (2) और (4) (d) केवल (2) और (3)

37. भारत का स्वतंत्रता प्राप्ति के पश्चात पहला शिक्षा आयोग निम्नलिखित में से कौन सा है?

(a) भारतीय शिक्षा आयोग
(b) कलकत्ता विश्वविद्यालय आयोग
(c) विश्वविद्यालय शिक्षा आयोग
(d) भारतीय विश्वविद्यालय आयोग

38. यह जानना कि आपको, आपकी बहन की तुलना में बीजगणित अधिक कठिन लगती है किंतु इसमें आप अभ्यास से सुधार कर सकती हैं, यह निम्नलिखित में से किसका उदाहरण है?

(a) आत्म-नियमन (b) अधि-संज्ञान
(c) आत्म-अनुशासन (d) स्वचलीकरण

39. सूची-I के साथ सूची-II का मिलान कीजिए:

सूची-I (आविषाक्तों का प्रकार)	सूची-II (प्रभावित अंग)
(1) नेफ्रोटॉक्सिक	(i) फेफड़े
(2) हेमाटोटॉक्सिक	(ii) वृक्क
(3) पल्मोनोटॉक्सिक	(iii) यकृत
(4) हेपाटोटॉक्सिक	(iv) रक्त

नीचे दिए गए विकल्पों में से सही उत्तर का चयन कीजिए:

(a) (1)–(ii), (2)–(iv), (3)–(i), (4)–(iii)
(b) (1)–(ii), (2)–(iv), (3)–(iii), (4)–(i)
(c) (1)–(i), (2)–(ii), (3)–(iii), (4)–(iv)
(d) (1)–(iii), (2)–(i), (3)–(iv), (4)–(ii)

40. सूची-I के साथ सूची-II का मिलान कीजिए:

सूची-I (एम डी जी व एस डी जी के ध्येय/लक्ष्य)	सूची-II (ध्येय/लक्ष्यों की संख्या)
(1) सहस्त्राब्दी विकास ध्येय (गोल्स) में ध्येय (गोल्स)	(i) 8
(2) सहस्त्राब्दी विकास ध्येय (गोल्स) में लक्ष्य (टारगेट)	(ii) 17
(3) सतत विकास ध्येय (गोल्स) में ध्येय (गोल्स)	(iii) 21
(4) सतत विकास ध्येय (गोल्स) में लक्ष्य (टारगेट)	(iv) 169

नीचे दिए गए विकल्पों में से सही उत्तर का चयन कीजिए:

(a) (1)–(ii), (2)–(i), (3)–(iii), (4)–(iv)
(b) (1)–(i), (2)–(iii), (3)–(ii), (4)–(iv)
(c) (1)–(iii), (2)–(i), (3)–(iv), (4)–(ii)
(d) (1)–(iv), (2)–(ii), (3)–(i), (4)–(iii)

41. निगमन की प्रक्रिया में शामिल विभिन्न अवस्थाओं को सही अनुक्रम में व्यवस्थित कीजिए:

(1) सिद्धांत का पुनरीक्षण
(2) प्राक्कल्पना का स्वीकृत या अस्वीकृत होना
(3) परिणाम (निष्कर्ष)
(4) डाटा (दत्त) संकलन

नीचे दिए गए विकल्पों में से सही उत्तर का चयन कीजिए:

(a) (1), (2), (4), (3)
(b) (4), (3), (2), (1)
(c) (1), (3), (2), (4)
(d) (2), (4), (1), (3)

42. सूची-I के साथ सूची-II का मिलान कीजिए:

सूची-I (संकल्पना)	सूची-II (स्रोत)
(1) मुक्त वाणिज्य और संचार	(i) एल्फ्रेड मार्शल
(2) अर्थशास्त्र में संचार	(ii) जॉन लॉक
(3) संचार वाहिका के रूप में भाषा	(iii) कार्ल मार्क्स
(4) संचार की लाइनें	(iv) एडम स्मिथ

नीचे दिए गए विकल्पों में से सही उत्तर का चयन कीजिए:

(a) (1)–(i), (2)–(iii), (3)–(iv), (4)–(ii)
(b) (1)–(ii), (2)–(iii), (3)–(iv), (4)–(i)
(c) (1)–(iii), (2)–(iv), (3)–(i), (4)–(ii)
(d) (1)–(iv), (2)–(i), (3)–(ii), (4)–(iii)

43. निम्नलिखित अनुसंधान संगठनों के उनके स्थापना वर्ष के अनुसार सही अनुक्रम को चिह्नित कीजिए:

(1) भारतीय सामाजिक विज्ञान अनुसंधान परिषद् (आई सी एस एस आर)
(2) राष्ट्रीय ग्रामीण संस्थान परिषद् (एन सी आर आई)
(3) भारतीय दर्शन अनुसंधान परिषद् (आई सी पी आर)
(4) भारतीय ऐतिहासिक अनुसंधान परिषद् (आई सी एच आर)
(5) भारतीय उच्च अध्ययन संस्थान (आई आई ए एस)

नीचे दिए गए विकल्पों में से सही उत्तर का चयन कीजिए:

(a) (1), (4), (5), (2), (3)
(b) (2), (5), (3), (4), (1)
(c) (5), (1), (4), (3), (2)
(d) (3), (2), (1), (5), (4)

44. सूची-I के साथ सूची-II का मिलान कीजिए:

सूची-I (शब्द)	सूची-II (समान नियम प्रयुक्त कोड)
(1) FIND	(i) RGKC
(2) CLOG	(ii) DGLB
(3) SHOW	(iii) AJME
(4) TIME	(iv) QFMU

नीचे दिए गए विकल्पों में से सही उत्तर का चयन कीजिए:

(a) (1)–(i), (2)–(ii), (3)–(iii), (4)–(iv)
(b) (1)–(ii), (2)–(iii), (3)–(iv), (4)–(i)
(c) (1)–(iii), (2)–(iv), (3)–(i), (4)–(ii)
(d) (1)–(iv), (2)–(i), (3)–(ii), (4)–(iii)

45. आधार-4 संख्या 3013 के समतुल्य आधार-10 संख्या कौन सी है?

(a) 182
(b) 196
(c) 199
(d) 190

निम्नलिखित गद्यांश को पढ़िए और दिए गए प्रश्न का उत्तर दीजिए:

विश्व स्वास्थ्य संगठन रिपोर्ट के अनुसार विश्व की लगभग 80 प्रतिशत जनसंख्या किसी न किसी प्रकार से पारंपरिक चिकित्सा पद्धतियों का उपयोग करती है। भारत में अपने स्वयं के प्राचीन दर्शन वाली प्रणाली, चिकित्सीय ज्ञान, प्रत्यक्षण और क्षेत्रीय संस्कृतियों, परंपराओं और धारणाओं से संगत प्रथाओं से युक्त सुस्पष्ट एवं विशिष्ट पापरंपरिक चिकित्सीय आधार है। भारत में पारंपरिक चिकित्सा पद्धतियों में आयुर्वेद, योग, नेचुरोपैथी, यूनानी, सिद्धा, सोव रिग्प तथा होम्योपैथी शामिल है, जिसे आयुष कहा जाता है। ये सभी पद्धतियाँ आधुनिक स्वास्थ्य विज्ञान के आगमन के बहुत पहले सातत्य में सूत्रबद्ध, व्यवहृत एवं निष्पादित थीं।

विश्व के अनेक देशों में चिकित्सीय बहुलवाद मानदंड है, तथा पारंपरिक चिकित्सा स्वीकार्य, सुरक्षित एवं आर्थिक रूप से साध्य विधियों के प्रयोग द्वारा विश्व जनसंख्या के लिए संपूर्ण स्वास्थ्य बीमा व्याप्ति प्राप्त करने के अवश्यंभावी साधनों में से एक है। चिकित्सा की कोई भी पद्धति सभी स्वास्थ्य सरोकारों का अकेले निवारण नहीं कर सकती है, किन्तु प्रत्येक के सकारात्मक पक्षों से संयुक्त समाकलनात्मक उपागम निश्चित रूप से मानव जाति को लाभ प्रदान कर सकता है। समग्र रोगी केंद्रित एवं व्यक्तिनिष्ठ उपागम पारंपरिक पद्धति का ट्रेडमार्क है तथा कल्याण हेतु सर्वोच्च अंत: शक्ति प्राप्त करने के लिए रोगी-चिकित्सक साझेदारी को अभिकल्पन या अनुकूलित उपचार एवं जीवन शैली परामर्श के लिए समर्थ बनाता है। पारंपरिक चिकित्सा के प्रयोग में वृद्धि के साथ यह संयुक्त जागरूकता प्रणालियों को आगे ले आई है। महामारी के दौरान सार्वजनिक स्वास्थ्य के लिए आयुष पद्धति के प्रभावी क्रियान्वयन एवं

एकीकरण ने रोगनिरोधी देखभाल से लेकर रोग के प्रबंधन के उपबंधों के विविध कार्यकलापों से आयुष पद्धतियों का वैश्विक ध्यानाकर्षण किया। इसने जामनगर में पारंपरिक चिकित्सा के लिए वैश्विक केन्द्र की स्थापना हेतु मेजबान देश समझौता हस्ताक्षरित करने में समर्थ बनाया।

46. गद्यांश हेतु उपयुक्त शीर्षक चुनिये।

(a) एलोपैथी (b) समग्र स्वास्थ्य देखभाल

(c) आयुर्वेद (d) होम्योपैथी

47. विश्व के अनेक देशों में चिकित्सीय बहुलवाद सामान्य है क्योंकि:

(a) चिकित्सा की पारंपरिक पद्धतियाँ निरर्थक हैं।

(b) चिकित्सा की पारंपरिक पद्धतियाँ जनता को धोखा देती हैं।

(c) चिकित्सा की प्रत्येक पद्धति के सकारात्मक पक्षों से युक्त समाकलनात्मक उपागम, किसी प्रकार से भी मानव जाति को लाभ नहीं पहुँचा सकता है।

(d) चिकित्सा की कोई भी एक पद्धति सभी स्वास्थ्य सरोकरों का अकेले निवारण नहीं कर सकती है।

48. पारंपरिक भारतीय चिकित्सा पद्धति के संदर्भ में निम्नलिखित तथ्यों में से कौन से गलत हैं?

(1) प्रत्येक पद्धति विशिष्ट है।

(2) उनमें आयुर्वेद, नेचुरोपैथी, योग, यूनानी, सिद्धा सोव रिग्प और होम्यापैथी शामिल हैं।

(3) आधुनिक स्वास्थ्य विज्ञान उसके पूर्ववर्ती हैं।

(4) प्रत्येक पद्धति का तत्वत: समान दर्शन है।

नीचे दिए गए विकल्पों में से सबसे उपयुक्त उत्तर का चयन कीजिए:

(a) केवल (1), (2), और (4)

(b) केवल (2) और (3)

(c) केवल (3) और (4)

(d) केवल (2), (3) और (4)

49. पारंपरिक चिकित्सा हेतु वैश्विक केन्द्र कहाँ स्थापित हुआ है?

(a) विश्व स्वास्थ्य संगठन (b) जामनगर

(c) नई दिल्ली (d) हरिद्वार

50. विश्व स्वास्थ्य संगठन रिपोर्ट के अनुसार विश्व जनसंख्या का कितना प्रतिशत किसी भी रूप में पारंपरिक चिकित्सा पद्धति का प्रयोग करता है?

(a) लगभग 20% (b) लगभग 50%

(c) लगभग 100% (d) लगभग 80%

उत्तरमाला

1. (a)	**2.** (a)	**3.** (a)	**4.** (b)	**5.** (d)	**6.** (b)	**7.** (d)	**8.** (b)	**9.** (a)	**10.** (c)
11. (c)	**12.** (d)	**13.** (a)	**14.** (a)	**15.** (a)	**16.** (b)	**17.** (b)	**18.** (b)	**19.** (b)	**20.** (b)
21. (d)	**22.** (c)	**23.** (b)	**24.** (c)	**25.** (c)	**26.** (a)	**27.** (c)	**28.** (a)	**29.** (c)	**30.** (c)
31. (c)	**32.** (b)	**33.** (d)	**34.** (d)	**35.** (a)	**36.** (b)	**37.** (c)	**38.** (b)	**39.** (a)	**40.** (b)
41. (a)	**42.** (d)	**43.** (c)	**44.** (c)	**45.** (c)	**46.** (b)	**47.** (d)	**48.** (c)	**49.** (b)	**50.** (d)

संकेत और स्पष्टीकरण

1. **(a)** शहरों में पाठकों की संख्या:

A = 5% = 0.05 × 30,000 = 1,500

B = 16% = 0.16 × 30,000 = 4,800

C = 28% = 0.28 × 30,000 = 8,400

D = 10% = 0.10 × 30,000 = 3,000

E = 9% = 0.09 × 30,000 = 2,700

F = 22% = 0.22 × 30,000 = 6,600

अत: (c) ही केवल एक ऐसा शहर है जहां पाठकों की संख्या 7,400 से अधिक है।

अत:, सही उत्तर (a) है।

2. **(a)** 2019 में:

B = 14% × 4.3 लाख = 0.602 लाख

C = 17% × 4.3 लाख = 0.731 लाख

2023 में:

B = 16% × 5.7 लाख = 0.912 लाख

C = 28% × 5.7 लाख = 1.596 लाख

कुल अंतर

(0.912+1.596)−(0.602+0.731)=2.508−1.333=1.175

अत:, सही उत्तर (a) है।

3. **(a)** वर्ष 2019 और 2023 में सभी छह शहरों के लिए कुल प्रतिशत 100 दिया गया है। यह वास्तव में हमें कोई उत्तर नहीं देता है। 1:1 उत्तर का कोई अर्थ नहीं है।

अनुपात के लिए, हमें निरपेक्ष संख्याओं की आवश्यकता है जो प्रश्न संख्या 2 में दिए गए 4.3 लाख और 5.7 लाख दिए गए हैं। सभी छह शहरों के लिए,

4.3 लाख : 5.7 लाख

3:5

अत: (a) सही उत्तर प्रतीत होता है।

4. **(b)** प्रश्न में 2019 और 2023 के लिए दिए गए आंकड़ों में कुल प्रतिशत 100 है, जिससे शहर D और शहर F के बीच की संख्या की गणना करने में सहायता मिलेगी।

2019 के लिए,

यदि शहर D का 9% = 77,400 है तो, शहर F का 26%

$= \frac{26}{9} \times 77,400 = 2,23,600$ है (जैसा कि प्रश्न में आवश्यक है)

इसी प्रकार, 2023 के लिए यदि शहर D का 10% = 1,14,000 है तो, शहर F का 22% $= \frac{22}{10} \times 1,14,000 = 2,50,800$ है।

शहर F के लिए 2019 और 2023 के बीच पाठकों का अंतर

= 2,50,800 − 2,23,600 = 27,200

5. **(d)** 2019 में शहर–B के पाठक:

कुल पाठक = 4.3 लाख

शहर–B का प्रतिशत = 14%

पाठकों की संख्या = 14% × 4.3 लाख = 60,200

2023 में शहर–B के पाठक:

कुल पाठक = 5.7 लाख

शहर–B का प्रतिशत = 16%

पाठकों की संख्या = 16% × 5.7 लाख = 91,200

वृद्धि = 91,200 − 60,200 = 31,000

प्रतिशत वृद्धि $= \left(\frac{31,000}{60,200}\right) \times 100 \approx 51.5\%$

6. **(b)**

सूची-I (संक्षिप्त रूप)	सूची-II (अर्थ)	संक्षिप्त रूप	व्याख्या
(1) et.al.,	(ii) और अन्य	Et = 'और'	AL = 'alii' (अर्थ 'अन्य')
(2) ante.,	(iii) पहले	–	कुछ पहले हुआ (जैसे, तिथियाँ) को संदर्भित करता है।
(3) cf.,	(iv) तुलना	–	'confer' का संक्षिप्त रूप, लैटिन में 'तुलना करें'। किसी अन्य स्रोत के साथ तुलना करने के लिए उपयोग किया जाता है।
(4) ibid.,	(i) उसी स्थान पर	पूर्ण रूप: 'ibidem'	तुरंत पहले उल्लिखित उसी स्रोत को संदर्भित करता है।

7. **(d)** धूम्र (smog) वायु प्रदूषण है जो दृश्यता को कम करता है। 'धूम्र' शब्द का उपयोग पहली बार वर्ष 1905 में एच.ए.डेस वॉक्स (H.A. Des Voeux) द्वारा 'फॉग' और 'स्मोक' के मिश्रण का वर्णन करने के लिए किया गया था।

अपने प्रकार में से एक, 'फोटोकेमिकल स्मॉग' सूरज की रोशनी की उपस्थिति में होता है, इसलिए इसे ग्रीष्मकालीन

धूम्र (summer smog) कहा जाता है। यहाँ, सूर्य से पराबैंगनी (Ultra Violet - UV) प्रकाश नाइट्रोजन ऑक्साइड (NOx) और वाष्पशील कार्बनिक यौगिकों (VOCs) के साथ प्रतिक्रिया करता है।

नाइट्रोजन डाइऑक्साइड (NO_2) एक प्रमुख घटक है जो धुआँ पैदा करने के लिए सूर्य के प्रकाश के साथ प्रतिक्रिया करता है।

वाष्पशील कार्बनिक यौगिक (Volatile Organic Compounds - VOCs) ये यौगिक सूर्य के प्रकाश की उपस्थिति में NO_2 के साथ प्रतिक्रिया करके धुंध बनाते हैं।

सूर्य का प्रकाश NO_2 और VOCs के बीच होने वाली रासायनिक प्रतिक्रियाओं के लिए आवश्यक ऊर्जा प्रदान करता है।

कार्बन मोनोऑक्साइड (CO) और कार्बन डाइऑक्साइड (CO_2) प्रकाश रासायनिक धूम्र (धुंध) के निर्माण में कोई भूमिका नहीं निभाते हैं, हालांकि वे वायुमंडल में विद्यमान हो सकते हैं।

इसे प्रभात और दोपहर में 'पीले-भूरे रंग के धूम्र' (yellow – brown haze) के रूप में भी जाना जाता है।

मानव जीवन को नुकसान: प्रकाश रासायनिक धूम्र फेफड़ों और हृदय को अपरिवर्तनीय क्षति पहुंचाता है, जिससे एलर्जी वाले व्यक्तियों में वातस्फीति, ब्रोंकाइटिस और अस्थमा होता है। कुछ आँखों में जलन पैदा करते हैं। कुछ वी. ओ. सी. (VOC) कैंसर का कारण बन सकते हैं।

8. (b)

1. प्रश्न का पहला भाग

   $x\%$ of y का अर्थ है:

   $\frac{x}{100} \times y$

   प्रश्न का दूसरा भाग

   $y\%$ of $100x$ का अर्थ है:

   $\frac{y}{100} \times 100x = y \times x$

   अतः दोनों भाग बराबर नहीं हैं।

2. यह भाग थोड़ा लंबा है और इसमें अंश सम्मिलित हैं, सीधे उत्तर विकल्प नहीं हैं, इसलिए हम पूर्ण समाधान पर जा रहे हैं।

   यदि किसी संख्या का $\frac{3}{5}$ का 60% का 40% 504 है, तो उस संख्या का 25%, 350 के बराबर है।

   मान लें कि वह संख्या x है।

   $40\% \times 60\% \times \frac{3}{5} \times x = 504$

   $\frac{40 \times 60 \times 3}{100 \times 100 \times 5} = \frac{7200}{50000} = \frac{72}{500}$

   $\frac{72}{500} \times x = 504$

   $x = 3500$

   अब प्रश्न का दूसरा भाग

   $25\% \times \frac{2}{5} \times 3500 = \frac{25}{100} \times \frac{2}{5} \times 3500$

   $\frac{25 \times 2 \times 3500}{100 \times 5} = 350$

   यह भाग सही है।

3. $A = B + 15\% \text{ of } B$

   $A = B \times 1.15$

   $B = \frac{A}{1.15}$

   अब, B की तुलना A से करने के लिए, हम प्रतिशत घटाव निकालेंगे:

   $\%$ घटाव $= \left(1 - \frac{B}{A}\right) \times 100$

   $\%$ घटाव $= \left(1 - \frac{1}{1.15}\right) \times 100$

   $\%$ घटाव $= (1 - 0.08696) \times 100$

   $\%$ घटाव $= 0.1304 \times 100 = 13.04\%$

   यह भाग सही है।

4. प्रश्न का पहला भाग

   $10\% \times 5 = \frac{10}{100} \times 5 = 0.5$

   प्रश्न का दूसरा भाग

   $5\% \times 10 = \frac{5}{100} \times 10 = 0.5$

   दोनों का योग

   $0.5 + 0.5 = 1.0$

   यह भाग गलत है।

   अतः (2) और (3) सही हैं, (b) सही उत्तर है।

9. **(a)** पराज्ञान मूलक युक्ति (appeal to ignorance) एक तर्क दोष या तार्किक त्रुटि है जहाँ तर्क किया जाता है कि एक प्रस्ताव सत्य रूप में है क्योंकि इसे अभी तक असत्य प्रमाणित नहीं किया गया है, या यह असत्य या गलत है क्योंकि इसे सत्य प्रमाणित नहीं किया गया है।

- यह मूलतः एक अनौपचारिकता है जो तर्क की सामग्री के कारण होती है, न कि इसके स्वरूप के कारण।
- यह त्रुटि इस तथ्य पर निर्भर करती है कि कथन में 'संगरोध' (quarantine) के विरुद्ध कोई प्रमाण नहीं है। यह नहीं

दिखाता कि संगरोध प्रभावी है; यह केवल मानता है कि यह कार्य करता है क्योंकि किसी ने इसके विपरीत प्रमाणित नहीं किया है। यह इसे 'पराज्ञान मूलक युक्ति' बनाता है।

10. (c) स्थिर जल (या नदी) में मोटर नाव की गति X किमी/घंटा होने दें।

धारा की गति S = 4 किमी/घंटा है।

APQ के रूप में प्रभावी गति

प्रभावी डाउनस्ट्रीम गति (धारा के साथ) = X + 4 किमी/घंटा, समय = 5 घंटे

प्रभावी अपस्ट्रीम गति (धारा के विपरीत) = X – 4 किमी/घंटा, समय = 6 घंटे

दूरी = समय X गति, दोनों दिशाओं में तय की गई दूरी समान है।

$5 (X + 4) = 6 (X - 4)$

$5X + 20 = 6X - 24$

$20 + 24 = 6X - 5X$

इस प्रकार, X = 44 किमी/घंटा

11. (c) अनुभववाद (empiricism) यह दृष्टिकोण है कि ज्ञान केवल अनुभव और इंद्रियों से आता है। यह विश्व को समझने के लिए अवलोकन और प्रयोग पर केंद्रित है। इसका अर्थ है कि हम जो देखते हैं, सुनते हैं, स्पर्श करते हैं, स्वाद लेते हैं और सूँघते हैं, उससे सीखते हैं। अनुभववादी सोचते हैं कि सारा ज्ञान हमारे अनुभवों और टिप्पणियों से आता है।

अन्य विकल्प इस प्रकार हैं-

(a): **निर्मितवाद (constructionism):** यह सिद्धांत कहता है कि लोग दुनिया के साथ अपनी बातचीत के माध्यम से ज्ञान और अर्थ का निर्माण करते हैं।

(b): **नृजातिवर्णन (ethnography):** संस्कृतियों और समुदायों का अवलोकन और उनमें भाग लेकर उनका अध्ययन करने के लिए उपयोग की जाने वाली एक शोध विधि।

(d): **संक्रियावाद (operationalism):** यह दर्शन वैज्ञानिक अवधारणाओं को परिभाषित करता है कि उन्हें कैसे मापा जाता है या उनका परीक्षण किया जाता है।

अत: (c) सही उत्तर है।

12. (d)

(a) एआईसीटीई: तकनीकी शिक्षा और स्व-गति वाले पाठ्यक्रमों का निरीक्षण करता है।

(b) एनआईटीटीटीआर: शिक्षक प्रशिक्षण में विशेषज्ञता रखता है।

(c) एनसीईआरटी: स्कूल शिक्षा पर केंद्रित है।

(d) यूजीसी: गैर-तकनीकी स्नातकोत्तर शिक्षा के लिए स्वयं (SWAYAM) पाठ्यक्रमों का प्रबंधन करता है। यह सुनिश्चित करता है कि ये पाठ्यक्रम मानकों को पूरा करें और गुणवत्तापूर्ण शिक्षा प्रदान करें।

13. (a)

सूची-I (प्राचीन ग्रंथ)	सूची-II (लेखक)
(1) लीलावती	(iv) भास्कराचार्य
(2) योग सूत्र	(iii) पतंजलि
(3) न्याय-सूत्र	(ii) गौतम
(4) अर्थदर्शन	(i) चाणक्य

अत: सही उत्तर है, (a) (1)–(iv), (2)–(iii), (3)–(ii), (4)–(i)

14. (a) पीओपी **(POPs)** का अर्थ है पर्सिस्टेंट ऑर्गेनिक पोलूटेंट्स (स्थायी जैविक प्रदूषक)

ये ऐसे विषैले रसायन होते हैं जो लंबे समय तक पर्यावरण में बने रहते हैं। ये खाद्य श्रृंखला में जमा हो सकते हैं और मानव स्वास्थ्य और पर्यावरण दोनों को हानि पहुंचा सकते हैं।

15. (a) हमें एक-से-एक तुलना करनी है, और फिर सामूहिक तुलना करनी है। पहले A और B के बीच: $\frac{6}{7}$ और $\frac{11}{13}$, फिर $\frac{11}{13}$ और $\frac{16}{19}$, $\frac{16}{19}$ और $\frac{19}{22}$, $\frac{19}{22}$ और $\frac{6}{7}$

$\frac{6}{7}$ और $\frac{11}{13}$ के मध्य

7 और 13 का लघुत्तम समापवर्त्य = 91

1. $\frac{6}{7}$ बन जाता है $\frac{6 \times 13}{7 \times 13} = \frac{78}{91}$

   $\frac{11}{13}$ बन जाता है $\frac{11 \times 7}{13 \times 7} = \frac{77}{91}$

   इस प्रकार, भिन्न $\frac{6}{7}$, $\frac{11}{13}$ से बड़ा है।

2. $\frac{11}{13}$ और $\frac{16}{19}$ के मध्य

   13 और 19 का लघुत्तम समापवर्त्य: 247

   - $\frac{11}{13}$ बन जाता है $\frac{11 \times 19}{13 \times 19} = \frac{209}{247}$
   - $\frac{16}{19}$ बन जाता है $\frac{16 \times 13}{19 \times 13} = \frac{208}{247}$

   इस प्रकार, भिन्न $\frac{11}{13}$ बड़ा है $\frac{16}{19}$ से

3. $\frac{16}{19}$ और $\frac{19}{22}$ के मध्य

   19 और 22 का लघुत्तम समापवर्त्य = 418

- $\frac{16}{19}$ बन जाता है $\frac{16 \times 22}{19 \times 22} = \frac{352}{418}$
- $\frac{19}{22}$ बन जाता है $\frac{19 \times 19}{22 \times 19} = \frac{361}{418}$

इस प्रकार, भिन्न $\frac{16}{19}$ बड़ा है $\frac{19}{22}$ से

4. $\frac{19}{22}$ और $\frac{6}{7}$ के मध्य

   22 और 7 का लघुत्तम समापवर्त्य = 154

   - $\frac{19}{22}$ बन जाता है $\frac{19 \times 7}{22 \times 7} = \frac{133}{154}$
   - $\frac{6}{7}$ बन जाता है $\frac{6 \times 22}{7 \times 22} = \frac{132}{154}$

   इस प्रकार, भिन्न $\frac{19}{22}$ बड़ा है $\frac{6}{7}$ से

   उपरोक्त सभी की तुलना करने के बाद: $\frac{6}{7} > \frac{11}{13} > \frac{16}{19} > \frac{19}{22}$

   इस प्रकार, (a) उत्तर है।

16. (b)

सूची-I (उपयोग)	सूची-II (उपयुक्त इनपुट डिवाइस)
(1) प्रस्तुति के लिए वॉइसओवर निवेश करने हेतु	(iii) माइक्रोफोन
(2) पिन निविष्ट करने के लिए	(iv) नंबर पैड
(3) किसी मेन्यू से विकल्प को चुनने के लिए	(i) माउस
(4) फ्लाइट अनुरूपक को संचालित करने के लिए	(ii) जॉयस्टिक

17. (b) मॉडेम (modem) एक उपकरण है जो कंप्यूटर के डिजिटल संकेतों को एनालॉग संकेतों में परिवर्तित करता है ताकि उन्हें टेलीफोन लाइनों या अन्य चैनलों के माध्यम से संप्रेषित किया जा सके। यह आने वाले एनालॉग संकेतों को फिर से डिजिटल संकेतों में बदलता है ताकि कंप्यूटर उन्हें समझ सके।

18. (b)

सूची-I (डिजिटल पहल)	सूची-II (उद्देश्य)
(1) शोध सिन्धु	(iii) विश्वविद्यालयों और कॉलेजों को ई-संसाधनों तक पहुंच प्रदान करता है।
(2) शोध गंगोत्री	(i) भारतीय विश्वविद्यालयों में शोध-विषयों के संक्षेप की मेजबानी करता है।
(3) शोध शुद्धि	(iv) अकादमिक लेखों में मौलिकता को सुनिश्चित करेन के उद्देश्य हेतु साहित्यिक चोरी की रोकथाम करने हेतु पहल
(4) एफ ओ एस एस ई ई	(ii) शिक्षा हेतु स्वतंत्र/उदार एवं मुक्त सॉफ्टवेयर

एफओएसएसईई के बारे में अधिक जानकारी

ओपन-सोर्स सॉफ्टवेयर प्रचार: साइलैब, पायथन, ओपनफोम और ई-सिम जैसे उपकरणों के माध्यम से

कार्यशालाएं और प्रशिक्षण: एफओएसएसईई में आवश्यक प्रमाणन भी शामिल हैं।

सामग्री विकास: यह ओपन-सोर्स प्लेटफार्मों की सहायता से किया जाता है।

सहयोग: इन साधनों को शिक्षा प्रणाली में एकीकृत करना।

सही उत्तर है: (b) (1)–(iii), (2)–(i), (3)–(iv), (4)–(ii)

19. (b) संवर्धक संचार (promotive communication) उस प्रकार की बातचीत को संदर्भित करता है जो समूह को अपने लक्ष्यों को प्राप्त करने में सहायता करता है। यह प्रगति को सुविधाजनक बनाता है और समूह के उद्देश्यों का समर्थन करता है। इस प्रकार का संचार समूह की प्रभावशीलता और उत्पादकता को बढ़ाता है, टीमवर्क, समन्वय और सकारात्मक बातचीत को प्रोत्साहित करता है, जिससे समूह अपने वांछित परिणामों की ओर बढ़ता है।

20. (b) हमें नाव की यात्रा के दोनों दिशाओं (धारा के साथ और धारा के विपरीत) को ध्यान में रखना होगा।

- स्थिर जल में नाव की गति = 5 किमी/घंटा
- धारा की गति = 1 किमी/घंटा
- गंतव्य स्थान की दूरी = 24 किमी

धारा के साथ नाव की गति: नाव की गति + धारा की गति = 5 + 1 = 6 किमी/घंटा

धारा के साथ यात्रा का समय: समय = दूरी / गति = $\frac{24}{6}$ = 4 घंटे

धारा के विपरीत नाव की गति: नाव की गति – धारा की गति = 5 – 1 = 4 किमी/घंटा

धारा के विपरीत यात्रा का समय: समय = दूरी / गति = $\frac{24}{4}$ = 6 घंटे

कुल समय: धारा के साथ समय + धारा के विपरीत समय = 4 + 6 = 10 घंटे

इस प्रकार, सही उत्तर (b) है।

21. (d) महत्वपूर्ण वक्तव्य: ये 'फास्ट ब्रीडर न्यूक्लियर रिएक्टर' अपने थोरियम भंडार का उपयोग करने और अपनी परमाणु ऊर्जा क्षमताओं को बढ़ाने के भारत के प्रयासों का हिस्सा हैं। इसलिए, भारत की ओर से ऐसी तकनीकों का उपयोग करना स्वाभाविक था ताकि हम पश्चिमी देशों पर अत्यधिक निर्भर न रहें।

यह भी ध्यान रखें कि थोरियम पृथ्वी की पपड़ी में यूरेनियम की तुलना में 3-4 गुना अधिक प्रचुर मात्रा में है, विशेष रूप से भारत के संदर्भ में, थोरियम का अपशिष्ट हथियार योग्य नहीं है।

यह परमाणु रिएक्टरों पर एक विस्तृत प्रश्न है, हालांकि बयान की भाषा तदनुसार निर्धारित की जानी चाहिए थी।

1. सत्य- ब्रीडर रिएक्टर उपभोग की तुलना में अधिक विखंडनीय सामग्री का उत्पादन करते हैं। ब्रीडर रिएक्टरों को उनके उपभोग की तुलना में अधिक विखंडनीय सामग्री (जैसे प्लूटोनियम-239) का उत्पादन करने के लिए डिज़ाइन किया गया है, जिससे वे अतिरिक्त ईंधन उत्पन्न करने में सक्षम हो जाते हैं।
2. असत्य- भारत में कलपक्कम में फास्ट ब्रीडर टेस्ट रिएक्टर (FBTR) है, जिसने 1985 में परिचालन शुरू किया था। यह भारत की परमाणु यात्रा में एक महत्वपूर्ण मील का पत्थर था। यह शीघ्र स्वीकृति अपनी परमाणु क्षमताओं को स्वतंत्र रूप से आगे बढ़ाने के लिए भारत की प्रतिबद्धता को रेखांकित करती है। इसके बाद, भारत में प्रोटोटाइप फास्ट ब्रीडर रिएक्टर (PFBR) हैं।
3. सत्य-निम्नलिखित को भारत की परमाणु रणनीति के एक भाग के रूप में देखें:

   प्रथम चरण-प्लूटोनियम के उत्पादन के लिए प्रथम चरण में तापीय रिएक्टरों (मंद/धीमी) (Thermal reactors (slow) का उपयोग किया जाता है।

   द्वितीय चरण-फास्ट ब्रीडर रिएक्टर: पहले चरण में उत्पादित प्लूटोनियम का उपयोग फास्ट ब्रीडर रिएक्टरों में (Fast Breeder Reactors) किया जाता है।

   यह संयोजन उपलब्ध परमाणु ईंधन संसाधनों का कुशलतापूर्वक उपयोग करने और ऊर्जा स्थिरता प्राप्त करने में मदद करता है।
4. **सत्य-परिवर्तन अनुपात (Conversion Ratio):** यह एक से अधिक होना चाहिए ताकि एक ब्रीडर रिएक्टर प्रभावी हो। यह विकल्प ए के साथ सरेखित होता है। याद रखें कि 'ब्रीडर रिएक्टर' विशेष रूप से खपत की तुलना में अधिक विखंडनीय सामग्री का उत्पादन करने के लिए डिज़ाइन किए गए हैं। यह ब्रीडर रिएक्टरों का मौलिक सिद्धांत है। भारत अतिरिक्त या अतिरिक्त ईंधन उत्पन्न करता है।
5. सत्य- ब्रीडर रिएक्टर पारंपरिक रिएक्टरों की तुलना में अधिक परमाणु अपशिष्ट का उत्पादन कर सकते हैं। तीन बिंदुओं को ध्यान में रखें जो अपशिष्ट (विशेष रूप से प्लूटोनियम) को भी उपयोगी बनाते हैं।

   दक्षता (Efficiency): प्रजनन रिएक्टर उपजाऊ सामग्री (जैसे यूरेनियम-238) को विखंडनीय सामग्री में परिवर्तित करके परमाणु ईंधन की समान मात्रा से अधिक ऊर्जा निकालते हैं। (जैसे कि प्लूटोनियम-239)

   अपशिष्ट उत्पादन (Waste Production): ये लंबे समय तक रहने वाले रेडियोधर्मी समस्थानिकों को 'जलाकर' परमाणु अपशिष्ट की समग्र मात्रा और विषाक्तता को कम करते हैं।

   'पायरोप्रोसेसिंग' (Pyro-processing): यह मूल रूप से उन्नत हैंडलिंग तकनीक है। अपशिष्ट का प्रबंधन ऐसी तकनीकों का उपयोग करके किया जाता है जो उपयोग किए गए ईंधन का 'पुनर्चक्रण' और 'पुनः उपयोग' करती हैं, जिससे प्रसार के जोखिम कम होते हैं।

   तो, सही उत्तर (d) केवल 1, 3, 4 और 5 है।

22. (c) गुणार्थ/संकेतार्थ/लक्ष्यार्थक (Connotation): यह उस भावनात्मक या सांस्कृतिक अर्थ को संदर्भित करता है जो किसी शब्द की शाब्दिक परिभाषा से परे होता है।

शब्दार्थ/मुख्यार्थक (Denotation): यह किसी शब्द के शाब्दिक या प्राथमिक अर्थ को संदर्भित करता है।

शब्द	शाब्दिक अर्थ (Denotation)	भावनात्मक/ सांस्कृतिक अर्थ (Connotation)
होम	एक स्थान जहां कोई रहता है	गर्माहट, आराम, परिवार
स्नेक	एक प्रकार का सरीसृप	धोखा, खतरा
चाइल्डलाइक	बच्चे जैसा	मासूमियत, आश्चर्य
चाइल्डिश	बच्चे जैसा	अपरिपक्वता

यह प्रश्न गुणार्थ के बारे में है। बढ़ते हुए गुणार्थ के सही क्रम में हैं: D. एथलीट (सबसे सामान्य) → B. बॉल प्लेयर → C. बेस प्लेयर → A. फील्डर (सबसे विशिष्ट)।

इस प्रकार, सही उत्तर (c) D, B, C, A है।

23. (b) प्रतिगमन विश्लेषण (Regression Analysis)

प्रतिगमन विश्लेषण एक सांख्यिकीय विधि है जिसका उपयोग एक आश्रित चर (अक्सर परिणाम या प्रतिक्रिया चर कहा जाता है) और एक या अधिक स्वतंत्र चर (जिन्हें पूर्वानुमानकर्ता या व्याख्यात्मक चर भी कहा जाता है) के बीच संबंध को समझने के लिए किया जाता है।

प्रतिगमन के प्रकारः

(2) **द्विचर प्रतिगमन (Bivariate Regression):** इसमें एक पूर्वानुमानकर्ता चर का उपयोग करके परिणाम चर की भविष्यवाणी की जाती है।

(3) **बहुचर प्रतिगमन (Multivariate Regression):** इसमें कई पूर्वानुमानकर्ता चर का उपयोग करके परिणाम चर की भविष्यवाणी की जाती है।

अन्य अवधारणाएँ

(1) **पियर्सन गुणन-आपूर्ण सहसंबंध (Pearson Product-Moment Correlation):** यह दो चर के बीच रैखिक संबंध की ताकत और दिशा को मापता है लेकिन मूल्यों की भविष्यवाणी नहीं करता।

(4) **प्रसरण का विश्लेषण (Analysis of Variance-ANOVA):** इसका उपयोग समूहों के बीच औसत की तुलना करने के लिए किया जाता है और यह आमतौर पर भविष्यवाणी के लिए उपयोग नहीं किया जाता।

24. (c) प्रायिकता प्रतिचयन (Probability Sampling)

प्रायिकता प्रतिचयन वह विधि है जिसमें जनसंख्या के हर व्यक्ति के चुने जाने की समान संभावना होती है। यह सुनिश्चित करता है कि प्रतिचयन जनसंख्या का प्रतिनिधि हो। उदाहरण के लिए, 50 छात्रों की कक्षा में, छात्रों के नाम एक बॉक्स में डाले जाते हैं जहाँ हर किसी के चुने जाने की समान संभावना होती है। इसे यादृच्छिक प्रतिचयन (Random Sampling) भी कहा जाता है। यह सामान्यीकरण करने में भी सहायता करता है।

- गैर-प्रायिकता प्रतिचयन विधियाँ (Non-Probability Sampling Methods)
- आपके द्वारा उल्लेखित प्रतिचयन विधियाँ-कोटा नमूना (Quota Sampling), निर्णयात्मक (या उद्देश्यपूर्ण) प्रतिचयन (Judgemental or Purposive Sampling), और सुविधा प्रतिचयन (Convenience Sampling) गैर-प्रायिकता प्रतिचयन विधियाँ हैं।

25. (c) न्यायः न्याय-वाक्य (Nyaya Syllogism) न्याय स्कूल से जुड़ा एक तार्किक ढांचा है। इसमें पाँच प्रस्ताव (अवयव) होते हैं:

प्रत्यज्ञा (Pratijna): प्रस्ताव/वाक्यः वह कथन जिसे सिद्ध करना है।

हेतु (Hetu): कारणः प्रस्ताव के लिए दिया गया कारण।

उदाहरण (Udaharana): उदाहरणः कारण को समर्थन देने के लिए एक उदाहरण।

उपनय (Upanaya) अनुप्रयोगः वर्तमान मामले में नियम का अनुप्रयोग।

निगमन (Nigamana): निष्कर्षः पिछले चरणों से निकाला गया निष्कर्ष।

26. (a) तार (telegraph) पहली तकनीक थी जिसने संचार को लोगों या पक्षियों द्वारा परिवहन से अलग किया। तार ने संदेशों को लंबी दूरी पर तुरंत भेजने की अनुमति दी, बिना उन्हें शारीरिक रूप से स्थानांतरित करने की आवश्यकता के, जिससे संचार में क्रांति आ गई।

27. (c) एन सी टी एफ (NCTF) विभिन्न शैक्षिक उपलब्धियों के लिए क्रेडिट स्तर निर्धारित करता है, जिसमें चार वर्ष की डिग्री स्तर 7 के अनुरूप होती है।

ये दिशानिर्देश राष्ट्रीय शिक्षा नीति (NEP) 2020 के अंतर्गत शुरू की गई पहलों का भाग हैं।

एनईपी 2020 उच्च शिक्षा के लिए एक लचीले, बहु-विषयक दृष्टिकोण को बढ़ावा देता है।

इसमें एक क्रेडिट-आधारित ढांचा अंतर्गत है जो छात्रों को क्रेडिट जमा करने और स्थानांतरित करने की अनुमति देता है।

28. (a)

4. **ऑप्टिकल ड्राइव (Optical Drive):** सबसे धीमा, सीडी/डीवीडी पढ़ने के लिए उपयोग किया जाता है।
3. **एसएसडी (Solid State Drive-SSD):** ऑप्टिकल ड्राइव से तेज़, स्टोरेज के लिए उपयोग किया जाता है।
2. **रैम (Random Access Memory-RAM):** एसएसडी से तेज़, अस्थायी डेटा स्टोरेज के लिए उपयोग किया जाता है।
1. **सीपीयू कैश (CPU Cache):** सबसे तेज़, सीपीयू द्वारा डेटा तक त्वरित पहुंच के लिए उपयोग किया जाता है।

इस प्रकार, सही क्रम (4), (3), (2), (1) है।

29. (c) 'मस्तिष्क से मस्तिष्क' संचार का अर्थ है गहरे विचारों या भावनाओं को साझा करना। यह लोगों को एक-दूसरे को बेहतर समझने में सहायता करता है। इस प्रकार का संचार साझा विचारों के माध्यम से जुड़ने पर केंद्रित होता है। अर्थों को संप्रेषित करने के मुख्य तत्व निम्नलिखित हैं:

1. **भौतिक विन्यासः** वह वातावरण जहां संचार होता है, संदेशों को समझने के तरीके को प्रभावित करता है।
2. **साझा धारणाएंः** सामान्य विश्वास व्यक्तियों को संदेशों की व्याख्या करने में अधिक प्रभावी बनाते हैं।
3. **मूल्यः** दृढ़ता से धारण किए गए सिद्धांत व्यवहार को आकार देते हैं और संदेशों के पीछे के अर्थ को समझने में मदद करते हैं।
5. **संदर्भः** वह परिस्थितियाँ (भौतिक, सामाजिक, सांस्कृतिक) जिनमें संचार होता है, संदेश की सही व्याख्या करने में मदद करती हैं।

इस प्रकार, सही क्रम (1), (2), (3), और (5) है।

30. (c) अंतर्निहित स्मृति (Implicit Memory) उन स्मृतियों को संदर्भित करती है जो बिना सचेत स्मृति या पुन: स्मरण के कार्यों या व्यवहारों को प्रभावित करती हैं। निहित स्मृति के मुख्य प्रकार निम्नलिखित हैं:

1. **प्राइमिंग (Priming):** एक उत्तेजना के संपर्क में आने से आप बिना सचेत जागरूकता के दूसरी उत्तेजना पर कैसे प्रतिक्रिया करते हैं, यह प्रभावित होता है।
3. **शास्त्रीय अनुबंधन प्रभाव (Classical Conditioning Effects):** संघों के माध्यम से सीखना, जहां एक तटस्थ उत्तेजना एक शर्तित प्रतिक्रिया को उत्पन्न करती है।
5. **कार्यविधिक स्मृति (Procedural Memory):** कौशल और कार्य जो स्वचालित रूप से किए जाते हैं, जैसे टाइपिंग या साइकिल चलाना।

31. (c) द्वितीय पंचवर्षीय योजना (SFYP, 1956-1961) में निम्नलिखित समितियों की सिफारिशें शामिल थीं:

ग्रामीण उच्चतर शिक्षा समिति (1959): ग्रामीण क्षेत्रों में शिक्षा को बढ़ावा देने पर केंद्रित।

नए विश्वविद्यालयों की स्थापना संबंधी समिति (1955): उच्च शिक्षा तक पहुंच का विस्तार करने के लिए नए विश्वविद्यालयों की स्थापना का प्रस्ताव दिया।

त्रि-वर्षीय डिग्री पाठ्यक्रम संबंधी समिति (1956): विश्वविद्यालयों में तीन-वर्षीय डिग्री संरचना का सुझाव दिया।

32. (b) ई-विद्वान (E-Vidwan) एक डिजिटल प्लेटफॉर्म है। यह वैज्ञानिकों, शोधकर्ताओं और संकाय सदस्यों की प्रोफाइल का एक संगठित डेटाबेस है, जिसमें उनकी पृष्ठभूमि, संपर्क विवरण और उपलब्धियां सम्मिलित हैं।

(a) **स्वयं प्रभा (SWAYAM Prabha):** डीटीएच चैनलों के माध्यम से शैक्षिक सामग्री प्रदान करने के लिए।

(c) **राष्ट्रीय अकादमी निक्षेपागार (National Academic Depository - NAD):** यह शैक्षणिक पुरस्कारों को डिजिटल रूप में संग्रहीत करता है।

(d) **ई-शोधसिंधु (E-Shodhsindhu):** यह उच्च शिक्षा संस्थानों के लिए ई-संसाधनों तक पहुंच प्रदान करता है।

33. (d) 1. **मूल्यांकन (Evaluation):** यह मीडिया के प्रदर्शन का आकलन करता है।

3. **अनुश्रवण (Monitoring):** यह मीडिया गतिविधियों और प्रथाओं को ट्रैक करता है।
4. **शिक्षा (Education):** यह पत्रकारों और मीडिया उपभोक्ताओं को उच्च मानकों को बनाए रखने के लिए सूचित और प्रशिक्षित करता है।
5. **प्रतिपुष्टि (Feedback):** यह सामग्री को बेहतर बनाने के लिए दर्शकों से प्रतिक्रियाएं एकत्र करता है। दर्शक नियंत्रण आम तौर पर मीडिया जवाबदेही प्रणालियों का एक प्रमुख पहलू नहीं है, जिसका उद्देश्य दर्शकों को विनियमित करने के बजाय पारदर्शिता और गुणवत्ता में सुधार करना है।

इसलिए, सही उत्तर (d), (1), (3), (4) और (5) है।

34. (d) कथन I: यह सही है। वैधता (Validity) तर्कों पर लागू होती है, न कि व्यक्तिगत प्रस्तावों पर। एकल प्रस्ताव वैध या अवैध नहीं हो सकता; वैधता तर्क में आधारों और निष्कर्ष के बीच तार्किक संबंध को संदर्भित करती है।

कथन II: यह सही है। सत्य (Truth) व्यक्तिगत प्रस्तावों पर लागू होता है। एक प्रस्ताव स्वतंत्र रूप से सत्य या असत्य हो सकता है।

कथन III: यह गलत है। प्रस्ताव स्वयं वैध या अवैध नहीं हो सकते: वैधता तर्कों की एक विशेषता है।

कथन IV: यह सही है। एक प्रस्ताव स्वयं वैध नहीं हो सकता, लेकिन यदि यह आत्म-विरोधाभासी है, तो इसे व्यापक तार्किक अर्थ में अवैध माना जा सकता है।

इसलिए, सबसे सटीक उत्तर (d), अर्थात् (2) और (4) हैं।

35. (a) "कोई घोड़ा विडाल नहीं है" का अर्थ है कि घोड़ों का समूह और विडाल का समूह एक दूसरे से मेल नहीं खाते हैं। 'कोई भी विडाल घोड़े नहीं हैं' एक ही विचार को व्यक्त करता है, यह दर्शाता है कि विडाल और घोड़ों के बीच कोई ओवरलैप नहीं है।

इस प्रकार, यह कथन 'कोई घोड़ा विडाल नहीं है' तार्किक रूप से (ए) कोई विडाल घोड़े नहीं हैं, के बराबर है।

दोनों कथन एक ही संबंध को व्यक्त करते हैं, जिससे पता चलता है कि दोनों समूह पूरी तरह से अलग हैं। अन्य विकल्प या तो एक अलग संबंध का सुझाव देते हैं या मूल कथन के अर्थ को बनाए नहीं रखते हैं।

36. (b)

विवरण	मूल्यांकन	व्याख्या
1. 25 KB 100 MB से बड़ा होता है।	गलत	1 MB = 1024 KB। इसलिए, 100 MB = 102,400 KB। 25 KB 102,400 KB से बहुत छोटा है।
2. 999 MB 50 GB से बड़ा होता है।	गलत	1 GB = 1024 MB। इसलिए, 50 GB = 51,200 MB। 999 MB 51,200 MB से बहुत छोटा है।

विवरण	मूल्यांकन	व्याख्या
3. 3500 KB 2 GB से छोटा होता है।	सही	1 GB = 1024 MB, 1 MB = 1024 KB। इसलिए, 2 GB = 2,097,152 KB। 3500 KB 2,097,152 KB से बहुत छोटा है।
4. 2350 बाइट्स 2 KB से छोटा होता है।	गलत	1 KB = 1024 बाइट्स। इसलिए, 2 KB = 2048 बाइट्स। 2350 बाइट्स 2048 बाइट्स से बड़ा है।

37. (c)

(c) **विश्वविद्यालय शिक्षा आयोग (1948-49):** जिसे राधाकृष्णन आयोग के नाम से भी जाना जाता है, स्वतंत्रता के बाद का पहला आयोग था जिसने भारत में उच्च शिक्षा सुधारों पर ध्यान केंद्रित किया।

(a) **भारतीय शिक्षा आयोग (1882):** यह स्वतंत्रता से पहले ब्रिटिश शासन के तहत शैक्षिक प्रणाली की समीक्षा के लिए स्थापित किया गया था।

(b) **कलकत्ता विश्वविद्यालय आयोग (1920-21):** इसने विशेष रूप से कलकत्ता विश्वविद्यालय की समीक्षा की, न कि स्वतंत्रता के बाद कुछ ऐसा कार्य किया।

(d) **भारतीय विश्वविद्यालय आयोग (1953):** यह यूनिवर्सिटी एजूकेशन कमीशन के बाद आया और भारतीय विश्वविद्यालयों के मुद्दों को संबोधित किया।

इस प्रकार, सही उत्तर (c) विश्वविद्यालय शिक्षा आयोग (1948-49) है।

38. (b) अधि-संज्ञान (Metacognition) का अर्थ है अपनी स्वयं की सोच प्रक्रियाओं के प्रति जागरूकता और समझ। उदाहरण के लिए, यदि आप महसूस करते हैं कि आपको अपनी बहन की तुलना में बीजगणित अधिक चुनौतीपूर्ण लगता है, लेकिन आप यह भी जानते हैं कि अभ्यास से आप इसमें सुधार कर सकते हैं, तो यह मेटाकॉग्निटिव जागरूकता का एक उदाहरण है। इसमें अपनी स्वयं की सीखने और क्षमताओं पर विचार करना शामिल है।

ड्रिल और प्रैक्टिस: यह गणित से संबंधित है और कौशल विकास पर ध्यान केंद्रित करता है। यह स्मृति को मजबूत करने और किसी विशेष क्षेत्र संबंधी दक्षता में सुधार करने में सहायता करता है।

39. (a)

आविषाक्तों का प्रकार	प्रभावित अंग	मुख्य प्रभाव
(1) नेफ्रोटॉक्सिक	(ii) वृक्क	संभावित क्षति या शिथिलता का कारण बनते हैं।
(2) हेमाटोटॉक्सिक	(iv) रक्त	एनीमिया या थक्का जमने जैसी समस्याओं का कारण बनता है।
(3) पल्मोनोटॉक्सिक	(i) फेफड़े	श्वसन क्रिया में कमी आती है।
(4) हेपाटोटॉक्सिक	(iii) यकृत	संभावित रूप से लीवर को नुकसान या विफलता का कारण बनता है।

40. (b)

ध्येय/लक्ष्य	ध्येय/लक्ष्यों की संख्या
(1) सहस्त्राब्दी विकास ध्येय (MDGs) में ध्येय (गोल्स)	(i) 8
(2) सहस्त्राब्दी विकास ध्येय (MDGs) में ध्येय (टारगेट)	(iii) 21
(3) सतत विकास ध्येय (SDGs) में ध्येय (गोल्स)	(ii) 17
(4) सतत विकास ध्येय (SDGs) में ध्येय (टारगेट)	(iv) 169

41. (a) निगमन में उपस्थित अवस्थाओं का अनुक्रम

1. सिद्धांत का पुनरीक्षण
2. प्राकक्लपना का स्वीकृत या अस्वीकृत होना
4. डेटा (दत्त) संकलन
3. परिणाम (निष्कर्ष)

इस प्रकार, सही उत्तर (a) है।

42. (d) मुक्त वाणिज्य और संचार (Free commerce and communication) (एडम स्मिथ): उन्होंने इस तथ्य पर बल दिया कि मुक्त वाणिज्य और संचार आर्थिक गतिविधियों के लिए महत्वपूर्ण हैं।

अर्थशास्त्र में संचार (Communication in economics): (अल्फ्रेड मार्शल): उन्होंने यह आविष्कार किया कि संचार आर्थिक प्रक्रियाओं और बाजार व्यवहार में महत्वपूर्ण भूमिका निभाता है।

संचार के वाहिका के रूप में भाषा (Language as a conduit of communication (जॉन लॉक): उन्होंने यह जांच की कि भाषा व्यक्तियों के बीच संचार और समझ को कैसे सुविधाजनक बनाती है।

संचार की लाइनें (Lines of communication (कार्ल मार्क्स): उन्होंने यह विश्लेषण किया कि संचार नेटवर्क और संरचनाएं सामाजिक और आर्थिक संबंधों को कैसे प्रभावित करती हैं।

इस प्रकार, मिलान करने पर सही उत्तर (d) है।

43. (c)

5. **भारतीय उच्च अध्ययन संस्थान (आई. आई. ए. एस.) (1965):** यह मानविकी, सामाजिक विज्ञान और प्राकृतिक विज्ञान में उन्नत अनुसंधान को बढ़ावा देता है।
1. **भारतीय सामाजिक विज्ञान अनुसंधान परिषद (आई. सी. एस. एस. आर.) (1969):** यह वित्त पोषण, अध्येतावृत्तियों और सहयोग के माध्यम से सामाजिक विज्ञान में अनुसंधान को प्रोत्साहित करती है।
4. **भारतीय ऐतिहासिक अनुसंधान परिषद (आईसीएचआर) (1972):** यह भारत में ऐतिहासिक अनुसंधान और ऐतिहासिक ज्ञान के प्रसार का समर्थन करती है।
3. **भारतीय दार्शनिक अनुसंधान परिषद (आई. सी. पी. आर.) (1977):** यह दर्शन में अनुसंधान की सुविधा प्रदान करती है और भारत में दार्शनिक प्रवचन को बढ़ावा देती है।
2. **राष्ट्रीय ग्रामीण संस्थान परिषद (एन. सी. आर. आई.) (1995):** यह ग्रामीण विकास के लिए ग्रामीण उच्च शिक्षा और क्षमता निर्माण को बढ़ावा देने पर केंद्रित है।

44. (c)

सूची-I (शब्द)	सूची-II (समान नियम प्रयुक्त कोड)
(1) FIND	(iii) AJME
(2) CLOG	(iv) QFMU
(3) SHOW	(i) RGKC
(4) TIME	(ii) DGLB

इस प्रकार, मिलान करने पर सही उत्तर (c) है।

45. (c) दी गई संख्या 3013_4 है, इसे इस प्रकार बढ़ाया जा सकता है

$3 \times 4^3 + 0 \times 4^2 + 1 \times 4^1 + 3 \times 4^0$

हमें इसे आधार-10 समकक्ष में बदलने की आवश्यकता है। अब हम प्रत्येक पद के मूल्य की गणना करेंगे।

$3 \times 4^3 = 3 \times 64 = 192$

$0 \times 4^2 = 0 \times 16 = 0$

$1 \times 4^1 = 1 \times 4 = 4$

$3 \times 4^0 = 3 \times 1 = 3$

कुल गणना 192 + 0 + 4 +3 = 199

अत: (c) सही उत्तर है।

46. (b)

47. (d)

48. (c)

49. (b)

50. (d)

अध्याय

1

शिक्षण अभिक्षमता

सीखने के उद्देश्य

- शिक्षण: अवधारणाएं, उद्देश्य, शिक्षण का स्तर (स्मरण शक्ति, समझ और विचारात्मक), विशेषताएँ और मूल अपेक्षाएं
- शिक्षार्थी की विशेषताएँ: किशोर और वयस्क शिक्षार्थी की अपेक्षाएं (शैक्षिक, सामाजिक, भावनात्मक और संज्ञानात्मक, व्यक्तिगत भिन्नताएँ)
- शिक्षण प्रभावक तत्व: शिक्षक, सहायक सामग्री, संस्थागत सुविधाएं, शैक्षिक वातावरण
- उच्च अधिगम संस्थाओं में शिक्षण की पद्धति: अध्यापक केंद्रित बनाम शिक्षार्थी केंद्रित पद्धति, ऑफ लाइन बनाम ऑन-लाइन पद्धतियां (स्वयं, स्वयंप्रभा, मूक्स इत्यादि)।
- शिक्षण सहायक प्रणाली: परंपरागत आधुनिक और आईसीटी आधारित।
- मूल्यांकन प्रणालियां: मूल्यांकन के तत्व और प्रकार, उच्च शिक्षा में विकल्प आधारित क्रेडिट प्रणाली में मूल्यांकन, कंप्यूटर आधारित परीक्षा, मूल्यांकन पद्धतियों में नवाचार।

1. निम्नलिखित में से कौन सा कथन समुच्चय शिक्षण की प्रकृति और उद्देश्य का उत्तम ढंग से विवरण प्रस्तुत करता है ? नीचे दिए गए कूट में से अपने उत्तर को चुनिए : **[Jul 2018]**

(1) शिक्षण और अधिगम अविच्छिन्न रूप से संबंधित हैं।
(2) शिक्षण और प्रशिक्षण के बीच कोई अंतर नहीं है।
(3) समस्त शिक्षण का सरोकार छात्रों में कुछ प्रकार के रूपांतरण को सुनिश्चित करने से होता है।
(4) समस्त अच्छा शिक्षण प्रकृति में औपचारिक होता है।
(5) शिक्षक एक वरिष्ठ व्यक्ति होता है।
(6) शिक्षण एक सामाजिक कृत्य है, जबकि अधिगम एक व्यक्तिगत कृत्य है।

(a) (1), (2) और (4)
(b) (2), (3) और (5)
(c) (1), (3) और (6)
(d) (4), (5) और (6)

2. अधिगमकर्ता की निम्नलिखित में से कौनसी विशेषता शिक्षण की प्रभावोत्पादकता से अत्यंत रूप से संबंधित है ? **[Jul 2018]**

(a) अधिगमकर्ता का पूर्व अनुभव
(b) अधिगमकर्ता के अभिभावकों का शैक्षिक प्रस्तर
(c) अधिगमकर्ता के साथी समूह
(d) परिवार का आकार, जिसका अधिगमकर्ता एक अंग है

3. नीचे दिए गए दो समुच्चयों में समुच्चय - I में शिक्षण विधियाँ इंगित की गई हैं, जबकि समुच्चय – II में सफलता/ प्रभावोत्पादकता की मूल अपेक्षाएँ दी गई हैं। इन दोनों समुच्चयों को सुमेलित कीजिए और नीचे दिए गए कूट में से अपने उत्तर को चुनिए : **[Jul 2018]**

समुच्चय-I (शिक्षण विधि)	समुच्चय-II (सफलता/प्रभावोत्पादकता की मूल आवश्यकताएँ)
(1) व्याख्यान देना	(i) प्रतिपुष्टि सहित लघु पदों में प्रस्तुति
(2) समूहों में चर्चा	(ii) बड़ी संख्या में विचारों को प्रस्तुत करना
(3) विचारावेश प्रक्रिया	(iii) स्पष्ट भाषा में विषयवस्तु का सम्प्रेषण
(4) अभिक्रमित अनुदेशन की पद्धति	(iv) शिक्षण – उपकरणों का उपयोग
	(v) प्रतिभागियों में प्रकरण–आधारित भागीदारी

(a) (1)-(i), (2)-(ii), (3)-(iii), (4)-(iv)
(b) (1)-(ii), (2)-(iii), (3)-(iii), (4)-(v)
(c) (1)-(iii), (2)-(v), (3)-(ii), (4)-(i)
(d) (1)-(iv), (2)-(ii), (3)-(i), (4)-(iii)

4. नीचे दी गई मूल्यांकन प्रक्रियाओं में से उसकी पहचान कीजिए, जिसको 'निर्माणात्मक मूल्यांकन' कहा जाता है। नीचे दिए गए कूट का प्रयोग करते हुए अपने उत्तर को चुनिए : **[Jul 2018]**
   (1) शिक्षक पाठ्यक्रम का कार्य पूरा करने के बाद छात्रों को ग्रेड देता है।
   (2) शिक्षक कक्षा में छात्रों के साथ अंत:क्रिया के दौरान सुधारात्मक प्रतिपुष्टि प्रदान करता है।
   (3) शिक्षक इकाई परीक्षण में छात्रों को अंक देता है।
   (4) शिक्षक कक्षा में ही छात्रों के संदेहों को स्पष्ट करता है।
   (5) छात्रों के समग्र निष्पादन के बारे में प्रत्येक तीन माह के अंतराल पर अभिभावकों को रिपोर्ट किया जाता है।
   (6) शिक्षक प्रश्न उत्तर सत्र के माध्यम से अधिगमकर्ता की अभिप्रेरणा में वृद्धि करता है।
   (a) (1), (2) और (3) (b) (2), (3) और (4)
   (c) (1), (3) और (5) (d) (2), (4) और (6)

5. **अभिकथन (A) :** समस्त शिक्षण का उद्देश्य अधिगम को सुनिश्चित करना होना चाहिए। **[Jul 2018]**
   तर्क (R) : समस्त अधिगम शिक्षण का परिणाम होता है।
   नीचे दिए गए कूट में से सही उत्तर को चुनिए :
   (a) (A) एवं (R) दोनों सही हैं, और (R), (A) की सही व्याख्या है।
   (b) (A) एवं (R) दोनों सही हैं, लेकिन (R), (A) की सही व्याख्या नहीं है।
   (c) (A) सही है, लेकिन (R) गलत है।
   (d) (A) गलत है, लेकिन (R) सही है।

6. जीन पियाजे के संज्ञानात्मक विकास सिद्धांत के अनुसार, किशोर विद्यार्थी विकास के किस चरण में होते हैं? **[Jun 2019]**
   (a) संवेदी प्रेरक चरण
   (b) मूर्त्त संक्रियात्मक चरण
   (c) संक्रियात्मक चरण
   (d) औपचारिक संक्रियात्मक चरण

7. नीचे शिक्षण विधियां और उपागम दिए गए हैं। उनमें से कौन-कौन सा व्यष्टिसाक्षेप उपगम है। **[Jun 2019]**
   (1) प्रदर्शन विधि
   (2) माडयुलर उपागम
   (3) अभिक्रमित/अधिगम
   (4) व्यष्टिसाक्षेप शिक्षण
   (5) सहयोगात्मक विधि
   नीचे दिए गए विकल्पों में से सही उत्तर दीजिए :
   (a) (1), (2) और (3)
   (b) (2), (3) और (4)
   (c) (3), (4) और (5)
   (d) (1), (4) और (5)

8. एक अध्यापक के रूप में आपके द्वारा तैयार किए गए परीक्षण के मामले में निम्नलिखित में से कौन-सा कथन सही है? **[Jun 2019]**
   (a) यदि परीक्षण विश्वसनीय है तो वह वस्तुनिष्ठ होगा।
   (b) यदि परीक्षण वैधता रखता है तो वह विश्वसनीय भी होगा।
   (c) यदि परीक्षण विश्वसनीय है तो वह वैधता भी रखेगा।
   (d) यदि परीक्षण वैधता रखता है, और विश्वसनीय है तो यह उपयोज्य होगा।

9. निम्नलिखित में से कौन-सा कथन-टीम शिक्षण की अवधरणा को सर्वोत्तम रूप से व्याख्यायित करता है? **[Jun 2019]**
   (a) दो से अधिक अध्यापक शिक्षण कार्य करते हैं।
   (b) दो से अधिक अध्यापक एक ही कक्षा को एक साथ मिलकर पढ़ाने की योजना बनाते हैं और पढ़ाते हैं।
   (c) दो से अधिक अध्यापक अपनी विशेषता के अनुसार एक ही कक्षा को पढ़ाने की योजना बनाते और पढ़ाते हैं।
   (d) अध्यापकों की एक टीम जो विद्यार्थियों को पढ़ाने हेतु तैयार और उपलब्ध रहती है।

10. शिक्षण की प्रभावशीलता का निर्णय करने में निम्नलिखित में से किन बिन्दुओं पर विचार किया जाता है। **[Jun 2019]**
   (1) सभी विषयों में विद्यार्थियों का प्राप्तांक
   (2) शिक्षण उद्देश्यों की प्राप्ति का स्तर
   (3) सीखने में विद्यार्थियों द्वारा लिया जानेवाला समय
   (4) शिक्षण में अध्यापक द्वारा प्रयोग में लाया जाने वाला संसाधन
   (5) कक्षा में विद्यार्थियों की उपस्थिति की नियमितता
   नीचे दिए गए विकल्पों में से सही उत्तर का चयन कीजिए:
   (a) (1), (2) और (3)
   (b) (1), (2) और (4)
   (c) (3), (4) और (5)
   (d) (2), (3) और (4)

11. कक्षा में साथी समूह अन्त:क्रिया (peer group interaction) से किसमें मदद मिलती है? **[Jun 2019]**
   (a) अवधारणा के अवबोध में
   (b) अपनी गलतफहमी को महसूस करने मे

(c) संपर्क निर्माण (रैपो बिल्डिंग) में

(d) प्रश्न पूछने में

12. जब कम संसाधनों का प्रयोग कर और शिक्षक के प्रयास तथा स्व अधिगम पर अधिक जोर देकर विद्यार्थी के अधिगम परिणाम सुनिश्चित किए जाते हैं, तो इसमें निम्नलिखित में से कौन सा विकल्प शिक्षक के बारे में सर्वाधिक उपयुक्त ढंग से वर्णन करता है? **[Jun 2019]**

(a) शिक्षक सफल है (b) शिक्षक प्रभावी है

(c) शिक्षक बुद्धिमान है (d) शिक्षक व्यावहारिक है

13. विमर्शी व्यवहार का अर्थ व्यक्ति द्वारा निम्नलिखित में से किसका उपयोग है? **[Jun 2019]**

(a) संज्ञान (कॉग्रिशन)

(b) अधि संज्ञान (मेटाकॉग्रिशन)

(c) संज्ञान पर अधिसंज्ञान

(d) अधिगम का प्रबलन

14. समावेशी शिक्षा का अर्थ है **[Jun 2019]**

(a) यह सुनिश्चित करना कि प्रत्येक बच्चे का अधिगम परिणाम एक हो।

(b) नि:शक्तों को मुख्य धारा में शामिल करना।

(c) 14 वर्ष से कम उम्र के बच्चों को अनिवार्य शिक्षा देना।

(d) यह सुनिश्चित करना कि कोई बच्चा शिक्षा में पीछे न रह जाए।

15. किसी शिक्षक के लिये सुनना महत्वपूर्ण है ताकि वह **[Jun 2019]**

(a) अधिगमकर्त्ता की आवश्यकताएं पूरी कर सके।

(b) ज्ञान प्राप्त कर सके।

(c) अधिगमकर्त्ता को प्रसन्न रखा जा सके।

(d) अधिगमकर्त्ता द्वारा की गयी प्रगति का मूल्यांकन कर सके।

16. निम्नलिखित में से कौन-सी अधिगमकर्ता की सामाजिक विशेषता है? **[Jun 2019]**

(a) संवेदी प्रत्यक्षीकरण की शक्ति

(b) चिंतन क्षमता

(c) संश्लेष्णात्मक कल्पना शक्ति

(d) स्वयं को दूसरों के साथ सम्बद्ध करने की योग्यता

17. निम्नलिखित में से कौन सी निर्माणात्मक मूल्यांकन की विशेषता है? **[Jun 2019]**

(a) मूल्यांकन सत्रांत पर होता है।

(b) मूल्यांकन, कार्यक्रम तैयार करने से पहले किया जाता है।

(c) मूल्यांकन, शिक्षण का अधिगम परिणाम संसूचित करने से सम्बन्धित होता है।

(d) मूल्यांकन शिक्षण के दौरान किया जाता है।

18. शिक्षण अधिगम से संबंधित 'अनुभव का शंकु' को किसने प्रस्तुत किया? **[Jun 2019]**

(a) जॉन डीवी (b) किल्पैट्रिक

(c) फ्रोबेल (d) एडगर डेल

19. वह अध्ययन क्षेत्र जिसमें प्रौढ़ अधिगमकारियों हेतु रणनीतियों के रूप में भूमिका प्रदर्शन, अनुगमण और स्व-मूल्यांकन उपयोग किया जाता है, निम्नलिखित में से क्या कहलाता है? **[Jun 2019]**

(a) शिक्षणशास्त्र (b) एंड्रागॉजी

(c) नृविज्ञान (d) मनोविज्ञान

20. निम्नलिखित में से कौन सी अधिगमकर्ता की गैर-संज्ञानात्मक विशेषता है? **[Jun 2019]**

(a) स्मरण

(b) समस्या समाधन

(c) महत्वपूर्ण संवेदी आगतों की पहचान करना

(d) सत्य में विश्वास करना

21. एस डब्ल्यू ए वाई ए एम (स्वयं) का अर्थ है: **[Dec 2019]**

(a) स्टडी वर्ल्ड ऑफ ऐक्शन-लर्निंग फॉर यंग एस्पायरिंग माइन्डस

(b) स्टडी वेब्स ऑफ ऐक्टिव-लर्निंग फॉर यंग एस्पायरिंग माइन्डस

(c) स्टुडेन्ट वर्ल्ड ऑफ ऐक्शन-लर्निंग फॉर यंग एलिंग माइन्डस

(d) स्टडी वेब्स ऑफ ऐक्टिव-लर्निंग फॉर यूथ अवेयरनेस माइन्डस

22. स्मृति स्तर के शिक्षण में निम्नलिखित में से किस पर बल दिया जाता है? **[Dec 2019]**

(1) सोच एवं विचार को व्यवस्थित करना

(2) तथ्यों के मध्य संबंध देखने पर

(3) द्रुत प्रत्यास्मरण में सहायता हेतु व्यवस्थित प्रस्तुतियों पर

(4) समीक्षात्मक चिंतन पर

(5) तथ्यों को सही क्रम में लगाने की निपुणता

(6) एक विशेषता का दूसरी विशेषता से पृथकीकरण

निम्नलिखित विकल्पों में से सही उत्तर चुनें:

(a) (1), (2) और (3)

(b) (1), (3) और (5)

(c) (2), (3) और (4)

(d) (4), (5) और (6)

23. नीचे दो समुच्चय दिए गए हैं, जिसमें समुच्चय I में व्यवहार आशोधन तकनीकें दी गई हैं जबकि समुच्चय II में उनका दृष्टांतिकरण है। दोनों समुच्चयों को सुमेलित कीजिए : **[Dec 2019]**

समुच्चय-I (व्यवहार आशोधन तकनीकें)	समुच्चय-II (दृष्टांत)
(1) सकारात्मक प्रबलन	(i) व्यवहार अवरूद्ध करने की दृष्टि से एक सुखदायक उद्दीपक का विनिवर्तन या एक अपवर्ती उद्दीपक का अनुप्रयोग
(2) नकारात्मक प्रबलन	(ii) व्यवहार को घटित होने से रोकने हेतु कष्टदायक या अपवर्ती उद्दीपक को प्रस्तुत करना
(3) दण्ड	(iii) उद्दीपक से हटा लेने पर व्यवहार की आवृति बढ़ जाती है
(4) विलोप	(iv) उद्दीपक की प्रस्तुति के बाद व्यवहार की प्रस्तुति बढ़ जाती है।

निम्नलिखित विकल्पों में से सही उत्तर चुनें:

(a) (1)-(i), (2)-(ii), (3)-(iii), (4)-(iv)

(b) (1)-(ii), (2)-(i), (3)-(iii), (4)-(iv)

(c) (1)-(iv), (2)-(iii), (3)-(ii), (4)-(i)

(d) (1)-(iii), (2)-(i), (3)-(ii), (4)-(iv)

24. एक किशोर अधिगमकर्ता की प्रमुख चारित्रिक विशेषता जो उसके सामाजिक तथा नैतिक विकास को निर्धारित करती है, वह है: **[Dec 2019]**

(a) माता-पिता से दूर रहने की प्रवृति

(b) मूल्यों एवं मानकों के अनुसरण हेतु नायक पूजा की चेष्टा

(c) पड़ोस के समवर्गियों से घुलना-मिलना

(d) पहचान संकट

25. निम्नलिखित में कौन-कौन सी शिक्षण पद्धतियाँ प्रत्यक्ष अधिगम के लिए उपयोगी हैं? **[Dec 2019]**

(1) टीम शिक्षण तथा व्याख्यान देना

(2) निरूपण तथा भूमिका निर्वाह

(3) दृश्य-श्रव्य का उपयोग या उसके बिना व्याख्यान देना

(4) कार्यशाला एवं दत्तकार्यों में प्रतिभागिता

(5) मूक्स तथा आनुभाविक (हयूरिस्टक्स) पहल

(6) अंत:क्रियात्मक प्रस्तुतीकरण

निम्नलिखित विकल्पों में से सही उत्तर चुनें:

(a) (2), (4) और (5)

(b) (1), (2) और (3)

(c) (3), (4) और (6)

(d) (4), (5) और (6)

26. निम्नलिखित में से अधिकतम निष्पादन परीक्षण का कौन-सा उदाहरण है? **[Dec 2019]**

(a) प्रक्षेपी व्यक्तित्व परीक्षण

(b) रुचि तालिका

(c) अभिरुचि परीक्षण

(d) अभिवृति मापनियां

27. निम्नलिखित अध्ययन-कौशल को उससे सम्बन्धित प्रभावी अधिगम प्रविधि के साथ सुमेलित कीजिए: **[Dec 2019]**

अध्ययन कौशल	अधिगम प्रविधि
(1) विस्तारक पृच्छा	(i) अध्ययन के समय विभिन्न प्रकार की समस्याओं को साथ में मिलाना।
(2) अभ्यास शिक्षण	(ii) पाठ के एक हिस्से या उदाहरण की समस्या, जो आप के लिए उपयोगी है, के बारे में बताना।
(3) आत्मप्रकाशन	(iii) जिस सामग्री को सीखने का आप प्रयत्न करते हैं, उस पर स्वयं को परखना
(4) अंतर संबंधित व्यवहार	(iv) तथ्य क्यों सही है, इसका उत्तर देना।

नीचे दिए गए विकल्पों में से सही विकल्प का चयन करें

(a) (1)-(iv), (2)-(iii), (3)-(ii), (4)-(i)

(b) (1)-(i), (2)-(ii), (3)-(iv), (4)-(iii)

(c) (1)-(ii), (2)-(iv), (3)-(i), (4)-(iii)

(d) (1)-(iii), (2)-(i), (3)-(ii), (4)-(iv)

28. नीचे दी गई सूची में एक प्रभावी शिक्षक की उन योग्यताओं को चिह्नित कीजिए जो व्यक्तित्व और अभिवृत्ति संबंधित है: **[Dec 2019]**

(1) नियंत्रण की संस्थिति

(2) संप्रेषण

(3) प्रबंधन
(4) आत्म-सामर्थ्य
(5) शिक्षक का उत्साह
(6) संगठित और व्यवस्थित होना

सही विकल्प का चयन कीजिए:

(a) (1), (2) और (3)
(b) (1), (4) और (5)
(c) (2), (3) और (4)
(d) (4), (5) और (6)

29. शिक्षण विधियों के स्पेक्ट्रम में निम्नलिखित में से किसे 'संवादात्मक' कहा जाएगा? **[Dec 2019]**

(1) प्रदर्शन विधि
(2) समस्या समाधान विधि
(3) चॉक और वार्त्तालाप विधि
(4) दल शिक्षण आधरित विधि
(5) अन्त: क्रियात्मक प्रस्तुति
(6) अनुशिक्षण

सही विकल्प का चयन कीजिए:

(a) (1), (2) और (3)
(b) (2), (3) और (4)
(c) (3), (4) और (5)
(d) (2), (5) और (6)

30. किस शिक्षण स्तर में निम्नतर स्तर के अधिगम परिणामों पर ध्यान केन्द्रित किया जाता है? **[Dec 2019]**

(a) स्मृति स्तर (b) अवबोध स्तर
(c) विमर्शी चिन्तन (d) स्वायत्त विकास स्तर

31. निम्नलिखित में से कौन-सी मूल्यांकन प्रणाली नवोन्मेषी प्रैक्टिस की श्रेणी के अंतर्गत शामिल है? **[Dec 2019]**

(a) सेमेस्टर परीक्षाएं
(b) कार्यनिष्पादन मूल्यांकन
(c) पोर्टफोलियो आधारित मूल्यांकन
(d) अधिगम परिणाम पर आधारित मूल्यांकन

32. निम्नलिखित सूची में से भारतीय शिक्षा की पारंपरिक प्रणाली के विशिष्ट लक्षण की पहचान कीजिए: **[Dec 2019]**

(a) 'सत्य का प्रत्यक्ष बोध' साधन और साध्य के रूप में
(b) 'विश्वास' के आधार पर सब कुछ मानना
(c) अधिगम के अपने तरीके को विकसित करना
(d) निगमनात्मक आगमनात्मक प्रक्रिया के साथ न्याय दर्शन का अनुसरण

33. निम्नलिखित में से ऐसे व्यक्ति को चुनिए जिसका कक्षा में स्वयं, संप्रेषण विधि और अभिव्यक्ति प्रदान करने के ढंग पर नियंत्रण होता है: **[Dec 2019]**

(a) छात्र (b) शिक्षक
(c) श्रोता (d) आगंतुक (विजिटर)

34. निम्नलिखित में से कौन-सा प्रभावी शिक्षण का घटक नहीं है? **[Dec 2019]**

(a) छात्रों की समझदारी की जांच के लिए प्रश्न पूछना
(b) छात्रों को प्रतिपुष्टि उपलब्ध कराना
(c) सीखने में लगने वाली समयावधि के बारे में लचीलापन
(d) छात्रों के व्यवहार में प्रतिक्रियात्मकता

35. निम्नलिखित में से कौन-सा कारक आकलन सम्बन्धी पूर्वाग्रह में योगदान नहीं करता है? **[Dec 2019]**

(a) जब जाँच और जाँचकर्ता की भाषा छात्रों की भाषा से भिन्न है
(b) मध्यवर्गीय मूल्यों का समर्थन करने वाले उत्तर
(c) यदि आकलन पद्धति लचीली और विविधतायुक्त हो जिससे सुविधा-वंचित छात्र सहज हो सकें
(d) छात्र की अमूर्त रूप से तर्क करने की क्षमता के आकलन हेतु वस्तुनिष्ठ परीक्षण

36. नीचे दिए गए विकल्पों में से ऐसे कारकों की पहचान कीजिए जो शिक्षण की प्रभाविता में योगदान नहीं करता है: **[Dec 2019]**

(1) शिक्षक की सामाजिक-आर्थिक पृष्ठभूमि
(2) छात्रों को प्रसन्न करने में शिक्षक का कौशल
(3) शिक्षक का विषय-ज्ञान
(4) छात्रों के साथ शिक्षक का व्यक्तिगत संपर्क

सही विकल्प चुनिए:

(a) (1), (3) और (4) (b) (2), (3) और (4)
(c) (1), (2) और (3) (d) (2), (3) और (4)

37. निम्नलिखित कारकों की पहचान करें जो छात्रों के अकादमिक प्रदर्शन पर प्रतिकूल प्रभाव डालते हैं? **[Dec 2019]**

(1) निम्न आत्म सामर्थ्य
(2) ईश्वर में आस्था
(3) राजनीति के प्रति उदासीन दृष्टिकोण
(4) शिक्षकों की छात्रों से निम्न प्रत्याशा

सही विकल्प की पहचान करें-

(a) केवल (1) और (2)

(b) केवल (2) और (3)

(c) केवल (3) और (4)

(d) केवल (2) और (4)

38. नीचे दो कथन दिए गए हैं- अभिकथन (A) और दूसरे तर्क (R) है: **[Dec 2019]**

अभिकथन (A) : ऑन लाइन शिक्षण के माध्यम से बहुत कुशल-वृत्तिकों द्वारा बड़ी संख्या में छात्रों को पढ़ाया जा सकता है।

तर्क (R) : ऑन लाइन शिक्षण ऑफ लाइन शिक्षण की तुलना में छात्रों में आलोचनात्मक सोच के विकास में सहायता करता है।

उपर्युक्त कथनों के आलोक में सही विकल्प का चयन करें:

(a) (A) और (R) दोनों सही हैं और (R), (A) की सही व्याख्या है।

(b) (A) और (R) दोनों सही हैं किंतु (R), (A) की सही व्याख्या नहीं है।

(c) (A) सही है किंतु (R) गलत है।

(d) (A) गलत है किंतु (R) सही है।

39. नीचे दी गई दो सूचियों में सूची-I में शिक्षण के स्तर दिये गये हैं जबकि सूची-II में उनके प्रमुख विवरणीय बिन्दु दिये गये हैं: **[Dec 2019]**

सूची-I (शिक्षण स्तर)	सूची-II (प्रमुख विषय)
(1) स्वायत्त विकास स्तर	(i) समस्या उठाना और समस्या का समाधान करना
(2) स्मृति स्तर	(ii) भाव और भावनाएं
(3) अवबोध स्तर	(iii) तथ्यों और सूचनाओं को याद करना
(4) विमर्शी चिंतन स्तर	(iv) तथ्यों और उनके उदाहरणों में संबंध देखना
	(v) समकक्षी अधिगम

सही विकल्प का चयन कीजिए:

(a) (1)–(i), (2)–(ii), (3)–(iv), (4)–(v)

(b) (1)–(i), (2)–(iv), (3)–(iii), (4)–(ii)

(c) (1)–(ii), (2)–(iii), (3)–(iv), (4)–(i)

(d) (1)–(v), (2)–(iv), (3)–(iii), (4)–(ii)

40. निम्नलिखित में से कौन-सा क्रम उच्च शिक्षा में शैक्षिक प्रौद्योगिकी अनुपूरण के विकास को सही-सही प्रतिबिम्बित करता है? **[Dec 2019]**

(a) अभिक्रमित अधिगम सामग्री, पाठ्यपुस्तक सहायता, ऑनलाइन और मॉड्यूलर सामग्री

(b) पाठ्यपुस्तक अनुपूरक सामग्री, अभिक्रमित अधिगम सामग्री, मॉड्यूलर सामग्री और ऑनलाइन विधियां

(c) मॉड्यूलर सामग्री, अभिक्रमित अधिगम, ऑनलाइन और पाठ्यपुस्तक अनुपूरक सामग्री

(d) ऑनलाइन विधियां, मॉड्यूलर सामग्री, पाठ्यपुस्तक अनुपूरक सामग्री और अभिक्रमित अधिगम सामग्री

41. 'सभी छात्रों ने अपनी परीक्षा उत्तीर्ण की' तथा 'कतिपय छात्रों ने अपनी परीक्षा उत्तीर्ण नहीं की'। **[Dec 2019]**

यह निम्नांकित में से किसका दृष्टांत है?

(a) विरोधाभास (b) अधिआश्रित (सुपर ऑल्टरन)

(c) उपाश्रयी (d) विपरीतार्थी

42. निम्नलिखित में से किस प्रमाण के सन्दर्भ में 'लौकिक' तथा 'अलौकिक' के मध्य अंतर ज्ञात किया जाता है? **[Dec 2019]**

(a) अनुमान (b) उपमान

(c) प्रत्यक्ष (d) शब्द

43. अधिगम को प्रभावित करने में निम्नांकित में से किन कारकों को सामाजिक क्षमता के रूप में चिह्नित किया गया है? **[Dec 2019]**

(1) सामाजिक दर्जा

(2) प्रेरणा

(3) बुद्धिमत्ता साधारण और विशिष्ट

(4) संवेगात्मक स्वास्थ्य

(5) विचारों को कार्य-रूप में परिवर्तित करने में अक्षमता

निम्नांकित विकल्पों में से सही उत्तर चुनिए:

(a) (1), (2) और (3) (b) (2), (3) और (4)

(c) (1), (2) और (4) (d) (3), (4) और (5)

44. विद्यार्थियों की प्रस्तुति में रचनात्मक कौशल और सृजनशीलता का प्रभावी मूल्यांकन निम्नांकित में से किस परख/परीक्षण द्वारा किया जा सकता है? **[Dec 2019]**

(a) वस्तुनिष्ठ प्रकार जांच

(b) निबंध प्रकार जांच

(c) लघु उत्तर जांच

(d) प्रक्षेपी जांच

45. कक्षा में शिक्षक की वाणी के स्वराघात को कहा जाता है: **[Dec 2019]**

(a) भाषिक (b) पारिभाषिक

(c) गैरभाषिक (d) वृहद्भाषिक

46. नीचे दिये गये अधिगम परिणाम की सूची में से ऐसे परिणामों को चिह्नित कीजिए जो उच्च स्तरीय परिणाम कहे जाते हैं: **[Dec 2019]**

(1) तथ्यों और नियमों का अधिगम

(2) विश्लेषण और संश्लेषण की क्षमता प्रदर्शित करना

(3) जागरुकता, अनुक्रिया और मूल्यन

(4) अनुकरण, कार्यसन्धान और सटीकता

(5) अभिव्यक्ति, सहजीकरण

(6) संगठन और चरित्रीकरण

सही विकल्प का चयन कीजिए:

(a) (2), (5) और (6)

(b) (1), (2) और (3)

(c) (2), (3) और (4)

(d) (1), (3) और (6)

47. रचनावादी-उपागम में शिक्षण-अधिगम कार्यकलापों को सुनिश्चित करने हेतु सही क्रम की पहचान कीजिए: **[Dec 2019]**

(a) अन्वेषण, व्याख्या, संक्षिप्तीकरण, विस्तारण एवं मूल्यांकन करना

(b) मूल्यांकन करना, विस्तारण, संक्षिप्तीकरण, व्याख्या एवं अन्वेषण

(c) व्याख्या, संक्षिप्तीकरण, अन्वेषण एवं विस्तारण

(d) संक्षिप्तीकरण, अन्वेषण, व्याख्या, मूल्यांकन एवं विस्तारण

48. पुरातनकाल में नालंदा विश्वविद्यालय में निम्नलिखित में से कौन सी प्रवेश विधि प्रभावी थी? **[Dec 2019]**

(a) प्रवेश परीक्षा

(b) साक्षात्कार

(c) उत्तम शैक्षणिक पूर्ववृत्त

(d) समकक्षी परिचर्चा

49. निम्नलिखित में से किसमें इस बात पर बल दिया गया कि शिक्षा का प्रबन्धन अत्यधिक बौद्धिक सख्ती गंभीरता एवं नवाचार तथा सृजनशीलता के लिए अपेक्षित स्वतंत्रता के परिवेश में किए जाने की आवश्यकता है? **[Dec 2019]**

(a) राष्ट्रीय शिक्षा नीति, 1968

(b) राष्ट्रीय शिक्षा नीति, 1986

(c) नीति आयोग-त्रिवर्षीय कार्य योजना (2017-18 से 2019-20)

(d) प्रारूप राष्ट्रीय शिक्षा नीति, 2019

50. विश्व स्तरीय विश्व विद्यालयों की स्थापना के लिए अपेक्षित है: **[Dec 2019]**

(1) स्वायत्त शासन

(2) संकेन्द्रित निधियन

(3) मूल्यांकन तंत्र पर नियंत्रण

(4) स्वतंत्र प्रतिफल

(5) शासन तंत्र द्वारा स्टाफ की नियुक्ति

नीचे दिए गए विकल्पों में से सही उत्तर चुनिए:

(a) (1), (2) और (5) (b) (2), (3) और (5)

(c) (3), (4) और (5) (d) (1), (2) और (4)

51. निम्नलिखित में से कौन राष्ट्रीय कौशल, अर्हता ढाँचे से संबंधित है? **[Dec 2019]**

(a) क्षमता आधारित ढाँचे

(b) प्रौद्योगिकी आधारित ढाँचे

(c) आर्थिक विकास आधारित ढाँचे

(d) मूल्यांकन आधारित ढाँचे

52. निम्नलिखित में से किसे मानव संसाधन विकास मंत्रालय, भारत सरकार के वृहत मुक्त ऑनलाइन पाठ्यक्रम प्लेटफार्म के रूप में बनाया गया है? **[Dec 2019]**

(a) प्रथम (b) स्वयम

(c) फ्यूचरलर्न (d) ओपन लर्न

53. शिक्षण का कौन-सा स्तर ब्लूम के वर्गीकरण विज्ञान में यथा निर्दिष्ट संज्ञानात्मक योग्यता का प्रयोग करता है? **[2020]**

(a) स्मृति स्तर (b) अवबोध स्तर

(c) विमर्शी स्तर (d) स्वायत्त विकास स्तर

54. निष्पादन तत्परता स्तर के रूप में जो विद्यार्थी 'सक्षम परन्तु अनिच्छुक' वर्ग में हैं उनके लिए सर्वाधिक उपयुक्त शिक्षण रणनीति यह होगी: **[2020]**

(a) चुनौतिपूर्ण कार्य देना तथा भूमिकाओं को प्रतिनिधित्व करना

(b) कार्यों में लगाना तथा सामाजिक-संवेगात्मक समर्थन, जिसमें पहचान दिए जाने की गुंजाइश हो, प्रदान करना।

(c) निकट से पर्यवेक्षण के साथ परामर्श एवं दिशा-निर्देश देना।

(d) कार्यों को विशिष्ट एवं सरल बनाए रखना ।

55. प्रभावी शिक्षण-व्यवहार के रंगपटल में निम्नलिखित में से किन्हें व्यावहारिक समर्थता कहा जाएगा? **[2020]**

(1) आत्म-सामर्थ्य एवं नियंत्रण की संस्थिति

(2) योजना एवं शिक्षण

(3) प्रबंधन एवं परिवेक्षण (मानीटरिंग) करना

(4) मूल्यांकन एवं प्रतिपुष्टि उपलब्ध करवाना

(5) तार्किक, स्पष्ट एवं आश्वस्त

नीचे दिए गए विकल्पों में से सही उत्तर चुनिए:

(1) केवल (2), (3) और (4)

(b) केवल (1), (2) और (3)

(c) केवल (1), (4) और (5)

(d) केवल (3), (4) और (5)

56. नीचे दो कथन दिए गए हैं: **[2020]**

कथन (I) : कक्षा मूल्यांकन में शिक्षक को ज्ञात होता है कि विद्यार्थियों के अकों का वितरण सकारात्मक रूप से विषम है।

कथन (II) : जब विद्यार्थियों के अंकों का वितरण सामान्य पाया जाता है तो केंद्रीय प्रवृत्ति के सभी तीनों मान एक ही होते हैं।

(a) कथन (I) और (II) दोनों सही हैं।

(b) कथन (I) और (II) दोनों सही नहीं हैं।

(c) कथन (I) सही है किंतु कथन (II) सही नहीं हैं।

(d) कथन (I) सही नहीं है किंतु कथन (II) सही हैं।

57. नीचे दो कथन दिए गए हैं जिसमें से एक का अभिकथन (A) और दूसरे को तर्क (R) कहा गया है। **[2020]**

अभिकथन (A) : शिक्षण-अधिगम प्रणाली प्रभावी होने के लिए वह सावधानीपूर्वक योजनाबद्ध, पर्याप्त रूप से कार्यान्वित और समुचित रूप से मूल्यांकित होनी चाहिए।

कथन (R) : शिक्षण-अधिगम प्रणाली की प्रभावोत्पादकता, शिक्षा के सभी स्तरों के लिए पूर्वापेक्षित है।

(a) (A) और (R) दोनों सही हैं और (R), (A) की सही व्याख्या है।

(b) (A) और (R) दोनों सही हैं परन्तु (R), (A) की सही व्याख्या नहीं है।

(c) (A) सही हैं परन्तु (R), सही नहीं है।

(d) (A) सही नहीं हैं परन्तु (R), सही है।

58. जब टी-एल (T-L) मॉडल अपनाया जाता है, तो निम्नलिखित में से किसे 'सही' माना जाएगा? **[2020]**

(a) शिक्षण और अधिगम स्वतंत्र कार्य हैं।

(b) शिक्षण और अधिगम में अभिन्न संबंध होता है।

(c) कोई अधिगम न होने पर भी शिक्षण कहा जा सकता है।

(d) शिक्षण कार्य के बिना भी अधिगम हो सकता है।

59. निम्नलिखित में से किस स्तर के शिक्षण में तथ्य और सूचना पर विशेष बल दिया जाता है? **[2020]**

(a) स्मृति स्तर (b) स्वायत्त विकास स्तर

(c) अवबोध स्तर (d) विमर्शी स्तर

60. एक शिक्षक विद्यार्थियों के अधिगम को प्रभावित करने का उचित सुनिश्चित करने के लिए शिक्षण में रूपांतरणपरक उपागम का उपयोग करना चाहता है। इस संदर्भ में निम्नलिखित में से कौन से क्रियाकलाप उचित माने जायेंगे? **[2020]**

(1) विद्यार्थियों के लिए सम्मान और विश्वास की भावना रखना।

(2) विद्यार्थियों के प्रयासों के लिए पुरस्कारों को बढ़ावा देना।

(3) विद्यार्थियों के कार्य में केवल तभी हस्तक्षेप करना जब निर्धारित मानक पूरे न हों।

(4) उच्च स्तरीय प्रत्याशाओं का सम्प्रेषण।

(5) सावधानीपूर्वक

नीचे दिये गये विकल्पों में से सही उत्तर चुनिए:

(a) केवल (1), (2) और (3)

(b) केवल (2), (3) और (4)

(c) केवल (3), (4) और (5)

(d) केवल (1), (4) और (5)

61. नीचे दो कथन दिए गए हैं: **[2020]**

कथन (I) : यदि शिक्षण के दौरान सहायक सामग्री का सावधानी पूर्वक उपयोग किया जाए तो यह शिक्षण कार्य का स्थानापन्न हो सकता है।

कथन (II) : ऑन लाइन विधियां शिक्षण और अधिगम की गुणवत्ता में सुधार करने के लिए प्रभावी अनुपूरक हैं।

उपर्युक्त कथनों के आलोक में निम्नांकित विकल्पों में से सही उत्तर चुनें:

(a) कथन I और II दोनों सही हैं।

(b) कथन I और II दोनों गलत हैं।

(c) कथन I सत्य है किंतु कथन II गलत हैं।

(d) कथन I असत्य है किंतु कथन II सही है।

62. नीचे दो कथन दिए गए हैं: **[2020]**

कथन (I) : मापन वस्तुओं, लक्षणों, गुणों और व्यवहारों को प्रदर्शित करने के लिए संख्याएं प्रदान करने हेतु नियमों का समुच्चय है।

कथन (II) : परीक्षण एक प्रक्रिया है जिसमें मानकीकृत प्रक्रियाओं का उपयोग करते हुए किसी व्यक्ति के व्यवहार का प्रतिदर्श प्राप्त किया जाता है, मूल्यांकन किया जाता है और उसे अंक प्रदान किए जाते हैं।

उपर्युक्त कथनों के आलोक में निम्नांकित विकल्पों में से सही उत्तर चुनें:

(a) कथन I और II दोनों सही हैं।
(b) कथन I और II दोनों गलत हैं।
(c) कथन I सत्य है किंतु कथन II गलत हैं।
(d) कथन I असत्य है किंतु कथन II सही हैं।

63. कोई शिक्षक अपनी कक्षा में वांछित अधिगम परिणाम सुनिश्चित करने के लिए प्रश्न-उत्तर सत्र का प्रयोग करता है इस प्रक्रिया में वह किसी विद्यार्थी द्वारा दिए गए कुछ उत्तरों के लिए निम्नलिखित प्रकार की टिप्पणी करता है: **[2020]**

'हाँ, आप सही हैं, उत्तम'

इसे निम्नांकित में से किसका उदाहरण माना जाएगा?

(a) सकारात्मक फीडबैक
(b) नकारात्मक फीडबैक
(c) संतुष्टिपरक फीडबैक
(d) सुधारात्मक फीडबैक

64. शिक्षण-अधिगम उद्देश्यों के संज्ञानात्मक क्षेत्र में, निम्नांकित में से किसे अधिगम परिणामों के उच्चतर प्रकार के रूप में वर्गीकृत किया जाएगा? **[2020]**

(1) ज्ञान और अवबोध
(2) अवधारणात्मक तत्वों का विश्लेषण
(3) अर्जित ज्ञान और कौशलों का अनुप्रयोग
(4) संश्लेषण जिसमें विचारों की सृजनात्मक व्यवस्था निहित हो
(5) मूल्यांकन जिसमें आंतरिक एवं बाह्य मानकों के अनुप्रयोग द्वारा निर्णय लिया गया हो

नीचे दिए गए विकल्पों में से सही उत्तर चुनें:

(a) केवल 1, 2 और 3
(b) केवल 2, 3 और 4
(c) केवल 3, 4 और 5
(d) केवल 2, 4 और 5

65. सूची-I में व्यवहारपरक शिक्षण प्रवीणताएं तथा सूची-II में उनके विवरण दिए गए हैं: **[2020]**

सूची-I	सूची-II
1. अनुदेशन	I. कार्य संगत क्रियाओं को अधिकाधिक बनाना तथा कार्य असंगत क्रियाओं को न्यूनतम बनाना
2. संप्रेषण	II. समूहों, व्यवहारों एवं गतियों पर नजर रखना तथा उन पर तत्काल प्रतिक्रिया देना
3. प्रबंधन	III. अधिगम संवर्धन हेतु शिक्षण द्वारा पद्धतियों और क्रियाओं का अनुप्रयोग
4. संयमन	IV. शाब्दिक एवं अशाब्दिक रूप में सोच एवं विचारों का संप्रेषण करना

(a) 1 - I, 2 - II, 3 - III, 4 - IV
(b) 1 - IV, 2 - III, 3 - II, 4 - I
(c) 1 - III, 2 - IV, 3 - I, 4 - II
(d) 1 - II, 2 - I, 3 - IV, 4 - III

66. नीचे दो कथन दिए गए हैं: पहला अभिकथन (A) और दूसरा तर्क (R) है: **[2020]**

अभिकथन (A) : निर्माणात्मक मूल्यांकन तब कहा जाता है जब शिक्षण-अधिगम व्यवस्था में सुधार की गुंजाइश एवं संभावना तलाशने का प्रयास होता है।

तर्क (R) : इस प्रकार का मूल्यांकन अनौपचारिक होता है तथा अनुदेशन/शिक्षण की अवधि में घटित होता है।

(a) (A) और (R) दोनों सही हैं और (R), (A) की सही व्याख्या है।
(b) (A) और (R) दोनों सही हैं और (R), (A) की सही व्याख्या नहीं है।
(c) (A) सही है परन्तु (R) गलत है।
(d) (A) गलत है परन्तु (R) सही है।

67. प्रभावी शिक्षण में सहयोग करने के लिए निम्नलिखित में से किन्हें प्रमुख व्यवहार के रूप में पहचाना गया है? **[2020]**

(1) पाठ स्पष्टता
(2) अनुदेशनात्मक विविधता
(3) विद्यार्थियों के विचारों एवं सहयोग का प्रयोग
(4) अधिगम प्रक्रिया में संलगनता रहना
(5) संरचना

नीचे दिये गये विकल्पों में से सही उत्तर चुनिये:

(a) केवल (1), (2) और (4)
(b) केवल (1), (2) और (3)

(c) केवल (2), (3) और (4)
(d) केवल (3), (4) और (5)

68. निम्नलिखित में से किस में प्रभाव की दिशा प्रमुखत: एक तरफा होती है? **[2020]**

(a) परामर्श देना (b) मार्गदर्शन प्रदान करना
(c) शिक्षण (d) अधिगम

69. नीचे दो कथन दिए गए हैं: **[2020]**

कथन (I) : प्रभावी होने के लिए शिक्षण एवं परीक्षण दोनों साथ-साथ चलने चाहिए।

कथन (II) : प्रतिपुष्टि निर्माणात्मक मूल्यांकन का आवश्यक घटक नहीं बनाता।

(a) कथन I और II दोनों सही हैं।
(b) कथन I और II दोनों सही नहीं हैं।
(c) कथन I सही है किन्तु कथन II सही नहीं है।
(d) कथन I सह नहीं है किंतु कथन II सही हैं।

70. नीचे दो कथन दिए गए हैं: **[2020]**

कथन (I) : अध्यापक द्वारा दिए गए आक्रामक एवं भड़काऊ बयान कक्षा में सम्प्रेक्षण को शैक्षणिक रूप से प्रभावी बनाते हैं।

कथन (II) : उचित शब्दों का चयन कक्षा में सम्प्रेक्षण प्रक्रिया के विश्वास प्रदान करता है।

उपर्युक्त कथनों के आलोक में निम्नांकित विकल्पों में से सही उत्तर चुनें:

(a) कथन I और II दोनों सही हैं।
(b) कथन I और II दोनों गलत हैं।
(c) कथन I सत्य है किंतु कथन II गलत हैं।
(d) कथन I असत्य है किंतु कथन II सही है।

71. निम्नलिखित में से कौन-से विकल्प किसी उच्च अधिगम संख्या हेतु बाह्य जिम्मेदारी के संसूचक हैं? **[2020]**

(1) शिक्षकों के व्यावसायिक विकास हेतु प्रावधान
(2) पुस्तकालय और तकनीकी संसाधनों के उपयोग की पद्धति
(3) पाठ्यक्रमों का सामाजिक जरूरतों के संगत होना
(4) सार्वजनिक परीक्षाओं में विद्यार्थियों का प्रदर्शन
(5) उत्तीर्ण विद्यार्थियों की नियोजन पद्धति

नीचे दिये गये विकल्पों में से सही उत्तर चुनिये:

(a) केवल (1), (2), (3)
(b) केवल (2), (3), (4)
(c) केवल (3), (4), (5)
(d) केवल (4), (5), (1)

72. निम्नलिखित में से कौन-से निष्पादन मूल्यांकन प्रणाली के उद्देश्य हैं? **[2020]**

(1) किसी कर्मचारी को उसके सकारात्मक एवं नकारात्मक पक्षों का पता लगाने में उसकी सहायता करना।
(2) वांछनीय संगठनात्मक आचार के सृजन में सहायता करना।
(3) नई भूमिकाओं हेतु प्रेरित व प्रशिक्षित करके प्रयोजनार्थ लोगों की पहचान में सहायता करना।
(4) ठीक से काम करने वालों और ठीक से काम नहीं करनेवालों के बीच विभेद करने में सहायता करना।
(5) प्रशिक्षुओं को व्यवस्था की खामियों को समझने में समर्थ बनाना।

नीचे दिये गये विकल्पों में से सही उत्तर चुनिये:

(a) केवल (1), (2), (3) (b) केवल (2), (3), (4)
(c) केवल (3), (4), (5) (d) केवल (5), (4), (1)

73. शिक्षण के किस स्तर में संरचना, निर्देशन और विद्यार्थियों के व्यवहार का निकट से पर्यवेक्षण करने की गतिविधियों की प्रबलता होती है? **[2020]**

(a) स्वायत्त विकास स्तर
(b) विमर्शी-स्तर
(c) अवबोध-स्तर
(d) स्मृति स्तर

74. किसी शिक्षक की सक्षमता को वर्णित करने हेतु निम्नलिखित में से कौन-से उसके क्षमता (कर सकता/सकती हूँ) घटक का निर्माण करते हैं? **[2020]**

1. शिक्षण कार्य करने में आत्मविश्वास
2. पढ़ाए जानेवाले विषय का ज्ञान
3. अधिगम कार्य के विश्लेषण की दक्षता
4. अधिगम कार्य से जुड़ी परिस्थितियों को संभालने का अनुभव
5. शिक्षण-अधिगम कार्य आयोजित करने की प्रतिबद्धता

नीचे दिए गए विकल्पों में से सही उत्तर चुनें:

(a) केवल 2, 3 और 4
(b) केवल 1, 2 और 3
(c) केवल 1, 3 और 4
(d) केवल 3, 4 और 5

75. जब विमर्शी स्तर शिक्षण और अधिगम सफल होते हैं तो विद्यार्थियों में निम्नलिखित गुण उभर कर सामने आते हैं: **[2020]**

1. सूचना के धारण हेतु दृढ़ तार्किक आधार
2. सामान्य प्रकृति की पारखी हुई व्यापक अंतर्दृष्टि
3. सूचनाओं में एक दृढ़ संबंधगत ढाँचा
4. समस्याओं को विकसित करने एवं उन्हें स्वयं समाधान करने की अभिवृद्ध क्षमता
5. किसी तथ्य का संबंध जानना और उसे साधन के रूप में प्रयोग करना

नीचे दिए गए विकल्पों में से सही उत्तर चुनिये:

(a) केवल 1 और 2 (b) केवल 2 और 4
(c) केवल 3 और 4 (d) केवल 4 और 5

76. शिक्षण का प्रतिमान निम्नलिखित में से किसका विवरण वर्णन होता है? **[2020]**

(a) शिक्षक व्यवहार जिसमें शिक्षक-छात्र वार्ता शामिल है।
(b) अधिगम-परिवेश जिसमें शिक्षक-व्यवहार भी शामिल है।
(c) अधिगमकर्ता व्यवहार जिसमें व्यक्तित्त्व के गुण शामिल हैं।
(d) विषय-वस्तु जिसमें विषय की तार्किक संरचना शामिल है।

77. नीचे दो कथन दिए गए हैं: **[2020]**

कथन-**I**: अधिकतम निष्पादन परीक्षण परीक्षार्थियों के ज्ञान और क्षमता की ऊपरी सीमा का आकलन करने के प्रयोजन से तैयार किए जाते हैं।

कथन-**II**: विशिष्ट अनुक्रिया आधारित परीक्षण परीक्षार्थियों के व्यवहार और गुणों की माप करने हेतु तैयार किए जाते हैं।

उपर्युक्त कथनों के आलोक में निम्नांकित विकल्पों में से सही उत्तर चुनें:

(a) कथन-I और II दोनों सही हैं।
(b) कथन-I और II दोनों सही नहीं हैं।
(c) कथन-I सही है, किन्तु कथन-II सही नहीं है।
(d) कथन-I सही नहीं है, किन्तु कथन-II सही है।

78. विद्यार्थियों को पाठ पढ़ाने के लिए इन अनुदेशात्मक घटनाओं को प्रारंभ से अंत के क्रम में लगाएं: **[Jun 2021]**

(A) शिक्षार्थी को उद्देश्यों की सूचना देना
(B) वांछित व्यवहार प्राप्त करना
(C) ध्यान आकर्षित करना
(D) विषय वस्तु प्रस्तुत करना
(E) प्रतिपुष्टि प्रदान करना

नीचे दिए गए विकल्पों में से सही उत्तर चुनिए:

(a) A, D, B, C, E, (b) B, C, A, E, D,
(c) C, A, D, B, E, (d) D, C, B, A, E,

79. नीचे दो कथन दिए गए हैं: **[Jun 2021]**

कथन-I: आप व्यवहारों के शिक्षण द्वारा, उनके असंगत पक्षों या सन्दर्भों को यथासंभव बदल कर और यथासंभव भिन्न रूपों में प्रस्तुत कर, अधिक प्रामाणिक बना सकते हैं।

कथन-II: एक व्यवहार जो प्रामाणिक हो, के शिक्षण के लिए, आपके पाठ की विषय वस्तु को उस रूप में प्रस्तुत करने की आवश्यकता नहीं है जिस रूप में आपके शिक्षार्थी उत्तरवर्ती ग्रेडों, और आपकी कक्षा से बाहर की दुनिया में, आकलन के लिए उपयोग करेंगे।

उपरोक्त कथनों के आलोक में, नीचे दिए गए विकल्पों में से सही उत्तर का चयन कीजिए।

(a) कथन I और II दोनों सही हैं।
(b) कथन I और II दोनों गलत हैं।
(c) कथन I सही है किन्तु कथन II गलत है।
(d) कथन I गलत है किन्तु कथन II सही है।

80. 200M वेबमीटिंग प्लेटफार्म के बेसिक निशुल्क रूपांतर में कितने मिनट ऑन लाइन क्लास चलाने की अनुमति है? **[Jun 2021]**

(a) 30 मिनट (b) 40 मिनट
(c) 50 मिनट (d) 60 मिनट

81. नीचे दो कथन दिए गए हैं: **[2021]**

कथन-**I**: वैयक्तिक क्षमताएँ निर्धारित करती हैं कि हम अपना प्रबंधन कैसे करते हैं।

कथन-**II**: सामाजिक क्षमताएँ निर्धारित करती हैं कि हम संबंध कैसे निभाते हैं।

उपरोक्त कथनों के आलोक में, नीचे दिए गए विकल्पों में से सही उत्तर का चयन कीजिए:

(a) कथन I और II दोनों सही हैं।
(b) कथन I और II दोनों गलत हैं।
(c) कथन I सही है, किन्तु कथन II गलत है।
(d) कथन I गलत है, किन्तु कथन II सही है।

82. कक्षा में पारस्परिक क्रिया की गति को किसके माध्यम से प्रभावशाली ढंग से प्रबंधित किया जा सकता है? **[2021]**

(a) समझे गए अर्थों की व्याख्या करके
(b) भाषा की जटिलता
(c) पुनरावर्ती प्रतीकीकरण
(d) शब्दाडंबर

83. निम्नलिखित में से शिक्षण का कौन सा स्तर उच्चतम संज्ञानात्मक स्तर पर विचारों के आलोचनात्मक पृथक्कीकरण पर बल देता है? **[2021]**

(a) स्मरण का स्तर

(b) बोधगम्यता का स्तर

(c) विमर्शी चिंतन स्तर

(d) स्वायत्त विकास स्तर

84. निम्नलिखित में से कौन सी संज्ञानात्मक, भावात्मक और मनश्चालक अधिगम के क्षेत्र में उच्चतम वर्गीकृत श्रेणियाँ हैं? **[2021]**

(1) विश्लेषण (2) मूल्यांकन

(3) अभिज्ञता (4) अभिलक्षणन

(5) सहजीकरण

नीचे दिए गए विकल्पों में से सही उत्तर का चयन कीजिए:

(a) केवल (1), (2) और (3)

(b) केवल (2), (4) और (5)

(c) केवल (2), (3) और (4)

(d) केवल (3), (4) और (5)

85. सूची-I के साथ सूची-II का मिलान कीजिए: **[2021]**

सूची-I प्रभावी शिक्षण के सहायक व्यवहार	सूची-II विवरण
(1) विद्यार्थियों के योगदानों के विचारों का उपयोग	(i) अधिगमकर्ताओं के साथ प्रगाढ़ एवं आत्मीय संबंध
(2) नियमीकरण	(ii) उत्तर को विस्तृत करने के लिए, छात्रों को प्रोत्साहित करने हेतु शिक्षक के कथन
(3) जाँच-पड़ताल	(iii) संभावित को व्यवस्थित करने के उद्देश्य से अध्यापक की टिप्पणियां
(4) अध्यापक प्रभाव	(iv) छात्र के प्रत्युत्तर को लेते हुए उसकी आवृत्ति और अनुप्रयोग

नीचे दिये गए विकल्पों में से सही उत्तर का चयन कीजिए:

(a) (1)-(iv), (2)-(iii), (3)-(ii), (4)-(i)

(b) (1)-(i), (2)-(ii), (3)-(iii), (4)-(iv)

(c) (1)-(ii), (2)-(i), (3)- (iv) (4)-(iii)

(d) (1)-(iii), (2)-(iv), (3)-(i), (4)-(ii)

86. नीचे दो कथन दिए गए हैं: **[2021]**

कथन (I) : विद्यार्थियों के नियम संदर्भित परीक्षण में, परीक्षण आँकड़े विद्यार्थी के स्थान या श्रेणी को निर्धारित करने में हमारी सहायता करते हैं।

कथन (II) : निकष-संदर्भित परीक्षण में, परीक्षण-आँकड़े एक छात्र की निपुणता के स्तर को बताते हैं।

उपरोक्त कथन के आलोक में, नीचे दिए गए विकल्पों में से सही उत्तर का चयन कीजिए:

(a) कथन I और II दोनों सत्य हैं ।

(b) कथन I और II दोनों II हैं।

(c) कथन I सत्य है, लेकिन कथन II असत्य है।

(d) कथन I असत्य है, लेकिन कथन II सत्य है।

87. नीचे दो कथन दिए गए हैं: एक अभिकथन (Assertion A) के रूप में लिखित है तो दूसरा उसके कारण (Reason R) के रूप में: **[2021]**

अभिकथन (A) : आधुनिक और आई.सी.टी. आधारित शिक्षण सहायता के लिए शिक्षक और अधिगमकर्ता के स्तर पर कुछ तकनीकी ज्ञान की आवश्यकता अपेक्षित है।

कारण (R) : शिक्षक और अधिगमकर्ताओं दोनों को विविध सहायक उपकरणों तथा तकनीकों के प्रभावकारी ढंग से प्रयोग करने हेतु अभिमुखीकरण करना होगा ।

उपरोक्त कथन के आलोक में, नीचे दिए गए विकल्पों में से सबसे उपयुक्त उत्तर का चयन कीजिए:

(a) (A) और (R) दोनों सत्य हैं और (R), (A) की सही व्याख्या है।

(b) (A) और (R) दोनों सत्य हैं लेकिन (R), (A) की सही व्याख्या नहीं है।

(c) (A) सत्य है लेकिन (R) असत्य है।

(d) (A) असत्य है लेकिन (R) सत्य है।

88. निम्नलिखित में से कौन-कौन से कौशल अधिसंज्ञान में शामिल हैं? **[2021]**

(1) नियोजन करना (2) विकास करना

(3) परिवीक्षण करना (4) लागत निर्धारण करना

(5) मूल्यांकन करना

नीचे दिए गए विकल्पों में से सही उत्तर का चयन कीजिए:

(a) केवल (1), (2) और (3)

(b) केवल (1), (3) और (5)

(c) केवल (2) (4) और (5)

(d) केवल (1), (4) और (5)

89. सूची I को सूची II से सुमेलित कीजिए: **[2021]**

सूची-I (अधिगम रणनीति)	सूची-II (की गई कार्रवाई)
(1) नियोजन व ध्यान केंद्रित करना	(i) उदाहरण बनाना
(2) संगठित और स्मरण करना	(ii) आत्म प्रश्नन व आत्म परीक्षण
(3) बोधन	(iii) लक्ष्य व समय सारणी निर्धारण
(4) संज्ञानात्मक	(iv) स्मरक व प्रतिमावली का प्रयोग

नीचे दिए गए विकल्पों में से सही उत्तर चुनिए:

(a) (1)–(i), (2)–(ii), (3)–(iii), (4)–(iv)

(b) (1)–(ii), (2)–(iii), (3)–(iv), (4)–(i)

(c) (1)–(iii), (2)–(iv), (3)–(i), (4)–(ii)

(d) (1)–(iv), (2)–(i), (3)–(ii), (4)–(iii)

90. निम्नलिखित में से कौन से प्रकार के शिक्षार्थी फ्लोचार्टों और रेखाचित्रों की सहायता से शिक्षा प्राप्त करते हैं? **[2022]**

(a) स्पर्शग्राह्य (b) दृश्यात्मक

(c) श्रवण-संबंधी (d) परिपाटी

91. सूची I के साथ सूची II का मिलान कीजिए: **[2022]**

सूची I अवधारणा	सूची II मुख्य प्रतिपादक
(1) अंतर्भूत शिक्षण	(i) जॉन डयूई
(2) भारतीय दर्शनशास्त्र के आध्यात्मिक पहलुओं पर ध्यान केंद्रित करना	(ii) श्री अरविन्दो
(3) प्रकृति में तथा प्रकृति से अधिगम प्राप्त करने से संबंधित	(iii) डॉ. सर्वपल्ली राधाकृष्ण
(4) प्रयोगात्मक शिक्षण	(iv) रबीन्द्रनाथ टैगोर

नीचे दिए गए विकल्पों में से सही उत्तर का चयन कीजिए:

(a) (1)–(ii), (2)–(iv), (3)–(iii), (4)–(i)

(b) (1)–(i), (2)–(ii), (3)–(iii), (4)–(iv)

(c) (1)–(iii), (2)–(ii), (3)–(i), (4)–(iv)

(d) (1)–(ii), (2)–(iii), (3)–(iv), (4)–(i)

92. एक कक्षा में शिक्षार्थियों के व्यक्तिगत अन्तरों को चिह्नित करने के लिए शिक्षक द्वारा निम्नलिखित में से किसका प्रयोग किया जा सकता है? **[2022]**

(a) संकलनात्मक आकलन

(b) निर्माणात्मक आकलन

(c) निदानात्मक आकलन

(d) समकक्ष आकलन

93. गैर-तकनीकी स्नातकोत्तर पाठ्यक्रमों के लिए ई-पीजी पाठशाला (e-PG Pathshala) परियोजना के अंतर्गत सृजित ई-कंटेंट को निम्नलिखित में से किसके द्वारा वेब पर डाला गया है? **[2022]**

(a) एन पी टी ई एल (NPTEL)

(b) आई एन एफ एल आई बी एन ई टी (INFLIBNET)

(c) स्वयम (SWAYAM)

(d) आई जी एन ओ यू (IGNOU)

94. निम्नलिखित में से कौन भावात्मक क्षेत्र नहीं है? **[2022]**

(a) प्राप्त करना (b) विश्लेषण करना

(c) मूल्य निर्धारित करना (d) संघटित करना

95. संशोधित ब्लूम की वर्गिकी के अनुसार निम्नलिखित में से किसे अधिगमकर्ता के लिए सर्वोत्तम माना जाता है? **[2022]**

(a) समझना (b) अनुप्रयोग करना

(c) विश्लेषण करना (d) सृजन करना

96. शिक्षण का गत्यात्मक उपागम से अभिप्रेत है: **[2022]**

(a) शिक्षण व्याख्यान आधारित होना चाहिए।

(b) शिक्षकों को ऊर्जावान होना चाहिए।

(c) शिक्षकों को विद्यार्थी के साथ मित्रवत और उनके अनुकूल होना चाहिए।

(d) विद्यार्थियों को कार्यकलाप के माध्यम से सीखना चाहिए।

97. नीचे दो कथन दिए गए हैं: एक अभिकथन (Assertion A) के रूप में लिखित है तो दूसरा उसके कारण (Reason R) के रूप में;

अभिकथन (A): स्वयम पोर्टल पर मूक्स का प्रयोग प्रत्येक सेमेस्टर में विद्यार्थियों द्वारा 40% क्रेडिट अर्जित करने के लिए किया जा सकता है।

कारण (R): स्वयम पोर्टल पर सभी मूक क्रेडिट आधारित मूक है।

उपर्युक्त कथनों के आलोक में निम्नांकित विकल्पों में से सही उत्तर का चयन कीजिए: **[2022]**

(a) (A) और (R) दोनों सत्य हैं और (R), (A) की सही व्याख्या है।
(b) (A) और (R) दोनों सत्य हैं, लेकिन (R), (A) की सही व्याख्या नहीं है।
(c) (A) सत्य है, लेकिन (R) असत्य है।
(d) (A) असत्य है, लेकिन (R) सत्य है।

98. स्वयम (SWAYAM) निम्नांकित में से किस माध्यम से सर्वोत्कृष्ट शिक्षण-अधिगम संसाधनों को सभी विद्यार्थियों तक ले जाने का प्रयत्न करता है? **[2022]**

(a) संगोष्ठी (b) दृश्य व्याख्यान
(c) कक्षा में शिक्षण (d) सम्मेलन

99. निम्नांकित में से कौन सी एक उत्तम प्रश्न पत्र की विशेषता नहीं है? **[2022]**

(a) वस्तुनिष्ठता (b) व्यक्तिनिष्ठता
(c) विश्वसनीयता (d) विधिमान्यता

100. गैर-परंपरागत अधिगम के अभिलक्षण हैं: **[2022]**

(1) यह शिक्षक उन्मुख है।
(2) इसका उद्देश्य गुणवत्ता में सुधार लाता है।
(3) यह मूल्य-प्रभावी है।
(4) यह रोजगार से सम्बन्धित है।
(5) यह कैम्पस पर होती है।

नीचे दिए गए विकल्पों में से सही उत्तर चुनें:

(a) केवल (1), (2) और (3)
(b) केवल (2), (3) और (4)
(c) केवल (1), (3) और (4)
(d) केवल (3), (4) और (5)

101. सूची-I को सूची-II से सुमेलित कीजिए: **[2022]**

सूची-I (अवधारणा)	सूची-II (मुख्य प्रतिपादक)
(1) व्यक्ति परकता के विकास के माध्यम से आत्म-शिक्षा	(i) श्री अरविंदो
(2) एकीकृत शिक्षा	(ii) महात्मा गांधी
(3) मानव मस्तिष्क की रूपांतरित करने वाली शिक्षा	(iii) मारिया मोटेसरी
(4) मौलिक शिक्षा (वर्धा शिक्षा प्रणाली)	(iv) जे. कृष्णमूर्ति

नीचे दिए गए विकल्पों में से सही उत्तर चुनिए:

(a) (1)–(i), (2)–(iii), (3)–(iv), (4)–(ii)
(b) (1)–(iii), (2)–(i), (3)–(ii), (4)–(iv)
(c) (1)–(iii), (2)–(i), (3)–(iv), (4)–(ii)
(d) (1)–(i), (2)–(iv), (3)–(ii), (4)–(iii)

102. अधिगमकर्ता और शिक्षक अतुल्यकालिक अंतर्क्रिया के लिए निम्नलिखित में से किन उपकरणों (टूल्स) को प्रयुक्त करते हैं? **[2023]**

(1) वेब कॉन्फ्रेंसिंग
(2) ईमेल
(3) 'विकिज' और सहयोगात्मक दस्तावेज
(4) चर्चा बोर्ड (डिसकशन बोर्ड्स)
(5) लाइव स्ट्रीमिंग

नीचे दिए गए विकल्पों में से सही उत्तर का चयन कीजिए:

(a) केवल (2), (3) और (4)
(b) केवल (3), (4) और (5)
(c) केवल (1), (3), (4) और (5)
(d) केवल (1) और (2)

103. अधिगमकर्ताओं में उच्चतर क्रम के कौशल विकास के लिए निम्नलिखित में से कौन सी संज्ञानात्मक शिक्षा की रणनीतियां हैं? **[2023]**

(1) मार्गदर्शन, सहयोग और समाजीकरण करना।
(2) प्रतिरूपण (मॉडलिंग) कोचिंग और पाड़ (मचान) लगाना।
(3) आवर्धन, प्रतिधारण और व्याख्या (एक्सप्लेनिंग) करना।
(4) स्पष्ट प्रगटीकरण (आर्टिकुलेशन), प्रतिबिंबन, और अन्वेषण (एक्सप्लोरेशन) करना।
(5) स्मृतिकरण, पूर्वाभ्यास और पहचान करना।

नीचे दिए गए विकल्पों में से सही उत्तर का चयन कीजिए:

(a) केवल (1) और (4) (b) केवल (1), (3), और (5)
(c) केवल (2) और (4) (d) केवल (2) और (3)

104. उस उद्दीपक (स्टीमुलस) को किस रूप में जाना जाता है, जिसको वांछित व्यवहार के लिए किसी भी अनुकूलन की आवश्यकता नहीं होती? **[2023]**

(a) गैर-अनुकूलित उद्दीपक (b) अनुकूलित उद्दीपक
(c) गैर-अनुकूलित अनुक्रिया (d) अनुकूलित अनुक्रिया

105. तकनीकी-विज्ञानिक निदर्श (मॉडल) के अंतर्गत निम्नलिखित में से कौन-से पाठ्यचर्या विकास निदर्श आते है? **[2023]**

(1) टाबा का निदर्श

(2) खुली कक्षा का निदर्श

(3) विन्सटीन और फैन्टिनी निदर्श

(4) हन्किन का विकास निदर्श

(5) गुडलैड का निदर्श

नीचे दिए गए विकल्पों में से सही उत्तर का चयन कीजिए:

(a) केवल (2), (3) और (4)

(b) केवल (1), (3), और (5)

(c) केवल (1), (4) और (5)

(d) केवल (1), (2), (4) और (5)

106. सूची I के साथ सूची II का मिलान कीजिए। **[2023]**

सूची-I (स्वयंप्रभा चैनल संख्या)	सूची-II (चैनल का नाम)
(1) चैनल - 01	(i) संस्कृति
(2) चैनल - 02	(ii) प्रबोध
(3) चैनल - 03	(iii) सारस्वत
(4) चैनल - 04	(iv) वागीश

निम्नलिखित विकल्पों में से सही उत्तर का चयन कीजिए:

(a) (1)–(i), (2)–(iii), (3)–(ii), (4)–(iv)

(b) (1)–(iii), (2)–(ii), (3)–(iv), (4)–(i)

(c) (1)–(iv), (2)–(i), (3)–(ii), (4)–(iii)

(d) (1)–(ii), (2)–(iii), (3)–(iv), (4)–(i)

107. नीचे दो कथन दिए गए हैं: **[2023]**

कथन I: अधिगमकर्ता-केन्द्रित उपागम शिक्षक की आवश्यकताओं पर केन्द्रित है।

कथन II: अधिगमकर्ता-केन्द्रित उपागम विषय सामग्री के सहयोगात्मक निश्चय पर केन्द्रित है।

(a) कथन I और II दोनों सही हैं।

(b) कथन I और II दोनों गलत हैं।

(c) कथन I सही है, लेकिन कथन II गलत है।

(d) कथन I गलत है, लेकिन कथन II सही है।

108. निम्नलिखित में से कौन सी तकनीक बच्चे की सक्षमता में अभिवृद्धि के लिए सही समय पर सही मात्रा में सही प्रकार का समर्थन प्रदान करती है? **[2023]**

(a) पाड़ (मचान) लगाना

(b) सहायता देना

(c) समायोजन करना

(d) अर्जित योजनाएं (स्कीमाज़)

109. स्वयम् प्रभा एक शिक्षा अधिगम है, जो .... द्वारा प्रारम्भ किया गया और यह 34 डी. टी. एच. चैनलों के माध्यम से 24 × 7 उपलब्ध है। **[2023]**

(a) मानव संसाधन और विकास मंत्रालय (अब शिक्षा मंत्रालय)

(b) विश्वविद्यालय अनुदान आयोग (यू.जी.सी.)

(c) शैक्षिक संप्रेषण के लिए कंसोर्टियम (सी.ई.सी.)

(d) अखिल भारतीय तकनीकी शिक्षा परिषद (ए. आई. सी. टी. ई.)

110. एक अधिगमकर्ता अपने नए अनुभव के अनुसार अपनी पूर्व की योजनाओं को संयोजित या आशेधित करता/करती है। विद्यमान योजनाओं को संयोजन/आशोधन और नई योजनाओं पर पहुंचने की प्रक्रिया को किस रूप में जाना जाता है? **[2023]**

(a) समायोजन (b) आत्मसात्करण

(c) अनुकूलन (d) साम्य

111. तकनीकी-वैज्ञानिक निदर्श के अंतर्गत निम्नलिखित में से कौनसा पाठ्यचर्या विकास निदर्श आता है? **[2023]**

(a) मुक्त कक्षा निदर्श

(b) टाबा का निदर्श

(c) वियन्सिटीन और फैन्टिनी निदर्श

(d) रोजर का अंतर्वैयक्तिक संबंध निदर्श

उत्तरमाला

1. (c)	**2.** (a)	**3.** (c)	**4.** (d)	**5.** (c)	**6.** (b)	**7.** (b)	**8.** (b)	**9.** (c)	**10.** (d)
11. (a)	**12.** (b)	**13.** (b)	**14.** (d)	**15.** (a)	**16.** (d)	**17.** (d)	**18.** (d)	**19.** (b)	**20.** (d)
21. (b)	**22.** (b)	**23.** (c)	**24.** (b)	**25.** (a)	**26.** (c)	**27.** (a)	**28.** (b)	**29.** (d)	**30.** (a)
31. (d)	**32.** (a)	**33.** (b)	**34.** (d)	**35.** (c)	**36.** (d)	**37.** (b)	**38.** (c)	**39.** (c)	**40.** (b)
41. (a)	**42.** (c)	**43.** (c)	**44.** (a)	**45.** (a)	**46.** (a)	**47.** (a)	**48.** (a)	**49.** (b)	**50.** (d)
51. (d)	**52.** (b)	**53.** (c)	**54.** (c)	**55.** (a)	**56.** (a)	**57.** (a)	**58.** (b)	**59.** (a)	**60.** (d)
61. (d)	**62.** (a)	**63.** (a)	**64.** (d)	**65.** (c)	**66.** (a)	**67.** (a)	**68.** (d)	**69.** (c)	**70.** (d)
71. (c)	**72.** (a)	**73.** (d)	**74.** (a)	**75.** (b)	**76.** (c)	**77.** (a)	**78.** (c)	**79.** (c)	**80.** (b)
81. (a)	**82.** (a)	**83.** (c)	**84.** (b)	**85.** (a)	**86.** (a)	**87.** (a)	**88.** (c)	**89.** (c)	**90.** (b)
91. (d)	**92.** (b)	**93.** (b)	**94.** (b)	**95.** (d)	**96.** (d)	**97.** (c)	**98.** (b)	**99.** (b)	**100.** (b)
101. (c)	**102.** (a)	**103.** (c)	**104.** (a)	**105.** (c)	**106.** (c)	**107.** (b)	**108.** (a)	**109.** (a)	**110.** (c)
111. (c)									

संकेत और स्पष्टीकरण

1. (c)

शिक्षण और प्रकृति के उत्तम अंग निम्न हैं:

(a) शिक्षण और अधिगम अविच्छिन (intergrally) रूप से संबंधित हैं। शिक्षण के लिए अनुदेश (instructions) अधिगम एवं प्रशिक्षण (training) का होना आवश्यक है।

(b) शिक्षण, प्रशिक्षण की तुलना में एक व्यापक अवधारणा है। शिक्षण एक संव्यवसाय है या वृति है। शिक्षण - कौशल प्राप्त करने के लिए एक लंबी अवधि का अध्ययन और प्रशिक्षण आवश्यक है। शिक्षण विज्ञान के साथ साथ एक कला भी है।

(c) समस्त शिक्षण का सरोकार (उद्देश्य) छात्रों में कुछ प्रकार के रूपांतरण को सुनिश्चित करने से होता है। शिक्षण का उद्देश्य छात्रों के अवांछित व्यवहार में परिवर्तन करना होता है यानी शिक्षण का वातावरण गतिशील होता है।

(d) शिक्षण औपचारिक एवं अनौपचारिक दोनों माध्यमों से होता है। यह मुख्य रूप से जीवन शैली पर भी निर्भर करता है।

(e) यह आवश्यक नहीं है कि शिक्षक एक वरिष्ठ व्यक्ति ही होगा। शिक्षण एक कौशल है, जिसे किसी भी व्यक्ति द्वारा कभी भी सीखा जा सकता है। इसके लिए वरिष्ठता अनिवार्य नहीं है।

(f) शिक्षण एक सामाजिक कृत्य है, जबकि अधिगम एक व्यक्तिगत कृत्य है।

अत: सही समुच्चय 1, 3 और 6 होगा, यानी (c) सही उत्तर है।

2. (a)

शिक्षार्थी का पूर्व अनुभव निर्धारित करता है कि वह आगे दी गई जानकारी पर कैसे निर्माण करता है क्योंकि 'अज्ञात से ज्ञात' का संयोजन प्रतिधारण (rention) की सुविधा प्रदान करता है और इस प्रकार अधिगमकर्ता का पूर्व - अनुभव शिक्षण की प्रभावोत्पादकता से अत्यंत रूप से संबंधित है। प्रभावी शिक्षण अभ्यास के सिद्धांत के अंतर्गत, 'अज्ञात को ज्ञात' (unknown to known) से संबंधित किया जाता है, जो मूल रूप से शिक्षार्थी का पूर्व अनुभव होता है। छात्रों को पहले वो बातें बतानी चाहिए, जिनका छात्रों को पूर्व ज्ञान है। फिर उसे आधार बनाकर उनका संबंध नवीन ज्ञान से करना चाहिए।

अत: शिक्षण एक योजनाबद्ध गतिविधि है, जिसकी प्रभावशीलता इस बात पर निर्भर करती है कि शिक्षार्थी कितनी सुगमता, सरलता और शुद्धता से विषय वस्तु को ग्रहण (grasp) करते हैं।

इसके अतिरिक्त, अधिगमकर्ता के अभिभावकों का शैक्षिक प्रस्तर, साथी समूह एवं परिवार का आकार शिक्षण की प्रभावोत्पादकता (productivity) को प्रभावित नहीं करते है।

3. (c)

व्याख्यान देना (lecturing) - व्याख्यान देना एकतरफा कार्य है, जहां शिक्षार्थी निष्क्रिय श्रोता होते हैं। इसलिए, अपेक्षित अधिगम के लिए एक स्पष्ट भाषा में विषयवस्तु का सम्प्रेषण आवश्यक है।

समूह चर्चा (group discussions) - प्रतिभागियों में प्रकरण आधारित भागदारी अधिगम परिणामों पर केंद्रित होनी चाहिए।

विचारवेश प्रक्रिया (brainstorming) - विचारवेश प्रक्रिया का उद्देश्य बड़ी संख्या में विचारों को प्रस्तुत करना है।

अभिक्रमित अनुदेशन की पद्धति (programmed instructional procedure) - अभिक्रमित निर्देश शिक्षण सहायक सामग्री के उपयोग तक सीमित नहीं है; इसका मूल सिद्धांत प्रत्येक चरण के बाद प्रतिपुष्टि सहित लघु पदों में प्रस्तुति के आधार पर निर्देश देना है।

4. (d)

निर्माणात्मक मूल्यांकन में शिक्षक छात्रों को शिक्षण के दौरान सुधारात्मक प्रतिपुष्टि प्रदान करता है। इस मूल्यांकन में शिक्षक छात्रों के समझ के स्तर का पता लगाते हैं। अध्यापक को अपनी अध्यापन प्रक्रिया में समुचित सुधार हेतु परामर्श प्रदान करना होता है। विद्यार्थी को विषय सम्बन्धी कमियों, हीनताओं तथा कठिनाई की जानकारी प्रात्र करते हैं। शिक्षण-अधिगम परिस्थितियों को प्रभावशाली बनाते हैं। शिक्षक छात्र के विषय सम्बन्धी सन्देहों को स्पष्ट करता है। इस कार्य में शिक्षक प्रश्न-उत्तर के माध्यम से अधिगमकर्ता की अभिप्रेरणा में वृद्धि करता है। अत: विकल्प-(d) सही है।

5. (c)

शिक्षण उद्देश्यों के गैगने और ग्रिग्स वर्गीकरण के अंतर्गत, अधिगम परिणामों का उल्लेख किया गया है। सभी अधिगम का परिणाम शिक्षण पर आधारित नहीं होता है। स्व-अध्ययन गंभीर शिक्षार्थी के लिए एक प्रभावी ढंग है और व्यक्ति अपने जीवन के अनुभवों से भी बहुत कुछ सीखता है। इसलिए, (R) असत्य है।

अधिगम उद्देश्य संक्षिप्त, स्पष्ट, विशिष्ट विवरण वाले होने चाहिए । अधिगम उद्देश्य तीन क्षेत्रों पर आधारित हो सकते हैं: ज्ञान, कौशल और दृष्टिकोण। अधिगम उद्देश्य मुख्य रूप से अधिगम के परिणामों को परिभाषित करते हैं और शिक्षण पर ध्यान केंद्रित करते हैं। वे अधिगम को स्पष्ट करने, व्यवस्थित करने और प्राथमिकता देने में सहायता करते हैं। वे आपको और आपके छात्रों को प्रगति का मूल्यांकन करने में सहायता करते हैं और उन्हें अपने अधिगम का उत्तरदायित्व लेने के लिए भी प्रोत्साहित करते हैं।

अत: (A) सत्य है।

6. (b)

जीन पियाजे ने विकास के चार चरणों का प्रतिपादन किया जो बच्चों के विचार के बढ़ते परिष्करण (sophistication) को दर्शाते हैं:

(1) **संवेदी प्रेरक चरण (Sensory Motor Stage)**: जन्म से लेकर 2 वर्ष की आयु तक

(2) **पूर्व - संक्रियात्मक चरण** (Pre-operational Stage): 2 वर्ष की आयु से लेकर 7 वर्ष की आयु तक

(3) **मूर्त संक्रियात्मक चरण** (Concrete Operational stage): 7 वर्ष की आयु से लेकर 11 वर्ष की आयु तक

(4) **औपचारिक संक्रियात्मक चरण** (Formal Operational Stage): आयु 11 वर्ष या उससे अधिक : किशोरावस्था और वयस्कता स्कीमा (Schemas) ज्ञान के निर्माण का मुख्य आधार हैं। एक स्कीमा एक संज्ञानात्मक ढांचा या अवधारणा है जो जानकारी को व्यवस्थित और व्याख्या करने में सहायता करती है। स्कीमा रूढ़िवादिता में योगदान कर सकती हैं और नई जानकारी को बनाए रखना कठिन बना सकती हैं, जो विश्व के बारे में हमारे स्थापित विचारों के अनुरूप नहीं है।

अत: जीन पियाजे के संज्ञानात्मक विकास के सिद्धांत के अनुसार, किशोर विद्यार्थी विकास के मूर्त संक्रियात्मक चरण में होते हैं।

7. (b)

(1) **प्रदर्शन विधि** (Demonstration Method): यह किसी अधिगमकर्ता को चरण-दर-चरण अधिगम में कुछ बनाना या करने की प्रक्रिया है। इसके लिए फ्लिप चार्ट, पोस्टर, पावर प्वाइंट आदि जैसे दृश्यों की सहायता ली जा सकती है।

(2) **मॉड्यूलर उपागम** (Modular based Approach Teaching): यह एक विशिष्ट विषय के साथ सुविधाजनक रूप में कार्य करने वाला एक स्व-निहित पैकेज है, ताकि एक शिक्षार्थी इसे अपनी गति के अनुसार या स्वतंत्र रूप से या छोटे समूहों में पूर्ण कर सके।

(3) **अभिक्रमित अधिगम** (Programmed Learning): इसका प्रतिपादन बी. एफ. स्किनर द्वारा किया गया। यह उनके कंडीशनिंग के संचालक सिद्धांत पर आधारित है, जिसके अनुसार, अधिगम के लिए तत्काल सुदृढ़ीकरण, या इनाम के साथ छोटे और वृद्धिशील चरणों में अधिगम सबसे अच्छा है।

(4) **व्यष्टिसापेक्ष शिक्षण** (Personalized Learning): इसका तात्पर्य उस निर्देश से है जिसमें प्रत्येक शिक्षार्थी की आवश्यकताओं के लिए अधिगम की गति और निर्देशात्मक दृष्टिकोण को अनुकूलित किया जाता है।

(5) **सहयोगात्मक विधि** (Collaborative Method): इसका अर्थ है छात्रों का एक सामान्य शैक्षणिक लक्ष्य की दिशा में सहयोग के साथ कार्य करना।

8. (b)

परीक्षण को तब मान्य माना जाता है जब वह किसी वस्तु की माप करता है। यदि परीक्षण मान्य है तो वह विश्वसनीय भी होगा। एक परीक्षण तब वस्तुनिष्ठ हो जाता है जब इसे गणक की व्यक्तिगत राय या पक्षपाती निर्णय के निष्कासन के लिए बनाया जाता है। परीक्षण का समय अर्थव्यवस्था के दृष्टिकोण से व्यवहारिक होना आवश्यक है। अत: यदि परीक्षण वैधता रखता है तो वह विश्वसनीय भी होगा।

9. (c)

टीम शिक्षण का अर्थ है जब दो या दो से अधिक अध्यापक अपनी विशेषता के अनुसार एक ही कक्षा को पढ़ाने के लिए योजना बनाते हैं और उसका कार्यान्वयन करते हैं। टीम शिक्षण में एक ही कक्षा में एक विषय में विभिन्न अध्यायों या भागों को पूरा करने के लिए दो अध्यापक एक टीम के रूप में कार्य करते हैं।

टीम शिक्षण के लाभ:

1. प्रभावी अधिगम का निर्माण करता है।
2. संवर्धन और विभेदीकरण सहित साझा विचारों की अनुमति देता है।

टीम शिक्षण की चुनौतियां:

1. सह-शिक्षकों के मध्य संघर्ष की संभावना बनी रहती है, क्योंकि मूल विषय एक ही होगा या वे संबंधित होते हैं।
2. सह-शिक्षण कार्यान्वयन के आधार पर, दोनों शिक्षकों को कक्षा में नियोजन, ग्रेडिंग, सुधार और समर्थन में समान होना पड़ सकता है।

10. (d)

'शिक्षण की प्रभावशीलता' के मूल आधार विकल्प (b), (c) और (d) द्वारा परिलक्षित होते हैं, हालांकि 'प्राप्त अंक' और 'नियमितता' भी महत्वपूर्ण हैं, लेकिन यह प्रश्न के अनुसार अधिक उपयुक्त नहीं हैं। अत: प्रभावशीलता का निर्णय करने के लिए निम्लिखित बिंदुओं पर मुख्य रूप से विचार किया जाता है:

(i) शिक्षण उद्देश्यों की प्राप्ति का स्तर

(ii) अधिगम (सीखने) में विद्यार्थियों द्वारा लिया जाने वाला समय

(iii) शिक्षण में अध्यापक द्वारा प्रयोग में लाया जाने वाला संसाधन

11. (a)

छात्र द्वारा एक दूसरे से प्रश्न पूछना और उत्तर देना, साथी समूह अन्त: क्रिया कहलाता है। जब कक्षा में छात्र एकत्रित होकर परस्पर एक-दूसरे से प्रश्न पूछते हैं और उत्तर देते हैं तो इससे छात्र में विषय सम्बन्धी आंतरिक ज्ञान में वृद्धि होती है और किसी बिन्दु पर अपनी धारणा बनाने में सफल होते हैं। अत: कक्षा में साथी समूह अन्त: क्रिया से अवधारणा के अवबोध में मदद मिलती है।

12. (b)

जब कम संसाधनों का प्रयोग कर और शिक्षक के प्रयास तथा स्व -अधिगम (self-learning) पर अधिक जोर देकर विद्यार्थी के अधिगम परिणाम सुनिश्चित किये जाते हैं, तो शिक्षक प्रभावी है। जब शिक्षकों को शिक्षार्थियों से वांछित प्रतिक्रिया मिलती है, तो शिक्षण सामान्य तौर पर प्रभावी है।

13. (b)

आत्म-जागरुकता बढ़ाने में चिंतनशील अभ्यास बहुत लाभदायक है, जो भावनात्मक बुद्धिमत्ता का एक प्रमुख घटक है। यह दूसरों की बेहतर समझ विकसित करने में भी सहायता करता है। चिंतनशील स्तर का अभ्यास आपको रचनात्मक सोच कौशल विकसित करने में भी सहायता कर सकता है और कार्य प्रक्रियाओं में सक्रिय जुड़ाव को प्रोत्साहित करता है।

अब संज्ञान और अधि संज्ञान (मेटाकॉग्निशन) की अवधारणाओं पर आते हैं। संज्ञान और अधि संज्ञान के मध्य अंतर करना कठिन होता है। यह परस्पर संबंधित हैं और ओवरलैप कर सकते हैं। फ्लेवेल ने एक उदाहरण का वर्णन किया जैसे 'अध्याय के बारे में स्वयं से प्रश्न

पूछना (एक संज्ञानात्मक कार्य) या तो आपके ज्ञान को बेहतर बनाने के लिए या इसकी निगरानी करने के लिए कार्य कर सकता है (एक अधि संज्ञान कार्य)। यह उद्धरण दिखाता है कि ये दो अवधारणाएं कितनी भिन्न, फिर भी समान हो सकती हैं। मेटाकॉग्रिशन अनुभूति का एक उपखंड या अनुभूति का एक प्रकार है। मेटाकॉग्रिशन को किसी व्यक्ति के अपने स्वयं के संज्ञान के बारे में ज्ञान के वैज्ञानिक अध्ययन के रूप में परिभाषित किया जाता है। अनुभूति एक मानसिक प्रक्रिया है जिसमें स्मृति, ध्यान, भाषा का निर्माण और समझ, तर्क करना, अधिगम, समस्या-समाधान और निर्णय लेना सम्मिलित हैं। इसे सूचना प्रसंस्करण, ज्ञान का क्रियान्वन और वरीयताओं को परिवर्तित करने के लिए उपयोग किया जाता है। यह अधिक बुनियादी प्रक्रिया है। इस प्रकार, इन्हें चिंतनशील प्रथाओं के साथ जोडकर हम कह सकते हैं कि अधि संज्ञान 'आत्म-जागरुकता' और 'व्यक्तिगत जागरुकता' से संबंधित हैं।

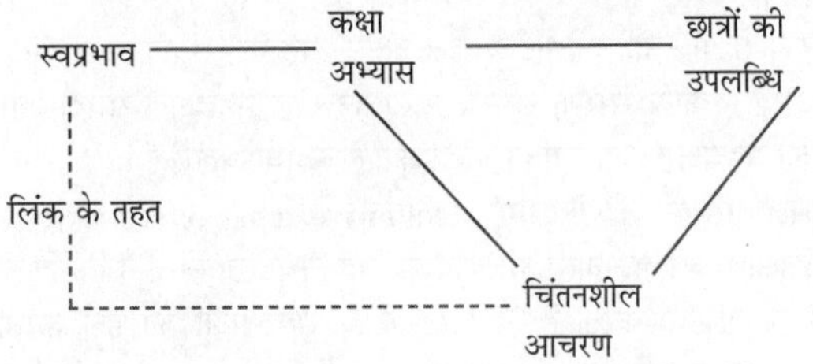

14. (d)

आधुनिक विश्व में तकनीकी प्रगति के कारण तीव्रता से बदलती परिस्थितियों से ही वैश्विक और स्थानीय प्राथमिकताएं तय होती हैं। समावेशी शिक्षा (inclusive education), शिक्षा में पिछड़े छात्रों की पहचान कर, उन्हें सामाजिक अवसर एवं नि:शुल्क शिक्षा प्रदान करती है। समावेशी शिक्षा का मुख्य उद्देश्य स्वदेशी और राष्ट्र के बच्चों, लड़कियों संघर्ष या प्राकृतिक आपदाओं से विस्थापित बच्चों, अल्पसंख्यक, जातीय, धार्मिक या आदिवासी समूहों के बच्चों को आगे बढ़ने के अवसर प्रदान करना है और उन्हें अनन्य की व्यावहारिक समझ, इसकी संरचनाएं और संस्कृतियों से अवगत करवाना है। संक्षेप में, समावेशी शिक्षा द्वारा सामाजिक रूप से पिछड़े वर्गों के लिए समस्याओं की पहचान करने और उन्हें दूर करने के लिए एक सैद्धांतिक और व्यवस्थित दृष्टिकोण प्रदान किया जाना चाहिए।

समावेशी शिक्षा का केंद्रीय संदेश काफी सरल है, 'प्रत्येक शिक्षार्थी समाज के लिए महत्वपूर्ण है और समान रूप से मायने रखता है' (यूनेस्को 2017)। इस दृष्टिकोण को भारतीय शिक्षा नीति में 'शिक्षा का अधिकार अधिनियम, 2009' के रूप में सम्मिलित किया गया है। अत: समावेशी शिक्षा का अर्थ यह सुनिश्चित करना है कि कोई बच्चा शिक्षा में पीछे न रह जाए।

15. (a)

सुनना, प्रभावी संचार का एक महत्वपूर्ण पहलू है। निम्नलिखित चित्र कक्षा संचार में सुनने के महत्व को दर्शाता है।

अत: किसी शिक्षक के लिए सुनना महत्वपूर्ण है ताकि वह अधिगम कर्ता की आवश्यकताएं पूरी कर सके।

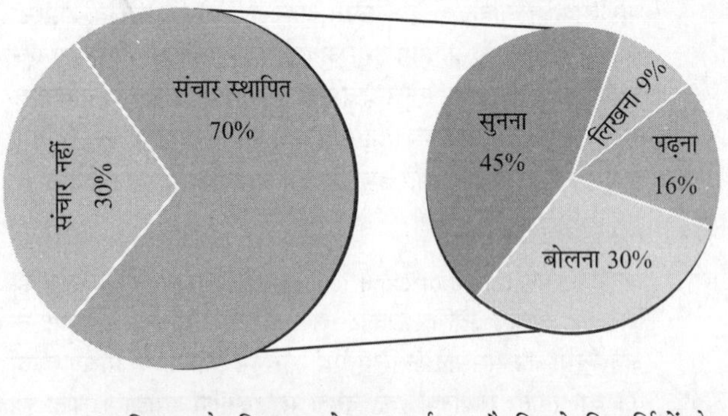

एक शिक्षक के लिए, सुनने का अर्थ यह है कि वे विद्यार्थियों के छात्रों के बारे में अधिक सीखते हैं। उनकी प्रभावी निगरानी शिक्षण को अधिक प्रभावी बनाता है। शिक्षार्थी की प्रगति के लिए शिक्षार्थी का मूल्यांकन करना लाभदायक है।

16. (d)

1. संवेदी प्रत्यक्षीकरण (sensory perception) की शक्ति मुख्य रूप से प्रकृति में मनोवैज्ञानिक है।
2. चिंतन क्षमता से अभिप्राय संज्ञानात्मक विकास (cognitive development) से है।
3. संश्लेषणात्मक कल्पना शक्ति (power of synthetic imagination) सामान्य या विशेष प्रयोजन के कंप्यूटरों द्वारा कृत्रिम अनुकरण की तरह है, यह मानव कल्पना से संबंधित है।

अत: स्वयं को दूसरों के साथ संबंध करने की योग्यता अधिगमकर्ता की एक सामाजिक विशेषता है।

17. (d)

निर्माणात्मक मूल्यांकन और योगात्मक मूल्यांकन शिक्षण संस्थानों में छात्रों की प्रगति का आकलन करने के लिए दो अतिव्यापी, पूरक विधियां हैं। निर्माणात्मक मूल्यांकन अधिगम प्रक्रिया से पूर्व या बाद में नहीं होता है, बल्कि शिक्षण के मध्य में होता है। इसको रचनात्मक मूल्यांकन (formative evaluation) भी कहा जाता है। निर्माणात्मक मूल्यांकन आम मूल्यांकन से अधिक निदानात्मक (more diagnostic) है। इसका उपयोग छात्र के अधिगम की शैली और क्षमता जानने हेतु किया जाता है, इससे एक शिक्षक को निरंतर प्रतिक्रिया भी मिलती है। यह शिक्षकों को अपने शिक्षण विधियों को सुधारने और समायोजित करने और छात्रों को अपने सीखने में सुधार करने की अनुमति देता है। निर्माणात्मक मूल्यांकन छात्र की प्रगति का आकलन करने का एक लचीला और अनौपचारिक ढंग है। यह छात्रों को उनकी विषय संबंधी तीव्रता और दुर्बलता की पहचान करने में सहायता करता है।

तत्काल प्रश्नोत्तरी (impromptu quizzes), अनाम मतदान (anonymous voting), लघु तुलनात्मक मूल्यांकन, एक विशिष्ट विषय पर एक मिनट के पेपर, विद्यार्थियों ने जो कुछ सीखा है, उसे संक्षेप में प्रस्तुत करने के लिए पाठ निकास टिकट (lesson exit tickets) निर्माणात्मक मूल्यांकन के विभिन्न उदाहरण हैं।

योगात्मक मूल्यांकन में एक समय अंतराल, जैसे कि वर्ष या सेमेस्टर के अंत में छात्र के अधिगम तथा अकादमिक उपलब्धि की तुलना एक सार्वभौमिक मानक या स्कूल बेंचमार्क के साथ की जाती है। योगात्मक आकलन का अक्सर उच्च बिंदु मान होता है, यह नियंत्रित परिस्थितियों में पूर्ण किया जाता है, और इसलिए इसकी अधिक दृश्यता होती है।

18. (d)

अनुभव शंकु (cone of experience) एक चित्रात्मक उपकरण है, जिसका उपयोग विभिन्न प्रकार के ऑडियो-विजुअल मीडिया के अंतर्संबंधों को समझाने के लिए एवं अधिगम प्रक्रिया में अधिगणकर्ता की व्यक्तिगत 'स्थितियों' को दृढ़ता से संक्षेप में समझाया जाता है। एडगर डेल ने इसका प्रतिपादन वर्ष 1969 में किया था।

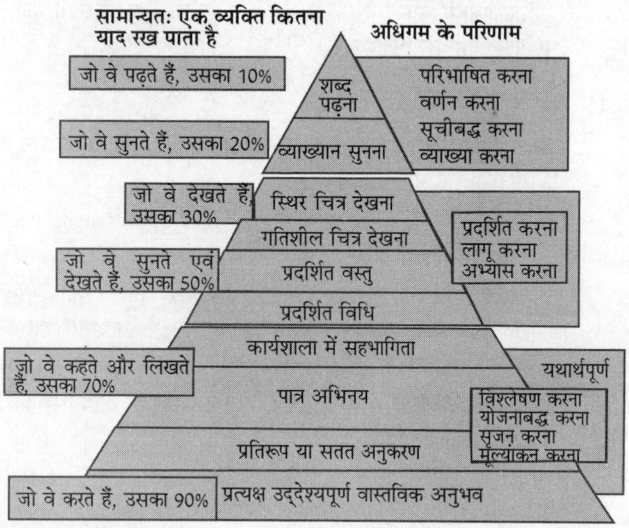

19. (b)

वह अध्ययन क्षेत्र, जिसमें प्रौढ़ अधिगमकारियों के अधिगम के लिए भूमिका प्रदर्शन (role play), अनुगमन और स्व मूल्यांकन (self assessment) विधियों का उपयोग किया जाता है, एन्ड्रागॉजी (andragogy) कहलाता है। संक्षेप में, एन्ड्रागॉजी दृष्टिकोण को 'वयस्क शिक्षा' (adult education) के रूप में भी पहचाना जाता है। हालांकि यह प्रत्यक्ष रूप से इस प्रश्न से संबंधित नहीं है, लेकिन नए NTA पाठ्यक्रम के अनुसार अध्याय 1 में विशेष रूप से वयस्क शिक्षा का उल्लेख किया गया है।

वयस्क शिक्षा या प्रौढ़ शिक्षा से संबंधित कुछ महत्वपूर्ण बिंदुओं की व्याख्या निम्नलिखित है:

1. वयस्क शिक्षा को बढ़ावा देने के उद्देश्य से 15-35 आयु वर्ग के 65 मिलियन (650 लाख) निरक्षर व्यक्तियों को कवर करने के लिए 2 अक्टूबर 1978 को एक राष्ट्रीय वयस्क शिक्षा कार्यक्रम (NAEP) आरंभ किया गया था।
2. प्रथम पंचवर्षीय योजना के बाद से कई कार्यक्रम आरंभ किए गए हैं। जिनमें से सबसे प्रमुख राष्ट्रीय साक्षरता मिशन (National Literary Mission–NLM) है जिसे, 1988 में 15-35 वर्ष के आयु वर्ग में गैर-साक्षरों को समयबद्ध ढंग से कार्यात्मक साक्षरता प्रदान करने के लिए आरंभ किया गया था।
3. NTA जनगणना 2011 के शिक्षा आंकड़ों से संबंधित प्रश्न भी पूछ सकता है, जो कुछ सीमा तक वयस्क शिक्षा पर भी निर्भर है।

भारत में शीर्ष पांच साक्षर राज्यों का क्रम इस प्रकार है:

(1) केरल (94%)
(2) लक्षद्वीप (91.85%)
(3) मिजोरम (91.33%)
(4) गोवा (88.70%)
(5) त्रिपुरा (87.22%)

20. (d)

विकल्प (d) सत्य में विश्वास करने से संबंधित है, इसकी चारित्रिक रूप से पुष्टि नहीं की गई है। इस प्रकार, यह गैर-संज्ञानात्मक है। अन्य विकल्प स्मरण, समस्या समाधान और महत्वपूर्ण संवेदी आगतों की पहचान करना व्यक्ति की संज्ञानात्मक विशेषताएं हैं।

संज्ञानात्मक विशेषताएं (cognitive characterstics): एक शिक्षार्थी की संज्ञानात्मक विशेषताएं यह निर्धारित करती हैं कि शिक्षार्थी कैसे प्रक्रिया करता है, याद रखता है, समस्याओं को हल करता है और उनके मस्तिष्क में जानकारी को व्यवस्थित करता है। संज्ञानात्मक विशेषताओं को शारीरिक, संज्ञानात्मक, सामाजिक, भावनात्मक, नैतिक या शैक्षणिक के रूप में वर्गीकृत किया जा सकता है।

इसमें निम्न विशेषताओं को सम्मिलित किया जा सकता है:

1. लोगों की सोच प्रक्रिया के बारे में जागरुकता और समझ
2. स्वतंत्र और तार्किक सोच
3. विभिन्न संवेदी आगतों को पहचानना और समझना
4. मूल्यांकन और प्रयोग का विश्लेषण करने की क्षमता
5. सरल या जटिल समस्याओं को हल करने की क्षमता

गैर-संज्ञानात्मक कौशल (non-cognitive skills) में कर्तव्यनिष्ठा, दृढ़ता और टीम वर्क जैसी कई विशेषताएं हैं।

21. (b)

SWAYAM (Study Webs of Active-Learning for Young Aspiring Minds) भारत सरकार द्वारा कार्यान्वित एक कार्यक्रम है और यह नई शिक्षा नीति के तीन प्रमुख सिद्धांतों, पहुंच, समता और गुणवत्ता को प्राप्त करने के लिए डिज़ाइन किया गया है। यह आई सी टी संवर्धित एक इंटरैक्टिव लर्निंग प्रोग्राम है, जिसका उद्देश्य देश के दूरस्थ क्षेत्रों में रहने वाले विद्यार्थियों को गुणवत्तापरक शिक्षा प्रदान करना है। इसका आरंभ 9 जुलाई 2017 को माननीय राष्ट्रपति प्रणव मुखर्जी द्वारा किया गया था।

SWAYAM को मानव संसाधन विकास मंत्रालय (अब शिक्षा मंत्रालय) और AICTE (अखिल भारतीय तकनीकी शिक्षा परिषद) द्वारा Microsoft की सहायता से सहकारी रूप से विकसित किया गया है, इसमें 2,000 पाठ्यक्रमों के अधिगम की सुविधा उपलब्ध है। यह मंच सभी के लिए नि:शुल्क पहुंच प्रदान करता है, इसमें कक्षा 9 से

स्नातकोत्तर तक पाठ्यक्रमों की सुविधा उपलब्ध है। इसकी सहायता से आईआईटी, आईआईएम, आईआईएसईआर आदि जैसे केंद्रीय वित्त पोषित संस्थानों के प्रोफेसर और शिक्षक छात्रों को पढ़ा सकते हैं। SWAYAM विभिन्न विधियों से और संरचना में MOOC द्वारा अधिगम के संसाधनों का संचालन करता है। स्वयं में सीखने के चार भाग हैं – ई-ट्यूटोरियल, ई-सामग्री, चर्चा मंच, मूल्यांकन।

22. (b)

स्मृति स्तर शिक्षण (Memory Level Teaching): यह शिक्षण का प्रथम और कम विचारशील स्तर है। यह तथ्यों को कंठस्थ और अभ्यास करने के लिए प्रेरित करता है। यह शिक्षार्थी को जब भी आवश्यक हो, सीखी गई सामग्री को बनाए रखने और पुनः प्रस्तुत करने में सक्षम बनाता है। स्मृति स्तर के शिक्षण में, विषय सामग्री अच्छी तरह से व्यवस्थित होती है और एक निश्चित और संरचित ढंग से वितरित की जाती है।

इस प्रकार, स्मृति स्तर के शिक्षण में सोच एवं विचार को व्यवस्थित करना, द्रुत प्रत्यास्मरण में सहायता हेतु व्यवस्थित प्रस्तुतियां एवं तथ्यों को सही क्रम में लगाने की निपुणता पर अधिक बल दिया जाता है।

23. (c)

सकारात्मक प्रबलन (Positive reinforcement): सकारात्मक प्रबलन वांछित व्यवहार प्रस्तुत करने के बाद व्यक्ति को एक प्रेरक या सशक्त बनाने वाली उत्तेजना का कार्य करता है, जिससे भविष्य में व्यवहार होने की अधिक संभावना होती है। प्रश्नानुसार, प्रेरक या उद्दीपक (stimulus) की प्रस्तुति के बाद व्यवहार की आवृति दर में वृद्धि होती है। उदाहरण के लिए, एक पिता अपनी बेटी को होमवर्क करने के लिए चॉकलेट देता है।

नकारात्मक प्रबलन (Negative reinforcement): नकारात्मक प्रबलन तब होता है जब किसी विशेष व्यवहार के प्रदर्शित होने के बाद एक निश्चित उत्तेजना को हटा दिया जाता है। उदाहरण के लिए, बॉब अपनी मां के नुक्ताचीनी छिद्रान्वेषी व्यवहार को रोकने के लिए बर्तन या तोड़ – फोड़ (व्यवहार) करता है।

दण्ड (Punishment): यह केवल एक उत्तेजना है जिसका उपयोग अवांछित व्यवहार को हतोत्साहित या कम करने के लिए किया जाता है। इसमें व्यवहार को घटित होने से रोकने के लिए कष्टदायक या अपवर्ती उद्दीपक को प्रस्तुत किया जाता है।

विलोप (Extinction): विलोप का अर्थ है क्रमिक रूप से निर्बल होना। एक वातानुकूलित प्रतिक्रिया के रूप में जो व्यवहार में कमी का कारण बनता है। जिसके परिणामस्वरूप, वातानुकूलित व्यवहार अंततः बंद हो जाते हैं। जैसे कि व्यवहार अवरुद्ध करने कि दृष्टि से एक सुखदायक उद्दीपक का विनिवर्तन या एक अपवर्ती उद्दीपक का अनुप्रयोग करना।

24. (b)

अधिगम को नव ज्ञान प्राप्ति, आधुनिक कौशल, मूल्यों, व्यवहारों और प्राथमिकताओं को संशोधित करने की प्रक्रिया के रूप में वर्णित किया जा सकता है। एक किशोर अधिगमकर्ता की प्रमुख चारित्रिक विशेषताएं इस प्रकार हैं, जो उसके सामाजिक और नैतिक विकास का निर्धारण करती हैं।

सामाजिक मूल्य (Social Values)

(a) मूल्यों एवं मानकों के अनुसरण हेतु नायक पूजा की चेष्टा ।

(b) अपने साथियों के साथ एक सामाजिक स्थिति के एक भाग के रूप में वार्तालाप करने और अभिनय करने के अन्य ढंगों का प्रयोग करना।

(c) साथियों और अन्य लोगों का ध्यान आकर्षित करना यानी प्रशंसा प्राप्त करना।

नैतिक मूल्य (Moral values)

(a) अमूर्त रूप से सोचने की नई क्षमता, युवाओं को यह पहचानने में सहायता करती है कि नियम केवल अन्य लोगों द्वारा बनाए गए हैं।

(b) कुछ युवा, जो नैतिक विकास के उच्चतम स्तर पर पहुच गए हैं, वे अपनी नैतिक संहिता के बारे में भावुक अनुभूति कर सकते हैं, जैसे कि वे उन गतिविधियों में भाग लेना चुन सकते हैं, जो उनके नैतिक विश्वासों को प्रदर्शित करते हैं।

25. (a)

प्रत्यक्ष अधिगम के लिए उपयोगी शिक्षण पद्धतियां निम्नलिखित हैं:

A. निरूपण या सतत अनुकरण तथा भूमिका निर्वाह

निरूपण (simulation): एक सुरक्षित वातावरण में वास्तविक गतिविधियों और प्रक्रियाओं की नकल को संदर्भित करता है। इसमें नव प्रशिक्षुओं को प्रशिक्षित किया जाता है। उदाहरण के लिए, पायलट और अंतरिक्ष यात्रियों का प्रशिक्षण कृत्रिम स्थितियों में होता है और मेडिकल सिमुलेटर छात्रों को दिखावटी प्रतिरूपों पर निदान और उपचार का अभ्यास करने की अनुमति देते हैं, जो परिष्कृत और यथार्थवादी ढंग से प्रतिक्रिया कर सकते हैं। इस विधि में सुरक्षा पहलुओं का विशेष ध्यान रखा जाता है।

भूमिका निर्वाह (role playing): यह एक ऐसी विधि है, जो छात्रों को एक समर्थित वातावरण में अनुभव विकसित करने और विभिन्न रणनीतियों का परीक्षण करने के लिए अन्य लोगों के साथ बातचीत करके यथार्थवादी स्थितियों का पता लगाने की अनुमति देती है।

इस विधि में विषयवस्तु से संबंधित साहित्यिक, ऐतिहासिक वर्तमान या काल्पनिक घटनाओं का नाटकीय रूपांतर किया जाता हैं। यह विधि निर्णय, समस्या – समाधान, वार्ता और कार्यक्षमता संबंधी कौशलों को विकसित करती है।

B. कार्यशाला और दत्तकार्यों में प्रतिभागिता (Participation in workshop and assignments)

कार्यशाला: कार्यशाला किसी के लिए नई परियोजनाओं और विधियों को सीखकर किसी विशेष विषय के बारे में जानकारी प्राप्त करने का एक सुव्यवस्थित ढंग है। कार्यशालाओं में भाग लेने से छात्रों को इन कौशलों का उपयोग करके अपने शैक्षणिक वातावरण में सफलता प्राप्त करने में सहायता मिल सकती है।

असाइनमेंट: प्रत्यक्ष अधिगम के लिए असाइनमेंट भी महत्वपूर्ण विधि है क्योंकि यह आपको स्वयं पर शोध करने और अधिगम में सहायता करता है। इस विधि में शिक्षक योजना तैयार करते हैं और उस कार्य के संदर्भ में जानकारी एकत्रित करने के लिए छात्रों का मार्गदर्शन करते हैं।

C. मूक्स और आनुभविक (ह्यूरिस्टिक्स) पहल (MOOCs and heuristics):

मूक्सः मैसिव ओपन ऑनलाइन कोर्स प्रतिभागियों को उनकी पसंद के किसी भी कोर्स में निःशुल्क पहुंच और अप्रतिबंधित भागीदारी की अनुमति देता है। यह अधिगम को निर्देशित करने में सहायक है।

आनुभविक पहलः यह प्रणाली शिक्षक से स्वतंत्र होकर अधिगम की एक शुद्ध आविष्कार विधि है। इस विधि का प्रतिपादन प्रो. आर्मस्ट्रांग द्वारा किया गया। इसमें शिक्षक छात्रों के लिए एक समस्या निर्धारित करता है और फिर छात्रों को समाधान स्वत: हल करने के लिए कहा जाता है।

26. (c)

अधिकतम निष्पादन परीक्षण (Maximum Performance Test) का उदाहरण अभिरुचि परीक्षण (aptitude test) है। यह क्षमता परीक्षण है जैसे कि संज्ञानात्मक योग्यता (cognitive ability) के माप या किसी विशेष ज्ञान या कौशल का परीक्षण जैसे कि योग्यता परीक्षा में हम विशिष्ट कार्य करने के लिए उम्मीदवार की योग्यताओं का परीक्षण करते हैं और विभिन्न स्थितियों की एक श्रृंखला पर प्रतिक्रिया करते हैं। इसका उद्देश्य परीक्षार्थियों से सर्वश्रेष्ठ या अधिकतम स्तर का प्रदर्शन प्राप्त करना है। इसे परीक्षार्थी के ज्ञान और योग्यताओं की ऊपरी सीमा का आकलन करने के लिए डिज़ाइन किया गया है। अधिकतम निष्पादन परीक्षण के उदाहरण निम्न हैं:

उपलब्धि परीक्षण (Achivement test) – यह इस बात का मापन करता है कि छात्र ने क्या सीखा।

अभिरुचि परीक्षण (Aptitude test) – यह छात्रों की भविष्य में अधिगम प्राप्त करने की योग्यता को मापता है।

बुद्धि परीक्षण (Intelligence test) – यह किसी व्यक्ति की विभिन्न वातावरण से निपटने की योग्यता का आकलन करता है।

27. (a)

(a) **विस्तारक पृच्छा (Elaborative interrogation)**: इसमें अधिगमकर्ता स्मरण किए जाने वाले तथ्य को पढ़ता है और इसके लिए एक स्पष्टीकरण तैयार करता है। सूचना के अर्थ को समझने के लिए क्यों और कैसे जैसे प्रश्नों का उपयोग किया जाता है। इससे छात्रों में समस्या समाधान कौशल और आलोचनात्मक सोच विकसित होती है।

(b) **अभ्यास परीक्षण (Practical Testings)**: अधिगम के लिए परीक्षण के उस रूप को संदर्भित करता है, जिसे एक छात्र स्वत: करने में सक्षम होता है। इस तकनीक में उदाहरणों के माध्यम से अभ्यास करना, फ्लैश कार्ड के माध्यम से स्मरण करना या अभ्यास की समस्याओं या परीक्षणों को पूरा करना सम्मिलित है। जिस सामग्री को सीखने का आप प्रयत्न करते हैं, उसका स्वयं अभ्यास कर मूल्यांकन करना।

(c) **आत्मप्रकाशन या स्व-स्पष्टीकरण (Self Explanation)**: किसी समस्या के समाधान के लिए कार्य करने की प्रक्रिया पर दृष्टि रखता है।

(d) **अंतर-संबंधित व्यवहार (Interleaved Practices)** यह अभ्यास एक ऐसी प्रक्रिया है जिसमें छात्र अधिगम बेहतर बनाने के लिए अध्ययन करते समय कई विषयों या विभिन्न प्रकार की समस्याओं को एक साथ समाहित करते हैं या इंटरवीव करते हैं।

28. **(b)**

इस प्रश्न के अनुसार, शिक्षक के व्यक्तित्व और दृष्टिकोण को प्रभावित करने वाले तीन कारक हैं:

1. **नियंत्रण का स्थान (Locus of Control)**: नियंत्रण किसी व्यक्ति के विश्वास को संदर्भित करता है कि घटनाएं या तो एक ही व्यक्ति के नियंत्रण में होती हैं या किसी बाह्य बल द्वारा निर्धारित की जाती हैं। कुछ लोग ऐसे होते हैं, जो हर तरह की परिस्थितियों का सामना करने और उन्हें नियंत्रित करने की क्षमता रखते हैं। नियंत्रण दो प्रकार का हो सकता है।
   (1) नियंत्रण की आंतरिक अवस्थिति
   (2) नियंत्रण की बाह्य अवस्थिति
2. **आत्म-प्रभाव (Self-efficacy)**: किसी कार्य को पूरा करने या लक्ष्य प्राप्त करने की उनकी क्षमता में किसी व्यक्ति के विश्वास का संदर्भ लें। यह शिक्षक के व्यक्तित्व और दृष्टिकोण को भी प्रभावित करता है।
3. **शिक्षक उत्साह (Teacher Enthusiasim)**: शिक्षक उत्साह को विद्यार्थियों तक सूचना पहुंचाने का एक विशेष माध्यम माना जाता है। एक शिक्षक को उत्साही माना जाता है, जब वह छात्रों में विषय के बारे में उत्साह का संचार करने में सफल होता है।

29. **(d)**

संवादात्मक शिक्षण में शिक्षक और छात्रों के मध्य किसी विषय पर गहन वार्तालाप होता है। इसके अंतर्गत छात्रों की सक्रिय भागेदारी रहती है, यह विधि अधिक छात्र केंद्रित हैं। संवाद के माध्यम से, शिक्षक छात्र के सामान्य ज्ञान के दृष्टिकोण को प्राप्त कर सकते हैं, उनके विकासशील विचारों के साथ जुड़ सकते हैं और शिक्षण पद्धति के वर्ण पट (spectrum) में गलतफहमी को दूर करने में सहायता कर सकते हैं, जिसमें समस्या समाधान विधि, अन्त: क्रियात्मक प्रस्तुति और अनुशिक्षण सम्मिलित हैं।

समस्या समाधान विधि (Problem Solving Method)– इस विधि में बच्चे समस्याओं पर कार्य करके सीखते हैं। यह छात्रों को हल की जाने वाली समस्याओं का सामना करके नया ज्ञान सीखने में सक्षम बनाता है। इसमें छात्रों से निरीक्षण करने, समझने, विश्लेषण करने, समाधान की व्याख्या करने और अवधारणा की समग्र समझ की ओर ले जाने वाले अनुप्रयोगों को निष्पादित करने की अपेक्षा की जाती है। यह विधि सीखने की अवधारणाओं के लिए विचार-मंथन विधि विकसित करने में भी सहायता करती है।

समस्या-समाधान में तीन आधारभूत कार्य सम्मिलित हैं

1. सूचना एकत्रित करना
2. नया ज्ञान उत्पन्न करना
3. निर्णय लेना

अनुशिक्षण विधि (Interactive Presentation Method) के द्वारा छोटे समूह में शिक्षण के उद्देश्य से मार्गदर्शन करना, संख्यात्मक और व्यक्तिगत समस्याओं को सुलझाना आदि कौशल विकसित किये जाते हैं।

अन्तः क्रियात्मक प्रस्तुति (Tutorials) – इस विधि को संज्ञानात्मक, मनोसंचालक और भावनात्मक उदेश्यों को प्राप्त करने के लिए नियोजित किया जाता है।

प्रदर्शन विधि, चाक और वार्तालाप विधि एवं दल शिक्षण आधारित विधि शिक्षक केंद्रित विधियां हैं।

30. (a)

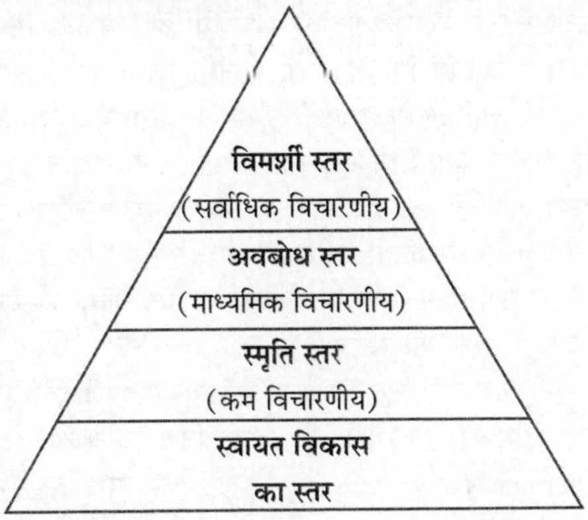

स्मृति स्तर (Memory Level) – शिक्षण के स्मृति स्तर के मुख्य प्रस्तावक हर्बर्ट हैं। यह शिक्षण का प्रथम और विचारहीन स्तर है। यह तथ्यों को कंठस्थ और अभ्यास करने के लिए प्रेरित करता है। यह शिक्षार्थी को जब भी आवश्यक हो, सीखी गई सामग्री को बनाए रखने और पुनः पेश करने में सक्षम बनाता है।

अवबोध स्तर (Understanding Level) – मॉरिसन इस स्तर के प्रस्तावक हैं। यह स्मृति और अंतर्दृष्टि है क्योंकि यह केवल तथ्यों को याद रखने के साथ उन्हें समझने पर अधिक केंद्रित है, यह विषय की महारत पर ध्यान केंद्रित करता है।

विमर्शी स्तर (Reflective level)– हंट इस स्तर के मुख्य प्रस्तावक हैं। यह शिक्षण का उच्चतम स्तर हैं, स्मृति स्तर एवं अवबोध स्तर इसका आधार हैं। यह वास्तविक जीवन की समस्याओं से संबंधित है।

स्वायत्त विकास का स्तर (Autonomus Level of Development) –मॉरिस एल. बिगगी द्वारा इस स्तर का प्रतिपादन 1976 में किया गया। यह छात्र–उन्मुख है और शिक्षार्थी की भावनाओं और निर्णय पर निर्भर है। यह कक्षा के बाहर स्वः अध्ययन से है, इसमें किसी प्रकार के औपचारिक शिक्षण की आवश्यकता नहीं है।

31. (d)

चार विकल्पों में से, सीखने के परिणाम–आधारित मूल्यांकन में सीखने की प्रक्रिया को गतिशील या अधिक गतिशील माना जाता है और इसका उद्देश्य हमारे भविष्य के प्रदर्शन में सुधार करना है।

32. (a)

शिक्षण का पारंपरिक ढंग वह है, जब एक शिक्षक छात्रों को याद करने और पाठ तकनीकों के माध्यम से सीखने के लिए निर्देशित करता है, जिससे उनकी आलोचनात्मक सोच, समस्या-समाधान और निर्णय लेने के कौशल का विकास नहीं होता है। भारतीय शिक्षा की पारंपरिक प्रणाली के विशिष्ट लक्षणों में 'सत्य का प्रत्यक्ष बोध' साधन और साध्य के रूप में होना है।

33. (b)

कक्षा में शिक्षक का स्वयं, संप्रेषण विधि और अभिव्यक्ति प्रदान करने के तरीके पर नियंत्रण होता है। कक्षा में एक शिक्षक को संगठित करने की आवश्यकता है। छात्रों को अवधारणाओं के अधिगम के लिए संप्रेषण के तरीके और वितरण की विधि पर उनका नियंत्रण होना चाहिए। उन्हें वास्तविक प्रतिबद्धता प्रसारित करनी चाहिए।

34. (d)

छात्रों के व्यवहार में प्रतिक्रियात्मकता, प्रभावी कक्षागत शिक्षण का घटक नहीं है क्योंकि प्रतिक्रिया चरम स्थितियों के समय ही होती है।

कक्षा में अनुशासनहीनता की स्थिति को निम्नलिखित उपायों से निपटाया जा सकता है:

(i) अगर शिक्षक अनुशासनहीनता पर तुरंत कार्यवाही ना करे तो वह शिक्षार्थी का स्वभाव बन जाता है।

(ii) यदि कक्षा में निरंतर अनुशासनहीनता रहे, तो यह इस बात की ओर इंगित करता है कि पाठ्यवस्तु या शिक्षक के पढ़ाने का ढंग नीरस है ऐसी स्थिति में शिक्षक को अपनी कार्यनीति में परिवर्तन करना चाहिए।

इसके अतिरिक्त, छात्रों की समझदारी के लिए प्रश्न पूछना, छात्रों को प्रतिपुष्टि उपलब्ध करवाना और अधिगम में लगने वाली समयावधि में लचीलापन प्रभावी शिक्षण (effective teaching) के लिए आवश्यक तत्व हैं।

35. (c)

आकलन या मूल्यांकन संबंधी पूर्वाग्रह छात्रों का नस्ल, जातीयता, सामाजिक आर्थिक स्थिति, धर्म आदि के आधार पर आकलन करता है। यह विवादास्पद और दंडनीय विधि है। यहां, हमें एक निष्पक्ष धारणा पर कार्य करने की आवश्यकता है कि प्रत्येक शिक्षार्थी अद्वितीय है और प्रत्येक छात्र अपनी अधिगम प्रक्रिया में सुधार कर बेहतर परिणाम ला सकता है।

36. (d)

हमें वस्तुनिष्ठ मानदंडों पर ध्यान देने की आवश्यकता है क्योंकि शिक्षण कला और विज्ञान दोनों है। इसके लिए शिक्षकों को भी प्रशिक्षित किया जाता है। इस प्रकार विषय का ज्ञान तर्कसंगत है। यह शिक्षण को प्रभावित करता है।

वे कारक जो शिक्षण की प्रभावकारिता में योगदान नहीं करते हैं:

(i) शिक्षक की सामाजिक–आर्थिक पृष्ठभूमि

(ii) छात्रों को प्रसन्न करने में शिक्षक का कौशल

(iii) शिक्षक का विषय ज्ञान

37. (b)

इस प्रश्न के उत्तर के लिए पहले हम अल्बर्ट बंडूरा द्वारा दिए गए आत्म प्रभावकारिता के सिद्धांत का वर्णन कर रहे हैं, जो कि स्वयं से संबंधित हो सकते हैं। आत्म–प्रभावकारिता स्वयं की प्रेरणा, व्यवहार और सामाजिक वातावरण पर नियंत्रण करने की क्षमता में विश्वास को दर्शाती है। आत्म–प्रभावकारिता का अर्थ है स्वयं की क्षमता का विश्लेषण करना।

ईश्वर में आस्था और राजनीति के प्रति उदासीन दृष्टिकोण छात्रों के अकादमिक प्रदर्शन पर किसी प्रकार का कोई प्रभाव नहीं डालते हैं।

(i) ईश्वर में विश्वास – यह व्यक्तिगत विषय है जिसका अधिगम पर कोई प्रभाव नहीं पड़ता।

(ii) हमें राजनीति में अपने स्तर पर रूचि नहीं भी हो सकती है लेकिन, यह लोकतंत्र का महत्वपूर्ण भाग है इसलिए राजनीति में कुछ रुचि वांछनीय है। राजनीति के प्रति उदासीन दृष्टिकोण अधिगम को प्रभावित नहीं करता है।

छात्रों का अकादमिक प्रदर्शन कई कारकों से प्रभावित होता है जिसमें छात्रों के अधिगम कौशल, निम्न आत्म – सामर्थ्य, शिक्षकों को छात्रों से निम्न प्रत्याशा, माता–पिता की पृष्ठभूमि, साथियों का प्रभाव, शिक्षकों की गुणवत्ता और अधिगम का बुनियादी ढांचा सम्मिलित हैं।

यू ज़ी सी नेट परीक्षा में भविष्य में आने वाले प्रश्नों के लिए, हम आत्म–प्रभावकारिता पर अधिक सामग्री जोड़ना चाहते हैं। कैथी कोल्बे का मानना है कि किसी की अपनी क्षमताओं पर विश्वास करना संज्ञानात्मक शक्ति (cognitive strength) को मापने में महत्वपूर्ण हो सकता है। उनका मानना है कि आत्म-प्रभावकारिता में दृढ़ संकल्प और आत्म–दृढ़ता भी सम्मिलित है, जो कि लक्ष्यों को प्राप्त करने के लिए आने वाली बाधाओं को दूर करने में सहायता करते हैं, ताकि हम अपनी जन्मजात क्षमताओं का उचित उपयोग कर पाए। निम्न चार सिद्धांत अल्बर्ट बंदूरा द्वारा दिए गए।

1. महारत के अनुभव - प्र दर्शन के परिणाम (Mastery Experiences – Performance Outcomes)

महारत के अनुभवों के बारे में बात करते समय, यह उन अनुभवों को संदर्भित करता है जब वे एक नई चुनौती लेते हैं और ऐसा करने में सफल होते हैं।

शिक्षार्थी को अभ्यास के बारे में सुनिश्चित होना चाहिए और नए कौशल प्राप्त करने से अधिकतर सकारात्मक अनुभव प्राप्त होंगे। यह सोचने का एक सकारात्मक तरीका है।

2. विचित्र अनुभव - सामाजिक भूमिका मॉडल (Vicarious experiences – Social role models)

यह आत्म–प्रभावकारिता का दूसरा महत्वपूर्ण स्रोत है। विचित्र अनुभवों में किसी कार्य को सफलतापूर्वक पूरा करने वाले अन्य लोगों को देखना शामिल है।

जब किसी व्यक्ति के जीवन में सकारात्मक रोल मॉडल होते हैं, तो स्वयं के बारे में उन सकारात्मक विश्वासों में से कम से कम कुछ को अवशोषित करने की अधिक संभावना होती है। सामाजिक रोल मॉडल कोई भी हो सकता है - बड़े भाई–बहन, मित्र, सलाहकार, माता–पिता, चाची–चाचा, दादा–दादी, शिक्षक, कोच, नियोक्ता आदि।

3. सामाजिक अनुनय (social persuasion):

एक जटिल कार्य करते समय सकारात्मक मौखिक प्रतिक्रिया प्राप्त करना एक व्यक्ति को यह विश्वास करने के लिए प्रेरित करता है कि उनके पास सफल होने के लिए कौशल और क्षमताएं हैं।

आत्म–प्रभावकारिता किसी व्यक्ति के प्रदर्शन या प्रदर्शन करने की क्षमता से संबंधित प्रोत्साहन और निराशा से प्रभावित होती है। मौखिक अनुनय किसी भी उम्र पर काम करता है, लेकिन जितनी जल्दी इसे प्रशासित किया जाता है, उतनी ही अधिक आत्म-प्रभावकारिता के निर्माण को प्रोत्साहित करने की संभावना है।

4. भावनात्मक और शारीरिक अवस्था (emotional and physiological states):

किसी व्यक्ति की भावनात्मक, शारीरिक और मनोवैज्ञानिक भावनाएं इस बात के लिए प्रभावित कर सकती हैं कि वे किसी विशेष स्थिति में अपनी व्यक्तिगत क्षमताओं के बारे में कैसा महसूस करते हैं। हम अवसाद या चिंता जैसी स्थितियों का सामना कर सकते हैं। उन्हें उचित धारणा और व्याख्या द्वारा ठीक से संभाला जाना चाहिए। इस प्रकार, चुनौतीपूर्ण परिस्थितियों का सामना करते समय चिंता का प्रबंधन और मनोदशा को बढ़ाने के तरीके सीखकर, व्यक्ति आत्म-प्रभावकारिता की भावना में सुधार कर सकते हैं।

अल्बर्ट बंदूरा द्वारा दिए गए उपरोक्त चार महत्वपूर्ण तत्वों के अलावा, जेम्स मैडक्स (2013) ने 'काल्पनिक अनुभवों' (imaginal experiences or visualisations) के माध्यम से आत्म–प्रभावकारिता के लिए पांचवां मार्ग सुझाया है, जो कि किसी स्थिति में प्रभावी ढंग से या सफलतापूर्वक व्यवहार करने की कल्पना करने की कला है। काल्पनिक अनुभव मूल रूप से किसी ऐसे व्यक्ति के बारे में है, जो अपने लक्ष्यों को प्राप्त करने के योग्य रूप में चित्रित करने का प्रयास कर रहा है।

38. (c)

अभिकथन (A): कोविड 19 की स्थिति के दौरान ऑनलाइन शिक्षा से छात्रों को बहुत लाभ हुआ है। शिक्षकों को ज़ूम, गूगल मीट, माइक्रोसॉफ्ट टीम, अमेज़ॅन आदि जैसे प्लेटफार्मों द्वारा बहुत बड़े तरीके से प्रशिक्षित किया गया था। ऑनलाइन पाठ्यक्रमों का प्रारूप आपको व्यक्तिगत और अकादमिक दोनों तरह से बढ़ने में मदद कर सकता है, जिससे आपको अपने लक्ष्यों को पूरा करने में मदद मिल सकती है। हम अपना काम करने के लिए अपना समय बचाते हैं, हम नई तकनीकों का अधिग्रहण करते हैं, हम अपने स्वास्थ्य की बेहतर देखभाल कर सकते हैं, यह आत्म-प्रेरणा और आत्म-अनुशासन विकसित करने में मदद करता है। समय हमेशा सीमित होता है और हम अपना समय बचाते हैं। भारत सरकार द्वारा शिक्षा में पहुंच, समानता, समावेशिता और गुणवत्ता के उद्देश्य निर्धारित किए गए हैं। यहां, हमें यह उल्लेख करना होगा कि यूजीसी ने एक संकर प्रणाली (hybrid system) विकसित करने की अनुशंसा की है ताकि विद्यार्थियों को ऑनलाइन शिक्षा एवं ऑफ लाइन शिक्षा, दोनों का सम्मिलित रूप से लाभ मिल सके।

तर्क (R) में, इसके लिए ऑनलाइन और ऑफ लाइन के मध्य अंतर का आकलन करना मुश्किल है।

ऑन लाइन शिक्षण के माध्यम से बहुत कुशल – वृत्तिकों द्वारा बड़ी संख्या में छात्रों को पढ़ाया जा सकता है। ऑनलाइन शिक्षण की अपेक्षा ऑफ लाइन छात्रों में आलोचनात्मक सोच विकसित करता है।

39. (c)

उपरोक्त शिक्षण स्तर और उसके प्रमुख विषय का सही सुमेलन इस प्रकार है –

स्वायत विकास स्तर – भाव और भावनाएं

स्मृति स्तर – तथ्यों और सूचनाओं को याद रखना

अवबोध स्तर – तथ्यों और उसके उदाहरण में सम्बन्ध देखना

विमर्शी चिंतन स्तर – समस्या उठाना और समस्या का समाधान करना

स्वायत्त विकास स्तर छात्र-केंद्रित है। स्वतंत्रता की भावना को बढ़ावा देने के लिए, आत्म भावनाओं को बढ़ावा देने के लिए छात्र के विचार या व्यवहार को बहुत कम या बिना नेतृत्व, निर्देशन, दबाव, निर्धारण या थोपना बहुत है।

स्मृति स्तर में विद्यार्थी अर्थ एवं उनके प्रयोगों की चिन्ता किये बिना तथ्यपूर्ण सूचनाओं को केवल याद करता है। इसमें ज्ञानात्मक योग्यताओं का केवल सीमित प्रयोग किया जाता है। यह प्रयोग केवल स्मृति तक ही सीमित होता है।

अवबोध का अर्थ है- अर्थ ग्रहण करना, विचार को ग्रहण करना, समझना, किसी वस्तु से पूर्ण परिचित होना, किसी वस्तु की विशेषता अथवा प्रकृति से परिचित होना, भाषा में किसी शब्द का अर्थ प्रयुक्त सन्दर्भ में समझना, किसी तथ्य को स्पष्ट रूप से जानना तथा ग्रहण करना।

विमर्शी स्तर अधिगम का वह चरण होता है जब छात्र दिए गए प्रश्नों का न केवल उत्तर देते हैं बल्कि उन्हें दोहराते भी हैं। अधिगमकर्ता भी दी गई जानकारी का चिंतन करता है, मनन करता है और गहन विचार करता है।

40. (b)

उच्च शिक्षा में शैक्षिक प्रोद्योगिकी अनुपूरण के विकास के लिए – पाठ्यपुस्तक सहायता, अभिक्रमित अधिगम सामग्री, मोदुलर सामग्री और ऑनलाइन विधि का क्रम अनुप्रयोग में लाया जाता है। इन तीन विधि के बाद चिंतन और पूरक कार्यक्रम सामग्री एकत्रित की जाती है।

41. (a)

'सभी छात्रों ने अपनी परीक्षा उत्तीर्ण की' तथा 'कतिपय छात्रों ने अपनी परीक्षा उत्तीर्ण नहीं की'- यह तर्क विरोधाभास का दृष्टान्त है। अतः विकल्प –(a) सत्य है। विरोधाभास कथन में असंगति उत्पन्न होती है। यह परस्पर विरोधी प्रतीत होता है।

42. **(c)**

अपने वातावरण के बारे में इन्द्रियों द्वारा मिली जानकारी को संगठित करके उससे ज्ञान और अपनी स्थिति के बारे में जागरूकता प्राप्त करने की प्रक्रिया को अवगम या प्रत्यक्षण (perception) कहते हैं। प्रत्यक्ष प्रमाण की सहायता से लौकिक तथा अलौकिक के मध्य अन्तर ज्ञात किया जाता है।

43. **(c)**

शिक्षार्थी शिक्षण अधिगम प्रक्रिया का आधार है। ऐसी स्थिति में अधिगम क्रिया अनेक कारकों जैसे – अभिप्रेरणा, सीखने की इच्छा, शारीरिक तथा मानसिक स्वास्थ्य, परिपक्वता, बुद्धि, अभिवृत्ति, अभिरुचि व रुचि, थकान से प्रभावित होती है। यदि सामाजिक क्षमता के आधार पर चिह्नित किया जाए तो सामाजिक दर्जा, प्रेरणा, और संवेगात्मक स्वास्थ्य, अधिगम को प्रभावित करता है।

44. **(a)**

'वस्तुनिष्ठ प्रकार जांच' से विद्यार्थियों की प्रस्तुति में रचनात्मक कौशल और सृजनशीलता का प्रभावी मूल्यांकन किया जा सकता है। प्रेक्षेपी विधि एक ऐसी उत्तेजित करने वाली स्थिति प्रस्तुत करती है जिससे उत्तरदाता स्वतंत्र रूप से स्वयं की जानकारी दे सके और उसको यह महसूस भी न हो कि प्रयोगकर्ता यह सब कुछ किसी विशेष उद्देश्य के लिए कर रहा है।

45. **(a)**

कक्षा में शिक्षक की वाणी के बलाघात /स्वराघात को भाषिक कहा जाता है। स्वराघात का अभ्यास वाचन के समय, संवाद , नाटक, सस्वर वाचन वैभव अनुकूल वाचन के रूप में कराया जा सकता है। स्वर के उतार-चढ़ाव पर ध्यान देने में स्वराघात का अभ्यास हो जाता है।

46. **(a)**

अधिगम परिणाम के निम्नलिखित परिणाम है जो उच्च स्तरीय परिणाम कहे जाते हैं–

(i) विश्लेषण तथा संश्लेषण की क्षमता प्रदर्शित करना

(ii) अभिव्यक्ति: अभ्यास के माध्यम से दक्षता और प्रभावशीलता के वांछित स्तर को प्राप्त करना

(iii) सटीकता: सटीक मान को मापने के लिए साधन की क्षमता है।

(iv) संगठन: वह सामाजिक व्यवस्था या युक्ति है जिसका लक्ष्य एक होता है, जो अपने कार्यों की समीक्षा करते हुए स्वयं का नियन्त्रण करती है, तथा अपने पर्यावरण से जिसकी अलग सीमा होती है।

चरित्रीकरण: जब कोई व्यक्ति कुछ मूल्यों के अनुसार निरंतर व्यवहार करता हुआ ऐसे स्तर पर पहुँच जाता है जिसे उसका जीवन दर्शन कहा जाने लग जाता है तो वह लक्षण वर्णन की स्थिति होती है।

47. **(a)**

रचनावादी उपागम में शिक्षण-अधिगम कार्यकलापों को सुनिश्चित करने हेतु सही क्रम इस प्रकार है –

अन्वेषण $\rightarrow$ व्याख्या $\rightarrow$ संक्षिप्तीकरण $\rightarrow$ विस्तारण $\rightarrow$ मूल्यांकन करना

अन्वेषण : किसी विषय का अच्छी तरह अनुशीलन करके उसके संबंध में नई बातों या तथ्यों का पता लगाने की क्रिया

व्याख्या : 'व्याख्या' किसी भाव या विचार के विस्तार और विवेचन को कहते हैं। व्याख्या में पद-निर्देश, अलंकार, कठिन शब्दों का अर्थ तथा समानांतर पंक्तियों से तुलना आवश्यक है।

संक्षिप्तीकरण- संक्षिप्तीकरण उस प्रक्रिया को कहते हैं जिसमें किसी लेख, भाषण, विवरण आदि के मूलाशय को सुरक्षित रहने हेतु अप्रासंगिक तथ्यों का परिहार कर सुनियोजित ढंग से अन्तर्निहित उद्देश्य मात्र को प्रस्तुत किया जाता है।

विस्तारण : विस्तार की क्रिया या विस्तार होने की अवस्था या भाव।

मूल्यांकन : वह प्रक्रिया है जिसके आधार पर हम किसी छात्र के ज्ञान का आंकलन करते हैं। मूल्यांकन के द्वारा ही छात्र की किसी विषय में कमियों, उसकी किसी विषय के प्रति रुचि और उसकी प्रतिभा का आंकलन किया जाता है।

48. (a)

नालंदा बौद्ध मठ के रूप में प्रसिद्ध था। तिब्बती इतिहासकार तारानाथ ने नालंदा को 'अधिगम खान' कहा था। नालंदा के शिक्षकों का व्यवहारिक ज्ञान ने चीन, कोरिया, जापान, तिब्बत, मंगोलिया, तुर्की और श्रीलंका के विद्वानों को आकर्षित किया। यहाँ प्रवेश परीक्षा के माध्यम से विधार्थियों का दाखिला होता था। छात्रों के निवास, कपड़े और भोजन की सुविधा मुफ्त थी।

49. (b)

राष्ट्रीय शिक्षा नीति 1986 की सबसे प्रमुख विशेषता संपूर्ण देश में एक प्रकार की शिक्षा संरचना होगी, अर्थात या शिक्षा संरचना 10 + 2 + 3 पर आधारित होगी। जिसमें पहले 5 वर्ष प्राथमिक स्तर इसके बाद 3 वर्ष उच्च प्राथमिक स्तर 2 वर्ष माध्यमिक स्तर 2 वर्ष इंटरमीडिएट स्तर 3 वर्ष का स्नातक स्तर होगा। इस शिक्षा नीति का उद्देश्य में नवाचार तथा सृजनशीलता, अत्यधिक बौद्धिक सख्ती तथा गंभीरता पर विशेष बल दिया गया था।

50. (d)

विश्व स्तरीय विद्यालय की स्थापना के लिए अपेक्षित है - (i) स्वायत शासन, (ii) सकेंद्रित निधियन (iii) स्वतंत्र प्रतिफल। इसके अभाव में ऐसे विश्वविद्यालय अपने निर्धारित लक्ष्यों को प्राप्त करने में असमर्थ है।

51. (d)

वर्ष 2009 की राष्ट्रीय कौशल विकास नीति में राज्य सरकार की भूमिका तथा उत्तरदायित्व निम्नानुसार निर्धारित किये गये हैं: (i) सामाजिक भागीदारों की क्षमता का निर्माण; (ii) सूचना की निगरानी, मूल्यांकन तथा प्रचार तंत्र की स्थापना; (iii) अंतर्राष्ट्रीय सहयोग की सुविधा प्रदान करना; (iv) अर्हता ढाँचे तथा गुणवत्ता आश्वासन तंत्र की स्थापना।

52. (b)

स्वयम (Study World of Action Learning For Young Aspiring Minds) एक ऐसा प्लेटफ़ॉर्म है जो कक्षा 9 से लेकर पोस्ट-ग्रेजुएशन तक किसी भी समय, किसी भी स्थान पर किसी को भी एक्सेस करने के लिए सभी पाठ्यक्रमों की सुविधा प्रदान करता है। सभी पाठ्यक्रम इंटरैक्टिव हैं, जो देश के सर्वश्रेष्ठ शिक्षकों द्वारा तैयार किए गए हैं और किसी भी शिक्षार्थी के लिए मुफ्त उपलब्ध हैं। स्वयं पोर्टल भारत सरकार के मानव संसाधन विकास मंत्रालय (Ministry of Human Resource Development यानि MHRD) और अखिल भारतीय तकनीकि शिक्षा परिषद (All India Council for Technical Education यानि AICTE) द्वारा Microsoft की मदद से तैयार किया गया एक Online Education Portal है।

53. (c)

शिक्षण का विमर्शी या चिंतनशील स्तर या विचारात्मक स्तर: विमर्श का अर्थ है किसी घटना पर एक निश्चित अवधि में सावधानीपूर्वक विचार करना। यह शिक्षण का उच्चतम स्तर है। चिंतनशील स्तर पर शिक्षण छात्रों को वास्तविक जीवन की समस्याओं को हल करने में सक्षम बनाता है। छात्र स्थिति को समझकर अपनी आलोचनात्मक क्षमताओं का उपयोग करता है। इसके अंतर्गत छात्र 'सक्रिय ढंग से' सीखने में सक्षम होते हैं। इसे 'आत्मनिरीक्षण स्तर' के रूप में भी जाना जाता है। यह अत्यधिक विचारशील और उपयोगी है। यह स्मृति स्तर और समझ के स्तर के बाद आता है। यह स्तर समस्या की पहचान करने, उसे परिभाषित करने और समाधान निकलने पर अधिक केंद्रित है। इस स्तर पर विद्यार्थी की मौलिक सोच और रचनात्मक क्षमता का विकास होता है।

शिक्षण के स्तर

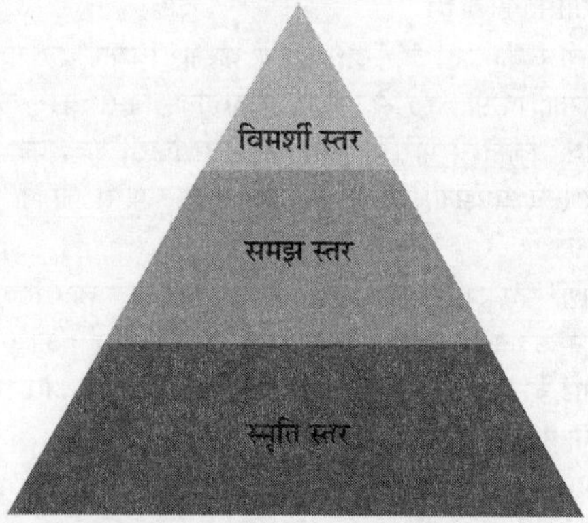

तो, सही विकल्प (c) है।

54. (c)

निष्पादन तत्परता स्तर के रूप में जो विद्यार्थी सक्षम परन्तु अनिच्छुक वर्ग में है उसे रणनीति निकट से पर्यवेक्षण के साथ-साथ समय-समय पर परामर्श तथा दिशा निर्देश देते रहना आवश्यक होता है। ऐसे विद्यार्थी को विशेष मार्गदर्शन तथा प्रेरणा की आवश्यकता होती है।

55. (a)

व्यावहारिक क्षमताएं: यह उन व्यवहार विशेषताओं और व्यक्तित्व लक्षणों को संदर्भित करता है जो व्यक्ति को भविष्य में सफलता प्रदान करवा सकता है। इनमें ज्ञान, कौशल, दृष्टिकोण और कार्य सम्मिलित है। प्रभावी कक्षा शिक्षण में हमें और प्रत्यक्ष व्यवहार अपनाना पड़ेगा, क्योंकि हमने यहां ज्ञान और कौशल का अधिगम करना है। (a) में वर्णित आत्म-सामर्थ्य की स्थिति एवं नियंत्रण की संस्थिति हमें व्यवहारिक होने में सहायता नहीं करती यदि अंतर अधिक हो। (b) के

अनुसार अधिक तार्किक, स्पष्ट और आश्वस्त होना भी व्यवहारिक नहीं। प्रश्न के अनुसार, हम (B), (C) और (D) पर अधिक केंद्रित हैं, अत: (a) सही विकल्प है।

56. (a)

सर्वप्रथम हम कथन (II) में वर्णित केंद्रीय प्रवृति से संबंधित सामान्य वितरण वक्र के मुख्य पहलू देख लें:

सामान्य वितरण वक्र(Normal Distribution Curve)

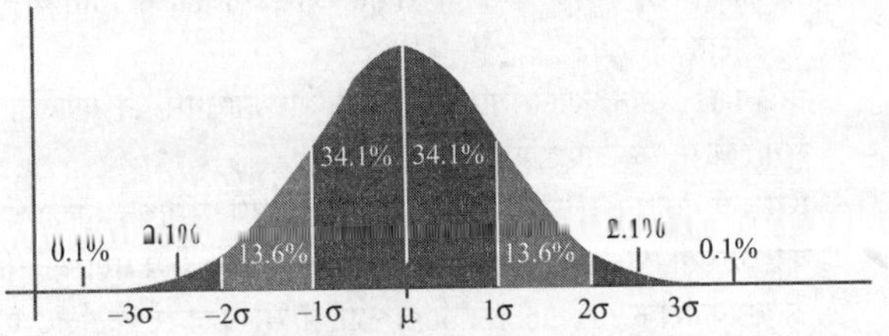

सामान्य वितरण के गुण:

1. सामान्य वितरण एक विशेष प्रकार का वितरण है, जिसे 'घंटी वक्र' (bell shaped) भी कहा जाता है।
2. इस घंटी वक्र का शीर्ष एकत्र किए गए डेटा के माध्य, बहुलक और माध्यिका को दर्शाता है। माध्य, बहुलक और माध्यिका सभी समान हैं। सामान्य वितरण एक सतत संभाव्यता वितरण है, केंद्र का दाहिना भाग बाईं ओर की दर्पण छवि है।
3. वक्र केंद्र में सममित है, केंद्र माध्य (μ) में ही समाहित होता है।
4. वक्र के नीचे का कुल क्षेत्रफल 1 माना जाता है, या इसको कई बार 100 प्रतिशत भी कहा जाता है।
5. माध्य (mean) = माध्यिका (median) = बहुलक (mode) अब हम कथन (I) में वर्णित सकारात्मक रूप से विषम (Positive skewness) के मुख्य बिंदु देख लें:

इस प्रकार के सकारात्मक वितरण (positive distribution) में अधिकांश मूल्यों को वितरण की बाईं ओर (left side) दर्शाया जाता है, तथा वितरण की दाहिनी पूंछ लंबी (right tail) होती है।

यहां माध्य > माध्यिका > बहुलक होता है।

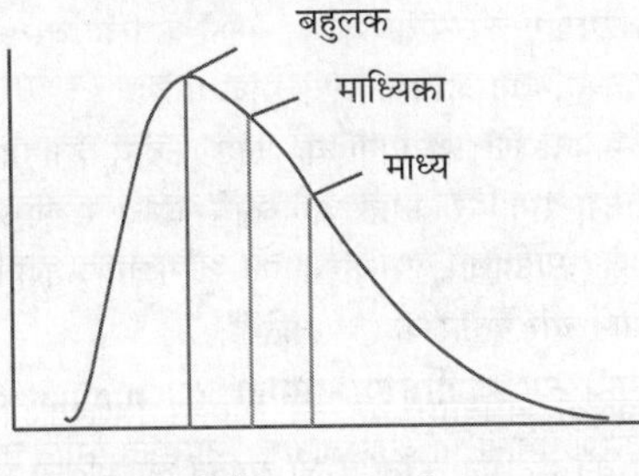

अत: दोनों कथन सही हैं। ऋणात्मक विषमता (negative skewness) में स्थिति विपरीत हो जाती है।

अत: विकल्प (a) सही उत्तर है।

57. (a)

अभिकथन (A) के लिए, हम यह कह सकते हैं कि शिक्षण की प्रभावशीलता की जांच करने के लिए छात्रों से उचित प्रतिक्रिया (feedback) प्राप्त करना एक मुख्य विधि है। एक शिक्षक के लिए कक्षा के उद्देश्य निर्धारित करना आवश्यक है ताकि पाठ्यचर्या को पूर्ण करना भी उसके अनुसार चले। हम प्रभावशीलता बढ़ाने के लिए शिक्षाशास्त्र (pedagogy) की सहायता भी लेते हैं, जिसको 'शिक्षण का विज्ञान' भी कहा जाता है।

प्रभावी शिक्षण के लिए समय-समय पर छात्रों का मूल्यांकन करके, उनकी उपलब्धि में सुधार करना भी सम्मिलित होता है।

कथन (R) के लिए, कक्षा के वातावरण को 'मेल्टिंग पॉट' कहा जा सकता है जो छात्रों को उन्नति और नवीनता का अवसर देता है। शिक्षक के लिए कक्षा में प्रभावी अधिगम को स्थापित करने के लिए विद्यार्थियों के बीच व्यक्तिगत भिन्नताओं (individual differences) का ज्ञान भी बहुत महत्वपूर्ण है, ताकि व्याख्यान की योजना उसी के अनुसार बनाई जा सके। इसलिए, हमें विद्यार्थियों के विभिन्न स्तरों के बारे में अनुमान लगाने का प्रयास करना चाहिए।

अत: दिए गए दोनों कथन सत्य हैं और कथन (R), कथन (A) की सही व्याख्या करता है, तथा सही विकल्प (a) है।

58. (b)

शिक्षक के रूप में हम यह सोचते हैं कि शिक्षण (Teaching) केवल शिक्षकों और हमारी भूमिका के बारे में है; वास्तव में शैक्षिक प्रक्रिया के सबसे महत्वपूर्ण पहलू छात्र हैं और उनका अधिगम (Learning) क्या हैं।' इससे हमें इस बात पर विचार करना पड़ता है कि 'अधिगम' से हमारा क्या अर्थ है। इस प्रकार, यह निष्कर्ष निकाला जा सकता है, कि जब T–L मॉडल का दृढ़ता से अनुपालन किया जाता है, तो शिक्षण और अधिगम में अभिन्न संबंध होता है।

शिक्षण और अधिगम एक ऐसी प्रक्रिया है, जिसमें नया ज्ञान, व्यवहार और नए कौशल प्राप्त करना सम्मिलित है। संबंधों के माध्यम से अधिगम को और बेहतर किया जा सकता है। यदि शिक्षकों को अपने छात्रों के बारे में संपूर्ण जानकारी होती है, तो यह निर्धारण सरलता से किया जा सकता है, कि छात्रों को कैसे पढ़ाया जाए?

यह मॉडल जटिल सामाजिक वातावरण का वर्णन करता है, जिसमें छात्र और शिक्षक वार्तालाप करते हैं, अनुभव साझा करते हैं और उन गतिविधियों में भाग (participation) लेते हैं, जो उनकी बेहतर अधिगम परिणाम प्राप्त करने में सहायता करती हैं।

भविष्य में पूछे जाने वाले प्रश्नों के लिए निम्न ज्ञान आवश्यक है:

मुख्य शिक्षण - अधिगम सिद्धांत

व्यवहारवादी - व्यवहारवाद: प्रोत्साहन - प्रतिक्रिया

नव-व्यवहारवादी - नव-व्यवहारवाद: मानव मन

गेस्टाल्टिस्ट - अंतर्दृष्टि

संज्ञानात्मक - संज्ञानात्मक विकास: सोचना सीखना

मानवतावादी - शिक्षार्थी की सक्रिय प्रकृति

इनका आंग्ल भाषा में रूपांतर:

The Behaviorists – Behaviorism: Stimulus – Response

The Neo-Behaviorists – Neo-behaviorism: Human Mind

The Gestaltists – Insight

The Cognitivists – Cognitive development: Learning to Think
The Humanists – Active Nature of Learner
शिक्षक की भूमिका को भी इसमें वर्गीकृत किया जा सकता है:
पारंपरिक भूमिका - शिक्षक केंद्रित - Teacher centred
आधुनिक भूमिका - सूत्रधार (छात्र केंद्रित) - Facilitator (student centred)

59. (a)

तथ्य और सूचना शिक्षण के स्मृति स्तर पर अधिक केन्द्रित होते हैं। प्रो. हर्बर्ट शिक्षण के स्मृति स्तर के मुख्य प्रस्तावक हैं। इस स्तर पर शिक्षण अधिगम प्रक्रिया मूल रूप से एक 'उत्तेजना-प्रतिक्रिया' (Stimulus – Response) है।
स्मृति स्तर के तीन प्रमुख पहलू होते हैं:
1) सामग्री को सीखना
2) सामग्री का प्रतिधारण
3) जब भी आवश्यक हो सामग्री का पुनरुत्पादन

60. (d)

एक शिक्षक छात्र के अधिगम को प्रभावित करने का उचित ढंग सुनिश्चित करने के लिए शिक्षण में रुपांतरणपरक उपागम (transformational approach) का उपयोग करना चाहता है। इस संदर्भ में निम्नलिखित क्रियाक्लापों को उपयुक्त समझा जाएगा:

- विद्यार्थियों के प्रयासों के लिए पुरस्कारों को बढ़ावा देना
- उच्च स्तरीय प्रत्याशों का संप्रेषण
- सावधानीपूर्वक समस्या समाधान और निजी पहल को बढ़ावा देना

रुपांतरणपरक उपागम छात्रों को अधिगम प्रक्रिया में मेटा क्रिटिकल प्रतिभागी बनने में भी सहायता करता है। रुपांतरणपरक उपागम शिक्षा के निम्नलिखित रूप हो सकते हैं:

1. पूछताछ आधारित शिक्षा (Inquiry based learning)
2. परियोजना आधारित शिक्षा (Project based learning)

रुपांतरणपरक उपागम का मुख्य उद्देश्य छात्रों को सक्रिय शिक्षार्थी के रूप में सम्मिलित करना है।
यह छोटी समूह चर्चा के माध्यम से वास्तविक जीवन की समस्याओं पर विचार करता है, जो छात्रों को अपने अधिगम, विश्लेषण, संश्लेषण को लागू करने और उनके विचारों की व्याख्या करने के लिए प्रोत्साहित करती है।
इसके अंतर्गत, जैसे-जैसे छात्र कक्षा-कौशल और अपने स्वयं के संसार के मध्य संबंध बनाने का प्रयास करते हैं, उनके द्वारा चर्चा की गई सामग्री को याद रखने एवं स्मृति में बनाये रखने की अधिक संभावना होती है।

61. (d)

कथन I: यदि शिक्षण के दौरान सहायक सामग्री का सावधानी पूर्वक उपयोग किया जाये, तो यह शिक्षण कार्य का स्थानापत्र (replace) हो सकता है।

व्याख्या: कथन I असत्य है, क्योंकि शिक्षण के समय सहायक सामग्री (support material) का उपयोग शिक्षण को प्रतिस्थापित नहीं कर सकता है, लेकिन शिक्षण के समय सहायक सामग्री का उपयोग शिक्षण को अधिक प्रभावी बनाता है।
शिक्षक सहायता प्रणाली मूल रूप से उपकरणों का एक समूह है, जो शिक्षक में नई क्षमताओं का निर्माण करके छात्र की उपलब्धि में सुधार करने में सहायता करता है। सहायक सामग्री के कुछ उदाहरणों में कार्यपत्रक, समूह चर्चा के संकेत और व्यावहारिक गतिविधियां सम्मिलित हैं।

कथन II: ऑन लाइन विधियां शिक्षण और अधिगम की गुणवत्ता में सुधार करने के लिए प्रभावी अनुपूरक हैं।
व्याख्या: कथन II सत्य है। ऑनलाइन शिक्षण संसाधन शिक्षार्थियों को वीडियो या ऑडियो रूप में व्याख्यान में दी गई सामग्री के साथ अतुल्यकालिक (asynchronous) रूप से संलग्र करने के लिए एक तंत्र प्रदान करता है। ऑनलाइन शिक्षण वितरण और मूल्यांकन के लिए पूर्ण तंत्र प्रदान करता है। सरकार द्वारा ऑनलाइन शिक्षण को बढ़ावा देने के लिए विभिन्न कार्यक्रम संचालित हैं जैसे SAWAYAM, MOOCs, INFLIBNET और GIAN आदि।
इस प्रकार, शिक्षण और अधिगम की गुणवत्ता में सुधार के लिए ऑनलाइन शिक्षा अधिक प्रभावी हैं। लेकिन शिक्षण में सहायक सामग्री (support material) का उपयोग कभी भी शिक्षण को प्रतिस्थापित नहीं कर सकता है, भले ही इसका उपयोग सावधानी से किया गया हो। यहां यह बात ध्यान देने योग्य है। पहले, हम इस धारणा पर काम करते थे कि ऑनलाइन शिक्षा का उपयोग ऑफ़लाइन शिक्षा के पूरक के रूप में किया जाता है। कोविड-19 की स्थिति के बाद हमारी धारणा बदल गई। अब हम सोचते हैं कि ऑफलाइन शिक्षा ऑनलाइन शिक्षा पर निर्भर है।

62. (a)

कथन I: मापन वस्तुओं, लक्षणों, गुणों और व्यवहारों को प्रदर्शित करने के लिए संख्याएं प्रदान करने हेतु नियमों का एक समुच्चय है।
व्याख्या: मापन, वस्तुओं और उनके गुणों के अध्ययन और वर्णन में अंकों के उपयोग को सुविधाजनक बनाने के लिए वस्तुओं और उनके गुणों को व्यवस्थित करने की एक प्रक्रिया है।
चर का मापन शोधअध्ययनों के लिए केंद्रीय है। माप का पैमाना उन ढंगों को संदर्भित करता है, जिनमें चर / संख्याओं को उनकी विशेषताओं के आधार पर परिभाषित और वर्गीकृत किया जाता है।
मापन पैमाने चार प्रकार के हो सकते हैं:

1. **नाममात्र या वर्गीकरण पैमाना (Nomainal Scale)**: इसे वर्गीकरण पैमाना भी कहा जाता है। नाममात्र पैमाने पर मापा जा रहे एक चर में भिन्नता के आधार पर एक, दो या अधिक उपश्रेणियां हो सकती हैं। उदाहरण के लिए, लिंग को पुरुष और महिला उपश्रेणियों में वर्गीकृत किया जा सकता है।
2. **रैंकिंग पैमाना (Ranking Scale)**: यह उप-समूहों को एक निश्चित क्रम या क्रम में रैंक या स्थान देता है।

3. **अंतराल मापनी (Interval Scale):** इसका उपयोग रैंकिंग या क्रम दोनों प्रदान करने के लिए किया जा सकता है और यह माप की एक इकाई का उपयोग करता है। उदाहरण के लिए, सेल्सियस का पैमाना 0° से 100° सेल्सियस तक होता है।
4. **अनुपात पैमाना (Ratio scale):** यह नाममात्र, क्रमिक और अंतराल पैमानों के गुणों को जोड़ता है। इसके अतिरिक्त, इसका एक निश्चित प्रारंभिक बिंदु है। अनुपात पैमाने में समदूरस्थ बिंदु (equidistant point) होते हैं और इसका एक सार्थक शून्य बिंदु होता है।

कथन II: परीक्षण एक प्रक्रिया है, जिसमें किसी व्यक्ति के व्यवहार का प्रतिदर्श प्राप्त किया जाता है, मूल्यांकन किया जाता है और मानकीकृत प्रक्रियाओं का उपयोग करके अंक प्रदान किये जाते हैं।

व्याख्या: एक परीक्षण एक प्रक्रिया या प्रक्रियाओं के बारे में मात्रात्मक निर्णय लेने के लिए एक विधि प्रदान करता है। इसका उद्देश्य यह निर्धारित करना है कि प्रक्रिया के बारे में अनुमान या परिकल्पना को 'अस्वीकार' करने के लिए पर्याप्त प्रमाण हैं या नहीं।

अत: कथन I और II दोनों सत्य हैं।

63. (a)

सकारात्मक प्रतिक्रिया (positive feedback) की दिशा में योगदान करने वाले कारकों के रूप में निम्नलिखित की पहचान की जा सकती है:

- यह प्रकृति में शिक्षाप्रद होना चाहिए।
- इसे समय पर दिया जाना चाहिए।
- छात्र की व्यक्तिगत आवश्यकताओं के प्रति संवेदनशील रहें।
- इसे एक कौशल या विशिष्ट ज्ञान का संदर्भ देना चाहिए।
- छात्रों को उपलब्धि के लिए 'लक्ष्य पर' बनाये रखने के लिए प्रतिक्रिया दी जानी चाहिए।
- इसे और अधिक प्रभावी बनाने के लिए आमने-सामने के सम्मेलन प्रस्तुत किये जाने चाहिए।

अत: यदि कोई शिक्षक अपनी कक्षा में वांछित अधिगम परिणाम सुनिश्चित करने के लिए प्रश्न - उत्तर स्तर का प्रयोग करता है। इस प्रक्रिया में वह किसी विद्यार्थी द्वारा दिए गए कुछ उत्तर के लिए 'हां आप सही हैं, उत्तम' इस प्रकार की टिप्पणी करता है, तो यह सकारात्मक फीडबैक का उदाहरण माना जायेगा।

64. (d)

संज्ञान (cognitive) शब्द का अर्थ है 'जानना या समझना'। यह एक बौद्धिक प्रक्रिया है, इसमें विचारों के द्वारा ज्ञान प्राप्त किया जाता है। संज्ञात्मक शब्द का प्रयोग मानसिक विकास के व्यापक अर्थों में किया जाता है। इस में बुद्धि के अतिरिक्त प्रत्यक्षीकरण, पहचान, प्रत्याह्वान और व्याख्या आदि आते हैं। शिक्षण और अधिगम प्रक्रिया में संज्ञानात्मक पक्ष पर अधिक बल दिया जाता है इसका अर्थ यह है कि हम तथ्यों और अवधारणाओं की समझ पर अधिक बल देते हैं। पियाजे ने संज्ञानात्मक विकास को चार अवस्थाओं में विभाजित किया है:

1. **संवेदिक पेशीय अवस्था (Sensory motor stage):** जन्म के 2 वर्ष तक।
2. **पूर्व संक्रियात्मक अवस्था (Pre – operational stage):** 2 से 7 वर्ष तक।
3. **मूर्त संक्रियात्मक अवस्था (Concrete operational):** 7 से 11 वर्ष तक।
4. **अमूर्त संक्रियात्मक अवस्था (Formal operation):** 11 से 18 वर्ष तक।

अत: शिक्षण अधिगम उद्देश्यों के संज्ञानात्मक क्षेत्र में, अवधारणात्मक तत्वों के विश्लेषण, अर्जित ज्ञान और कौशलों का अनुप्रयोग एवं मूल्यांकन का आंतरिक एवं बाह्य मानकों के अनुप्रयोग द्वारा निर्णय लिया गया हो, तो उसे अधिगम परिणामों के उच्चतर प्रकार के रूप में वर्गीकृत किया जायेगा।

65. (c)

अनुदेशन (instructing): अनुदेशन से अभिप्राय अधिगम संवर्धन हेतु शिक्षक द्वारा पद्धतियों और क्रियाओं का उद्देश्यपूर्ण दिशा में अनुप्रयोग करना है।

संप्रेषण (communicating): संप्रेषण का अर्थ शाब्दिक एवं अशाब्दिक रूप में सोच एवं विचारों का संप्रेषण करना है।

प्रबंधन (managing): इससे अभिप्राय कार्य संजय क्रियाओं को आधिकारिक बनाना तथा कार्य असंगत क्रियाओं को न्यूनतम करना है।

संयमन (monitoring): इससे से अभिप्राय समूहों, व्यवहारों एवं गतियों पर नजर रखना तथा उन पर तत्काल प्रतिक्रिया देना है।

66. (a)

निर्माणात्मक मूल्यांकन **(formative evaluation):** जब शिक्षण कार्यक्रम की गतिविधियां प्रगति पर हों, तो यह विधि कार्यक्रम का महत्व जानने में सहायक होती है और प्रक्रिया पर ध्यान केंद्रित करने के लिए उपयोग की जाती है। यह मूल्यांकन छात्रों के अभावयुक्त क्षेत्रों (lacking areas) की पहचान करके शिक्षण अधिगम प्रक्रिया में सुधार को महत्व देता है। इस मूल्यांकन के द्वारा छात्र शिक्षण उद्देश्यों को प्राप्त करने के लिए अपनी सफलता या विफलता के बारे में प्रतिपुष्टि प्राप्त कर सकते हैं एवं यह छात्रों की त्रुटियों को सुधारने में भी सहायक होता है। प्रश्नोत्तरी (quizzes), इकाई परीक्षण (unit test) और अध्याय परीक्षण (chapter test) निर्माणात्मक मूल्यांकन उपकरणों के उदाहरण हैं।

अत: निर्माणात्मक मूल्यांकन शिक्षण अधिगम व्यवस्था में सुधार की गुंजाइश एवं संभावना तलाशने का प्रयास करता है, क्योंकि यह मूल्यांकन औपचारिक होता है तथा अनुदेशन / शिक्षण की अवधि में घटित होता है।

67. (a)

प्रभावी शिक्षक सभी छात्रों को अधिगम में प्रेरित और संलग्न करने का प्रयास करते हैं और वे प्रत्येक छात्र को सफल बनाने के लिए हर संभव प्रयास करते हैं। टी. गुड और जे. ब्रॉफी द्वारा किए गए शोध के आधार

पर, पांच प्रमुख व्यवहार (key behaviour) हैं, जो प्रभावी शिक्षण के लिए अनिवार्य हो जाते हैं। वे पाठ स्पष्टता, निर्देशात्मक विविधता, शिक्षक कार्य अभिविन्यास, अधिगम प्रक्रिया में जुड़ाव और छात्र की सफलता दर हैं।

प्रभावी शिक्षण में सहयोग करने के लिए प्रमुख व्यवहार निम्नलिखित हैं:

1. पाठ स्पष्टता (Lesson charity): तार्किक, चरण-दर-चरण क्रम; ध्यान भंग करने के तरीके से मुक्त स्पष्ट और श्रव्य वितरण।

2. निर्देशात्मक विविधता (Instructional variety): निर्देशात्मक सामग्री, पूछताछ, प्रतिक्रिया के प्रकार और शिक्षण रणनीतियों में परिवर्तनशीलता।

3. अधिगम प्रक्रिया में संलग्रता (Engagement in learning process): व्याकुलता के अवसरों को सीमित करना और छात्रों को सामग्री पर कार्य करने, सोचने और पूछताछ करने के लिए प्रेरित करना।

68. (d)

अधिगम सीखने की प्रक्रिया है, जिसमें एक अधिगमकर्ता नई चीजों को सीखता है और उसके पश्चात् अपने व्यवहारिक ज्ञान में परिवर्तन लाता है। अधिगम का उद्देश्य छात्रों के व्यवहार में परिवर्तन लाना होता है। अधिगम में प्रभाव की दिशा मुख्यत: एकतरफ़ा होती है।

69. (c)

शिक्षण एक उद्देश्यपूर्ण प्रक्रिया है जबकि परीक्षण उसका मूल्यांकन है। इससे शिक्षार्थी की अधिगम सम्बंधित कठिनाइयों का ज्ञान होता है तथा इन्हें उपचार द्वारा दूर किया जाता है। इससे शिक्षण-अधिगम प्रक्रिया का उद्देश्य भी प्राप्त होता है। अत: कथन -I सत्य है। प्रतिपुष्टि निर्माणात्मक मूल्यांकन का आवश्यक घटक है। यह शिक्षण सम्बन्धी त्रुटियों को सुधारने में सहायक होते हैं तथा उपचारात्मक शिक्षण को अधिक प्रभावी बनाने एवं छात्रों की अधिगम कठिनाई को दूर करने में सहायक होती है। अत: कथन-II असत्य है।

70. (d)

शिक्षकों का आक्रामक व्यवहार (aggressive behaviour) दूसरों को शारीरिक या भावनात्मक क्षति पहुंचा सकता है। इसमें व्यक्तिगत संपत्ति को क्षति पहुंचाना और सामाजिक सीमाओं का उल्लंघन करना सम्मिलित हो सकता है।

आक्रामकता के तीन प्रकार हैं:

1. समाविष्ट प्रतिक्रियाशील (Comprised reactive)-अभिव्यंजक (मौखिक और शारीरिक आक्रामकता)

2. प्रतिक्रियाशील (Reactive)-अव्यक्त (शत्रुता)

3. सक्रिय संबंधपरक आक्रामकता (Proactive relational aggression) – इस प्रकार की आक्रामकता मानवीय संबंधों को निर्बल कर सकती है, जैसे कि अफवाहें फैलाना।

शिक्षकों के मूल्यांकन का उपयोग व्यक्तिगत आक्रामकता की जांच करने का एक ढंग है, और यह व्यक्तिगत क्षमताओं, उनकी उपलब्धियों, प्रेरणा स्तर और व्यक्ति के आत्म-सम्मान का विश्लेषण करके किया जाता है। आक्रामक व्यवहार की जांच करने के लिए शिक्षकों को ठीक से प्रशिक्षित किया जाता है, ताकि अधिगम वातावरण उद्देश्यपूर्ण अधिगम के लिए शांतिपूर्ण बना रहे।

अत: अध्यापक द्वारा दिए गए आक्रामक एवं भड़काऊ बयान कक्षा में संप्रेषण को शैक्षणिक रूप से अधिक नहीं प्रभावी बनाते हैं। शिक्षक द्वारा उपयुक्त शब्दों का चयन कक्षागत संप्रेषण प्रक्रियाओं को विश्वसनीयता प्रदान करता है।

71. (c)

बाह्य जिम्मेदारी का अर्थ है समाज के प्रति योगदान करना।

अत: किसी उच्च अधिगम संख्या हेतु बाह्य जिम्मेदारी के संसूचक निम्नलिखित हैं:

1. पाठ्यक्रमों का सामाजिक आवश्यकताओं के संगत होना
2. सार्वजनिक परीक्षाओं में विद्यार्थियों का प्रदर्शन
3. उत्तीर्ण विद्यार्थियों की नियोजन पद्धति

72. (a)

प्रदर्शन मूल्यांकन, एक कर्मचारी की नौकरी के प्रदर्शन और कंपनी में समग्र योगदान की नियमित समीक्षा है। प्रश्न में बताए गए उद्देश्यों के अतिरिक्त, निम्नलिखित छह पहलू महत्वपूर्ण हैं:

1. इस बात पर विचार करें कि कर्मचारी को अपना कार्य अच्छी तरह से करने के लिए क्या आवश्यक है।
2. ऐसे लक्ष्य निर्धारित करें, जिनसे व्यक्ति और व्यवसाय को लाभ हो।
3. महान कार्य के साथ-साथ सुधार के क्षेत्रों पर प्रतिक्रिया साझा करें।
4. आधुनिक शिक्षा, प्रशिक्षण और अधिगम के माध्यम से प्रदर्शन विकसित करने के अवसरों की पहचान करें।
5. एक विशिष्ट अवधि के बाद औपचारिक रूप से प्रदर्शन की समीक्षा करें।
6. अच्छी तरह से किए गए कार्य को पुरस्कृत करें।

73. (d)

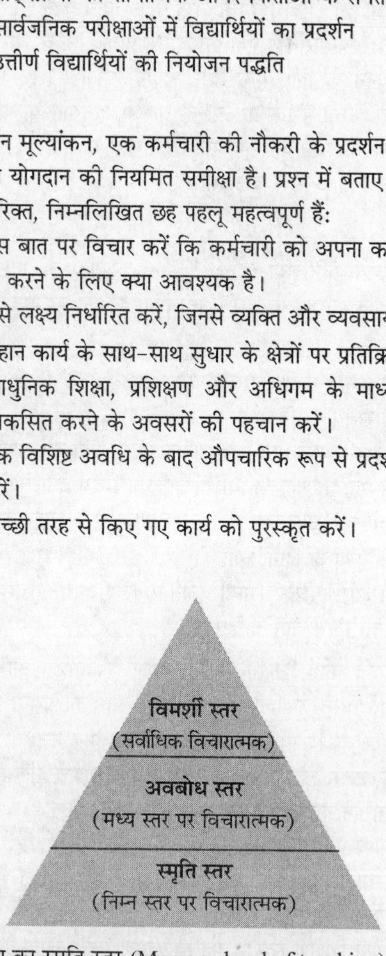

शिक्षण का स्मृति स्तर (Memory level of teaching):

- शिक्षण के स्मृति स्तर के प्रस्तावक प्रो. हर्बर्ट हैं।
- यह शिक्षण-अधिगम प्रक्रिया का प्रारंभिक और विचारहीन स्तर (thoughtless level) है ।
- इसमें तथ्यों को कंठस्थ एवं अभ्यास करना और सूचनाओं की उपेक्षा करना सम्मिलित है। यह स्तर शिक्षार्थी को आवश्यकता पड़ने पर, सीखी गई सामग्री को बनाए रखने और पुन: प्रस्तुत करने में सक्षम बनाता है।

- इसमें याद करने में तीव्रता, प्रतिधारण की स्थिरता और केवल वांछनीय सामग्री को सचेत स्तर (conscious level) पर लाने की क्षमता सम्मिलित है।
- इस स्तर पर मूल्यांकन प्रणाली में मुख्य रूप से मौखिक, लिखित और निबंधात्मक प्रश्नों को सम्मिलित किया जाता है।
- इस स्तर में विषय सामग्री सुव्यवस्थित एवं निश्चित और संरचित ढंग से वितरित की जाती है।

Source: www.learningclassesonline.com

शिक्षण का अवबोध स्तर (Understanding Level of Teaching): विद्यार्थियों को समझाता है कि सिद्धांतों और तथ्यों के बीच संबंध सकारात्मक और नकारात्मक उदाहरणों के माध्यम से हो सकता है।

शिक्षण का विमर्शी स्तर (Reflective Level of Teaching): यह वास्तविक जीवन की समस्याओं से संबंधित है। इसके अंतर्गत सर्वप्रथम समस्या की पहचान की जाती है, फिर उसे परिभाषित किया जाता है और अंत में समाधान खोजा जाता है। इसे आत्मनिरीक्षण स्तर भी कहा जाता है। इसका अर्थ किसी विषय के बारे में गहराई से सोचना भी है।

शिक्षण का स्वायत्त स्तर (Autonomous Level of Teaching): इसका अर्थ कक्षा में होने से नहीं, बल्कि कक्षा के बाहय वातावरण से है। यह सहयोगियों के साथ संयुक्त रूप से की जाने वाली अधिगम प्रक्रिया है।

अत: शिक्षण के स्मृति स्तर में, संरचना, निर्देशन और विद्यार्थियों के व्यवहार का निकटता से पर्यवेक्षण करने की गतिविधियों की प्रबलता अधिक होती है।

74. (a)

किसी शिक्षक की सक्षमता को वर्णित करने हेतु निम्न 'क्षमताएं' (कर सकता / सकती हूं) हैं:

- पढ़ाए जाने वाले विषय का ज्ञान
- अधिगम कार्य के विश्लेषण की दक्षता
- अधिगम कार्य से जुड़ी परिस्थितियों को संभालने का अनुभव

75. (b)

जब विमर्शी स्तर शिक्षण और अधिगम सफल होते हैं, तो विद्यार्थियों के निम्नलिखित गुण/विशेषताएं उभर कर सामने आते हैं:

1. सामान्य प्रकृति की पारखी हुई व्यापक अंतर्दृष्टि।
2. समस्याओं को स्वयं विकसित करने और उनका स्वयं समाधान करने की अभिवृद्ध क्षमता।

चिंतनशील शिक्षण स्तर में यह विश्लेषण किया जाता है कि 'कक्षा में आप जो भी करते हैं, उसके बारे में चिंतन करना कि आप इसे क्यों करते हैं और यह कितना प्रभावी है। अत: यह स्तर आत्म-अवलोकन और मूल्यांकन की एक प्रक्रिया है।

इसमें सहपाठियों द्वारा लिखित अनुभव, आत्म-प्रतिवेदन कथाएं, जर्नल - लेखन, डायरी कीपिंग, पाठों की रिकॉर्डिंग, छात्र की प्रतिक्रिया और शिक्षक की कहानियां आदि को सम्मिलित किया जा सकता है।

76. (b)

जॉयस और वेइल (2014) के अनुसार 'शिक्षण का एक मॉडल अधिगम वातावरण के विवरण के रूप में शिक्षक के रूप में हमारे व्यवहार सहित किसी मॉडल के सिद्धांतों का उपयोग करता है।'

शिक्षण का मॉडल, छात्रों को दृढ़ता से संज्ञानात्मक और सामाजिक कार्यों में संलग्न होने में सक्षम बनाता है और छात्रों को यह सिखाता है कि उन्हें उत्पादक रूप से कैसे उपयोग किया जाए? यह पाठ्यचर्या के लिए एक व्यापक प्रारूप प्रदान करता है, ताकि शिक्षण सामग्री, योजना, पाठ, शिक्षक विद्यार्थियों की भूमिका एवं सहायक सामग्री आदि तैयार की जा सके।

एक शिक्षण मॉडल की विशेषताओं में शिक्षण की कला को प्रोत्साहित करना, अंतर्निहित क्षमताओं का विकास, शिक्षण सिद्धांतों का प्रयोग एवं निरंतर अभ्यास और एकाग्रता आदि सम्मिलित हैं।

उद्देश्य के आधार पर शिक्षण मॉडल को तीन मुख्य प्रकारों में वर्गीकृत किया गया है:

1. दार्शनिक शिक्षण मॉडल: इसके प्रतिपादक इज़राइल सेफ़र है, उन्होंने इन मॉडलों को निम्न प्रकार से वर्गीकृत किया है:

अन्तर्दृष्टि प्रतिमान (प्लेटो) – इस के अनुसार केवल शब्दों को बोलने या सुनने मात्र से ज्ञान प्रदान नहीं किया जा सकता। ज्ञान प्राप्ति के लिए मानसिक प्रक्रियाएं और भाषा दोनों एक साथ कार्य करती हैं।

शिक्षण का प्रभाव मॉडल (जॉन लॉक) – यह एक सामान्य धारणा पर आधारित है कि जन्म के समय बच्चे का मस्तिष्क एक साफ स्लेट की तरह होता है। शिक्षण के माध्यम से जो भी अनुभव उसे प्रदान किया जाता है, वह बच्चे के मस्तिष्क पर प्रभाव डालता है। इन छापों को ही अधिगम कहा जाता है।

नियम मॉडल (कांट)- इस मॉडल में तर्क को अधिक महत्व दिया गया है क्योंकि इसमें कुछ नियमों का पालन करना आवश्यक है। नियम मॉडल का उद्देश्य छात्र की तार्किक तर्क क्षमता का विकास करना है। कुछ खास नियमों का पालन किया जाता है। शिक्षण की योजना, संगठन और अंत:क्रिया विशिष्ट नियमों के आधार पर ही की जाती है।

2. शिक्षण का मनोवैज्ञानिक मॉडल: जॉन पी. डेसेको ने इस प्रकार के मॉडलों को निम्न प्रकार उल्लेख किया:

बेसिक टीचिंग मॉडल (रॉबर्ट ग्लेसर- 1962)- रॉबर्ट ग्लेसर ने एक स्ट्रिप्ड-डाउन टीचिंग मॉडल विकसित किया है जो शिक्षण प्रक्रिया को चार घटकों या भागों में विभाजित करता है। जो निर्देशात्मक उद्देश्य हैं, व्यवहार में प्रवेश करना, निर्देशात्मक प्रक्रिया और अंत में प्रदर्शन मूल्यांकन।

शिक्षण का एक इंटरेक्शन मॉडल (एन.ए फ़्लैंडर)- फ़्लैंडर ने शिक्षण प्रक्रिया को एक अंत:क्रिया प्रक्रिया के रूप में माना। उन्होंने कक्षा के व्यवहार को दस श्रेणियों में विभाजित किया, जिन्हें फ़्लैंडर की दस श्रेणी प्रणाली के रूप में जाना जाता है। इस मॉडल में छात्र और शिक्षक के व्यवहार का विश्लेषण किया जाता है।

कंप्यूटर आधारित शिक्षण मॉडल (डेनियल डेविस) – इस तत्व में कंप्यूटर शिक्षण योजना का चयन प्रवेश व्यवहार और निर्देशात्मक उद्देश्यों के अनुसार किया जाता है। छात्र के प्रदर्शन का मूल्यांकन किया जाता है। तदनुसार, वैकल्पिक शिक्षण योजना प्रस्तुत की जाती है। इस मॉडल में, निदान और शिक्षण साथ-साथ चलते हैं।

3. आधुनिक शिक्षण मॉडल (जॉयस और वेइल)

शिक्षण मॉडल की सबसे व्यापक समीक्षा जॉयस और वेइल (1980) की है। ब्रुस आर.जॉयस ने सभी शिक्षण मॉडलों को 'आधुनिक शिक्षण मॉडल' शीर्षक के तहत विभाजित किया है। उन्होंने 23 मॉडलों का प्रतिपादन किया, जिन्हें मॉडल की प्रकृति, विशिष्ट विशेषताओं और प्रभावों के आधार पर चार आधारभूत भागों में वर्गीकृत किया गया है।

1. सूचना प्रसंस्करण मॉडल
2. व्यक्तिगत मॉडल
3. सामाजिक संपर्क मॉडल
4. व्यवहार संशोधन मॉडल

77. (a)

सामान्य तौर पर, ब्रिटिश साइकोलॉजिकल सोसाइटी द्वारा मनोवैज्ञानिक परीक्षणों को निम्नलिखित दो प्रकारों में वर्गीकृत किया गया है:

अधिकतम प्रदर्शन परीक्षण (Maximum Performance Tests): यह परीक्षण, परिस्थितियों में प्रभावी ढंग से प्रदर्शन करने की व्यक्ति की क्षमता का आकलन करते हैं। इन परीक्षणों पर प्रदर्शन (जिसमें योग्यता परीक्षण सम्मिलित हैं) को सत्य या असत्य के रूप में आंका जा सकता है। योग्यता परीक्षण में सामान्य बौद्धिक कार्यप्रणाली या विशिष्ट क्षमता का परीक्षण किया जा सकता है। अधिकतम प्रदर्शन परीक्षण परीक्षार्थी के ज्ञान और क्षमताओं की ऊपरी सीमा का आकलन करने के लिए डिज़ाइन किए गए हैं।

विशिष्ट प्रतिक्रिया परीक्षण (Typical response tests): परीक्षार्थियों के व्यवहार और विशेषताओं को मापने के लिए डिज़ाइन किए गए हैं। विशिष्ट प्रदर्शन यह है कि एक कर्मचारी नियमित आधार पर कैसा प्रदर्शन करता है । इसके अंतर्गत, किसी व्यक्ति के प्रदर्शन का मूल्यांकन, किसी दी गई स्थिति के अनुसार किया जाता है। इसमें उत्तर के सत्य या असत्य का निर्णय नहीं किया जाता है, लेकिन पसंद, नापसंद और भावनाओं के सामर्थ्य की पहचान की जाती है।

सैकेट, जेडेक और फोगली, जिन शोधकर्ताओं ने सर्वप्रथम 1988 में विशिष्ट / अधिकतम प्रदर्शन परीक्षण के मध्य अंतर का अध्ययन किया। उन्होंने प्रस्तावित किया कि अधिकतम प्रदर्शन परीक्षण के लिए:

- व्यक्ति को पता होना चाहिए कि अवलोकन किया जा रहा है।
- व्यक्ति को अपने प्रयास को अधिकतम करने का निर्देश दिया जाना चाहिए।
- प्रदर्शन का माप कम समय में होना चाहिए ताकि व्यक्ति उचित लक्ष्य पर अपना ध्यान केंद्रित कर सके।

वैकल्पिक रूप से, विशिष्ट प्रदर्शन उन स्थितियों में उपयुक्त होगा, जहां –

- व्यक्ति मूल्यांकन के बारे में जागरूक नहीं है कि उनका अवलोकन किया जा रहा है।
- जानबूझकर अपने सर्वश्रेष्ठ प्रदर्शन का प्रयास नहीं कर रहा है।
- लंबे समय तक उसकी निगरानी की जा सकती है।

78. (c)

विद्यार्थियों को पाठ पढ़ाने के लिए प्रारंभ से अंत तक अनुदेशात्मक क्रम इस प्रकार है:

(i) ध्यान आकर्षित करना
(ii) शिक्षार्थी को उद्देश्य की सूचना देना
(iii) विषयवस्तु प्रस्तुत करना
(iv) वांछित व्यवहार प्राप्त करना
(v) प्रतिपुष्टि प्रदान करना

79. (c)

आप व्यवहारों को शिक्षण द्वारा, उनके असंगत पक्षों या संदर्भों को यथासंभव बदल कर और यथासंभव भिन्न रूपों में प्रस्तुत कर, अधिक प्रमाणिक बना सकते हैं। अत: कथन। सत्य है।

एक व्यवहार जो प्रमाणिक हो, के शिक्षण के लिए, आपके पाठ की विषयवस्तु प्रस्तुत करने की आवश्यकता होती है जिस रूप में आपके शिक्षार्थी उत्तरवर्ती ग्रेडों और आपकी कक्षा से बाहर की दुनिया में आकलन के लिए उपयोग करेंगे। अत: कथन II असत्य है।

80. (b)

200M वेबमीटिंग प्लेटफॉर्म के मूल नि:शुल्क रूपांतर एक ऑनलाइन क्लास को 40 मिनट के लिए संचालित करने की अनुमति देता है।

81. (a)

क्षमताओं (competencies) से अभिप्राय कौशल या ज्ञान से है, जिससे प्रदर्शन को बेहतर किया जा सकता है।

वैयक्तिक क्षमताएं (personnel competencies) निर्धारित करती हैं कि हम अपना प्रबंधन कैसे करते हैं। इसके विपरीत, सामाजिक क्षमताएं निर्धारित करती हैं कि हम संबंध कैसे निभाते हैं। अत: दोनों कथन सत्य हैं।

82. (a)

प्रभावी शिक्षण एक नियोजित गतिविधि है और प्रभावी शिक्षण निम्नलिखित कारकों पर निर्भर करता है:

a) छात्र कितनी स्पष्टता से यह समझ पाते हैं कि उनकी अधिगम अपेक्षाएं (learning expectations) क्या हैं?
b) उनके अधिगम को कितनी सटीकता से मापा जा सकता है।

अत: कक्षा में पारस्परिक क्रिया की गति को समझे गए अर्थों की व्याख्या प्रभावशाली ढंग से प्रतिबंधित किया जा सकता है।

83. (c)

शिक्षण का विमर्शी चिंतन स्तर, बोधगम्यता का स्तर और स्मृति स्तर, दोनों शिक्षण की व्याख्या करता है। यह समस्या केन्द्रित स्तर है। इसका उद्देश्य समस्या समाधान, आलोचनात्मक और रचनात्मक, वास्तविक और स्वतंत्र चिंतन विकसित करना है। इस स्तर पर छात्र में वास्तविक चिंतन और रचनात्मक क्षमता का विकास होता है। इस स्तर पर समस्या को पहचानने, उसे परिभाषित करने तथा समस्या का समाधान खोजने पर बल दिया जाता है।

84. (b)

बेंजामिन ब्लूम ने शैक्षिक उद्देश्यों का वर्गीकरण और श्रेणीकरण विकसित किया है। इन उद्देश्यों को तीन पक्षों में विभाजित किया है - संज्ञानात्मक, भावात्मक और मनोक्रियात्मक।

संज्ञानात्मक पक्ष - इसके अंतर्गत ज्ञान, समझ संश्लेषण और मूल्यांकन आते हैं।

भावात्मक पक्ष- इसके अंतर्गत रुचि और प्रशंसा तथा प्रतिक्रिया को रखा गया है।

मनोक्रियात्मक पक्ष - यह क्षेत्र सीखने और महारत हासिल करने पर निर्भर करता है। इसका उद्देश्य अनुकरण, हेरफेर, परिशुद्धता, सहजीकरण है।

85. (a)

शिक्षण व्यवहार मुख्य तौर पर दो प्रकार के होते हैं:

(A). **प्रभावी शिक्षण के प्रमुख शिक्षण व्यवहार** (Key Behaviours of Effective Teaching)

प्रभावी शिक्षण के लिए पांच प्रमुख व्यवहार और उनसे संबंधित कुछ संकेतक निम्नलिखित हैं:

(1) **पाठ स्पष्टता** (Lesson Clarity): तार्किक, चरण-दर-चरण क्रम; ध्यान भंग करने के तरीके से मुक्त स्पष्ट और श्रव्य वितरण।

(2) **निर्देशात्मक विविधता** (Instructional Variety): निर्देशात्मक सामग्री में परिवर्तनशीलता, पूछताछ, प्रतिक्रिया के प्रकार और शिक्षण रणनीतियां।

(3) **कार्य अभिविन्यास** (Task Orientation): प्रक्रिया अभिविन्यास, अधिकतम सामग्री कवरेज और निर्देश के लिए समर्पित समय के विपरीत उपलब्धि (सामग्री) अभिविन्यास।

(4) **छात्र जुड़ाव** (Student Engagement): व्याकुलता के अवसरों को सीमित करना और छात्रों को सामग्री के बारे में कार्य करने, सोचने और पूछताछ करने के लिए प्रेरित करना।

(5) **सफलता दर** (Success Rate): 60% से 70% समय उन कार्यों पर व्यतीत होता है जो मध्यम से उच्च स्तर की सफलता का खर्च उठाते हैं, विशेष रूप से व्याख्यात्मक या उपदेशात्मक निर्देश के दौरान।

(B). **प्रभावी शिक्षण के सहायक व्यवहार** (Helping Behaviours of Effective Teaching)

(1) **विद्यार्थियों के योगदानों के विचारों का उपयोग:** छात्रों के प्रत्युत्तर को लेते हुए उसकी आवृति और अनुप्रयोग

(2) **नियमीकरण:** संभावित को व्यवस्थित करने के उद्देश्य से अध्यापक की टिप्पणियां।

(3) **जांच करना:** उत्तर को विस्तृत करने के लिए छात्रों को प्रोत्साहित करने के लिए शिक्षक के कथन।

(4) **अध्यापक प्रभाव:** अधिगमकर्ताओं के साथ प्रगाढ़ और पोषित संबंध

86. (a)

नियम /मानक संदर्भित परीक्षण (Norm-Referenced testing): उस परीक्षण पर अन्य व्यक्तियों के प्रदर्शन के संबंध में किसी व्यक्ति की स्थिति का पता लगाने के लिए एक मानक संदर्भित परीक्षण का उपयोग किया जाता है। विद्यार्थियों के नियम संदर्भित परीक्षण में, परीक्षण आंकड़े विद्यार्थी के स्थान या श्रेणी को निर्धारित करने में हमारी सहायता करते हैं। यह सामान्य तौर पर प्रतियोगी परीक्षा में प्रयोग किया जाता है। इस प्रकार, कथन I सत्य है।

निकष/मानदंड संदर्भित परीक्षण (Criterion Referenced Testing): ग्लासर (1963) ने प्रदर्शन निरंतरता पर शिक्षार्थी की उपलब्धि का वर्णन करने के लिए प्रथम बार 'निकष संदर्भित परीक्षण' शब्द का उपयोग किया। एक परिभाषित उपलब्धि डोमेन के संबंध में किसी व्यक्ति की स्थिति का पता लगाने के लिए एक मानदंड संदर्भित परीक्षण का उपयोग किया जाता है। यह एक अच्छी तरह से परिभाषित मानदंड व्यवहार के संदर्भ में एक व्यक्ति की स्थिति निर्धारित करता है। इस प्रकार, निकष-संदर्भित परीक्षण में, परीक्षण आंकड़ा हमें एक छात्र की निपुणता के स्तर के बारे में बताता है। अत: दोनों कथन सत्य हैं।

87. (a)

आईसीटी आधारित शिक्षण सहायता कंप्यूटर और संचार प्रौद्योगिकी दोनों के माध्यम से और उसके आधार पर अधिगम को सुविधाजनक बनाने और बढ़ाने के लिए एक दृष्टिकोण है। यह किसी भी समय किसी भी स्थान पर औपचारिक और अनौपचारिक अधिगम और ज्ञान साझाकरण दोनों को वितरित करने, सुगम बनाने और बढ़ाने के लिए इंटरनेट, वेबसाइटों, ईमेल की कंप्यूटर आधारित इलेक्ट्रॉनिक तकनीकों के उपयोग को संदर्भित करता है। संचार उपकरणों में डिजिटल टेलीविजन, व्यक्तिगत डिजिटल सहायक (पीडीए) और मोबाइल फोन सम्मिलित हो सकते हैं। इसके लिए शिक्षक और शिक्षार्थियों की ओर से कुछ तकनीकी ज्ञान की आवश्यकता होती है। शिक्षक और अधिगमकर्ताओं दोनों को विविध सहायक उपकरणों तथा तकनीकों के प्रभावकारी ढंग से प्रयोग करने हेतु अभिमुखीकरण करना होगा। आधुनिक और आईसीटी आधारित शिक्षा का लाभ यह है कि यह शिक्षार्थियों को लचीलेपन की सुविधा प्रदान करता है।

इस प्रकार, (A) और (R) दोनों सत्य हैं और (R), (A) की सही व्याख्या है।

88. **(c)**

अधिसंज्ञान (metacognition) मूल रूप से किसी की अपनी ही सोच का मूल्यांकन है। यह छात्र अधिगम में विषय-वस्तु पर महारत हासिल करने के लिए एक उपयोगी तंत्र है। यह छात्रों के मध्य समस्या समाधान और महत्वपूर्ण सोच क्षमता को बढ़ाता है।

चिंतनशील अधिगम अधिसंज्ञान का एक हिस्सा है। यह छात्र को आजीवन एक स्वतंत्र शिक्षार्थी और भिन्न सोच कौशल विकसित करने में सहायता करता है।

अधिसंज्ञान के लिए निम्न विधियां उपयोग में लायी जा सकती हैं:

(i) आत्म-प्रश्न (self-questioning): आत्म-प्रश्न में अपने स्वयं के कार्यों को सचेत रूप से जांचने के लिए एक कार्य के दौरान रुकना सम्मिलित है।

(ii) ध्यान और प्रतिबिंब।

(iii) ताकत और कमजोरियों के बारे में जागरुकता।

(iv) अधिगम की शैलियों के बारे में जागरुकता और स्मरणीय सहायता का उपयोग करना।

ये तकनीकें छात्रों को अधिक इरादे से ध्यान केंद्रित करने में सहायता करती हैं, उनके वर्तमान ज्ञान/जानकारी पर प्रतिबिंबित करती हैं जो उन्हें अभी भी सीखने की जरूरत है, उनकी सोच में त्रुटियों को पहचानने और प्रभावी सीख़ के लिए प्रथाओं को विकसित करने में सहायता करती है। इस प्रकार, मेटाकॉग्निशन में स्वयं की सोच का विकास, निगरानी और मूल्यांकन सम्मिलित है।

89. **(c)**

अधिसंज्ञान रणनीतियां (metacognition strategies) वे विधियां हैं, जिन्हें आप अपने अधिगम और अपने कार्यों से संबंधित अपनी प्रगति की निगरानी के लिए डिज़ाइन करते हैं। यह आपकी सोच गतिविधियों को नियंत्रित करने और यह सुनिश्चित करने के लिए एक तंत्र है कि आप अपने लक्ष्यों को पूर्ण कर रहे हैं।

अधिगम रणनीतियां (Learning Strategies)	की गयी कार्रवाई (Action Taken)
नियोजन व ध्यान केंद्रित करना (Planning and focusing attention)	• लक्ष्य और समय सारिणी निर्धारित करना • रेखांकन और हाइलाइटिंग • स्किमिंग, शीर्षकों और विषय वाक्यों की खोज
संगठित और स्मरण करना (Organizing and remembering)	• संगठनात्मक चार्ट बनाना • फ़्लोचार्ट बनाना • वेन चित्र • स्मरण युक्ति (निमोनिक्स), काल्पनिक चित्र का उपयोग करना
बोधन (Comprehension)	• संकल्पना मानचित्रण • सारांश, रूपरेखा और भूमिका निभाना • उदाहरण बनाना • किसी सहकर्मी (peer) को समझाना
संज्ञानात्मक प्रबोधन (Cognitive Monitoring)	• अनुमान लगाना • आत्म-प्रश्नोत्तरी और आत्म-परीक्षण • कठिन पाठ्यों की पहचान
अभ्यास (Practice)	• आंशिक अभ्यास (part practice) • पूर्ण अभ्यास (whole practice)

90. (b)

एक फ़्लोचार्ट एक आरेख है जो एक प्रक्रिया, प्रणाली या कंप्यूटर एल्गोरिथम को दर्शाता है। इसका उपयोग डेटा प्रवाह के दृश्य प्रतिनिधित्व के लिए किया जाता है। प्रवाह और अनुक्रम को परिभाषित करने के लिए जोड़ने वाले तीरों के साथ, फ़्लोचार्ट चरण के प्रकार को परिभाषित करने के लिए आयत, अंडाकार, हीरे और संभावित रूप से कई अन्य आकृतियों का उपयोग करते हैं। फ़्लोचार्ट का उपयोग विशेष रूप से फ्रैंक और लिलियन गिलब्रेथ द्वारा व्यवसाय संबंधी दस्तावेज प्रस्तुत करने के लिए किया गया था। इनका उपयोग शिक्षा, व्यवसाय, निर्माण, इंजीनियरिंग, वास्तुकला आदि किसी भी क्षेत्र में किया जाता है। इनके कुछ उदाहरण नीचे दर्शाए गए हैं:

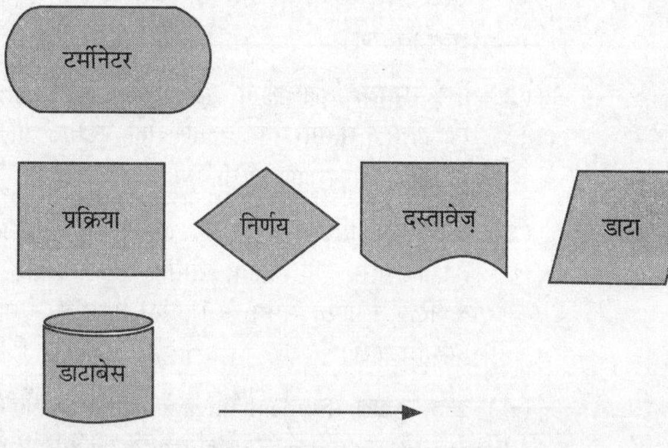

91. (d)

अंतर्भूत शिक्षण (Integral education)-अंतर्भूत शिक्षण की अवधारणा श्री अरविन्दो द्वारा दी गई थी जो कि इस विश्वास पर आधारित है कि मनुष्य की शिक्षा जन्म से आरंभ की जानी चाहिए और जीवन भर जारी रहनी चाहिए। किसी भी प्रकार की शिक्षा का मुख्य उद्देश्य शिक्षार्थी की आंतरिक क्षमता की प्राप्ति सुनिश्चित करना है। इस प्रकार, यह अवधारणा काफी गतिशील और लचीली है। यह सम्पूर्ण बालक (holistic child) से निपटने की अवधारणा के माध्यम से शिक्षार्थी के संपूर्ण व्यक्तित्व को ध्यान में रखती है। यह व्यक्तिगत जिज्ञासा, उत्साह और करुणा को ध्यान में रखता है, और यह सभी स्थितियों पर एक सुंदर ढंग से लागू होता है। श्री अरविन्दो और उनकी आध्यात्मिक साथी मीरा अल्फासा द्वारा प्रतिपादित भारत में कई स्थानों पर अभिन्न स्कूल हैं-जिन्हें माँ के नाम से जाना जाता है।

भारतीय दर्शन शास्त्र के आध्यात्मिक पहलुओं (spiritual aspects) पर ध्यान केंद्रित करना-यह डॉ. सर्वपल्ली राधाकृष्णन के तत्वमीमांसा से जुड़ा है जो शंकर की अद्वैत (गैर-दोहरी) वेदांत परंपरा पर आधारित है। वह प्रस्थानत्रय (वेदांत के मुख्य प्राथमिक ग्रंथ), उपनिषद, ब्रह्म सूत्र और भगवद्गीता से जुड़े थे। वह स्वामी विवेकानंद के लेखन और कार्यों से बहुत प्रभावित थे।

डॉ. सर्वपल्ली राधाकृष्णन यूनेस्को के कार्यों में सक्रिय रूप से सम्मिलित थे। उन्हें विश्व एकता और सार्वभौमिक फैलोशिप को बढ़ावा देने के लिए पूर्वी और पश्चिमी दर्शन के बीच एक सेतु के रूप में जाना जाता रहा है। डॉ. राधाकृष्णन के अनुसार-ईश्वर का विचार अनुभव की व्याख्या है।

प्रकृति में और प्रकृति से अधिगम प्राप्त करने से संबंधित-श्री रवींद्रनाथ टैगोर अपने बौद्धिक स्तर, निर्णय लेने, भावनाओं, ज्ञान आदि के संदर्भ में छात्रों के लिए हर तरह की पूर्ण स्वतंत्रता में विश्वास करते थे। स्वतंत्रता का अर्थ सामान्य स्थिति या प्राकृतिक होने का तथ्य है। मनुष्य, ईश्वर और प्रकृति के बीच सामंजस्य होना चाहिए। समता, सद्भाव और संतुलन का अभ्यास करने की आवश्यकता है।

प्रयोगात्मक शिक्षण (Experiential learning)-जॉन ड्यूई (John Dewey) के प्रयोगात्मक शिक्षण (या अनुभवात्मक अधिगम) सिद्धांत में, सब कुछ एक सामाजिक परिवेश में घटित होता है। ज्ञान सामाजिक रूप से निर्मित और अनुभवों पर आधारित है। इस ज्ञान को वास्तविक जीवन के अनुभवों में व्यवस्थित किया जाना चाहिए जो सूचना के लिए एक संदर्भ प्रदान करते हैं। डेविड कोल्ब, कर्ट लेविन और जीन पियागेट जैसी अन्य महान हस्तियों के नाम अनुभवात्मक शिक्षा से जुड़े हो सकते हैं।

92. (b)

प्रत्येक शिक्षार्थी (वास्तव में, एक व्यक्ति) अद्वितीय है। यह विशेषता 'व्यक्तिगत अंतर' की अवधारणा को भी जन्म देती है। प्रत्येक शिक्षार्थी की अपनी विशेषताएं होती हैं। एक शिक्षक के लिए भौतिक विशेषताओं, बुद्धि, धारणा, लिंग, क्षमता, सीखने की शैली जैसे चर के रूप में व्यक्तिगत अंतर महत्वपूर्ण हैं। इस प्रकार के ज्ञान वाले शिक्षक द्वारा एक अधिक प्रभावी और उत्पादक सीखने-सिखाने की प्रक्रिया की योजना बनाई जा सकती है।

आकलन (या मूल्यांकन) गुणवत्ता बनाए रखने का एक उपयोगी ढंग है। आकलन शैक्षिक अनुभव से छात्रों की समझ, ज्ञान और प्राप्तियों का आकलन करता है। मूल्यांकन सीखने की प्रक्रिया को अधिक प्रभावी बनाता है और छात्र विकास को बढ़ाता है। सामान्य तौर, आकलन अनुभवजन्य डेटा का उपयोग करते हैं।

संकलनात्मक या योगात्मक आकलन (summative assessment)-यह एक इकाई या पाठ्यक्रम के अंत में छात्रों के समग्र सीखने का मूल्यांकन करता है। यह मूल्यांकन कुछ मानकीकृत मानदंडों या बेंचमार्क के साथ तुलना करता है। ये मूल रूप से औपचारिक प्रकृति के होते हैं जो एक प्रमाण पत्र देने में मुख्य रूप से सहायता करते हैं। यह मूल्यांकन लिखित मूल्यांकन (एक मूल विषय पर लिखना, जैसे कि एक कथा या विश्लेषणात्मक निबंध), प्रदर्शन मूल्यांकन (एक गतिविधि या कार्य करना जो शिक्षार्थियों की क्षमताओं को प्रदर्शित करेगा), मानकीकृत मूल्यांकन (किसी दिए गए पाठ्यक्रम के लिए बनाई गई परीक्षा) हो सकता है। या मौखिक मूल्यांकन (जैसे भाषण या प्रस्तुति)।

निर्माणात्मक या रचनात्मक मूल्यांकन (formative assessment)-यह आकलन मापता है कि अध्ययन के दौरान छात्र कैसे सीख रहा है। लक्ष्य छात्रों के सीखने की निगरानी करना है ताकि चल रहे प्रतिपुष्टि (feedback) को प्रदान किया जा सके, जिसका उपयोग प्रशिक्षकों द्वारा अपने शिक्षण में सुधार के लिए और छात्रों द्वारा अपने सीखने में सुधार के लिए किया जा सकता है। इस शब्द को कक्षा में एक छात्र के करियर के वास्तविक गठन से जोड़ा जा सकता है।

निदानात्मक आकलन (Diagnostic Assessment)-यह एक निश्चित विषय के बच्चे के ज्ञान और कौशल स्तर का मूल्यांकन है। ये आकलन विषय की शुरुआत में यह समझने के लिए किए जाते हैं कि छात्र पहले से ही विषय के बारे में कितना जानते हैं।

समकक्ष आकलन (peer assessment)-यह आकलन छात्रों को उनके काम की आलोचना करने और एक-दूसरे को प्रतिपुष्टि(feedback) देने के लिए एक संरचित सीखने की प्रक्रिया प्रदान करता है। इस प्रकार, छात्र आजीवन कौशल विकसित करते हैं। यह उन्हें आत्म-मूल्यांकन करने और अपने स्वयं के काम में सुधार करने के कौशल से लैस करता है।

93. (b)

ई-पीजी पाठशाला (e-PG-Pathshala)-यूजीसी ने भारत के विभिन्न विश्वविद्यालयों में एमए, एमएससी और एमकॉम पाठ्यक्रमों के लिए पाठ्यपुस्तक सामग्री के मानकीकरण के लिए एक ई-पीजी पाठशाला परियोजना शुरू की है। भारत में, ई-पीजी पाठशाला यूजीसी-इनफ्लिबनेट द्वारा अनुरक्षित और शिक्षा मंत्रालय द्वारा वित्त पोषित एक ऐसा नवाचार है। आईसीटी (NME-ICT) के माध्यम से अपने राष्ट्रीय शिक्षा मिशन के हिस्से के रूप में, यह अपनी विषय सामग्री और उपयोग की चौड़ाई के मामले में एक व्यापक ई-लर्निंग प्लेटफॉर्म है। दूसरी ओर, शिक्षा मंत्रालय ने छात्रों, शिक्षकों, अभिभावकों, शोधकर्ताओं और शिक्षकों के लिए शैक्षिक संसाधनों की मेजबानी के लिए 'ई-पाठशाला' वेब पोर्टल लॉन्च किया। यह NCERT पाठ्य-पुस्तकों और विभिन्न अन्य शिक्षण संसाधनों वाले ई-संसाधनों का एकल बिंदु भंडार है।

94. (b)

भावात्मक डोमेन ब्लूम के वर्गीकरण में तीन डोमेन में से एक है। वर्ष 1973 में क्रथवोहल, ब्लूम, मासिया द्वारा वर्णित भावात्मक डोमेन में यह ढंग सम्मिलित किया गया है जिसमें व्यक्तिगत भावनाओं, मूल्यों, प्रशंसा, उत्साह, प्रेरणा और दृष्टिकोण जैसी वस्तुओं से हम भावनात्मक रूप से निपटते हैं। प्रश्नानुसार इन्हें निम्नलिखित पाँच श्रेणियों में रखा गया है (भविष्य के प्रश्नों के लिए):

1. प्राप्त करना (receiving)
   (a) क्रिया के प्रति जागरुकता
   (b) क्रिया करने की इच्छा और
   (c) क्रिया पर नियंत्रित ध्यान
2. प्रतिक्रिया (responding)
   (a) प्रतिक्रिया को अनुबंध के रूप में लेकर चलने की इच्छा
   (b) प्रतिक्रिया करने की इच्छा और
   (c) प्रतिक्रिया से प्राप्त संतुष्टि
3. मूल्यांकन (मूल्य निर्धारित करना - evaluating)
   (a) मूल्य की स्वीकृति (मूल्यांकन)
   (b) मूल्य की प्राथमिकता और
   (c) प्रतिबद्धता
4. संघटित करना (प्रबंधन - organizing)
   (a) मूल्यों की अवधारणा
   (b) मूल्य प्रणाली संगठन
5. विशेषज्ञता (specialization)
   (a) कार्य करने के लिए साथियों द्वारा उच्च मूल्यांकन
   (b) सामान्य समूह (normal group)
   (c) विशेषज्ञता प्राप्त करना

प्रश्न में दिए गए विकल्प (b) में विश्लेषण (analyzing) का अर्थ है कि समझने के प्रयोजन के लिए किसी विषय को विभिन्न भागों में विभाजित करना अर्थात संश्लेषण का अर्थ है कि विभिन्न भागों को एक समेकित रूप में एकीकृत करना।

95. (d)

मानव अधिगम के विभिन्न चरण निम्नलिखित हैं:

1. **संज्ञानात्मक ज्ञानक्षेत्र (cognitive domain)**–जानने वाला, या प्रमुख
2. **भावात्मक ज्ञानक्षेत्र (affective domain)**–मानव भावनाओं से संबंधित जैसे कि मूल्य, प्रशंसा, उत्साह, प्रेरणा, दृष्टिकोण आदि
3. **मनोसंचलित ज्ञानक्षेत्र (psychomotor domain)**–कार्य करना, गतिज होना, स्पर्शनीय, हैप्टिक, या हस्त / काया से संबंधित

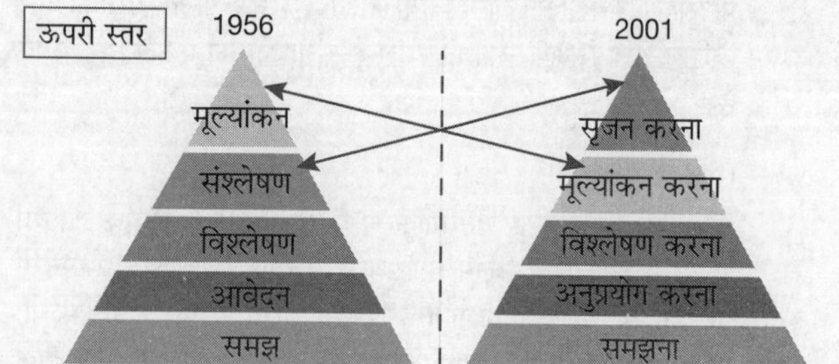

संज्ञा (noun) → से क्रिया रूप (verb)

वर्ष 1956 में बेंजामिन ब्लूम द्वारा प्रस्तावित संज्ञानात्मक वर्गीकरण शिक्षक प्रशिक्षण में एक अनिवार्य तत्व बना रहा। अद्यतन संस्करण 2001 में एंडरसन (Anderson) और डेविड क्रैथवोल (David Krathwohl) द्वारा किया गया था। वर्ष 1961 में क्रैथवोल द्वारा भावनात्मक या भावात्मक कौशल (affective skills) जोड़े गए थे। संशोधित वर्गीकरण में ये तत्व हैं–

1. **याद रखना (remember)**–पहचान करना और याद करना
2. **समझना (understand)**–व्याख्या करना, उदाहरण देना, वर्गीकृत करना, सारांशित करना, अनुमान लगाना, तुलना करना
3. **अनुप्रयोग करना (apply)**–निष्पादन, कार्यान्वयन
4. **विश्लेषण करना (analyze)**–विभेद करना, व्यवस्थित करना, विशेषता देना
5. **मूल्यांकन करना (evaluate)**–जांचना, आलोचना करना
6. **सृजन करना (create)**–उत्पन्न करना, योजना बनाना, उत्पादन करना

96. (d)

(a) शिक्षण व्याख्यान आधारित होना चाहिए–यह मुख्य रूप से एकतरफा ही होता है, इसमें अधिक प्रतिपुष्टि भी नहीं होती, यह पाठ्यक्रम निस्पंदन में अधिक भूमिका निभा सकता है, लेकिन यह संभावना कम ही है कि यह अधिक गत्यात्मक होगा, यह विद्यार्थी के सम्पूर्ण व्यक्तित्व के विकास के लिए उपयोगी नहीं।

(b) शिक्षक का ऊर्जावान होना महत्वपूर्ण आवश्यक है, लेकिन यह केवल विद्यार्थियों के व्यक्तित्व से संबंधित हो अधिक महत्वपूर्ण है।

(c) विद्यार्थियों से मित्रवत एवं उनके अनुकूल होना आवश्यक है ताकि वे जीवन उद्देश्य में प्रेरित हो सकें।

(d) विद्यार्थियों को कार्यकलाप के माध्यम से सीखना चाहिए–विद्यार्थियों के लिए कार्यकलाप के माध्यम से सीखना अधिक महत्वपूर्ण है, जैसा कि पीयर्सन की पुस्तक के प्रथम अध्याय में वर्णित है, हमें यह बताया गया है कि शिक्षा तीन प्रकार की होती है–औपचारिक, अनौपचारिक एवं गैर औपचारिक।

शिक्षण हमें अपने आस-पास के विश्व, हमारा आंतरिक विश्व के बारे में सिखलाता है, यह हम विश्व के भीतर कैसे फिट बैठते हैं, को समझने की अनुमति देता है। जीवन और समाज बहुत जटिल हो गया है, विश्व में परिस्थितियां सदैव विविध रहती हैं, हमें हर बार नई परिस्थितियों से निपटना पड़ता है। इस प्रकार, विभिन्न गतिविधियों में छात्रों की व्यस्तता बहुत महत्वपूर्ण है ताकि व्यक्तित्व का संपूर्ण विकास हो सके। शिक्षा हमें नए विचारों और अवधारणाओं से परिचित कराने में सहायता करती है।

97. (c)

Assertion (A): रकारी स्रोतों के अनुसार, SWAYAM (Study Webs of Active Learning for Young Aspiring Minds) के माध्यम से पेश किए जाने वाले कोर्स पूरी तरह से मान्यता प्राप्त हैं और यूजीसी Study Webs of Active Learning for Young Aspiring Minds के अंतर्गत (या माध्यम से) Credit

Framework for Online Learning Courses के अनुसार क्रेडिट ट्रांसफर के लिए पात्र हैं। ये नियम, अब एक संस्थान को SWAYAM प्लेटफॉर्म के माध्यम से पेश किए गए ऑनलाइन शिक्षण पाठ्यक्रमों के माध्यम से एक सेमेस्टर में किसी विशेष कार्यक्रम में पेश किए जा रहे कुल पाठ्यक्रमों के 40% तक की अनुमति देने की सुविधा प्रदान करते हैं। SWAYAM प्रमाणपत्र के लिए विश्वविद्यालयों में नामांकित उम्मीदवार द्वारा प्राप्त किए गए क्रेडिट/अंकों को उम्मीदवार के प्रतिलेख में गिना जाएगा, यदि विश्वविद्यालय ने UGC (क्रेडिट) के अनुसार क्रेडिट ट्रांसफर के लिए SWAYAM प्लेटफॉर्म पर पेश किए गए MOOCs (मैसिव ओपन ऑनलाइन कोर्स) को अपनाया है।

कारण (R)-SWAYAM MOOC का ही एक भाग है। SWAYAM भारत का अपना MOOCs प्लेटफॉर्म है, जो छात्रों/शिक्षार्थियों को लगभग सभी विषयों पर मुफ्त ऑनलाइन पाठ्यक्रम प्रदान करता है। इसका उद्देश्य सबसे वंचितों सहित सभी के लिए सर्वोत्तम शिक्षण, शिक्षण संसाधनों तक पहुंच सुनिश्चित करना है। इससे डिजिटल पहुंच को बेहतर बनाया जा सकता है। ये पाठ्यक्रम देश के प्रतिष्ठित शिक्षकों द्वारा विकसित किए गए हैं। ये नि:शुल्क उपलब्ध हैं। SWAYAM MOOCs को पारंपरिक शिक्षा के साथ एकीकृत करने से आने वाले दिनों में छात्रों के अधिगम परिणामों में सुधार होने की आशा है।

98. (b)

www.swayam.gov.in के अनुसार-SWAYAM एक डिजिटल मंच के माध्यम से विभिन्न प्रकार के पाठ्यक्रम आयोजित करता है, जो कक्षा 9 से स्नातकोत्तर तक है, जिनको कोई भी, कहीं भी, कभी भी एक्सेस कर सकता है। यह सभी पाठ्यक्रम इंटरैक्टिव हैं, देश के सर्वश्रेष्ठ शिक्षकों द्वारा तैयार किए गए हैं और किसी भी शिक्षार्थी के लिए नि:शुल्क उपलब्ध हैं। इन पाठ्यक्रमों को तैयार करने में देश भर से विशेष रूप से चुने गए हज़ारों शिक्षक भाग लेते हैं।

SWAYAM पर होस्ट किए गए कोर्स 4 क्वाड्रंट (आयाम) हैं-

1. वीडियो व्याख्यान
2. विशेष रूप से तैयार की गई पठन सामग्री जिसे डाउनलोड/मुद्रित किया जा सकता है।
3. परीक्षण और प्रश्नोत्तरी के माध्यम से स्व-मूल्यांकन परीक्षण
4. शंकाओं को दूर करने के लिए एक ऑनलाइन चर्चा मंच।

भविष्य के प्रश्नों के लिए-सर्वोत्तम गुणवत्ता वाली सामग्री का उत्पादन और वितरण सुनिश्चित करने के लिए, नौ राष्ट्रीय समन्वयकों की नियुक्ति की गई है। वे निम्नलिखित हैं

1. AICTE (अखिल भारतीय तकनीकी शिक्षा परिषद)-स्व-पुस्तक और अंतर्राष्ट्रीय पाठ्यक्रमों के लिए
2. NPTEL (नेशनल प्रोग्राम ऑन टेक्नोलॉजी एन्हांस्ड लर्निंग) इंजीनियरिंग के लिए
3. UGC (विश्वविद्यालय अनुदान आयोग)-गैर तकनीकी स्नातकोत्तर शिक्षा के लिए
4. CEC (शैक्षणिक संचार के लिए कंसोर्टियम)-स्नातक शिक्षा के लिए
5. NCERT (राष्ट्रीय शैक्षिक अनुसंधान और प्रशिक्षण परिषद)-स्कूली शिक्षा के लिए
6. NIOS (राष्ट्रीय मुक्त विद्यालयी शिक्षा संस्थान)-स्कूली शिक्षा के लिए
7. IGNOU (इंदिरा गांधी राष्ट्रीय मुक्त विश्वविद्यालय) स्कूल से बाहर के छात्रों के लिए
8. IIMB (भारतीय प्रबंधन संस्थान, बैंगलोर)-प्रबंधन अध्ययन के लिए
9. NITTTR (राष्ट्रीय तकनीकी शिक्षक प्रशिक्षण और अनुसंधान संस्थान)-शिक्षक प्रशिक्षण कार्यक्रम के लिए

99. (b)

प्रश्न पत्र का उद्देश्य उम्मीदवारों का परीक्षा के बाद या कक्षा काल में ही मूल्यांकन करना होता है।

वस्तुनिष्ठता (objectivity)-इसे एक अच्छे प्रश्न पत्र के मुख्य तत्व के रूप में लिया जा सकता है। उनका निर्माण किसी परीक्षा को उत्तीर्ण करने या उम्मीदवारों की रैंकिंग के लिए किया जाना चाहिए।

व्यक्तिनिष्ठता (subjectivity)-इसका अर्थ है कि प्रश्न पत्र सेटर किसी पूर्वाग्रह से ग्रसित है, शायद इस उद्देश्य से ताकि उम्मीदवारों के एक विशेष समूह को इसका लाभ प्राप्त हो।

विश्वसनीयता (reliability)-यह एक माप की स्थिरता को संदर्भित करता है (क्या समान परिणाम समान परिस्थितियों में पुन: प्रस्तुत किए जा सकते हैं)।

विधिमान्यता (validation)-यह एक माप की सटीकता को संदर्भित करता है (क्या परिणाम वास्तव में वही दर्शाते हैं जो उन्हें मापना चाहिए)।

एक शोध के दृष्टिकोण से, निष्पक्षता, विश्वसनीयता और वैधता महत्वपूर्ण विशेषताएं हैं।

100. (b)

गैर-परम्परागत अधिगम कार्यक्रम मुख्य रूप से कक्षा में नहीं, बल्कि बाह्य वातावरण में होता है। यह मुख्य रूप से संध्या कक्षाओं, दूरस्थ शिक्षा और व्यावसायिक अध्ययन, कौशल आधारित पाठ्यक्रम, ऑनलाइन शिक्षण आदि के माध्यम से होता है। गैर पारंपरिक शिक्षा मुख्य रूप से पीएच कॉम्ब्स (PH Coombs) और अहमद (Ahmed) से प्रेरित थी।

यह ज्ञान प्रबंधन में महत्वूर्ण हैं जैसे कि तकनीक निरंतर रूप में परिवर्तित होती रहती हैं। ऐसी शिक्षा का मुख्य लाभ यह है कि वे समय का अधिकतम उपयोग करते हैं, वे बेरोजगार युवा को भी रोजगार के लिए नए कौशल सीखते हैं। वे कर्मचारियों या शिक्षार्थियों के बीच कौशल अंतराल (skill gap) को भी कवर करते हैं।

1. ये कार्यक्रम शिक्षार्थी उन्मुख होते हैं, उनके पास लचीला पाठ्यक्रम है।

2. ये लागत प्रभावी हैं
3. यह जीवन पर्यन्त चलते रह सकते है, यह निरंतर सीखना सुनिश्चित करते हैं ।
4. वे गुणात्मक पहलुओं में सुधार के लिए हैं।

101. (c)

A. व्यक्ति परकता के विकास के माध्यम से आत्म शिक्षा-डॉ मारिया मोंटेसरी (1907) द्वारा विकसित मोंटेसरी पद्धति, स्व-शिक्षा के विचार पर आधारित है। बालक शिक्षक द्वारा सिखाए गए पाठ्यक्रम को ग्रहण करने तक की परीक्षा नहीं करता और शांत और बेकार नहीं बैठा रहता है, यहाँ, इस प्रणाली में, बालक स्वयं को शिक्षित करता है, लेकिन शिक्षक की भूमिका एक मार्गदर्शक के रूप में बनी रहती है। बालक बुद्धि और चरित्र दोनों को विकसित करने के लिए व्यावहारिक सामग्री और विशेष रूप से तैयार कक्षाओं का उपयोग करता है। छात्रों के इस प्रकार के आत्म-साक्षात्कार को 'सामान्यीकरण' (normalisation) कहा जाता है। यह कक्षा प्रणाली सिद्धांत रूप में सभी आयु वर्गों के लिए उपयुक्त है, लेकिन इसका अधिकतम अभ्यास किंडरगार्टर्स (kindergartens) द्वारा किया जाता है। इस शिक्षा प्रणाली में बच्चे की भावनाओं का सम्मान होता है।

B. एकीकृत शिक्षा-श्री अरबिंदो-यह शिक्षा श्री अरबिंदो और माँ की कल्पना के अनुसार चलती है, यहाँ बालक को एक वृद्धिमय आत्मा के रूप में माना जाता है। यह बच्चे को उसके व्यक्तित्व के सभी पहलुओं को विकसित करने और उसकी गुप्त संभावनाओं को जगाने में सहायता करता है ताकि वह निम्न विषेशताओं को प्राप्त कर सके-

- एक सशक्त, कोमल, स्वस्थ, सुंदर भौतिक काया
- एक संवेदनशील, भावनात्मक रूप से परिष्कृत, ऊर्जावान व्यक्तित्व
- एक व्यापक, जीवंत बुद्धि और इच्छाशक्ति
- सूक्ष्म आध्यात्मिक गुण जो बच्चे के अंतरतम सत्य या आत्मा के आस-पास की सत्ता को एकजुट करते हैं और उसमें सामंजस्य स्थापित करते हैं।

प्रत्येक अनुभव बच्चे के विकास में सीखने का एक उपकरण बन जाता है, यह बच्चे के संपूर्ण प्राणी बनने के लिए, जिसका अभिन्न अस्तित्व हो, को विकसित करने में सहायता करता है।

C. मानव मस्तिष्क को रूपांतरित करने वाली शिक्षा-जे कृष्णमूर्ति-श्री जे कृष्णमूर्ति दार्शनिक एवं आध्यात्मिक विषयों के लेखक एवं प्रवचनकार थे। वे मानसिक क्रान्ति, मस्तिष्क की प्रकृति, ध्यान, मानवी सम्बन्ध, समाज में सकारात्मक परिवर्तन कैसे लायें आदि विषयों के विशेषज्ञ थे।

D. मौलिक शिक्षा (वर्धा शिक्षा प्रणाली)-महात्मा गांधी-श्री गांधी जी ने 1937 में एक विशेष शिक्षा कार्यक्रम लेकर आए। इसे वर्धा शिक्षा योजना के रूप में जाना जाने लगा। इसका उद्देश्य था कि 8 से 14 वर्ष की आयु के सभी बच्चों को अपनी-अपनी स्थानीय भाषाओं में मुफ्त और अनिवार्य शिक्षा प्राप्त करनी चाहिए। इसे नई तालीम या नई शिक्षा के रूप में जाना जाने लगा।

102. (a): अतुल्यकालिक अंतरक्रिया (Asynchronous Interaction) का तात्पर्य ऐसे संचार से है जो वास्तविक समय में नहीं होता है, जिससे प्रतिभागी, सीखने वाले और शिक्षकों को एक ही क्षण में संलग्न होने की आवश्यकता नहीं होती। इसमें सभी विकल्पों की निम्न चर्चा की गयी है।

1. **वेब कॉन्फ्रेंसिंग (Web Conferencing)**- यह आमतौर पर समकालिक (तुल्यकालिक) होता है, क्योंकि इसमें वास्तविक समय में संचार शामिल होता है।
2. **ई-मेल (E-mail)**- यह अतुल्यकालिक (असमकालिक) है। प्रतिभागी विभिन्न समयों पर ईमेल भेज और प्राप्त कर सकते हैं।
3. **विकिज और सहयोगात्मक दस्तावेज़ (Wikis and Collaborative Documents)**- ये अतुल्यकालिक हैं। प्रतिभागी वास्तविक समय स्थापित करने की आवश्यकता के बिना विभिन्न समयों पर योगदान दे सकते हैं।
4. **चर्चा बोर्ड (Discussion Boards)**- ये भी अतुल्यकालिक हैं। उपयोगकर्ता संदेश पोस्ट कर सकते हैं और उनकी सुविधानुसार उनका उत्तर दे सकते हैं।
5. **लाइव स्ट्रीमिंग (Live Streaming)**- यह तुल्यकालिक है, क्योंकि इसमें वास्तविक समय में प्रसारण और देखना शामिल है।

इस प्रकार, 2, 3, और 4 अतुल्यकालिक परिस्थितियों का उल्लेख करते हैं, अत: (a) सही उत्तर है।

103. (c): संज्ञानात्मक शिक्षुकता (cognitive apprenticeship) के अंतर्गत, एक शिक्षार्थी एक विशेषज्ञ के मार्गदर्शन में ज्ञान और कौशल प्राप्त करता है। इसलिए, एक विशेषज्ञ की भूमिका महत्वपूर्ण है। उद्देश्य उच्च-कम के कौशल जैसे कि समस्या समाधान, आलोचनात्मक सोच, और मेटाकॉग्निशन का विकास करना है। संज्ञानात्मक शिक्षुकता ज्ञान की गहरी समझ और उसके अनुप्रयोग को प्राथमिकता देती है।

सही उत्तर कई तकनीकों का संयोजन (combination) है।

1. **मार्गदर्शन (mentoring):** मार्गदर्शन, हालांकि संज्ञानात्मक शिक्षुकता में एक केंद्रीय रणनीति नहीं है, एक महत्वपूर्ण सहायता तंत्र के रूप में कार्य करती है। यह शिक्षार्थियों को मार्गदर्शन, प्रतिकिया, और प्रेरणा प्रदान करती है। शिक्षार्थी मार्गदर्शन के वास्तविक विश्व अनुभव से सीखता है। यह ज्ञान हस्तांतरण में मदद करती है और वांछित व्यवहारों को प्रदर्शित करती है, इस प्रकार यह परावर्तनशील सीखने में वृद्धि करती है।

   इसी विकल्प में, सहयोग और सामाजिकीकरण (collaboration and socializing) विभिन्न सीखने के संदर्भों में लागू की जा सकने वाली सामान्य प्रथाएँ हैं।

2. **प्रतिरूपण (modelling):** विशेषज्ञ एक कार्य का प्रदर्शन करता है ताकि छात्र देख सकें और सीख सकें।

   कोचिंग (coaching): विशेषज्ञ छात्र के अभ्यास के दौरान प्रतिकिया और समर्थन प्रदान करता है।

   पाड़ या मचान (scaffolding): विशेषज्ञ छात्र की सीखने में मदद के लिए समर्थन संरचनाएँ प्रदान करता है।

3. **आवर्धन (augmentation):** यह आमतौर पर निष्क्रिय अनुभव या पुनर्बलन पर केंद्रित होता है, जो सीधे तौर पर मुख्य सिद्धांतों के अनुरूप नहीं होता। यह एक मुख्य सिद्धांत नहीं है।

   प्रतिधारण (retention): यह समय के साथ जानकारी को याद रखने और पुनः प्राप्त करने की क्षमता का उल्लेख करता है। यह फिर से एक मूल सामान्य कौशल है, और संज्ञानात्मक शिक्षुकता के लिए एक विशिष्ट कौशल नहीं है।

   व्याख्या करना (explaining): यह शब्द एक अवधारणा या प्रकिया की अपनी समझ को व्यक्त करने की क्षमता का उल्लेख करता है।

4. **स्पष्ट प्रगटीकरण (articulation):** यह छात्रों को उनके ज्ञान और तर्क को व्यक्त करने के लिए प्रोत्साहित करता है।

   प्रतिबिंबन (reflection): यह छात्रों को उनके समस्या समाधान कौशल की तुलना एक विशेषज्ञ, साथी के साथ करने में मदद करता है, यह उनके पिछले प्रदर्शन के संदर्भ में हो सकता है।

   अन्वेषण (exploration): यह छात्रों को स्वयं समस्याओं को प्रस्तुत करने और हल करने के लिए प्रोत्साहित करता है।

5. **स्मृतिकरण (memorization):** यह सभी प्रकार के सीखने के लिए मूल है।

   पूर्वाभ्यास (rehearsal): यह सीखने को सशक्त करने के लिए जानकारी या कौशलों की पुनरावृत्ति का उल्लेख करता है।

   पहचान (identifying): यह ज्ञान के निर्माण के लिए पैटर्न की पहचान या पहचान का उल्लेख करता है।

   इस प्रकार, मुख्य रूप से 2 और 4 लागू होते हैं, इस प्रकार (c) सही उत्तर है।

104. (a): गैर अनुकूलित उद्दीपक (Unconditional Stimulus - US or UCS): सदैव याद रखें कि गैर अनुकूलित उद्दीपक एक प्राकृतिक अनुक्रिया (या प्रतिक्रिया) के लिए एक प्राकृतिक ट्रिगर है। यह एक प्रकार की रिफ्लेक्स किया है जब हम गरम स्टोव को छूते हैं और तुरंत अपना हाथ खींच लेते हैं। इस क्रिया के लिए कोई पूर्व सीखने की आवश्यकता नहीं होती है, हमारा मन वास्तव में इसके लिए तैयार नहीं होता है।

पावलोव (Pavlov) के प्रयोग में इसी प्रकार, भोजन गैर अनुकूलित उद्दीपक था और एक प्राकृतिक अनुक्रिया (लार) बिना किसी पूर्व अनुकूलन (या केवल प्रशिक्षण कहें) के हुई। बाद में, भोजन रखने से पहले एक घंटी जोड़ी गई, जो कि अनुकूलित उद्दीपक थी। यह केवल गैर अनुकूलित उद्दीपक (भोजन) के साथ बार-बार जोड़े जाने के बाद ही लार को ट्रिगर करना शुरू कर दिया।

– **अनुकूलित उद्दीपक (Conditioned Stimulus - CS):** यह पहले तटस्थ उद्दीपक है जो, गैर अनुकूलित उद्दीपक के साथ जुड़ने के बाद, अंततः एक अनुकूलित (शर्तीकृत) अनुक्रिया को ट्रिगर करने लगता है।

– **गैर अनुकूलित अनुक्रिया Unconditioned Response - UR or UCR):** यह एक अनसीखी हुई प्रतिक्रिया है जो प्राकृतिक रूप से गैर अनुकूलित उद्दीपक के अनुकिया में होती है।

– **अनुकूलित अनुक्रिया (Conditioned Response - CR):** यह पहले तटस्थ उद्दीपक के लिए सीखी गई अनुक्रिया है।

वांछित व्यवहार के लिए किसी भी अनुकूलन (शर्तीकरण) की आवश्यकता नहीं होने वाले उद्दीपक को गैर अनुकूलित उद्दीपक कहा जाता है। इसलिए, सही उत्तर (a) है।

105. (c): तकनीकी-वैज्ञानिक निदर्श (Technical-Scientific Models): ये व्यवस्थित योजना, तार्किक विश्लेषण और कठोरता पर केंद्रित होते हैं। ये पाठ्यकम विकास में मदद करते हैं।

1. टाबा का निदर्श (Taba's Model): यह एक विशिष्ट तकनीकी-वैज्ञानिक निदर्श है जो पाठ्यकम विकसित करने के लिए एक व्यवस्थित तरीके पर ध्यान केंद्रित करता है।
2. खुली कक्षा निदर्श (Open Classroom Model): यह अधिक शिक्षार्थी-केंद्रित और लचीला है, इसलिए, यह एक विशिष्ट तकनीकी-वैज्ञानिक निदर्श नहीं है।
3. वेइन्स्टीन और फैंटिनी निदर्श (Weinstein and Fantini Model): यह बहुसांस्कृतिक शिक्षा पर अधिक केंद्रित है। यह सख्ती से एक तकनीकी-वैज्ञानिक दृष्टिकोण नहीं है।
4. हन्किन का विकास निदर्श (Hunkin's Development Model): यह एक व्यावहारिक, प्रकियात्मक निदर्श है जो तकनीकी-वैज्ञानिक दृष्टिकोण की परिभाषा में फिट बैठता है।
5. गुडलैड का निदर्श (Goodlad's Model): यह भी तकनीकी-वैज्ञानिक अवधारणा में फिट बैठता है क्योंकि इसमें व्यवस्थित दृष्टिकोण होता है।

इस प्रकार, 1, 4 और 5 लागू होते हैं, सही उत्तर (c) है।

106. (c)

1. चैनल 01 – वागीश – भाषा और साहित्य – IV
2. चैनल 02 – संस्कृति – इतिहास, संस्कृति, और दर्शन – I
3. चैनल 03 – प्रबोध – सामाजिक विज्ञान – II

4. चैनल 04 – सारस्वत – संगीत और ललित कलाएँ – III
इस प्रकार, 1 – IV, 2 – I, 3 – II, 4 – III, सही उत्तर (c) है।

107. (b): कथन I: वास्तव में, अधिगमकर्ता (या शिक्षार्थी) -केंद्रित दृष्टिकोण शिक्षार्थी की आवश्यकताओं और रुचियों पर केंद्रित होता है, न कि शिक्षक पर। इसका उद्देश्य उन्हें अपनी सीखने की प्रकिया में सकिय प्रतिभागी बनाना है, न कि सूचना के निष्किय प्रासकर्ता। इसलिए, कथन I गलत है।

कथन II: हालांकि शिक्षार्थी का इनपुट मूल्यवान है, लेकिन 'विषय वस्तु के सहयोगात्मक निश्चय' के माध्यम से चीजें केवल शिक्षार्थियों के विवेकाधिकार पर नहीं छोड़ी जाती हैं। शिक्षकों और पाठ्यकम दिशानिर्देशों को सदैव विषय वस्तु के निर्णय लेने का अधिकार दिया जाता है। अत: कथन II भी गलत है।

108. (a): मचान (scaffolding): इस अवधारणा का श्रेय अक्सर शैक्षिक मनोवैज्ञानिक लेव वायगोत्स्की को दिया जाता है। निकटवर्ती क्षेत्र (Zone of Proximal Development - ZPD) भी इससे जुड़ा हुआ है। यह मूल रूप से शिक्षार्थी के लिए एक संरचित समर्थन है जो स्पष्टीकरण, संकेत, मॉडलिंग या संकेतों के रूप ले सकता है। यह छात्रों के आत्मविश्वास का निर्माण करने के लिए एक कमिक दृष्टिकोण है, जिसका उद्देश्य उन्हें स्वतंत्र और आत्मनिर्भर बनाना है।

समायोजन (accomodation) नई जानकारी या अनुभवों को शामिल करने के लिए मौजूदा ज्ञान या मानसिक ढांचे को संशोधित करना।

स्कीमाज़ (schemas): मानसिक ढांचा या संगठित संरचनाएँ जो व्यक्तियों को नई जानकारी और अनुभवों को संसाधित करने और समझने में सहायता करती हैं।

109. (a): स्वयं प्रभा मानव संसाधन और विकास मंत्रालय (अब शिक्षा मंत्रालय) द्वारा शुरू किया गया एक शिक्षा सीखने का मंच है, इसलिए सही उत्तर (a) है।

110. (c): आइए सभी विकल्पों की तुलना करें ताकि ऐसे एमसीक्यू को भविष्य की परीक्षाओं में भी हल किया जा सके।

(a) समायोजन (accomodation): इसमें नए अनुभवों के अनुकूल होने के लिए मौजूदा योजनाओं को संशोधित करना शामिल है।

(b) आत्मसातकरण (assimilation): इसमें स्वयं योजना को बदले बिना मौजूदा योजना में नए अनुभवों को फिट करना शामिल है।

(c) अनुकूलन (adaptation): अनुकूलन एक व्यापक प्रकिया है जिसमें आत्मसात और समायोजन दोनों शामिल हैं। नई जानकारी को मौजूदा योजनाओं में एकीकृत किया गया है।

(d) साम्य (equilibration): यह पियाजे के संज्ञानात्मक विकास के सिद्धांत में एक प्रकार की गतिशीलता को दर्शाता है। संतुलन से पता चलता है कि सीखना और बौद्धिक विकास तब होता है जब व्यक्ति लगातार संतुलन और असंतुलन की अवस्थाओं के बीच चलते हैं। डिसक्विलिब्रियम एक ऐसा मुद्दा है जो उन्हें मौजूदा योजना में फिट करने से जुड़ा हुआ है जो संज्ञानात्मक संघर्ष या भ्रम का एक चरण है। संतुलन आवास से जुड़ा हुआ है। इस प्रकार, वे सामंजस्यपूर्ण ढंग से मौजूदा ज्ञान में नई जानकारी को एकीकृत करते हैं। इसके परिणामस्वरूप अधिक प्रभावी अधिगम होता है।

111. (c): टाबा का निदर्श समस्या (Hilda Taba's Model): समाधान दृष्टिकोण के माध्यम से संज्ञानात्मक कौशल और प्रकियाओं के विकास पर ध्यान केंद्रित करता है।

मुक्त कक्षा निदर्श (open classroom model): यह दार्शनिक मॉडल छात्र की स्वायत्तता और लचीले शिक्षण स्थानों पर केंद्रित है, न कि विशेष रूप से तकनीकी और वैज्ञानिक शिक्षा पर।

वाइनस्टीन और फैंटिनी निदर्श (Weinstein and Fantini Model): यह मॉडल पाठ्यकम विकास में सामाजिक और सांस्कृतिक कारकों पर केंद्रित है, न कि तकनीकी और वैज्ञानिक सामग्री पर।

रोजर का अन्तर्व्यक्तित्व (पारस्परिक) संबंध निदर्श (Roger's Model of Interpersonal Relations): यह शिक्षा दर्शन संचार और संबंधों पर केंद्रित है, न कि पाठ्यकम विकास पर।

अध्याय

2

शोध अभिक्षमता

सीखने के उद्‌देश्य

- शोध: अर्थ, प्रकार, और विशेषताएं, प्रत्यक्षवाद एवं उत्तर – प्रत्यक्षवाद शोध के उपागम
- शोध पद्धतियां: प्रयोगात्मक, विवरणात्मक, ऐतिहासिक, गुणात्मक एवं मात्रात्मक
- शोध के चरण
- शोध प्रबन्ध एवं आलेख लेखन: फार्मेट और संदर्भ की शैली
- शोध में आईसीटी का अनुप्रयोग
- शोध नैतिकता

1. नीचे दो समुच्चय दिए गए हैं। समुच्चय-I में शोध के प्रकार दिए गए हैं, जबकि समुच्चय-II में उनकी विशेषताएँ इंगित की गई हैं। इन दोनों को सुमेलित कीजिए और उपयुक्त कूट का चयन कर अपने उत्तर को दीजिए : **[Jul 2018]**

समुच्चय-I (शोध के प्रकार)	समुच्चय-II (विशेषताएँ)
(1) मौलिक शोध	(i) हस्तक्षेप के अनुभूत प्रभाव का पता लगाना
(2) व्यवहृत शोध	(ii) सिद्धांत निर्माण के माध्यम से प्रभावोत्पादक व्याख्या का विकास करना
(3) क्रियात्मक शोध	(iii) हस्तक्षेप के माध्यम से प्रचलित स्थिति में सुधार लाना
(4) मूल्यांकन-परक शोध	(iv) विभिन्न स्थितियों में उपयोग के लिए सिद्धांत की प्रयोज्यता की खोजबीन करना
	(v) प्राविधिक संसाधनों को समृद्ध करना

(a) (1)-(ii), (2)-(iv), (3)-(iii), (4)-(i)
(b) (1)-(v), (2)-(iv), (3)-(iii), (4)-(ii)
(c) (1)-(i), (2)-(ii), (3)-(iii), (4)-(iv)
(d) (1)-(ii), (2)-(iii), (3)-(iv), (4)-(v)

2. क्रियाकलापों के निम्नलिखित समुच्चयों में कौन सा समुच्चय क्रियात्मक शोध रणनीति की चक्रीय प्रकृति को इंगित करता **[Jul 2018]**

(a) गहन चिंतन करना, प्रेक्षण करना, नियोजन, क्रियान्विति
(b) प्रेक्षण करना, क्रियान्विति, गहन चिंतन करना, नियोजन
(c) क्रियान्विति, नियोजन, प्रेक्षण करना, गहन चिंतन करना
(d) नियोजन, क्रियान्विति, प्रेक्षण करना, गहन चिंतन करना

3. शोध पदों का निम्नलिखित में से कौन-सा क्रम वैज्ञानिक विधि के निकटस्थ है? **[Jul 2018]**

(a) समस्या का प्रस्तावित समाधान, समाधान के परिणामों को निगमित करना, समस्या की स्थिति को अनुभूत करना, कठिनाई की पहचान और समाधान का परीक्षण।
(b) समस्या की स्थिति को अनुभूत करना, वास्तविक समस्या की पहचान और उसकी परिभाषा, परिकल्पना करना, प्रस्तावित समाधान के परिणामों को निगमित करना और परिकल्पना का कार्य रूप में परीक्षण।
(c) समस्या को परिभाषित करना, समस्या के कारणों की पहचान करना, समग्र को परिभाषित करना, प्रतिदर्श का चयन, आंकड़ों का संग्रहण और परिणामों का विश्लेषण करना।
(d) कारण-मूलक कारकों की पहचान करना, समस्या को परिभाषित करना, परिकल्पना बनाना, प्रतिदर्श का चयन, आंकड़ों का संग्रहण और सामान्यीकरण तथा निष्कर्षों पर पहुँचना।

4. 'शोध नैतिकता' की समस्या शोध क्रियाकलापों के किस पहलू से संबंधित है? [Jul 2018]
(a) शोध प्रबंध के निर्धारित प्रारूप के अनुसरण से
(b) गुणात्मक या मात्रात्मक तकनीकों के माध्यम से आंकड़ों के विश्लेषण से
(c) शोध के समग्र को परिभाषित करने से
(d) साक्ष्य-आधारित शोध रिपोर्टिंग से

5. निम्नलिखित में से किस क्रियाकलाप में सृजनशील और समीक्षात्मक चिंतन के संपोषण की अधिक क्षमता है? [Jul 2018]
(a) शोध सारांश को तैयार करना
(b) संगोष्ठी में शोध लेख को प्रस्तुत करना
(c) शोध सम्मेलन में भागीदारी
(d) कार्यशाला में भागीदारी

6. ऐसे अध्ययन को, जिसमें शोधकर्त्ता को प्रायोगिक और प्लेसिबो समूहों की पहचान की जानकारी नहीं होती है, कहा जाता है: [Jun 2019]
(a) ब्लाइंड (b) डबल ब्लाइंड
(c) पैनल (d) कोहोर्ट

7. वह शोध जिसमें पुरुष और महिला के बीच सामाजिक असमानता पर जोर दिया जाता है, कहलाता है: [Jun 2019]
(a) तुलनात्मक शोध
(b) अनुदैर्ध्य शोध
(c) क्रियात्मक शोध
(d) नारीवादी शोध

8. सर्वाधिक आसान अभिवृत्तिक स्केल जो एक समाकलित कोटि निर्धारण स्केल होता है, कहलाता है: [Jun 2019]
(a) गटमैन स्केल (b) लिकर्ट स्केल
(c) थर्स्टोन स्केल (d) एम एल ए स्केल

9. मात्रात्मक शोध को .... भी कहा जाता है। [Jun 2019]
(a) नृजातीय उपागम
(b) असंरचित उपागम
(c) वर्णानात्मक उपागम
(d) संरचित उपागम

10. जिस शोध विधि में सामान्यीकरण किया जाता है जो उसी प्रकार की अन्य परिस्थितियों पर लागू होता है। इसे क्या कहा जाता है? [Jun 2019]
(a) कोहोर्ट स्टडी (b) केस स्टडी
(c) पैनल स्टडी (d) ब्लाइंड स्टडी

11. वह कौन-सी योजना है जिसका उद्देश्य अभियांत्रिकी विज्ञान में शोध को बढ़ावा देकर संस्थानों में शोध का वातावरण तैयार करना है? [Jun 2019]
(a) ई-शूथ सिन्धू
(b) उद्यमिता विकास प्रकोष्ठ
(c) शोध संवर्धन योजनाएं (आर पी एस)
(d) संस्थान विकास योजना

12. किसी परिकल्पना को संकल्पनात्मक रूप से होना चाहिए- [Jun 2019]
(a) संवलित, जटिल और सामान्य
(b) जटिल, दु:साह्य और सामान्य
(c) सरल, स्पष्ट और विशिष्ट
(d) अस्पष्ट, पेचीदा और सरल

13. शोध के दौरान, अवलोकन दर्ज करते समय यदि कोई प्रेक्षक अन्त:क्रिया के दूसरे पहलू में दी गई रेटिंग के आधार पर व्यक्ति की रेटिंग करता है, तो यह पद कहलाता है: [Jun 2019]
(a) मूल्यांकन प्रभाव
(b) केन्द्रीय प्रवृत्ति की त्रुटि
(c) हेलो प्रभाव
(d) कोटिगत प्रभाव

14. एक अध्ययन 'तनावपूर्ण जीवन से दिल का दौरा पड़ता है' को किसमें श्रेणीबद्ध किया जा सकता है? [Jun 2019]
(a) विवरणात्मक शोध (b) व्याख्यात्मक शोध
(c) सहसंबंधात्मक शोध (d) साध्यता शोध

15. किसी शोध समस्या के निरूपण की तुलना किससे की जा सकती है? [Jun 2019]
(a) भवन की नींव डालने से
(b) घर की दीवारों के निर्माण से
(c) भवन के दरवाजों पर पॉलिश करने से
(d) मकान की छत के निर्माण से

16. डाक से प्रेषित प्रश्नावली, अवलोकन, साक्षात्कार तथा सामूहिक प्रश्नावली किसके उदाहरण हैं? [Jun 2019]
(a) द्वितीयक स्रोत (b) वैयक्तिक स्रोत
(c) प्राथमिक स्रोत (d) तृतीयक स्रोत

17. निम्नलिखित में से कौन-सी शोध परिकल्पना परीक्षण और सामान्यीकरण पर बल देती है? **[Jun 2019]**

(a) प्रयोगात्मक और कार्योत्तर शोध
(b) हस्तक्षेप आधरित क्रियात्मक शोध
(c) दृश्य घटना विज्ञान और वृतान्त परक शोध
(d) व्यष्टि अध्ययन शोध

18. निम्नलिखित में से कौन-सा क्रिया समुच्चय क्रियात्मक शोध चक्र का सही निरूपण है? **[Jun 2019]**

(a) चिंतन, क्रियान्विति, योजना और अवलोकन
(b) योजना, क्रियान्विति, अवलोकन और चिंतन
(c) अवलोकन, योजना, चिंतन और क्रियान्विति
(d) क्रियान्विति, योजना, अवलोकन और चिंतन

19. निम्नांकित में से कौन-सी गुणात्मक शोध की प्रमुख विशिष्टता है? **[Jun 2019]**

(a) विधेयात्मक पूर्वानुमानों और दत्त विश्लेषण का परिहार करता है।
(b) पूर्व विद्यमान श्रेणियों से सहमति व्यक्त करता है।
(c) संख्यात्मक रूप में आंकड़ों का संग्रह करता है।
(d) प्रदत्त विश्लेषण की आनुभाविक विधि का उपयोग करता है।

20. शोध-साहित्य की एक अच्छी समीक्षा का उद्देश्य होता है **[Jun 2019]**

(a) विषयवस्तु का व्यक्तिनिष्ठ विश्लेषण करना।
(b) लेखकों और उनके संबंधों के बारे में सूचना प्रदान करना।
(c) शोध प्रश्नों का सृजन करना और उनकी वैधता निरूपण।
(d) बहु-कार्य आधारित परीक्षण करना।

21. एक शोधकर्ता अपने शोध में शून्य परिकल्पना को अस्वीकार करने में विफल रहता है। उसकी मूल शोध परिकल्पना के लिए इसके क्या निहितार्थ होंगे? **[Jun 2019]**

(a) शोध परिकल्पना को स्वीकार कर लेगा।
(b) शोध परिकल्पना को अस्वीकार कर लेगा।
(c) शोध परिकल्पना पर कोई निर्णय नहीं लेगा।
(d) शोध परिकल्पना में सुधार करेगा।

22. महाविद्यालय का एक शिक्षक, विद्यार्थियों के घर की परिस्थितियों तथा उपलब्ध छात्रावासों से संबंधित वास्तविक परिस्थितियों के चित्रण की दृष्टि से शोध करता है। ऐसा करने के लिए निम्नलिखित में से कौन-सा प्रारूप उपयोगी रहेगा? **[Dec 2019]**

(a) प्रयोगात्मक शोध
(b) विवरणात्मक शोध
(c) प्रतिभागी प्रेक्षण आधारित शोध
(d) नृजातीय शोध

23. शोध के निम्नलिखित सोपानों में सृजनात्मकता एवं कल्पना का दायरा सबसे अधिक कहां है? **[Dec 2019]**

(a) शोध संबंधी समस्या की पहचान करना एवं उसे परिभाषित करना।
(b) संबंधित अध्ययनों तथा अन्य शोधकर्ताओं द्वारा प्रयुक्त तकनीकों का आंकलन करना।
(c) बातों की पहचान करना तथा परिकल्पना का निर्माण करना।
(d) प्रदत्त विश्लेषण तथा परिणामों का प्रस्तुतीकरण।

24. एक शोधकर्ता शोध परिणामों को शोध प्रबंध के रूप में अन्तिम रूप प्रतिवेदित करते समय आमुख में अपने पर्यवेक्षक की सहायता को स्वीकारता है। इसे क्या माना जाता है? **[Dec 2019]**

(a) औपचारिकतामात्रा
(b) अपेक्षित औपचारिकता
(c) अनावश्यक कार्य
(d) नैतिकता का भाग

25. शोध की समष्टि को प्रकृति विजातीय होने की दशा में निम्नलिखित में से कौन-सी प्रतिचयन विधि प्रतिदर्श इकाइयों का सर्वोत्तम प्रतिनिधित्व सुनिश्चित करेगी? **[Dec 2019]**

(a) सरल यादृच्छिक प्रतिचयन
(b) स्तरित यादृच्छिक प्रतिचयन
(c) गुच्छ प्रतिचयन
(d) व्यवस्थित प्रतिचयन

26. निम्नलिखित में से कौन-सी सांख्यिकीय प्रविधि के प्रदत्त विश्लेषण हेतु उपयुक्त रहेगी जब प्रदत्तों की उपलब्धता आवृत्तियों के रूप में हो? **[Dec 2019]**

(a) परामिट्रिक 'टी' परीक्षण
(b) अपरामिट्रिक 'यू' परीक्षण
(c) अपरामिट्रिक 'काई-स्क्वॉयर' परीक्षण
(d) परामिट्रिक सह-संबंधित 'टी' परीक्षण

27. निम्नलिखित में से कौन शोध के सन्दर्भ में पठन कौशल के सही क्रम का प्रतिनिधित्व करता है? **[Dec 2019]**

(a) पठन, प्रश्न, स्मरण, समीक्षा, सर्वेक्षण
(b) प्रश्न, सर्वेक्षण, पठन, स्मरण, समीक्षा
(c) स्मरण, समीक्षा, सर्वेक्षण, प्रश्न, पठन
(d) सर्वेक्षण, प्रश्न, पठन, स्मरण, समीक्षा

28. शोध के पश्च-प्रत्यक्षवादी उपागम में निम्नलिखित में से किस प्रकार के शोध पर बल दिया गया? **[Dec 2019]**

(1) प्रयोगात्मक शोध

(2) दृश्य घटना शोध

(3) नृजातीय शोध

(4) कार्योत्तर शोध

(5) क्रियात्मक शोध

नीचे दिए गए विकल्प में से सही उत्तर का चयन कीजिए:

(a) (1), (2) तथा (3) (b) (2), (3) तथा (4)

(c) (2), (3) तथा (5) (d) (3), (4) तथा (5)

29. निम्नलिखित में से किस प्रारूप में 'शोध सार' एक अनिवार्यता है? **[Dec 2019]**

(1) शोध आलेख

(2) प्रस्तुत सेमिनार पत्र

(3) शोध पत्र

(4) शोध सार

निम्नलिखित में से सर्वाधिक उपयुक्त विकल्प का चयन कीजिए:

(a) (1), (3) और (4) (b) (1), (2) और (4)

(c) (1), (2) और (3) (d) (2), (3) और (4)

30. निम्नलिखित कौन सा क्रम शोध प्रक्रिया के सर्वाधिक तार्किक क्रम को दर्शाता है? **[Dec 2019]**

(a) किसी शोध समस्या की पहचान कर उसे परिभाषित करना, परिकल्पना निर्माण, परिकल्पना परीक्षण तथा परिणामों की जानकारी देना।

(b) किसी शोध समस्या की पहचान करना, समग्र तथा प्रतिदर्श को परिभाषित करना, प्रदत्तों का संग्रहण तथा उसका विश्लेषण।

(c) शोध का सर्वेक्षण, शोध समस्या को परिभाषित करना, प्रदत्तों का संग्रहण तथा परिणाम की प्रस्तुति।

(d) शोध परिवर्ती को परिभाषित करना, परिकल्पना निर्माण, शोध का परीक्षण और शोध परिणामों की जानकारी देना।

31. किसी विश्वविद्यालय के एक शिक्षक का यह विचार है कि ग्रामीण बच्चों की उपलब्धि और उनकी आकांक्षा के स्तर के मध्य के संबंध का अध्ययन किया जाए। इस विश्व की दृष्टि से कौन सा शोध अभिकल्प सबसे अधिक उपयुक्त होगा? **[Dec 2019]**

(a) प्रयोगात्मक शोध अभिकल्प

(b) कार्योतर शोध अभिकल्प

(c) ऐतिहासिक शोध अभिकल्प

(d) सर्वेक्षण शोध अभिकल्प

32. निम्नलिखित में से किस प्रकार के शोध में परिकल्पना परीक्षण मुख्य अवधारणा है? **[Dec 2019]**

(a) प्रयोगात्मक शोध (b) ऐतिहासिक शोध

(c) सर्वेक्षण शोध (d) निर्वचनात्मक शोध

33. निम्नलिखित में से कौन-सा गुणात्मक शोध से संबंधित नहीं है? **[Dec 2019]**

(a) प्रकरणात्मक विश्लेषण

(b) व्यष्टि अध्ययन

(c) प्रोक्ति विश्लेषण

(d) सर्वेक्षण विधि

34. निम्नलिखित में से कौन-सा शोध के आधारिक (ग्राउंडिड) सिद्धांत का परिणाम नहीं है? **[Dec 2019]**

(a) अवधारणाएँ (b) आख्या

(c) श्रेणी (d) परिकल्पना

35. निम्नलिखित कथनों में से कौन से दो कथन सही हैं? **[Dec 2019]**

(1) प्रतिदर्श-यह उस त्रुटि से संबंधित है जो गैर-प्रतिदर्श त्रुटि की श्रेणी में आता है।

(2) प्रतिदर्श त्रुटि बहुस्तरीय समूह प्रतिदर्श में नहीं होती है।

(3) गलत प्रतिदर्श ढांचा और प्रतिक्रिया न देना प्रतिदर्श से जुड़ी त्रुटि के उदाहरण हैं।

(4) जनसंख्या की विजातीयता और प्रतिदर्श त्रुटि के बीच एक प्रतिलोम सम्बन्ध होता है।

सही विकल्प चुनें:

(a) केवल (1) और (3) (b) केवल (2) और (4)

(c) केवल (2) और (4) (d) केवल (2) और (3)

36. कॉलम-एक को कॉलम-दो से सुमेलित कीजिए: **[Dec 2019]**

सूची-I	सूची-II
(1) सत्तामीमांसा	(i) आइडियोग्राफी
(2) ज्ञानमीमांसा	(ii) वास्तविकतावाद
(3) प्रणाली विधि	(iii) सर्वेक्षण
(4) प्रणाली	(iv) सकारात्मकतावाद

सही विकल्प चुनिए:

(a) (1)-(ii), (2)-(iv), (3)-(iii), (4)-(i)

(b) (1)-(ii), (2)-(i), (3)-(iii), (4)-(iv)

(c) (1)-(iv), (2)-(ii), (3)-(i), (4)-(iii)

(d) (1)-(ii), (2)-(iv), (3)-(i), (4)-(iii)

37. शोध-सोपानों को शोध-प्रबन्ध में प्रस्तुत करते समय किस क्रम में दर्शाया जाता है? **[Dec 2019]**

(a) परिचर्चा, साहित्य की समीक्षा, परिणाम, अवधारणा ढांचा, समस्या

(b) साहित्य की समीक्षा, समस्या, अवधारणा ढांचा, परिणाम, परिचर्चा

(c) समस्या, साहित्य की समीक्षा, अवधारणा ढांचा, परिचर्चा

(d) समस्या, साहित्य की समीक्षा, अवधारणा ढांचा, परिचर्चा

38. सूची–I में उल्लेखित मापन स्तर को सूची–II में दिये गये उसके गुणों के साथ सुमेलित कीजिए: **[Dec 2019]**

सूची–I (मापन स्तर)	सूची–II (गुण)
(1) नामिक	(i) वर्गीकरण, क्रम, समान इकाइयां और निरपेक्ष शून्य
(2) क्रमिक	(ii) वर्गीकरण क्रम और समान इकाइयां
(3) अंतराल	(iii) वर्गीकरण
(4) आनुपातिक	(iv) वर्गीकरण और क्रम

सही विकल्प का चयन कीजिए:

(a) (1)–(i), (2)–(ii), (3)–(iii), (4)–(iv)

(b) (1)–(ii), (2)–(iii), (3)–(iv), (4)–(i)

(c) (1)–(iii), (2)–(i), (3)–(ii), (4)–(iv)

(d) (1)–(iii), (2)–(iv), (3)–(ii), (4)–(i)

39. किस प्रकार के गुणात्मक शोध अभिकल्प में लोगों के जीवन का वर्णन करने के लिए व्यक्तिगत कहानियों की तलाश की जाती है? **[Dec 2019]**

(a) नृजाति विज्ञान

(b) आधारिक सिद्धांत शोध

(c) प्रतीकात्मक अंत:क्रिया

(d) वृतान्तात्मक शोध

40. दो क्रमिक पूर्णांकों का गुणनफल संख्या 2 से विभाज्य है। अत:, 4 × 5 (=20) संख्या 2 से विभाज्य है। **[Dec 2019]**

यह किस प्रकार के तर्क का उदाहरण है?

(a) अपगमनात्मक (b) आगमनात्मक

(c) अनौपचारिक (d) निगमनात्मक

41. निम्नलिखित में से किस सिद्धांत को कक्षा संप्रेषण पर लागू किया जा सकता है **[Dec 2019]**

(a) सामाजिक रचनावाद का सिद्धांत

(b) श्रोता सीमांतीकरण सिद्धांत

(c) आनुष्ठानिक सिद्धांत

(d) प्राधान्य का सिद्धांत

42. निम्नलिखित में से कौन सा शोध चक्रीय प्रकृति का है? **[Dec 2019]**

(a) मौलिक शोध (b) व्यवहृत शोध

(c) क्रियात्मक शोध (d) मूल्यांकनात्मक शोध

43. निम्नलिखित में से शोध के किस चरण में शोध नैतिकता का मामला प्रासंगिक हो जाता है? **[Dec 2019]**

(1) समस्या चयन

(2) परिकल्पना निर्माण

(3) परिकल्पना परीक्षण

(4) प्रदत्त विश्लेषण और व्याख्या

(5) शोध-समग्र को परिभाषित किया जाना

सही विकल्प का चयन कीजिए:

(a) (1) और (2) (b) (3) और (4)

(c) (2) और (5) (d) (3) और (5)

44. नीचे दो सेट दिए गए हैं, सूची I में शोध साधन दिए गए हैं और सूची II मापन के संदर्भ में डाटा की प्रकृति को वर्णित करता है। दोनों सेटों को सुमेलित कीजिए: **[Dec 2019]**

सूची-I (शोध साधन)	सूची-II (माप-मापनी)
(1) प्रश्नावली और साक्षात्कार	(i) माप की अनुपात मापनी
(2) बुद्धिमत्ता और अभिरुचि परीक्षा	(ii) क्रमसूचक मापनी
(3) अभिवृत्ति और मूल्य परीक्षा	(iii) माप की अंतराल मापनी
(4) गति और बारंबारता परीक्षा	(iv) माप की नामिक मापनी

निम्नांकित विकल्पों में से सही उत्तर चुनिए:

(a) (1)–(i), (2)–(ii), (3)–(iii), (4)–(iv)

(b) (1)–(iii), (2)–(i), (3)–(iv), (4)–(ii)

(c) (1)–(iv), (2)–(iii), (3)–(ii), (4)–(i)

(d) (1)–(ii), (2)–(iii), (3)–(i), (4)–(iv)

45. एक महाविद्यालय शिक्षक द्वारा सेमिनार में एक शोधपत्र प्रस्तुत किया जाता है। शोधपत्र में उल्लिखित संदर्भ काफी पुराने हैं। इस स्थिति को किस प्रकार के मामले के रूप में वर्णित किया जाएगा? **[Dec 2019]**

(a) तकनीकी चूक

(b) नैतिक चूक

(c) शैक्षणिक अनभिज्ञता

(d) शोध स्रोत को अद्यतन करने की अक्षमता

46. डाटा विश्लेषण के स्तर पर शोधकर्ता द्वारा मात्रात्मक तकनीकों का प्रयोग किया गया जिसमें साक्ष्य निराकरणीय परिकल्पना (H_0) को अस्वीकार करने की मांग करते हैं। निम्नांकित में से शोधकर्ता का कौन-सा निर्णय उपयुक्त माना जाएगा? **[Dec 2019]**

(a) (H_0) और मूल शोध परिकल्पना को अस्वीकार करना

(b) (H_0) को अस्वीकार करना और मूल शोध परिकल्पना को स्वीकार करना

(c) मूल शोध परिकल्पना पर कोई निर्णय लिए बिना (H_0) को अस्वीकार करना

(d) (H_0) को स्वीकार करना और मूल शोध परिकल्पना को अस्वीकार करना

47. निम्नलिखित सूची में से ऐसे परीक्षणों को चिह्नित कीजिए जो शोध के संदर्भ में इष्टतम कार्य निष्पादन परीक्षण की कोटि में आते हैं: **[Dec 2019]**

(1) व्यक्तित्व परीक्षण

(2) प्रक्षेपी व्यक्तित्व परीक्षण

(3) उपलब्धि परीक्षण

(4) अभिवृत्ति परीक्षण

(5) बुद्धि परीक्षण

(6) अभिरुचि परीक्षण

सही विकल्प का चयन कीजिए:

(a) (1), (2) और (3)

(b) (2), (3) और (5)

(c) (3), (5) और (6)

(d) (1), (4) और (6)

48. शोध में प्रयुक्त निम्नलिखित में से कौन-सी प्रतिदर्श विधि में प्रतिदर्श के एकक समान और स्वतंत्र प्रकृति के होते हैं? **[Dec 2019]**

(a) अवस्था प्रतिदर्श प्रतिचयन

(b) गुच्छ प्रतिदर्श प्रतिचयन

(c) विमात्मक प्रतिदर्श प्रतिचयन

(d) स्नोबॉल प्रतिदर्श प्रतिचयन

49. प्रत्येक कक्षा के अंत में लघु सारांश को कहा जाता है: **[Dec 2019]**

(a) भाषायी विवरण (b) रूढ़ोक्ति निष्कर्ष

(c) भाषायी संकेत चिन्हांकन (d) अंतरीकृत निष्कर्ष

50. हस्तक्षेप आधारित क्रियात्मक शोध प्रक्रिया में निम्नांकित में से किस क्रम की सामान्यत: सिफारिश की जाती है? **[Dec 2019]**

(a) योजना, क्रियान्वित, प्रेक्षण और चिंतन-मनन

(b) प्रेक्षण, योजना, क्रियान्वित और चिंतन-मनन

(c) चिंतन-मनन, योजना, क्रियान्वित और प्रेक्षण

(d) प्रेक्षण, क्रियान्वित, चिंतन-मनन और योजना

51. नीचे दो कथन दिए गए हैं: **[2020]**

कथन (I) : कक्षा मूल्यांकन में शिक्षक को ज्ञात होता है कि विद्यार्थियों के अकों का वितरण सकारात्मक रूप से विषम है।

कथन (II) : जब विद्यार्थियों के अंकों का वितरण सामान्य पाया जाता है तो केंद्रीय प्रवृत्ति के सभी तीनों मान एक ही होते हैं।

(a) कथन (I) और (II) दोनों सही हैं।

(b) कथन (I) और (II) दोनों सही नहीं हैं।

(c) कथन (I) सही है किंतु कथन (II) सही नहीं हैं।

(d) कथन (I) सही नहीं है किंतु कथन (II) सही हैं।

52. निम्नलिखित में से कौन-सा अनुसंधान किसी दिए गए क्षेत्र में ज्ञान के कोश में वृद्धि करता है? **[2020]**

(a) क्रियात्मक अनुसंधान

(b) व्यवहृत अनुसंधान

(c) मूल्यांकनात्मक अनुसंधान

(d) मौलिक अनुसंधान

53. साक्ष्यों एवं आँकड़ों के विश्लेषण हेतु निम्नलिखित कौन-सी अनुसंधान विधि में आंतरिक एवं बाहरी आलोचना का प्रयोग किया जाता है? **[2020]**

(a) कार्योत्तर विधि

(b) प्रयोगात्मक विधि

(c) ऐतिहासिक विधि

(d) विवरणात्मक सर्वेक्षण विधि

54. गुणात्मक अनुसंधान के प्रमुख लक्षणों की पहचान कीजिए: **[2020]**

(1) आँकड़ों के स्रोत के रूप में वास्तविक परिस्थितियाँ

(2) मुख्य संक्रियाओं के रूप में नियंत्रण, अवलोकन एवं उपाय

(3) आँकड़े, शब्दों एवं चित्रों का रूप लेते हैं।

(4) सहभागी परिप्रेक्ष्य में साथ संबंधित

(5) परिकल्पना बनाना तथा परिकल्पना का परीक्षण करना

नीचे दिए गए विकल्पों में से सही उत्तर चुनिए:

(a) केवल (1), (3) और (4)

(b) केवल (1), (2) और (3)

(c) केवल (2), (3) और (4)

(d) केवल (3), (4) और (5)

55. नीचे दो कथन दिए गए हैं: **[2020]**

कथन (I) : अनुसंधान में समग्र का अभिप्राय है अध्ययन हेतु लिए गए विषय से संबंधित सुपरिभाषित समुच्चय।

कथन (II) : प्रतिदर्श एक उप-समुच्चय है जिसे निरूपित करने के लिए एक परिभाषित समग्र से लिया जाता है।

उपर्युक्त कथनों के आलोक में निम्नांकित विकल्पों में से सर्वाधिक उपयुक्त उत्तर चुनें:

(a) कथन I और II दोनों सही हैं।

(b) कथन I और II दोनों सही नहीं हैं।

(c) कथन I सही है किंतु कथन II सही नहीं हैं।

(d) कथन I सही नहीं है किंतु कथन II सही हैं।

56. नीचे दो कथन दिए गए हैं जिसमें से एक को अभिकथन (A) और दूसरे को तर्क (R) कहा गया है। **[2020]**

अभिकथन (A) : अनुसंधान परिणामों एवं वास्तविक परिस्थितियों में उनके प्रयोग को विश्वसनीयता प्रदान करने के लिए अनुसंधान में आचार संहिता आवश्यक है।

कथन (R) : अनुसंधान में आईसीटी का अनुप्रयोग अनुसंधान परिणामों की विश्वसनीयता को सुनिश्चित करता है।

उपयुक्त कथनों के आलोक में निम्नांकित विकल्पों में से सर्वाधिक उत्तर चुनें:

(a) (A) और (R) दोनों सही हैं और (R), (A) की सही व्याख्या है।

(b) (A) और (R) दोनों सही हैं परन्तु (R), (A) की सही व्याख्या नहीं है।

(c) (A) सही है परन्तु (R), सही नहीं है।

(d) (A) सही नहीं है परन्तु (R), सही है।

57. एक शिक्षक विभिन्न उपायों के माध्यम से अधिगम की गुणवत्ता में सुधार करने के लिए लगातार प्रयास करता है। उसके द्वारा अपनाया गया उपागम किस प्रकार के शोध के दायरे में आ सकता है? **[2020]**

(a) मौलिक शोध

(b) व्यवह्रत शोध

(c) क्रियात्मक शोध

(d) मूल्यांकनात्मक शोध

58. निम्नलिखित में से किस शोध विधि द्वारा 'करण और प्रभाव संबंध' पर विशेष ध्यान केन्द्रित किया जाता है? **[2020]**

(a) ऐतिहासिक विधि

(b) प्रयोगात्मक विधि

(c) कार्योत्तर विधि

(d) व्यष्टि (केस) अध्ययन विधि

59. शोध के निम्नलिखित सोपानों में से किसमें 'सृजनशीलता' और 'कल्पना' की परिधि सबसे बड़ी होती है? **[2020]**

(a) प्रतिदर्श प्रतिचयन की पद्धतियों को परिभाषित करना और उनका निर्धारण करना।

(b) शोध समस्या की पहचान करना और उसे परिभाषित करना।

(c) परिमाणात्मक विधियों का उपयोग करते हुए प्रदत्त विश्लेषण और निर्वचन।

(d) परिकल्पना निर्माण और परिकल्पना परीक्षण।

60. नीचे दो कथन दिए गए हैं: **[2020]**

कथन (I): प्रामाणिकता सुनिश्चित करने हेतु शोधकर्ता को उन मूल स्त्रोतों को इंगित करना होता है जहां से प्रदत्त लिए गए हैं।

कथन (II): प्रदत्त विश्लेषण और निर्वचन में शोधकर्ता को प्रयुक्त पद्धतियों की अपेक्षित कठोरता और उपयुक्तता का प्रदर्शन करना पड़ता है।

उपर्युक्त कथनों के आलोक में निम्नांकित विकल्पों में से सर्वाधिक उपयुक्त उत्तर चुनें:

(a) कथन I और II दोनों सही हैं।

(b) कथन I और II दोनों सही नहीं हैं।

(c) कथन I सही है किंतु कथन II सही नहीं है।

(d) कथन I सही नहीं है किंतु कथन II सही है।

61. नीचे दो कथन दिए गए हैं: **[2020]**

कथन-I: इष्टतम निष्पादन परीक्षण, परीक्षार्थियों के ज्ञान एवं उसकी योग्यता की चरम सीमा के आकलन हेतु अभिकल्पित होते हैं।

कथन-II: विशिष्ट उत्तर परीक्षण परीक्षार्थियों के व्यवहार एवं अभिलक्षणों के मापन हेतु अभिकल्पित होते हैं।

उपर्युक्त कथनों के आलोक में निम्नांकित विकल्पों में से सही उत्तर चुनें:

(a) कथन-I और II दोनों सही हैं।
(b) कथन-I और II दोनों सही नहीं हैं।
(c) कथन-I सही है, किन्तु कथन-II सही नहीं है।
(d) कथन-I सही नहीं है, किन्तु कथन-II सही है।

62. शोध की किस विधि में निराश्रित चर में हेर-फेर तथा बाह्य चरों का नियंत्रण न तो संभव है और न वांछनीय? **[2020]**

(a) प्रयोगात्मक विधि
(b) कार्योत्तर विधि
(c) ऐतिहासिक विधि
(d) वर्णनात्मक सर्वेक्षण विधि

63. निम्नांकित में से उन कथनों की पहचान कीजिए जो गुणात्मक शोध के प्रतिमान की विशेषताओं को परिलक्षित करते हैं: **[2020]**

1. शोधकर्ता अपने प्रदत्तों का विश्लेषण आगमन रीति से करने की ओर उन्मुख होते हैं
2. मुख्य शोध परिकल्पना शून्य परिकल्पना के माध्यम से परीक्षित होती है
3. प्रदत्त शब्दों एवं चित्रों के रूप में होते हैं
4. वास्तविक परिदृश्य, प्रदत्तों के प्रत्यक्ष स्रोत होते हैं
5. इसमें यह माना जाता है कि सामाजिक तथ्य एकल वस्तुनिष्ठ यथार्थ के रूप में पाए जाते हैं

नीचे दिए गए विकल्पों में से सही उत्तर चुनें:

(a) केवल 1, 2 और 3
(b) केवल 1, 2 और 5
(c) केवल 2, 3 और 5
(d) केवल 1, 3 और 4

64. परिमाणात्मक शोध प्रतिमान के अंतर्गत निम्नांकित में से किन प्रतिदर्श प्रतिचयन विधियों को वरीयता दी जाती है? **[2020]**

1. साधारण यादृच्छ प्रतिचयन
2. स्तरित प्रतिचयन
3. आनुपातिक प्रतिचयन
4. स्नोबॉल प्रतिचयन
5. व्यवस्थित प्रतिचयन

नीचे दिए गए विकल्पों में से सही उत्तर चुनें:

(a) केवल 1, 2 और 3 (b) केवल 1, 2 और 5
(c) केवल 2, 3 और 4 (d) केवल 3, 4 और 5

65. सूची-I में शोध अवधारणाएं हैं जबकि सूची-II में उनका विवरण है। सूची-I से सूची-II का मिलान करें: **[2020]**

सूची-I	सूची-II
1. परिकल्पना	I. यह एक सांख्यिकी परीक्षण है जिसमें प्राचलों के बारे में कोई पूर्वधारणा नहीं होती
2. प्रतिदर्श (न्यादर्श)	II. प्रविधियाँ जिनके अनुप्रयोग द्वारा शोध में प्रदत्त संकलन किया जाता है
3. शोध उपकरण	III. बड़े समूह (समग्र) के प्रतिनिधित्व हेतु एक छोटे समूह का गठन
4. अपरामितिक परीक्षण	IV. एक अनंतिम कथन जिसके अंतर्गत दो या दो से अधिक चरों के मध्य संबंध संसूचित किए जाते हैं

नीचे दिए गए विकल्पों में से सही उत्तर चुनें:

(a) 1 – IV, 2 – III, 3 – II, 4 – I
(b) 1 – I, 2 – II, 3 – III, 4 – IV
(c) 1 – II, 2 – I, 3 – IV, 4 – III
(d) 1 – III, 2 – IV, 3 – I, 4 – II

66. नीचे दो कथन दिए गए हैं: पहला अभिकथन (A) और दूसरा तर्क (R) है: **[2020]**

अभिकथन (A): क्रास ब्रेक उसे कहते हैं जिसमें आवृत्ति या प्रतिशत रूप में प्रदत्तों की सांख्यिकी सारणीबद्ध प्रस्तुति है जिसमें चरों के मध्य संबंध देखने के लिए उनका भागों में विभाजन किया जाता है।

तर्क (R): श्रेणियों का निर्धारण शोध परिकल्पना के अनुसार किया जाता है।

उपयुक्त कथनों के आलोक में निम्नांकित विकल्पों में से सर्वाधिक उपयुक्त उत्तर चुनें:

(a) (A) और (R) दोनों सही हैं और (R), (A) की सही व्याख्या है।
(b) (A) और (R) दोनों सही हैं लेकिन (R), (A) की सही व्याख्या नहीं है।
(c) (A) सही है पर (R) गलत है।
(d) (A) गलत है पर (R) सही है।

67. सूची-I को सूची-II से सुमेलित कीजिए: सूची-I में विभिन्न शोध विधियां दी गई हैं और सूची-II में उनका विवरण दिया गया है। **[2020]**

सूची-I	सूची-II
(1) प्रयोगात्मक विधि	(I) किसी विशिष्ट समाज के लोग जिस तरीके से अपना मत और कार्य व्यक्त करते है, उसका विस्तृत वर्णन।
(2) कार्योत्तर विधि	(II) परिघटना की वर्तमान स्थितियों के संबंध में सूचना प्राप्त करने के लिए अभिकल्पित अध्ययन
(3) वर्णनात्मक सर्वेक्षण	(III) उपयुक्त नियंत्रण की स्थिति में आश्रित चर पर निराश्रित चर के हेर-फेर के प्रभाव का अध्ययन करना।
(4) नृजातीय विधि	(IV) वर्तमान में व्यक्त साक्ष्यों के आधार पर कारक तत्वों का अन्वेषण करना।

नीचे दिये गये विकल्पों में से सही उत्तर चुनें:

(a) (1)-(I), (2)-(II), (3)-(III), (4)-(IV)

(b) (1)-(IV), (2)-(III), (3)-(II), (4)-(I)

(c) (1)-(II), (2)-(I), (3)-(IV), (4)-(III)

(d) (1)-(III), (2)-(IV), (3)-(I), (4)-(II)

68. निम्नलिखित में से कौन सी विशेषताएं शोध में आश्रित चर का सर्वोत्तम वर्णन करती हैं? **[2020]**

(1) यह कारण कार्य संबंध में कारक है।

(2) यह कारण कार्य संबंध में प्रभाव है।

(3) यह वह स्थिति या विशेषता है जिसमें प्रयोगात्मक अध्ययन में हेर-फेर किया जाता है।

(4) यह वह चर है जिसे नियंत्रण में रखा जाता है।

(5) यह एक प्रकार का अनुक्रिया चर है।

नीचे दिये गये विकल्पों में से सही उत्तर चुनिये:

(a) केवल (1) और (2)

(b) केवल (2) और (3)

(c) केवल (1) और (3)

(d) केवल (4) और (5)

69. एक शोध परिस्थिति में जब किसी विशिष्ट 'सांख्यिकी' को स्पष्टत: सार्थक घोषित किया जाता है, तो निम्नलिखित में से कौन-सा निर्णय तर्कसंगत माना जाएगा? **[2020]**

(1) शून्य परिकल्पना अस्वीकार की जाती है।

(2) वैकल्पिक परिकल्पना स्वीकार की जाती है।

(3) शून्य परिकल्पना स्वीकार की जाती है।

(4) वैकल्पिक परिकल्पना अस्वीकार की जाती है।

(5) शून्य परिकल्पना के साथ-साथ वैकल्पिक परिकल्पना भी स्वीकार की जाती है।

नीचे दिये गये विकल्पों में से सही उत्तर चुनिये:

(a) केवल (2) और (3)

(b) केवल (3) और (4)

(c) केवल (4) और (5)

(d) केवल (1) और (2)

70. नीचे दो कथन दिए गए हैं जिन में से एक को अभिकथन (A) और दूसरे को तर्क (R) कहा गया है **[2020]**

अभिकथन (A) : ऐतिहासिक शोध में प्रदत्त किसी महत्व का हो इससे पहले वह प्रामाणिक होना चाहिए। फिर भी प्रामाणिक का साक्ष्य उसके महत्व को स्थापित नहीं करता है, वह परिशुद्ध भी होना चाहिए।

तर्क (R) : इसलिए बाह्य आलोचना को प्रदत्त निम्नेतर समीक्षा कहा जाता है।

उपर्युक्त कथनों के आलोक में निम्नांकित विकल्पों में से सर्वाधिक उपयुक्त उत्तर चुनें:

(a) (A) और (R) दोनों सही हैं और (R), (A) की सही व्याख्या है।

(b) (A) और (R) दोनों सही हैं परन्तु (R), (A) की सही व्याख्या है।

(c) (A) सही है परन्तु (R) सही नहीं है।

(d) (A) सही नहीं है परन्तु (R) सही है।

71. नीचे दो कथन दिए गए हैं: **[2020]**

कथन (I) : शोध में संयोगिक आकस्मिक त्रुटियां प्राप्त परिणामों को सही मान से एक या दूसरी दिशा में परिवर्तित करने में कारक होंगी।

कथन (II) : व्यवस्थित त्रुटियां शोध में प्राप्त परिणामों को किसी एक विशेष दिशा में परिवर्तित करती हैं और संयोगिक त्रुटियों के सापेक्ष शोधकर्ता को काफी हद तक आश्चर्यचकित करती हैं।

उपर्युक्त कथनों के आलोक में निम्नांकित विकल्पों में से सर्वाधिक उपयुक्त उत्तर चुनें:

(a) कथन I और II दोनों सही हैं।
(b) कथन I और II दोनों सही नहीं हैं।
(c) कथन I सही है किंतु कथन II सही नहीं है।
(d) कथन I सही नहीं है किंतु कथन II सही है।

72. 'कोई विश्वविद्यालय शिक्षक विद्यार्थियों के सृजनात्मक स्तर के संदर्भ में, विशिष्ट प्रोजेक्ट्स कार्यान्वित करने में उनके निष्पादन का अध्ययन करने की योजना बनाता है।' इस संदर्भ में निम्नलिखित में से कौन-सी शोध विधि उपयुक्त होगी? **[2020]**
(a) ऐतिहासिक विधि
(b) वर्णनात्मक सर्वेक्षण विधि
(c) प्रयोगात्मक विधि
(d) कार्योत्तर विधि

73. शोध की निम्नलिखित में से कौन-सी विशेषता गुणात्मक अनुसंधान से संबंधित है: **[2020]**
1. प्रदत्तों के प्रत्यक्ष स्रोत के रूप में नैसर्गिक परिस्थितियाँ
2. नियंत्रित परिस्थितियों में प्रदत्त संकलन
3. मात्रा परिणाम के बजाय प्रक्रिया को भी ध्यान में रखना।
4. संबंध स्थापित करना और परिवर्तनों के कारणों की व्याख्या करना।
5. सहभागी परिप्रेक्ष्य को ध्यान में रखना।

नीचे दिए गए विकल्पों में से सही उत्तर चुनिये:
(a) केवल 1, 3 और 4
(b) केवल 1, 3 और 5
(c) केवल 2, 3 और 4
(d) केवल 3, 4 और 5

74. निम्नलिखित में से उत्तम शोध प्राक्कल्पना के गुणों की पहचान कीजिए: **[2020]**
1. इन्द्रियानुभविक परीक्षण योग्य
2. चरों को परिभाषित करने में अवधारणात्मक स्पष्टता
3. प्रतिपादित संबंधों की सत्याभासिता
4. शोधकर्ता की स्रोतों के संदर्भ में पहुंच होना
5. इसकी अकाट्यता की सीमा

नीचे दिए गए विकल्पों में से सही उत्तर चुनिये:
(a) केवल 2, 3 और 4
(b) केवल 1, 2 और 4
(c) केवल 3, 4 और 5
(d) केवल 1, 2 और 3

75. कोई शोधार्थी अपना शोध प्रबंध लिखते समय शोध के विभिन्न चरणों में आईसीटी (ICT) का प्रयोग करता/करती है। वह परिणामों का निर्वचन करने में अवधारणात्मक त्रुटियों को सही ठहराता/ठहराती है और इसके लिए विशिष्ट आईसीटी युक्तियों को जिम्मेदार मानता/मानती है। इसे कहा जाएगा: **[2020]**
(a) तकनीकी अक्षमता
(b) शोध डिजाइन की अपर्याप्तता
(c) नैतिक और नीति-विषयक कमी
(d) मानवीय त्रुटि

76. नीचे दो कथन दिए गए हैं: **[2020]**

कथन-I: क्रियात्मक अनुसंधान चक्रीय होता है क्योंकि इसमें योजना-क्रिया-पर्यवेक्षण-विचारणा का चक्र शामिल होता है।

कथन-II: क्रियात्मक अनुसंधान का प्रयोजन चरों के बीच कारणात्मक संबंध की व्याख्या करने हेतु एक सिद्धांत विकसित करना होता है।

उपर्युक्त कथनों के आलोक में निम्नांकित विकल्पों में से सही उत्तर चुनें:
(a) कथन-I और II दोनों सही हैं।
(b) कथन-I और II दोनों सही नहीं हैं।
(c) कथन-I सही है, किन्तु कथन-II सही नहीं है।
(d) कथन-I सही नहीं है, किन्तु कथन-II सही है।

77. प्रीडेटरी जर्नल वह है जिसका प्रकाशक: **[2020]**
(a) अव-मानक या बिना पीयर रिव्यू के, शुल्क के लिए प्रकाशित करता है।
(b) समान अनुशासनिक क्षेत्र की पत्रिकाओं के प्रकाशकों को उपार्जित कर लिया है।
(c) बिना शुल्क के किन्तु समुचित पुनरीक्षण के साथ प्रकाशित करता है।
(d) समुचित पुनरीक्षण और संपादन के साथ प्रकाशन हेतु पांडुलिपि की स्वीकार्यता के बाद प्रकाशन हेतु शुल्क के लिए आग्रह करता है।

78. कभी-कभी प्रयोज्य, जो यह जानते हैं कि नियंत्रक समूह में हैं, प्रायोगिक समूह के विरुद्ध उससे उत्कृष्ट दिखाने के लिए मेहनत कर सकते हैं। इस परिघटना को निम्न रूप में जाना जाता है: **[2021]**
(a) क्षतिपूर्ति प्रतिद्वंद्विता
(b) नियंत्रित प्रतिस्पर्द्धा
(c) प्रेरणामूलक प्रभाव
(d) अभिप्रेरक प्रतियोगिता

79. निम्नलिखित में से कौन से निर्णय-जाल विचारण और नियोजन क्रियाकलापों से जुड़े हैं? **[2021]**

(A) अभिलेख न रखना

(B) अति आत्मविश्वास

(C) जोखिम भरा कदम उठाना (प्लंजिंग इन)

(D) फ्रेम अंधपन

(E) निम्न फ्रेम नियंत्रण

नीचे दिए गए विकल्पों में से सही उत्तर का चयन कीजिए:

(a) केवल A, B और C (b) केवल A, C और E,

(c) केवल B, C और D, (d) केवल C, D, और E,

80. सूची-I को सूची-II से सुमेलित कीजिए: **[2021]**

सूची-I (आर्टिफेक्ट)	सूची-II (विवरण)
(A) इतिहास	I. घटित होता है जब प्रयोज्यों को समान पूर्व-परीक्षण और पश्च-परीक्षण दिए जाते हैं।
(B) परिपक्वता	II. प्रायोगिक स्थितियों के प्रति प्रयोज्यों की प्रतिक्रिया
(C) परीक्षण	III. अध्ययन के दौरान विभिन्न घटनाओं का घटित होना
(D) मांग विशिष्टिताएं	IV. अध्ययन के दौरान जैविक व मनोवैज्ञानिक चरित्र का परिवर्तन

नीचे दिए गए विकल्पों में से सही उत्तर चुनिए:

(a) (A)–(I), (B)–(II), (C)–(III), (D)–(IV)

(b) (A)–(II), (B)–(III), (C)–(IV), (D)–(I)

(c) (A)–(III), (B)–(IV), (C)–(I), (D)–(II)

(d) (A)–(IV), (B)–(I), (C)–(II), (D)–(III)

81. नीचे दो कथन दिए गए हैं: एक अभिकथन (Assertion A) के रूप में और दूसरा उसके कारण (Reason R) के रूप में: **[2021]**

अभिकथन (A): शोध प्रश्न का किसी मौजूदा सिद्धांत या शोध से कुछ संबंध होना चाहिए।

कारण (R) सूत्रबद्ध शोध प्रश्न को अत्यधिक विस्तृत या अत्यधिक संकीर्ण होना चाहिए।

उपर्युक्त कथनों के आलोक में, नीचे दिए गए विकल्पों में से सही उत्तर का चयन कीजिए:

(a) (A) असत्य है, लेकिन (R) सत्य है।

(b) (A) सत्य है, लेकिन (R) असत्य है।

(c) (A) और (R) दोनों सत्य हैं और (R), (A) की सही व्याख्या है।

(d) (A) और (R) दोनों सत्य हैं परन्तु (R), (A) की सही व्याख्या नहीं है।

82. अनुदैर्ध्य अध्ययनों की निम्नलिखित विशिष्टताएं हैं: **[2021]**

(A) सीमित परिणाम

(B) भारी निवेश की आवश्यकता नहीं होती है।

(C) वैकल्पिक वरण प्रदान करता है।

(D) चरों के समय क्रम में अंतर्दृष्टि की अनुमति देता है।

(E) वैयक्तिक या संस्थागत विकास पर केंद्रित करता है।

नीचे दिए गए विकल्पों में से सही उत्तर का चयन कीजिए:

(a) केवल A, B और C

(b) केवल A, D, और E,

(c) केवल B, C और D,

(d) केवल C, D, और E,

83. प्रसामान्य बंटन वक्र की विशेषताएँ हैं: **[2021]**

A. यह असममित वितरण को प्रतिबिंबित करता है।

B. यह घंटीनुमा होता है।

C. मानक विचलन नहीं दिखाता है।

D. माध्य, बहुलक और माध्यिका वितरण के केंद्र पर संपाती होते हैं।

E. वक्र असंख्य प्रेक्षणों पर आधारित होता है।

नीचे दिए गए विकल्पों में से सही उत्तर का चयन कीजिए:

(a) केवल A, B और C

(b) केवल B, C और D

(c) केवल B, D और E

(d) केवल C, D और E

84. सूची-I को सूची-II से सुमेलित कीजिए: **[2021]**

सूची -I (अभिकल्प के प्रकार)	सूची -II (विशेषता)
A. सॉलोमन का चार समूह अभिकल्प	I. यह एक क्रॉस - सेक्शनल अभिकल्प है।
B. परीक्षणोपरांत केवल नियंत्रण समूह अभिकल्प	II. इसमें नियंत्रण और प्रायोगिक समूहों का एक अतिरिक्त समुच्चय होता है

सूची -I (अभिकल्प के प्रकार)	सूची -II (विशेषता)
C. वन - शॉट केस अध्ययन	III. पूर्व - परीक्षित समूहों को पूर्णतया छोड़ देता है
D. सहसंबंधात्मक अभिकल्प	IV. परिवर्तन को प्रेक्षित करने के लिए एक समय में एक समूह का प्रेक्षण

नीचे दिए गए विकल्पों में से सही उत्तर चुनिए:

(a) A-I, B-II, C-III, D-IV
(b) A-II, B-III, C-IV, D-I
(c) A-III, B-IV, C-I, D-II
(d) A-IV, B-I, C-II, D-III

85. बहिरंग चर को और किस नाम से जाना जाता है? **[2021]**

(a) मानवकृति (आर्टिफैक्ट) (b) सन्निहित कारक
(c) निर्भर चर (d) अंत:क्षेपक (इंटरवीनर)

86. दत्त संग्रह के उपकरण के रूप में प्रेक्षण के निम्नलिखित में से कौन - से लाभ हैं? **[2021]**

A. प्रेक्षण केवल प्राकृतिक परिवेश में होता है।
B. प्रेक्षण विधियों के लिए कार्यक्रम में कर्ता की सक्रिय भागीदारी की आवश्यकता होती है।
C. प्रेक्षण प्रत्यक्षता के लिए जाने जाते हैं।
D. प्रेक्षण मूलक अध्ययनों में कृत्रिमता को न्यूनतम किया जा सकता है।
E. प्रेक्षणमूलक अध्ययनों में सटीकता के लिए रिकार्ड करने वाली युक्तियों (डिवाइसों) का प्रयोग किया जा सकता है।

नीचे दिए गए विकल्पों में से सही उत्तर का चयन कीजिए:

(a) केवल A, B और C
(b) केवल A, B और E
(c) केवल B, C और D
(d) केवल C, D और E

87. ''छह चिंतन टोपी प्रणाली'' (सिक्स थिंकिंग हैट्स सिस्टम) में, जो समांतर चिंतन का एक रूप है, निम्नलिखित में से कौन - कौन से हैं? **[2021]**

A. भूरी (ब्राउन) टोपी
B. श्वेत टोपी
C. बैंगनी टोपी
D. लाल टोपी
E. काली टोपी

नीचे दिए गए विकल्पों में से सही उत्तर का चयन कीजिए:

(a) केवल A, B और C
(b) केवल B, C और D
(c) केवल B, D और E
(d) केवल C, D और E

88. नीचे दो कथन दिए गए हैं: **[2021]**

कथन-I: नाममात्रक स्तर पर मापित चर का प्रयोग उच्चस्तरीय सांख्यिकी में हो सकता है यदि उसे रूपांतरित कर दिया जाए।

कथन-II: रूपांतरण की प्रक्रिया के परिणाम को आभासी चर कहते हैं।

उपरोक्त कथनों के आलोक में, नीचे दिए गए विकल्पों में से सही उत्तर का चयन कीजिए:

(a) कथन I और II दोनों असत्य हैं।
(b) कथन I और II दोनों सत्य हैं।
(c) कथन I असत्य है, किन्तु कथन II सत्य है।
(d) कथन I सत्य है, किन्तु कथन II असत्य है।

89. सूची-I को सूची-II से सुमेलित कीजिए: **[2021]**

सूची-I	सूची-II
(चिंतन टोपी प्रणाली (थिंकिंग हैट सिस्टम))	(अवधारणाएं और विचार)
A. श्वेत टोपी	I. निर्णय और विचार-तार्किक निषेधात्मक
B. लाल टोपी	II. प्रदत्त संग्रह - तथ्य, आँकड़े, सूचना की आवश्यकताएं और कमियाँ
C. काली टोपी	III. उद्दीपन, विकल्प और रचनात्मक - प्रस्ताव
D. हरी टोपी	IV. अंतर्ज्ञान और भावनाएं

नीचे दिए गए विकल्पों में से सही उत्तर चुनिए:

(a) A-I, B-III, C-II, D-IV
(b) A-II, B-IV, C-I, D-III
(c) A-III, B-II, C-IV, D-I
(d) A-IV, B-I, C-III, D-II

90. निम्नलिखित में से कौन सा गुणात्मक शोध का एक उदाहरण है? **[2021]**

(a) प्रयोगात्मक शोध
(b) कार्योत्तर शोध
(c) विवरणात्मक सर्वेक्षण शोध
(d) आधारिक सिद्धांतपरक शोध

91. नीचे दी गई सूची में से पहचान कीजिए कि शोध की आंतरिक वैधता के लिए कौन से ख़तरे हैं? **[2021]**

(1) चयन की अन्तक्रिया और स्वतन्त्र चर (X)
(2) सांख्यिकीय प्रतिगमन
(3) पूर्वपरीक्षण की अन्तर्क्रिया और X
(4) विषयों का अन्तरीय चयन
(5) प्रायोगिक विफलता

नीचे दिए गए विकल्पों में से सही उत्तर का चयन कीजिए:

(a) केवल (2), (4) और (5)
(b) केवल (1), (2) और (3)
(c) केवल (2), (3) और (4)
(d) केवल (3), (4) और (5)

92. सूची-I के साथ सूची-II का मिलान कीजिए: **[2021]**

सूची-I शोध के चरण	सूची-II विशेषतायें
(1) शोध समस्या की परिभाषा	(i) तकनीकों की उपयुक्तता और उनके अनुप्रयोग
(2) शोध प्राकल्पना का सूत्रीकरण	(ii) एक अवधारणात्मक ढाँचे का विकास जो शोध की प्राकल्पना अनुरूप है।
(3) शोध का प्रारूप	(iii) चरों को सुस्पष्ट शब्दावली में परिभाषित करना।
(4) दत्त विश्लेषण	(iv) शोध प्रश्न के अकादमिक और सामाजिक मूल्य को तौलना।

नीचे दिये गए विकल्पों में से सही उत्तर का चयन कीजिए:

(a) (1)-(iii), (2)-(iv), (3)- (i), (4)-(ii)
(b) (1)-(iv), (2)-(iii), (3)-(ii), (4)- (i)
(c) (1)-(i), (2)-(ii), (3)-(iii), (4)- (iv)
(d) (1)-(ii), (2)-(i), (3)-(iv), (4)-(iii)

93. नीचे दो कथन दिए गए हैं: **[2021]**

कथन (I): वैज्ञानिक शोध परिकल्पनात्मक प्रस्ताव का व्यवस्थित, नियंत्रित, अनुभवजन्य और आलोचनात्मक अन्वेषण है।

कथन (II): गुणात्मक और मात्रात्मक शोधों में शोध के समग्र को परिभाषित करने की आवश्यकता नहीं है।

उपरोक्त कथन के आलोक में, नीचे दिए गए विकल्पों में से सही उत्तर का चयन कीजिए:

(a) कथन I और II दोनों सत्य हैं।
(b) कथन I और II दोनों असत्य हैं।
(c) कथन I सत्य है, लेकिन कथन II असत्य है।
(d) कथन I असत्य है, लेकिन कथन II सत्य है।

94. नीचे दो कथन दिए गए हैं: एक अभिकथन (Assertion A) के रूप में लिखित है तो दूसरा उसके कारण (Reason R) के रूप में: **[2021]**

अभिकथन (A): वास्तविक परिवेश आँकड़ों के प्रत्यक्ष स्रोत हैं और शोधकर्ता गुणात्मक शोध का मुख्य उपकरण है।

कारण (R): गुणात्मक शोध का उद्देश्य संदर्भमुक्त साधारणीकरण तक पहुँचने के बजाय वास्तविकता को अपेक्षाकृत रूप से अधिक प्रत्यक्ष रूप में चित्रित करना है।

उपरोक्त कथन के आलोक में, नीचे दिए गए विकल्पों में से सबसे उपयुक्त उत्तर का चयन कीजिए:

(a) (A) और (R) दोनों सही हैं और (R), (A) की सही व्याख्या है।
(b) (A) और (R) दोनों सत्य हैं लेकिन (R), (A) की सही व्याख्या नहीं है।
(c) (A) सत्य है, लेकिन (R) असत्य है।
(d) (A) असत्य है लेकिन (R) सत्य है।

95. नीचे दो कथन दिए गए हैं: **[2021]**

कथन-I: विश्वसनीयता का संकेत इस ओर है कि क्या कोई परीक्षण उस चीज का मापन करता है जो वह कहता है कि वह मापता है।

कथन-II: वैधता का संकेत इस ओर है कि क्या कोई परीक्षण सुसंगत रूप में वही या समरूप स्कोर देता है।

उपरोक्त कथनों के आलोक में, नीचे दिए गए विकल्पों में से सबसे उपयुक्त उत्तर का चयन कीजिए:

(a) कथन I और II दोनों सही हैं।
(b) कथन I और II दोनों गलत हैं।
(c) कथन II सही है, किन्तु कथन II गलत है।
(d) कथन I गलत है, किन्तु कथन II सही है।

96. प्रतिचयन के उस प्रकार को किस रूप में जाना जाता है जो मात्र अपनी पहुंच के कारण शोधकर्ता को उपलब्ध है-**[2021]**
(a) कोटा प्रतिचयन
(b) स्नोबॉल प्रतिचयन
(c) सुविधाजनक प्रतिचयन
(d) वेब प्रतिचयन

97. उस वैधता के लिए निम्नलिखित में से क्या नाम है जिसके द्वारा एक शोधकर्ता समकालीन मानदण्ड के स्थान पर भावी मानदण्ड माप का प्रयोग करता है? **[2021]**
(a) अभिसारी वैधता (b) भविष्यसूचक वैधता
(c) रचना वैधता (d) समवर्ती वैधता

98. नीचे दो कथन दिए गए हैं: **[2021]**
कथन – I: यदि हम कतिपय सामाजिक समूह के विश्व दृष्टिकोण में रुचि रखते हैं, एक ऐसी गुणात्मक शोध रणनीति अधिमान्य हो सकती है जो सहभागियों की अपनी सामाजिक दुनिया की व्याख्या के प्रति संवेदी है
कथन-II: यदि किसी शोधकर्ता की रुचि ऐसे विषय में है जिसपर अतीत में बहुत कम या कतई शोध नहीं हुआ है, तो मात्रात्मक शोध करना अधिक सुगम होगा क्योंकि ऐसा बहुत कम पूर्व साहित्य होगा जिससे सहायता मिल सके।
उपरोक्त कथनों के आलोक में, नीचे दिए गए विकल्पों में से सबसे उपयुक्त उत्तर का चयन कीजिए:
(a) कथन I और II दोनों सही हैं।
(b) कथन I और II दोनों गलत हैं।
(c) कथन I सही है, किन्तु कथन II गलत है।
(d) कथन I गलत है, किन्तु कथन II सही है।

99. सूची I को सूची II से सुमेलित कीजिए: **[2021]**

सूची–I (शोध डिजाइन)	सूची–II (अध्ययन का प्रकार)
(1) प्रतिचयन डिजाइन	(i) विश्लेषण के लिए पूर्व नियोजित डिजाइन
(2) सांख्यिकी डिजाइन	(ii) आंकड़ा संग्रहण के सुरचित या सुविचारित उपकरण
(3) प्रेक्षण डिजाइन	(iii) प्रचालन पद्धतियों के संबंध में अग्रिम निर्णय
(4) प्रचालन डिजाइन	(iv) संभाव्यता प्रतिचयन डिजाइन

नीचे दिए गए विकल्पों में से सही उत्तर चुनिए:
(a) (1)–(iv), (2)–(i), (3)–(ii), (4)–(iii)
(b) (1)–(i), (2)–(iii), (3)–(iv), (4)–(ii)
(c) (1)–(iii), (2)–(ii), (3)–(i), (4)–(iv)
(d) (1)–(ii), (2)–(iv), (3)–(iii), (4)–(i)

100. नीचे दो कथन दिए गए हैं: **[2021]**
कथन–I : 'नियंत्रण के बिना पूर्व और पश्चात्' डिज़ाइन में, एक एकल परीक्षण समूह या क्षेत्र का चयन किया जाता है और उपचार के आरंभ होने से पूर्व निर्भर चर का मापन किया जाता है।
कथन–II : 'नियंत्रण के साथ पूर्व और पश्चात्' डिजाइन में, दो क्षेत्रों का चयन किया जाता है परन्तु उपचार से पूर्व, दोनों ही क्षेत्रों में एक समान अवधि के लिए निर्भर चर का मापन नहीं किया जाता है।
उपरोक्त कथनों के आलोक में, नीचे दिए गए विकल्पों में से सबसे उपयुक्त उत्तर का चयन कीजिए:
(a) कथन I और II दोनों सही हैं।
(b) कथन I और II दोनों गलत हैं।
(c) कथन I सही है, किन्तु कथन II गलत है।
(d) कथन I गलत है, किन्तु कथन II सही है।

101. जब एक परिवर्त से शोध परिणामों की व्याख्या अप्रमाणिक हो जाती है तो यह कहलाता है– **[2022]**
(a) नियंत्रण परिवर्त (b) बाहरी परिवर्त
(c) द्वंद्वपरक परिवर्त (d) भ्रामक परिवर्त

102. एक प्रत्याशी की आयु किसका उदाहरण है? **[2022]**
(a) समानांतर परिवर्त (b) एकल परिवर्त
(c) द्विकीय परिवर्त (d) साधारण परिवर्त

103. निम्नगत में कौन गुणात्मक अनुसंधान के अलाभकारी बिंदु हैं? **[2022]**
(1) सन्दर्भ के प्रति अतिसंवेदनशील

(2) वाद-विवाद के लिए तत्पर

(3) अति व्यक्तिनिष्ठ

(4) सामान्यीकृत करने में कठिनाई

(5) प्रतिकृति का विषय

नीचे दिए गए विकल्पों में से सही उत्तर चुनें:

(a) केवल (1), (4) और (5)

(b) केवल (2), (3) और (4)

(c) केवल (3), (4) और (5)

(d) केवल (1), (2) और (3)

104. किसी परियोजना के लिए प्रतिदर्श आकार को प्रभावित करने वाले निम्नलिखित कारकों में से कौन से हैं? **[2022]**

(1) परियोजना का प्रकार

(2) परियोजना का उद्देश्य

(3) क्षेत्र में पूर्ववर्ती अनुसंधान

(4) शोधकर्ता का व्यक्तित्व

(5) शोधकर्ता की अपनी प्रतिष्ठा

नीचे दिए गए विकल्पों में से सही उत्तर चुनें:

(a) केवल (1), (2) और (3)

(b) केवल (2), (3) और (4)

(c) केवल (3), (4) और (5)

(d) केवल (1), (3) और (5)

105. सूची-I को सूची-II से सुमेलित कीजिए: **[2022]**

सूची-I अनुसंधान विधि	सूची-II विशेषताएं
(1) अंतर्वस्तु विश्लेषण	(i) संक्षेपण
(2) सामाजिक नेटवर्क (नाल) विश्लेषण	(ii) द्विध्रुवी विशेषणों का प्रयोग सेट 1
(3) आर्थी विभेदक	(iii) द्विकीय संबंधों पर बल
(4) मेटा विश्लेषण	(iv) सन्दर्भ इकाई

नीचे दिए गए विकल्पों में से सही उत्तर चुनिए:

(a) (1)–(ii), (2)–(iii), (3)–(iv), (4)–(i)

(b) (1)–(iv), (2)–(iii), (3)–(ii), (4)–(i)

(c) (1)–(i), (2)–(ii), (3)–(iii), (4)–(iv)

(d) (1)–(iii), (2)–(iv), (3)–(i), (4)–(ii)

106. निम्नगत में से किसको अनुसंधान में आन्तरिक वैधता के लिए खतरा माना जाता है? **[2022]**

(1) यादृच्छिकीकरण (2) सामान्यकरणीयता

(3) परिपक्वन (4) इतिहास

(5) यांत्रिकी

नीचे दिए गए विकल्पों में से सही उत्तर चुनें:

(a) केवल (1), (2) और (3)

(b) केवल (2), (3) और (4)

(c) केवल (3), (4) और (5)

(d) केवल (1), (2) और (5)

107. नीचे दो कथन दिए गए हैं: **[2022]**

कथन I: गुणवत्तापरक डेटा (दत्त) शक्तिशाली होते हैं क्योंकि उन्हें अत्यधिक संवेदनशील सामाजिक, ऐतिहासिक और लौकिक परिप्रेक्ष्य से संग्रहित किया जाता है।

कथन II: गुणवत्तापरक डेटा के संदर्भ में संवेदनशीलता को पूरी तरह से हटाया नहीं जा सकता है।

उपर्युक्त कथनों के आलोक में निम्नलिखित विकल्पों में से सही उत्तर चुनें:

(a) कथन I और II दोनों सत्य हैं।

(b) कथन I और II दोनों असत्य हैं।

(c) कथन I सत्य है, लेकिन कथन II असत्य है।

(d) कथन I असत्य है, लेकिन कथन II सत्य है।

108. ऐतिहासिक अनुसंधान का सीमाबन्धन क्या है? **[2022]**

(a) समस्या की पहचान

(b) विश्लेषणात्मक संश्लेषण

(c) सार्वभौमिक सामान्यीकरण

(d) संभावित निष्कर्ष

109. सूची-I को सूची-II से सुमेलित कीजिए: **[2022]**

सूची-I (शोध परिप्रेक्ष्य)	सूची-II (विषय)
(1) संवृतिशास्त्र	(i) मानव विज्ञान
(2) नृजाति वर्णन	(ii) समाजशास्त्र
(3) नृजाति प्रणाली विज्ञान	(iii) सामाजिक मनोविज्ञान
(4) प्रतीकात्मक अंत:क्रियावाद	(iv) दर्शनशास्त्र

नीचे दिए गए विकल्पों में से सही उत्तर चुनिए:

(a) (1)–(i), (2)–(ii), (3)–(iii), (4)–(iv)

(b) (1)–(ii), (2)–(iii), (3)–(iv), (4)–(i)

(c) (1)–(iii), (2)–(iv), (3)–(i), (4)–(ii)

(d) (1)–(iv), (2)–(i), (3)–(ii), (4)–(iii)

110. जब एक अनुसंधानकर्ता का चरों पर नियंत्रण नहीं हो, तो वह केवल यह बता सकता है कि क्या हो चुका है अथवा क्या हो रहा है। ऐसा अनुसंधान कहलाता है- **[2023]**

(a) क्लिनिक अनुसंधान (b) नैदानिक अनुसंधान

(c) कार्योत्तर अनुसंधान (d) तथ्यत: अनुसंधान

111. निम्नलिखित में से किसका संबंध मुख्यत: कारणता से है? **[2023]**

(a) माप वैधता (b) रचना वैधता

(c) आन्तरिक वैधता (d) बाह्य वैधता

112. प्रतिचयन तकनीक जिसमें वर्गों में विभाजित किसी समष्टि से यादृच्छिक रूप से इकाइयों का प्रतिचयन किया जाता है, ... कहलाती है। **[2023]**

(a) सरल यादृच्छिक प्रतिचयन

(b) स्तरीकृत यादृच्छिक प्रतिचयन

(c) समूह यादृच्छिक प्रतिचयन

(d) व्यवस्थित यादृच्छिक प्रतिचयन

113. नीचे दो कथन दिए गए हैं: **[2023]**

कथन I: डीब्रीफिंग में भागीदारों को अनुसंधान के उद्देश्य बताना शामिल है।

कथन II: भागीदारों की डिब्रीफिंग अध्ययन के आरंभ में होती है।

उपरोक्त कथन के आलोक में, नीचे दिए गए विकल्पों में से सबसे उपयुक्त उत्तर का चयन कीजिए:

(a) कथन I और II दोनों सही हैं।

(b) कथन I और II दोनों गलत हैं।

(c) कथन I सही है, लेकिन कथन II गलत है।

(d) कथन I गलत है, लेकिन कथन II सही है।

114. निम्नलिखित मापन के पैमानों में से किसमें प्रेक्षण का श्रेणीकरण संभव नहीं है? **[2023]**

(a) नामिक (b) क्रमसूचक

(c) अन्तराल (d) अनुपात

115. सर्वेक्षण अनुसंधान निम्नलिखित में से किसमें प्रमुख विधि है? **[2023]**

(a) भौतिक विज्ञान (b) इतिहास

(c) समाजशास्त्र (d) शास्त्रार्थमीमांसा

116. सामाजिक अनुसंधान की विधियां निम्नलिखित में से किससे विभिन्न दृष्टियों से सीधी जुड़ी हैं? **[2023]**

(a) सामाजिक यथार्थ (b) प्रयोगशाला के प्रयोग

(c) अनुरूपण (d) आभासी यथार्थ

117. समाज विज्ञान के प्रमुख (ग्रांड) सिद्धांत निम्नलिखित में से किस स्तर पर कार्य करते हैं? **[2023]**

(a) निम्नस्तर (b) सरल स्तर

(c) वर्गीकृत स्तर (d) अमूर्तन का उच्चतर स्तर

118. निम्नलिखित में से कौन से गुणात्मक अनुसंधान प्रश्नों के प्रमुख प्रकार माने जाते हैं? **[2023]**

(1) निरूद्देश्य (2) कारण और परिणाम

(3) पूर्वकथनात्मक (4) मूल्यांकनकारी

(5) वर्णनात्मक

नीचे दिए गए विकल्पों में से सही उत्तर का चयन कीजिए:

(a) केवल (1), (2) और (3)

(b) केवल (1), (3) और (4)

(c) केवल (1), (4) और (5)

(d) केवल (2), (3), (4) और (5)

119. नीचे दो कथन दिए गए हैं: **[2023]**

कथन I: प्रतिदर्श के आकार के निर्धारण में समय और लागत प्रासंगिक नहीं है।

कथन II: प्रतिचयन त्रुटि के निर्धारण में इकाई अनुसार तथा वस्तु अनुत्तर का महत्व नहीं है।

उपरोक्त कथनों के आलोक में, नीचे दिए गए विकल्पों में से सही उत्तर का चयन कीजिए:

(a) कथन I और II दोनों सत्य हैं।

(b) कथन I और II दोनों असत्य हैं।

(c) कथन I सत्य है, लेकिन कथन II असत्य है।

(d) कथन I असत्य है, लेकिन कथन II सत्य है।

120. मानव, पशु और मशीन में प्रतिपुष्टि प्रणाली के अध्ययन करने वाले विज्ञान का इस रूप में वर्णन किया जाता है: **[2023]**

(a) प्रतिपुष्टि विज्ञान (b) अनुभव अध्ययन

(c) संदेश शास्त्रार्थमीमांसा (d) संत्रातिकी (सायबरनेटिक्स)

उत्तरमाला

1. (a)	**2.** (d)	**3.** (b)	**4.** (d)	**5.** (c)	**6.** (b)	**7.** (d)	**8.** (b)	**9.** (d)	**10.** (b)
11. (c)	**12.** (c)	**13.** (c)	**14.** (b)	**15.** (a)	**16.** (c)	**17.** (a)	**18.** (b)	**19.** (a)	**20.** (c)
21. (b)	**22.** (c)	**23.** (c)	**24.** (d)	**25.** (b)	**26.** (c)	**27.** (d)	**28.** (c)	**29.** (c)	**30.** (a)
31. (b)	**32.** (a)	**33.** (d)	**34.** (b)	**35.** (a)	**36.** (d)	**37.** (d)	**38.** (d)	**39.** (d)	**40.** (d)
41. (d)	**42.** (c)	**43.** (b)	**44.** (a)	**45.** (d)	**46.** (a)	**47.** (c)	**48.** (b)	**49.** (c)	**50.** (c)
51. (a)	**52.** (d)	**53.** (c)	**54.** (c)	**55.** (a)	**56.** (c)	**57.** (c)	**58.** (b)	**59.** (d)	**60.** (a)
61. (a)	**62.** (b)	**63.** (d)	**64.** (b)	**65.** (a)	**66.** (a)	**67.** (d)	**68.** (c)	**69.** (d)	**70.** (a)
71. (a)	**72.** (d)	**73.** (b)	**74.** (d)	**75.** (a)	**76.** (c)	**77.** (a)	**78.** (a)	**79.** (d)	**80.** (c)
81. (b)	**82.** (d)	**83.** (b)	**84.** (b)	**85.** (a)	**86.** (d)	**87.** (c)	**88.** (b)	**89.** (b)	**90.** (d)
91. (a)	**92.** (b)	**93.** (c)	**94.** (a)	**95.** (b)	**96.** (c)	**97.** (b)	**98.** (c)	**99.** (a)	**100.** (c)
101. (d)	**102.** (b)	**103.** (c)	**104.** (a)	**105.** (b)	**106.** (c)	**107.** (a)	**108.** (c)	**109.** (d)	**110.** (c)
111. (c)	**112.** (b)	**113.** (c)	**114.** (a)	**115.** (c)	**116.** (a)	**117.** (d)	**118.** (d)	**119.** (b)	**120.** (d)

संकेत और स्पष्टीकरण

1. (a)

मौलिक शोध (fundamental research): यह मूलतः ज्ञान के वर्तमान संग्रह में वृद्धि के लिए सहायक होता है। इससे सिद्धांत निर्माण के माध्यम से प्रभावोत्पादक व्याख्या विकसित होती है। यह अकादमिक दृष्टि से अत्यंत महत्वपूर्ण है।

व्यवहृत शोध (applied research): यह विभिन्न स्थितियों में उपयोग के लिए सिद्धांत की प्रयोज्यता की खोजबीन करके विशिष्ट, वर्तमान समस्याओं को हल करने में सहायता करता है।

क्रियात्मक शोध (action research): यह शोध हस्तक्षेप के उपयोग के माध्यम से प्रचलित स्थिति में सुधार लाने का प्रयत्न करता है। क्रियात्मक शोध स्वयं के व्यवहार में एक व्यवस्थित जांच है। इसका सर्वाधिक उपयोग शिक्षा क्षेत्र में किया जाता है।

मूल्यांकन शोध (evaluative research): यह शोध किसी हस्तक्षेप के अनुभूत प्रभाव का पता लगाने के लिए मानक सामाजिक शोध विधियों का उपयोग करता है।

2. (d)

क्रियात्मक शोध चक्र

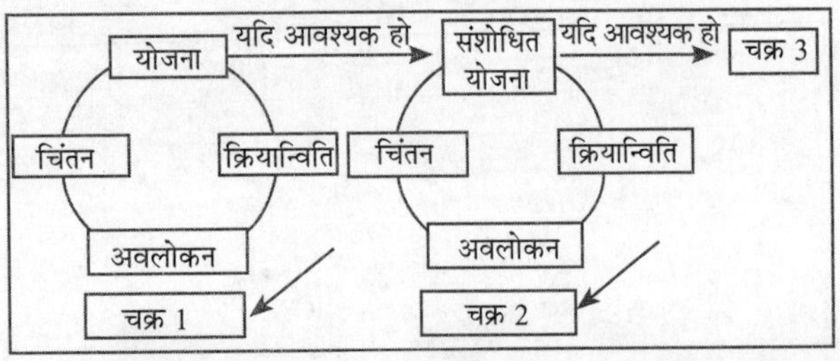

डेविड कोल्ब ने वर्ष 1984 में अधिगम प्रक्रिया के रूप में क्रियात्मक शोध चक्र की अवधारणा का प्रतिपादन अधिगम प्रक्रिया को परिभाषित करने के लिए करने के लिए इस मॉडल का विस्तार किया।

इस मॉडल के अनुसार, लोग अपने स्वयं के कार्यों और अनुभवों पर गंभीर रूप से प्रतिबिंबित करके, अमूर्त अवधारणाएं बनाकर और नई परिस्थितियों में इन अवधारणाओं के प्रभावों का परीक्षण करके सीखते हैं और ज्ञान निर्माण करते हैं। अभ्यासी किसी स्थिति के बारे में अपना स्वयं का ज्ञान और समझ बना सकते हैं और उस पर कार्य कर सकते हैं, जिससे अभ्यास में सुधार हो सकता है और क्षेत्र में ज्ञान को आगे बढ़ाया जा सकता है।

3. (b)

अधिकतर शोध वैज्ञानिक होते हैं, चाहे शोध विषय सामाजिक विज्ञान का हो या शुद्ध विज्ञान का हो। हम उन्हें एक व्यवस्थित ढंग से ही हल कर सकते हैं। वैज्ञानिक पद्धति में निम्नलिखित आधारभूत कदम हैं:

(1) अवलोकन करें।

(2) प्रश्न पूछें।

(3) एक परिकल्पना, या परीक्षण योग्य स्पष्टीकरण तैयार करें।

(4) परिकल्पना के आधार पर भविष्यवाणी करें।

(5) भविष्यवाणी का परीक्षण करें।

(6) पुनरावृति (यदि आवश्यक हो): नई परिकल्पना या भविष्यवाणियां करने के लिए परिणामों का उपयोग करें।

अतः एक वैज्ञानिक विधि सर्वप्रथम समस्या को अनुभूत (perceive) करती है, उसके बाद वास्तविक समस्या और उसकी परिभाषा की पहचान की जाती है; उसके बाद परिकल्पना या परीक्षण योग्य स्पष्टीकरण निर्धारित किया जाता है और प्रस्तावित समाधानों के परिणामों को निगमित करना और परिकल्पना का कार्य रूप में परीक्षण किया जाता है।

4. (d)

शोधकर्ता से संबंधित नैतिक विषयों के अंतर्गत 'पक्षपात और अन्य बिंदुओं से बचने' का उल्लेख है जो 'निष्पक्षता' या 'साक्ष्य-आधारित शोध रिपोर्टिंग' पर जोर देते हैं।

अतः शोध नैतिकता की समस्या शोध क्रियाकलापों के साक्ष्य आधारित शोध रिपोर्टिंग से संबंधित है।

5. (c)

एक शोध सारांश तैयार करना अनुसंधान प्रक्रिया को विस्तार से रिकॉर्ड करने का एक अभ्यास है। एक शोध पत्र एक निबंध होता है, जिसमें किसी विषय की गहनता से खोज करने के बाद क्या सीखा है, इसकी व्याख्या की जाती है। इससे संबंधित आंकड़ों को पुस्तकों, लेखों, साक्षात्कारों और इंटरनेट साइटों जैसे स्रोतों से प्राप्त किया जा सकता है। व्यक्ति अपने स्वयं के विचारों और ज्ञान का और भी उपयोग कर सकता है। यह किसी के अपने शब्दों में ही होना चाहिए और साहित्य चोरी (plagrism) से बचना चाहिए।

एक संगोष्ठी में शोध लेख को प्रस्तुत करना प्रलेखित शोध के पाठ को पढ़ना है।

शोध सम्मेलन में भागीदारी एक शोध परियोजना की पुनर्गणना से संबंधित है जो या तो पूर्ण हो गई है या उसी क्षेत्र में अन्य लोगों के साथ प्रक्रिया में है।

कार्यशाला किसी विशेष विषय पर चर्चा या व्यावहारिक कार्य की अवधि है, जिसमें लोगों का एक समूह अपने ज्ञान या अनुभव को साझा करता है। अतः एक कार्यशाला में भाग लेने के लिए किसी विशेष क्षेत्र में अनुसंधान परियोजनाओं से संबंधित गहन चर्चा की आवश्यकता होती है और इसलिए, यह सृजनशील और समीक्षात्मक चिंतन के संपोषण की अधिक क्षमता रखता है।

6. (b)

प्रायोगिक अनुसंधान में हम दो चरों का उपयोग करते हैं। यह अनुसंधान करने का एक वैज्ञानिक ढंग है, निराश्रित (स्वतंत्र) और आश्रित। आश्रित चरों पर लागू करने के लिए स्वतंत्र चरों में हेरफेर किया जा सकता है और प्रभाव को मापा जाता है। यह माप सामान्य तौर पर इन दो चरों के बीच संबंधों के बारे में स्थितियों और निष्कर्षों को स्थापित करने के लिए एक महत्वपूर्ण अवधि में होता है।

अगर हम प्रायोगिक से भी आगे जाएं तो 'डबल ब्लाइंड' दृश्य में आता है। यहां हम स्वास्थ्य पेशे में हो रहे प्रयोगों का उदाहरण ले रहे हैं जिसमें डबल-ब्लाइंड परीक्षणों को सबसे विश्वसनीय प्रकार के अध्ययन के रूप में देखा जाता है क्योंकि उनमें न तो प्रतिभागी शामिल होते हैं और न ही डॉक्टर यह जानते हैं कि किसने क्या उपचार प्राप्त किया है। इसका उद्देश्य प्लेसीबो प्रभाव को कम करना और पूर्वाग्रह को कम करना है। यह एक प्रकार का 'तुलनात्मक अध्ययन' है, जो एक नई दवा की तुलना दूसरी दवा से करता है जो पहले से ही प्रयोग में लायी जा रही हो । 'डबल-ब्लाइंड अध्ययन' यादृच्छिकरण से परस्पर संबंधित है, जहां प्रतिभागियों को यादृच्छिक ढंग (randomization) से समूहों को आवंटित किया जाता है।

अतः ऐसे अध्ययन, जिसमें शोधकर्ता को प्रयोगिक और प्लेसिबो समूहों की पहचान की जानकारी नहीं होती, उसे डबल ब्लाइंड कहा जाता है। साधारण सिंपल ब्लाइंड परीक्षणों में केवल रोगी ही उस उपचार से अनभिज्ञ या अनजान होते हैं जो वे प्राप्त कर रहे हैं, जबकि चिकित्सक उपचार जानते हैं।

7. (d)

तुलनात्मक शोध (Comparative Research): तुलनात्मक अनुसंधान सामाजिक विज्ञान में एक शोध पद्धति है जिसका उद्देश्य विभिन्न देशों या संस्कृतियों में तुलना करना है। तुलनात्मक अनुसंधान दो या दो से अधिक वस्तुओं की तुलना एक या सभी वस्तुओं के बारे में कुछ खोजने की दृष्टि से तुलना करने का कार्य है। यह तकनीक अधिकतर एक अध्ययन में कई विषयों का उपयोग करती है।

अतः वह शोध जिसमें पुरुष और महिला के मध्य सामाजिक असमानता पर जोर दिया जाता, वह विशेष रूप से यह नारीवादी शोध है।

अनुदैर्ध्य शोध (Longitudinal Research): वह अध्ययन, जो लंबे समय तक-अक्सर वर्षों या दशकों में विशेष व्यक्तियों का पालन करने के लिए निरंतर या दोहराए गए उपायों की मांग करते हैं।

क्रियात्मक शोध (Action Research): यह मूल रूप से शिक्षा और व्यवसाय में सुधार के लिए उपयोग किया जाता है। क्रियात्मक शोध एक 'चक्रीय शोध प्रक्रिया' का उपयोग करके अपने लक्ष्य को प्राप्त करता है। इसमें मुख्य रूप से चार चरण होते हैं - योजना (Plan), योजनाओं का क्रियान्वन (Act), व्यवस्थित रूप से निरीक्षण (Observe) और प्रतिबिंबिन (Reflect)।

नारीवादी शोध:

1. नारीवादी अनुसंधान का उद्देश्य महिलाओं के विषयों पर आलोचनात्मक दृष्टिकोण को अपनाना है, जिन्हें या तो नजरअंदाज कर दिया गया है या समाज में महिलाओं की माध्यमिक स्थिति को उचित ठहराया गया है।
2. यह शोध समान सामाजिक और आर्थिक विकास के लक्ष्य को प्राप्त करने के लिए पूर्वापेक्षित और आवश्यक है।
3. नारीवादी अनुसंधान 'व्यक्तित्व और व्यक्तिगत अनुभव के मूल्य पर जोर देता है।' - नाओमी ब्लैक।

'नारीवादी' (feminism) एक प्रकार का सामाजिक विज्ञान और मानविकी विषय है, जिसमें 'वस्तुनिष्ठता महत्वपूर्ण है। हम प्रायः वस्तुनिष्ठ शोध को ऐसा शोध मानते हैं जो निष्पक्ष या वस्तुनिष्ठ हो। इस प्रकार, एक उद्देश्य शोधकर्ता (या परियोजना, रिपोर्ट या अध्ययन) एक न्यायाधीश की तरह होता है जो कानूनी विवाद के दोनों पक्षों को निष्पक्ष सुनवाई देने का प्रयास करता है।

प्रतिबिंविन या रिफ्लेक्सीविटी (reflexivity) नारीवादी पद्धति का केंद्रीय सिद्धांत है। रिफ्लेक्सिविटी एक शोधकर्ता की उसकी चुनी हुई विधियों, अनुसंधान में उसकी भूमिका, प्रतिभागियों के साथ उसके संबंधों और उसकी सामाजिक स्थिति अनुसंधान प्रक्रिया को कैसे प्रभावित करती है, की परीक्षा है।

8. (b)

लिकर्ट पैमाना (Likert scale): लिकर्ट पैमाना एक रेटिंग पैमाना है, जो सर्वेक्षण के लिए उपयोग किया जाता है । इसे संचित दर - निधारण मापनी भी कहा जाता है। यह मापता है कि लोग किसी वस्तु के बारे में कैसा महसूस करते हैं। इसमें प्रश्नों की एक श्रृंखला सम्मिलित होती है।

गटमैन पैमाना (Guttman scale): इसे संचयी स्केलिंग या स्केलोग्राम विश्लेषण भी कहा जाता है, इसे उन तत्वों के साथ बनाया जाता है जिन्हें संभवतः एक श्रेणीबद्ध ढंग से अनुसंधानकर्ता द्वारा प्रतिभागी को आदेश दिया जाता है। यह उत्तरदाताओं के चरम 'रवैया' का प्रतिनिधि है, यह पूछे गए विषय के बारे में बेहद सकारात्मक या नकारात्मक का मापन भी कर सकता है।

थर्स्टन पैमाना (Thurstone scale): मनोविज्ञान और समाजशास्त्र दोनों में दृष्टिकोण को मापने का प्रथम औपचारिक ढंग था। यह लिकर्ट मापनी की तरह ही है, लेकिन इस मापनी में भिन्न - भिन्न विवरणों के लिए भार (weight) निर्दिष्ट (assign) किये जाते हैं।

MLA स्केल अस्तित्व में ही नहीं है। इसके अतिरिक्त, MLA शैली का प्रयोग थीसिस लेखन में किया जाता है।

9. (d)

शोध में जानकारी संग्रह करने की विधि को संरचित अर्ध-संरचित और असंरचित में वर्गीकृत किया जा सकता है। संरचित उपागम और असंरचित उपागम को संवाद उपागम कहा जाता है। संरचित उपागम दो व्यक्तियों के मध्य किया जाता है जिसमें एक शिक्षार्थी और दूसरा सहायक शिक्षक। यह एक नियोजित प्रक्रिया है।

10. (b)

एक केस स्टडी को एक व्यक्ति, लोगों के एक समूह या एक इकाई के बारे में एक गहन अध्ययन के रूप में परिभाषित किया जा सकता है, जिसका उद्देश्य कई इकाइयों पर सामान्यीकरण करना है। एक केस स्टडी को एक व्यक्ति की गहन, व्यवस्थित जांच के रूप में भी वर्णित किया गया है।

11. (c)

अनुसंधान प्रोत्साहन योजना (Research Promotion Scheme): का उद्देश्य स्थापित और नई प्रौद्योगिकियों में इंजीनियरिंग विज्ञान और नवाचारों में अनुसंधान को बढ़ावा देकर संस्थानों में अनुसंधान का वातावरण बनाना है; और संकाय और अनुसंधान की गुणवत्ता बढ़ाने के लिए मास्टर और डॉक्टरेट डिग्री के उम्मीदवार बनाना है।

अत: शोध संवर्धन योजना एक ऐसी योजना है जिसका उद्देश्य अभियांत्रिकी विज्ञान में शोध को बढ़ावा देकर संस्थानों में शोध का वातावरण तैयार करना है।

ई-शोध सिंधु (E-Shodh Sindhu): एक विशेषज्ञ समिति की सिफारिश के आधार पर, मानव संसाधन विकास मंत्रालय नाम बदलकर अब शिक्षा मंत्रालय) ने तीन संघ पहलों, यूजीसी-इन्फोनेट डिजिटल लाइब्रेरी कंसोर्टियम, एनएलआईएसटी और इंडेस्ट-एआईसीटीई कंसोर्टियम को मिलाकर ई-शोध सिंधु का गठन किया है।

ई-शोध सिंधु का मुख्य उद्देश्य: उच्च शिक्षा के लिए कंसोर्टियम ई-संसाधन शैक्षणिक संस्थानों को सदस्यता की कम दरों पर पूर्ण-पाठ, ग्रंथ सूची और तथ्यात्मक डेटाबेस सहित गुणात्मक इलेक्ट्रॉनिक संसाधनों तक पहुंच प्रदान करना है।

उद्यमिता विकास प्रकोष्ठ (Enterpreneurship Development Cell): EDC की स्थापना 7 मार्च 2016 को उद्योग और शिक्षा के मध्य की खाई को पाटने के उद्देश्य से की गई थी। सेल छात्र विकास के लिए कई गतिविधियों का संचालन करता है जिसमें छात्र को अध्ययन के समय सहयोग मिलता है और उद्यमिता की भावना विकसित होती है।

संस्थागत विकास योजना (Institution Development Scheme): यह योजना तकनीकी संस्थानों को शिक्षण, प्रशिक्षण और अनुसंधान क्षमताओं को बढ़ाने के लिए ढांचागत सुविधाओं, प्रयोगशालाओं, कार्यशालाओं और कंप्यूटिंग सुविधाओं से लैस करती है। फंडिंग की सीमा 20 लाख रुपये है और परियोजना की अवधि 2 वर्ष है।

12. (c)

डोब्रिनर के विचारों में 'परिकल्पना ऐसे अनुमान हैं जो यह बताते हैं कि विविध तत्व किस तरह अंतसम्बंधित हैं।' गुड़े तथा हॉट ने उपयोगी परिकल्पना की निम्न पांच विशेषताओं का उल्लेख किया है-

स्पष्टता: एक अध्ययनकर्ता अपने अध्ययन के लिए जिस परिकल्पना का निर्माण करता है, उसकी भाषा और अर्थ इतना स्पष्ट और निश्चित होना चाहिए जिससे उसकी मनमाने अर्थों में विवेचना ना की जा सके।

विशिष्टता: परिकल्पना सामान्य ना होकर विशिष्ट होनी चाहिए। यदि अध्ययन विषय के सभी पक्षों को लेकर एक सामान्य परिकल्पना का निर्माण कर लिया जाता है तो अध्ययनकर्ता एक समय में ही विषय के सभी पक्षों का यथार्थ अध्ययन नहीं कर सकता।

सरल: उपलब्ध प्रवृत्तियों से सम्बद्ध परिकल्पना का निर्माण करते समय यह ध्यान रखना भी आवश्यक है कि परिकल्पना ऐसी होनी चाहिए जिसका उपलब्ध प्रविधियों द्वारा परीक्षण किया जा सके।

13. (c)

हेलो प्रभाव (Halo effect): हेलो इफेक्ट का अर्थ है किसी व्यक्ति के बारे में बाद के निर्णय लेने में 'पहली छाप मायने रखती है'। प्रभामंडल प्रभाव एक प्रकार का संज्ञानात्मक पूर्वाग्रह है जिसमें किसी व्यक्ति के बारे में हमारा समग्र प्रभाव प्रभावित करता है कि हम उसके चरित्र के बारे में कैसा महसूस करते हैं और सोचते हैं।

कोटिगत प्रभाव (Categorical effect): अनिवार्य रूप से, किसी व्यक्ति का आपका समग्र प्रभाव ('वह अच्छा है') उस व्यक्ति के विशिष्ट लक्षणों के आपके मूल्यांकन को प्रभावित करता है ('वह स्मार्ट भी है')। यह वह घटना है जिसके द्वारा, हम मानते हैं कि क्योंकि लोग A करने में अच्छे हैं, वे B, C और D करने में अच्छे होंगे (या इसके विपरीत- क्योंकि वे A करने में बुरे हैं, वे B, C और D करने में बुरे होंगे)। यह वाक्यांश पहली बार एक मनोवैज्ञानिक एडवर्ड थार्नडाइक ने 1920 में प्रकाशित एक अध्ययन में प्रतिपादित किया था।

मूल्यांकन प्रभाव (Evalauation effect): मूल्यांकन प्रभाव मूल रूप से उस योगदान का मूल्यांकन कर रहा है जो अनुसंधान, समाज और अर्थव्यवस्था में करता है, वाक्य ठीक नहीं हैं, जाँच लें।

केंद्रीय प्रवृत्ति की त्रुटि (Error of Central Tendency): यह उस घटना को संदर्भित करती है, जहां मापक अधिकांश विषयों को, विषयों में प्रदर्शन के मध्य अंतर की परवाह किए बिना औसत अंक प्रदान करते हैं।

14. (b)

व्याख्यात्मक शोध (Explanatory Research): व्याख्यात्मक शोध, एक प्रकार का शोध डिजाइन है, जो आपके अध्ययन के पहलुओं को विस्तृत ढंग से समझने पर केंद्रित है। इस प्रकार का शोध 'किसी स्थिति का वर्णन' करने का प्रयत्न करता है। यह शोध डिजाइन क्या और क्यों जैसे प्रश्नों का उत्तर देने का प्रयत्न करता है। शोधकर्ता एक सामान्य विचार के साथ आरंभ करता है और अनुसंधान को गहन विषयों की ओर ले जाता है। व्याख्यात्मक शोध का उद्देश्य शोधकर्ता की समझ को विकसित करना एवं अध्ययन किये जा रहे विषय का बेहतर निष्कर्ष निकलना है। व्याख्यात्मक शोध डिजाइन में साहित्य खोज, गहन साक्षात्कार, फोकस समूह और केस स्टडी सम्मिलित हैं।

प्रश्नानुसार, 'तनावपूर्ण जीवन से दिल का दौरा क्यों पड़ता है (Why does stressful living result in heart attack)?', हमें यहां 'क्यों' शब्द पर ध्यान देने की आवश्यकता है, इसलिए यह व्याख्यात्मक शोध से संबंधित है । दिल के दौरे के व्याख्यात्मक मॉडल के लिए कोडिंग योजना में चार मुख्य डोमेन सम्मिलित हो सकते हैं:

1. **शारीरिक डोमेन (Physiologic domain):** उच्च रक्तचाप, कोलेस्ट्रॉल, मधुमेह, आदि।
2. **मनोसामाजिक डोमेन (Psychosocial domain):** तनाव, अवसाद, आदि।
3. **व्यावहारिक डोमेन (Behavioural domain):** उच्च वसायुक्त आहार, व्यायाम न करना, धूम्रपान आदि।
4. **आध्यात्मिक डोमेन (Spritual domain):** भगवान, भाग्य आदि।

अन्य विकल्पों की संक्षिप्त व्याख्या इस प्रकार की जा सकती है:

विवरणात्मक शोध (Descriptive Research): वर्णनात्मक शोध को एक शोध पद्धति के रूप में परिभाषित किया जाता है, जो अध्ययन की जा रही जनसंख्या या घटना की विशेषताओं का वर्णन करती है।

यह पद्धति शोध विषय के 'क्यों' के बजाय शोध विषय के 'क्या' पर अधिक ध्यान केंद्रित करती है।

सहसंबंधात्मक शोध (Correlational Research): इस शोध डिजाइन में एक शोधकर्ता यह समझने का प्रयत्न करता है कि स्वाभाविक रूप से होने वाले चर एक दूसरे के साथ किस प्रकार संबंधित हैं। सरल शब्दों में, सहसंबंध शोध यह पता लगाने का प्रयास करता है कि क्या दो या दो से अधिक चर संबंधित हैं और यदि हां, तो किस प्रकार से संबंधित हैं।

साध्यता शोध (Feasiblity research): इसे व्यवहार्यता अध्ययन भी कहा जाता है। यह किसी भी परियोजना का प्रारंभिक डिजाइन चरण है, जो ज्ञान के तत्वों को एक साथ लाता है, जो इंगित करता है कि कोई परियोजना संभव है या नहीं।

15. (a)

एक शोध समस्या के निर्माण में, मुख्य तुलना 'एक इमारत की नींव रखना' और 'घर की दीवारों का निर्माण' के मध्य है। चूंकि प्रत्येक शोध एक तरह की 'समस्या' से आरंभ होता है, इसलिए इसके निर्माण की दिशा में कार्य करना सबसे महत्वपूर्ण कदम है, जो साहित्य सर्वेक्षण आदि से आरंभ हो सकता है। इस प्रकार, शोध समस्या का निरूपण 'एक घर की नींव रखने' के समान है।

16. (c)

डाक से प्रेषित प्रश्नावली, अवलोकन, साक्षात्कार और सामूहिक प्रश्नावली के स्रोत के उदाहरण हैं।

प्राथमिक	द्वितीय	तृतीय
इस स्रोत में नई जानकारी शामिल की जाती है। उदाहरण – ऐतिहासिक, क़ानूनी दस्तावेज, व्याख्यान, सम्मेलन पत्र, डाक सामग्री, दिनपत्रिका, साक्षात्कार, रिपोर्ट, सर्वेक्षण, ई-मेल आदि।	इसमें प्राथमिक स्रोतों का विश्लेषण शामिल किया जाता है। उदाहरण– समाचारपत्र, समीक्षाएं, पाठ्यपुस्तक, शब्दकोष, सांख्कीय स्रोत, पत्रिकाएं आदि।	इसमें प्राथमिक और द्वितीय स्रोतों को संकलित किया जाता है। उदाहरण – प्राथमिक और द्वितीय आवधिक सूचियों को सूचीबद्ध करने वाली निर्देशिकाएं आदि।

17. (a)

प्रयोगात्मक और कार्योत्तर शोध (experimental and ex-post facto research) मूल रूप से मात्रात्मक शोध हैं और विशेष रूप से परिकल्पना परीक्षण एवं सामान्यीकरण इनका मुख्य उद्देश्य है।

हस्तक्षेप आधारित क्रियात्मक शोध (intervention based action research), दृश्य घटना विज्ञान (phenomenalogical), वृतांत परक शोध (narrative research) और व्यष्टि अध्ययन शोध (case study research)। ये सभी मूल रूप से गुणात्मक शोध के प्रकार हैं।

18. (b)

क्रियात्मक शोध प्रक्रिया चरणों के माध्यम से आगे बढ़ती है। यह एक अनुमानी पद्धति की तरह है, क्योंकि इस शोध में अगली क्रिया पिछले परिणाम पर आधारित होती है। यह PAOR दृष्टिकोण पर आधारित होती है। अत: योजना (plan), क्रियान्वयन (action), अवलोकन (observe) और चिंतन (reflect) क्रियात्मक शोध चक्र का सही निरूपण करता है। इनको संक्षिप्त रूप से PAOR भी कहा जाता है। इसे निम्न आरेख के माध्यम से भी दर्शाया जा सकता है:

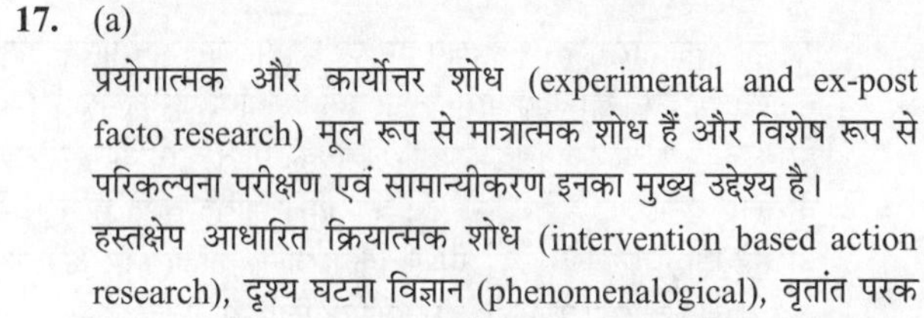

19. (a)

NTA द्वारा पहले भी इस प्रकार के प्रश्न पूछे जाते रहे हैं , ऐसे प्रश्नों का उत्तर प्राप्त करने के लिए हमें सर्वश्रेष्ठ विकल्प का चुनाव करना होता है। प्रश्नानुसार, विकल्प (a) प्रत्यक्षवादी दृष्टिकोण और डेटा विश्लेषण से परिहार के बारे में बात करता है। इस प्रकार, यह उत्तर-प्रत्यक्षवादी दृष्टिकोण को इंगित करता है जिसकी प्रकृति गुणात्मक है। विकल्प (b) में, पूर्व विद्यमान श्रेणियों से सहमति प्राप्त करना प्रकृति में विरोधाभासी है। विकल्प (c) और (d) सकारात्मक दृष्टिकोण का संकेत देते हैं। अत:विकल्प (a) ही सही उत्तर होगा कि गुणात्मक शोध की प्रमुख विशिष्टता विधेयात्मक पूर्वानुमानों (positivist assumption) और प्रदत्त विश्लेषण का परिहार करना है।

प्रत्यक्षवादी और अप्रत्यक्षवादियों के दृष्टिकोण में अंतर इस प्रकार दर्शाया जा सकता है:

प्रत्यक्षवादी दृष्टिकोण (Positivist)	अप्रत्यक्षवादी दृष्टिकोण (Non-Positivist)
मात्रात्मक (Quantitative)	गुणात्मक (Qualitative)
उद्देश्यवादी (Objectivist)	आत्मवादी (Subjectivist)
वैज्ञानिक (Scientific)	मानववादी (Humanistic)
प्रयोगवादी (Experimentalist)	व्याख्यात्मक (Interpretivist)
परंपरावादी (Traditionalist)	रिफ्लेक्टिव / रिएक्टिव (Reflexive/reactive)

20. (c)

शोध साहित्य (research literature) की एक अच्छी समीक्षा का मुख्य उद्देश्य शोध में उस 'अंतराल' में की गई गतिविधियों की पहचान करना है कि अब तक क्या किया गया है और आगे क्या किया जाना चाहिए। यह नए शोध प्रश्नों का सृजन करता है और उनकी वैधता का निरूपण करता है।

शोध का अर्थ मुख्य तौर पर कुछ नया खोजना होता है। अत: शोध साहित्य का अर्थ है हम पहले से मौजूद जानकारी प्राप्त करें, और उसकी सहायता से नया शोध शुरू करें, इस का अर्थ यह भी है कि हम धन और समय का सदुपयोग करते हुए, वैसा ही कुछ दोबारा से करना आरंभ न कर दें।

21. (b)

परिकल्पना परीक्षण के लिए दो परिकल्पनाएं तैयार की जाती हैं:

सांख्यिकीय या रिक्त परिकल्पना (Null hypothesis - H_0): यह परिकल्पना प्रस्तावित करती है कि निर्दिष्ट चरों के मध्य कोई संबंध नहीं है। शून्य परिकल्पना वह परिकल्पना है जिसे शोधकर्ता अस्वीकृत करने का प्रयास कर रहा है। उदाहरण में, हम आमतौर पर जानते हैं कि कोचिंग का छात्र के प्रदर्शन पर सकारात्मक प्रभाव होना चाहिए, लेकिन हमारी शून्य परिकल्पना यह कहेगी कि कोचिंग का छात्रों के प्रदर्शन पर कोई प्रभाव नहीं पड़ता है। एक शोधकर्ता को अशक्त परिकल्पना द्वारा चुनौती दी जाती है और वह आमतौर पर इसका खंडन करना चाहता है। वह यह प्रदर्शित करने का प्रयास करेगा कि परिकल्पना में दो चरों के बीच सांख्यिकीय रूप से महत्वपूर्ण संबंध है।

शून्य परिकल्पना कि अस्वीकृति का अर्थ है, शोध परिकल्पना को स्वीकार करना।

वैकल्पिक परिकल्पना (Alternate hypothesis - H_1): इससे चरों के मध्य अपेक्षित संबंध को देखा जाता है। इसलिए यदि शोधकर्ता शून्य परिकल्पना को अस्वीकार करने में विफल रहता है, तो इसका अर्थ है कि परिणाम महत्वपूर्ण नहीं है और वास्तविक अंतर के विचार का समर्थन करने के लिए अपर्याप्त प्रमाण है।

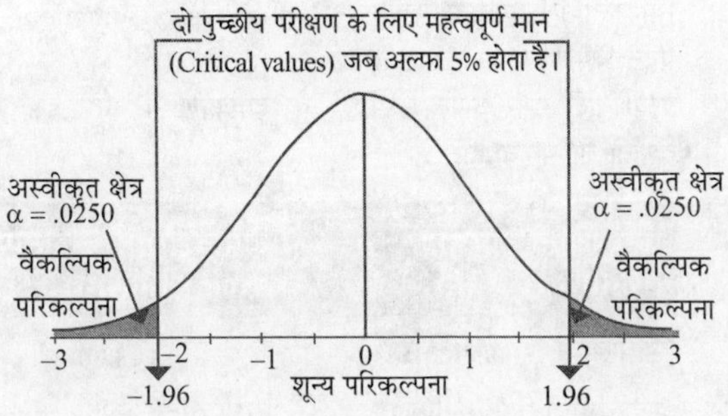

22. (c)

प्रतिभागी प्रेक्षण आधारित शोध (Participant Obserbation Based Research): यह शोध की एक गुणात्मक विधि है, जिसमें शोधकर्ता न केवल शोध प्रतिभागी का निरीक्षण करते हैं बल्कि अनुसंधान प्रतिभागियों के रूप में गतिविधियों में सक्रिय रूप से संलग्न होते हैं। इसके लिए अनुसंधान को सक्रिय वातावरण में एकीकृत करने की आवश्यकता है कि क्या हो रहा है। इसके बारे में भी अनुसंधानकर्ता को वस्तुनिष्ठ एवं निष्पक्ष रहना चाहिए और पूर्वाग्रहों से बचना चाहिए।

यदि महाविद्यालय का एक शिक्षक, विद्यार्थियों के घर की परिस्थितियों तथा उपलब्ध छात्रावासों से संबंधित वास्तविक परिस्थितियों के चित्रण की दृष्टि से शोध करता है तो सबसे अधिक उपयुक्त विधि प्रतिभागी प्रेक्षण आधारित शोध है। इसके अंतर्गत अनुसंधानकर्ता वास्तविक स्थितियों का अनुभव कर उनका विश्लेषण करता है, यह विधि नृजातीय शोध विधि से अधिक सामान्यीकृत है क्योंकि नृजातीय शोध विधि में एक विशिष्ट समूह का ही अध्ययन किया जाता है।

प्रयोगात्मक शोध (Experimental Research): इसके अंतर्गत, शोधकर्ता अपेक्षित संबंध की प्रकृति को बताने के लिए एक या अधिक परिकल्पना विकसित करता है और उनका परीक्षण करता है। प्रायोगिक अनुसंधान कारण – संबंध स्थापित करने के लिए डिज़ाइन किया गया है।

नृजातीय शोध (Ethnographic Research): इसका मुख्य उद्देश्य भौतिक और सामाजिक पर्यावरण (जिसमें अध्ययन किये जाने वाले लोग रहते हैं या अन्य कोई कार्य करते हैं) का निर्धारण करना है। इस अनुसंधान का मूल मानवशास्त्र में है।

विवरणात्मक शोध (Descriptive Research): इस प्रकार का अनुसंधान स्थिति का वर्णन करता है। यह 'क्या है' या 'क्या था' जैसे प्रश्नों का उत्तर देने का प्रयास करता है।

23. (c)

यह शोध का तीसरा चरण है, जब हम चर की पहचान और परिकल्पना का निर्माण करते हैं। कार्य परिकल्पना एक अस्थायी परिकल्पना है, जो इसके तार्किक और अनुभवजन्य परिणामों को प्राप्त करने और परीक्षण के लिए बनाई गई है। वे उस ढंग को भी प्रभावित करते हैं, जिसमें आंकड़े का विश्लेषण और परीक्षण किया जाना चाहिए और अप्रत्यक्ष रूप से डेटा की गुणवत्ता जो विश्लेषण के लिए आवश्यक है।

24. (d)

जब कोई शोधकर्ता शोध के परिणामों को थीसिस के रूप में अंतिम रूप से रिपोर्ट करते समय प्रस्तावना में अपने पर्यवेक्षक के समर्थन को स्वीकार करता है, तो वह शोध नैतिकता का पालन करता है।

यह अनुसंधान के उत्तरदायित्व पूर्ण संचालन के लिए दिशानिर्देश प्रदान करता है। इसके अतिरिक्त, यह उच्च नैतिक मानक सुनिश्चित करने के लिए अनुसंधान करने वाले वैज्ञानिकों को शिक्षित और उनकी निगरानी करता है। अनुसंधान में नैतिकता सुनिश्चित करने के लिए पूर्वाग्रहों से बचना चाहिए और जानकारी के अनुचित प्रयोग से बचना चाहिए।

25. (b)

स्तरित यादृच्छिक प्रतिचयन (Stratified random sampling): यह प्रतिदर्श की एक विधि है जिसमें समष्टि, समग्र या जनसंख्या को छोटे उपसमूहों में विभाजित कर दिया जाता है। दूसरे शब्दों में, संपूर्ण जनसंख्या को छोटे समूहों या उप-जनसंख्या में विभाजित करें, जैसे कि प्रतिदर्श इकाइयाँ उप-जनसंख्या के मध्य या अध्ययन की विशेषता के संबंध में सजातीय हों। ऐसी जनसंख्या को 'स्तर' (stratum) कहा जाता है।

इसलिए, शोध की समष्टि की प्रकृति विजातीय होने की स्थिति में स्तरित यादृच्छिक प्रतिचयन विधि प्रतिदर्श इकाइयों का सर्वोत्तम प्रतिनिधित्व सुनिश्चित करेगी।

नोट: स्ट्रैटम एकवचन है और सटार्टा बहुवचन है।

सरल यादृच्छिक प्रतिचयन (simple random sampling): इसमें प्रत्येक इकाई के चुने जाने की संभावना समान होती है। एक इकाई का चयन दूसरी इकाई के चयन की संभावना को प्रभावित नहीं करता है।

गूच्छ प्रतिचयन (Cluster sampling): इसे समूह प्रतिचयन भी कहा जाता है, अगर प्रतिदर्श का आकार बहुत अधिक है तो क्लस्टर प्रतिचयन सहायक होता है। इसके अंतर्गत जनसख्या को अनन्य समूहों में विभाजित कर दिया जाता है।

व्यवस्थित प्रतिचयन (Systematic Sampling): इस विधि प्रतिदर्श सूची से एक तत्व को यादृच्छिक रूप से चयन कर लिया जाता है और फिर सूची में से प्रत्येक kth तत्व का चयन किया जाता है, जहां k, प्रतिदर्श अंतराल है, इसकी गणना इस प्रकार की जाती है:

$$K = N/n$$

जहां n प्रतिदर्श आकार (sample size) है, और N समष्टि या जनसंख्या आकार (population size) है।

26. (c)

अप्राचल काई – स्कायर परीक्षण (Non-parametric 'chi-square' test) का उद्देश्य यह परीक्षण करना है कि प्रयोक्ता के कारण आरक्षित वितरण की कितनी संभावना है। इसे 'बेस्ट फिट' आंकड़ा भी कहा जाता है। यदि चर स्वतंत्र हैं तो, यह मापता है कि आंकड़े का प्रेक्षित वितरण उस वितरण के साथ कितनी अच्छी तरह फिट है, जो कि अपेक्षित है। काई -वर्ग वितरण मुख्य रूप से परिकल्पना परीक्षण में उपयोग किया जाता है, और अंतर्निहित वितरण सामान्य होने पर जनसंख्या भिन्नता के लिए उपयोग किया जाता है।

प्रश्नानुसार, जब प्रदत्तों की उपलब्धता आवृतियों में हो तो काई – स्कायर परीक्षण सबसे उपयुक्त विधि रहेगी।

27. (d)

पहले सर्वेक्षण को डेटा संग्रह तकनीक के रूप में तय किया जाता है। प्रश्न पूछे और पढ़े जाते हैं। त्रुटि को कम करने के लिए पुन: स्मरण किया जाता है। यहां अंतिम चरण में समीक्षा की जाती है। इसलिए शोध के संदर्भ में सही क्रम सर्वेक्षण, प्रश्न, पठन, स्मरण, समीक्षा करना है।

28. (c)

पश्च-प्रत्यक्षवादियों का तर्क है कि सिद्धांत, परिकल्पना, पृष्ठभूमि ज्ञान और शोधकर्ता के मूल्य जो उसने अपने जीवन में अनुभव किया है उसके शोध अध्ययन को प्रभावित कर सकते हैं। पश्च- प्रत्यक्षवादी, पूर्वाग्रहों (Prejudices) के संभावित प्रभावों को पहचानकर निष्पक्षता के सिद्धांत को स्वीकार करते हैं। पश्च-प्रत्यक्षवादियों उपागम के अंतर्गत तीन प्रकार के शोधों पर अधिक बल दिया गया।

(1) दृश्यघटना शोध (Phenomenological Research): यह गुणात्मक शोध के लिए एक दृष्टिकोण है, जिसमें शोधकर्ता एक विशेष समूह के प्रत्यक्ष और जीवंत अनुभव को समझने का प्रयत्न करता है। उदाहरण के लिए, हरे रंग की फ्लैश का अध्ययन करना, जो कभी-कभी सूर्यास्त के ठीक बाद होता है।

(2) नृजातीय शोध (Ethnographic Research): इसका मुख्य उद्देश्य भौतिक और सामाजिक पर्यावरण, जिसमें अध्ययन किये जाने वाले लोग रहते हैं या अन्य कोई कार्य करते हैं, का निर्धारण करना हैं। इस अनुसंधान का मूल मानवशास्त्र में हैं।

(3) क्रियात्मक शोध (Action Research): इसका उपयोग शिक्षा क्षेत्र में किया जाता है क्योंकि इसमें सदैव सुधार की आवश्यकता होती है। इस शोध को अन्वेषण चक्र भी कहते हैं।

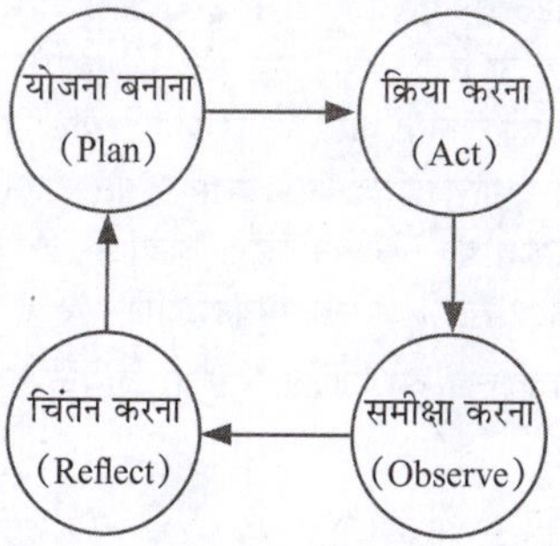

29. (c)

एक शोध सार एक शोध आलेख, प्रस्तुत सेमिनार पत्र, शोध पत्र, सम्मेलन की कार्यवाही या किसी विशेष विषय के गहन विश्लेषण का एक संक्षिप्त सारांश है और यह पाठक को पेपर के उद्देश्य का तीव्रता से पता लगाने में सहायता करता है।

30. (a)

तालिका – अनुसंधान प्रक्रिया

सोपान 1: अनुसंधान समस्या का सूत्रीकरण	सोपान 2: अनुसंधान अभिकल्प तैयार करना	सोपान 3: प्रदत संग्रह उपकरण विकसित करना	सोपान 4: प्रतिदर्श चयन
• साहित्य अवलोकन	• समस्या की संरचना	• प्रदत्त के प्रकार	• प्रतिदर्श प्रकार
• उद्देश्यों का निरूपण	• अध्ययन अभिकल्प	• प्रदत्त एकत्रित करने की विधि	— संभाव्यता
• चरों को चिन्हित करना	— प्रयोगात्मक		— असंभाव्यता
• उपकल्पना का सूत्रीकरण	— गैर-प्रयोगात्मक		• प्रतिदर्श अभिकल्प का निर्धारण

तालिका – अनुसंधान प्रक्रिया

सोपान 5: अनुसंधान प्रस्ताव लेखन	सोपान 6: प्रदत्तों का एकत्रीकरण	सोपान 7: प्रदत्त प्रसंस्करण और विश्लेषण	सोपान 8: शोध रिपोर्ट लेखन
			शोध रिपोर्ट का प्रारूप
• आवश्यकता	• अवलोकन	• संपादन और कूटन	• शीर्षक पृष्ठ
• लाभ	• साक्षात्कार	• प्रदत्त वर्गीकरण	• विषय सूची
• प्रतिदर्श प्रकार	• प्रश्नावली इत्यादि	• सारणीकरण	• क्रियाविधि इत्यादि
• निधीकरण आवश्यकताएँ इत्यादि		• विश्लेषण	
		• उपकल्पना परीक्षण	
		• सामान्यीकरण	

इसकी सहायता से हम शोध के तार्किक क्रम का पता लगा सकते हैं।

31. (b)

कार्योत्तर-शोध अभिकल्प (Ex-Post Facto Research Design) : इस रिसर्च को (after the fact) कार्योत्तर शोध के नाम से भी जाना जाता है। यह सामाजिक विज्ञान और व्यावसायिक संगठनों में प्रयोग किया जाता है। इस में घटना के होने के पश्चात जांच आरम्भ होती है। इस अध्ययन में हेरफेर की कोई संभावना नहीं होती। शोधकर्ता पूर्व घटित घटना की पहचान करके शोध अभिकल्प तैयार करता है। उदाहरण के लिए, हम किसी क्षेत्र में भूकंप आने के बाद भूकंप के प्रभावों को रिकॉर्ड करेंगे। उसी प्रकार, यदि किसी विश्वविद्यालय का शिक्षक ग्रामीण बच्चों की उपलब्धि और उनकी आकांक्षा के स्तर के मध्य संबध का अध्ययन करना चाहता है, इसके लिए कार्योत्तर शोध अभिकल्प सबसे अधिक उपयुक्त होगा।

अन्य विकल्पों की संक्षिप्त व्याख्या उपरोक्त प्रश्न 5 के उत्तर में की गयी है।

32. (a)

प्रयोगात्मक शोध (Experimental Research) में, शोधकर्ता अपेक्षित संबंध की प्रकृति को बताने के लिए एक या अधिक परिकल्पना विकसित करता है और उनका परीक्षण करता है। प्रायोगिक अनुसंधान कारण – संबंध स्थापित करने के लिए डिज़ाइन किया गया है। यह दो या दो से अधिक चरों के मध्य संबंध से संबंधित प्रश्न से आरंभ होता है।

1. एक स्वतंत्र चर में हेर-फेर किया जाता है और आश्रित चर पर इसका प्रभाव देखा जाता है। आश्रित चर का मूल्य स्वतंत्र चर के मूल्य पर निर्भर और भिन्न होने के लिए परिकल्पित है।
2. स्वतंत्र चरों के अतिरिक्त अन्य सभी चर स्थिर रखे जाते हैं।

ऐतिहासिक शोध (Historical Research)-इस अनुसंधान में अनुसंधानकर्ताओं से यह अपेक्षा की जाती है कि वे वर्तमान हालतों के परिपेक्ष्य में भूतकालीन घटनाओं का वर्णन करें। यह शोध हमें ऐसे प्रश्नों के उत्तर हल करने में सहायता करता है जैसे पानीपत का युद्ध किन परिस्थितियों में हुआ होगा? साधारण लोगों के जीवन पर उसका क्या प्रभाव पड़ा आदि।

सर्वेक्षण शोध (Survey Research)-यह बड़े समूह आकार के अंतर्गत जानकारी एकत्र करने के लिए उपयुक्त विधि है। इसका उद्देश्य डेटा का विश्लेषण एवं व्याख्या करना और रिपोर्ट तैयार करना है। प्रश्नावली (questionnaire), सर्वेक्षण अनुसंधान का एकमात्र तरीका है।

निर्वचनात्मक शोध (Exergetic Research)-यह एक प्रकार का शोध है जो विशेष रूप से एक धार्मिक व्याख्या से संबंधित है। इसके अंतर्गत शोधकर्ता मूल पाठ का अर्थ परिवर्तित नहीं करते हुए अनुमान लगाते हैं।

33. (d)

मात्रात्मक अनुसंधान (Quantitative Research): यह सांख्यिकीय विश्लेषण को पूरा करने की क्षमता पर अधिक ध्यान केंद्रित करता है। मात्रात्मक अध्ययन के साथ, प्रत्येक उत्तरदाता को समान प्रश्नों का उत्तर देने के लिए कहा जाता है: मात्रात्मक डेटा एकत्र करने के लिए सर्वेक्षण और प्रश्नावली सबसे सामान्य तकनीक हैं।

अतः सर्वेक्षण विधि मात्रात्मक अनुसंधान से संबंधित है।

34. (b)

आधारिक सिद्धांत (Grounded Theory Research): यह एक गुणात्मक दृष्टिकोण है जिसमें शोधकर्ता द्वारा एकत्रित किये गए प्रदत्तों का विश्लेषण कर किसी सिद्धांत को विकसित किया जाता है।

यह शोध प्रणाली आगमनात्मक उपागम (inductive research) का उपयोग करती है। यह, सामाजिक विज्ञान में एक व्यवस्थित कार्यप्रणाली है, जिसमें गुणात्मक आंकड़ों के व्यवस्थित संग्रह और विश्लेषण के माध्यम से सिद्धांतों का निर्माण करती है। इसके परिणामस्वरूप हमें अवधारणाएं, श्रेणियां और परिकल्पना तैयार करनी होती है। आख्या (narrative) आधारिक सिद्धांत का परिणाम नहीं है।

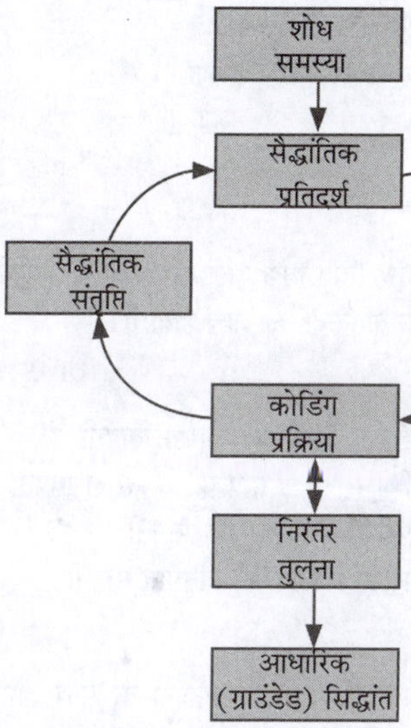

कथात्मक या आख्या शोध (narrative research) एक भिन्न प्रकार का गुणात्मक शोध है। इसमें व्यक्ति के जीवन का अन्वेषण करना सम्मिलित है। यह एक या अधिक व्यक्तियों का अध्ययन करने से संबंधित है। यह मुख्य रूप से साक्षात्कार और लेखों का उपयोग करता है।

35. (a)

हम समय और धन बचाने के लिए जनसंख्या के प्रत्येक सदस्य से डेटा एकत्र नहीं करते हैं। प्रत्येक सदस्य से आंकड़ा एकत्र कर पाना सम्भव भी नहीं है, जिसका नकारात्मक प्रभाव प्रतिदर्श संबंधी त्रुटियां हैं। वे किसी भी तरह के शोध में हो सकते हैं।

(i) प्रतिदर्श उस त्रुटि से संबंधित है जो गैर – प्रतिदर्श त्रुटि के अंतर्गत आता है। यहां, हमें 'संबंधित' और 'सम्मिलित' शब्दों पर ध्यान केंद्रित करने की आवश्यकता है। गैर–प्रतिदर्श त्रुटि 'कैच–ऑल' शब्द है।

(ii) प्रतिदर्श त्रुटि हर प्रकार के प्रतिदर्श में हो सकता है चाहे एकल स्तरीय हो या बहुस्तरीय प्रतिदर्श हो।

(iii) गलत प्रतिदर्श ढांचा और प्रतिक्रिया न देना प्रतिदर्श से जुड़ी त्रुटि के उदाहरण हैं।

(iv) बल्कि, जनसंख्या या समष्टि जितनी अधिक समरूप होगी, प्रतिदर्श त्रुटि उतनी ही कम होगी।

36. (d)

सत्तामीमांसा – यह दर्शन वास्तविकतावाद विचारधारा से सम्बंधित है, जो प्रत्यक्षवाद अर्थात जो वास्तव में विद्यमान है उसी के सन्दर्भ में विश्लेषण प्रस्तुत करता है।

ज्ञानमीमांसा – यह दर्शन सकारात्मकतावाद से प्रभावित है जो ज्ञान का युक्तिबद्ध अध्ययन करती है। ज्ञानमीमांसा, ज्ञान के स्वभाव, उद्भव और परिधि के विश्लेषण के साथ-साथ, विश्वास की तार्किकता, ज्ञान के वैध स्रोतों, तथा उनके प्रमाणीकरण से संपृक्त हैं।

प्रणाली विधि – यह ओर्डियोग्राफी कार्य करने की विधि से सम्बंधित है।

प्रणाली – इसका प्रत्यक्ष सम्बन्ध सर्वेक्षण से माना जाता है।

37. (d)

शोध एक क्रमिक प्रक्रिया है। इसे प्रस्तुत करने से पहले निम्नलिखित चरणों से गुजरना पड़ता है।

शोध समस्या का चयन → साहित्य समीक्षा → परिकल्पनाओं का निर्माण → शोध प्रारूप तैयार करना → प्रतिदर्श चयन → शोध प्रस्ताव लेखन → प्रदत्तों का एकत्रीकरण → प्रदत्तों का विश्लेषण → शोध रिपोर्ट लेखन

38. (d)

नामिक मापन स्तर (Nominal scale): यह माप का सबसे कम शक्तिशाली स्तर है। यह कोई क्रम या दूरी संबंध नहीं दर्शाता है और इसका कोई अंकगणितीय मूल नहीं है। नामिक स्तर केवल विषयों के मध्य अंतर को श्रेणियों में निर्दिष्ट करके बताता है।

दूसरे शब्दों में, नामिक स्तर घटनाओं को लेबल करने के लिए संख्याओं, प्रतीकों को निर्दिष्ट करने की एक प्रणाली है। उदाहरण-लेबल करने के लिए बास्केटबॉल खिलाड़ियों की संख्या का निरूपण।

क्रमिक मापन स्तर (Ordinal Scale): क्रमिक मापन स्तर घटनाओं को क्रम में रखता है, लेकिन कुछ नियमों के संदर्भ में पैमाने के अंतराल को बनाने का कोई प्रयास नहीं किया जाता है। रैंक, क्रमिक पैमानों का प्रतिनिधित्व करती हैं और अक्सर गुणात्मक घटनाओं से संबंधित अनुसंधान में उपयोग की जाती हैं।

अपनी स्नातक कक्षा में एक छात्र के रैंक में एक सामान्य पैमाने का उपयोग सम्मिलित होता है। उदाहरण-यदि राम की स्थिति 10 और मोहन की स्थिति 40 है, तो यह नहीं कहा जा सकता है कि राम की स्थिति मोहन की स्थिति से चार गुना अच्छी है।

अंतराल मापन स्तर (Interval Scale): अंतरालों को कुछ नियमों के अनुसार समायोजित किया जाता है जिन्हें इकाइयों को समान बनाने के लिए एक आधार के रूप में स्थापित किया गया है। अंतराल तराजू में एक मनमाना शून्य हो सकता है, लेकिन यह निर्धारित करना संभव नहीं है कि एक पूर्ण शून्य या अद्वितीय मूल क्या है।

आनुपातिक मापन स्तर (ratio scale): अनुपात पैमाने में माप का एक निरपेक्ष या सही शून्य होता है। हम लंबाई के निरपेक्ष शून्य की कल्पना कर सकते हैं और इसी तरह हम समय के निरपेक्ष शून्य की कल्पना कर सकते हैं। उदाहरण – सेंटीमीटर पैमाने पर शून्य बिंदु लंबाई या ऊंचाई की पूर्ण अनुपस्थिति को इंगित करता है।

39. (d)

गुणात्मक शोध का एक साहित्यिक रूप, कथा अनुसंधान एक कहानी या कहानियों को एकत्र करने और उनके विवरण के बारे में है। शोधकर्ता व्यक्तियों के अनुभवों के बारे में आख्यान लिखते हैं, जीवन के अनुभव का वर्णन करते हैं, और व्यक्ति के साथ अनुभव के अर्थ पर चर्चा करते हैं। सामान्य तौर पर, एक कथा अनुसंधान डिजाइन एक व्यक्ति के अध्ययन पर केंद्रित होता है।

शोधकर्ता एक समुदाय के विपरीत व्यक्तियों की कहानियों का दुभाषिया बन जाता है। कथात्मक शोध का उद्देश्य मानवीय अनुभव की व्याख्या करना और उस पर विश्वास करना है, क्योंकि इसे पाठ्य रूप में दर्शाया गया है।

40. (d)

यह निगमनात्मक तर्क का उदहारण है। निगमनात्मक तर्क में एक या अधिक ज्ञात सामान्य कथनों के आधार पर किसी निश्चित निष्कर्ष पर पहुँचा जा सकता है । इसमें छात्र के सामने पहले सिद्धांत रखा जाता है और उसके बाद विभिन्न प्रकार के उदाहरण से उसकी पुष्टि की जाती है ।

41. (d)

शोध अध्ययन न केवल शोध प्रश्नों के उत्तर देने के लिए होते हैं बल्कि उसी या संबंधित क्षेत्र (क्षेत्रों) में अग्रिम शोध के लिए संदर्भ भी होते हैं। शोध ऐसे परिणाम उत्पन्न करने में सक्षम होने चाहिए, जो समकालीन और प्रासंगिक हों। इसके लिए पुराने संदर्भ का उपयोग करते हुए अद्यतन डेटा और संसाधनों का उपयोग करना अनिवार्य है, अकादमिक / विद्वान, शोधकर्ता बताते हैं कि उन्होंने अपने शोध अध्ययन के लिए उपयोग की जाने वाली सामग्री / संसाधनों को अद्यतन करने की परवाह नहीं की और इस तरह गंभीर चूक की जो अध्ययन की प्रासंगिकता (relevance) को कम करेगी अत: यदि एक महाविद्यालय शिक्षक द्वारा सेमिनार में एक शोध पत्र प्रस्तुत किया जाता है और शोध पत्र में उल्लेखित संदर्भ काफी पुराने हैं तब इस स्थिति को तकनीकी चूक के रूप में वर्णित किया जायेगा।

42. **(c)**

क्रियात्मक शोध - इस शोध के द्वारा अपने निर्णय में सुधार लाने एवं मूल्यांकन के लिए अपनी शोध सम्बन्धी समस्याओं का वैज्ञानिक तरीके से विश्लेषण किया जाता है।

योजना - कार्य - निरीक्षण - प्रतिबिंबित - योजना

मौलिक शोध - इस शोध के द्वारा शोधकर्ता में नवीन ज्ञान अर्जित करते हैं। इस शोध का उद्देश्य ज्ञान प्राप्त कर उसमें वृद्धि करना होता है।

व्यवहृत शोध - इस शोध के द्वारा क्रियात्मक समस्या का समाधान किया जाता है।

मूल्यांकन शोध - इस शोध के द्वारा सकारात्मक और नकारात्मक समस्याओं का समाधान किया जाता है। शोधकर्ता इस शोध को आधार मानकर समस्या का समाधान करते हैं।

43. **(b)**

शोध प्रक्रिया के निम्नलिखित चरण है दृ

(i) समस्या या विषय का चुनाव

(ii) साहित्य समीक्षा

(iii) उद्देश्य

(iv) परिकल्पना जाँच/ विश्लेषण

(v) शोध विधि और डिजाईन

(vi) शोध के क्षेत्र का चुनाव

(vii) आकड़ा संग्रह

(viii) आकड़ा का वर्गीकरण

(ix) शोध (प्रदत्त) विश्लेषण और व्याख्या

(x) शोध निष्कर्ष

(xi) रिपोर्ट लेखन

(xii) सन्दर्भ सूची

शोध के परिकल्पना जाँच/ विश्लेषण और शोध (प्रदत्त) विश्लेषण और व्याख्या में शोधकर्ता के नैतिकता की जांच होती है।

44. **(a)**

प्रश्नावली और साक्षात्कार - माप की नामिक मापनी

बुद्धिमता और अभिरुचि परीक्षा - माप की अन्तराल मापनी

अभिवृति और मूल्य परीक्षा - क्रमसूचक मापनी

गति और बारंबारता परीक्षा - माप की अनुपात मापनी

45. **(d)**

शोधकर्ताओं को प्रत्येक नई शोध परियोजना के साथ अपने कौशल को अद्यतन करने की आवश्यकता होती है। किसी के शोध कौशल को अद्यतन करने के लिए तैयार और सक्षम होना एक शोधकर्ता के रूप में किसी की क्षमता का एक अनिवार्य हिस्सा है। एक अच्छा शोधकर्ता होने का एकमात्र तरीका है कि आप अपनी जानकारी को अद्यतन रखें अन्यथा आप एक संग्रहालय का हिस्सा होंगे।

तकनीकी चूक: यह किसी त्रुटि को संदर्भित करता है जो किसी भी तकनीकी/तकनीकी त्रुटि का परिणाम है

नैतिक चूक: यह अनुसंधान के विभिन्न पहलुओं से संबंधित एक नैतिक समझौते को संदर्भित करता है।

शैक्षणिक अनभिज्ञता: यह किसी के क्षेत्र के संबंध में अपर्याप्त ज्ञान को संदर्भित करता है।

अत:, यदि एक शोधकर्ता एक शोध पत्र प्रस्तुत करता है जो पुराने संदर्भों को उल्लिखत करते है, तो यह शोध स्रोत को अद्यतन करने में असमर्थता की स्थिति है।

46. **(a)**

शून्य परिकल्पना (nulll hypothesis) को अप्रमाणित या अशुद्ध परिकल्पना भी कहा जाता है। शून्य परिकल्पना, वैकल्पिक कल्पना का प्रतिलोम है जिसमें हम यह कल्पना करते हैं कि दो या दो से अधिक चरों के बीच आपस में कोई भी संबंध नहीं है। इसी को हम शून्य परिकल्पना कहते हैं। इसे H_0 से प्रदर्शित किया जाता है।

47. (c)

निम्नलिखित सूची में से ऐसे परीक्षणों है जो शोध के सन्दर्भ में इष्टम कार्य निष्पादन परीक्षण की श्रेणी में आते हैं -

उपलब्धि परीक्षण ऐसे परीक्षणों को कहा जाता है, जिसमें एक शिक्षक यह पता करने का प्रयास करता है कि जो उसने पढ़ाया, बच्चों ने उसे किस मात्रा तक समझा या जाना। उपलब्धि परीक्षण, ज्ञान तथा कौशल के मापन के लिए होती है, इसलिये विद्यालयों से इसका सीधा सम्बन्ध होता है। यह सभी सूचनाओं की जानकारी हेतु शिक्षक जिस मार्ग का प्रयोग करता है उसे उपलब्धि परीक्षण कहा जाता है।

अभिवृति परीक्षण को योग्यता परीक्षण भी कहा जाता है। योग्यता (अभिवृत्ति) परीक्षण का उपयोग भविष्य में सीखने की गतिविधियों या किसी पेशे में सफलता का पूर्वानुमान लगाने के लिए किया जाता है। योग्यता (अभिवृत्ति) का अर्थ है सामान्य बौद्धिक क्षमता के अलावा विशेष क्षमता या क्षमता जो किसी व्यक्ति को किसी विशिष्ट क्षेत्र में दक्षता का आवश्यक स्तर हासिल करने में मदद करती है।

व्यक्ति की अभिरुचियों का ज्ञान जब किसी अभिरुचि-प्रपत्र और प्रमापीकृत परीक्षण के द्वारा प्राप्त किया जाता है तो उसे परीक्षित अभिरुचि कहते हैं चूंकि अधिकांश अभिरुचि परीक्षण अभिरुचि-प्रपत्र के द्वारा किये जाते हैं।

48. (b)

शोध में प्रयुक्त गुच्छ प्रतिदर्श प्रतिचयन (Cluster Shamping) विधि में प्रतिदर्श एकसमान और स्वतंत्र प्रकृति के होते हैं। जब कुल जनसंख्या को समूहों या वर्गों में विभाजित किया जाता है और फिर अनुभागों को यादृच्छिक रूप से चुना जाता है, तो इसे गुच्छ प्रतिदर्श चयन कहा जाता है।

49. (c)

प्रत्येक कक्षा के अन्त के लघु सारांश को भाषायी संकेत चिन्हाकन कहा जाता है। भाषा ध्वनि-प्रतीकों की व्यवस्था है। ये ध्वनि प्रतीक भाषायी संकेत होते हैं। संकेत को मुख्यत: दो उप-वर्गों में विभाजित किया जाता है - मूल और प्रगत। एक सांकेतिक भाषा का प्रयोग करके शिक्षक अपने छात्रों को अपने व्याख्यान के अनुक्रम अनुसरण करने में सहायता करते हैं।

50. (c)

निरंतरता प्रभावोत्पादक शैक्षणिक संप्रेषण के अंतर्गत आती है।

51. (a)

सर्वप्रथम हम कथन (II) में वर्णित केंद्रीय प्रवृति से संबंधित सामान्य वितरण वक्र के मुख्य पहलू देख लें:

सामान्य वितरण वक्र (Normal Distribution Curve)

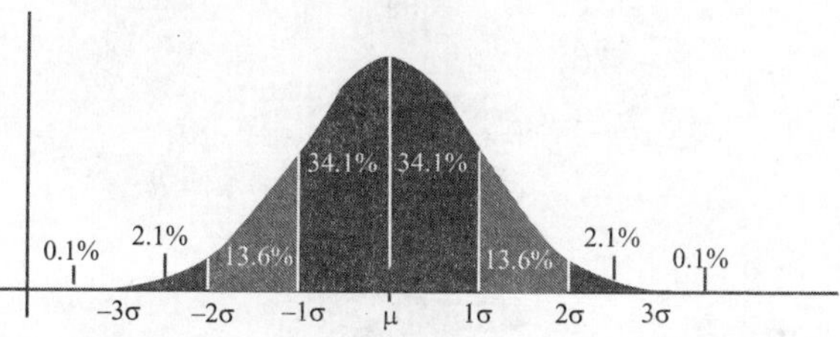

सामान्य वितरण के गुण:

1. सामान्य वितरण एक विशेष प्रकार का वितरण है, जिसे 'घंटी वक्र' (bell shaped) भी कहा जाता है।
2. इस घंटी वक्र का शीर्ष एकत्र किए गए डेटा के माध्य, बहुलक और माध्यिका को दर्शाता है। माध्य, बहुलक और माध्यिका सभी समान हैं। सामान्य वितरण एक सतत संभाव्यता वितरण है, केंद्र का दाहिना भाग बाईं ओर की दर्पण छवि है।
3. वक्र केंद्र में सममित है, केंद्र माध्य (μ) में ही समाहित होता है।
4. वक्र के नीचे का कुल क्षेत्रफल 1 माना जाता है, या इसको कई बार 100 प्रतिशत भी कहा जाता है।
5. माध्य (mean) = माध्यिका (median) = बहुलक (mode) अब हम कथन (I) में वर्णित सकारात्मक रूप से विषम (Positive skewness) के मुख्य बिंदु देख लें:

इस प्रकार के सकारात्मक वितरण (positive distribution) में अधिकांश मूल्यों को वितरण की बाईं ओर (left side) दर्शाया जाता है, तथा वितरण की दाहिनी पूंछ लंबी (right tail) होती है।

यहां माध्य > माध्यिका > बहुलक होता है।

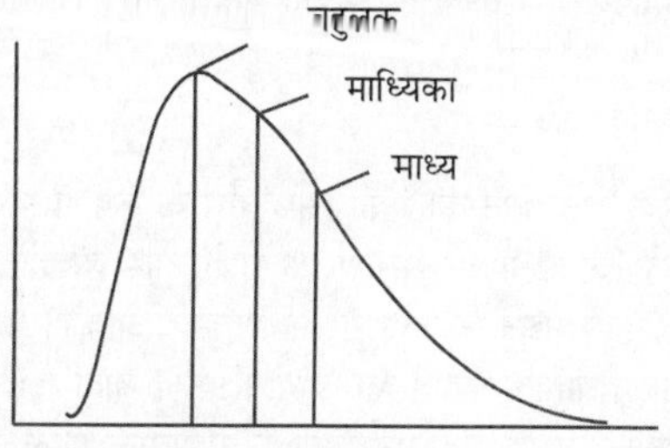

अत: दोनों कथन सही हैं। ऋणात्मक विषमता (negative skewness) में स्थिति विपरीत हो जाती है।

अत: विकल्प (a) सही उत्तर है।

52. (d)

क्रियात्मक शोध (action research): क्रियात्मक शोध एक चक्रीय या सर्पिल प्रक्रिया है जिसमें समस्या की पहचान एक शिक्षक, शिक्षकों या प्रशासकों के समूह द्वारा की जाती है। फिर उस समस्या का समाधान निकाला जाता है, तथा उपयुक्त कार्यवाही की जाती है, उसके परिणाम देखे जाते हैं। इस प्रक्रिया में तथ्यों का अनुसंधान किया जाता है। शिक्षा में क्रियात्मक अनुसंधान शिक्षकों को शिक्षण-अधिगम वातावरण में सबसे उपयुक्त रणनीति अपनाने या तैयार करने में सहायता करता है। शिल्प के रूप में अध्यापन एक विज्ञान और कला दोनों है। इसलिए, वांछित परिणाम देने के लिए तथा शिक्षण के लिए, शिक्षकों को सदैव प्रयोग करना चाहिए और अपने शिक्षण-अधिगम प्रथाओं में संलग्न होने के नए ढंग के प्रयास करना चाहिए। इस क्रियात्मक शोध प्रक्रिया का उपयोग अन्य व्यवसायों में भी किया जाता है।

मौलिक अनुसंधान (Fundamental Research) का उद्देश्य जिज्ञासा और विशिष्ट अनुसंधान क्षेत्र में ज्ञान में वृद्धि करना है। यह अनुसंधान, शोध क्षेत्र में ज्ञान में एक विशिष्ट योगदान देता है।

मौलिक अध्ययन घटना का सामान्यीकरण करते हैं।

मौलिक अनुसंधान के विपरीत, व्यवहृत अनुसंधान (applied research) है, जिसका उद्देश्य विशिष्ट समस्याओं को हल करना है, इस प्रकार अनुप्रयुक्त अनुसंधान के निष्कर्षों का व्यवहारिकता पर तत्काल प्रभाव पड़ता है। यह अनुसंधान किसी दिए गए क्षेत्र में ज्ञान के कोष में वृद्धि करने पर केंद्रित है।

मूल्यांकनात्मक अनुसंधान (evaluation research): मानसिक स्वास्थ्य, शिक्षा और सुरक्षा (उदाहरणतया, अपराध की रोकथाम, दुर्घटना की रोकथाम) से संबंधित सामाजिक हस्तक्षेपों और कार्यक्रमों की प्रभावशीलता का आकलन करने के लिए वैज्ञानिक सिद्धांतों और विधियों का उपयोग को मूल्यांकनात्मक अनुसंधान कहा जाता है। यह एक प्रकार का व्यवहृत या अनुप्रयुक्त अनुसंधान है।
प्रश्न का सही विकल्प (d) है ।

53. (c)

ऐतिहासिक शोध से अतीत की घटनाओं का अध्ययन किया जाता है। आंकड़े की वैधता, विश्वसनीयता और प्रासंगिकता को पहचानने की प्रक्रिया में दो उपकरणों अर्थात बाहरी और आन्तरिक समीक्षा के माध्यम से की जाती है।

54. (c)

गुणात्मक अनुसंधान को एक ऐसी विधि के रूप में परिभाषित किया जाता है जिसमें किसी समस्या के गुणों और व्यवहार को निर्धारित करने और समझने के लिए गैर-संख्यात्मक आंकड़ों को एकत्र करने के लिए वैज्ञानिक पद्धति का उपयोग किया जाता है। जैसा कि नाम से व्यक्त होता है, यह अनुसंधान के गुणात्मक पहलुओं पर अधिक केंद्रित होता है।

1. यह शोध, शोधकर्ता द्वारा प्रत्यक्ष अवलोकन, साक्षात्कार, प्रश्नावली, फोकस समूह, प्रतिभागी-अवलोकन, दस्तावेजों और कलाकृतियों में की गई रिकॉर्डिंग से प्राप्त आंकड़ों पर निर्भर करता है।
2. गुणात्मक विधियों में नृवंशविज्ञान, आधारभूत सिद्धांत और व्याख्यात्मक घटना संबंधी विश्लेषण सम्मिलित हैं। समाजशास्त्र, नृविज्ञान, राजनीति विज्ञान, मनोविज्ञान, सामाजिक कार्य और शैक्षिक अनुसंधान में भी गुणात्मक अनुसंधान विधियों का उपयोग किया जाता है।
3. आंकड़ा स्रोतों में गहन साक्षात्कार, फ़ोकस समूह, मानकीकृत साक्षात्कार सम्मिलित हैं।
4. शोधकर्ता किसी विषय को गहन और विस्तृत अध्ययन के लिए व्यष्टि अध्ययन (case study) को अधिक प्राथमिकता देते हैं।
5. यह परिकल्पनाओं और सिद्धांतों के विकास पर केंद्रित है।

गुणात्मक शोध की विधियां:

1. प्रेक्षण: जो आपने देखा, सुना या अनुभव किया है उसे विस्तृत फील्ड नोट्स में रिकॉर्ड करना।

2. साक्षात्कार: आमने-सामने वार्तालाप में व्यक्तिगत रूप से लोगों से प्रश्न पूछना।

3. फोकस समूह: लोगों के समूह से प्रश्न पूछना और चर्चा करना।

4. सर्वेक्षण: ओपन एंडेड प्रश्नों के साथ प्रश्नावली का वितरण।

5. माध्यमिक शोध: वर्तमान डेटा को टेक्स्ट, इमेज, ऑडियो या वीडियो रिकॉर्डिंग आदि के रूप में एकत्रित करना ।

इसलिए, सही विकल्प (c) है।

55. (a)

समग्र या जनसंख्या वह संपूर्ण समूह है जिसके बारे में शोधकर्ता निष्कर्ष निकालना चाहता है। एक प्रतिदर्श या न्यादर्श वह विशिष्ट समूह है जिससे आप डेटा एकत्र करेंगे। प्रतिदर्श का आकार सदैव जनसंख्या के कुल आकार से कम होता है। शोध में, जनसंख्या सदैव संपूर्ण लोगों को संदर्भित नहीं करती है। इसका अर्थ एक समूह हो सकता है जिसमें शोधकर्ता जो कुछ भी अध्ययन करना चाहते हैं, जैसे वस्तुओं, घटनाओं, संगठनों, देशों, प्रजातियों, जीवों आदि के तत्वों से युक्त हों। जनसंख्या की विशेषताओं को पैरामीटर (parameter) कहा जाता है। पैरामीटर सामान्य तौर पर अज्ञात होते हैं। पैरामीटर सदैव तय ही होते हैं।
प्रतिदर्श की विशेषताओं को सांख्यिकी (statistics) कहा जाता है। सांख्यिकी सदैव ज्ञात होते हैं या ज्ञात करने पड़ते हैं। प्रतिदर्श के साथ आंकड़े परिवर्तित होते रहते हैं।

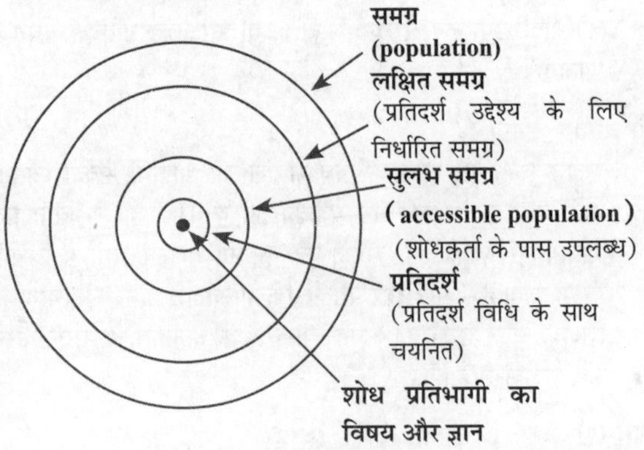

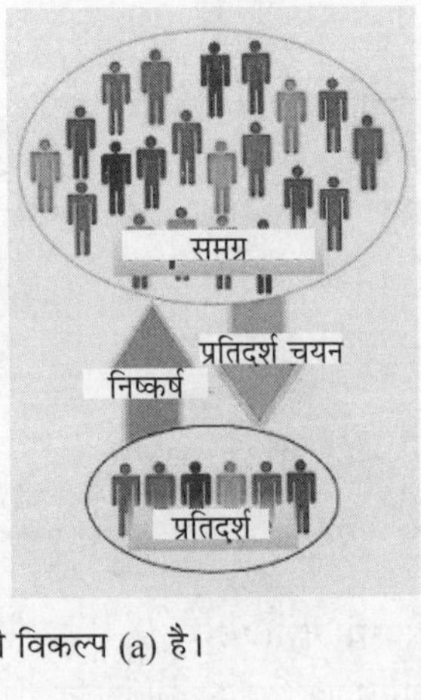

इसलिए सही विकल्प (a) है।

56. (c)

अनुसंधान में आचार संहिता या नैतिकता की आवश्यकता

- अनुसंधान नैतिकता वैज्ञानिक शोधकर्ताओं के आचरण के मानकों को नियंत्रित करती है। अनुसंधान प्रतिभागियों की गरिमा, अधिकारों और कल्याण की रक्षा के लिए नैतिक सिद्धांतों का पालन करना महत्वपूर्ण है।

- अनुसंधान नैतिकता में दैनिक कार्य, विषयों की गरिमा की सुरक्षा और शोध में जानकारी के प्रकाशन सम्मिलित है।

अनुसंधान में अपेक्षित नैतिकता

1. वस्तुनिष्ठता: प्रयोगात्मक डिजाइन, आंकड़ा विश्लेषण, आंकड़ा व्याख्या, सहकर्मी समीक्षा, निर्णय, विशेषज्ञ प्रमाण, और अनुसंधान के अन्य पहलुओं में पूर्वाग्रह से बचने का प्रयास करें, जहां निष्पक्षता आवश्यक है।

2. ईमानदारी: ईमानदारी से आंकड़ा, परिणाम, विधियों और प्रक्रियाओं, और प्रकाशन का स्थिति की रिपोर्ट करें। आंकड़ा को गढ़ना, मिथ्या बनाना या गलत तरीके से प्रस्तुत न करें।

3. सावधानी: त्रुटियों और लापरवाही से बचें, अपने स्वयं के कार्य और अपने साथियों के कार्य की सावधानीपूर्वक और आलोचनात्मक विश्लेषण करें। अनुसंधान गतिविधियों जैसे आंकड़ा संग्रह, शोध डिजाइन, और एजेंसियों या पत्रिकाओं के साथ पत्राचार का रिकॉर्ड रखें, ताकि अनुसंधान विश्वसनीय माना जा सके।

4. मुक्तता: आंकड़ा, परिणाम, विचार, उपकरण, संसाधन सार्वजानिक करें एवं आलोचना और नए विचारों के लिए मुक्त रहें।

अनुसंधान में आईसीटी:

आईसीटी मुख्य रूप से शोधकर्ताओं द्वारा ज्ञान-संग्रह प्रक्रिया को सरल बनाने और संसाधन विकास में वृद्धि के लिए उपयोग किए जाते हैं।

आईसीटी सूचना स्रोतों की पहचान करने, गहन विश्लेषण करने, प्रबंधन करने, विषय क्षेत्रों में ज्ञान को संप्रेषित करने एवं एक सामान्य प्रारूप में परिणाम प्राप्त करने आदि में सहायता करता है।

अत: दिए गए वाक्य में एक कथन सही है और कारण गलत है। अत: सही विकल्प (c) है।

57. (c)

क्रियात्मक शोध (Action Research): क्रियात्मक शोध शब्द कर्ट लेविन द्वारा प्रतिपादित किया गया है, जिन्हें क्रियात्मक शोध का संस्थापक माना जाता है। क्रियात्मक शोध समस्याओं का निदान करने के लिए डिज़ाइन किए गए मूल्यांकन और विश्लेषणात्मक शोध विधियों की एक विस्तृत विविधता को संदर्भित करता है। शिक्षा के क्षेत्र में क्रियात्मक शोध का व्यापक रूप से उपयोग किया जाता है। इसका अर्थ यह भी है कि 'करके सीखो' - Learning by Doing

क्रियात्मक शोध चक्र

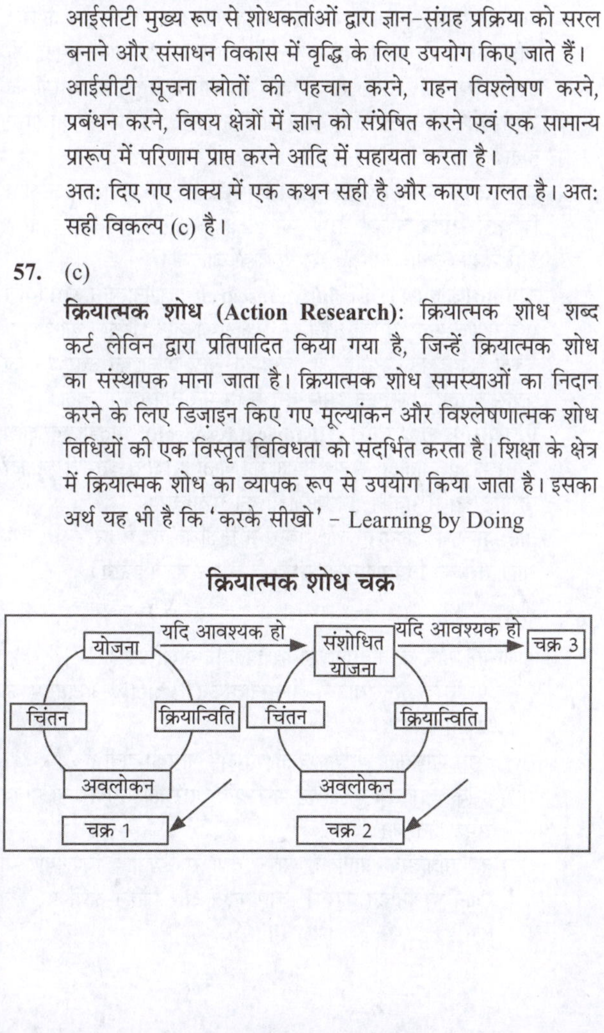

इस प्रकार, एक शिक्षक विभिन्न हस्तक्षेपों के उपयोग के माध्यम से अधिगम गुणवत्ता में सुधार करने के लिए लगातार प्रयास करता है। उनके द्वारा अपनाए गए दृष्टिकोण को क्रियात्मक शोध विधि कहा जायेगा।

अनुप्रयोग के आधार पर शोध दो प्रकार का होता है यानी शुद्ध/मौलिक शोध (Fundamental) या व्यवहृत शोध (Applied Research)।

मौलिक शोध (Fundamental research)	व्यवहृत शोध (Applied research)
ज्ञान में वृद्धि करने के लिए	वर्तमान समस्याओं के समाधान के लिए
खोज या आविष्कार	नवाचार या अनुप्रयोग
अकादमिक उपयोग	किसी समस्या को हल करने में उपयोग
प्रकृति में व्यापक	प्रकृति में गहन

मूल्यांकनात्मक शोध (Evaluative Research): यह अनुप्रयुक्त शोध (applied research) का ही एक प्रकार है। मूल्यांकन शोध एक लक्ष्य प्राप्त करने के लिए खर्च किए गए समय, धन प्रयास और संसाधनों के मूल्य या योग्यता का व्यवस्थित मूल्यांकन है। मूल्यांकनात्मक शोध, ज्ञान और निर्णय लेने की क्षमता में वृद्धि करता है और व्यावहारिक अनुप्रयोगों की ओर ले जाता है।

58. (b)

प्रायोगिक विधि (experimental method): शोध की प्रायोगिक विधि 'कारण और प्रभाव' संबंध पर केंद्रित है। यह दो या दो से अधिक चरों के मध्य अपेक्षित संबंध से संबंधित प्रश्न से आरंभ होता है।

कैंपबेल और स्टेनली के अनुसार, 'प्रायोगिक शोध विधि, शोध के उस भाग को संदर्भित करता है जिसमें चरों में हेरफेर किया जाता है और अन्य चरों पर उनका प्रभाव देखा जाता है।'

सरलतम रूप में, एक प्रयोगात्मक शोध विधि की निम्नलिखित तीन विशेषताएं हैं:

1. एक स्वतंत्र चर में हेरफेर (manipulation) किया जाता है।
2. स्वतंत्र चरों के अतिरिक्त अन्य सभी चर स्थिर (constant) रखे जाते हैं।
3. स्वतंत्र चर के हेरफेर का आश्रित चर पर प्रभाव देखा जाता है।

प्रायोगिक अनुसंधान में कार्य-कारण के लिए तीन शर्तें निम्नलिखित हैं:

1. हेरफेर (manipulation): हेरफेर को, प्रयोगात्मक डिजाइन की प्रथम एवं अनिवार्य विशेषता के रूप में परिभाषित किया गया है। एक स्वतंत्र चर के हेरफेर में शोधकर्ता का सक्रिय हस्तक्षेप होना चाहिए।

2. **नियंत्रण (control)**: शोधकर्ता का चरों पर नियंत्रण होना चाहिए। यह बाह्य कारकों के परिणाम को प्रभावित करने से रोकने में सहायता करता है।
3. **रैंडम असाइनमेंट (random assignment)**: रैंडम असाइनमेंट का उपयोग समकक्ष समूहों का निर्माण करने के लिए किया जाता है। यह समूहों की समानता सुनिश्चित करता है। इसका अर्थ है, कि प्रत्येक प्रतिभागी के पास समूह में चयन किये जाने का समान अवसर होता है और वे अन्य प्रतिभागियों के चयन से स्वतंत्र होते हैं।

ऐतिहासिक विधि (historical method): यह सामान्य तौर पर, किसी रुचि या समस्या के ऐतिहासिक पहलू पर केंद्रित होती है। उदाहरण के लिए, भारत में ट्रेड यूनियनों का विकास एवं भारत में आधुनिक शिक्षा प्रणाली का विकास का अध्ययन करना आदि।

कार्योत्तर विधि (ex – post facto method): इसका उपयोग सामाजिक विज्ञान और व्यावसायिक संगठनों में किया जाता है। यह किसी घटना के घटित होने के बाद आयोजित किया जाता है। इस विधि में चरों में हेरफेर नहीं किया जा सकता है।

व्यष्टि (केस) अध्ययन विधि (case study method): केस अध्ययन का उपयोग अधिकतर किसी संगठन या इकाई का अध्ययन करने के लिए किया जाता है। इस शोध का व्यापक रूप से प्रबंधन, शिक्षा, दर्शन और मनोविज्ञान के क्षेत्रों में उपयोग किया जाता है। इस विधि में गहन अध्ययन और आंकड़े एकत्र करना सम्मिलित है।

59. (d)

परिकल्पना किसी भी समस्या के लिये सुझाया गया वह उत्तर है जिसकी तर्कपूर्ण वैधता की जाँच की जा सकती है। यह दो या अधिक चरों के बीच किस प्रकार का सम्बन्ध है, इंगित करता है तथा यह अनुसन्धान के विकास का उद्देश्यपूर्ण आधार भी है। शोध के परिकल्पना निर्माण और परिकल्पना परीक्षण में सृजनशीलता और कल्पना की परिधि सबसे बड़ी होती है।

60. (a)

कथन I: प्रामाणिकता सुनिश्चित करने के लिए, एक शोधकर्ता को उन मूल स्रोतों को इंगित करना होता है, जहां से प्रदत्त लिए गए हैं।

व्याख्या: शोध में प्रामाणिकता सुनिश्चित करना अनुसंधान नैतिकता के अंतर्गत आता है। एक शोधकर्ता को कभी भी दूसरों द्वारा किये गए कार्य की चोरी या नकल नहीं करनी चाहिए। उसके थीसिस में उसके द्वारा एकत्र किए गए प्रदत्तों के स्रोत का उल्लेख होना चाहिए। साहित्यिक चोरी से बचने का सबसे अच्छा ढंग दूसरों के योगदान की स्वीकृति करना है। इस लिए, प्रामाणिकता सुनिश्चित करने के लिए एक शोधकर्ता को उन मूल स्रोतों को इंगित करना होता है, जिनसे आंकड़े लिए गए हैं।

कथन II: प्रदत्त विश्लेषण और निर्वचन में शोधकर्ता को प्रयुक्त पद्धतियों को अपेक्षित कठोरता और उपयुक्तता का प्रदर्शन करना पड़ता है।

व्याख्या: एक शोधकर्ता को डिजाइन, डेटा विश्लेषण, व्याख्या और सहकर्मी समीक्षा सहित शोध के किसी भी पहलू में पूर्वाग्रह से बचना चाहिए। इसका अर्थ यह है कि एक शोधकर्ता को सत्यनिष्ठा से अपने शोध में उपयोग में लाई जाने वाली विधियों, परिणामों और व्याख्या सहित रिपोर्ट करने की आवश्यकता होती है। शोधकर्ता को कृत्रिम रूप से प्रदत्त नहीं गढ़ने चाहिए। उचित, विश्वसनीय और सत्य निष्कर्ष प्राप्त करने के लिए प्रदत पर्याप्त होने चाहिए। शोधकर्ता को उन त्रुटियों के प्रति सतर्क रहना चाहिए, जो परिणामों की व्याख्या करने की प्रक्रिया में संभावित रूप से उत्पन्न हो सकती हैं।

61. (a)

विशिष्ट उत्तर परीक्षण में उम्मीदवार का आकलन उसके अपने सर्वश्रेष्ठ प्रदर्शन के आधार पर किया जाता है। उम्मीदवार को सर्वश्रेष्ठ अंक प्राप्त करने पर प्रोत्साहित भी किया जाता है। अत: कथन – II सत्य है। इष्टतम निष्पादन परीक्षण में परीक्षार्थी की योग्यता के आधार पर चरम सीमा का आकलन किया जाता है। अत: कथन – I भी सत्य है।

62. (b)

कार्योत्तर शोध (Ex post facto research): कार्योत्तर शोध अध्ययन में, शोधकर्ता के हस्तक्षेप के बिना तथ्य के घटित होने के बाद जांच आरंभ होती है। यहां, पहले से उपस्थित गुणों वाले समूहों की तुलना कुछ आश्रित चरों से की जाती है। विभिन्न समूहों के विषयों का असाइनमेंट शोधकर्ताओं के लिए रुचि के किसी भी चर पर आधारित होता है।

प्रयोगात्मक शोध (Experimental research): प्रयोगात्मक शोध विधि में स्वतंत्र चरों में हेर – फेर (manipulation) किया जाता है और उसका प्रभाव आश्रित चर पर देखा जाता है।

वर्णनात्मक शोध (Discriptive research): वर्णनात्मक शोध विधि एक गुणात्मक शोध विधि है। इस प्रकार का शोध 'स्थिति का वर्णन' करता है कि यह 'क्या है' या 'क्या था' जैसे प्रश्नों का उत्तर देने का प्रयास करता है। लेकिन इसमें चरों में हेर फेर नहीं किया जाता।

ऐतिहासिक शोध विधि (Historical research): ऐतिहासिक शोध विधि में शोधकर्ताओं से यह उपेक्षा की जाती है कि वे वर्तमान हालातों के परिप्रेक्ष्य में भूतकालीन घटनाओं की चर्चा करें।

अत: शोध की कार्योत्तर शोध विधि में निराश्रित चर में हेर – फेर तथा बाह्य चरों का नियंत्रण न तो संभव है और न ही वांछनीय।

63. (d)

गुणात्मक शोध के प्रतिमान की विशेषता निम्नलिखित है –

(i) गुणात्मक अनुसंधान में आगमनात्मक (Inductive) उपागम का प्रयोग होता है।
(ii) इसमें शोधकर्ता या शोधकर्ता की अहं भूमिका होती है।
(iii) इसका केन्द्र बिन्दु विशिष्ट परिस्थितिए संस्थाएं समुदाय या मानव समूह होता है।
(iv) यह मात्रात्मक प्राप्तांको, मापन तथा सांख्यिकीय विश्लेषण के स्थान पर निहित कारणों, व्याख्याओं और निहित अर्थों पर बल देता है।

(v) वास्तविक परिदृश्य, प्रदत्तों के प्रत्यक्ष स्रोत होते हैं।

(vi) इसमें सामाजिक तथ्य एकल वस्तुनिष्ठ यथार्थ के रूप में पाए जाते हैं।

64. (b)

व्यवहारपरक शोधों में प्रयुक्त होने वाले प्रतिदर्श (Sampling) को मूलत: दो विस्तृत भागों में बाँटा जाता है। इन दोनों तरह के प्रतिदर्श परियोजनाओं (Sampling Plans) का वर्णन निम्नांकित है - (i) संभाविता प्रतिदर्शन (Probability Sampling); (ii) असंभाविता प्रतिदर्शन (Non Probability Sampling)

संभाविता प्रतिदर्शन (Probability Sampling) - इसमें जीवसंख्या (Population) के सदस्यों को प्रतिदर्शन (Sampling) में सम्मिलित किये जाने की संभावना (Probability) ज्ञात होती है। आदर्शत: (ideally) संभाविता प्रतिदर्शन में शोधकर्ता (researcher) निम्नांकित शर्तों से संतुष्ट होना आवश्यक है। (a) जीवसंख्या जिससे प्रतिदर्श का चयन किया जाने वाला है, उसका आकार अवश्य ही ज्ञात होना चाहिये ; (b) प्रतिदर्श की वांछित संख्या निर्दिष्ट हो तथा (c) जीवसंख्य के प्रत्येक सदस्य का प्रतिदर्श में सम्मिलित किये जाने की संभावना (Probability) हो। संभाव्यता परिदर्श के अंतर्गत निम्नलिखित आते हैं (i) साधारण यादृच्छिक प्रतिदर्शन (Simple random sampling) ; (ii) स्तरित यादृच्छिक प्रतिदर्शन (Stratified random sampling); (iii) क्षेत्र या गुच्छ प्रतिदर्शन (Area or cluster sampling)

65. (a)

परिकल्पना (Hypothesis): प्रदत्त विश्लेषण (data analysis) के बाद एक शोधकर्ता परिकल्पना परीक्षण की स्थिति में होता है। इसके अंतर्गत, एक शोधकर्ता सर्वेक्षण या प्रयोग के परिणामों का परीक्षण यह देखने के लिए करता है कि क्या हमें सार्थक परिणाम प्राप्त हो सकते हैं ? अत: परिकल्पना एक सांख्यिकी परीक्षण है, जिसमें प्राचलों (parameters) के बारे में कोई पूर्वधारणा नहीं होती। परिकल्पना परीक्षण के लिए सांख्यिकीविदों द्वारा काई वर्ग परीक्षण, T - परीक्षण एवं F - परीक्षण जैसे विभिन्न परीक्षण विकसित किये गए हैं।

प्रतिदर्श (Sample): एक प्रतिदर्श एक बड़े समूह के एक छोटे, प्रबंधनीय संस्करण को संदर्भित करता है। प्रतिदर्श को समष्टि (population) का लघु प्रतिनिधित्वकारी कहा जाता है जिसमें समग्र की विशेषताएं होती हैं। प्रतिदर्श का उपयोग सांख्यिकीय परीक्षण में तब किया जाता है, जब सभी संभावित सदस्यों या टिप्पणियों को सम्मिलित कर परीक्षण के लिए जनसंख्या का आकार बहुत व्यापक होता है। अत: प्रतिदर्श वे प्रविधियां हैं, जिनके अनुप्रयोग द्वारा शोध में प्रदत्त संकलन किया जाता है।

शोध उपकरण (Research tool): कोई भी वस्तु जो आपके शोध अध्ययन के लिए जानकारी एकत्र करने का साधन बन जाती है, उसे शोध उपकरण या शोध उपकरण कहा जाता है। उदाहरण के लिए, अवलोकन प्रपत्र, साक्षात्कार कार्यक्रम, प्रश्नावली और साक्षात्कार गाइड सभी को अनुसंधान उपकरण के रूप में वर्गीकृत किया गया है।

अपरामितिक परीक्षण (Non - parametric test): एक अपरामितिक परीक्षण को वितरण मुक्त परीक्षण (open test) भी कहा जाता है। हमें अपरामितिक परीक्षणों का उपयोग तभी करना चाहिए जब यह जानना हो कि सामान्य वितरण जैसी धारणाओं का उल्लंघन किया जा रहा है। अत: एक अपरामितिक परीक्षण एक अनंतिम कथन है, जिसके अंतर्गत दो या दो से अधिक चरों के मध्य संबंध संसूचित किये जाते हैं।

66. (a)

एकल श्रेणीगत चर (single categorical variable) का वर्णन करने के लिए, हम आवृत्ति तालिकाओं का उपयोग करते हैं। दो श्रेणीगत चरों के मध्य संबंध का वर्णन करने के लिए, हम एक विशेष प्रकार की तालिका का उपयोग करते हैं, जिसे क्रॉस-सारणी या क्रॉसस्टैब कहा जाता है। क्रॉस-सारणी में, एक चर की श्रेणियां तालिका की पंक्तियों को निर्धारित करती हैं, और दूसरे चर की श्रेणियां स्तंभों को निर्धारित करती हैं। तालिका के कक्षों में श्रेणियों का एक विशेष संयोजन होने की संख्या होती है। तालिका आयामों को R × C के रूप में रिपोर्ट किया जाता है, जहां R पंक्ति चर के लिए श्रेणियों की संख्या है और C स्तंभ चर के लिए श्रेणियों की संख्या है। 2 × 2, 3 × 3, 4 × 4 आयाम (dimension) वाली सारणी को वर्गाकार क्रॉसटैब कहा जाता है।

क्रॉस ब्रेक में आवृत्ति या प्रतिशत रूप में प्रदत्तों कि सांख्यिकी सारणीबद्ध प्रस्तुति होती है, जिसमें चरों के मध्य संबंध देखने के लिए उनका भागों में विभाजन किया जाता है क्योंकि इसमें श्रेणियों का निर्धारण परिकल्पना के अनुसार किया जाता है। यह, यह भी दर्शाता है कि कैसे सहसंबंध एक चर समूह से दूसरे समूह में परिवर्तित होते हैं। इसका उपयोग सांख्यिकीय विश्लेषण में शोध परिकल्पना के अनुसार कच्चे आंकड़ों के पैटर्न, प्रवृत्तियों और संभावनाओं को खोजने के लिए किया जाता है। अत: (A) और (R) दोनों सही हैं और (R), (A) की सही व्याख्या है।

तुलना का आधार (Basis for comparision)		क्या आप कॉफी पीते हैं?		
		नहीं	हां	कुल
लिंग:	पुरुष	13	33	46
	महिलाएं	13	32	45
कुल		26	65	91

67. (d)

प्रयोगात्मक विधि (Experimental method): उपयुक्त नियंत्रण की स्थिति में आश्रित चर पर निराश्रित चर के हेर फेर के प्रभाव का अध्ययन करना।

कार्योत्तर विधि (Ex-post facto method): वर्तमान में व्यक्त साक्ष्यों के आधार पर कारक तत्वों का अन्वेषण करना।

वर्णात्मक सर्वेक्षण विधि (Descriptive survey method): किसी विशिष्ट समाज में लोग जिस ढंग से अपना मत और कार्य व्यक्त करते हैं, उसका विस्तृत वर्णन करना।

नृजातीय विधि (Ethnographic method): परिघटना की वर्तमान स्थितियों के संबंध में सूचना प्राप्त करने के लिए अभिकल्पित अध्ययन।

68. (c)

आश्रित चर का आशय, वह चर जिसे प्रयोगकर्ता सावधानीपूर्वक चयन करता है तथा पूर्वकथन करना चाहता है। आश्रित चर के विशेषताएँ - (i) यह कारण- कार्य सम्बन्ध में कारक होते हैं; (ii) यह वैध और विश्वसनीय होता है; (iii) इसके माध्यम से प्रयोगात्मक अध्ययन में हेर-फेर किया जाता है; (iv) जब स्वतंत्र चर में परिवर्तन होता है तो आश्रित चर में भी परिवर्तन हो जाता है।

69. (d)

दावा (Claim) से अभिप्राय एक पैरामीटर जैसे जनसंख्या अनुपात या जनसंख्या माध्य के बारे में एक बयान करना है। एक महत्व परीक्षण के परिणाम एक संभावना के रूप में व्यक्त किए जाते हैं, जो यह मापता है कि आंकड़े और दावा कितनी अच्छी तरह सहमत हैं। महत्व स्तर का परीक्षण एक दावे के साथ देखे गए आंकड़े की तुलना करने के लिए एक औपचारिक प्रक्रिया है। यदि देखा गया मान अस्वीकृति क्षेत्र में आता है, तो इसे सांख्यिकीय रूप से महत्वपूर्ण कहा जाता है। यह हमें बताता है कि स्वीकृति क्षेत्र और अस्वीकृति क्षेत्र के मध्य का अंतर यादृच्छिक संयोग कारक के कारण नहीं है और यह अंतर सांख्यिकीय रूप से महत्वपूर्ण है। अत: शून्य परिकल्पना अस्वीकृत होती है तथा वैकल्पिक परिकल्पना स्वीकृत होती है। यदि हम 5% महत्वपूर्ण स्तर लेते हैं, तो इसका अर्थ है कि हम 95% आश्वस्त हैं कि देखे गए परिणाम वास्तविक हैं और यादृच्छिकता के कारण हुई त्रुटि नहीं है। इसका अर्थ यह भी है कि 5% संभावना है कि आप असत्य हो सकते हैं।

अत: जब एक शोध परिस्थिति में किसी विशिष्ट सांख्यिकी को स्पष्टत: सार्थक घोषित किया जाता है, तो शून्य परिकल्पना को अस्वीकार किया जाता है और वैकल्पिक परिकल्पना को स्वीकार किया जाता है।

70. (a)

ऐतिहासिक शोध तकनीकों और दिशा-निर्देशों का संग्रह होता है। इसे शोधकर्ता अतीत के इतिहास पर शोध करने के लिए प्रयोग करते हैं। इसमें व्यवस्थित एवं संगृहीत प्रमाणिक डाटा का होना आवश्यक है। इस शोध में प्रमाणिकता का साक्ष्य उसके महत्व को प्रमाणित नहीं करता है। अत: कथन सत्य है। ऐतिहासिक शोध में अतीत से सम्बंधित आँकड़ों का मूल्यांकन किया जाता है। यदि आँकड़ों की प्रमाणिकता उसे संतुष्ट नहीं करती है तो उसकी आलोचना की जाती है। इसलिए बाह्य आलोचना को प्रदत्त निम्मेतर समीक्षा कहा जाता है। अत: कारण भी सत्य है।

71. (a)

संयोगिक या आकस्मिक त्रुटियां (chance or accidental errors): शोध में संयोगिक या आकस्मिक त्रुटियां, उन त्रुटियों का वर्णन करती हैं, जो शोधकर्ता की माप प्रक्रिया में निहित अनिश्चितता या अनिश्चितता के कारण उतार-चढ़ाव उत्पन्न करती हैं। वे उस मात्रा में भिन्नता के कारण हो सकते हैं, जिसे शोधकर्ता मापने का प्रयास कर रहा है। ये त्रुटियां प्राप्त परिणामों को सही मान से एक या दूसरी दिशा में परिवर्तित करने में कारक होंगी।

व्यवस्थित त्रुटि (systematic errors): एक व्यवस्थित त्रुटि अधिकतर एक स्थायी मुद्दे के परिणामस्वरूप होती है। यह माप में लगातार त्रुटि की ओर जाता है। उदाहरण के लिए, यदि मापने वाला टेप जानकारी के अभाव में अधिक लम्बा हो जाता है, तो परिणाम सही मूल्य से कम होंगे।

व्यवस्थित त्रुटियां शोध में प्राप्त परिणामों को किसी एक दिशा में परिवर्तित करती हैं। यादृच्छिक त्रुटियां अनिवार्य रूप से अपरिहार्य हैंए जबकि व्यवस्थित त्रुटियां नहीं हैं। व्यवस्थित त्रुटियों को पहचानना कठिन है।

72. (d)

कार्योत्तर शोध विधि (Ex post facto research method): इस शोध में, शोधकर्ता द्वारा उस घटना की पहचान की जाती है, जो पूर्व घटित है। इस शोध को 'आफ्टर फैक्ट रिसर्च' के नाम से भी जाना जाता है। इस अध्ययन में तथ्य सामने आने के बाद जांच आरम्भ होती है, इसलिए अध्ययन में हेरफेर (manipulation) करना संभव नहीं है। इसका उपयोग सामाजिक विज्ञान और व्यावसायिक संगठन में किया जाता है।

अत: कोई विश्वविद्यालय शिक्षक यदि विद्यार्थियों के सृजनात्मक स्तर के संदर्भ में विशिष्ट प्रोजेक्ट्स कार्यान्वित करने में उनके निष्पादन का अध्ययन करने की योजना बनाता है, तो इस संदर्भ में कार्योत्तर शोध विधि सबसे उपयुक्त होगी।

ऐतिहासिक विधि (Historical method): यह शोध कुछ सीमा तक कार्योत्तर शोध के समान है। यह सामान्य तौर पर, रुचि या समस्या के मुख्य बिंदु के ऐतिहासिक पहलू पर केंद्रित होता है। उदाहरण के लिए, भारत के ट्रेड यूनियन व आधुनिक शिक्षा प्रणाली के विकास का अध्ययन करना आदि।

वर्णनात्मक सर्वेक्षण विधि (Descriptive survey method): वर्णनात्मक शोध 'क्या है' स्थिति का वर्णन करता है। इसमें घटना की वर्तमान प्रकृति, संरचना या प्रक्रियाओं का विवरण, रिकॉर्डिंग, विश्लेषण और व्याख्या सम्मिलित है। यह अध्ययन के समय प्रचलित स्थिति की प्रकृति का विस्तृत वर्णन करता है। वर्णनात्मक शोध कौन, क्या, कहां, कब और कैसे आदि प्रश्नों का उत्तर देता है। वर्णनात्मक शोध, अध्ययन की जा रही जनसंख्या या घटना की विशेषताओं का वर्णन करने के लिए प्रयोग किया जाता है।

प्रायोगिक विधि (Experimental method): प्रायोगिक अनुसंधान में, शोधकर्ता अपेक्षित संबंध की प्रकृति का पता करने के लिए, एक या एक से अधिक परिकल्पना विकसित करता है। प्रायोगिक अनुसंधान को आकस्मिक संबंध स्थापित करने के लिए डिज़ाइन किया गया है। यह दो या दो से अधिक चरों के मध्य संबंध से आरम्भ होता है। इसके अंतर्गत

1. एक स्वतंत्र चर में हेर-फेर किया जाता है।
2. स्वतंत्र चरों के अतिरिक्त, अन्य सभी चर स्थिर (constant) रखे जाते हैं।
3. आश्रित चर के हेरफेर का प्रभाव देखा जाता है। आश्रित चर (dependent variable) का नाम इसलिए रखा गया है क्योंकि इसका मूल्य स्वतंत्र चर के मूल्य पर निर्भर और भिन्न होने के लिए परिकल्पित है।

73. (b)

गुणात्मक शोध (Qualitative research): गुणात्मक अनुसंधान मूल रूप से आगमनात्मक या सर्पिल प्रकृति का होता है और इसकी संरचना मात्रात्मक शोध डिजाइन से बहुत भिन्न होती है।

गुणात्मक शोध, उस स्थिति में उपयुक्त होता है, जब किसी विषय का गहराई से अध्ययन करने और लोगों के व्यवहार संबंधी पहलुओं का अध्ययन करने की आवश्यकता होती है।

गुणात्मक अनुसंधान की विशेषताएं निम्नलिखित हैं:

(1) यह डेटा के प्रत्यक्ष स्रोत को व्यवहार में लाता है और उनका अवलोकन करता है

(2) चरों के मध्य संबंध स्थापित करना और परिवर्तनों के कारणों की व्याख्या करना।

(3) निम्न से उच्च की ओर दृष्टिकोण उपयोग में लाया जाता है। यह 'कैसे और कब' की विस्तृत व्याख्या करता है।

(4) इसमें किसी भी सांख्यिकीय परीक्षण की आवश्यकता नहीं होती है।

(5) इसका परिणामों के साथ साथ प्रक्रिया से सरोकार होता है।

74. (d)

एक अच्छी शोध परिकल्पना की निम्न विशेषताएं होती हैं:

(1) अनुभवजन्य सत्यापन के लिए उत्तरदायी: यह वास्तविक जीवन के अनुभवों, प्रत्यक्ष अनुभवों या शोधकर्ता द्वारा टिप्पणियों पर आधारित है।

एक परिकल्पना को अनुभवजन्य रूप से सत्यापन योग्य तब कहा जाता है, यदि इसे प्रत्यक्ष या अप्रत्यक्ष रूप से अनुभव के तथ्यों के साथ तुलना करके सत्य या असत्य दर्शाया जा सके। एक परिकल्पना सत्य है, यदि यह तथ्यों की पुष्टि करती है और एक परिकल्पना असत्य है, यदि यह तथ्यों की पुष्टि नहीं करती है। जहां तक संभव हो एक नई परिकल्पना को पूर्व स्थापित किसी सिद्धांत या ज्ञान के विरुद्ध नहीं जाना चाहिए। नई परिकल्पना को पूर्व स्थापित ज्ञान के अनुरूप ही होना चाहिए।

(2) चरों को परिभाषित करने में वैचारिक स्पष्टता: चर को स्पष्ट रूप से पहचाना जाना चाहिए ताकि वह अध्ययन के उद्देश्य को पूर्ण करने में सक्षम हो। परिकल्पना की पहचान करते समय एक शोधकर्ता को पूर्वाग्रह से मुक्त होना चाहिए।

(3) परिकल्पित संबंधों की संभाव्यता: एक परिकल्पना तभी प्रासंगिक मानी जाती है, यदि वह अध्ययन किये जा रहे तथ्यों की सटीक व्याख्या कर सके।

(4) एक परिकल्पना सरल, स्पष्ट, और निश्चित होनी चाहिए: यह बिंदु के लिए सरल और विशिष्ट होनी चाहिए। इसे इस तरह से स्पष्ट रूप से परिभाषित किया जाना चाहिए जिसे सामान्य रूप से भी स्वीकृत किया जाना चाहिए। यह अस्पष्ट नहीं होना चाहिए।

75. (a)

अनुसंधान में आईसीटी का उपयोग बहुत व्यापक है, इसके बिना वैज्ञानिक अनुसंधान परियोजना की कल्पना करना अत्यंत कठिन कार्य है।

कई शोध अध्ययन, कंप्यूटर और विशेष रूप से आईसीटी के उपयोग के बिना नहीं किए जा सकते हैं, जिसमें जटिल संगणना डेटा विश्लेषण और मॉडलिंग सम्मिलित हैं। वैज्ञानिक अनुसंधान में कंप्यूटर का उपयोग अध्ययन के सभी चरणों में, प्रस्ताव से लेकर थीसिस प्रस्तुत करने तक किया जाता है।

एक शोधार्थी अपनी थीसिस लिखते समय किए गए अनुसंधान के विभिन्न चरणों में आईसीटी का उपयोग करता है। वह विशिष्ट आईसीटी उपकरणों के कारण परिणामों की व्याख्या करने में वैचारिक त्रुटियों को सही ठहराता है। इसे शोधकर्ता की तकनीकी अक्षमता करार दिया जाएगा।

अतः आईसीटी उपकरणों में किसी भी त्रुटि विशेषता को शोधकर्ता की ओर से तकनीकी अक्षमता कहा जाएगा।

76. (c)

क्रियात्मक अनुसंधान (action research) एक ऐसी प्रक्रिया है, जिसके द्वारा एक समय में परिवर्तन और समझ का अनुसरण किया जा सकता है। इसे सामान्य तौर पर चक्रीय शोध के रूप में वर्णित किया जाता है, जिसमें कार्रवाई विज्ञापन महत्वपूर्ण प्रतिबिंब पुनः होता है। प्रतिबिंब का उपयोग पूर्व कार्रवाई की समीक्षा करने और अग्रिम योजना बनाने के लिए किया जाता है।

क्रियात्मक शोध चक्र (Action Research Cycle)

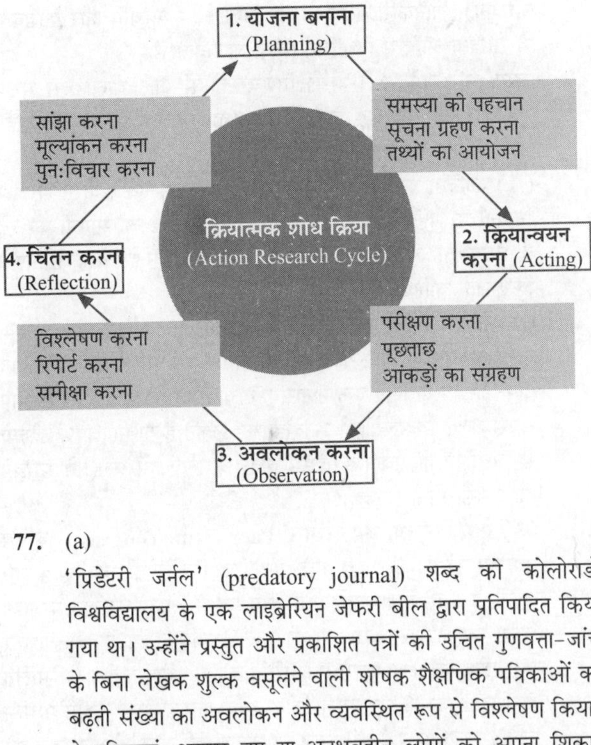

77. (a)

'प्रिडेटरी जर्नल' (predatory journal) शब्द को कोलोराडो विश्वविद्यालय के एक लाइब्रेरियन जेफरी बील द्वारा प्रतिपादित किया गया था। उन्होंने प्रस्तुत और प्रकाशित पत्रों की उचित गुणवत्ता-जांच के बिना लेखक शुल्क वसूलने वाली शोषक शैक्षणिक पत्रिकाओं की बढ़ती संख्या का अवलोकन और व्यवस्थित रूप से विश्लेषण किया। ये पत्रिकाएं, अक्सर नए या अनुभवहीन लोगों को अपना शिकार मानती हैं और उन्हें अपने जाल में फंसाती हैं। लेखक शीघ्रता से लेख प्रकाशित होने के वादे से आकर्षित महसूस करते हैं और इस सेवा

के लिए भुगतान करने को तैयार हैं। प्रीडेटरी जर्नल्स को भ्रामक या स्कैमिंग जर्नल भी कहा जाता है। अत: प्रीडेटरी जर्नल वह है, जिसका प्रकाशक उसे अवमानक अथवा बिना पीयर रिव्यु के, शुल्क के लिए प्रकाशित करता है।

78. (a)

क्षतिपूर्ति प्रतिद्वंद्विता (compensatory rivalry): कभी-कभी प्रयोज्य (Subject), जो यह जानते हैं कि वे एक नियंत्रण समूह में हैं, प्रयोगिक समूह के विरुद्ध, उससे उत्कृष्ट दिखाने के लिए मेहनत कर सकते हैं। इस परिघटना को क्षतिपूर्ति प्रतिद्वंद्विता के रूप में जाना जाता है।

हस्तक्षेप अध्ययनों में कारण की वैधता के निर्माण के लिए क्षतिपूर्ति प्रतिद्वंद्विता एक संभावित खतरा है। यह तब उपस्थित होती है, जब अध्ययन समूह को प्रायोगिक उपचार (हस्तक्षेप) प्राप्त नहीं होता है, वह वंचित, निराश, या उपेक्षित महसूस करता है और अपने दम पर एक समान हस्तक्षेप प्राप्त करने का निर्णय लेता है। इसमें प्रायोगिक समूह के साथ जानबूझकर प्रतिस्पर्धा या प्रतिद्वंद्विता हो भी सकती है और नहीं भी। जब हम क्षतिपूर्ति प्रतिद्वंद्विता को संचालन से रोकने की संभावना नहीं रखते हैं, हमें इसकी संभावना के बारे में पता होना चाहिए, इसे मापना चाहिए और यदि संभव हो, तो इसे सांख्यिकीय रूप से समायोजित करना चाहिए।

79. (d)

निर्णय लेने की प्रक्रिया को चार मुख्य चरणों में फ्रेमिंग (प्रश्न की संरचना), जानकारी एकत्र करना, निष्कर्ष पर पहुंचना और फीडबैक से सीखना आदि में विभाजित किया जा सकता है।

रूसो और शूमेकर ने अच्छे निर्णय लेने में आने वाली दस मुख्य रुकावटों को सूचीबद्ध किया, जिनका हम अक्सर सामना करते हैं। उनमें से कुछ का वर्णन इस प्रकार हैं: –

(1) प्लजिंग इन (Plunging - in): जानकारी एकत्र करने से और निष्कर्ष पर पहुंचने के लिए, पहले आप जिस मुद्दे का सामना कर रहे हैं, उसके बारे में सोचना कि हम कैसे मानते हैं कि इस तरह के निर्णय किए जाने चाहिए।

(2) फ्रेम ब्लाइंडनेस (Frame blindness): कई बार हम समस्या को हल करने के लिए गलत ढंग का प्रयोग कर लेते हैं क्योंकि आपने अपने निर्णय के लिए एक मानसिक ढांचा तैयार किया है, जिससे आप सबसे अच्छे विकल्पों की अनदेखी कर सकते हैं या महत्वपूर्ण उद्देश्यों से विचलित हो सकते हैं। इससे बचने के लिए हमें फ्रेम को समझने का प्रयास करना चाहिए।

(3) फ्रेम नियंत्रण का अभाव (Poor frame control): जब हम एक नए मुद्दे का सामना करते हैं, तो अच्छा निर्णयकर्ता एक निर्णय फ्रेम बनाता है, जिसे विशेष रूप से उस नए मुद्दे से निपटने के लिए डिज़ाइन किया गया है। इसमें समस्या को एक से अधिक ढंगो से जानबूझकर परिभाषित करना या दूसरों से अनुचित रूप से प्रभावित होना सम्मिलित है। जिसके कारण निर्णयकर्ता 'लैक ऑफ फ्रेम कंट्रोल' के ट्रैप में फंस जाते हैं, क्योंकि वे अक्सर फ्रेम का चुनाव नहीं करते हैं और स्वयं को एक अपर्याप्त फ्रेम का उपयोग करते हुए पाते हैं, इससे बचने के लिए निम्न कदम उठाये जा सकते हैं:

1. उस फ्रेम की पहचान करें, जिसे आप या आपका संगठन स्वचालित रूप से उपयोग करेगा।
2. एक या अधिक उचित वैकल्पिक फ्रेम खोजें।
3. विश्लेषण करें कि प्रत्येक फ्रेम कहां फिट बैठता है और यह क्या विकृत करता है ।
4. समस्या के साथ फ्रेम का मिलान करें, यानी वैकल्पिक फ्रेम में से एक (या एक) चुनें जिसे आप सर्वाधिक उपयुक्त मानते हैं।

अति आत्मविश्वास (Overconfidence): महत्वपूर्ण तथ्यात्मक जानकारी एकत्र करने में विफल क्योंकि आप हमारी धारणाओं और विचारों के बारे में बहुत आश्वस्त हैं।

अभिलेख न रखना (Not keeping records): यह मानते हुए कि अनुभव अपने पाठों को स्वचालित रूप से उपलब्ध कराएगा, और इसलिए अपने निर्णयों के परिणामों को ट्रैक करने के लिए व्यवस्थित रिकॉर्ड रखने में विफल रहने और इन परिणामों का विश्लेषण करने में विफल रहने से उनके महत्वपूर्ण सबक प्रकट होते हैं।

अधिकांश लोग निर्णय जाल 'अभिलेख न रखना' का सामना करते हैं। इसके मुख्य कारण निम्न हो सकते हैं: –

1. अनुपलब्ध प्रतिक्रिया: मुख्य प्रश्न पर जानकारी का अभाव

2. अंत:स्थापित प्रतिक्रिया: प्रारंभिक निर्णय लेने के बाद निर्णय निर्माता और सहयोगियों द्वारा की गई कार्रवाइयों से साक्ष्य प्रभावित होते हैं, इन कारकों को उपचार प्रभाव कहा जाता है।

3. भ्रमित प्रतिक्रिया: अनियंत्रित, अप्रत्याशित कारक, 'यादृच्छिक शोर' जो निर्णय परिणामों को प्रभावित करते हैं।

4. फीडबैक को नजरअंदाज करना: पूर्व उपस्थित परिणामों के बारे में जानकारी का अधूरा उपयोग।

इस प्रकार, जोखिम भरा कदम उठाना (प्लजिंग इन), फ्रेम अंधापन (ब्लाइंडनेस) और निम्न फ्रेम नियंत्रण निर्णय जाल विचारण और नियोजन क्रियाकलापों से संबंधित हैं।

इसके अतिरिक्त अभिलेख न रखना और अति आत्मविश्वास का संबंध जाल विचारण और नियोजन क्रियाकलापों से संबंधित नहीं है।

80. (c)

1. **इतिहास,** एक अध्ययन के दौरान विभिन्न घटनाओं का घटित होना है।
2. **परिपक्वता** से अभिप्राय अध्ययन के दौरान जैविक और मनोवैज्ञानिक चरित्र का परिवर्तन है।
3. **परीक्षण** तब घटित होता है, जब प्रयोज्यों को समान पूर्व-परीक्षण और पश्च - परीक्षण दिए जाते हैं।
4. **मांग विशिष्टतायें,** प्रायोगिक स्थितियों के प्रति प्रयोज्यों की प्रतिक्रियाएं हैं।

81. (b)

शोध प्रश्न का किसी मौजूदा सिद्धांत या शोध से कुछ सम्बन्ध होना चाहिए। किसी शोध-कार्य के प्राथमिक उद्यमों में सर्वाधिक महत्वपूर्ण सामग्री-संकलन का काम होता है। विषय-वस्तु से सम्बन्धित तथ्यों के संकलन की सावधानी और विश्वसनीयता ही किसी शोध-कार्य को उत्कर्ष एवं महत्ता देती है। अत: अभिकथन सत्य है। सूत्रबद्ध करने हेतु इसकी पहली विधि का नाम सामान्य तौर पर प्रत्यक्ष अवलोकन दिया जाता है। साहित्यिक विषयों से सम्बद्ध शोध के लिए इस विधि में वे

कार्य आएँगे, जिसमें शोधार्थी अपने शोधविषयक मूल-सामग्री प्राप्त करने हेतु सूचित स्थान पर जाते हैं, अथवा सूचित व्यक्ति से मिलते हैं, और सूचित सामग्री को अपनी नजरों से स्वयं देखते हैं, अपनी ज्ञानेन्द्रियों से अनुभव करते हैं। अत: सूत्रबद्ध शोध प्रश्न को अत्यधिक विस्तृत या अत्यधिक संकीर्ण नहीं होना चाहिए। कारण भी असत्य है।

82. (d)

अनुदैर्ध्य अध्ययन (Longitudinal studies): एक अनुदैर्ध्य अध्ययन एक विस्तारित अवधि में किया गया शोध है। यह एक ऐसा अध्ययन है, जो एक ही व्यक्ति से एक से अधिक बार आंकड़ा एकत्र करता है। यह अधिकतर चिकित्सा शोध और मनोविज्ञान या समाजशास्त्र जैसे अन्य क्षेत्रों में उपयोग किया जाता है।

अनुदैर्ध्य अध्ययन की विशेषताएं निम्नलिखित हैं:

1. यह वैकल्पिक विकल्प (वरण) प्रदान करता है।
2. यह चरों के समय क्रम में अंतर्दृष्टि की अनुमति देता है। उदाहरण के लिए, कृषि मंत्रालय द्वारा विभिन्न राज्यों के मध्य क्रॉस पैटर्न के बारे में जानकारी एकत्र करना।
3. यह एक बार वार्तालाप या एक बार के आंकड़ा संग्रह के बजाय व्यक्तिगत या संस्थागत विकास पर केंद्रित है।

83. (b)

प्रसामान्य बंटन चक्र का उपयोग परिकल्पना परीक्षण (hypothesis testing) में किया जाता है। परिकल्पना दो प्रकार की होती है - शून्य परिकल्पना और वैकल्पिक परिकल्पना (Null hypothesis and Alternative hypothesis)। शून्य परिकल्पना आमतौर पर 'स्वीकृत तथ्य' (accepted fact) माना जाता है कि आश्रित और स्वतंत्र परिकल्पना के बीच कोई अंतर नहीं है (there is no difference between dependent and independent variables) या फिर हम मान कर चलते हैं कि population parameter और sample statistic में कोई अंतर नहीं है। शून्य परिकल्पना अक्सर एक प्रारंभिक दावा होता है जो पिछले विश्लेषणों या विशेष ज्ञान पर आधारित होता है। शून्य परिकल्पना वैकल्पिक परिकल्पना के विपरीत माना जाता है।

शोधकर्ता एक वैकल्पिक परिकल्पना के साथ भी आते हैं, उन्हें यह लगता है कि एक घटना की व्याख्या करता है। शोधकर्त्ता प्रतिदर्श (न्यादर्श या सैंपल) के माध्यम से शून्य परिकल्पना को अस्वीकार या निरस्त करने का प्रयास करते हैं, ताकि वैकल्पिक परिकल्पना को सही माना जा सके। इस कार्य के लिए उनको आत्मविश्वास स्तर (confidence level / level of significance) की सहायता भी लेते हैं, जो कि 1%, 5% या 10% हो सकता है। संपूर्ण सामान्य वितरण वक्र के अंतर्गत आने वाला क्षेत्र 1, या 100 प्रतिशत है। Z-तालिका या T-तालिका हमें यह बताकर सहायता करती है कि किसी विशेष बिंदु पर वक्र के नीचे कितना प्रतिशत है।

सामान्य वितरण वक्र (normal distribution curve) की विशेषताएं निम्नलिखित हैं:

1. यह घंटी के आकार (bell shaped) का वक्र है और दिखने में सममित (symmetrical) है।
2. सामान्य वितरण वक्र की ऊंचाई माध्य (mode) पर अधिकतम होती है। इसलिए माध्य, बहुलक और माध्यिका वितरण के केंद्र में संपाती (coincide) होती है।
3. वक्र असंख्य (infinite) प्रेक्षणों पर आधारित होता है।
4. चूंकि, केवल एक अधिकतम बिंदु होता है, सामान्य वक्र एकरूप होता है, अर्थात इसमें केवल एक बहुलक होता है।
5. प्रथम और तृतीय चतुर्थांश (quarter) माध्य से समान दूरी पर स्थित होते हैं।

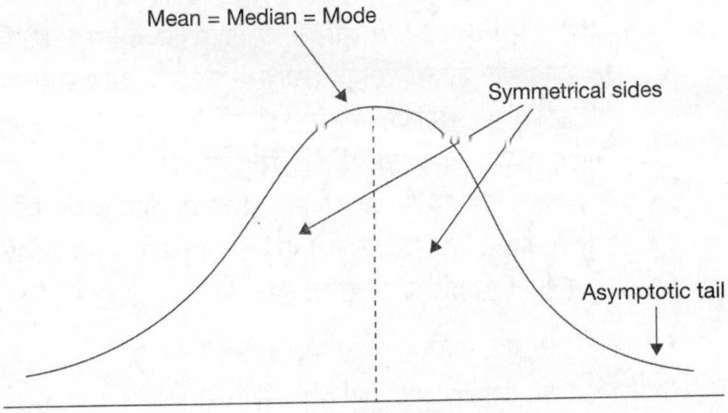

84. (b)

सोलोमन का चार समूह अभिकल्प (Solomon four group design): यह एक शोध डिजाइन है, जो बाद के परीक्षण के परिणामों पर हेर फेर के प्रभाव को ध्यान में रखने का प्रयास करता है। कुछ शोध डिजाइन में एक पूर्व-परीक्षण सम्मिलित होता है, जिसे किसी परीक्षण के संपर्क में आने से पूर्व लिया जाता है और एक परीक्षण के बाद में जो किसी उपचार के संपर्क में आने के पश्चात् दिया जाता है।

अत: इसमें नियंत्रण और प्रायोगिक समूहों का एक अतिरिक्त समुच्चय (set) होता है।

परीक्षणोपरांत केवल नियंत्रण समूह अभिकल्प (post-test only control group design): यह एक शोध डिजाइन है, जिसमें कम से कम दो समूह होते हैं, जिनमें से एक को उपचार या हस्तक्षेप नहीं मिलता है और परीक्षण के बाद परिणाम माप पर आंकड़े एकत्र किये जाते हैं। यह पूर्व - निरीक्षित समूहों को पूर्णतया छोड़ देता है।

वन शॉट केस अध्ययन (One shot case study): इसके अंतर्गत, निष्कर्ष निकालना कठिन है, क्योंकि हस्तक्षेप और परिणाम के मध्य कोई विशिष्ट कारण और प्रभाव संबंध नहीं है। इसके अंतर्गत परिवर्तन को प्रेक्षित करने के लिए एक समय में एक समूह का प्रेक्षण किया जाता है।

सहसंबंधात्मक अभिकल्प (Correlational design): सहसंबंधी अध्ययन का उद्देश्य यह पता लगाना है कि क्या दो चर या विशेषताओं के मध्य कोई संबंध या अन्योन्याश्रयता (interdependence) है और ऐसे संबंधों की डिग्री का पता लगाना है। सहसम्बन्धी शोध घटनाओं के मध्य सम्बन्धों की भविष्यवाणी करने की दृष्टि से किया जाता है और कुछ स्थितियों में उनकी घटना को नियंत्रित करना है। यह एक क्रॉस - सेक्शनल अभिकल्प है।

85. (a)

बहिरंग चर **(Extraneous variable):** एक बहिरंग चर को मानवकृति (artifact) के रूप में भी जाना जाता है। वास्तविक जीवन स्थितियों में, कई कारक या चर हो सकते हैं, जो परिणाम को प्रभावित करते हैं। इन चरों को बहिरंग चर कहा जाता है। बहिरंग चर भी आश्रित चर को प्रभावित कर रहे हैं, हालांकि शोधकर्ता द्वारा इनमें हेरफेर नहीं किया गया है।

वे स्वतंत्र चर और आश्रित चर के मध्य संबंध को छिपा सकते हैं। बहिरंग चर प्रत्यक्ष रूप से आश्रित चर को प्रभावित कर सकते हैं या एक प्रभाव उत्पन्न करने के लिए स्वतंत्र चर के साथ संयोजन कर सकते हैं। इसलिए, बहिरंग चर को नियंत्रित किया जाना चाहिए, ताकि प्रयोगकर्ता यह निर्धारित कर सके कि स्वतंत्र चर में भिन्नता के संबंध में आश्रित चर परिवर्तित होता है या नहीं। स्वतंत्र, आश्रित और बहिरंग चरों के मध्य संबंध को निम्न आरेख की सहायता से दर्शाया जा सकता है।

स्वतंत्र, आश्रित, बाह्य चरों के मध्य संबंध
(Independent, dependent, and extraneous variables in a causal relationship)

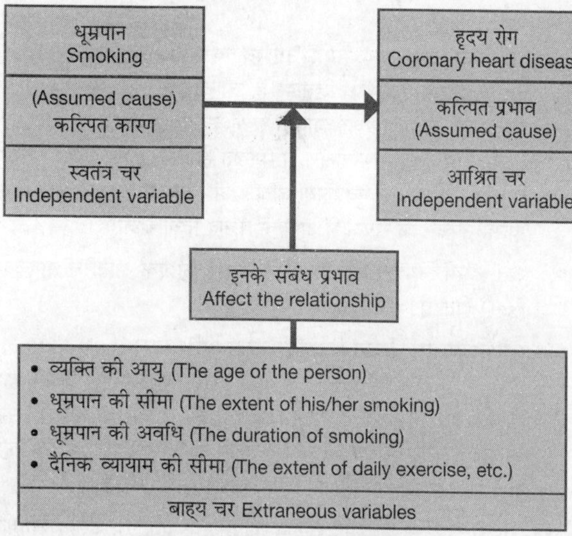

स्वतंत्र, आश्रित, बाह्य चरों के संबंध

86. (d)

डाटा संग्रह (data collection) के एक उपकरण के रूप में प्रेक्षण (observation) के लाभ इस प्रकार हैं:

1. प्रेक्षण, प्रत्यक्षता (directness) के लिए जाने जाते हैं।
2. प्रेक्षणमूलक अध्ययनों में कृत्रिमता को न्यूनतम किया जा सकता है।
3. प्रेक्षणमूलक अध्ययनों में सटीकता के लिए रिकॉर्ड करने वाली युक्तियों (डिवाइसों) का प्रयोग किया जा सकता है।

87. (c)

'सिक्स थिंकिंग हैट्स' का वर्णन डॉ. एडवर्ड बोनो द्वारा किया गया था। ये समांतर सोच समूहों के लिए एक विस्तृत और एकजुट ढंग से प्रभावी चिंतन का साधन प्रदान करते हैं। इसमें विभिन्न टोपियों का उपयोग प्रत्येक दिशा के लिए रूपकों के रूप में उपयोग किया जाता है।

छह चिंतन टोपी प्रणाली (Six Thinking Hats)

श्वेत टोपी (White Hat)	१. सूचना (information)	तथ्य (facts) आंकड़े (figures) आंकड़े (data)
लाल टोपी (Red Hat)	२. भावनाएं (emotions)	स्व - प्रेरणा (gut feel) अंतर्दृष्टि (intuitions) यह आपको कैसा महसूस करवाता है?
काली टोपी (Black Hat)	१. नकारात्मक (negative)	यह क्यों नहीं किया जा सकता? क्या कठिन है? क्या यह कार्य नहीं करेगा?
पीली टोपी (Yellow Hat)	२. सकारात्मक (positive)	आशा से संबंधित उज्जवल पक्ष यह कार्य क्यों करेगा?
हरी टोपी (Green Hat)	१. रचनात्मक (creative)	नव विचार विभिन्न परिप्रेक्ष्य (different perspective) पार्श्व सोच (lateral thinking)
नीली टोपी (Blue Hat)	२. प्रक्रिया (process)	धैर्य एवं सहनशीलता नियंत्रण संगठन और प्रक्रिया

अत: छह चिंतन टोपी प्रणाली में श्वेत टोपी, लाल टोपी और काली टोपी समांतर चिंतन का एक रूप हैं।

88. (b)

सांकेतिक मापनी या नाममात्र स्तर (nominal scale) को वर्गीकरण मापनी भी कहा जाता है। इसके अंतर्गत चरों को उनकी विविधता के अनुसार एक, दो, और तीन उप-श्रेणियों में मापा जा सकता है। उदाहरण के लिए, लिंग को दो उप-श्रेणियों पुरुष और महिला में वर्गीकृत किया जा सकता है। नाममात्र स्तर पर मापित चर का प्रयोग उच्चस्तरीय सांख्यिकी में हो सकता है, यदि उसे रूपांतरित कर दिया जाए।

रूपांतरण प्रक्रिया के परिणाम को आभासी चर (dummy variable) कहा जाता है। अत: कथन I और II दोनों सत्य हैं।

89. (b)

इसकी व्याख्या पूर्व प्रश्न–85 में भी की जा चुकी है।

सफेद टोपी: प्रदत्त संग्रह-तथ्य, आंकड़े, सूचना की आवश्यकताएं और कमियां।

लाल टोपी: अंतर्ज्ञान और भावनाएं

काली टोपी: निर्णय और विचार–तार्किक निषेधात्मक

हरी टोपी: उद्दीपन, विकल्प और रचनात्मक – प्रस्ताव।

90. (d)

आधारिक सिद्धांतपरक शोध (Grounded Theory Research): यह सिद्धांत उत्पन्न करने और विकसित करने के लिए एक गुणात्मक दृष्टिकोण है, जिसे शोधकर्ता एकत्र करता है। गुणात्मक शोध में रोल प्ले, सिमुलेशन और डायरी विधियों का भी उपयोग किया जाता है।

विवरणात्मक सर्वेक्षण शोध (Descriptive Research): वर्णनात्मक अनुसंधान घटना का वर्णन करने, अवलोकन करने और उससे निष्कर्ष निकालने के बारे में है। यह एक मात्रात्मक शोध पद्धति है। इसमें पर्याप्त व्याख्या के साथ सर्वेक्षण और तथ्य-खोज पूछताछ सम्मिलित है। सर्वेक्षण अनुसंधान, सहसम्बन्धीय अध्ययन और आकस्मिक तुलनात्मक अध्ययन वर्णनात्मक अनुसंधान के प्रमुख प्रकार हैं।

कार्योत्तर शोध (Ex-post facto Research): इसका उपयोग सामाजिक विज्ञान और व्यावसायिक संगठनों में किया जाता है। यह किसी घटना के घटित होने के बाद या उसके घटित होने के समय के संदर्भ में आयोजित किया जाता है। यह मूल रूप से एक घटना के गैर–हेरफेर किए गए चर से संबंधित है।

प्रायोगिक शोध: प्रायोगिक शोध को आकस्मिक संबंध स्थापित करने के लिए डिज़ाइन किया गया है। यह दो चरों के मध्य संबंध से संबंधित एक प्रश्न से आरंभ होता है।

91. (a)

अनुसंधान में वैधता मुख्य रूप से प्रक्रियाओं, अनुसंधान उपकरणों और परीक्षणों आदि की सटीकता के लिए है। वैधता का अर्थ है कि शोध निष्पक्ष और किसी भी व्यवस्थित त्रुटियों से मुक्त होना चाहिए क्योंकि वे अनुसंधान की प्रयोज्यता को प्रभावित करते हैं। वैधता के बिना शोध गलत दिशा में जाता है। उच्च आंतरिक वैधता के साथ एक शोधकर्ता दो या दो से अधिक चर के मध्य एक बेहतर कारण संबंध स्थापित कर सकता है। यह प्रयोगशाला प्रयोगों के विषय में विशेष रूप से सत्य है जहां कारण और प्रभाव संबंध अधिक स्पष्ट रूप से स्थापित होना चाहिए। शोध की आंतरिक वैधता के लिए निम्नलिखित खतरे हैं: आंतरिक वैधता के खतरे सांख्यिकीय प्रतिगमन (Statistical Regression), विषयों का अंतरीय चयन (Differential Selection of Subject) और प्रायोगिक विफलता (Experimental Mortality) हैं।

92. (b)

शोध समस्या की परिभाषा (Research Problem Identification): शोध प्रश्न के अकादमिक और सामाजिक मूल्य को तौलना।
शोध प्राकल्पना का सूत्रीकरण (Formulation of Research Hypothesis): चरों को सुस्पष्ट शब्दावली में परिभाषित करना।
शोध का प्रारूप (Design of Research): एक अवधारणात्मक ढांचे का विकास जो शोध की प्राकल्पना के अनुरूप हो।
दत्त विश्लेषण (Data Analysis): तकनीकों की उपयुक्तता और उनका अनुप्रयोग
अनुसंधान प्रक्रिया के चरणों को निम्नलिखित तालिका के माध्यम से दर्शाया जा सकता है:

अनुसंधान प्रक्रिया

सोपान 1: अनुसंधान समस्या का सूत्रीकरण	**सोपान 2: अनुसंधान अभिकल्प तैयार करना**	**सोपान 3: प्रदत्त संग्रह उपकरण विकसित करना**	**सोपान 4: प्रतिदर्श चयन**
• साहित्य अवलोकन • उद्देश्यों का निरूपण • चरों को चिन्हित करना • उपकल्पना का सूत्रीकरण	• समस्या की संरचना • अध्ययन अभिकल्प – प्रयोगात्मक – गैर–प्रयोगात्मक	• प्रदत्त के प्रकार • प्रदत्त एकत्रित करने की विधि	• प्रतिदर्श प्रकार – संभाव्यता – असंभाव्यता • प्रतिदर्श अभिकल्प का निर्धारण
सोपान 5: अनुसंधान प्रस्ताव लेखन	**सोपान 6: प्रदत्तों का एकत्रीकरण**	**सोपान 7: प्रदत्त प्रसंस्करण और विश्लेषण**	**सोपान 8: शोध रिपोर्ट लेखन**
• आवश्यकता • लाभ • प्रतिदर्श प्रकार • निधीकरण आवश्यकताएं इत्यादि	• अवलोकन • साक्षात्कार • प्रश्नावली इत्यादि	• संपादन और कूटन • प्रदत्त वर्गीकरण • सारणीकरण • विश्लेषण • उपकल्पना परीक्षण • सामान्यीकरण	शोध रिपोर्ट का प्रारूप • शीर्षक पृष्ठ • विषय सूची • क्रियाविधि इत्यादि

93. (c)

कथन I: वैज्ञानिक शोध परिकल्पनात्मक प्रस्ताव का व्यवस्थित, नियंत्रित, अनुभवजन्य और आलोचनात्मक विश्लेषण है। इस प्रकार, कथन I सत्य है।

आंकड़े के व्यवस्थित संग्रह, व्याख्या और मूल्यांकन द्वारा विज्ञान को व्यवस्थित ढंग से योगदान देने के उद्देश्य से किए गए वैज्ञानिक शोध को कहा जाता है। एक छोटे समूह से प्राप्त परिणामों को वैज्ञानिक अध्ययनों के माध्यम से सामान्यीकृत किया जाता है, और निदान, उपचार और अनुप्रयोगों की विश्वसनीयता का पता लगाया जाता है। इसके अंतर्गत सर्वप्रथम समस्या का चयन किया जाना चाहिए, उसके बाद योजना और कार्यप्रणाली को निर्दिष्ट किया जाना चाहिए।

वैज्ञानिक अनुसंधान के वर्गीकरण को इस प्रकार दर्शाया जा सकता है:

डेटा संग्रह की तकनीकों के आधार पर	• अवलोकन आधारित • प्रायोगिक
कारण - संबंध के आधार पर	• वर्णनात्मक • विश्लेषणात्मक
समय - संबंधों के आधार पर	• पूर्वव्यापी • भावी • क्रॉस-अनुभागीय
अनुप्रयोग के आधार पर	• क्लीनिकल • प्रयोगशाला • सामाजिक वर्णनात्मक अनुसंधान

कथन II: गुणात्मक और मात्रात्मक शोधों में शोध के समग्र को परिभाषित करने की आवश्यकता होती है। इस प्रकार, कथन II असत्य है।

94. (a)

गुणात्मक शोध (Qualitative Research) मूल रूप से एक दृष्टिकोण है, न कि केवल शोध करने की एक विधि यह मूल रूप से आगमनात्मक या सर्पिल प्रकृति का होता है और इसकी एक अलग संरचना है। शोधकर्ता अस्थायी विचार या प्रश्न से आरंभ होता है और अनुसंधान में प्रगति के साथ प्रश्न अधिक विशिष्ट हो जाते हैं। गुणात्मक शोध का मुख्य उद्देश्य मनुष्य/सामाजिक विज्ञान के बारे में एक समझ विकसित करना है जिससे यह पता चल सके कि लोग क्या महसूस करते हैं और क्या सोचते हैं। सामान्य तौर पर गुणात्मक शोध में परिकल्पना का उपयोग नहीं किया जाता, इसमें विकल्प को मुक्त रखा जाता है। गुणात्मक शोध मात्रात्मकता के स्थान पर व्यक्तिगत अनुभवों के विश्लेषण पर अधिक बल देता है। वास्तविक परिवेश आंकड़े का प्रत्यक्ष स्रोत है, और शोधकर्ता गुणात्मक शोध का मुख्य उपकरण हैं। यह शोध वस्तुनिष्ठ होना चाहिए। वस्तुनिष्ठता का अर्थ है कि शोध बिना किसी पूर्वाग्रह के है। शोधकर्ता को पक्षपात से बचना चाहिए। शोधकर्ता को बाहरी प्रभावों, व्यक्तिगत विश्वासों, पर्यवेक्षकों के दृष्टिकोण और मानवीय अपेक्षाओं से पूर्वाग्रह जो आंकड़ों को विकृत कर सकते हैं, से बचना चाहिए । यह मौखिक आंकड़ों का उपयोग करता है, जैसे कि शब्द और चित्र, गहराई से-साक्षात्कार, फोकस समूह चर्चा, अवलोकन और लेख समीक्षा आदि। गुणात्मक शोध में पैटर्न को समझने के लिए व्यक्तिपरक और समग्र दृष्टिकोण का पालन किया जाता है। यह सामान्य तौर पर 'कैसे' और 'कब' जानने के लिए खोज करता है। गुणात्मक शोध की रिपोर्ट कथाएं होती हैं, जिनमें प्रतिभागियों के प्रत्यक्ष उद्धरण सम्मिलित होते हैं। विश्वसनीयता और वैधता गुणात्मक शोध के महत्वपूर्ण पहलू हैं। गुणात्मक शोध का उद्देश्य संदर्भमुक्त साधारणीकरण तक पहुंचने के बजाय वास्तविकता को अपेक्षाकृत रूप से अधिक प्रत्यक्ष रूप में चित्रित करता है। इस प्रकार, (A) और (R) दोनों सत्य हैं और (R), (A) की सही व्याख्या है।

95. (b)

परीक्षण की विश्वसनीयता उस डिग्री को संदर्भित करता है जिस डिग्री तक परीक्षण को मापने के उद्देश्य से मापन को सुसंगतता और स्थिरता होती है। अत: एक परीक्षण विश्वसनीय होता है यदि वह अपने भीतर और समय के अनुरूप हो। अत: कथन–I गलत है। परीक्षण वैधता उस डिग्री को संदर्भित करता है जिस पर परीक्षण मापा जाता है और मापने का दावा करता है। यह वह सीमा है जहाँ तक परीक्षण स्कोर के आधार पर किये गए निष्कर्ष, अनुमान और निर्णय उपयुक्त और सार्थक हो। अत: कथन–II गलत है।

96. (c)

सुविधाजनक प्रतिचयन (Convenience Sampling): शोधकर्ता द्वारा अपनी सुविधा के अनुसार जनसंख्या का वह भाग न्यादर्श के लिए चयन किया जाता है, जिससे जानकारी एकत्रित करना सबसे सरल हो, इसलिए इसे सुविधाजनक प्रतिचयन कहते हैं, लेकिन यह विधि पक्षपात की दृष्टि से त्रुटि रहित नहीं है।

97. (b)

भविष्यसूचक वैधता (Predictive Validity): यह एक प्रकार की वैधता है, जिसके अंतर्गत शोधकर्ता एक समकालीन के बजाय भविष्य के मानदंड का उपयोग करता है। यह एक प्रकार की मानदंड आधारित वैधता है, जो यह बताती है कि एक चर का माप, दूसरे चर की प्रतिक्रिया का कितनी अच्छी तरह भविष्यवाणी कर सकता है।

98. (c)

कथन I: नृवंशविज्ञान शोध (ethnographic research) विधि का उपयोग दूसरों के जीवन के बारे में जानने के लिए किया जाता है। यह हमें यह समझने में सहायता करता है कि लोग विभिन्न समाजों या संस्कृतियों में भिन्न-भिन्न व्यवहार कैसे और क्यों करते हैं। यदि हम एक कतिपय सामाजिक समूह के सदस्यों के विश्व दृष्टिकोण में रुचि रखते हैं, तो एक ऐसी गुणात्मक शोध रणनीति अधिमान्य हो सकती है, जो सहभागियों की अपनी सामाजिक दुनिया की व्याख्या के प्रति संवेदी हो। क्योंकि शोधकर्ता ऐसे शोध के प्रति अधिक रुचि और पूर्व जानकारी रखते हैं। लेकिन, इस प्रकार के शोध के लिए शोधकर्ता को पूर्वाग्रहों से रहित होना चाहिए।

नृवंशविज्ञान शोध लोगों के समूह के बारे में आंकड़े एकत्र करने की प्रक्रिया है। यह मानवविज्ञानी, समाजशास्त्रियों और मानव व्यवहार का अध्ययन करने वाले अन्य लोगों द्वारा उपयोग की जाने वाली एक लोकप्रिय तकनीक है। यह मुख्य रूप से एक गुणात्मक शोध पद्धति है। लेकिन इसका उपयोग मात्रात्मक डेटा एकत्र करने के लिए भी किया जा सकता है। इस प्रकार, कथन I सत्य है।

कथन II: यदि किसी शोधकर्ता की रुचि ऐसे विषय में है जिस पर अतीत में बहुत कम या कोई शोध नहीं हुआ है, तो मात्रात्मक शोध करना अधिक सुगम होगा, क्योंकि ऐसा बहुत कम पूर्व साहित्य होगा जिससे सहायता मिल सके। इस प्रकार, कथन II असत्य है।

यदि शोध कर्ता की रुचि ऐसे शोध विषय में है जिसमें अतीत में कतिपय शोध हुआ है, तो सर्वप्रथम खोज शोध विधि का उपयोग किया जायेगा। खोजपूर्ण शोध (exploratory research) एक ऐसी समस्या की जांच करने की प्रक्रिया है, जिसका पूर्व अध्ययन या पूर्ण रूप से जांच नहीं की गई है। खोजपूर्ण शोध सामान्य तौर पर वर्तमान समस्या की बेहतर समझ के लिए किया जाता है, लेकिन यह कोई निर्णायक परिणाम नहीं देता है।

99. (a)

1. **प्रतिचयन डिजाइनः** यह एक संभाव्यता प्रतिचयन डिजाइन है। प्रतिचयन डिजाइन के लिए निम्न तीन निर्णय महत्त्वपूर्ण हैं:
   (i) **स्वतः न्यादर्शः** सर्वे किसका किया जाएगा? यह आगे इस बात पर निर्भर करता है कि किस प्रकार की जानकारी की आवश्यकता है।
   (ii) **न्यादर्श आकारः** आदर्श रूप से लोगों का सर्वेक्षण कैसे किया जा सकता है?
   (iii) **प्रतिचयनः** न्यादर्श कैसे चुना जाना चाहिए? इसे या तो संभाव्यता या गैर-संभाव्यता विधि का उपयोग कर प्राप्त किया जा सकता है।
2. **सांख्यिकी डिजाइनः** विश्लेषण के लिए पूर्व नियोजित डिजाइन
3. **प्रेक्षण डिजाइनः** आंकड़ा संग्रहण के सुरक्षित या सुविचारित उपकरण
4. **प्रचालन डिजाइनः** प्रचालन पद्धतियों के संबंध में अग्रिम निर्णय

100. (c)

नियंत्रण के बिना पूर्व और पश्चात् डिज़ाइन (Before and after without control design): इसमें सर्वप्रथम एक एकल परीक्षण समूह या क्षेत्र का चयन किया जाता है और उपचार आरंभ करने से पूर्व आश्रित चर को मापा जाता है। उसके पश्चात् उपचार आरंभ किया जाता है और उपचार आरंभ होने के पश्चात् आश्रित चर को पुनः मापा जाता है।

उपचार का प्रभाव = उपचार के पश्चात् की घटना का स्तर – उपचार से पूर्व की घटना का स्तर

इस प्रकार डिजाइन का प्रतिनिधित्व किया जा सकता है:

Test area:	Level of phenomenon before treatment (X)	Treatment Introduced →	Level of Phenomenon after Treatment (Y)
	Treatment Effect = (Y) – (X)		

इस तरह के डिजाइन की हानि यह है कि समय बीतने के साथ इसके उपचार प्रभाव में काफी बाह्य परिवर्तन (extraneous change) हो सकते हैं। इस प्रकार, कथन I सत्य है।

नियंत्रण के साथ पूर्व और पश्चात डिजाइन (Before and After with Control Design): इस डिजाइन में दो क्षेत्रों का चयन किया जाता है और आश्रित चर को उपचार से पूर्व एक समान समय-अवधि के लिए दोनों क्षेत्रों में मापा जाता है। उपचार को तब केवल परीक्षण क्षेत्र में प्रस्तुत किया जाता है, और आश्रित चर को उपचार का आरंभ होने के पश्चात एक समान समय-अवधि के लिए दोनों में मापा जाता है।

उपचार प्रभाव = परीक्षण क्षेत्र में आश्रित चर में परिवर्तन – नियंत्रित क्षेत्र में आश्रित चर में परिवर्तन

इस डिजाइन को इस प्रकार दर्शाया जा सकता है:

	Time Period I		Time Period II
Test area:	Level of phenomenon before treatment (X)	Treatment Introduced →	Level of Phenomenon after Treatment (Y)
Control area:	Level of phenomenon without treatment (A)		Level of Phenomenon without Treatment (Z)
	Treatment Effect = (Y – X) – (Z – A)		

101. (d)

एक परिवर्त कोई भी मात्रा है जिसे एक शोधकर्ता किसी तरह से मापने में सक्षम है। यह तापमान, ऊंचाई, आयु आदि हो सकता है। मूल रूप से, एक परिवर्त वह है जो किसी भी तरह से आपके प्रयोग के परिणाम में योगदान देता है।

नियंत्रण परिवर्त या चर-एक नियंत्रण चर है जो एक शोध अध्ययन में स्थिर या सीमित होता है। यह एक ऐसा चर है जो अध्ययन के उद्देश्यों के लिए रुचि नहीं रखता है, लेकिन इसे नियंत्रित किया जाता है क्योंकि यह परिणामों को प्रभावित कर सकता है। उदाहरण के लिए, पादप वृद्धि प्रयोग में एक नियंत्रण चर तापमान हो सकता है। मान लें कि इसे 25° C पर एक समान रखा जाना चाहिए, इसलिए इसे एक समान स्तर पर रखना शोधकर्ता का कर्तव्य है।

बाहरी परिवर्त-ये चर ऐसे कारक हैं जिन्हें प्रयोग के भाग के रूप में हेरफेर नहीं किया जाता है, लेकिन वे अध्ययन के तहत आश्रित चर पर कुछ प्रभाव डाल सकते हैं।

द्वंदपरक परिवर्त (conflicting variable)-यह एक अमापनित तीसरा चर है जो एक स्वतंत्र और एक आश्रित चर के बीच के संबंध को 'भ्रमित' (या प्रभावित) करता है। यह वास्तव में एक नकली सहसंबंध की उपस्थिति का सुझाव देता है।

भ्रामक परिवर्त (confounding variable)-कन्फ़ाउंडिंग एक कारण अवधारणा है, और इस तरह, सहसंबंधों या संघों के संदर्भ में वर्णित नहीं किया जा सकता है।

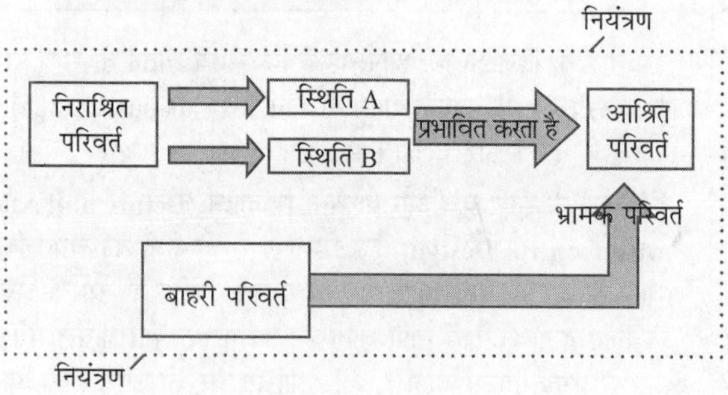

102. (b)

एकल परिवर्त (Monadic variable)-मूल रूप से सर्वेक्षण अनुसंधान में उपयोग किया जाता है, जो सर्वेक्षण उत्तरदाताओं को अलग-अलग अवधारणाएं प्रदान करता है-एक समय में एक। प्रत्येक उत्तेजना के लिए स्वतंत्र निष्कर्षों की आवश्यकता होती है। वे स्पष्ट विस्तृत प्रतिक्रिया प्रदान करते हैं। यह हर स्वचालित उपकरण के साथ उपलब्ध है। इसकी तुलना पॉलीएडिक चर से की जा सकती है।

तुलनात्मक परीक्षण में कई उत्तेजनाओं का एक साथ परीक्षण किया जाता है।

103. (c)

अनुसंधान में परिवर्त दो प्रकार के होते हैं या अनुसंधान दो प्रकार का होता है-गुणात्मक और मात्रात्मक।

गुणात्मक परिवर्त-इसे श्रेणीगत परिवर्त भी कहते हैं। जैसा कि नाम से संकेत मिलता है, यह संख्यात्मक नहीं है। यह डेटा का वर्णन करता है जो श्रेणियों में फिट बैठता है। ये सभी गुणात्मक परिवर्त हैं, क्योंकि इनका कोई प्राकृतिक क्रम नहीं है।

उदाहरणस्वरुप

त्वचा का रंग-सफेद, पीला, भूरा, काला

राज्य-हरियाणा, पंजाब, मणिपुर, केरल

मात्रात्मक परिवर्त-उनका एक मूल्य होता है और उन्हें जोड़ा, घटाया, विभाजित या गुणा किया जा सकता है।

अब इसके नुकसान के संदर्भ में विस्तृत चर्चा को देखें।

A. संदर्भ के प्रति अति संवेदनशील-गुणात्मक या किसी भी प्रकार के शोध का मुख्य उद्देश्य विषय या मूल विचार से जुड़ना है। यह मूल रूप से स्वभाव से व्यवहारिक है।

B. वाद विवाद के लिए तत्पर-यह सकारात्मक प्रतिबिंब भी है, क्योंकि यह पारदर्शिता से जुड़ा हुआ है।

C. अति व्यक्तिनिष्ठ-गुणात्मक सदैव कुछ सीमा तक व्यक्तिनिष्ठ हो सकता है, लेकिन बहुत अधिक व्यक्तिनिष्ठ होना इसकी नकारात्मक विशेषता है क्योंकि व्यक्तिगत दृष्टिकोण बहुत महत्वपूर्ण हो जाता है।

D. सामान्यीकृत करने में कठिनाई-यद्यपि सामान्यीकरण किसी भी प्रकार के शोध का मुख्य उद्देश्य होता है लेकिन गुणात्मक में ऐसी कमी पाई जा सकती है।

E. प्रतिकृति का विषय-प्रतिकृति की संभावना हमेशा कम और कम होती है, जिससे सामान्यीकरण भी कठिन हो जाता है। इस प्रकार, इसे गुणात्मक शोध के नुकसान के रूप में लिया जा सकता है।

104. (a)

'प्रतिदर्श' शब्द का प्रयोग मुख्य रूप में अनुसंधान के क्षेत्र में किया जाता है, प्रतिदर्श हमें सत्य के निकट ले जाता है। प्रतिदर्श जनसंख्या का ही लघु रूप है जो जनसंख्या की वांछित विशेषताओं को दर्शाता है। प्रतिरूप होता है। यहां प्रश्न के अनुसार, परियोजना का अर्थ शोध परियोजना है, जिसकी एक सुव्यवस्थित योजना बनाना आवश्यक है ताकि हम कम शुल्क पर अधिकतम लाभ प्राप्त कर सकें। प्रतिदर्श से हम आवश्यक ज्ञान प्राप्त करते हैं, जिसका उपयोग सामान्यीकरण या शोध सिद्धांत प्राप्त करने में किया जा सके। अत: प्रतिदर्श एक मुख्य कारक है, जिसमें सही परिणाम प्राप्त करने के लिए उत्तरदाताओं की गुणवत्ता एवं सही आकार निर्धारित करना महत्वपूर्ण कार्य है।

यदि प्रतिदर्श कम हैं तो अपेक्षित परिणाम प्राप्त नहीं होंगे, यदि उनकी संख्या आवश्यकता से अधिक है तो व्यय शुल्क बढ़ जायेगा।

परियोजना का प्रकार और उद्देश्य-गुणात्मक अध्ययनों में, अध्ययन अधिकतर व्यक्तिनिष्ठ हो सकता है, इसलिए यहां प्रतिदर्श का आकार कुछ कारणों से कम रखा जाता है, जबकि मात्रात्मक शोध जो कि प्रयोगात्मक होता है, इसमें में प्रतिदर्श के आकार को अधिक रखने की संभावना बनी रहती है।

शोध शून्य परिकल्पना एवं उससे संबंधित आत्मविश्वास के स्तर (Level of Significance) जो कि 90ज, 95ज या 99ज होता है, पर भी निर्भर करता है, जिस पर परिणामों की सटीकता निर्भर करती है, यहां त्रुटि का मार्जिन, माध्य, मानक विचलन (जिसे सिग्मा भी कहा जाता है) जो जनसंख्या के वितरण की परिवर्तनशीलता को दर्शाता है, भी महत्वपूर्ण हैं।

आवश्यक प्रतिदर्श आकार=(जेड-स्कोर)2 * StdDev*(1-StdDev) / (त्रुटि का मार्जिन)2

जनसंख्या से परिणाम प्राप्त करने की सटीकता प्रतिदर्श के आकार में परिवर्तन के लिए अनुशंसा कर सकती है। इस प्रकार, जनसंख्या परिवर्तनशीलता महत्वपूर्ण है। यदि जनसंख्या सजातीय है, तो एक शोधकर्ता छोटे प्रतिदर्श के साथ कार्य चला सकता है और यदि विजातीय है तो प्रतिदर्श का आकार बढ़ा रखा जा सकता है।

संभाव्यता (यादृच्छिक और उद्देश्य) या गैर-संभाव्यता (गैर यादृच्छिक और अधिक व्यक्तिपरक) प्रतिदर्श तकनीक होती हैं।

एक शोधकर्ता के लिए विकल्प डी और ई कम या कम महत्वपूर्ण नहीं हैं क्योंकि शोध सदैव वस्तुनिष्ठ होना चाहिए।

105. (b)

A. अंतर्वस्तु विश्लेषण (content analysis)-यह मूल रूप से गुणात्मक अध्ययनों में उपयोग किया जाता है, जहां उत्तर व्यक्तिपरक हो सकते हैं जो व्यक्तिगत राय पर आधारित होते हैं। गुणात्मक शोध (जैसे केस स्टडी) में उत्तरदाताओं द्वारा उपयोग की जाने वाली भाषा भिन्न हो सकती है और एक शोधकर्ता को मूल विचार या विवरण खोजने की आवश्यकता होती है। इसे सामग्री विश्लेषण कहा जाता है।

B. सामाजिक नेटवर्क विश्लेषण (social network analysis)-डाइड (dyad) की परिभाषा का अर्थ, दो लोगों का एक लंबी अवधि में घनिष्ठ संबंध है, जिसमें भिन्न-भिन्न परिस्थितियों में पारस्परिक क्रिया होती है। डाइड समाजशास्त्र के लिए मूलभूत आवश्यकता यह है कि समूह के दो सदस्य हों। डायडिक संचार परिभाषा इस बात से संबंधित है कि समूह के दो सदस्य एक दूसरे के साथ कैसे बातचीत करते हैं। जर्मन समाजशास्त्री जॉर्ज सिमेल (Georg Simmel) ने अध्ययन किया कि समूह के आकार के आधार पर समूह की गतिशीलता कैसे बदल गई।

C. आर्थी विभेदक (शब्दार्थ से संबंधित-semantic differential)-किसी अर्थी विभेदक का उपयोग प्रवृत्ति या मनोभाव की संरचना के लिए किया जा सकता है, जिसकी गुणात्मक अध्ययनों में सर्वाधिक संभावना बनी रहती है। यह सर्वेक्षण या प्रश्नावली रेटिंग पैमाना लोगों को एक बहु-बिंदु रेटिंग विकल्प (multi-point rating option) के फ्रेम के भीतर किसी उत्पाद, घटना या अन्य किसी 'इकाई' को रेट करने के लिए किया जाता है। ये सर्वेक्षण उत्तर विकल्प (answering options) व्याकरणिक रूप से (grammatically) प्रत्येक छोर पर विपरीत विशेषणों पर हैं। चूंकि वे सातत्य (continuum) के दो सिरों पर एक दूसरे के विपरीत होते हैं, इसे द्विध्रुवी विशेषण (bipolar adjective) कहा जा सकता है।

D. मेटा-विश्लेषण (Meta analysis)-यह मूल रूप से एक ही या निकट से संबंधित समस्या या मुद्दे पर कई शोध अध्ययनों की त्वरित समीक्षा करने का इरादा रखता है। कई वैज्ञानिक अध्ययनों के परिणामों को जोड़ती है। यह मूल रूप से एक मात्रात्मक, औपचारिक, महामारी विज्ञान अध्ययन डिजाइन है जो यादृच्छिक, नियंत्रित परीक्षणों पर आधारित है।

106. (c)

आंतरिक वैधता का संबंध इस सही निष्कर्ष से है कि आश्रित चर में परिवर्तन के लिए एक स्वतंत्र चर उत्तरदायी हैं, न कि कुछ बाह्य चर उत्तरदायी हैं।

बाह्य वैधता सामान्यता और उपचार/स्थिति परिणामों के यादृच्छिकरण को भी संदर्भित करती है।

A. यादृच्छिकीकरण (Randomisation)-हमें अपने अनुसंधान में निष्पक्ष और उद्देश्य की आवश्यकता है, और यादृच्छिकरण उसमें सहायता करता है। सरल शब्दों में, यादृच्छिकरण पूर्वानुमेयता (predictability) को समाप्त करता है। पूर्वानुमेयता का अर्थ यह है कि यदि हमने यह कार्य किया या प्रतिदर्श का उपयोग किया, तो उसका यह संभावित परिणाम होगा। यह संभाव्यता (probability) के सिद्धांत का अनुसरण करता है, यादृच्छिकीकरण आकस्मिक पूर्वाग्रह को समाप्त करता है, जिसमें चयन पूर्वाग्रह भी सम्मिलित है। अनुसंधान पर पूर्वाग्रह का प्रभाव नहीं रहना चाहिए ताकि यह वस्तुनिष्ठ (objective) रहे ना कि व्यक्तिनिष्ठ (subjective)। इससे शोधकर्ता द्वारा किसी भी प्रकार के मानवीय व्यवधान की संभावना समाप्त हो जाती है।

मान लीजिए कि एक शिक्षक को शोध के उद्देश्य से 100 में से 10 छात्रों का चयन करना है, वे कोई भी दस हो सकते हैं। कक्षा में हर किसी के पास चयन का 1/100 मौका है जो सब के लिए समान है। चयन होने के इस समान अवसर को यादृच्छिकरण कहा जाता है। और नमूने एक समूह को आवंटित किए जाते हैं।

B. सामान्यीकरण (Generalisability)-इसका अर्थ यह है कि एक अनुसंधान अध्ययन के परिणाम बाह्य संसार पर लागू होते हैं। इसे बाह्य वैधता कहते हैं।

C. परिपक्वन (Maturation)-विषयों के भीतर की प्रक्रियाएं समय बीतने के एक कार्य के रूप में कार्य करती हैं। ऐसा तब होता है जब उन लोगों पर अध्ययन किया जाता है जो शोध निष्कर्षों के आधार होते हैं। यदि वह तत्व समय के साथ बदलता है, तो इससे शोध की आंतरिक वैधता को खतरा होता है।

D. इतिहास (History)-यह 'स्वतंत्र चर' इतिहास के अलावा किसी भी घटना को संदर्भित करता है-विशिष्ट घटनाएं जो पहले और दूसरे माप के बीच होती हैं।

E. यांत्रिकी (Instrumentation)-आश्रित चर को मापने या स्वतंत्र चर में हेरफेर करने के लिए उपयोग किए जाने वाले उपकरण की विश्वसनीयता प्रयोग के दौरान बदल सकती है। इस प्रकार, आंतरिक वैधता को खतरा हो सकता है।

A और B दोनों शोध की निष्पक्षता, निष्पक्षता और वैधता की सुविधा प्रदान करते हैं। प्रश्न अनुसंधान में आंतरिक वैधता के खतरे के बारे में है। ऐसे में निम्न कारक भी भविष्य में पूछे जाने वाले प्रश्नों के लिए भी मायने रखते हैं।

1. परीक्षण (Testing)-बाद के परीक्षणों को प्रभावित करने वाला पहला परीक्षण

2. सांख्यिकीय प्रतिगमन (Statistical regression)-अत्यधिक अंक वाले उम्मीदवार, उदाहरण के लिए, कक्षा में सर्वाधिक दरिद्र या सबसे बुद्धिमान छात्रों को चुनना

3. प्रायोगिक मृत्यु दर (Experimental mortality)-यानी विषयों की हानि

4. विषयों का चयन (Selection of subjects)-पूर्वाग्रह जिसके परिणामस्वरूप तुलना समूहों का चयन हो सकता है। यादृच्छिकीकरण इस प्रभाव को कम करने में सहायता कर सकता है।

जब नमूने का आकार छोटा होता है, तो यादृच्छिकरण से सिम्पसन विरोधाभास हो सकता है। इसी तरह, छात्र अतिरिक्त ज्ञान के लिए जॉन हेनरी इफेक्ट का अध्ययन कर सकते हैं जो आंतरिक वैधता के अनुकूल नहीं है।

नेट के उम्मीदवार निम्नलिखित पहलुओं को याद रख सकते हैं जो भविष्य के प्रश्नों के लिए बाह्य वैधता पर लागू होते हैं।

1. परीक्षण के प्रतिक्रियाशील या अंत:क्रियात्मक प्रभाव (Reactive or interaction effect of testing)
2. चयन पूर्वाग्रहों और प्रयोगात्मक चर के अंत:क्रियात्मक प्रभाव (Interaction effects of selection biases and the experimental variable)
3. प्रायोगिक व्यवस्था के प्रतिक्रियाशील प्रभाव (Reactive effects of experimental arrangements)
4. एकाधिक उपचार हस्तक्षेप (Multiple treatment interference)

107. (a)

कथन I-गुणवत्तापरक डेटा शक्तिशाली है क्योंकि इसमें से अधिकांश मानव संसाधनों से एकत्र किया जाना है जिसका व्यवहार सदैव जटिल और गतिशील होता है। यहां तक कि सामाजिक संदर्भ भी इतना गतिशील और परिवर्तनशील है। किसी व्यक्ति का व्यवहार संदर्भ एक समय में एक प्रकार का है, तथा दूसरे समय में भिन्न हो सकता है, अर्थात उसमे समयानुरूप परिवर्तन आते रह सकते हैं।

गुणवत्तापरक डेटा मूल रूप से गैर-संख्यात्मक होता है, और इसमें वैचारिक जानकारी होती है। हम उनकी प्रतिक्रिया या प्रतिक्रिया का उपयोग उनके विषयों और पैटर्न को पकड़ने के लिए करते हैं। शोध प्रश्नों का उत्तर देना कठिन हो जाता है, क्योंकि यह व्यवहारशील है। इस प्रकार संपूर्ण दृश्य संवेदनशील सामाजिक, ऐतिहासिक और लौकिक (समय आधारित) संदर्भ पर आधारित है।

कथन II-किसी व्यक्ति से साक्षात्कार, सर्वेक्षण और प्रतिक्रिया के माध्यम से जटिल परिस्थितियों के एक समूह में सही प्रकार की जानकारी प्राप्त करना। शोध की योजना बनाते समय संदर्भ संवेदनशीलता परिवेश को ध्यान में रखती है। यह सामुदायिक मूल्यों और संपत्तियों को ध्यान में रखता है।

गुणवत्तापरक डेटा से निपटने के लिए हम निम्नलिखित प्रकार के दृष्टिकोणों को देख सकते हैं ताकि हमें सही प्रकार की जानकारी मिल सके। यह भविष्य के प्रश्नों के लिए उपयोगी हो सकता है।

1. सामग्री विश्लेषण (Content Analysis)-यह तत्व पाठ, छवि, वीडियो या ऑडियो संदेशों में कुछ शब्दों, विषयों और अवधारणाओं की उपस्थिति की जांच और मात्रा निर्धारित करता है। विश्वसनीय निष्कर्ष निकालने में आपकी सहायता करने के लिए विधि गुणात्मक निविष्ट (इनपुट) को मात्रात्मक डेटा में परिवर्तित कर देती है। इसका उपयोग मात्रात्मक डेटा के लिए भी किया जा सकता है।

2. विषयगत विश्लेषण (Thematic Analysis)-यह केवल गुणात्मक डेटा पर लागू किया जा सकता है, और पैटर्न और 'थीम' की पहचान करने पर केंद्रित है। यह डोवेटेल और थीमैटिक जैसे नवीन उपकरणों के साथ किया जा सकता है।

3. कथात्मक अनुसंधान या विश्लेषण (Narrative Analysis)-इस पद्धति का उपयोग शोध प्रतिभागियों की कहानियों की व्याख्या करने के लिए किया जाता है-प्रशंसापत्र, केस स्टडी, साक्षात्कार और अन्य पाठ या दृश्य डेटा जैसी चीजें।

4. प्रदत आधारित सिद्धांत (Grounded Theory Analysis)-यह वास्तविक दुनिया के डेटा की जांच करके सिद्धांतों को विकसित करने के लिए गुणात्मक शोध करने की एक विधि है।

5. प्रवचन विश्लेषण (Discourse Analysis)-यह गुणात्मक डेटा के अंतर्निहित अर्थ पर शोध करने का कार्य है। इसमें सूचना और उसके संदर्भ के बीच संबंधों का अध्ययन करने के लिए ग्रंथों, ऑडियो और वीडियो का अवलोकन सम्मिलित हैं।

उपरोक्त के अलावा समूह केंद्रित अनुसंधान (focus group), प्रत्यक्ष अवलोकन (direct observation), व्यष्टि अध्ययन अनुसंधान (case study research) आदि का वर्णन अध्याय 2 में गुणात्मक अनुसंधान के अंतर्गत किया गया है।

108. (c)

इतिहास मानव जाति का पिछला अनुभव है। अधिक सटीक रूप से, इतिहास उस पिछले अनुभव की स्मृति है क्योंकि इसे बड़े पैमाने पर लिखित अभिलेखों में संरक्षित किया गया है। ऐतिहासिक शोध का उद्देश्य कारण और प्रभाव का पता लगाना है। डेटा प्राथमिक या माध्यमिक माध्यमों से एकत्र किया जाता है, और निष्कर्ष दृष्टि और अनुभव के आधार पर निकाले जाते हैं। इस अनुसंधान में कोई प्रयोगकर्ता-विषय वार्तालाप नहीं होता है।

A. समस्या की पहचान सबसे पहली वस्तु है, जिस पर कोई अनुसंधान किया जाना चाहिए, वरना सब प्रयास निरर्थक हो जाते हैं।

B. विश्लेषणात्मक संश्लेषण का अर्थ है पहले शोध अध्ययन के सभी पहलुओं की जांच करना और फिर उन्हें वांछनीय तरीके से एकीकृत करना। ऐतिहासिक अनुसंधान में कालक्रम, घटनाक्रम (chronology) महत्वपूर्ण है, घटनाओं को इनके अनुसार जोड़ा जा सकता है।

C. सार्वभौमिक सामान्यीकरण तर्क का एक कार्य है जिसमें विशेष टिप्पणियों से व्यापक निष्कर्ष निकालना शामिल है। सार्वभौमिक सामान्यीकरण की संभावना मात्रात्मक अनुसंधान (quantitative research) में ही अधिक रहती है। गुणात्मक अनुसंधान (qualitative research) में सामान्यीकरण की संभावना सीमित रहती है।

D. संभावित निष्कर्ष की संभावना भी तभी अधिक मान्य है, यदि ऐतिहासिक अनुसंधान भविष्य में पुनरावृत्ति से संबंधित होता।

109. (d)

संवृति शास्त्र (Phenomenology)-यह दर्शन शास्त्र (Philosophy) से संबंधित है-यह एक गुणात्मक शोध दृष्टिकोण है जो किसी घटना के सार्वभौमिक सार को समझने और उसका वर्णन करने का प्रयास करता है। घटना के बारे में शोधकर्ताओं की पूर्वकल्पित धारणाओं को निलंबित करते हुए दृष्टिकोण मानव के रोजमर्रा के अनुभवों की जांच करता है।

नृजाति वर्णन (Ethnography)-यह **मानव विज्ञान (Anthropology)** से संबंधित है-इस गुणात्मक शोध में, एक शोधकर्ता या एक नृवंशविज्ञानी एक विशेष सामाजिक/सांस्कृतिक समूह

को श्रेष्ठतर ढंग से समझने के उद्देश्य से अध्ययन करता है। शोधकर्ता एक आंतरिक व्यक्ति के रूप में समूह की गतिविधियों में सक्रिय रूप से भाग लेता है । वह समूह के नियमित या सामान्य सदस्यों के समान अनुभव प्राप्त करने का प्रयास कर सकता है। यह प्रक्रिया, भागीदारी, डेटा संग्रह, साक्षात्कार, दस्तावेजों और कलाकृतियों के विश्लेषण से संबंधित अनुभव हैं।

नृजाति प्रणाली विज्ञान (Ethnomethodolgy)–यह **समाज शास्त्र (Sociology)** से संबंधित है–यह इस बात का अध्ययन है कि सामाजिक अंत:क्रिया की प्रक्रियाओं में और उसके माध्यम से सामाजिक व्यवस्था कैसे उत्पन्न होती है। यह मुख्य रूप में पर मुख्यधारा के समाजशास्त्रीय दृष्टिकोणों के लिए एक विकल्प प्रदान करने का प्रयास करता है।

प्रतीकात्मक अंत:क्रियावाद (Symbolic Interactionism)–यह **सामाजिक मनोविज्ञान (Social Psychology)** से संबंधित है–यह हमें सुझाव देता है कि त्रिभुज अनुसंधान जैसी जटिल सामाजिक स्थिति में काफी समान विचारधारा वाले सहयोगियों के बीच एक तर्कसंगत डिजाइन तैयार करने से कहीं अधिक शामिल है, क्योंकि प्रतिभागियों को अपने शोध की कामकाजी, साझा समझ बनाने के लिए कड़ी मेहनत करनी चाहिए।

110. (c): जब एक शोधकर्ता चरों को नियंत्रित नहीं कर सकता और केवल यह रिपोर्ट कर सकता है कि क्या हुआ है या हो रहा है, इस प्रकार के शोध को एक्स कार्योत्तर शोध (Ex Post Facto Research) के रूप में जाना जाता है।

111. (c): मान लीजिए कि हम जांचते हैं कि एक नया उर्वरक (स्वतंत्र चर) पौधों की लम्बाई को बढ़ने में सहायता करता है (परावर्ती चर)। हम अपने शोध को ऐसे डिजाइन करते हैं कि हम पौधों को एक ही प्रकार की मिट्टी, पानी, और सूर्य की रोशनी में उगाते हैं, और उनमें से कुछ को उर्वरक देते हैं और कुछ को नहीं। इससे हम यह सुनिश्चित करते हैं कि अन्य कारक, जो पौधे की वृद्धि को प्रभावित कर सकते हैं, समान या नियंत्रित हैं। हम केवल उर्वरक चर पर केंद्रित हैं। शोध में कारणता के मुद्दे से संबंधित अवधारणा आंतरिक वैधता (Internal Validity) है। हम अन्य भ्रामक चरों से बचने का प्रयास करते हैं।

112. (b): स्तरीकृत यादृच्छिक प्रतिचयन (Stratified Sampling): यदि हम विशेष रूप से मान लें कि जनसंख्या 'विविधतापूर्ण' हो, तो इस प्रकार का स्तरीकृत यादृच्छिक प्रतिचयन शोधकर्ता को अधिक सटीक और व्यापक चित्र प्रदान करता है। यदि शोधकर्ता एक बड़ी जनसंख्या के भीतर विशिष्ट उपसमूहों (specific groups) के बारे में निष्कर्ष निकालने में अधिक रुचि रखते हैं, तो भी हमें अधिक सहायता मिलती है। वे यह भी सुनिश्चित करना चाहते हैं कि महत्वपूर्ण उपसमूह नमूने में पर्याप्त रूप से प्रतिनिधित्व किए गए हों। यदि हम यह स्तरीकृत प्रतिचयन दृष्टिकोण विविधतापूर्ण भारतीय जनसंख्या के लिए प्रयोग करें तो अधिक उपयुक्त रहेगा, विशेषकर जापान या चीन की तुलना में।

113. (c): शोध की नैतिकता और समझ के लिए डीब्रीफिंग आवश्यक है, यह शोध का गुणवत्ता बढ़ाता है, इससे शोध निष्पक्ष, विश्वसनीय, और वैध बनता है। लेकिन यह 'सूचित सहमति' (informed consent) नहीं है जो अध्ययन से पहले ली जाती है। प्रतिभागियों को पहले बताने से वे शोध से दूर या उसे बिगाड़ सकते हैं, इसलिए डीब्रीफिंग जरूरी हो जाती है। जैसे, एक दर्द निवारक अध्ययन में, प्रतिभागियों को यह बाद में बताया जाता है कि उन्हें नई दवा दी गई थी, न कि असली दवा। यह अध्ययन का उद्देश्य और ढंग समझाता है। इस नीति से प्रतिभागी विश्वासी बनते हैं और उन्हें आगे भी अध्ययन में शामिल किया जा सकता है।

114. (a): इस प्रश्न का उत्तर है (a) नामिक (Nominal)। नामांकन पैमाने मापने का सबसे निम्न स्तर है, जहां डेटा को केवल लेबल या नामों से वर्गीकृत किया जा सकता है, लेकिन उन्हें क्रमबद्ध या व्यवस्थित नहीं किया जा सकता है। उदाहरण के लिए, लिंग, जातीयता, और कार के ब्रांड नामांकन चर हैं। आप उन्हें किसी भी सार्थक तरीके से क्रमबद्ध नहीं कर सकते हैं।

अन्य तीन पैमाने मापने, क्रमसूचक (Ordinal), अंतराल (Interval), और अनुपात (Ratio), किसी मापदंड के आधार पर अवलोकनों को क्रमबद्ध करने की अनुमति देते हैं। क्रमांकन पैमाने श्रेणियों के आपसी क्रम को भी दिखाते हैं, जैसे भाषा क्षमता या लाइकर्ट-प्रकार के प्रश्न। अंतराल पैमाने में आसन्न मूल्यों के बीच बराबर अंतराल होते हैं, जैसे तापमान या परीक्षा के अंक। अनुपात पैमाने में एक सच्चा शून्य बिंदु होता है और चर की पूर्ण मात्रा को माप सकता है, जैसे लंबाई या वजन।

115. (c): समाजशास्त्र: सर्वेक्षण अनुसंधान में प्रश्नावली या साक्षात्कार के माध्यम से डेटा एकत्र करना शामिल है, जो समाजशास्त्र में जनसांख्यिकी, दृष्टिकोण और व्यवहार जैसी विभिन्न सामाजिक घटनाओं को समझने के लिए उपयोग की जाने वाली एक सामान्य विधि है। हमें यह याद रखने की आवश्यकता है कि समाजशास्त्र में प्रत्यक्षवाद की शुरुआत भी ऑगस्टे कॉम्टे ने की थी।

भौतिकी, इतिहास और शस्त्रार्थमीमांसा (व्याख्या विज्ञान - hermeneutics) मुख्य रूप से कमश: अवलोकन, ऐतिहासिक दस्तावेजों के विश्लेषण और ग्रंथों की व्याख्या जैसे विभिन्न तरीकों पर निर्भर करते हैं।

116. (a): सामाजिक यथार्थ (वास्तविकता - social reality) मूल रूप से साझा मान्यताओं, मानदंडों और संरचनाओं का समूह है जिन्हें समाज में व्यक्तियों द्वारा सामूहिक रूप से स्वीकार किया जाता है। इसके साथ वे अपनी सामाजिक दुनिया की व्याख्या करने और समझने की कोशिश करते हैं। भारत में जाति व्यवस्था इस अवधारणा का एक उदाहरण है। सर्वेक्षण, साक्षात्कार या नृजातीय अध्ययन सामाजिक अनुसंधान के उदाहरण हैं जो सामाजिक वास्तविकता के लिए किए जाते हैं।

117. (d): अमूर्तता का उच्चतर स्तर: अमूर्तता आवश्यक और अंतर्निहित सिद्धांतों पर केंद्रित है। यह जटिलता का प्रबंधन करता है और यह रचनात्मक और नवीन सोच को बढ़ावा देता है। यह कला, शिक्षा दर्शन, गणित, सामाजिक विज्ञान आदि में हो सकता है।

अमूर्त मूल रूप से संज्ञानात्मक है और इस प्रकार, स्वचालित रूप से सोच के उच्चतम स्तर पर होता है। सामाजिक विज्ञानों में महान सिद्धांतों, जैसे कार्यात्मकता या संघर्ष सिद्धांत, का उद्देश्य समाजों में व्यापक पैटर्न और गतिशीलता की व्याख्या करना है। इसके लिए अमूर्तता के एक ऐसे स्तर पर संचालन की आवश्यकता होती है जो विशिष्ट संदर्भों से परे हो और सामान्य सिद्धांतों पर ध्यान केंद्रित करे।

अन्य छोटे विकल्पों का उपयोग एक व्यापक सैद्धांतिक ढांचे के भीतर विशिष्ट परिकल्पनाओं या शोध प्रश्नों के लिए किया जा सकता है।

118. (d): इसमें 2, 3, 4 और 5 शामिल हैं।

1. निरुदेश्य (non-purposive): निरुदेश्य का अर्थ आमतौर पर गैर-संभावना होता है। निरुदेश्य प्रतिदर्श (non-purposive sample) का उपयोग अभी भी कुछ गुणात्मक अनुसंधान परिदृश्यों में किया जा सकता है, विशेष रूप से अन्वेषणात्मक या प्रारंभिक चरणों में।
2. कारण और परिणाम (cause and effect): हम घटनाओं के बीच संबंधों को समझने की कोशिश करते हैं।
3. पूर्वकथात्मक (भविष्यवाणी - predictive): भविष्यवाणी करना मुख्य रूप से मात्रात्मक अनुसंधान का कर्तव्य है।
4. मूल्यांकन (evaluative): यह अक्सर व्यक्तिपरक तत्वों से जुड़ा होता है और इसमें सामग्री विश्लेषण और व्याख्या शामिल होती है।
5. वर्णनात्मक (descriptive): इनका उद्देश्य घटनाओं, व्यवहारों, अनुभवों या सामाजिक संदर्भों का विस्तृत विवरण और समझ प्रदान करना है।

   यहाँ, 1, 4 और 5 गुणात्मक अनुसंधान प्रश्नों के लिए अपील या आशा करते हैं। यहाँ पर कुछ व्यक्तिपरक भेदभाव की संभावना रहती है।

119. (b): कथन I: इसमें कहा गया है कि प्रतिदर्श के आकार निर्धारित करने में समय और लागत प्रासंगिक नहीं हैं' असत्य है। शोधकर्ताओं को अक्सर उपलब्ध समय और संसाधनों के साथ परिणामों की वांछित सटीकता को संतुलित करने की आवश्यकता होती है

कथन II: ये तत्व भी प्रतिचयन त्रुटि में योगदान कर सकते हैं।

इस प्रकार, कथन I और कथन II दोनों असत्य हैं। सही उत्तर (b) है।

120. (d): साइबरनेटिक्स (cybernetics) मनुष्यों, जानवरों और मशीनों सहित जटिल प्रणालियों में प्रतिकिया प्रणालियों का अध्ययन है। यह जाँच करता है कि व्यवहार या प्रकियाओं को नियंत्रित करने और विनियमित करने के लिए जानकारी का उपयोग कैसे किया जाता है।

(a) प्रतिपुष्टि वज्ञान बहुत सामान्य है।

(b) अनुभव अध्ययन अधिकतर अनुभव आधारित होता है।

(c) संदेश शास्त्रार्थ मीमांसा विज्ञान संदेशों की व्याख्या पर केंद्रित है।

अध्याय

3

बोध

सीखने के उद्देश्य

- अध्ययन बोध का परिचय
- समाधान दिशा निर्देश
- अध्ययन बोध में संभावित प्रश्नों की मुख्य श्रेणियां
- लेखक की राय एवम् मनोवृत्ति
- गद्यांश तथा उससे संबंधित प्रश्न

निम्नलिखित गद्यांश को ध्यान से पढ़ें और प्रश्न संख्या 1 से 5 तक के उत्तर दीजिए:

यदि भारत को अपनी आंतरिक शक्तियाँ विकसित करनी हैं, तो उसको तीन गतिशील आयामों जनता, सर्वांगीण अर्थव्यवस्था और सामरिक हितों को ध्यान में रखते हुए प्रौद्योगिकीय आवश्यकताओं पर ध्यान केन्द्रित करना होगा। ये प्रौद्योगिकीय आवश्यकताओं एक 'चौथे आयाम', समय, का भी ध्यान रखती हैं जो व्यवसाय, व्यापार एवं प्रौद्योगिकी की आधुनिक गतिशीलता से नि:सृत है, और जो निरंतर बदलते लक्ष्यों की ओर अग्रसर करता है। हमारा यह मानना है कि इस चौथे आयाम के संदर्भ में जनता की आकांक्षाओं में निरंतर हो रहे परिवर्तन, वैश्विक संदर्भ में अर्थव्यवस्था तथा सामरिक महत्व वाले हित के परिप्रेक्ष्य में प्रौद्योगिकीय शक्तियाँ विशेष रूप से महत्वपूर्ण हैं। मानव इतिहास के मूल में प्रौद्योगिक विकास समाया रहता है और इसका उपयोग बढ़ती प्रतिस्पर्धा वाले बाज़ार में प्रौद्योगिकी शक्तियाँ अधिक उत्पादक रोज़गार पैदा करने तथा मानव-कौशलों को अद्यतन बनाए रखने की दृष्टि से महत्वपूर्ण हैं। प्रौद्योगिकियों व्यापक अनुप्रयोग के बिना हम आने वाले समय में अपने लोगों का सर्वांगीण विकास नहीं कर सकते। देश की सामरिक शक्तियों के साथ प्रत्यक्ष संलग्नताएँ विशेष रूप से 1990 के दशक के बाद से अधिकाधिक स्पष्ट होती जा रही हैं। कई मूल अनुक्षेत्रों में स्वयं भारत की शक्ति उसको भू-राजनीतिक संदर्भ में यथोचित शक्ति की स्थिति में रखती है। एक विकसित देश बनने के आकांक्षी किसी भी देश के लिए विभिन्न सामरिक प्रौद्योगिकियों में शक्ति सम्पन्न होना और स्वयं की सृजनात्मक शक्तियों के माध्यम से उन्हें निरंतर अद्यतन करते रहने का सामर्थ्य भी आवश्यक है। जन-अभिमुखी कार्यों के लिये भी चाहे विशाल स्तर पर उत्पादनशील रोज़गार का सृजन हो या जनता की पोषण एवं स्वास्थ्य संबंधी सुरक्षा सुनिश्चित करनी हो या फिर जीवन यापन की बेहतर स्थितियाँ हों-दोनों दृष्टियों से प्रौद्योगिकी एक महत्वपूर्ण आगत है। प्रौद्योगिकी पर अपेक्षाकृत अधिक बल की अनुपस्थिति से निम्न स्तरीय उत्पादकता और मूल्यवान प्राकृतिक संसाधनों की बर्बादी का मार्ग प्रशस्त हो सकता है। निम्न स्तरीय उत्पादकता या निम्न स्तरीय मूल्य-संवर्धन से जुड़े क्रियाकलाप अंततः अत्यंत गरीब लोगों को सबसे अधिक हानि पहुँचाते हैं। हमारी जनता को एक नए जीवन तक पहुँचाना और वह जीवन प्रदान करना, जिसके लिए वह हकदार है, इस बारे में प्रौद्योगिकीय अवश्यकरणीयता महत्वपूर्ण है। व्यापार और जी. डी. पी. में वृद्धि की दृष्टि से एक बड़ी आर्थिक शक्ति होने का आकांक्षी भारत विदेश में डिज़ाइन की गयी और निर्मित 'टर्नकी' परियोजनाओं की शक्ति या केवल संयंत्र मशीनरी, उपकरण और तकनीकी ज्ञान के बल पर सफल नहीं हो सकता। अल्पकालिक यथार्थों पर ध्यान देते हुए हमारे उद्योगों में मध्यम एवं दीर्घकालिक रणनीतियों द्वारा प्रौद्योगिकीय शक्तियों को विकसित करना, विकसित भारत की कल्पना को साकार करने के लिये महत्वपूर्ण है।

1. उपरोक्त गद्यांश के अनुसार निम्नलिखित में से कौन सा विकल्प चौथे आयाम को इंगित करता है? **[Jul 2018]**

(1) जन आकांक्षाएँ
(2) आधुनिक गतिशीलता
(3) वैश्विक परिप्रेक्ष्य में अर्थव्यवस्था
(4) सामरिक हित

(a) केवल (1), (2) और (3)
(b) केवल (2), (3) और (4)
(c) केवल (1), (3) और (4)
(d) केवल (1), (2) और (4)

2. अधिक उत्पादक रोज़गार पैदा करने के लिए आवश्यक है: **[Jul 2018]**
   (a) प्रौद्योगिकी का व्यापक अनुप्रयोग
   (b) प्रतिस्पर्धात्मक बाज़ार का दायरा सीमित करना
   (c) भू-राजनीतिक सोच-विचार
   (d) विशाल उद्योग

3. प्रौद्योगिकी की अनुपस्थिति से किसका मार्ग प्रशस्त होगा? **[Jul 2018]**
   (1) कम प्रदूषण
   (2) मूल्यवान प्राकृतिक संसाधनों की बर्बादी
   (3) निम्न स्तरीय मूल्य संवर्धन
   (4) अत्यंत गरीब लोगों को सबसे अधिक नुकसान
   (a) केवल (1), (2) और (3)
   (b) केवल (2), (3) और (4)
   (c) केवल (1), (2) और (4)
   (d) केवल (1), (3) और (4)

4. प्रौद्योगिकीय आगतों के लाभ का परिणाम होगा: **[Jul 2018]**
   (a) अनियंत्रित प्रौद्योगिकीय संवृद्धि
   (b) संयंत्र मशीनरी का आयात
   (c) पर्यावरण संबंधी मुद्दों को गौण मानना
   (d) हमारे लोगों को गरिमामयी जीवन तक पहुँचाना

5. विकसित भारत की कल्पना को साकार करने के लिए आवश्यक है : **[Jul 2018]**
   (a) प्रमुख आर्थिक शक्ति बनने की आकांक्षा
   (b) विदेश में तैयार की गई परियोजना पर निर्भरता
   (c) लघुकालिक परियोजनाओं पर ध्यान केन्द्रित करना
   (d) संकेन्द्रिक प्रौद्योगिकीय शक्ति का विकास

निम्नलिखित गद्यांश को ध्यानपूर्वक पढ़िए और प्रश्न संख्या 6 से 10 तक के उत्तर दीजिये।

अधिकांश लोग बुद्धि को शैक्षणिक उपलब्धि से सम्बन्धित करते हैं। मनोवैज्ञानिकों द्वारा दिए गए बुद्धि के विभिन्न सिद्धांतों में माना गया है कि अकादमिक बुद्धि के दो प्रकार होते हैं- शाब्दिक और गणितीय अथवा तार्किक। अधिकांश विशेषज्ञों के अनुसार बुद्धि वंशानुगत विशेष गुण होती है जो व्यक्तिगत व्यवहार और कार्य निष्पादन को प्रभावित करती है। परन्तु अनेक शोध अध्ययनों से यह पता चला है कि वातावरण बुद्धि के विकास को अत्यधिक रूप से प्रभावित करता है। चूंकि बुद्धि की एक विशेषता विश्लेषणात्मक और तर्कपरक कौशल है, उच्च बुद्धि-लब्धि (आई क्यू) वाले लोग अल्प बुद्धि-लब्धि वाले लोगों की तुलना में समस्या को बेहतर ढंग से समझेंगे। बहुत से संगठन कर्मचारियों की भर्ती करते समय बुद्धि को एक महत्वपूर्ण मानदंड मानते हैं। उदाहरणार्थ, अनेक मैनेजमेंट स्कूलों में विद्यार्थियों के प्रवेश और शिक्षकों की भर्ती में बुद्धि लब्धि (आई क्यू) पर काफी बल दिया जाता है। बुद्धिमान व्यक्तियों की विशेषता अति ऊर्जा आवेग, उपलब्धि और प्रतिस्पर्धात्मकता होती है। काफी बुद्धिमान कर्मचारी कार्य में संबंधित कौशल और अन्य संगठनात्मक पद्धतियों को शीघ्रता से सीखते हैं तथा संगठन को उन्हें प्रशिक्षित करने में अपेक्षाकृत कम समय लगता है। उच्च बुद्धिमत्ता वाले लोगों में अच्छी विश्लेषणात्मक और तार्किक कौशल होने के कारण उनमें निर्णय- लेने की अच्छी क्षमता होती है। उच्च उपलब्धि की ललक के साथ, ये लोग अधिकांशत: काफी सृजक होते हैं। जैसा कि कहावत है कि 'किसी मूर्ख मित्र की तुलना में बुद्धिमान शत्रु बेहतर है।'

ऐसी उच्च बुद्धि-लब्धि (आई क्यू) के बावजूद बहुत बुद्धिमान लोग हमेशा अति प्रसन्न नहीं हो सकते हैं। उच्च बुद्धि-लब्धि उन्हें निष्क्रिय बना देती है जिसकी परिणति उनकी चिंता और नैराश्य के रूप में होती है। आम तौर पर कहा जाता है कि उच्च बुद्धि-लब्धि वाले लोग प्राय: असंतुष्ट लोग होते हैं।

6. जब विद्यार्थी कक्षा में प्रथम आता है तो इसका श्रेय किसे दिया जाता है? **[Jun 2019]**
   (a) संपर्क में रहनेवाले व्यक्ति को
   (b) बुद्धि को
   (c) कठिन परिश्रम को
   (d) शारीरिक सौष्ठव को

7. जो लोग कम समय में समस्या को समझ जाते हैं वे .... वाले होते हैं। **[Jun 2019]**
   (a) उच्च बुद्धि-लब्धि
   (b) निम्न बुद्धि-लब्धि
   (c) औसत बुद्धि-लब्धि
   (d) उत्तम बुद्धि-लब्धि

8. निम्नलिखित में से किसके दौरान उच्च ऊर्जा, अन्तर्नोद, उपलब्धि और प्रतिस्पर्धात्मकता को महत्त्व दिया जाता है? **[Jun 2019]**
   (a) प्रवेश (b) भर्ती
   (c) पदोपति (d) प्रवेश और भर्ती

9. असंतोष प्राय: .... वाले लोगों में देखा जाता है? **[Jun 2019]**
   (a) सृजनात्मक कौशल
   (b) उच्च उम्मीद
   (c) उत्तम निर्णय क्षमता
   (d) उच्च शैक्षणिक योग्यता

10. 'भारांक' के लिए दूसरा शब्द है **[Jun 2019]**

(a) क्रेडिट (b) द्रव्यमान
(c) भार (d) स्वतंत्रता

निम्नलिखित गद्यांश को ध्यानपूर्वक पढ़िए और प्रश्न संख्या 11 से 15 तक के उत्तर दीजिये।

किसी भी व्यवसाय को सामान्यत: चार स्पष्ट चरणों से गुजरना पड़ता है जिसमें उसके संगठनात्मक जीवन-चक्र का निर्माण होता है। ये चरण हैं आरंभ, आरंभिक विकास, सतत विकास, परिपक्वता और ह्रास। पहला चरण, प्रारंभिक चरण, स्टार्ट अप चरण होता है जहाँ व्यवसाय अपनी मुख्य शक्ति और क्षमता के संबंध में अभिनिश्चय करता है और अपने उत्पाद या सेवाएं जैसा गुण पाता है। इस आरंभिक चरण में संस्थापक या संस्थापक गण व्यवसाय की दैनिक प्रक्रिया के प्रत्येक पहलू का एक हिस्सा होता है। इस चरण का प्रमुख लक्ष्य है, एक अच्छी शुरुआत कर बाजार में स्थान बनाना।

दूसरे चरण यानी आरंभिक विकास चरण का उद्देश्य बिक्री बढ़ाना तथा विकास में तेजी लाना होता है। इस चरण में मूल उत्पाद या सेवा पर बल दिया जाता है, परंतु इस मूल क्रम में बाजार के शेयर में वृद्धि लाने तथा संबंधित उत्पादों या सेवाओं से सहबद्ध होने का प्रयास किया जाता है। मुख्य लक्ष्य संस्थापक को अधिक प्रबंधकीय भूमिका प्रदान करना होता है। अत: प्रबंधन तथा व्यवसाय निर्माण में अधिक समय व्यतीत होता है। इस अवसर पर कागजातों एवं नीतियों के निर्माण की आवश्यकता होती है, ताकि संगठन का कोई भी सदस्य किसी भी समय व्यवसाय को देख सके।

तृतीय चरण, सतत विकास के प्रक्रम में एक व्यवस्थित संरचना और प्रतिभागियों के मध्य औपचारिक संबंध अपेक्षित होता है। इस चरण में व्यवसाय के संसाधन की आवश्यकताओं को सावधानीपूर्वक पूरा किया जाना चाहिए। यहां पर व्यवसाय की मुख्यशक्ति एवं क्षमता को ध्यान में रखते हुए व्यवसाय के विस्तार पर ध्यान केंद्रित किया जाता है। इस चरण में औपचारिक संगठनात्मक संरचना और स्पष्ट प्रत्यायोजन-योजना महत्वपूर्ण हैं।

परिपक्वता के चौथे चरण में व्यवसाय में आ जाता है क्योंकि इसकी नवोन्मेषी ऊर्जा संभवत: क्षीण हो चुकी होती है और इसकी औपचारिक संरचना व्यवधान बना जाती है। इस प्रकार ह्रास रोकने हेतु काफी ध्यान देने की आवश्यकता होती है।

11. कोई व्यवसाय बाजार में अपना स्थान कब बनाएगा? **[Jun 2019]**

(a) परिपक्वता की अवस्था में
(b) आरंभिक चरण में
(c) आरंभिक विकास की अवस्था में
(d) परवर्ती विकास के चरण में

12. व्यवसाय का संस्थापक किस चरण में अधिक प्रबंधकीय भूमिका की ओर अग्रसर नहीं होता है? **[Jun 2019]**

(a) आरंभिक विकास चरण
(b) परिपक्वता चरण
(c) ह्रास चरण
(d) स्टार्ट-अप चरण

13. संबंधित उत्पादों तथा सेवा से संबंधित व्यवसाय आरंभ करने का अभिप्राय यह नहीं है कि व्यवसाय में: **[Jun 2019]**

(a) मूल उत्पाद की अवहेलना की जाए।
(b) संस्थापक को अधिक प्रबंधकीय भूमिका का निर्वाह करना पड़े।
(c) अधिक उत्तरदायित्व प्रत्यायोजित हो।
(d) संबंधित उत्पादों एवं सेवाओं की अपेक्षा की जाए।

14. किसी व्यवसाय के संसाधन की आवश्यकताओं की सावधानीपूर्वक पूर्ति किस चरण में की जाएगी: **[Jun 2019]**

(a) चौथे (b) पहले
(c) तीसरे (d) दूसरे

15. व्यवसाय में मंदी हो सकती है यदि: **[Jun 2019]**

(a) बाजार के शेयर में गिरावट हो।
(b) नवोन्मेषी ऊर्जा का स्तर कमजोर पड़ जाए।
(c) प्रबंधकीय भूमिकाएं स्पष्ट न हों।
(d) निवेश का स्तर घट जाए।

निम्नलिखित गद्यांश को ध्यानपूर्वक पढ़िए और प्रश्न संख्या 16 से 20 तक के उत्तर दीजिये।

भारत की सांख्यिकीय प्रणाली के रहस्योद्घाटन में एक सामान्य विचार अंतर्विष्ट है। सुदृढ़ संस्थाओं वाली आधुनिक अर्थव्यवस्था की विशेषता यह होती है कि उसमें विश्वसनीय आँकड़े समय पर जारी किए जाते हैं। एक दीर्घकालिक नीति के लिए इन्द्रियानुभविक आधार की आवश्यकता होती है और आँकड़े की सत्यता के मुद्दे निवेश संबंधी निर्णयों को प्रभावित करेंगे। युवाओं की अधिक जनसंख्या वाले देश में राष्ट्रीय विकास संबंधी आँकड़े विशेषकर कृषि, उद्योग, स्वास्थ्य, शिक्षा और रोजगार जैसे मूल क्षेत्रों से संबंधित आँकड़े महत्वपूर्ण होंगे। यहाँ मानक निर्धारित करने के लिए गठित किए गए निकाय, राष्ट्रीय सांख्यिकी आयोग की भूमिका सामने आती है। आँकड़ों की सत्यता पर संदेह करना एक वैश्विक प्रक्रम है। आधिकारिक वक्तव्य पर प्रतिपक्ष के लोगों द्वारा हमेशा संदेह व्यक्त किया जाता है। जमीनी स्तर के लोग जिन्होंने यथार्थ को जिया है, उन तक आर्थिक आँकड़ों की पहुँच सुनिश्चित करने के लिए यह अनिवार्य है। आँकड़ों की कमी राष्ट्रीय नीतियों की गुणवत्ता को प्रतिकूल रूप से प्रभावित करेगी। भारत को केन्द्रीय सांख्यिकी आयोग जैसी संस्थाओं

को सुदृढ़ करना चाहिए। इन संस्थाओं को स्वायत्तता प्रदान की जानी चाहिए और उन्हें बाह्य हस्तक्षेपों से बचाना चाहिए। अधिक प्रकार्यात्मक स्वायत्तता उनके कार्य को विश्वसनीय बनाएगी। प्रकार्यात्मक स्वायत्तता का एक परिसूचक उनकी यह योग्यता है कि वे पूर्वनिर्धारित समय पर आँकड़ों को जारी करें, आँकड़े जो भी दर्शाते हों।

16. आधुनिक अर्थव्यवस्था के लिए क्या महत्वपूर्ण है? **[Jun 2019]**

(a) एक सामान्य विचार
(b) विश्वसनीय आँकड़ों को जारी किया जाना
(c) सांख्यिकी प्रणाली का स्पष्टीकरण
(d) आँकड़ों का चयनात्मक वितरण

17. निवेश संबंधी निर्णय प्रभावित होते हैं: **[Jun 2019]**

(a) युवा जनसंख्या
(b) राष्ट्रीय विकास
(c) आँकड़ों की सत्यता के मुद्दे
(d) राष्ट्रीय संस्थाओं की स्थापना

18. राष्ट्रीय सांख्यिकी आयोग का क्या कार्य है? **[Jun 2019]**

(a) मानक निर्धारित करना
(b) आँकड़ों की सत्यता पर संदेह करना
(c) आधिकारिक वक्तव्यों पर संदेह करना
(d) जनधारणा का समर्थन करना

19. राष्ट्रीय नीतियों के गुणवत्ता में कैसे सुधार किया जा सकता है? **[Jun 2019]**

(a) जमीनी स्तर पर अनुभव करके।
(b) बाह्य हस्तक्षेपों का समर्थन करके।
(c) स्वायत्त संस्थाओं पर नियंत्रण करके।
(d) अधिक प्रकार्यात्मक स्वतंत्रता प्रदान करके।

20. उपर्युक्त गद्यांश में राष्ट्रीय सांख्यिकी आयोग को अंततः क्या सुझाव दिया गया है? **[Jun 2019]**

(a) नीतिगत निर्णयों पर प्रतिबंध लगाना।
(b) आंकड़ों की सत्यता की समीक्षात्मक जांच करना।
(c) आंकड़े सम्बन्धी कलेंडर का पालन करना।
(d) मूल क्षेत्रों में विकास का समर्थन करना।

निम्नलिखित अनुच्छेद को ध्यानपूर्वक पढ़िए और प्रश्न संख्या 21 और 25 तक के उत्तर दीजिये।

कोई भी, यदि किसी ऐसी कक्षा में रहा हो, जहां अध्यापक की प्रस्तुति निष्प्राण, स्थिर और वाचिक वैविधय के बिना हो, वह शिक्षण के भावात्मक पक्ष की आम समझ की सराहना करेगा। हालांकि, अन्य व्यवहारों के विपरीत भाव को शिक्षण के प्रतिलेखों या कक्षागत अन्तर्किया के उपकरणों से उकेरा नहीं जा सकता। संकुचित दृष्टिकोण केन्द्रित शोध विधा प्रायः शिक्षक की भावात्मक प्रकृति की अनदेखी करती है, जो कक्षा के बारे में अधिक समग्र दृष्टिकोण से उभरता है। यह भावात्मक प्रकृति, वह नींव है, जिस पर अपने अधिगमकर्ताओं के साथ रागात्मक एवं पोषक संबंध का निर्माण किया जा सकता है। जो साधनों में अनुपलब्ध होता है, विद्यार्थी उसे स्पष्ट रूप से देख सकते हैं। विद्यार्थी, अध्यापकों के कृत्यों को रेखांकित करने वाले संवेगों और आशयों के अच्छे आग्राहक होते हैं और वे प्रायः तदनुसार प्रतिक्रिया भी करते हैं। कोई अध्यापक जो पढ़ाए जा रहे विषय को लेकर उत्साहित होता है और वह इसे अपनी मुखकेन्द्रित भाव-भंगिमाओं, वाणी उतार-चढ़ाव और प्रवृत्ति द्वारा प्रदर्शित करता है- और इस प्रकार अधिगमकर्ता हेतु सम्मान और चिन्ता संप्रेषित करता है और उन्हें इन व्यवहारों को प्रदर्शित न करने वालों की तुलना में उपलब्धि के उच्चतर स्तरों के लिए प्रोत्साहित करता है, ऐसी दशा में विद्यार्थियों का अधिक ध्यान आकर्षित होने की संभावना भी रहेगी। विद्यार्थी इन भावात्मक संकेतों का अनुसरण करते हैं और तदनुसार पाठ के साथ अपने विनियोजन को निम्न या उच्च कर सकते हैं। अध्यापक के भाव का एक महत्वपूर्ण पहलू उत्साह है। उत्साह, कक्षा प्रस्तुति के दौरान अध्यापक का जोश, ऊर्जा, आवेष्टन, मनोबल और रुचि तथा अधिगमकताओं के साथ इस संवेग को साझा करने की इच्छा है, जिसमें विद्यार्थी समान प्रतिक्रिया देंगे।

21. हम शिक्षण के भावात्मक पहलुओं के महत्व की आवश्यकता कब महसूस करते हैं? **[Dec 2019]**

(a) जब अध्यापक में वाचिक वैविध्य हो।
(b) जब अध्यापक जीवंत प्रस्तुति दे।
(c) जब अध्यापक की प्रस्तुति नीरस हो।
(d) जब अध्यापक का व्याख्यान उम्मीद से बेहतर हो।

22. शिक्षण की भावात्मक प्रकृति परिलक्षित होती है: **[Dec 2019]**

(a) कक्षा के वातावरण के गहन अवबोध में
(b) अध्यापक के अन्य व्यवहार से
(c) कक्षागत अन्तःक्रिया की रिकॉर्डिंग
(d) शोध साधनों पर सीमित रूप में आश्रित होना

23. विद्यार्थी, ऐसे अध्यापक को सम्मान देते हैं, जो: [Dec 2019]
(a) भावुक हों।
(b) विद्यार्थियों के प्रति चिन्ता दर्शाएं।
(c) सशक्त वाणी वाला हो।
(d) आत्मरति परक अभिवृत्ति वाला हो।

24. भावात्मक संकेत विद्यार्थी को प्रदान करेंगे: [Dec 2019]
(a) विषय-वस्तु अवबोध हेतु आधार
(b) प्रदर्शनकारी व्यवहार
(c) ध्यान बनाए रखने हेतु संकेत
(d) उत्साह को और प्रवृत करने हेतु आधार

25. अनुच्छेद में किस बात पर ध्यान केन्द्रित किया गया है? [Dec 2019]
(a) निष्प्राण कक्षागत प्रस्तुति
(b) शिक्षण के भावात्मक कारक
(c) संवेगात्मक अधिगमकर्ताओं के रूप में विद्यार्थी
(d) अध्यापक की भावात्मक प्रकृति का मापन

निम्नलिखित अनुच्छेद को ध्यानपूर्वक पढ़िए और प्रश्न संख्या 26 और 30 तक के उत्तर दीजिये।

प्रथम-विश्व युद्ध से पहले का समय, लोकप्रिय आंदोलनों का गहराई से मूल्यांकन करने हेतु एक उपयुक्त समय रहा है। चूंकि यह सहज था, यह अंशत: प्रभावित प्रबुद्धता, विचारधाराओं, उद्देश्यों या तकनीकों से अधिक कुछ नहीं था। ऐसी सहजता की सीमाएं लगभग स्पष्ट हैं। लोकप्रिय आंदोलन तकनीक भारतीय अत्याचारियों के विरुद्ध लक्षित थे, ना कि दूरस्थ श्वेत वर्ग पर, और इसलिए यह अधिकतर जानबूझकर या आत्मनिष्ठ रूप से गैर साम्राज्यवादी नहीं थे। यह स्थान और समय की दृष्टि से काफी व्यापक रूप से पृथक थे और अत्यधिक उग्र थे, जिसमें अभिव्यक्तिकरण के विभिन्न सामाजिक रूप एक दूसरे के साथ विस्मयकारी गुणवत्ता को समाविष्ट कर रहे थे। यह बस कृषक राष्ट्रवाद की अवधारणा को बिना कुछ अर्हताओं के, प्रबुद्ध देशभक्ति की विचारधाराओं और आंदोलनों के लिए सुसंगत विकल्प के रूप में स्वीकारना और कठिन बनाना है। नि:संदेह कई बार लोकप्रिय पहल और स्वायत्ता विशिष्ट थी, परन्तु मध्यम वर्गीय राष्ट्रवाद, जिसमें कम से कम विचारधारा के स्तर पर कुछ निरंतरता है, सन् 1870 के दशक से 'ड्रेन ऑफ थियोरी' के निर्माण के साथ जिन आंदोलनों पर विचार किया गया, वे स्पष्टत: खण्डित थे। फिर भी ऐसी सीमाओं और अपरिपक्वताओं के बावजूद लोकप्रिय असंतोष, मुद्दों और संघर्ष के रूपों के आलोक में मध्यम वर्गीय राष्ट्रवाद को काफी हद तक समझता है, हालांकि इसके विशिष्ट लाभ कई बार नगण्य थे। वन अधिकार किराए का भार, सूदखोरी और भू राजस्व, रोपण श्रमिक शोषण, और श्रम शिकायत इत्यादि को बाद में मध्यम वर्गीय राष्ट्रवाद ने अपने साथ ले लिया।

26. प्रथम विश्व युद्ध पूर्व के लोकप्रिय आंदोलनों के विश्लेषण द्वारा क्या प्रकट होता है? [Dec 2019]
(a) लोकप्रिय आंदोलनों पर प्रबुद्धता का प्रभाव कम था।
(b) आंदोलन वैचारिक थे।
(c) आंदोलनों के स्पष्ट उद्देश्य थे।
(d) सीमित सहजता

27. लोकप्रिय आंदोलन .... [Dec 2019]
(a) साम्राज्यवादियों के विरुद्ध थे।
(b) अपने स्वामियों के विरुद्ध थे।
(c) जानबझकर उग्र थे।
(d) समय-बद्ध थे।

28. अनुच्छेद के अनुसार 'कृषक राष्ट्रवाद' संबंधी मुद्दा क्या था? [Dec 2019]
(a) प्रबुद्ध राष्ट्रवाद का एक व्यवहार्य विकल्प
(b) संगतता और नियंत्रण में रहना
(c) निरंतरता की कमी
(d) समयानुरूप होना

29. युद्ध पूर्व लोकप्रिय आंदोलन थे: [Dec 2019]
(a) एक जैसे सामाजिक रूप
(b) नगण्य महत्व
(c) मध्यम वर्गीय राष्ट्रवाद
(d) समय-समय पर विशिष्ट लाभ

30. लोकप्रिय आंदोलनों के संबंध में लेखक का आकलन क्या है? [Dec 2019]
(a) कुछ लोकप्रिय मुद्दों को मध्यम वर्गीय राष्ट्रवाद द्वारा अपने साथ मिला लिया गया।
(b) ये विस्मयकारी और मनोरंजक थे।
(c) ये विशिष्ट और समय की कसौटी पर खरे थे।
(d) युद्ध से पहले सामान्य असंतोष गैर साम्राज्यवादी था।

निम्नलिखित गद्यांश को ध्यानपूर्वक पढ़िए और प्रश्न संख्या 31 से 35 तक के उत्तर दीजिये।

यद्यपि समकालीन विश्व में वैश्वीकरण सर्वाधिक चर्चित मुद्दों में से एक है हालांकि यह लगभग पूरी तरह परिभाषित नहीं है। मोटे तौर पर वैश्विक प्रतिक्रियाओं की अनेकता को वैश्वीकरण के अंतर्गत रखा जाता है जिसमें पूरे विश्व में आर्थिक और व्यापारिक संबंधों में वृद्धि के लिए सीमाओं से परे सांस्कृतिक और व्यावहारिक प्रभाव शामिल होते हैं। वैश्वीकरण की बड़े पैमाने पर अस्वीकार्यता न केवल वैश्विक व्यापार के विरुद्ध जाएगी बल्कि इससे विचार, समझ और ज्ञान का प्रवाह कट

जाएगा जिससे विश्व के सभी लोगों को, जिसमें विश्व की जनसंख्या के सर्वाधिक वंचित लोग शामिल हैं, मदद मिल सकती है, वैश्वीकरण की व्यापक अस्वीकृति हालांकि शक्तिशाली हो सकती हैं किंतु यह हानिकारक है। हमें उन विभिन्न मुद्दों को पृथक करने की आवश्यकता है जो वैश्वीकरण विरोधी प्रदर्शनों से उपजे और इससे मिली हैं ज्ञान के वैश्वीकरण में सभी अच्छी चीजें, जिन्हें 'स्थानीय ज्ञान' के महत्व के बारे में सही कहा जा सकता है, के बावजूद इसे उच्च स्तर की मान्यता मिलनी चाहिए।

वैश्वीकरण को प्राय: पत्रकारिता की चर्चाओं और विशेष रूप से कई अकादमिक लेखों, दोनों में पाश्चात्यीकरण की प्रक्रिया के रूप में देखा जाता हैं। वस्तुत: जो लोग इसे आशावादी उन्मुख दृष्टि में लेते हैं वे भी इसे विश्व को पाश्चात्य सभ्यता की देन मानते हैं।

31. गद्यांश के अनुसार निम्नलिखित में से कौन सी सुपरिभाषित अवधारणा नहीं है? **[Dec 2019]**

(a) बहु-संस्कृतिवाद (b) पहचान

(c) वैश्वीकरण (d) स्थानीय ज्ञान

32. गद्यांश के अनुसार निम्नलिखित में से कौन हानिकारक है? **[Dec 2019]**

(a) वैश्वीकरण को व्यापक समर्थन

(b) वैश्वीकरण की व्यापक अस्वीकृति

(c) वैश्वीकरण विरोधी प्रदर्शन की व्यापक अस्वीकृति

(d) स्थानीय ज्ञान पद्धतियों की मान्यता

33. गद्यांश के अनुसार वैश्वीकरण को मीडिया और अकादमिकों द्वारा किस रूप में देखा जाता है? **[Dec 2019]**

(a) स्थानीय ज्ञान पद्धति का समर्थन

(b) स्थानीय ज्ञान पद्धति के लिये हानिकारक

(c) पाश्चात्यीकरण की एक प्रक्रिया

(d) विश्व व्यापार को सुगम बनाने की एक प्रक्रिया

34. गद्यांश में लेखक ने निम्नलिखित में से किस पर बल दिया है? **[Dec 2019]**

(a) वैश्वीकरण का बिना शर्त वकालत करना।

(b) वैश्वीकरण को बिना शर्त अस्वीकार करना।

(c) स्थानीय ज्ञान प्रणाली को बिना शर्त अस्वीकार करना।

(d) वैश्वीकरण का पक्षपात रहित मूल्यांकन करना।

35. गद्यांश के अनुसार वैश्वीकरण विश्व को बड़े पैमाने पर अस्वीकार करना निम्नलिखित में से किसको प्रभावित करेगा? **[Dec 2019]**

(1) वैश्विक व्यापार

(2) विचारों के प्रवाह

(3) स्थानीय ज्ञान पद्धति

नीचे दिये गये विकल्पों में से सही उत्तर का चयन कीजिए।

(a) केवल (1) और (2)

(b) केवल (1) और (3)

(c) केवल (3) और (2)

(d) (1), (2) और (3)

निम्नलिखित परिच्छेद को ध्यानपूर्वक पढ़िए और प्रश्न संख्या 36 से 40 तक के उत्तर दीजिये।

अंत: उद्योग व्यापार उत्पादन पैमानों की महत्वपूर्ण अर्थव्यवस्थाओं के लाभ को ध्यान में रखकर उद्भूत हुआ है। यथा-अंतर्राष्ट्रीय प्रतिस्पर्धा औद्योगिक देशों में प्रत्येक फर्म या प्लांट को किसी एक उत्पाद या कुछ विशेष प्रकार और शैली के उत्पादन पर बल देती है। यह विभिन्न प्रकार और शैली पर बल नहीं देता। इससे इकाई (यूनिट) लागत को कम रखने में कठिनाई होती है। कतिपय विविधताओं और शैली को ध्यान में रखते हुए सतत परिचालन और दीर्घ उत्पादन करने के लिए विशिष्ट और तीव्रतर मशीनरी विकसित की जा सकती है। एक राष्ट्र तब अन्य राष्ट्रों से अन्य विभिन्नताओं तथा शैली के उत्पादों का आयात कर सकता है। अंत: उद्योग व्यापार उपभोक्ताओं के लिए लाभप्रद होता है क्योंकि इससे व्यापक रेंज के विकल्प उपलब्ध हो जाते हैं यथा विपुल प्रकार के वैविध्यपूर्ण उत्पाद का उत्पादन में कोटियों की अर्थव्यवस्था द्वारा कम मूल्यों पर मिलना संभव हो जाता है। इसके कारण उपभोक्ताओं की क्षमता से बहुत बड़ी मात्रा में वेलफेयर उत्पाद प्राप्त होते हैं और इससे माल की किस्मों में वृद्धि होती है। और व्यापार के जरिये अच्छा माल खरीद सकते हैं। अंत: उद्योग व्यापार के महत्व स्पष्ट दिखाई पड़ने लगते हैं। और ऐसा तब हुआ जब 1958 में यूरोपियन यूनियन या साझा बाजार के सदस्यों के बीच व्यापार के संचरण में आने वाले प्रशुल्क और अन्य बाधाओं को हटा दिया गया। यह पाया गया कि इससे व्यापार की मात्रा में प्रवाह होने लगा किन्तु प्रत्येक ब्रॉड औद्योगिक वर्गीकरण के भीतर विविधतापूर्ण उत्पादों के विनिमय में भी संगतपूर्ण वृद्धि होने लगी।

36. अंत: उद्योग व्यापार पर अंतर्राष्ट्रीय स्पर्धा का प्रभाव किस पर देखा जा सकता है? **[Dec 2019]**

(a) उत्पादों की वृद्ध किस्मों की उपलब्धता

(b) एक ही प्रकार की सीमित किस्म

(c) औद्योगिक उत्पादन पर प्रतिकूल प्रभाव

(d) उत्पादन के प्रतिबंधात्मक लाभ

37. उत्पादों की कुछ किस्मों के बड़े उत्पादन का परिणाम होगा: **[Dec 2019]**

(a) इकाई की लागत में कमी
(b) पैमाने की औद्योगिक अर्थव्यवस्थाओं को लाभ
(c) महत्वपूर्ण अर्थव्यवस्थाओं के ग्राहकों को लाभ
(d) उत्पादन की बढ़ती लागत

38. विकास और विशिष्ट मशीनरी के उपयोग का क्या परिणाम होगा? **[Dec 2019]**

(a) उत्पादों की अधिक किस्में होंगी।
(b) उपभोक्ताओं के हितों में कमी आएगी।
(c) उत्पादों की किस्मों का आयात
(d) अंत: उद्योग व्यापार में अवरोध

39. कम उत्पाद मूल्य का अर्थ है: **[Dec 2019]**

(a) सतत उत्पाद परिचालन
(b) विकल्प का अभाव
(c) व्यापार सूचना विनिमय में वृद्धि
(d) उपभोक्ता की क्रय शक्ति में वृद्धि

40. यूरोपियन यूनियन में व्यापार फ्लो के लिए बाधाओं को हटाने का क्या परिणाम हुआ? **[Dec 2019]**

(a) अंत: उद्योग व्यापार में मंदी
(b) समान उत्पादों का बहाव
(c) सदस्य राज्यों के बीच व्यापार की मात्रा में वृद्धि
(d) विविध उत्पादों पर बल

निम्नलिखित गद्यांश को ध्यानपूर्वक पढ़िए और प्रश्न संख्या 41 से 45 तक के उत्तर दीजिये।

विदेश में प्रत्यक्ष निवेश के उद्देश्य सामान्यत: वही होते हैं जैसे विदेश में उच्च विकास दर के कारण संभवत: अधिक लाभ अर्जित करना, अधिक अनुकूल कर व्यवहार, या अभिसंरचना की बेहतर उपलब्धता तथा अपने जोखिमों का विविधीकरण। वस्तुत:, यह देखा गया है कि मजबूत अंतरराष्ट्रीय अभिमुखता वाली कंपनियां विशेषज्ञों के माध्यम से या विदेश में उत्पादन और / या बिक्री सुविधाओं के माध्यम से ज्यादा लाभ अर्जित करती हैं तथा उनके लाभ में विशुद्ध घरेलू कंपनियों के लाभ की तुलना में काफी कम भिन्नता होती है। हालांकि ये कारण अंतरराष्ट्रीय निवेश को स्पष्ट करने के लिए पर्याप्त हैं, किन्तु यहां प्रत्यक्ष विदेशी निवेश के संबंध में एक मूलभूत प्रश्न अनुत्तरित रह जाता है। लेकिन इससे यह स्पष्ट नहीं होता है कि किसी देश के निवासी प्रत्यक्ष विदेशी निवेश को स्वीकार करने की बजाय अन्य देशों से ऋण लेकर स्वयं अपने देश में वास्तविक निवेश क्यों नहीं करते। आखिरकार, किसी देश के निवासियों से स्थानीय स्थितियों के साथ ज्यादा परिचित होने की अपेक्षा की जाती है तथा इसलिए वे विदेशी निवेशकों की तुलना में प्रतिस्पर्धात्मक रूप से लाभ में होंगे। इसके लिए कई संभावित व्याख्याएं हैं। सबसे महत्वपूर्ण तो यह है कि सामान्यत: एकाधिकारी एवं अल्पाधिकारी बाजारों में बड़े निगमों के पास प्राय: कुछ विशिष्ट उत्पादन ज्ञान या प्रबंध कौशल होता है जिसे विदेश में आसानी एवं लाभदायक रूप में प्रयुक्त किया जा सकता है तथा जिसके ऊपर निगम अपना सीधा नियंत्रण रखना चाहते हैं। ऐसी स्थिति में कंपनी विदेश में प्रत्यक्ष निवेश करेगी। इसमें किसी ऐसी वस्तु का भी विदेश में समस्तर समावेशन या उत्पादन शामिल है जिसका अपने देश में उत्पादन किया जाता है। इससे निर्यात के बजाय विदेशी बाजार को अलग रखते हुए स्थानीय स्थितियों को अपनाकर व्यापार करने में ज्यादा सहायता मिलती है।

41. प्रत्यक्ष विदेशी निवेश के लिए संभावित तर्क क्या हो सकता है? **[Dec 2019]**

(1) अधिक लाभ
(2) बेहतर कर व्यवस्था
(3) अधिसंरचना की उपलब्धता
(4) जोखिम कम करना
(5) स्थानीय निवेशकों से वित्तीय सहायता

निम्नलिखित में से सही विकल्प चुनें:

(a) (1), (4) और (5)
(b) (2), (3) और (4)
(c) (1), (2) और (3)
(d) (1), (2), (3) और (4)

42. विशुद्ध घरेलू कंपनियां निम्नलिखित से प्रभावित होती हैं: **[Dec 2019]**

(a) कम ब्याज दर
(b) लाभ में कम भिन्नता
(c) लाभ में अधिक भिन्नता
(d) निर्यात नियंत्रण

43. प्रत्यक्ष विदेशी निवेश के मामले में, किस कारक का समाधान नहीं किया गया है? **[Dec 2019]**

(a) विदेशी निवेश की स्वीकार्यता
(b) विदेशी निवेश की अस्वीकार्यता
(c) प्रतिस्पर्धात्मक लाभ का अभाव
(d) एकाधिकार वाले निगमों की भूमिका

44. बड़े निगमों को क्या अनुकूल स्थिति प्राप्त है? **[Dec 2019]**
(a) लाभप्रदता पर प्रत्यक्ष नियंत्रण
(b) अविभेदित उत्पादों का ज्यादा उत्पादन
(c) प्रबंधन कौशल का स्थानीयकरण
(d) बेहतर लाभ हेतु बाधाओं को दूर करना

45. यह गद्यांश मुख्य रूप से निम्नलिखित में से किन संबंधित पहलुओं पर केंद्रित है: **[Dec 2019]**
(a) निवेश पर अप्रत्यक्ष नियंत्रण
(b) निवेश का अंतरराष्ट्रीय अभिमुखीकरण
(c) बिक्री सुविधाएं
(d) उत्पादन के समावेशन में विहित जोखिम

निम्नलिखित गद्यांश को ध्यानपूर्वक पढ़िए और प्रश्न संख्या 46 से 50 तक के उत्तर दीजिये।

लोग शायद ही उन कार्यों को करते हैं जिनसे उन्हें सकारात्मक प्रबलन बाह्य पुरस्कारों या आंतरिक संतुष्टि द्वारा नहीं मिलता है। किसी विशेष व्यवहार की निरंतरता पर प्रभाव डालने के अतिरिक्त विलोप एक संवेगात्मक असर भी छोड़ता है। हम अधिकांश परिस्थितियों में साथ होने की संभावना रखते हुए यह देख सकते हैं कि कोई अभिकर्मी इसके चलते कड़वाहट के दायरे में आ जाता है तथा वह आम रूप में शिकायतें करने लगता है या अन्य अभिकर्मियों से सामंजस्य बिठाने में समस्या का सामना करते हैं। संवेगात्मक व्यवहार प्राय: विलोप का सहगामी है जब प्रबलन या दंड को अवरूद्ध कर दिया जाता है। अभिभावकगण न चाहते हुए भी अपने बच्चों के व्यवहार को विलोप की परिधि में ला देते हैं, वे तभी ध्यान देते हैं जब बच्चे खराब व्यवहार करते हैं। यदि अभिभावकगण उस दशा में जब बच्चे वाहनीय व्यवहार प्रदर्शित कर रहे हों, कम या नहीं के बराबर ध्यान देते हैं तो वे एक दृष्टि से उस व्यवहारं को विलोप की परिधि में ला देते हैं। उस दशा में जब बच्चा ध्यान चाहता हो अभिभावक द्वारा प्रदत पुरस्कार जिसे वे (अभिभावक) दंड समझते हैं, उसे प्राप्त करने हेतु सहनशीलता दिखा सकते हैं। अंततः अभिभावक उस व्यवहार को ही प्रबलित कर देते हैं जिसे वे नहीं चाहते हैं तथा अपेक्षाकृत अधिक उपयुक्त व्यवहार को विलुप्त कर देते हैं। एक नेता को सभी परिस्थितियों में इस बात के प्रति सतर्क रहना चाहिए कि कहीं वे अनुपयुक्त व्यवहार को प्रबलित तो नहीं कर रहे हैं। हालांकि ऐसा हर समय होता रहता है। यह स्थिति कार्य जगत में भी प्राय: मौजूद होती है। उदाहरणार्थ, प्रबंधकों का एक कार्यदल अपने सहकर्मियों के जो उच्च-कार्य एवं निम्न-संबंध प्रतिमान वाले हैं, उससे अच्छे ढंग से व्यवहार करता है जब वह अवांछनीय व्यवहार से दृढ़तापूर्वक निपट रहा हो। अकस्मात यह शैली वांछित परिणाम नहीं दे पाती है तथा यह देखने को मिलता है कि सहकर्मी विघटक की भूमिका में आ जाते हैं तथा वे असंगत मांग की पूर्ति चाहते हैं। दूसरे शब्दों में अनुपयुक्त व्यवहार को सकारात्मक रीति से प्रबलित करने का सामान्य परिणाम यह होता है कि अपेक्षाकृत और अवांछनीय व्यवहार होने लगता है।

46. लोगों को आंतरिक संतुष्टि के तहत कार्य जारी रखने के लिए किस चीज की जरूरत होती है? **[2020]**
(a) किसी प्रकार की धमकी
(b) कुछ भावनात्मक प्रतिक्रिया
(c) कृत व्यवहार के बाद कुछ आनंददायक अनुभव
(d) कुछ सुखद प्रतिक्रिया के साथ धमकी

47. जब किसी अभिकर्मी से प्रबलन को अवरूद्ध किया जाता है तो इसकी परिणति अन्य बातों के साथ-साथ निम्नलिखित में से किसमें होती है? **[2020]**
(a) कुछ सुखद पाने की आकांक्षा
(b) शिकायत करने वाले व्यवहार में कमी
(c) धमकियों की प्रत्याशा
(d) नकारात्मक भावनाओं का उत्सर्जन

48. यहाँ तक कि उपयुक्त व्यवहार की निरुद्देश्य रूप में भी उपेक्षा किए जाने की परिणति होती है: **[2020]**
(a) उस व्यवहार के विलोप में
(b) उपयुक्त व्यवहार के लिए पुरस्कार की मांग करने में
(c) सकारात्मक प्रबलन में
(d) मूल व्यवहार के भविष्य में घटित होने में

49. सकारात्मक रूप से प्रबलित अनुपयुक्त व्यवहार एक भूल है क्योंकि इसकी परिणति होती है: **[2020]**
(a) अनुपयुक्त व्यवहार जारी रहने में
(b) अनुपयुक्त व्यवहार छोड़ने में
(c) दुर्व्यवहार में
(d) नकारात्मक भावनाओं में

50. इस गद्यांश का निम्नलिखित में से किस पर जोर है? **[2020]**
(a) किसी संगठन में पुरस्कार और दंड संबंधी नीतियों पर
(b) प्रबंधकों और अभिकर्मियों के बीच काफी जोखिम भरे संबंध पर
(c) अभिकर्मियों के प्रति प्रबंधकीय प्रवृत्ति
(d) सकारात्मक प्रबलन के नकारात्मक परिणाम

निम्नलिखित गद्यांश को ध्यानपूर्वक पढ़िए और प्रश्न संख्या 51 से 55 तक के उत्तर दीजिये।

एक बार जब विदेशी बाजार में प्रवेश का निर्णय ले लिया गया है तो उसके बाद व्यवसाय को यह विचार करना चाहिए कि यह अपने प्रस्तावों को स्थानीय स्थितियों के अनुसार किस सीमा तक अनुकूलित करेगा। क्या प्रत्येक देश में लगभग एक ही तरीके से किसी उत्पाद का विपणन करना संभव है, जिसे वैश्विक रणनीति भी कहा जाता है, या प्रत्येक बाजार के लिए विपणन में समायोजन करना होगा? यदि कोई व्यवसाय वैश्विक रणनीति अपनाता है, इसका मतलब है कि वह प्रतिस्पर्धा कर रहा है, वहां अनिवार्यत: एक समान विपणन मिश्रण को अपना रहा है। कई बाजारों जैसे कि जींस, सॉफ्ट ड्रिंक्स और विलासिता के वस्तुओं में व्यवसायों द्वारा विश्व स्तरीय विपणन रणनीति अपनायी गई है। वैश्विक उपागम का एक लाभ यह है कि इससे बड़े पैमाने पर विपणन में कम व्यय होने का लाभ मिल जाता है, उदाहरण के लिए व्यवसाय विश्वव्यापी विपणन अभियान और एक समान पैकेजिंग उपागम तैयार कर सकते हैं। हालांकि इस प्रकार की रणनीति अलग-अलग राष्ट्रीय बाजारों की जरूरतों के प्रति अनुक्रिया नहीं करती है, इसलिए व्यवसायों की बिक्री उन प्रतिस्पर्धा व्यवसायों के मुकाबले कम हो जाती है जो स्थानीय जरूरतों पर अधिक ध्यान देते हैं। खाद्य, पेय और मीडिया जैसे बाजारों में व्यवसाय को स्थानीय जरूरतों के अनुसार काफी अनुकूलन करने की आवश्यकता हो सकती है। दूसरी ओर अधिक स्थानीय उपागम ग्राहकों की जरूरतों को अधिक सटीकता से पूरा कर सकता है लेकिन यह अधिक खर्चीला हो सकता है और उसका प्रबंध करना कठिन हो सकता है। वास्तविकता में अधिकांश कंपनियां वैश्विक और स्थानीय उपागम के बीच संतुलन का विकल्प चुनेंगी। ऐसे ग्लोबल ब्रांड भी हैं जो कई अलग-अलग बाजारों में अपना सामान बेचते हैं। उनका हर जगह एक ही नाम और 'लोगो (प्रतीक)' होता है। हालांकि, कुछ विज्ञापन इस तरीके से बनाए जाते हैं कि उनमें स्थानीय स्थितियां प्रदर्शित करने के लिए उत्पाद का प्रचार किया जाता है।

51. व्यवसाय में वैश्विक रणनीति क्या होनी चाहिए? **[2020]**

(a) अलग अलग विदेशी बाजारों में अलग अलग ब्रांड बेचना।
(b) प्रत्येक देश में समान उत्पाद का समान तरीके से विपणन करना।
(c) विदेशी बाजार में प्रवेश करने का निर्णय लेना।
(d) स्थानीय बाजार की स्थानीय स्थितियों की जानकारी रखना।

52. वैश्विक रणनीति का क्या अर्थ है? **[2020]**

(a) प्रत्येक प्रतिस्पर्धा बाजार में एक समान विपणन मिश्रण को अपनाना।
(b) विपणन की स्थानीय स्थितियों का वैश्वीकरण करना।
(c) विभिन्न बाजारों के लिए उपयुक्त उत्पाद विभेद करना।
(d) विदेशी विपणन को गैर प्रतिस्पर्धी बनाना।

53. विश्व स्तरीय उपागम का लाभ है: **[2020]**

(a) गैर विलासिता वाली वस्तुओं की भारी बिक्री।
(b) कीमती उत्पादों का विपणन प्रसार।
(c) विश्वव्यापी एक ही विज्ञापन अभिमान
(d) बड़े पैमाने पर विपणन अर्थव्यवस्थाओं में तेजी लाना।

54. यदि वैश्विक रणनीति स्थानीय स्थितियों में संचित है तो व्यवसायिक परिणाम क्या होगा? **[2020]**

(a) मीडिया विज्ञापन अभिगमों में अधिक निवेश।
(b) विभिन्न राष्ट्रीय बाजारों का उदय।
(c) ग्राहक की जरूरतों में परिवर्तन।
(d) स्थानीय स्थितियों पर ध्यान देने वाले प्रतिस्पर्धियों का प्रभुत्व।

55. गद्यांश में ग्लोबल ब्रांडों का आकलन यह है कि: **[2020]**

(a) उनका एकल पैकेजिंग उपागम होना।
(b) उन्हें वैश्विक स्थितियों का प्रदर्शन करते हुए उत्पाद का विज्ञापन करना चाहिए।
(c) वैश्विक उत्पादों के अलग-अलग नाम और लोगो (प्रतीक) होने चाहिए।
(d) व्यवसाय विपणन का 'ग्लोबलाइजेशन' एक वास्तविकता है।

निम्नलिखित गद्यांश को ध्यानपूर्वक पढ़िए और प्रश्न संख्या 56 से 60 तक के उत्तर दीजिये।

मानव व्यवहार के बारे में अभी बहुत कुछ नहीं जाना गया है। अनुत्तरित प्रश्न बने हुए हैं और आगे अनुसंधान करना आवश्यक है। अभिप्रेरणा, नेतृत्व व्यवहार और परिवर्तन के बारे में ज्ञान कई कारणों से प्रबंधकों के लिए मुख्य मुद्दा बना रहेगा: यह मान संसाधनों के प्रभावी नेतृत्व में सुधार कर सकता है, यह परिवर्तन के प्रतिरोध को रोकने, निष्कर्ष और कार्मिक विवादों को रोकने में मदद कर सकता है इससे संगठन प्राय: ज्यादा उत्पादक बन सकता है।

हमारा आशय है कि हम एक अवधारणात्मक ढाँचा बनाएं जो व्यवहारिक विज्ञान के निष्कर्ष को लागू करने में आपकी मदद कर सके। इस प्रकार के ढांचे के मूल्य से किसी के ज्ञान में परिवर्तन नहीं होता बल्कि इससे लोगों के कार्य करने के व्यवहार में परिवर्तन होता है।

हमने प्रभावित करने वाली तीन मुख्य सक्षमताओं की चर्चा की है:- निदान- आपके पास जिस स्थिति को आप प्रभावित करने का प्रयास कर रहे हैं उसे समझने और विवेचन करने की योग्यता होना; अनुकूलन- आपके पास प्रभाव के प्रयास की स्थिति की आकस्मिकता के प्रति अपने व्यवहार और आपके नियंत्रण वाले संसाधनों को अनुकूल

बनाने की योग्यता होना और संवाद- सन्देश इस तरह से प्रेषित करना कि लोग इसे आसानी से समझ सकें और स्वीकार कर सकें। इनमें से प्रत्येक सक्षमता अलग-अलग होती है एवं इसके लिए विकास की अलग-अलग पहल अपनानी होती है। उदाहरण के लिए निदान संज्ञानात्मक या मस्तिष्क की प्रकृति होता है और इसके लिए विचार कौशल आवश्यक होता है अनकूलन व्यवहार की प्रकृति में निहित होता है और इसके लिए व्यावहारिक अभ्यास की आवश्यकता होती है, और संवाद प्रक्रिया उन्मुखी है एवं इसके लिए अधिगम और प्रक्रिया के मुख्य चरणों की अंतर-निर्भरता आवश्यक होती है। क्योंकि इन तीन सक्षमताओं के लिए विविध ज्ञान और कौशल आवश्यक होते हैं। अत: हम शुरू की गई प्रक्रिया को कैसे जारी रख सकते हैं?

व्यवहार परिवर्तन प्रक्रिया शुरू करने का मुख्य बिंदु आपके अपने संगठनों में आपके द्वारा अन्य लोगों से सीखी गई बात को साझा करना है। दो चीजें घटित होती हैं जब साथ काम करने वाले लोगों की भाषा एक समान होती है। पहला यह कि वे एक दूसरे को फीडबैक देते हैं और बहुत तार्किक भावनात्मक रूप से एक दूसरे की मदद करते हैं जिससे व्यवहार प्रभावित होता है। दूसरा यह कि जब अनुसरण करने वाले महसूस करने लगते हैं कि उनके प्रबंधक स्थितिजन्य नेतृत्व का उपयोग कर रहे हैं तब प्रबंधक नहीं बल्कि उनका व्यवहार निर्धारित करता है कि उनके साथ किस नेतृत्व शैली का उपयोग हो।

56. इनमें से कौन परिवर्तन के प्रतिरोध को रोकता है? **[2020]**

(a) नेतृत्व व्यवहार का ज्ञान

(b) परिणाम पर प्रतिबंध को हटाना

(c) कार्मिक विवाद

(d) गैर-उत्पादक संगठन

57. व्यावहारिक विज्ञान के सैद्धांतिक ढांचे को लागू करने के लिए मूल्य परिमाण क्या हैं? **[2020]**

(a) अपने ज्ञान में परिवर्तन

(b) दूसरे लोगों के साथ काम करते समय अपने व्यवहार में परिवर्तन करना।

(c) मानव व्यवहार समझने योग्य न होना।

(d) मूल्यवर्धित ढाँचे का उद्भव

58. प्रत्येक मूल्य सक्षमता के लिए क्या आवश्यक है? **[2020]**

(a) विशिष्टता

(b) स्थितिजन्य आकस्मिकता

(c) अन्य के साथ अंत: संबंध

(d) इसके अधिगम में विविध पहल

59. व्यक्ति के व्यवहार में कौन-सी बात परिवर्तन लाती है? **[2020]**

(a) नेतृत्व शैली

(b) प्रबंधकों को स्थितिजन्य सहायता

(c) संगठन में अन्य लोगों के साथ अधिगम परिणामों को साझा करना।

(d) सक्षमताओं को अलग-अलग करना।

60. गद्यांश से क्या आशय निकलता है? **[2020]**

1. संगठन में एक समान भाषा वाले लोगों से पक्षपात रहित फीडबैक मिलेगा।
2. लोगों के व्यवहार में परिवर्तन होता है।
3. लोगों का व्यवहार नेतृत्व को प्रभावित करता है।
4. भावनाएं और मानव व्यवहार अलग-अलग हैं और इनकी व्याख्या आसानी से की जा सकती है।

सही विकल्प का चयन करें:

(a) केवल 1 और 2 (b) केवल 2 और 3

(c) केवल 3 और 4 (d) केवल 1 और 3

निम्नलिखित गद्यांश को ध्यानपूर्वक पढ़िए और प्रश्न संख्या 61 से 65 तक के उत्तर दीजिये।

हमारी ऊर्जा की सच्ची भूमिका वैयक्तिक शक्ति प्राप्त करना और हमेशा इससे कार्य संचालित करना है। आज अधिकारी-अधीन ग्राहक उपभोक्ता, सहकर्मी-सहकर्मी, शिक्षक-विद्यार्थी, पति-पत्नी, माता पिता-संतान, मित्र-मित्र आदि संबंधों में अपनी वैयक्तिक शक्ति खो देते हैं। प्राय: इन संबंधों में एक पीड़क की भूमिका निभाता है तो दूसरा पीड़ित की भूमिका में होता है। लेकिन यह इन संबंधों की एक बड़ी कमजोरी है और यह लोगों की उनके वास्तविक स्वरूप में बने रहने की क्षमता और जीवन में इच्छानुकूल कार्य करने की स्थिति को नकारती है। हमें अपने आत्म-सम्मान को बनाए रखने और अपने लक्ष्य को हासिल करने हेतु अग्रसर होने के लिए वैयक्तिक शक्ति की जरूरत होती है। इन शक्ति संघर्षो के कारण मानव संबंधों में अक्सर गिरावट आती है तथा अंतत: दोनों चाहे वह पीड़क हो या पीड़ित, अपनी वैयक्तिक शक्ति खो देते हैं। वैयक्तिक शक्ति को पुरुष और नारी शक्ति रूपों की अंत:क्रिया के प्रतिफलन के रूप में देखा जा सकता है। शक्ति के ये दोनों रूप पुरुष और नारी दोनों में साथ-साथ मौजूद हो सकते हैं। विश्व में सुन्दर उपस्थिति और सृजन हेतु शक्ति के पुरुष और नारी तत्व दोनों रूपों का सम्मान होना चाहिए और उनकी अभिव्यक्ति होनी चाहिए। हमें शक्ति के पुरुष और नारी स्वरूपों की विशेषताओं की और गहरी समझ हासिल करनी चाहिए।

61. लोगों के बीच विभिन्न प्रकार के संबंधों की परिणति निम्नलिखित में से किसमें होती है? **[2020]**

(a) सामाजिक विविधता
(b) सोपानिक ढांचा
(c) समाज में शक्ति संतुलन
(d) कमजोर और विनम्र की अधीनस्थता

62. किसी समाज में शक्ति संबंधों की प्रवृत्ति होती है: **[2020]**

(a) लोगों द्वारा स्व-उपलब्धि को चोट पहुंचाना।
(b) लोगों की क्षमताओं में सुधार लाना।
(c) आत्म-सम्मान बढ़ाना।
(d) पीड़ित की अपेक्षा अधिक संख्या में पीड़क का होना।

63. समाज में वैयक्तिक शक्ति की हानि का कारण है: **[2020]**

(a) अनम्य मानव संबंध
(b) पीड़क व्यक्तियों की अक्रामकता
(c) पीड़ित व्यक्ति की कमजोरी
(d) समाज में शक्ति संघर्ष

64. शक्ति के रूपों के बीच अंत:क्रिया है: **[2020]**

(a) हमारे लक्ष्यों में सफलता का स्तर
(b) विशिष्ट रूप से लिंग आधारित
(c) कुछ नहीं बल्कि शक्ति प्रदर्शन
(d) विश्व के सृजन हेतु आवश्यक

65. इस गद्यांश का जोर निम्नलिखित में से किस संकल्पना पर है? **[2020]**

(a) शक्ति संघर्ष का महत्व
(b) शक्ति के विभिन्न रूप और ढांचे
(c) समाज में शक्ति विभाजन की आवश्यकता
(d) सह-अस्तित्व के हित में वैयक्तिक शक्ति का दोहन

निम्नलिखित गद्यांश को ध्यानपूर्वक पढ़िए और प्रश्न संख्या 66 से 70 तक के उत्तर दीजिये।

शैक्षिक परिचर्याओं में मुहावरेदार पदों एवं नारों का औपचारिक अनुप्रयोग इस बात के बारे में संदेह पैदा करता है कि चिंतन एवं कार्य में दुर्बल संबंध है। जैसे-जैसे आम प्रचलित शब्दों में अभिवृद्धि होती है तथा बातचीत में एक आदर्शवादी पुट देखने को मिलता है, एक सजग श्रोता यह आश्चर्य करने लग सकता है कि इन शब्दों के बारे में जो सतही प्रचलन प्राप्त है क्या वे यह बता पाते हैं कि कक्षागत परिवेश की वास्तविकता क्या है। आज के युग एवं काल में शिक्षा में लोकतंत्र, सृजनशीलता एवं नवाचार के विरुद्ध जाना कठिन है। हालांकि, ये आकर्षक पद शिक्षण व्यवहार में आम रूप से प्रचलित क्रियाओं के कितने सही परिसूचक हैं?

निस्संदेह, ये दोनों प्राय: संबंधित नहीं हैं- एक ऐसी वास्तविकता जिसके बारे में शिक्षा शास्त्री प्राय: शिकायती मुद्रा में होते हैं तथा सिद्धांत एवं व्यवहार में स्पष्टत: परिलक्षित पृथकत्व देखने को मिलता है। जो शिक्षक कहते हैं या उनके नेता जो कहते हैं तथा वे जो करते हैं इसमें पायी जानेवाली विसंगति कई रूपों में अभिव्यक्त होती है तथा कई महत्त्वपूर्ण परिणामों की ओर ले जाती है। कुछ लोगों के लिए यह आदर्शवादी प्रतिपत्तियों एवं अभिनव तथा क्रांतिकारी व्यवहारों के समर्थकों के प्रति एक आलोचनात्मक दृष्टि विकसित करने की आधारशिला विकसित कर देती है। पूर्व में अनुभूत मोहभंग से जनित यह निराशावादिता अधिकतर नए शिक्षकों पर अपनी पकड़ बना लेती है जब वे इस बात को महसूस करते हैं कि व्यावसायिक प्रशिक्षण की अवधि में प्राप्त अनुभवों एवं उम्मीदों की गुणवत्ता यथार्थ से परे है। पाठ्य-पुस्तकों एवं महाविद्यालयों के पाठ्यक्रमों में वर्णित एवं अनुभूत शिक्षण दो विपरीत पहलू बन जाते हैं। परिणामस्वरूप शिक्षाशास्त्र के अनुदेशन एवं अन्य बाहरी लोगों को अभ्यासकर्त्ताओं द्वारा संदेह की दृष्टि से देखा जाने लग जाता है। सहयोगी शिक्षकों द्वारा दिए गए प्रमाण भी संदेह के घेरे में देखे जाते हैं जब यह कक्षा में ऐसा सुननेवालों के अनुभव के साथ बेमेल पाये जाते हैं।

66. शैक्षणिक चर्चाओं में आम प्रचलित मुहावरों के प्रयोग की प्रवृत्ति निम्नलिखित में से क्या उद्घाटित करने की रही है? **[2020]**

(a) विचार और कार्य के बीच संबंध
(b) कक्षागत परिवेश में कही जा रही बात और किए जा रहे कार्य के बीच का अंतर
(c) नारों का नैतिक महत्त्व
(d) वार्त्ताओं में आदर्शवादिता का पुट

67. आदर्शवादी अवधारणाएं शिक्षा में नित्य व्यवहार से किस प्रकार से जुड़ी हैं? **[2020]**

(a) ये सिद्धांत और व्यवहार को आपस में जोड़ती हैं।
(b) ये कक्षागत शिक्षण को नवोन्मेषी बनाती हैं।
(c) ये शिक्षा व्यवसाय को काफी लाभकारी बनाती हैं।
(d) ये सिद्धांत और व्यवहार के बीच के अंतर की पहचान करवाती हैं।

68. शिक्षण व्यवहार में परिलक्षित कथनी और करनी के बीच सामंजस्य की कमी का क्या परिणाम होता है? **[2020]**

(a) क्रांतिकारी व्यवहारों का विरोध
(b) बारंबार शिकायत की बुनियाद पड़ती है।
(c) शिक्षकों में मोहभंग की स्थिति पैदा होती है।
(d) आदर्शवादियों की भर्त्सना को समर्थन

69. नए शिक्षक उम्मीदों की अवास्तविक गुणवत्ता की प्रशंसा क्यों करते हैं? **[2020]**
(a) शिक्षकों के बीच दोषदर्शी प्रवृत्ति के कारण
(b) सहयोगी शिक्षकों द्वारा दिए गए प्रमाणक के कारण
(c) अपने व्यावसायिक प्रशिक्षण के कारण
(d) शिक्षण में अपने अनुभव के कारण

70. गद्यांश में किसका विश्लेषण किया गया है? **[2020]**
(a) भाषा और परिचर्चा के बीच संबंध
(b) शिक्षण के सिद्धांत और वास्तविक व्यवहार के बीच विच्छेद
(c) शैक्षणिक चर्चाओं में उच्च स्तर की भाषा के प्रयोग की आवश्यकता
(d) शिक्षा में आदर्शवाद का महत्त्व

निम्नलिखित गद्यांश को ध्यानपूर्वक पढ़िए और प्रश्न संख्या 71 से 75 तक के उत्तर दीजिये।

अधिकांश विकासशील देशों की सामाजिक संरचना अब पहले के रूढ़िबद्ध वृत्तांतों की तरह एक अत्यधिक छोटे उच्च वर्ग की नहीं है जो एक बड़े और मुख्यत: ग्रामीण निम्नवर्ग के सामने खड़ा होता था। मध्यवर्ती स्तर में संवृद्धि और विविधीकरण हुआ है और अब वह, कम से कम, कुछ क्षेत्रों में (शक्ति के पदों पर भर्ती, प्रमुख राजनीतिक आन्दोलनों का नेतृत्त्व) प्रभावी है। हालाँकि, इनमें से लगभग प्रत्येक देश में, 'मध्य स्तर' अल्पसंख्यक (कभी-कभी अत्यधिक लघु अल्पसंख्यक) बना हुआ है और उसने विशिष्टताओं की उतनी पर्याप्त एकरूपता प्राप्त नहीं की है जिससे उसे वर्ग का लेबल, मिल सके।

उसमें और अतीत के उन देशों के मध्य वर्गों, के मध्य का अंतर निम्नलिखित प्रतीत होता है, जो अब औद्योगीकृत या विकसित हो चुके हैं: प्रथम, मध्य (और उच्च) दर्जे तक पहुँच प्रदान करने में औपचारिक शिक्षा की भूमिका का कहीं अधिक महत्त्व; दूसरे, पेशों या लघु व्यवसायों में स्व रोजगार की अपेक्षा, विशेष कर सार्वजनिक क्षेत्र में वेतनभोगी रोजगार का कहीं अधिक महत्त्व; तीसरे, उच्च आय वाले देशों से 'प्रदर्शन प्रभाव' की उपस्थिति उपभोग-आकांक्षाओं को लगातार आय क्षमता से आगे खींचती रहती है। स्वतंत्र, मितव्ययी और उद्यमिता की मानसिकता वाले मध्य समूह को फिर भी पहचाना जा सकता है और उनमें से कुछ आर्थिक वैश्वीकरण व अन्य चुनौतियों का समुत्थान शक्तिपूर्वक सामना कर रहे हैं। हालाँकि जिस स्थिति में वे हैं उसके अनेक कारक हैं जो सामान्यतया आर्थिक विकास में उन्हें गौण भूमिकाओं तक सीमित रखते हैं। ये कारण हैं-प्रौद्योगिकीय निर्भरता, बड़े उद्योगों का प्रभुत्व, कायदे-कानूनों का नौकरशाहीकरण। उनकी अपने बच्चों की शिक्षा संबंधी आकांक्षाएं उनमें से अधिकांश को नौकरशाही या पेशेवर व्यवसायों की ओर ले जा सकती हैं। इसके अतिरिक्त, अनेक मामलों में, वे सांस्कृतिक रूप से अल्पसंख्यक समुदायों या बाहरी प्रवासी समूहों से संबंधित हैं जिन्हें आर्थिक रूप से ध्यानकर्षी होते ही प्रतिरोध का सामना करना पड़ता है।

71. औद्योगीकृत देशों में, निम्नलिखित में से किस पहुँच के कारण लोगों को मध्यवर्ग का दर्जा मिला: **[Nov 2021]**
(a) स्वरोजगार के क्षेत्र
(b) नियोजनीय आर्थिक क्षेत्र
(c) औपचारिक शिक्षा
(d) विशेष अल्पसंख्यक लेबल

72. गद्यांश निम्नलिखित पर केंद्रित है: **[Nov 2021]**
(a) मध्यवर्ती स्तर के विकासात्मक विकल्प
(b) आर्थिक वैश्वीकरण की आवश्यकता
(c) नौकरशाहीकरण के नियम
(d) आर्थिक विकास की गौण भूमिकाएं

73. विकासशील देशों में वर्तमान सामाजिक संरचना में क्या दिखाई देता है? **[Nov 2021]**
(a) एक वृद्धिमान मध्यवर्ती स्तर
(b) उच्च वर्ग का एक छोटा समूह
(c) ग्रामीण वर्ग का एक विशाल जनसमुदाय
(d) रूढ़िबद्ध (स्टीरियोटिपिकल) वर्ग

74. गद्यांश में उल्लिखित 'प्रदर्शन प्रभाव' से आप क्या समझते हैं? **[Nov 2021]**
(a) शक्ति-पदों का नियंत्रण
(b) अपनी आय से कहीं आगे बढ़कर समृद्ध देशों की उपभोग आकांक्षाओं की नकल
(c) निम्न आय समूह से उच्च आय समूह तक गतिशीलता
(d) सार्वजनिक क्षेत्र के वेतनभोगी रोजगार का लक्ष्य

75. मध्य समूहों के विकास में निम्नलिखित में से कौन-कौन से प्रतिबंधक कारक हैं? **[Nov 2021]**
(A) स्वतंत्रता व मितव्ययता की अभिवृद्धि
(B) प्रौद्योगिकीय निर्भरता
(C) नौकरशाही की गौण भूमिका
(D) शक्तिशाली और बड़े व्यापारिक घराने

नीचे दिए गए विकल्पों में से सही उत्तर चुनिए:
(a) केवल A, और B (b) केवल B और C
(c) केवल B और D (d) केवल C और D

निम्नलिखित गद्यांश को ध्यानपूर्वक पढ़िए और प्रश्न संख्या 76 से 80 तक के उत्तर दीजिये।

इस तथ्य के बावजूद कि भारत में सामाजिक सुरक्षा कार्यक्रम ढाँचागत समायोजन की प्रतिक्रियाएँ नहीं बल्कि उनका अपना एक लंबा इतिहास है, भारत में सामाजिक व्यय पर बजट में की जाने वाली कटौतियों से विशेष रूप से प्रभाव पड़ने का खतरा रहता है। सामाजिक क्षेत्र सरकारी व्यय का एक प्रमुख क्षेत्र है जिसमें गरीबी कम करने के लिए हस्तक्षेप, स्वास्थ्य, शिक्षा, पोषण, समाज सहायता और समाज कल्याण सम्मिलित है। सरकार के अधिकांश विभाग किसी न किसी रूप में इस विस्तृत मद के तहत खर्च करने के लिए उत्तरदायी होते हैं। यह क्षेत्र अति विभाज्य है जिसके चलते वास्तविक व्यय में वृद्धिपरक एवं खंडशः कमियाँ लाने की सुविधा प्राप्त होती है। इसका राजनीतिक घटक कमजोर है और इसमें तकनीकी विशेषज्ञ लोगों का बोलबाला है। ऐतिहासिक रूप से राज्य हस्तक्षेपवाद की आलोचना करते रहने वाले अधिकांश मूल्यांकनात्मक शोध से इसे और अधिक निर्बल कर दिया है। ऐसे कृत्यों का मूल लक्ष्यों से हटके अन्य रूपों में प्रयोग हो रहा है।

इस क्षेत्र को सुधारने के लिए नहीं बल्कि इसके प्रमुख घटकों को पूर्णतया समाप्त करने के तर्क के रूप में। वैसे 1991 से सामाजिक क्षेत्र पर व्यय में उतनी कमी नहीं आई है जितनी प्रत्याशित थी। इसकी विभागीय व्याप्ति के बावजूद या उसके कारण यह सकल राष्ट्रीय उत्पाद का बहुत ही छोटा हिस्सा है, इतना छोटा कि इसमें कटौती करना संभव न हो रू 2.4 प्रतिशत जबकि मलेशिया में यह 6.5 प्रतिशत है, बोट्स्वाना में 12.2 प्रतिशत और ओईसीडी देशों में 15-25 प्रतिशत। यद्यपि सामाजिक क्षेत्र पर व्यय में कई प्रकार के दोष हैं -स्थानीय विषमताएँ, व्यय के स्तरों में परस्पर-विरोधी सामयिक प्रवृत्तियाँ और कल्याण के हर घटक में विशिष्ट संयोजनों और ढांचों का होना- तथापि कटौतियों का व्यापक विरोध हुआ है और कुछ भारतीय राज्यों ने सामाजिक व्यय को सुरक्षित रखने के लिए अपने चालू ऋण में वृद्धि की है। सौभाग्यवश और अनिवार्यतः ऐसा आनुमानिक वाङ्मय है जो, कभी - कभी दूसरे स्थानों से उदाहरण लेते हुए, सामाजिक व्यय में कटौतियों के संभावित परिणामों की भविष्यवाणी करता है। परन्तु लाए गए सुधारों का समाज कल्याण पर वास्तविक प्रभाव के प्रमाण के रूप में इन्हें लेना बड़ी जल्दबाजी होगी। समाज कल्याण का रूपांतरण कई दशकों की दीर्घावधि योजना है।

76. गरीबी कम करने के कार्यक्रमों पर सरकारी खर्च पर किसका प्रभाव पड़ता है? **[2021]**

(a) वास्तविक अर्थ में कम किया गया व्यय

(b) भावी लाभार्थियों द्वारा अधिक माँग

(c) वित्तपोषण के लिए कई समाज कल्याण कार्यक्रमों के बीच प्रतिस्पर्धा होना

(d) बहुत सारे विभाज्य आबंटन

77. भारत में सामाजिक सुरक्षा कार्यक्रम किस समस्या का सामना करते हैं? **[2021]**

(a) प्रत्यक्ष कार्यान्वयन

(b) सरकार का अधिक हस्तक्षेप

(c) परोक्ष कार्यान्वयन

(d) ढाँचागत पुनर्व्यवस्था

78. भारत में सामाजिक क्षेत्र किसका अनुभव कर रहा है? **[2021]**

(a) आनुमानिक वाङ्मय का बड़ा भंडार

(b) समाज कल्याण के संयोजन और ढाँचों में परिवर्तन

(c) कुछ राज्यों द्वारा अपने सामाजिक सुरक्षा उपायों को सुरक्षित रखने के लिए बढ़ा हुआ चालू ऋण खाता

(d) कुछ विशिष्ट क्षेत्रों में बजटीय आबंटनों का बढ़ाया जाना

79. विशेषज्ञों की मूल्यांकन रिपोर्टों का प्रयोग किया जाता है: **[2021]**

(a) सामाजिक सुरक्षा व्यवस्था को समाप्त करने को उचित ठहराने के लिए

(b) समाज कल्याण क्षेत्र को सुधारने के लिए

(c) सामाजिक सुरक्षा के राजनीतिक घटक को मजबूती प्रदान करने के लिए

(d) सामाजिक क्षेत्र पर किए जाने वाले सरकारी व्यय का समर्थन करने के लिए

80. इस गद्यांश का सार है कि **[2021]**

(a) वास्तव में निधियों का समाज कल्याण से इतर क्षेत्रों में विविधीकरण उचित है।

(b) भारत में सामाजिक सुरक्षा व्यवस्था को मजबूती प्रदान करना चाहिए।

(c) समाज कल्याण व्यवस्था समाप्त कर देनी चाहिए।

(d) भारत में समाज कल्याण के उपायों की उपयोगिता का कोई प्रमाण नहीं है।

निम्नलिखित गद्यांश को ध्यानपूर्वक पढ़िए और प्रश्न संख्या 81 से 85 तक के उत्तर दीजिये।

स्नातकोत्तर और पेशेवर अध्ययन के स्तर पर निरन्तरता और पुनर्बलीकृत मूल्य अभिविन्यस्त पाठ्यक्रम की आवश्यकता को और भी अधिक महत्त्वपूर्ण समझा जा सकता है। इस स्तर पर प्रशिक्षण पाने वाले अधिकांशतः विद्यार्थी व्यापार एवं उद्योगों के अग्रणी, प्रविधितन्त्री, विचारक, शिक्षक और शिक्षाविद्, शोधकर्ता, पेशेवर राजनितिक नेता और सामाजिक कार्यकर्ता इत्यादि, नागरिकों के समान सामान्य भूमिका का निर्वहन करते हुए और दूसरे सभी लोगों के समान परिवार के

सदस्य होते हुए, बन सकते हैं। ऐसा प्रतीत है कि उनमें से अधिकतर 3 से 6 वर्षों के अध्ययन के उपरान्त महाविद्यालय परित्याग के समय स्वतन्त्रता और मानव सम्मान के मूल्य, लाखों गरीबों और सुविधावंचितों लोगों के भोजन, सुरक्षा और आरोग्य देखभाल का मूल्य समाज प्रबन्धन और समस्याओं के निराकरण हेतु सही नागरिक नीतियों का महत्त्व तथा उपयुक्त मानव सम्बन्ध और व्यक्तिगत जीवन शैली का महत्त्व इत्यादि का तुच्छ विचार रखते हों, ऐसा संभव है। उनमें से बहुत से विकसित देशों में सर्वश्रेष्ठ संस्थानों के समतुल्य विशेषतया हमारे सर्वोत्तम उत्कर्ष संस्थान में उच्चस्तर के आधुनिक वैज्ञानिक और तकनीकी ज्ञान प्राप्त करने का सुअवसर पा रहे हैं। लेकिन हमारे समाज में निर्धनों एवं सुविधा-वंचित समूहों के लिए इस प्रकार का आधुनिक ज्ञान प्राप्त करने की अपर्याप्त पहुँच की समस्या एक गम्भीर सामाजिक और नैतिक समस्या को संघटित करती है।

पाठ्यक्रम सुधार एवं उनका उचित रीति से पुर्ननिर्माण, शिक्षाविदों एवं शिक्षा योजना निर्माताओं की सक्रिय चिन्ता का विषय होना चाहिए क्योंकि जैसा कि राष्ट्रीय नीति प्रलेख 1986 में पहले ही उद्दिष्ट किया जा चुका है कि यह सामाजिक और नैतिक मूल्यों के संवर्धन के लिए एक सशक्त उपकरण हो सकता है। हमारे सांस्कृतिक रूप से बहुल समाजों में शिक्षा को हमारे लोगों की एकता और एकीकरण के प्रति अभिमुख सार्वभौमिक एवं शाश्वत मूल्यों का पोषण करना चाहिए। इस प्रकार के मूल्य शिक्षण के द्वारा रूढ़िवादी धार्मिक कट्टरपन, हिंसा, अन्धविश्वास एवं दैववाद को विलुप्त कर दिया जाना चाहिए।

81. उच्च शिक्षा में दृढ़ मूल्य अभिमुखीकरण के प्रोत्साहन के प्रयास के संदर्भ में निम्नलिखित में से कौन सा कथन सत्य है? **[2021]**

(a) उच्च स्तर के वैज्ञानिक ज्ञान-प्राप्ति हेतु विद्यार्थियों को अवसर उपलब्ध कराना।

(b) मूल्यों के विकास के लिए एक नीति तैयार की जा सकती है।

(c) अन्तर्विषयी समसामयिक सामाजिक-आर्थिक समस्याओं से संबंधित पाठ्यक्रम प्रदान करना।

(d) विश्वविद्यालयों को तकनीकी आयाम को समृद्ध बनाने को अभिलक्षित करना चाहिए।

82. अद्यतनीय उच्च शिक्षा तन्त्र किस पर जोर डालता है? **[2021]**

(a) उपयोगितावादी-मूल्य

(b) मानव-मूल्य

(c) सामाजिक एवं राजनैतिक मूल्य

(d) आध्यात्मिक मूल्य

83. पेशेवर अध्ययन स्तर का मूल्य अभिमुख पाठ्यक्रम महत्त्वपूर्ण है: **[2021]**

(a) मूल्यों को और अधिक आगे प्रचारित करने के लिए

(b) निर्धनों और सुविधावंचितों की समस्याओं के आभास के लिए

(c) शिक्षा शास्त्र से सम्बन्धित अन्य अपूर्णता को सन्तुलित करने के लिए

(d) विद्यार्थियों को कार्यकुशल मानव संसाधन के रूप में प्रशिक्षित करने के लिए

84. गद्यांश के लिए सर्वोपयुक्त शीर्षक हो सकता है: **[2021]**

(a) शिक्षा में मूल्यों को सुनिश्चित करना

(b) मूल्यों का महत्त्व

(c) मूल्यों का कार्यान्वयन

(d) तृतीयक शिक्षा एवं समाज हेतु मूल्य आधार

85. उच्च शिक्षा तन्त्र को मूल्यों के संवर्धन के लिए किस पर संकेन्द्रित करना चाहिए? **[2021]**

(a) शिक्षा-शास्त्रीय अभावों को दूर करना

(b) तकनीकी समाकलन

(c) शिक्षा शास्त्र के साथ तकनीकी का समाकलन

(d) पाठ्यक्रमीय-सुधार

निम्नलिखित गद्यांश को ध्यानपूर्वक पढ़िए और प्रश्न संख्या 86 से 90 तक के उत्तर दीजिये।

वर्तमान विनाशकारी स्थिति व घटना के मुख्यत: दो कारक हैं: एक है जलवायु परिवर्तन के फलस्वरूप वर्षा पैटर्न में परिवर्तन मानसून व्यवहार परिवर्तित हो गया है और अनेक दिनों में होने वाली वर्षा अब एक दिन या घंटों में ही हो जाती है फलस्वरूप मैदानी और पर्वतीय क्षेत्रों में मिट्टी और अनेक मानव निर्मित ढांचे इसका प्रभाव वहन नहीं कर पाते हैं। पश्चिमी घाट के साथ के अधिक ऊंचाई वाले क्षेत्र, अतिक्रमण, वनों के विध्वंस, खुदाई और खनन, मानव बस्तियों के निर्माण, उद्योगों व अन्य वाणिज्यिक उद्यमों की स्थापना, अनियंत्रित व अनियमित पर्यटन जैसी गतिविधियों के उन्नयन व जैव विविधता के कम होने आदि के कारण, अत्यधिक संवेदनशील हैं। ये सब अलग-अलग और सामूहिक रूप से पश्चिमी घाट क्षेत्र, जो पारिस्थितिकीय दृष्टि से अत्यधिक संवेदी और मूल्यवान हैं, की वर्तमान स्थिति के लिए उत्तरदायी हैं। पश्चिमी घाट का एक राज्य, जिसने पर्यावरण की सर्वाधिक क्षति की है, उसे ही सर्वाधिक हानि हुई है।

माधव गाडगिल समिति ने पश्चिमी घाट पर्यावरण के विनाश का अध्ययन किया है और स्थिति के प्रतिकार के लिए तर्कसंगत अनुशंसाएं की हैं। इस समिति की रिपोर्ट को रद्दी की टोकरी में फेंक दिया गया और इसके प्रस्तावों को हल्का करने के लिए डॉ. के. कस्तूरीरंगन की अध्यक्षता में एक अन्य समिति गठित कर दी गई। कस्तूरीरंगन समिति की अनुशंसाओं को भी कार्यान्वित नहीं किया गया। गाडगिल ने 2013

में ही भविष्य के लिए चेतावनी दी थी कि होने वाली त्रासदी को कोई युग नहीं वरन केवल चार-पांच वर्ष ही लगेंगे। ये असामान्य प्राकृतिक घटनाएं और इनके कारण हुये अत्यधिक विनाश अब शायद भविष्य की बड़ी आपदाओं की सूचना मात्र हों। जल की हानि की भरपाई नहीं हो सकती है और प्रकृति को स्वयं के पुनर्निर्माण में सैंकड़ों वर्ष लगेंगे सबसे बड़ी त्रासदी यह है कि त्रासदी से सबक बिल्कुल नहीं सीखे जाते हैं।

86. मानव निर्मित ढांचे वर्षा का प्रभाव वहन नहीं कर पाते हैं क्योंकि: **[2021]**

(a) अधिक ऊंचाई वाले क्षेत्र की ढाल अत्यधिक खड़ी है।
(b) हाल के समय में मानसून व्यवहार में परिवर्तन हुए हैं।
(c) अधिक लंबी अवधि तक लगातार वर्षा होती है।
(d) मैदानी क्षेत्रों में मिट्टी संचयन होता है।

87. निम्नलिखित में से किन कारकों ने पश्चिमी घाट को प्रभावित किया है? **[2021]**

(1) अत्यधिक संवेदनशील जैव विविधता
(2) मानव बस्तियों का निर्माण
(3) क्षेत्र की वनस्पति और जीव-जंतु
(4) अनियंत्रित पर्यटन का उन्नयन

नीचे दिए गए विकल्पों में से सही उत्तर चुनें:

(a) केवल (1) और (2)
(b) केवल (2) और (3)
(c) केवल (3) और (4)
(d) केवल (2) और (4)

88. पश्चिमी घाट के एक राज्य विशेष को ही सर्वाधिक हानि क्यों हुई है? क्योंकि: **[2021]**

(a) इसने पर्यावरण को सर्वाधिक क्षति पहुंचाई है।
(b) यहां देश में जैव विविधता के सर्वाधिक हॉट स्पॉट हैं।
(c) राज्य में अनेक पर्वतीय स्थल स्थित हैं।
(d) राज्य में पर्यावरण संबंधी अनेक रोक और विनियम हैं।

89. पश्चिमी घाट में प्राकृतिक विपदा के संदर्भ में वास्तविक त्रासदी क्या है? **[2021]**

(a) मनुष्यों की जान की हानि
(b) असामान्य प्राकृतिक घटनाएं
(c) जलवायु परिवर्तन के परिणामों की गंभीरता की अनुभूति न होना।
(d) विपदाओं की श्रेणी कम करना।

90. गद्यांश के लेखक को खेद है: **[2021]**

(a) नीति निर्माताओं की पर्यावरणीय अज्ञानता से
(b) अधिक ऊंचाई वाले क्षेत्रों की अत्यधिक संवेदनशीलता से
(c) पर्यावरणीय विनाश के प्रभाव से
(d) समितियों की रिपोर्टों को क्रियान्वित न किये जाने से

निम्नलिखित गद्यांश को ध्यानपूर्वक पढ़िए और दिए गए प्रश्नों के उत्तर दीजिए।

बहुत से बड़े आविष्कारों को प्रारंभ में अविश्वास और उपहास का सामना करना पड़ता है। हवाई जहाज का आविष्कार भी अपवाद नहीं था। यद्यपि बहुत से व्यक्तियों ने जब 17 दिसंबर 1903 की पहली शक्तियुक्त उड़ान के बारे में सुना तो वे उत्तेजित और प्रभावित हुए परन्तु कइयों ने हंसी के ठहाकों से प्रतिक्रिया दी। वायुयान की उड़ान का विचार कुछ व्यक्तियों को प्रतीकार्थी था, ऐसे व्यक्तियों ने पहली उड़ान मशीन के आविष्कारों, विल्बर और ऑरविल राइट को आवेगी मूर्ख करार दिया, परन्तु नकारात्मक प्रतिक्रियाएं राइट्स को रोक नहीं सकीं। अपनी अभिलाषा को सफल करने की प्रबल इच्छा से उन्होंने विमानन के प्रयोगों को जारी रखा।

विल्बर और आरविल राइट की हमेशा से विमान विज्ञान और यंत्र विज्ञान में सम्मोहक रुचि थी। जब वे छोटे लड़के थे तो वे पतंगे और यांत्रिक खिलौने बनाकर व उन्हें बेचकर धन अर्जित करते थे। बाद में, उन्होंने समाचार पत्र को मोड़ने वाली मशीन की रूपरेखा बनाई, मुद्रण प्रेस का निर्माण किया और बाइसिकल मरम्मत की दुकान को परिचालित किया। 1896 में, जब उन्होंने आट्टो लिलंथल की मृत्यु के बारे में पढ़ा तो राइट बंधुओं की उड़ान में जबरदस्त रुचि हो गई। लिलंथल हैंग ग्लाइडिंग के आदि पथ प्रदर्शक ने अपने शरीर को वांछनीय दिशा में स्थानांतरित करके ग्लाइडर्स को नियंत्रित किया था। यद्यपि यह विचार राइट बंधुओं के लिए विकर्षक था, उन्होंने विमान-वाहित वाहनों के संतुलन को नियंत्रण के लिए अधिक कार्यक्षम विधियों के बारे में जानकारी प्राप्त की। 1900 और 1901 में, राइट्स ने असंख्य ग्लाइडर्स (विसर्पण) का परीक्षण किया और नियंत्रण तकनीकों को विकसित किया। ग्लाइडर्स को पर्याप्त उत्थापन क्षमता प्रदान करने की असमर्थता ने भाइयों को लगभग अपनी कोशिशों को छोड़ने की ओर अग्रसर कर दिया था।

और अधिक अध्ययन के बाद राइट बंधु ने निष्कर्ष निकाला कि वक्र पृष्ठों पर वायु दबाव की प्रकाशित तालिकाएं निश्चित तौर पर गलत होंगी। उन्होंने एक वायु की सुरंग को स्थापित किया और प्रतिमान पंखों में प्रयोगों की एक श्रृंखला प्रारंभ की। उनके प्रयासों के कारण समय के साथ पुरानी तालिकाएं निरस्त की गईं तथा उनके स्थान पर वक्रपृष्ठों पर वायु दबाव के लिए पहले विश्वसनीय आंकड़े लिखे गए। इस कार्य के फलस्वरूप राइट्स बंधुओं द्वारा ऐसी मशीन का अभिकल्प तैयार करना संभव हुआ जो उड़ सकती थी। 1903 में राइट भाइयों ने पहला वायुयान बनाया जिसकी लागत 1000 डॉलर से कम थी। उन्होंने अपने स्वयं के स्रोत वाले

नोदन-एक हल्के भार वाले गैसोलीन इंजन का प्रतिरूप भी तैयार किया और निर्मित किया। जब उन्होंने दिसंबर 17 को इंजन प्रारंभ किया तो उड़ान से पहले वायुयान में बेतहाशा कम्पन हुआ। फिर भी वायुयान 12 सेकंड तक ऊपर प्लवमान रहा और 120 फुट उड़ा।

1905 तक राइट्स ने पहले वायुयान को इतना दक्ष कर लिया था कि वह एक समय में मुड़ना, घूमना व आधे घंटे तक हवा में रह सकता था। दूसरों ने गुब्बारों और हैंग ग्लाइडर्स में उड़ान भरी थी, परंतु राहट बंधु पहले थे जिन्होंने पूर्ण आकार की मशीन बनाई थी जो कि अपनी शक्ति से उड़ सकती थी। इतिहास में अत्यधिक विशिष्ट अभियांत्रिक उपलब्धियों में योगदान देने के कारण राइट बंधुओं को वायुयान चालन का जनक कहा जाना सर्वाधिक उपयुक्त है।

91. निम्नलिखित में से प्रथम उड़ने वाली मशीन के आविष्कार के लिए क्या उत्तरदायी था? **[2022]**

(a) व्यक्तियों का अवलंब

(b) व्यक्तियों की नकारात्मक प्रतिक्रियाएं

(c) आविष्कारक की अप्रतिरोध्य अभिलाषा

(d) विमानन में पूर्ववर्ती प्रयोग

92. राइट्स बंधुओं की प्रमुख रुचि थी। **[2022]**

(a) पतंग बनाने में।

(b) यांत्रिक खिलौने बनाने में।

(c) समाचार पत्र को मोड़ने की मशीन को अभिकल्पित करने में।

(d) वायुवाहित यानों को नियंत्रित करने की विधियों में।

93. राइट्स बंधुओं को सफलता मिली: **[2022]**

(a) असंख्य ग्लाइडर्स के परीक्षण में

(b) पिछली वायु दबाव तालिकाएँ गलत सिद्ध करने में

(c) वायु की सुरंग को स्थापित करने में

(d) ग्लाइडर्स के लिए वांछित दिशा ज्ञात करने में

94. राइट्स बंधु अंततः अपना विमान उड़ाने में सफल हुए जब उन्होंने अपना.............निर्मित किया/की। **[2022]**

(a) वायु दबाव प्रणाली

(b) प्रतिमान पंख

(c) गैसोलीन इंजन

(d) वक्र सतहें

95. गद्यांश संकेत करता है कि **[2022]**

(a) सफल होने का निश्चय लाभांश देता है।

(b) व्यक्ति सदैव आविष्कारों के प्रति शंकास्पद होते हैं।

(c) ग्लाइडर्स को उनका श्रेय नहीं दिया गया है।

(d) भिन्न क्षेत्रों में छोटी छोटी कोशिशें एक क्षेत्र में बड़े आविष्कार में परिणत हो जाती हैं।

निम्नलिखित गद्यांश को पढ़कर दिए गए प्रश्नों के उत्तर दीजिए:

मेरी क्यूरी पोलैंड में जन्मी एक भौतिकविद् और रसायनविद थीं और अपने समय की सर्वाधिक प्रसिद्ध वैज्ञानिक थीं। अपने पति पियरे के साथ मिलकर उन्होंने रेडियम का आविष्कार किया, जिसका प्रयोग व्यापक स्तर पर कैंसर के उपचार के लिए किया जाता है और उसने यूरेनियम और अन्य रेडियोधर्मी तत्वों का अध्ययन किया। पियरे और मेरी के सौहार्दपूर्ण गठजोड़ ने बाद में परमाणु (एटम) की खोज में सहयोग किया। अपने पति पियरे के साथ, इन्हें वर्ष 1903 में भौतिकी में नोबल पुरस्कार प्रदान किया गया।

मेरी का जन्म वॉरसा, पोलैंड में दिनांक 7 नवंबर 1867 को हुआ था, जो एक भौतिकी अध्यापक की पुत्री थीं। अपनी आरंभिक आयु में उन्होंने उत्कृष्ट मस्तिष्क और तीव्र व्यक्तित्व का प्रदर्शन किया। सीखने के प्रति उनकी विशिष्ट इच्छा ने उन्हें हाईस्कूल के बाद आगे अध्ययन जारी रखने के लिए प्रेरित किया। यद्यपि जब उन्हें पता चला कि वॉरसा में विश्वविद्यालय महिलाओं के लिए बंद हो गई है तो उन्हें अत्यंत निराशा हुई।

उच्चतर शिक्षा प्रदान करने के लिए दृढ़संकल्पित होने के कारण उन्होंने पोलैंड को छोड़ दिया और वर्ष 1891 में फ्रेंच विश्वविद्यालय सोरबोन में प्रवेश लिया, जहां उन्होंने अपनी मास्टर्स की डिग्री प्राप्त की और भौतिकी में डॉक्टरेट प्राप्त की।

मेरी बहुत खुशकिस्मत थी कि उसे सोरबोन में, उस समय के कुछ महान वैज्ञानिकों के साथ कार्य करने का मौका मिला, जिनमें से एक पियरे क्यूरी थे। मेरी और पियरे का विवाह 1895 में हुआ था और उन्होंने भौतिकी प्रयोगशाला में मिलकर अनेक सृजनात्मक वर्षों के लिए कार्य किया। रेडियम के आविष्कार के कुछ समय पश्चात ही, वर्ष 1909 में एक घोड़ा-गाड़ी द्वारा उनकी मृत्यु हो गई। मेरी इस दुखद घटना के कारण स्तब्ध हो गई और हृदयविदारक शोक में डूब गईं। इस उदासी में, उन्होंने अपने निकट सम्बन्ध और वैज्ञानिक अनुसंधानों में साझा किये गये हर्ष के समय को याद किया। अपनी दो बेटियों को बड़ा करने के उत्तरदायित्व ने उसके तनाव को अत्यधिक बढ़ा दिया था।

अन्ततः क्यूरी की विषाद की स्थिति उस समय धूमिल हो गई जब, उन्हें सोरबोन में भौतिकी के प्रोफेसर के रूप में अपने पति का स्थान लेने को कहा गया। वह पहली महिला थीं, जिन्हें विश्व प्रसिद्ध विश्वविद्यालय में प्रोफेसरशिप प्रदान की गई थी। उन्होंने वर्ष 1911 में रेडियम पार्थक्य के लिए रसायन शास्त्र में दूसरा नोबल पुरस्कार प्राप्त किया। क्यूरी की सबसे बड़ी बेटी आइरीन खुद एक वैज्ञानिक थीं और रसायन शास्त्र में नोबल पुरस्कार विजेता थीं।

हालांकि, अन्ततः मेरी क्यूरी को रेडियम के दीर्घकालिक उद्भासन के कारण घातक रोग हो गया, लेकिन उनका अपने कार्य के प्रति कभी मोहभंग नहीं हुआ। परिणामों की परवाह किये बिना उन्होंने स्वयं को विज्ञान और भौतिक संसार के रहस्यों को उजागर करने के प्रति समर्पित किया था।

96. प्रथम नोबल पुरस्कार प्राप्त करते समय मेरी क्यूरी की आयु क्या थी? **[2022]**

(a) 36 वर्ष (b) 46 वर्ष
(c) 56 वर्ष (d) 44 वर्ष

97. अपने विवाह के कितने वर्षों के पश्चात्, मेरी क्यूरी के पति की मृत्यु हुई थी? **[2022]**

(a) 11 वर्ष (b) 39 वर्ष
(c) 28 वर्ष (d) 6 वर्ष

98. यह पैसेज दर्शाता है कि मेरी क्यूरी एक महान वैज्ञानिक थी, जो/जिनका **[2022]**

(a) सौहार्दपूर्ण प्रकृति की थीं।
(b) विज्ञान के प्रति अदम्य जोश और समर्पण था।
(c) भावुक रूप से कमजोर थीं।
(d) अपने पति की मृत्यु के पश्चात मोहभंग हो गया था।

99. कैंसर के उपचार के लिए व्यापक स्तर पर निम्नलिखित तत्वों में से किसका प्रयोग किया जाता है? **[2022]**

(a) यूरेनियम (b) रेडियम
(c) थोरियम (d) प्लूटोनियम

100. किस कारण मेरी क्यूरी को सोरबोन विश्वविद्यालय में अध्ययन करना पड़ा? **[2022]**

(a) वॉरसा में विश्वविद्यालय ने उन्हें प्रवेश नहीं दिया।
(b) वह पियरे क्यूरी के साथ कार्य करना चाहती थीं।
(c) वह रेडियम पर कार्य करना चाहती थीं।
(d) अपनी आरम्भिक आयु में वॉरसा में अध्ययन करके वह खुश नहीं थीं।

निम्नलिखित गद्यांश को पढ़िए और दिए गए प्रश्न का उत्तर दीजिए:

रुडयार्ड किपलिंग द्वारा 'व्हाइट मैन्स बर्डन' के विचार को 1899 में लिखी गई इसी शीर्षक की कविता के माध्यम से प्रोत्साहित किया गया और बढ़ावा दिया गया। 1860 तक भारत में ब्रिटिश विस्तार पूर्ण हो चुका था। 'व्हाइट मैन्स बर्डन' की संकल्पना के एक शताब्दी पूर्व ही करनॉय इसका उपयोग अठाहरवीं सदी में ब्रिटिश विस्तार के लिए प्रेरक कारक के रूप में करते हैं। करनॉय की धारणा के विपरीत मिशनरी प्रारम्भ से ही स्थानीय लोगों के अधिकारों के लिए लड़तें थे। धारवाड़ जिले में एक कन्नड़ किसान की फाँसी को देखने के पश्चात रेव. वी. टेलर 1836 के बॉम्बे प्रेसीडेंसी में कन्नड़ को न्यायालय की भाषा में रूप में मान्यता दिलाने हेतु लड़े। उपनिवेश-पूर्व पेशवा शासन के कारण इस पूरे कन्नड भाषी जिले में ग्रामीण और जिला अधिकारी मराठी थे। औपनिवेशिक शासन में भी यही प्रणाली जारी रही। कन्नड़ किसान को फांसी इसलिए दी गई क्योंकि हत्या के आरोपी किसान ने अपने साक्ष्य कन्नड़ भाषा में रखे थे। इसे स्थानीय अधिकारी द्वारा मराठी में रिकॉर्ड किया गया और न्यायालय की कार्यवाही हिन्दुस्तानी में करायी गई। कैदी को न मराठी का ज्ञान था और न हिन्दुस्तानी का तथा उसने न चाहते हुए भी अपराध स्वीकार कर लिया। उसके विरुद्ध कोई परिस्थितिजन्य साक्ष्य नहीं था। उस पर हत्या का आरोप लगाया गया था और उसे फांसी दे दी गई। टेलर ने प्रशासन और शिक्षा की भाषा के रूप में कन्नड़ को अपनाए जाने के लिए प्रभावी लड़ाई लड़ी। छः माह के भीतर कन्नड़ राज-काज की भाषा बनायी गई और जिले में सत्ताईस कन्नड़ माध्यम वाले प्राथमिक विद्यालय स्थापित किए गए।

101. नीचे दो कथन दिए गए हैं: एक अभिकथन (Assertion A) के रूप में लिखित है तो दूसरा उसके कारण (Reason R) के रूप में: **[2023]**

अभिकथन (A): धारवाड़ जिले में ग्रामीण और जिला अधिकारी कन्नड़ थे।

कारण (R): उपनिवेश-पूर्व काल में धारवाड़ जिले में पेशवा का शासन था।

उपरोक्त कथनो के आलोक में, नीचे दिए गए विकल्पों में से सही उत्तर का चयन कीजिए।

(a) A और R दोनों सही हैं और R, A की सही व्याख्या है।
(b) A और R दोनों सही हैं, लेकिन R, A की सही व्याख्या नहीं है।
(c) A सही है, लेकिन R सही नहीं है।
(d) A सही नहीं है, लेकिन R सही है।

102. किसान द्वारा दिया गया साक्ष्य किस भाषा में रिकार्ड किया गया? **[2023]**

(a) हिन्दुस्तानी (b) कन्नड़
(c) मराठी (d) अंग्रेजी

103. नीचे दो कथन दिए गए है: **[2023]**

कथन I: करनॉय भारत में ब्रिटिश विस्तार के पक्ष में थे।

कथन II: करनॉय श्वेत लोगों की श्रेष्ठता में विश्वास करते थे।

उपरोक्त कथन के आलोक में, नीचे दिए गए विकल्पों में से सही उत्तर का चयन कीजिए:

(a) कथन I और II दोनों सही हैं।
(b) कथन I और II दोनों गलत हैं।

(c) कथन I सही है, लेकिन कथन II गलत है।

(d) कथन I गलत है, लेकिन कथन II सही है।

104. वह किसान जिसे फांसी दे दी गई, निम्नलिखित में सें किस भाषा में बातचीत कर सकता था? **[2023]**

(a) हिन्दुस्तानी

(b) अंग्रेजी

(c) मराठी

(d) कन्नड़

105. निम्नलिखित में से कौन-कौन स्थानीय लोगों के अधिकारों के प्रति सहानुभूति रखते थे? **[2023]**

(1) रुडयार्ड किपलिंग

(2) वी. टेलर

(3) करनॉय

नीचे दिए गए विकल्पों में से सबसे उपयुक्त उत्तर का चयन कीजिए:

(a) केवल (1) और (2) (b) केवल (2)

(c) केवल (2) और (3) (d) केवल (3)

निम्नलिखित गद्यांश को पढ़िए और नीचे दिए गए प्रश्न का उत्तर दीजिए:

लगभग दो वर्ष की उम्र में बच्चों में आशय का बोध होता है, उन्हें कम-से-कम अपने आशय का बोध होता है। वे कहते हैं, ''मुझे पीनट बटर सैंडविच'' चाहिए। ज्यों-ज्यों बच्चों में मन के सिद्धांत का विकास होता है, वे यह भी समझ सकते हैं कि अन्य लोगों के भी अपने आशय हो सकते हैं। प्री-स्कूल के कुछ बड़े-बड़े बच्चे जो अपने सहपाठियों के साथ होते हैं, इरादतन और गैर-इरादतन कार्यों में भेद कर तदनुसार प्रतिक्रिया कर सकते हैं। उदाहरण के लिए जब कोई दूसरा बच्चा संयोगवश उनके ब्लॉक टावर को धक्का देता है, तो वे क्रोधित नहीं होते। परंतु अक्रामक बच्चों को दूसरों के इरादे को भांपने में अधिक कठिनाई होती है। वे ऐसे किसी बच्चे पर हमला कर सकते हैं जो दुर्घटनावश उनके टावर को ढाह देते हैं। बच्चे ज्यों-ज्यों बड़े होते जाते हैं, वे दूसरों के इरादों को अधिक भांप सकते हैं और उन पर विचार कर सकते हैं। मन के सिद्धांत के विकास के साथ-साथ बच्चे यह अधिक से अधिक समझ पाते हैं कि अन्य लोगों की भावनाएं और अनुभव अलग अलग हो सकते हैं और इसलिए उनके भिन्न विचार या दृष्टिकोण हो सकते हैं। उम्र बढ़ने के साथ-साथ अपना दृष्टिकोण रखने की क्षमता में विकास होता है और वयस्कों में यह क्षमता बिल्कुल परिष्कृत हो जाती है। यह समझ पाना कि दूसरे कैसे सोचते हैं और महसूस करते हैं, सहयोग और नैतिक विकास को बढ़ावा देने, पूर्वाग्रह घटाने, द्वन्द्व का समाधान करने, सामान्यत: सकारात्मक सामाजिक व्यवहार को बढ़ावा देने में महत्वपूर्ण होता है। यदि बच्चे अपने सहपाठियों के साथ दुर्व्यवहार करते हैं और दुर्व्यवहार गंभीर भावनात्मक या व्यवहारगत दोष का हिस्सा नहीं है, तो दृष्टिकोण बनाने में शिक्षक से कुछ कोचिंग मददगार हो सकती है।

106. निम्नलिखित में से किस उम्र के बच्चे में अपना दृष्टिकोण रखने की क्षमता सर्वाधिक होगी? **[2023]**

(a) 3 वर्ष (b) 8 वर्ष

(c) 13 वर्ष (d) 18 वर्ष

107. नीचे दो कथन दिए गए हैं: **[2023]**

कथन I: आक्रामक बच्चे दूसरों के इरादे का आंकलन आसानी से कर सकते हैं।

कथन II: विभिन्न व्यक्तियों के दृष्टिकोण अलग-अलग हो सकते हैं।

उपरोक्त कथनों के आलोक में, नीचे दिए गए विकल्पों में से सबसे उपयुक्त उत्तर का चयन कीजिए:

(a) कथन I और II दोनों सही हैं।

(a) कथन I और II दोनों गलत हैं।

(a) कथन I सही है, लेकिन कथन II गलत है।

(a) कथन I गलत है, लेकिन कथन II सही है।

108. यह समझना कि दूसरे कैसा महसूस करते हैं, निम्नलिखित में से किनके लिए महत्वपूर्ण हैं? **[2023]**

(1) सहानुभूति विकसित करने में

(2) पूर्वाग्रह कम करने में

(3) द्वन्द्व के समाधान में

(4) स्वार्थ को बढ़ावा देने में

(5) सहयोग बढ़ाने में

नीचे दिए गए विकल्पों में से सही उत्तर का चयन कीजिए:

(a) केवल (1), (2), (3) और (4)

(b) केवल (1), (2), (3) और (5)

(c) केवल (2), (3), (4) और (5)

(d) केवल (1), (2), (4) और (5)

109. नीचे दो कथन दिए गए हैं: एक अभिकथन (Assertion) A के रूप में लिखित है तो दूसरा उसके कारण (Reason) R के रूप में: **[2023]**

अभिकथन (A): प्री-स्कूल के बड़े बच्चों के पास छोटे बच्चों की तुलना में अपने सहपाठियों के साथ मिलजुलकर रहने के बेहतर अवसर होते हैं।

कारण (R): प्री-स्कूल के बड़े बच्चों में दूसरों के इरादों की बेहतर समझ होती है।

उपरोक्त कथनो के आलोक में, नीचे दिए गए विकल्पों में से सही उत्तर का चयन कीजिए:

(a) (A) और (R) दोनों सही हैं और (R), (A) की सही व्याख्या है।

(b) (A) और (R) दोनों सही हैं, लेकिन (R), (A) की सही व्याख्या नहीं है।

(c) (A) सही है, लेकिन (R) सही नहीं है।

(d) (A) सही नहीं है, लेकिन (R) सही है।

110. नीचे दो कथन दिए गए हैं: **[2023]**

कथन I: किसी दो वर्ष के बच्चे में अन्य की तुलना में अपने आशय को समझने की बेहतर संभावना होती है।

कथन II: यदि किसी बच्चे में किसी व्यवहारगत दोष के कारण अन्य बच्चों के साथ दुर्व्यवहार करने की आदत है, तो दृष्टिकोण अपनाने में उस बच्चे को कोच करना हमेशा मददगार होता है।

उपरोक्त कथन के आलोक में, नीचे दिए गए विकल्पों में से सबसे उपयुक्त उत्तर का चयन कीजिए:

(a) कथन I और II दोनों सही हैं।

(b) कथन I और II दोनों गलत हैं।

(c) कथन I सही है, लेकिन कथन II गलत है।

(d) कथन I गलत है, लेकिन कथन II सही है।

उत्तरमाला

1. (c)	**2.** (a)	**3.** (b)	**4.** (d)	**5.** (d)	**6.** (b)	**7.** (a)	**8.** (d)	**9.** (c)	**10.** (a)
11. (b)	**12.** (d)	**13.** (a)	**14.** (c)	**15.** (b)	**16.** (b)	**17.** (c)	**18.** (a)	**19.** (d)	**20.** (c)
21. (c)	**22.** (b)	**23.** (a)	**24.** (d)	**25.** (b)	**26.** (a)	**27.** (b)	**28.** (c)	**29.** (d)	**30.** (a)
31. (c)	**32.** (b)	**33.** (c)	**34.** (d)	**35.** (a)	**36.** (b)	**37.** (b)	**38.** (c)	**39.** (d)	**40.** (c)
41. (d)	**42.** (b)	**43.** (c)	**44.** (c)	**45.** (d)	**46.** (c)	**47.** (d)	**48.** (a)	**49.** (a)	**50.** (d)
51. (b)	**52.** (a)	**53.** (d)	**54.** (d)	**55.** (d)	**56.** (a)	**57.** (b)	**58.** (d)	**59.** (c)	**60.** (d)
61. (b)	**62.** (a)	**63.** (d)	**64.** (b)	**65.** (d)	**66.** (b)	**67.** (d)	**68.** (c)	**69.** (a)	**70.** (b)
71. (c)	**72.** (a)	**73.** (a)	**74.** (b)	**75.** (c)	**76.** (a)	**77.** (d)	**78.** (c)	**79.** (a)	**80.** (b)
81. (a)	**82.** (a)	**83.** (a)	**84.** (a)	**85.** (a)	**86.** (b)	**87.** (b)	**88.** (a)	**89.** (b)	**90.** (d)
91. (c)	**92.** (d)	**93.** (b)	**94.** (c)	**95.** (a)	**96.** (a)	**97.** (a)	**98.** (b)	**99.** (b)	**100.** (a)
101. (c)	**102.** (c)	**103.** (b)	**104.** (d)	**105.** (b)	**106.** (d)	**107.** (d)	**108.** (b)	**109.** (a)	**110.** (c)

अध्याय

4 संप्रेषण

सीखने के उद्देश्य

- **संप्रेषण:** संप्रेषण का अर्थ, प्रकार और अभिलक्षण
- **प्रभावी संप्रेषण:** वाचिक एवं गैर – वाचिक, अंत: सांस्कृतिक एवं सामूहिक संप्रेषण, कक्षा-संप्रेषण
- संप्रेषण की प्रकृति
- प्रभावी संप्रेषण की बाधाएं
- जन – मीडिया एवं समाज

1. कक्षागत सम्प्रेषण में कुछ उद्दीपकों की स्वीकार्यता और अस्वीकार्यता के बीच विभेदन किसका आधार है? **[Jul 2018]**

(a) निष्पादन की चयनात्मक अपेक्षा
(b) साथी समूहों के साथ चयनात्मक सम्बद्धता
(c) चयनात्मक ध्यान
(d) चयनात्मक नैतिकता

2. अभिकथन (A) : शिक्षक द्वारा कक्षा में छात्रों को दिए गए आरम्भिक संदेशों का बाद में अंत:क्रिया स्थापित करने के लिए महत्वपूर्ण होना आवश्यक नहीं है। **[Jul 2018]**

तर्क (R) : सम्प्रेषण प्रक्रिया पर अपेक्षाकृत अधिक नियंत्रण का निहितार्थ, छात्रों द्वारा अधिगम पर अपेक्षाकृत अधिक नियंत्रण है।

(a) (A) एवं (R) दोनों सही हैं, और (R), (A) की सही व्याख्या है।
(b) (A) एवं (R) दोनों सही हैं, लेकिन (R), (A) की सही व्याख्या नहीं है।
(c) (A) सही है, लेकिन (R) गलत है।
(d) (A) गलत है, लेकिन (R) सही है।

3. अभिकथन (A) : कक्षा में कुशल ढंग से सम्प्रेषण करना एक स्वाभाविक क्षमता है। **[Jul 2018]**

तर्क (R) : कक्षा में प्रभावी शिक्षण के लिए सम्प्रेषण प्रक्रिया का ज्ञान आवश्यक है।

(a) (A) एवं (R) दोनों सही हैं, और (R), (A) की सही व्याख्या है।
(b) (A) एवं (R) दोनों सही हैं, लेकिन (R), (A) की सही व्याख्या नहीं है।
(c) (A) सही है, लेकिन (R) गलत है।
(d) (A) गलत है, लेकिन (R) सही है।

4. अभिकथन (A) : कक्षागत सम्प्रेषण एक क्रियान्वितिकारी प्रक्रिया है। **[Jul 2018]**

तर्क (R) : कोई भी शिक्षक इस मान्यता के अंतर्गत कार्य नहीं करता कि छात्रों की अनुक्रियाएं सोद्देश्य होती हैं।

अपने उत्तर के लिए सही कूट चुनिए :

(a) (A) एवं (R) दोनों सही हैं, और (R), (A) की सही व्याख्या है।
(b) (A) एवं (R) दोनों सही हैं, लेकिन (R), (A) की सही व्याख्या नहीं है।
(c) (A) सही है, लेकिन (R) गलत है।
(d) (A) गलत है, लेकिन (R) सही है।

5. मानव सम्प्रेषण प्रक्रिया के विवरण के लिये निम्नलिखित में से कौनसा कथन समुच्चय सही है? **[Jul 2018]**

(1) अशाब्दिक सम्प्रेषण विचारों को उद्दीप्त कर सकते हैं।
(2) सम्प्रेषण एक अर्जित क्षमता है।
(3) सम्प्रेषण एक सार्वभौम समाधान नहीं है।
(4) सम्प्रेषण खंडित नहीं हो सकता।
(5) अधिक सम्प्रेषण का अर्थ छात्रों द्वारा अधिक प्रभावी अधिगम है।
(6) कक्षागत सम्प्रेषण के माध्यम से सीखे हुए का मूल्य छात्रों के लिए महत्वपूर्ण नहीं है।

(a) (1), (3), (5) और (6)　(b) (2), (4), (5) और (6)
(c) (1), (2), (3) और (4)　(d) (1), (4), (5) और (6)

6. संप्रेषण के संज्ञानात्मक क्षेत्र में निम्नलिखित में से किससे संबंधित मामले शामिल हैं? **[Jun 2019]**
   (a) संवेग (b) ज्ञान
   (c) भ्रांति (d) पलायनवाद

7. किसी कक्षा में विद्यार्थी को एक प्रभावी श्रोता होना चाहिए, उसे .... ध्यान रखना चाहिए? **[Jun 2019]**
   (1) अध्यापक की उपस्थिति का
   (2) सहकर्मी समूह का
   (3) शैक्षणिक सामग्री का
   (4) संप्रेषण विकर्षणों का
   नीचे दिए गए विकल्पों में से सही उत्तर का चयन कीजिए:
   (a) (1), (2) और (3) (b) (2), (3) और (4)
   (c) (1), (4) और (3) (d) केवल (3) और (4)

8. आम संप्रेषण और कक्षा में होनेवाले संप्रेषण में सूचना एवं विषय वस्तु के प्रक्रमण प्रक्रिया को .... कहा जाता है। **[Jun 2019]**
   (a) औचित्य स्थापन (b) गेटकीपिंग
   (c) विषयसामग्री सुधार (d) वन-वे फ्लो

9. कक्षा में साथी समूह अन्त:क्रिया (पीआर ग्रुप इन्टरएक्शन) से किसमें मदद मिलती है? **[Jun 2019]**
   (a) अवधारणा के अवबोध में
   (b) अपनी गलतफहमी को महसूस करने में
   (c) संपर्क निर्माण (रैपो बिल्डिंग) में
   (d) प्रश्न पूछने में

10. किसी शिक्षक के लिये सुनना महत्वपूर्ण है ताकि वह: **[Jun 2019]**
   (a) अधिगमकर्त्ता की आवश्यकताएं पूरी कर सके।
   (b) ज्ञान प्राप्त कर सके।
   (c) अधिगमकर्त्ता को प्रसन्न रखा जा सके।
   (d) अधिगमकर्त्ता द्वारा की गयी प्रगति का मूल्यांकन कर सके।

11. संप्रेषण का अर्थ विषयक व्यवधान उस परिस्थिति में होता है जब, **[Jun 2019]**
   (a) प्रेषिती तक पहुँचने के पूर्व ही सिग्नल प्राप्त न हो सके।
   (b) स्रोत से प्रेषित संवाद अस्पष्ट हो।
   (c) प्रेषिती का ध्यान अन्यमनस्क हो।
   (d) प्रेषिती संवाद का अर्थ नहीं समझता हो

12. निम्नलिखित में से कौन-सा अवाचिक संप्रेषण को अवश्यमेव घोषित करता है? **[Jun 2019]**
   (a) प्रश्न पत्र पर लिखे अनुदेश
   (b) अधित्ती का ऑनलाइन कक्षा में शामिल होना।
   (c) किसी व्यक्ति द्वारा अनुपालन किया जानेवाला ड्रेस कोड।
   (d) योग निर्देशक द्वारा शिष्यों को योग के आसन की शिक्षा दिया जाना।

13. **अभिकथन (A):** संप्रेषण में प्रतिभागपरक सांकेतिक वातावरण तथा गैर-प्रतिभागियों में भी सामाजिक संबंध का पाया जाना पूर्वकल्पित होता है। **[Jun 2019]**
   तर्क (R): इससे सामाजिक अंत:क्रिया संभव होती है, जो अन्य कारकों के साथ मिलकर सामुदायिक भावना को बढ़ाती है।
   नीच दिए गए में से सही विकल्प चुनिए:
   (a) (A) और (R) दोनों सही हैं और (R), (A) की सही व्याख्या है।
   (b) (A) और (R) दोनों सही हैं लेकिन (R), (A) की सही व्याख्या नहीं है।
   (c) (A) सही है, लेकिन (R) गलत है।
   (d) (A) गलत है, लेकिन (R) सही है।

14. निम्नलिखित में से कौन अन्तरवैयक्तिक संप्रेषण का एक चरण है? **[Jun 2019]**
   (a) सामाजिक चरण (b) अन्तरंग चरण
   (c) वैयक्तिक चरण (d) प्रागनुभविक संप्रेषण

15. निम्नलिखित में से कौन सा विकल्प आधुनिक संचार मीडिया की विशेषता है? **[Jun 2019]**
   (a) पूंजी प्रधान (b) श्रम प्रधान
   (c) संधारणीय (d) विकासात्मक

16. **अधिकथन (A):** जन संचार का सहसंबंधात्मक प्रकार्य किसी भी समाज के लिए महत्वपूर्ण होता है। **[Jun 2019]**
   तर्क (R): व्याख्यात्मक पहलू, जिनमें विज्ञापन और जन संपर्क शामिल हैं, जनता की राय बनाते हैं और उसे प्रभावित करते हैं।
   नीचे दिए गए विकल्प से सही उत्तर का चयन करें।
   (a) (A) और (R) दोनों सही हैं तथा (R), (A) की सही व्याख्या है।
   (b) (A) और (R) दोनों सही हैं किन्तु (R), (A) की सही व्याख्या नहीं है।
   (c) (A) सही है, किन्तु (R) गलत है।
   (d) (A) गलत हैं, किन्तु (R) सही है।

17. प्रभावी संप्रेषण की कुछ बाधाएं हैं। **[Jun 2019]**

(1) बहु-अर्थकता

(2) सरल भाषा

(3) पिष्टोक्ति का उपयोग

(4) वाक्यों की सरल संरचना

नीचे दिए गए कूट से सही उत्तर का चयन करें।

(a) (1) और (2) (b) (2) और (3)

(c) (3) और (4) (d) (1) और (3)

18. किसी कक्षा में संचार प्रौद्योगिकी के उपयोग में निहित मान्यता होती है: **[Jun 2019]**

(a) [illegible]

(b) आरामदायक परिवेश

(c) विषयवस्तु बहिर्वेशन

(d) अभिव्यक्तियों और अनुप्रयोगों के नए रूप

19. कक्षा में किसी विशिष्ट प्रयोक्ता के लिए तैयार की गई विषयवस्तु का परिणाम होगा: **[Jun 2019]**

(a) व्यक्तित्व विकास

(b) विषयवस्तु परिशोधन

(c) वैयक्तीकरण

(d) सामान्य अकादमिक एकीकरण

20. कक्षागत संप्रेक्षण के तत्वों का सही क्रम है **[Jun 2019]**

(a) ज्ञान, रुचि, मूल्यांकन, जागरुकता

(b) जागरुकता, रुचि, मूल्यांकन, ज्ञान

(c) मूल्यांकन, जागरुकता, ज्ञान, रुचि

(d) रुचि, ज्ञान, मूल्यांकन, जागरुकता

21. **अभिकथन (A):** प्रतिरोध के साथ कोई संस्कृतिकरण घटित नहीं होता है। **[Jun 2019]**

तर्क (R): लोगों के अपने मूल्य और स्व-हित होते हैं जो संप्रेषित संवाद को परिशोधित करते हैं।

नीचे दिए गए विकल्पों में से सही उत्तर का चयन कीजिए।

(a) (A) और (R) दोनों सही हैं, तथा (R), (A) की सही व्याख्या है।

(b) (A) और (R) दोनों सही हैं, परन्तु (R), (A) की सही व्याख्या नहीं है।

(c) (A) सही है, परन्तु (R) गलत है।

(d) (A) गलत है, परन्तु (R) सही है।

22. कक्षा संप्रेषण है: **[Dec 2019]**

(1) एक कम्प्यूटर प्रोग्राम के समान

(2) आदेशात्मक

(3) प्रयोजनमूलक (सोद्देश्य)

(4) व्यावहारिक

निम्नलिखित में से सही विकल्प चुनें:

(a) (1) और (3) (b) (2) और (3)

(c) (2) और (4) (d) (3) और (4)

23. संप्रेषण में कूट संकेतक- कूट विसंकेतक भूमिकाओं की अदला-बदली किस कारण होती है? **[Dec 2019]**

(a) संज्ञानात्मक बाधाए (b) शब्दार्थक शोर

(c) प्रतिपुष्टि विश्लेषण (d) दुर्बल प्रवहण

24. कक्षागत अन्त: क्रियाएं मुख्यत: किसके द्वारा प्रभावित होती हैं? **[Dec 2019]**

(a) छात्र प्रतिबद्धता

(b) शिक्षक केन्द्रित वातावरण

(c) संगठनात्मक पर्यवेक्षण

(d) अवांछित हस्तक्षेप

25. जब किसी कक्षा में विभिन्न प्रदर्शन-स्तरों वाले छात्र बड़ी संख्या में हों, तो शिक्षक को शिक्षात्मक अन्त:क्रियाओं हेतु किस प्रकार का संप्रेषण चुनना चाहिए? **[Dec 2019]**

(a) उच्च-निम्न और रेखीय

(b) टेक्नोलॉजी सहायित

(c) व्यक्ति केन्द्रित

(d) स्व-प्रक्षेपित

26. नीचे दो कथन दिए गए हैं जिनमें से एक को अभिकथन (A) और दूसरे को तर्क कथन (R) कहा गया है: **[Dec 2019]**

अथिकथन (A): कक्षागत संप्रेषण सामाजिक और संस्थागत मांगों द्वारा पूर्वनिर्धारित होता है।

तर्क कथन (R) : सकारात्मक शैक्षिक क्रियाएं अधिगमकर्ता को सामाजिक महत्व का ज्ञान अर्जित करने में सहायक होनी चाहिए।

उपर्युक्त दोनों कथनों के आलोक में सही विकल्प चुनें:

(a) (A) और (R) दोनों सही हैं तथा (R) (A) की सही व्याख्या है।

(b) (A) और (R) दोनों सही हैं किन्तु (R) (A) की सही व्याख्या नहीं है।

(c) (A) सही है किन्तु (R) गलत है।

(d) (A) गलत है किन्तु (R) सही है।

27. कक्षा में संप्रेषण निम्नांकित में से किन स्तरों में होता है? [Dec 2019]

(a) अवसरवादी अर्थ स्तर पर
(b) सतही अर्थ स्तर पर
(c) शोर-स्तर अर्थ स्तर पर
(d) गैर-संहिता अर्थ स्तर पर

28. प्रभावी कक्षा संप्रेषण अंतरित कर सकता है: [Dec 2019]

(a) शैक्षणिक प्रशासन
(b) शैक्षणिक विपणन
(c) शिक्षण-अधिगम प्रक्रिया
(d) प्रबंधन रणनीतियां

29. शिक्षार्थी संप्रेषण में तुलनात्मक रूप से चुनौती की उच्च क्षमता है: [Dec 2019]

(a) व्यवसाय के रूप में शिक्षण
(b) नवाचारी और रचनात्मक विचार
(c) मूल्यांकन की प्रविधियां
(d) लंबे समय से धरित अभिवृत्तियां

30. निम्नांकित में कौनसा कक्षा संप्रेषण संरचना हेतु आलंकारिक तकनीकें है? [Dec 2019]

(1) दिवसीय विषय को विद्यार्थियों के अभिरुचि से संबंधित करना।
(2) लक्षित श्रोता के लिए प्रकीर्ण सूचना प्रदान करना।
(3) एक विचार से दूसरे विचार पर सरल अंतरण
(4) साक्ष्यों के प्रयोग से बचना
(5) संदेश प्राप्ति के गुणवत्ता पक्ष में सुधार हेतु मीडिया का उपयोग।
(6) एक-मार्गी संप्रेषण अपनाना

नीचे दिए गए विकल्पों में से सही उत्तर चुनिए:

(a) (1), (2) और (3)
(b) (2), (3) और (6)
(c) (1), (3) और (5)
(d) (4), (5) और (6)

31. नीचे अभिकथन (A) और तर्क (R) के रूप में दो कथन दिए गए हैं: [Dec 2019]

अभिकथन (A): चर्चा के विषय के उद्देश्यों को परिभाषित करना, अनिवार्यत: कक्षा संप्रेषण का पहला कदम नहीं है।

तर्क (R): उद्देश्यों को स्पष्ट रूप में परिभाषित करने से विद्यार्थियों को विषय को बेहतर ढंग से समझने में सहायता मिलती है।

उपरोक्त दो कथनों के आलोक में नीचे दिए गए विकल्पों में से सही विकल्प चुनिए:

(a) (A) और (R) दोनों सही हैं और (R), (A) की स्पष्ट व्याख्या है।
(b) (A) और (R) दोनों सही हैं और (R), (A) की स्पष्ट व्याख्या नहीं है।
(c) (A) सही है, परन्तु (R) गलत है।
(d) (A) गलत है, परन्तु (R) सही है।

32. निम्नलिखित में से किस समूह के पास भाषेतर (पैरा लैंगुवेज) संप्रेषण के घटक हैं? [Dec 2019]

(a) स्वर, बल और प्रभाव
(b) सामाजिक स्थान और प्रभाव
(c) स्वर, सामाजिक स्थान और अभिव्यक्ति
(d) बल, सामाजिक स्थान और स्वर

33. निम्नलिखित में से संप्रेषण की प्रक्रिया में फीडबैक के लाभ को चुनिए: [Dec 2019]

(a) यह विषयवस्तु को समझने में लाभकारी है।
(b) यह आदाता की कमियों का निदान करता है।
(c) यह संप्रेषण को स्पष्ट करता है।
(d) यह आदाता की कमियों की छानबीन करता है।

34. कक्षा कक्ष शिक्षण के संदर्भ में उस आधारभूमि को क्या कहत हैं जिस पर अधिगमकर्ताओं के बीच स्नेहिल और परिपोषक संबंध बनाये जा सकते हैं: [Dec 2019]

(a) जाँच-पड़ताल
(b) शिक्षक की भावात्मकता
(c) संरचना निर्माण
(d) प्रतिपुष्टि

35. कक्षा में संप्रेषण की इकाई के रूप में सूक्ष्म अभिव्यक्तियां होती हैं [Dec 2019]

(a) नकारात्मक
(b) सकारात्मक
(c) हेर-फेर परक
(d) संचारशील

36. कक्षा में अच्छे संप्रेषण हेतु निम्नलिखित में से क्या अनिवार्य है? [Dec 2019]

(1) कतिपय शब्दों पर अतिशय जोर दिया जाना
(2) अबोधगम्य एवं अर्थहीन शब्दों का प्रयोग
(3) समधिकता का समुचित उपयोग
(4) प्रतिपुष्टि की तात्कालिकता

(5) गैर-भाषायी संकेत

(6) छात्रों द्वारा की गई समालोचना की उपेक्षा करना

निम्नलिखित में से सही विकल्प चुनिए:

(a) (1), (2) तथा (3) (b) (2), (3) तथा (6)

(c) (3), (4) तथा (5) (d) (4) (5) तथा (6)

37. निम्नांकित में से किसे प्रभावोत्पादक की श्रेणी से संबंधित मुख्य शिक्षण व्यवहार माना जाएगा? **[Dec 2019]**

(1) जो अधिगमकर्ता, अवबोध के विभिन्न स्तरों पर हों, उनके लिए विचारों को स्पष्ट करना।

(2) नेत्र संपर्क, वाणी और भाव-भंगिमाओं इत्यादि में अंतर द्वारा उत्साह और जोश प्रदर्शित करना।

(3) स्वीकृति और संक्षेपण द्वारा विद्यार्थियों के विचारों को प्रयोग करना।

(4) साधारण प्रश्नों के माध्यम से जांच करना और चर्चा को किसी उच्च चिंतन स्तर पर अंतरित करना।

(5) अर्थपूर्ण मौखिक सराहना का प्रयोग कर अधिगम प्रक्रिया में विद्यार्थियों की सक्रिय भागीदारी प्राप्त करना और इसे बनाए रखना।

निम्नांकित विकल्पों में से सही उत्तर चुनिए:

(a) केवल (1), (2) और (3)

(b) केवल (1), (2) और (5)

(c) केवल (2), (3) और (4)

(d) केवल (3), (4) और (5)

38. नीचे दो कथन दिए गए हैं, पहला अभिकथन **(A)** है और दूसरा तर्क **(R)** है: **[Dec 2019]**

अभिकथन (A) : शिक्षणशास्त्र और सामाजिक अन्तःक्रिया शिक्षक के दो प्रमुख परिणामोन्मुखी कार्यकलाप हैं।

तर्क (R) : इन दोनों कार्यकलापों में संप्रेषण की सीमित भूमिका है।

उपर्युक्त दो कथनों को ध्यान में रखते हुए नीचे दिए गए विकल्पों में से सही विकल्प का चयन करें:

(a) (A) और (R) दोनों सही हैं और (R), (A) की सही व्याख्या है।

(b) (A) और (R) दोनों सही हैं और (R), (A) की सही व्याख्या नहीं है।

(c) (A) सही है किन्तु (R) गलत है।

(d) (A) गलत है किन्तु (R) सही है।

39. निम्नलिखित में से कौन सा प्रभावोत्पादक शैक्षणिक संप्रेषण है? **[Dec 2019]**

(a) गैर पारंपरिक (b) पुनरावर्ती

(c) निरंतरता (d) प्रपीड़क (कोअर्सिव)

40. सफलतापूर्ण शैक्षिक संप्रेषण निम्नलिखित में से किस कौशल पर निर्भर है? **[Dec 2019]**

(1) आग्राहकों की नकारात्मक विशेषताओं की समझ

(2) वाचिक सम्प्रेषण और शारीरिक भाषा

(3) आग्राहकों पर प्रभाव के लिए समय का आकलन

(4) आग्राहकों की आवश्यकताओं का विश्लेषण

नीचे दिए गए विकल्पों में से सही विकल्प का चयन करें:

(a) (1) और (2) (b) (2) और (3)

(c) (3) और (4) (d) (2) और (4)

41. निम्नलिखित में से कौन संप्रेषण-अवरोध से निपटने में मदद करेगा? **[Dec 2019]**

(a) ध्यान से सुनना

(b) शब्दार्थ- शोर की उपेक्षा करना

(c) टॉप-डाउन कमांड स्ट्रक्चर

(d) रूढोक्ति मुहावरों का उपयोग करना

42. नीचे दिए गए दो कथनों में से एक को अभिकथन (A) तथा दूसरे को तर्क (R) कहा गया है: **[Dec 2019]**

अभिकथन (A): यदि कोई शिक्षक कक्षा में एक प्रभावी संप्रेषक के रूप में अपने सामर्थ्य में वृद्धि करना चाहता/चाहती है तो उसे पहले अपने छात्रों को समझना चाहिए।

तर्क (R): छात्रों को समझने का सामर्थ्य तथा आशयित श्रवण असंबद्ध प्रकथन हैं।

उपरोक्त दोनों कथनों के आलोक में, निम्नलिखित में से सही विकल्प चुनिए:

(a) दोनों (A) और (R) सत्य हैं तथा (R) के माध्यम से (A) की सही व्याख्या की गई है।

(b) दोनों (A) और (R) सत्य हैं, किन्तु (R) के माध्यम से (A) की सही व्याख्या नहीं की गई है

(c) (A) सत्य है, किन्तु (R) असत्य है

(d) (A) असत्य है, किन्तु (R) सत्य है

43. संप्रेषण में संकेतों की तात्कालिकता निर्भर करती है, किसी के **[2020]**

(a) आर्थिक प्राथमिकताओं पर

(b) सांस्कृतिक पृष्ठभूमि पर

(c) शारीरिक स्वास्थ्य पर

(d) सामाजिक अपेक्षाओं पर

44. शैक्षणिक संप्रेषण में सुधार करने के लिए निम्नलिखित कौन-सी विधियाँ सहायक होती हैं? **[2020]**

(1) उर्ध्वाधर संप्रेषण को अधिमान
(2) संप्रेषण दक्षता में वैयक्तिक छात्रों को प्रशिक्षण
(3) सूचनाओं की बहुत अधिक उत्पत्ति को सीमित करना
(4) विद्यार्थियों के बीच सांस्कृतिक एवं भाषाई अंतर की पहचान करना
(5) सांस्कृतिक प्रतीकों के प्रयोग में समरूपता का चयन करना

नीचे दिए गए विकल्पों में से सही उत्तर चुनिए:

(a) केवल (1), (2) और (3)
(b) केवल (3), (4) और (5)
(c) केवल (2), (3) और (5)
(d) केवल (2), (4) और (5)

45. नीचे दो कथन दिए गए हैं जिसमें से एक को अभिकथन (A) और दूसरे को तर्क (R) कहा गया है। **[2020]**

अभिकथन (A) : मौखिक संप्रेषण तत्काल में होता है।

कथन (R) : क्योंकि यह विभिन्न अन्तरालों में दृष्टिगोचर होता है इसलिए अपनी प्रकृति में लिखित संप्रेषण समकालिक होता है।

उपर्युक्त कथनों के आलोक में निम्नांकित विकल्पों में से सही चुनें:

(a) (A) और (R) दोनों सही हैं और (R), (A) की सही व्याख्या है।
(b) (A) और (R) दोनों सही हैं परन्तु (R), (A) की सही व्याख्या नहीं है।
(c) (A) सही हैं परन्तु (R), सही नहीं है।
(d) (A) सही नहीं हैं परन्तु (R), सही है।

46. निम्नलिखित प्रकाशनों के उद्भव के सही क्रम की पहचान कीजिए: **[2020]**

(1) आदर्श (स्टेंडर्ड) समाचार पत्र
(2) समाचार पुस्तकें
(3) समाचार शीट्स
(4) पत्रिकाएं
(5) ब्रॉड शीट्स

नीचे दिए गए विकल्पों में से सही उत्तर चुनिए:

(a) (3), (2), (1), (4), (5)
(b) (4), (5), (3), (2), (1)
(c) (1), (2), (3), (5), (4)
(d) (2), (3), (4), (5), (1)

47. सूची-I को सूची-II से सुमेलित कीजिए: **[2020]**

सूची-I (संचार की प्रणाली)	सूची-II (केन्द्रित अवयव)
1. पश्चिमी	I. गैर-प्रतिस्पर्धात्मक एवं सहयोगी
2. भारतीय	II. द्वि-आधारी परिकूलता का सहअस्तित्व
3. बौद्ध	III. संवेगात्मक रूपभेद
4. चीनी	IV. आलंकारिक साधन

निम्नलिखित विकल्पों में से सही उत्तर चुनिए:

(a) 1-I, 2-III, 3-IV, 4-II
(b) 1-IV, 2-III, 3-I, 4-II
(c) 1-II, 2-IV, 3-III, 4-I
(d) 1-IV, 2-I, 3-III, 4-II

48. सूची-I को सूची-II से सुमेलित कीजिए: **[2020]**

सूची-I (संचार अवरोध के उदाहरण)	सूची-II (संचार अवरोध के प्रकार)
(1) समाचार पत्र में स्पष्ट छपाई	(I) मनोवैज्ञानिक शोर
(2) संदेश की विभिन्न समझ	(II) सांस्कृतिक रुढ़िवादिता
(3) संदेश का निष्क्रिय श्रोता अभिग्रहण	(III) भौतिक शोर
(4) कुछ सजातीय समूहों के प्रति पूर्वाग्रह	(IV) शब्दार्थ शोर

नीचे दिये गये विकल्पों में से सही उत्तर चुनिए:

(a) (1)-(IV), (2)-(III), (3)-(I), (4)-(II)
(b) (1)-(II), (2)-(I), (3)-(IV), (4)-(III)
(c) (1)-(III), (2)-(IV), (3)-(I), (4)-(II)
(d) (1)-(I), (2)-(II), (3)-(III), (4)-(IV)

49. जन संपर्क माध्यम के फलनों के सही क्रम की पहचान कीजिए: **[2020]**

(1) मनोरंजन
(2) सूचना
(3) संस्कृति का प्रसारण
(4) सामाजिक एकीकरण
(5) शिक्षा

(a) (1), (3), (4), (5), (2)
(b) (2), (3), (5), (4), (1)
(c) (2), (5), (1), (3), (4)
(d) (3), (4), (5), (1), (2)

50. नीचे दो कथन दिए गए हैं, जिनमें से एक अभिकथन (A) और दूसरे को तर्क (R) कहा गया है। **[2020]**

अभिकथन (A): एक समाज जन साधारण को इसकी भाषा, रिवाजों, इतिहास तथा भूगोल द्वारा एकत्र करता है।

तर्क (R): जनसाधारण द्वारा समाज की एकता उसकी संप्रेषण प्रणाली तथा संस्कृति द्वारा सुदृढ़ बनती है।

उपर्युक्त कथनों के आलोक में निम्नांकित विकल्पों में से सर्वाधिक उपयुक्त उत्तर चुनें:

(a) (A) और (R) दोनों सही हैं और (R), (A) की व्याख्या सही है।
(b) (A) और (R) दोनों सही हैं परन्तु (R), (A) की व्याख्या सही नहीं है।
(c) (A) सही है परन्तु (R) सही नहीं है।
(d) (A) सही नहीं है परन्तु (R) सही है।

51. संप्रेषण के संबंध में निम्नलिखित में से कौन से सही हैं? यह एक **[2020]**

(1) छनन प्रक्रिया है।
(2) अवरोध रहित प्रक्रिया है।
(3) जीवन पर्यन्त प्रक्रिया है।
(4) सार्वभौमिक प्रक्रिया है।
(5) सामूहिक।

नीचे दिये गये विकल्पों में से सही उत्तर चुनिये:

(a) केवल (1), (2) और (3)
(b) केवल (2), (3) और (4)
(c) केवल (3), (4) और (5)
(d) केवल (4), (5) और (1)

52. ऑनलाईन प्लेटफार्म शिक्षण एवं अधिगम को निम्नलिखित में से किसका उप-प्रकार बनाता है: **[2020]**

(a) तकनीक-उत्प्रेरित विपथन
(b) जटिल अधिगम संस्कृति
(c) वाणिज्यिक सहयोग
(d) वैकल्पिक शिक्षा

53. जब संप्रेषण कक्षागत शिक्षण के उद्देश्यों को पूरा कर देता है तो यह **[2020]**

(a) असाधारण हो जाता है। (b) वैयक्तिक हो जाता है।
(c) कार्यात्मक हो जाता है। (d) बाध्यकर हो जाता है।

54. निम्नलिखित में से प्रभावी संप्रेषण के लिए किसे मनोवैज्ञानिक अवरोध कहा जा सकता है? **[2020]**

1. वर्णनात्मक संदेश
2. अन्यमनस्कता
3. लिखित शब्दों पर अधिक भरोसा
4. सीमित प्रतिधारण
5. तार्किक व्यवस्थापन
6. विचारों का प्रवाह

सही विकल्प का चयन करें:

(a) केवल 1, 2 और 3 (b) केवल 2, 3 और 4
(c) केवल 3, 4 और 5 (d) केवल 4, 5 और 6

55. नीचे दो कथन दिए गए हैं: पहला अभिकथन (A) और दूसरा तर्क (R) है: **[2020]**

अभिकथन (A): संप्रेषण में मानवीय पक्ष विद्यार्थियों को सहभागी बनाता है।

तर्क (R): प्रौद्योगिकी संचालित कक्षीय परिवेश में अध्यापक की संप्रेषणात्मक भूमिका द्वितीयक होती है।

उपयुक्त कथनों के आलोक में निम्नांकित विकल्पनों में से सर्वाधिक उपयुक्त उत्तर चुनें:

(a) (A) और (R) दोनों सही हैं और (R), (A) की सही व्याख्या है।
(b) (A) और (R) दोनों सही हैं लेकिन (R), (A) की सही व्याख्या नहीं है।
(c) (A) सही है पर (R) गलत है।
(d) (A) गलत है पर (R) सही है।

56. सूची-I और सूची-II का सुमेलन करें: **[2020]**

सूची-I संप्रेषण का प्रकार	सूची-II विशेषताएं
1. सीधा	I. अभिविन्यस्त प्रतिपूर्ति (फीडबैक)
2. क्षैतिज	II. अंतर-वैयक्तिक
3. वृत्तीय	III. ऊपर से नीचे
4. क्रियान्वितिपरक	IV. अभिविन्यस्त अफ़वाह

निम्नलिखित विकल्पों में से सही उत्तर का चयन करें:

(a) 1 – I, 2 – II, 3 – III, 4 – IV
(b) 1 – II, 2 – III, 3 – IV, 4 – I
(c) 1 – III, 2 – IV, 3 – I, 4 – II
(d) 1 – IV, 2 – I, 3 – II, 4 – III

57. नीचे दो कथन दिए गए हैं: **[2020]**

कथन I: अध्यापक द्वारा कक्षा के अनुनयात्मक संप्रेषण का अर्थ उसके द्वारा दी गयी सूचना के प्रारूप को विद्यार्थियों के लिए स्वीकार्य बनाता है।

कथन II: यदि यह संस्थानिक स्तर पर होता है तो इसके पीछे छवि निर्माण का प्रयोजन है।

उपर्युक्त कथनों के आलोक में निम्नांकित विकल्पों में से सही उत्तर चुनें:

(a) कथन-I और II दोनों सही हैं।
(b) कथन-I और II दोनों गलत हैं।
(c) कथन-I सही है, किन्तु कथन-II गलत है।
(d) कथन-I गलत है, किन्तु कथन-II सही है।

58. नीचे दो कथन दिए गए हैं: **[2020]**

कथन I: विभिन्न समुदायों का अस्तित्व एक-दूसरे से स्वतंत्र होता है परन्तु संयुक्त रूप से किसी प्रकार वे किसी समाज के सामुदायिक जीवन की संकल्पना प्रदान करते हैं।

कथन II: पृथ्वी का अस्तित्व या तो किसी अज्ञात संयोग का प्रतिफल है या यह किसी आंतरिक आवश्यकता या किसी बाह्य कारक के कारण है।

उपर्युक्त कथनों के आलोक में निम्नांकित विकल्पों में से सही उत्तर चुनें:

(a) कथन-I और II दोनों सही हैं।
(b) कथन-I और II दोनों गलत हैं।
(c) कथन-I सही है, किन्तु कथन-II गलत है।
(d) कथन-I गलत है, किन्तु कथन-II सही है।

59. ऑन लाईन शिक्षण के निम्नलिखित कौन से प्रमुख संप्रेषण अवरोध है? **[2020]**

(1) तकनीक (2) वैधनिकता
(3) छात्र समुदाय (4) संस्कृति
(5) लिंग

नीचे दिये गये विकल्पों में से सही उत्तर चुनिए:

(a) केवल (1), (2) और (3)
(b) केवल (1), (4) और (5)
(c) केवल (2), (3) और (4)
(d) केवल (3), (4) और (5)

60. मीडिया प्रोडक्शन प्रक्रिया के सही क्रम की पहचान कीजिए: **[2020]**

(1) विषय वस्तु की तैयारी
(2) योजना
(3) प्रस्तुति (प्रोडक्शन)
(4) प्रसारण
(5) प्रतिपुष्टि विश्लेषण

नीचे दिये गये विकल्पों में से सही उत्तर चुनिए:

(a) (1), (2), (3), (4), (5)
(b) (2), (3), (4), (1), (5)
(c) (4), (3), (2), (5), (1)
(d) (2), (1), (3), (4), (5)

61. परिवर्तनीय टेक्नोलॉजी और संचार संस्थाओं के कारण निम्नलिखित में से क्या घटित हो रहा है **[2020]**

(a) सिस्टम एकीकरण
(b) सामयिक विघटन
(c) मनोवैज्ञानिक विघटन
(d) स्थानिक एकीकरण

62. संचार का सकारात्मक प्रभाव निम्नलिखित में से किस पर निर्भर करता है: **[2020]**

1. बाधाओं को स्वीकारना
2. आयोजन
3. अचानक अभिव्यक्ति
4. मीडिया चयन
5. भाषा का प्रयोग

नीचे दिए गए विकल्पों में से सही उत्तर चुनें:

(a) केवल 1, 2 और 4 (b) केवल 2, 4 और 5
(c) केवल 3, 4 और 5 (d) केवल 1, 4 और 5

63. नीचे दो कथन दिए गए हैं: एक को अभिकथन (A) और दूसरे को तर्क (R) कहा गया है: **[2020]**

अभिकथन (A): संप्रेषण की सार्वभौमिकता शिक्षा को सजीव एवं जीवंत बनाती है।

तर्क (R): सांकेतिक आख्यान शिक्षण के प्रभावी विधि होने की विश्वसनीयता पर खरा नहीं उतरता।

उपयुक्त कथनों के आलोक में निम्नांकित विकल्पों में से सर्वाधिक उपयुक्त उत्तर चुनें:

(a) (A) और (R) दोनों सही हैं और (R), (A) की सही व्याख्या है।
(b) (A) और (R) दोनों सही हैं लेकिन (R), (A) की सही व्याख्या नहीं है।
(c) (A) सही है पर (R) सही नहीं है।
(d) (A) सही नहीं है पर (R) सही है।

64. संप्रेषण प्रणाली के विकास में कालक्रमानुसार सही अनुक्रम है: **[2020]**

1. भाषा का उद्भव
2. गुफा चित्रकारी
3. अंतर्वैयक्तिक संप्रेषण (मौखिक)
4. मुद्रण प्रौद्योगिकी का उद्भव
5. दूरसंचार प्रणाली

नीचे दिए गए विकल्पों में से सही उत्तर का चयन कीजिए:

(a) 1, 2, 3, 5, 4 (b) 2, 5, 4, 3, 1
(c) 3, 4, 5, 1, 2 (d) 2, 1, 3, 4, 5

65. सूची-I को सूची-II के साथ सुमेलित कीजिए: **[2020]**

सूची-I उदाहरण	सूची-II संचार के प्रकार
1. राष्ट्रीय टी वी नेटवर्क पर देश को सम्बोधित करना	I. क्षैतिज संप्रेषण
2. चुनिन्दा संख्या में शिक्षकों की कार्यशाला आयोजित करना	II. अंत: वैयक्तिक संप्रेषण
3. साथी कर्मियों के साथ अनौपचारिक बातचीत	III. जन संचार
4. अतीत की घटनाओं का स्मरण	IV. समूहगत संप्रेषण

नीचे दिए गए विकल्पों में से सही उत्तर चुनिए:

(a) 1 – I, 2 – II, 3 – III, 4 – IV
(b) 1 – II, 2 – III, 3 – IV, 4 – I
(c) 1 – III, 2 – IV, 3 – I, 4 – II
(d) 1 – IV, 2 – I, 3 – II, 4 – III

66. शिक्षण के निम्नलिखित कौन से स्तर में सम्प्रेषण प्रक्रिया अति उच्च स्तर पर सक्रिय एवं अंतर्क्रियात्मक होती है? **[2020]**

(a) सविमर्श स्तर (b) अवबोध स्तर
(c) स्मृति स्तर (d) स्वायत विकास स्तर

67. कक्षा सम्प्रेषण में संज्ञानात्मक विस्वरता इसका परिणाम है। **[2020]**

(a) संदेश का निस्वंदन (फिल्टरिंग) करना
(b) विद्यार्थी की रुचि
(c) विद्यार्थी आधारित अन्योन्यक्रिया
(d) अव्यवस्थित परिस्थितियां

68. संव्यवहारिक संप्रेषण में निम्नलिखित में से कौन से निर्धारक हैं? **[2021]**

(A) सामाजिक संदर्भ (B) सांस्कृतिक संदर्भ
(C) संबंधात्मक संदर्भ (D) विधिक संदर्भ
(E) विलंबित संदर्भ

नीचे दिए गए विकल्पों में से सही उत्तर चुनिए:

(a) केवल A, B और E (b) केवल A, B और C
(c) केवल B, C और D (d) केवल C, D और E

69. निम्नलिखित में से किसे अनैतिक संप्रेषण माना जाता है? **[2021]**

(a) गैर व्यावसायिक प्रचार
(b) सूचना के स्रोत की जानकारी न देना
(c) दुष्प्रचार (प्रोपेगण्डा)
(d) सूचना के वैकल्पिक स्रोत का प्रयोग

70. संप्रेषण का अर्थ है सूचना का .... **[2021]**

(A) दमन (B) विनिमय
(C) समझ (D) संदर्भीकरण
(E) अमूर्तिकरण

नीचे दिए गए विकल्पों में से सही उत्तर का चयन कीजिए:

(a) केवल A, B और E
(b) केवल A, B, और C
(c) केवल B, C और D
(d) केवल C, D, और E

71. नीचे दो कथन दिए गए हैं: **[2021]**

कथन–I: संप्रेषण में भाषा संदिग्धता शब्दों के गलत प्रयोग के कारण होती है।

कथन–II: अनौपचारिक समय पदों के कारण भिन्न व्याख्या होती है।

उपरोक्त कथनों के आलोक में, नीचे दिए गए विकल्पों में से सही उत्तर का चयन कीजिए:

(a) कथन I और II दोनों सही हैं।
(b) कथन I और II दोनों गलत हैं।

(c) कथन I सही है किन्तु कथन II गलत है।
(d) कथन I गलत है किन्तु कथन II सही है।

72. नीचे दो कथन दिए गए हैं: **[2021]**

कथन-I: व्यक्ति के बोध और धारणाएं संप्रेषण में सामान्यीकरण के आधार हैं।

कथन-II: परिवेश के सामान्यीकरण अनुभवों के माध्यम से विकसित होते हैं।

उपरोक्त कथनों के आलोक में, नीचे दिए गए विकल्पों में से सही उत्तर का चयन कीजिए:

(a) कथन I और II दोनों असत्य हैं।
(b) कथन I और II दोनों सत्य हैं।
(c) कथन I असत्य है, किन्तु कथन II सत्य है।
(d) कथन I सत्य है, किन्तु कथन II असत्य है।

73. संप्रेषण के विषय में निम्नलिखित में से कौन से मिथक हैं? **[2021]**

A. अच्छे संप्रेषक जन्मजात होते हैं, बनाए नहीं जाते हैं।
B. मंच भीति संप्रेषण की आशंका नहीं है।
C. संप्रेषण कौशल का संबंधों से कोई लेना - देना नहीं है।
D. संप्रेषण की अपनी बाधाएँ होती हैं।
E. अभ्यास से संप्रेषण की सही आदतें आती हैं।

नीचे दिए गए विकल्पों में से सही उत्तर का चयन कीजिए:

(a) केवल A, B और C
(b) केवल A, D और E
(c) केवल B, C और D
(d) केवल C, D और E

74. रॉबिन्स एवं अन्य के अनुसार किसी संगठन में प्रभावी संप्रेषण में आनेवाले अवरोधों का क्रम है: **[2021]**

A. भाषा
B. भावनाएँ
C. चयनात्मक प्रत्यक्षण
D. सूचना भार
E. फिल्टरिंग

नीचे दिए गए विकल्पों में से सही उत्तर का चयन कीजिए:

(a) A, B, D, E, C
(b) B, C, D, A, E
(c) D, A, E, C, B
(d) E, C, D, B, A

75. सूची-I को सूची-II से सुमेलित कीजिए: **[2021]**

सूची-I (प्रभावी संप्रेषण के तत्त्व)	सूची-II (वर्णन)
A. सामान्य सन्दर्भ विन्यास	I. समान पृष्ठभूमि के लोगों से संप्रेषण करना
B. सर्वसमता	II. बोधगम्य भाषा का प्रयोग
C. भाषा प्रासंगिकता	III. संकेतक और विसंकेतक के बीच सामान्य रुचि के सन्देश
D. अनुरूप परिवेश	IV. अभिग्राहक और प्रेषक के बीच संगतता

नीचे दिए गए विकल्पों में से सही उत्तर चुनिए:

(a) A-I, B-II, C-III, D-IV
(b) A-II, B-III, C-IV, D-I
(c) A-III, B-IV, C-I, D-II
(d) A-IV, B-III, C-II, D-I

76. संप्रेक्षण के तत्वों के विवरण में, एक व्यक्ति, एक-घटना द्वारा मौखिक या अमौखिक संकेत उपलब्ध कराना जिस पर किसी के द्वारा प्रतिक्रिया दी जा सकती है, को कहा जाता है **[2021]**

(a) संदेश
(b) स्रोत
(c) वाहक (चैनल)
(d) संप्रेषण संदर्भ

77. नीचे दो कथन दिए गए हैं: एक अभिकथन (Assertion A) के रूप में लिखित है तो दूसरा उसके कारण (Reason R) के रूप में: **[2021]**

अभिकथन (A) : कार्य सूची निर्माण एक सामूहिक संप्रेषण की प्रक्रिया है जिसमें मीडिया सरकार और नागरिक परस्पर एक दूसरे को प्रभावित करते हैं।

कारण (R) : कार्यसूची संज्ञानात्मक प्रभाव और असक्रिय श्रोताओं को कम सामाजिक प्रभाव वाले मानता है।

उपरोक्त कथन के आलोक में, नीचे दिए गए विकल्पों में से सही उत्तर का चयन कीजिए:

(a) (A) और (R) दोनों सत्य हैं और (R), (A) की सही व्याख्या है।
(b) (A) और (R) दोनों सत्य हैं लेकिन (R), (A) की सही व्याख्या नहीं है।
(c) (A) सत्य है लेकिन (R) असत्य है।
(d) (A) असत्य है लेकिन (R) सत्य है।

78. नीचे दो कथन दिए गए हैं: **[2021]**

कथन (I) : जनसंचार की कला मुखोन्मुख संप्रेषण और अन्य किसी प्रकार के संप्रेषण की अपेक्षा अधिक सरल है।

कथन (II) : जब हम दूसरों के साथ संप्रेषण करते हैं हममें से प्रत्येक 3S (दृष्ट, ध्वनि और गन्ध) तथा 2T (स्पर्श और स्वाद) का प्रयोग करता है।

उपरोक्त कथन के आलोक में, नीचे दिए गए विकल्पों में से सही उत्तर का चयन कीजिए:

(a) कथन I और II दोनों सही हैं।
(b) कथन I और II दोनों गलत हैं।
(c) कथन I सही है, लेकिन कथन II गलत है।
(d) कथन I गलत है, लेकिन कथन II सही है।

79. पुनर्निवेशन (फीडबैक) श्रोता की प्रतिक्रिया को दर्शाता है जब: **[2021]**

(1) कोई संप्रेषण के प्रभाव को जानता है।
(2) कोई संदेश के विषयवस्तु की गुणवत्ता को जानता है।
(3) कोई संप्रेषण की वस्तु के भविष्य की संभावनाओं को जानता है।
(4) कोई संप्रेषण के आर्थिक निहितार्थ को जानता है।

नीचे दिए गए विकल्पों में से सबसे उपयुक्त उत्तर का चयन कीजिए।

(a) केवल (1), (2) (4)
(b) केवल (2), (4), (3)
(c) केवल (1), (3), (4)
(d) केवल (1), (2), (3)

80. वह शक्ति जो संप्रेषण की प्रक्रिया में किसी के शब्दों और उसकी भावनाओं के मिलान, शरीर और भावभंगिमाओं के संयोजन से मिलती हो, उसे कहते हैं - **[2021]**

(a) सर्वांगसमता (b) समरूपता
(c) सहयोगिता (d) नियंत्रण

81. संप्रेषण शोध निष्कर्षों के अनुसार, निम्नलिखित में किस के लिए थोड़ी बहुत गप-शप आवश्यक है? **[2021]**

(a) समाज-पक्षीय उत्प्रेरण
(b) विकृति निवारण
(c) संप्रेषण रेंज को विस्तारित करना
(d) संवेगात्मक संबद्धताओं का कथन

82. अन्त:-सांस्कृतिक संप्रेषण में निम्नलिखित में से कौन-कौन महत्त्वपूर्ण हैं: **[2021]**

(1) मूल्यहीनता
(2) सम्मान की अनुपस्थिति
(3) अधिकारों के मध्य दूरियां
(4) व्यक्तिवाद
(5) लैंगिक भूमिकाएं

नीचे दिए गए विकल्पों में से सही उत्तर का चयन कीजिए:

(a) केवल (1), (2) और (3)
(b) केवल (2), (3) और (4)
(c) केवल (3), (4) और (5)
(d) केवल (1), (2) और (5)

83. नीचे दो कथन दिए गए हैं: एक अभिकथन (Assertion A) के रूप में और दूसरा उसके कारण (Reason R) के रूप में **[2021]**

अभिकथन (A) : जब सन्देश गंभीर हों, तब मुस्कान व हंसने वाले इमोजी से बचना चाहिए।

कारण (R) : गैर- शाब्दिक संकेत शाब्दिक संप्रेषण की तरह हमेशा प्रसंगाधीन होते हैं।

उपरोक्त कथनों के आलोक में, नीचे दिए विकल्पों में से सही उत्तर का चयन कीजिए:

(a) (A) और (R) दोनों सत्य हैं और (R), (A) की सही व्याख्या है।
(b) (A) और (R) दोनों सत्य हैं परन्तु (R), (A) की सही व्याख्या नहीं है।
(c) (A) सत्य है, परन्तु (R) असत्य है।
(d) (A) असत्य है, परन्तु (R) सत्य है।

84. मानवीय संप्रेषण-कौशल के काम की पहचान कीजिए: **[2021]**

(1) सार्वजनिक भाषण (2) समूह अन्त: क्रिया
(3) संबंध (4) फीड फारवर्ड
(5) स्व प्रस्तुति

नीचे दिए गए विकल्पों में से सही उतर का चयन कीजिए:

(a) (2), (4), (5), (3), (1)
(b) (1), (3), (4), (2) (5)
(c) (3), (5), (1), (4), (2)
(d) (5), (3), (2) (1), (4)

85. सूची I को सूची II से सुमेलित कीजिए: **[2021]**

सूची–I (संप्रेषण अवरोध)	सूची–II (उदाहरण)
(1) मनोवैज्ञानिक	(i) तकनीकी भाषा का प्रयोग
(2) सांगठनिक	(ii) निम्न प्रतिधारण (पुअर रिटेंशन)
(3) वैयक्तिक	(iii) प्रकार्यात्मक विशिष्टीकरण
(4) शब्दार्थ	(iv) प्राधिकार को चुनौती का भय

नीचे दिए गए विकल्पों में से सही उत्तर चुनिए:

(a) (1)–(i), (2)–(ii), (3)–(iii) (4)–(iv)
(b) (1)–(ii), (2)–(iii), (3)–(iv) (4)–(i)
(c) (1)–(iii), (2)–(iv), (3)–(i), (4)–(ii)
(d) (1)–(iv), (2)–(i), (3)–(ii), (4)–(iii)

86. किसी कक्षा में एक प्रभावी श्रोता: **[2022]**

(a) ध्यान भंग होने का प्रतिरोध करता है।
(b) विचलन चाहता है।
(c) सन्देश का निस्पंदन (फिल्टर) करना पसंद करता है।
(d) सन्देश प्रदायगी शैली का आकलन करता है।

87. दुतरफा आमने-सामने सम्प्रेषण तकनीकी रूप से किस प्रकार संदर्भित किया जाता है? **[2022]**

(a) स्तर-एक (b) स्तर-दो
(c) स्तर-तीन (d) स्तर-चार

88. निम्नलिखित में से कौन से चर सम्प्रेषण के परिप्रेक्ष्य में एक संस्कृति से अन्य संस्कृति का भेद करते हैं? **[2022]**

(1) अधिगम कौशल (2) समय बोध
(3) कृतज्ञता का स्तर (4) ईमानदारी का स्तर

नीचे दिए गए विकल्पों में से सही उत्तर चुनें:

(a) केवल (1) और (2) (b) केवल (2) और (3)
(c) केवल (3) और (4) (d) केवल (1) और (4)

89. नीचे दो कथन दिए गए हैं: **[2022]**

कथन I: लघु समूह सम्प्रेषण संबंध की आवश्यकताओं की पूर्ति करता है।

कथन II: फिर भी, लघु समूह सम्प्रेषण कार्य से संबंधित आवश्यकताओं की पूर्ति नहीं करता।

उपर्युक्त कथनों के आलोक में निम्नलिखित विकल्पों में से सही उत्तर चुनें:

(a) कथन I और II दोनों सत्य हैं।
(b) कथन I और II दोनों असत्य हैं।
(c) कथन I सत्य है, किन्तु कथन II असत्य है।
(d) कथन I असत्य है, किन्तु कथन II सत्य है।

90. निम्नलिखित में से मीडिया के कौन से कार्य हैं, जो उसके श्रोता-दर्शक वर्ग से संबंधित हैं? **[2022]**

(1) मीडिया उत्पादों के लिए निष्क्रिय रूप से लालायित होना।
(2) मीडिया विषयवस्तु की सर्वाहारी ग्राह्यता।
(3) पहचान के माध्यम से क्षतिपूर्ति।
(4) प्रतिस्थानिक इच्छा पूर्ति।
(5) उपयुक्त भूमिका के लिए सुझाव के स्रोत।

नीचे दिए गए विकल्पों में से सही उत्तर चुनें:

(a) केवल (1), (2) और (3)
(b) केवल (2), (3) और (4)
(c) केवल (1), (2) और (5)
(d) केवल (3), (4) और (5)

91. भिन्न संस्कृतियों के लोगों के साथ सम्प्रेषण सुझाव हो सकते हैं: **[2022]**

(1) अपनी व्याख्या पर बल देना।
(2) अपनी स्वयं की सांस्कृतिक पहचान को भूलना।
(3) पारस्परिक सम्मान की एक पारिस्थितिकीय प्रणाली को प्रोत्साहित करना।
(4) अन्य लोगों के सांस्कृतिक संदर्भ को जानना।
(5) सदैव तथ्य बताना।

नीचे दिए गए विकल्पों में से सही उत्तर चुनें:

(a) केवल (1), (2) और (3)
(b) केवल (3), (4) और (5)
(c) केवल (2), (3) और (5)
(d) केवल (1), (4) और (5)

92. नीचे दो कथन दिए गए हैं: **[2022]**

कथन I: सम्प्रेषण की नई प्रणाली एक अंत:क्रियात्मक समाज के अभ्युदय को सुगम बनाया है।

कथन II: सम्प्रेषण की नई प्रणाली डिजिटल है और उसने नेटवर्क्स के माध्यम से सम्प्रेषण के बहु-विध तरीकों को एकीकृत किया है।

उपर्युक्त कथनों के आलोक में निम्नलिखित विकल्पों में से सही उत्तर चुनें:

(a) कथन I और II दोनों सत्य हैं।
(b) कथन I और II दोनों असत्य हैं।
(c) कथन I सत्य है, लेकिन कथन II असत्य है।
(d) कथन I असत्य है, लेकिन कथन II सत्य है।

93. निम्नलिखित में से कौनसा वीडियो कॉन्फ्रेंसिंग सिस्टम के लिए एक अत्यावश्यक घटक नहीं है? **[2022]**

(a) वीडियो कैमरा (b) डिसप्ले डिवाइस
(c) टेलीफोन (d) माइक्रोफोन

94. आमने-सामने सम्प्रेषण में प्रापक द्वारा प्रदान किए गए अमौखिक संकेतों को किस रूप में माना जा सकता है? **[2022]**

(a) प्रतिपुष्टि (फीडबैक)
(b) विसंकेतीकरण
(c) भौतिक शोरगुल
(d) प्रतीकात्मक प्रतिनिधित्व

95. व्यक्तियों के बीच सम्प्रेषण की संगतता किसमें सन्निहित है? **[2022]**

(a) परिचारिकता (b) मीडिया में रुचि
(c) तदनुभूति (d) बाह्य प्रभाव

96. जन-प्रवाद सम्प्रेषण के निम्नलिखित में से कौन से लाभ हैं? **[2022]**

(1) प्रतिकूल टिप्पणियों का सुगम प्रवाह
(2) संगठन में मनोबल को जानना
(3) अधिप्रचारक विचारों का फैलाव
(4) कर्मचारी द्वारा सामना किए जाने वाले महत्वपूर्ण मुद्दों को जानना
(5) कर्मचारी की चिंताओं का मूल्यांकन

नीचे दिए गए विकल्पों में से सही उत्तर चुनें:

(a) केवल (1), (2) और (3)
(b) केवल (2), (3) और (4)
(c) केवल (4), (3) और (5)
(d) केवल (2), (4) और (5)

97. माध्यत संप्रेषण में आलोचनात्मक पठन की विशेषता .... है। **[2023]**

(a) भावात्मक (b) निष्क्रिय
(c) अप्रभावी (d) संज्ञानात्मक

98. संप्रेषण की प्रतीकात्मक विधि है: **[2023]**

(a) यंत्रीय (इन्स्ट्रूमेन्टल) (b) गैर-आनुष्ठानिक
(c) सामाजिक-सांस्कृतिक (d) यांत्रिक (मैकेनिकल)

99. शैक्षिक व्यवस्था के साथ समाकलित संप्रेषण: **[2023]**

(1) शिक्षकों के लिए विदेश जाने के अवसरों में वृद्धि करेगा।
(2) शैक्षिक अधिकारों के प्रति जन जागरुकता में वृद्धि करेगा।
(3) नीति निर्माण की गुणवत्ता में सुधार करेगा।
(4) शैक्षिक सेवा प्रदान करने में सुधार करेगा।
(5) शिक्षकों को बेहतर परिलब्धियों का अभिगम प्रदान करेगा।

नीचे दिए गए विकल्पों में से सही उत्तर का चयन कीजिए:

(a) केवल A, B, C (b) केवल B, C, D
(c) केवल C, D, E (d) केवल A, D, E

100. सूची I के साथ सूची II का मिलान कीजिए। **[2023]**

सूची-I (संप्रेषण प्रभाव)	सूची-II (विशेषता)
(1) यंत्रीय प्रभाव	(i) आत्म-अनुमोदन में वृद्धि
(2) प्रतिष्ठा प्रभाव	(ii) कला एवं साहित्य के निदर्शों से अनुभव
(3) सौंदर्यशास्त्रीय प्रभाव	(iii) सुखद विकर्षण
(4) प्रविलंबन प्रभाव	(iv) व्यवहारिक समस्या से निपटने का सामर्थ्य

निम्नलिखित विकल्पों में से सही उत्तर का चयन कीजिए:

(a) (1)–(i), (2)–(ii), (3)–(iii), (4)–(iv)
(b) (1)–(ii), (2)–(iii), (3)–(iv), (4)–(i)
(c) (1)–(iii), (2)–(iv), (3)–(i), (4)–(ii)
(d) (1)–(iv), (2)–(i), (3)–(ii), (4)–(iii)

101. डी. सस्युर ने भाषा को इस रूप में चिन्हित किया है: **[2023]**

(a) तकनीकी कूट (b) संकेतों का आधिक्य
(c) शब्दाडम्बर (d) बृहत् सामान्यीकरणकर्ता

102. लोक-सेवा संचार (संप्रेषण) हेतु निम्नलिखित में से कौन-से मापदण्ड हैं? **[2023]**

(1) निजी पूर्वाग्रह (2) विचारधारापरक झुकाव
(3) परिशुद्धता (4) व्यापकता
(5) मत और तथ्यों का पृथक्करण

नीचे दिए गए विकल्पों में से सही उत्तर का चयन कीजिए:

(a) केवल (1), (2), (3) (b) केवल (2), (3), (4)
(c) केवल (3), (4), (5) (d) केवल (1), (4), (5)

103. मार्शल मैक्लुहान जैसे कुछ विशेषज्ञों के अनुसार, निम्नलिखित में से किसको हॉट मीडिया माना जाता है? **[2023]**

(1) टेलीफोन (2) दूरदर्शन (टेलीविजन)
(3) रेडियो (4) सिनेमा
(5) मुद्रण

नीचे दिए गए विकल्पों में से सही उत्तर का चयन कीजिए:

(a) केवल (1), (2), (3)
(b) केवल (2), (3), (4)
(c) केवल (3), (4), (5)
(d) केवल (1), (3), (5)

104. नीचे दो कथन दिए गए हैं: **[2023]**

कथन I: इन्टरनेट स्वयं में एक नेटवर्क (संजाल) और सायबर स्पेस संबंधों हेतु एक प्रतिमान (मॉडल) भी है।

कथन II: इन्टरनेट से समर्थित वैश्विक अन्योन्यक्रियात्मक प्रौद्यागिकियों ने बीसवीं शताब्दी के अंत तक 'द्वितीय मीडिया युग' के आगमन का मार्ग प्रशस्त किया।

उपरोक्त कथनों के आलोक में, नीचे दिए गए विकल्पों में से सही उत्तर का चयन कीजिए:

(a) कथन I और II दोनों सत्य हैं।
(b) कथन I और II दोनों असत्य हैं।
(c) कथन I सत्य है, लेकिन कथन II असत्य है।
(d) कथन I असत्य है, लेकिन कथन II सत्य है।

उत्तरमाला

1. (c)	**2.** (d)	**3.** (d)	**4.** (c)	**5.** (c)	**6.** (b)	**7.** (d)	**8.** (b)	**9.** (a)	**10.** (a)
11. (d)	**12.** (c)	**13.** (d)	**14.** (d)	**15.** (a)	**16.** (a)	**17.** (d)	**18.** (d)	**19.** (c)	**20.** (b)
21. (b)	**22.** (d)	**23.** (c)	**24.** (a)	**25.** (b)	**26.** (a)	**27.** (b)	**28.** (c)	**29.** (d)	**30.** (c)
31. (d)	**32.** (a)	**33.** (c)	**34.** (b)	**35.** (d)	**36.** (c)	**37.** (b)	**38.** (c)	**39.** (c)	**40.** (d)
41. (a)	**42.** (c)	**43.** (b)	**44.** (c)	**45.** (c)	**46.** (a)	**47.** (b)	**48.** (c)	**49.** (c)	**50.** (a)
51. (c)	**52.** (d)	**53.** (c)	**54.** (b)	**55.** (c)	**56.** (c)	**57.** (a)	**58.** (a)	**59.** (b)	**60.** (d)
61. (a)	**62.** (b)	**63.** (c)	**64.** (d)	**65.** (c)	**66.** (a)	**67.** (d)	**68.** (b)	**69.** (c)	**70.** (c)
71. (a)	**72.** (b)	**73.** (a)	**74.** (d)	**75.** (d)	**76.** (a)	**77.** (c)	**78.** (d)	**79.** (d)	**80.** (a)
81. (a)	**82.** (c)	**83.** (a)	**84.** (d)	**85.** (b)	**86.** (a)	**87.** (a)	**88.** (b)	**89.** (c)	**90.** (d)
91. (b)	**92.** (a)	**93.** (c)	**94.** (a)	**95.** (c)	**96.** (d)	**97.** (d)	**98.** (c)	**99.** (b)	**100.** (d)
101. (b)	**102.** (c)	**103.** (a)	**104.** (a)						

संकेत और स्पष्टीकरण

1. (c)

चयनात्मक ध्यान (selective attention) एक संज्ञानात्मक प्रक्रिया है, जिसमें एक व्यक्ति एक या कुछ ही संवेदी आदानों / उत्तेजनाओं (sensory stimuli) पर ध्यान केंद्रित करता है और अन्य की उपेक्षा करता है।

विकल्प (a) निष्पादन की चयनात्मक अपेक्षा भी सत्य प्रतीत होता है, लेकिन यह एक मानकीकृत शब्द नहीं है।

छात्र कक्षा व्यवहार के उन भिन्न - भिन्न रूपों से परिचित होते हैं। उदाहरण के लिए, उच्च उपलब्धि प्राप्त करने वालों छात्रों को कक्षा में अधिक प्रशंसा, अधिक विश्वास और अधिक स्वायत्तता से भाग लेने के लिए अधिक चुनौती पूर्ण अवसर प्राप्त होते हैं। साथी समूहों के साथ चयनात्मक संबंद्धता छात्रों के परिणामों को प्रभावित करती है, लेकिन इसे स्वीकार्यता और अस्वीकार्यता का आधार नहीं माना जा सकता है।

अत: कक्षागत संप्रेषण में, चयनात्मक ध्यान कुछ उद्दीपकों की स्वीकार्यता और अस्वीकार्यता के मध्य विभेदन का आधार है।

इसके विपरीत, निष्पादन की चयनात्मक अपेक्षा, साथी समूहों के साथ चयनात्मक संबद्धता और नैतिकता उत्तेजनाओं की स्वीकार्यता पर आधारित नहीं हैं।

2. (d)

शिक्षक द्वारा कक्षा में छात्रों को दिए गए आरंभिक संदेश बाद में अंत:क्रिया स्थापित करने के लिए महत्वपूर्ण होने चाहिए। संचार प्रक्रिया पर नियंत्रण छात्रों के सीखने को सुव्यवस्थित करने में तब्दील हो जाता है।

शिक्षक द्वारा कक्षा में छात्रों को दिए गए आरंभिक संदेशों का पश्चात में अंत: क्रिया स्थापित करने के लिए महत्वपूर्ण होना आवश्यक है। यह सभी लेन देन का आधार है एवं यह प्रभावी कक्षा संचार का एक सिद्धांत है। एक शिक्षक कभी-कभी व्याख्यान के आरंभ में 'अपेक्षित अधिगम के परिणामों' का उल्लेख करता है।

संप्रेषण प्रक्रिया पर अपेक्षाकृत अधिक नियंत्रण का निहितार्थ छात्रों द्वारा अधिगम पर अपेक्षाकृत अधिक नियंत्रण है।

अत: (A) असत्य है, लेकिन (R) सत्य है।

3. (d)

प्रभावी कक्षा संचार के सिद्धांत: कक्षा में प्रभावी संवाद करने के लिए एक स्वाभाविक क्षमता की तुलना में एक सीखने की क्षमता अधिक प्रभावी है। तो, विकल्प (ए) गलत है। कक्षा में प्रभावी संचार एक कौशल है, जिसे विकसित किया जा सकता है और उसमें महारत हासिल की जा सकती है। अनुकूलित योजनाओं के अनुसार पाठ को प्रभावी ढंग से संचालित करने और वांछित उद्देश्यों को प्राप्त करने के लिए संचार प्रक्रिया का ज्ञान आवश्यक है। अत: कक्षा में प्रभावी शिक्षण के लिए संप्रेषण प्रक्रिया का ज्ञान आवश्यक है।

इसलिए, कक्षा में कुशल ढंग से संप्रेषण करना एक स्वाभाविक क्षमता नहीं है। संचार कौशल को विकसित करके प्रभावी संप्रेषण में सहायता मिलती है।

4. (c)

कक्षा संचार प्रक्रिया का संदर्भ लें: कक्षा संचार मूल रूप से एक लेन-देन मॉडल (transactional model) है, जिसमें एक प्रेषक के पास महत्वपूर्ण जानकारी होती है, जिसे संदेश प्राप्तकर्ता तक पहुंचाया जाता है और संदेश की प्रभावशीलता सुनिश्चित करने के लिए प्रतिक्रिया (feedbeck) अत्यंत महत्वपर्ण है। अत: कक्षागत संप्रेषण एक क्रियान्वितिकारी प्रक्रिया (transactional process) है।

तर्क (R) असत्य है क्योंकि शिक्षण तभी प्रभावी होता है, जब फीडबैक तंत्र हो और छात्रों की प्रतिक्रियाओं को गंभीरता से लिया जाना चाहिए। छात्रों की अनुक्रियाएं सोद्देश्य होती हैं और शिक्षण में सुधार के लिए उपयोगी होती हैं। 'कोल एंड चैन मॉडल' को दोतरफा 'इंटरैक्टिव' संचार प्रक्रिया का प्रतिपादक माना जाता है।

5. (c)

(a) गैर-मौखिक संदेशों में हमारे व्यवहार के सभी गैर-मौखिक पहलू सम्मिलित हैं जैसे चेहरे की अभिव्यक्ति, मुद्रा, आवाज का स्वर, हाथ की गति और पहनावा आदि।

(b) संचार एक कौशल है, जिसका अर्थ है कि इसे सीखा जा सकता है और सुधार किया जा सकता है। यह एक सतत प्रक्रिया है। संचार को पुन: आरंभ करने के लिए बाधाओं को दूर किया जा सकता है।

(c) यह स्पष्ट है, कि मानव संचार कई प्रकार की स्थिति में होता है लेकिन यह सदैव रामबाण (panacea) नहीं होता है।

(d) संचार टूट नहीं सकता, यह केवल परिवर्तित होता रहता है। उदाहरण के लिए, जब आप किसी को नज़रअंदाज़ करते हैं, तो आप उसे बता रहे होते हैं कि आप बात नहीं करना चाहते।

(e) प्रभावी का अर्थ यह है कि जब कोई व्यक्ति अपनी बात मनवा लेता है। यह प्रभावशीलता का एक उपाय है।

(f) संचार सदैव किसी न किसी उद्देश्य के साथ होता है। यह एक लक्ष्य-उन्मुख प्रक्रिया है, जिसका उद्देश्य अपेक्षित लक्ष्यों की प्राप्ति है और यह तभी प्रभावी होता है जब दोनों पक्षों के लक्ष्य सामंजस्य में हों।

संचार की कुछ विशेषताएं निम्नलिखित हैं:

1. यह दोतरफा प्रक्रिया है।
2. इसका मूल उद्देश्य संदेषप्राप्तकर्ता की समझ को प्रोत्साहित करना है।
3. संचार मौखिक या लिखित और गैर-मौखिक हो सकता है।
4. यह औपचारिक या अनौपचारिक सभी मानवीय संबंधों में व्याप्त है।

5. यह एक अंत:विषय विज्ञान है, जो नृविज्ञान (शरीर की भाषा का अध्ययन), समाजशास्त्र (मानव व्यवहार का अध्ययन), मनोविज्ञान (मन का अध्ययन) आदि से संबंधित है।

NTA-UGC NET/SET/JRF पेपर।-पियर्सन एजुकेशन द्वारा प्रकाशित टीचिंग एंड रिसर्च एप्टीट्यूड में संचार अध्याय की विस्तृत व्याख्या की गयी है।

6. (b)

संज्ञानात्मक डोमेन (cognitive domain) में कुछ सचेत बौद्धिक गतिविधि सम्मिलित की जाती है। इस प्रकार, सही विकल्प 'ज्ञान' है। भावनाएं और कल्पनाएं (एक सीमा तक) भावात्मक डोमेन को इंगित करती है।
पलायनवाद का अर्थ है किसी कल्पना के प्रति अप्रिय वास्तविकताओं से व्याकुलता और राहत पाने की प्रवृत्ति का होना।

7. (d)

प्रभावी श्रोता होने के लिए छात्र में निम्नलिखित गुण या कौशल होने चाहिए

(i) शारीरिक रूप से और मानसिक रूप से शांत होना चाहिए

(ii) पाठ सामग्री में रूचि, प्रेरणा, जिज्ञासा होनी चाहिए

(iii) कल्पना शक्ति होनी चाहिए

(iv) पर्यावरण सम्बन्धी बाधाओं या विकर्षणों का सफलतापूर्वक सामना करने की शक्ति होनी चाहिए

(v) महत्वपूर्ण शब्दों का ज्ञान होना चाहिए

इसके साथ -साथ प्रभावी श्रोता होने के लिए शिक्षक की उपस्थिति का होना आवश्यक नहीं है। शिक्षण और छात्रों के बीच होने वाला संचार एकरेखीय होता है अर्थात किसी सहकर्मी समूह तथा बिना किसी हस्तक्षेप के श्रवण कार्य किया जा सकता है। उच्च कक्षा में अकादमिक पाठ और सम्प्रेषण विकर्षणों का होना आवश्यक है। अत: केवल -(3) और (4) मान्य है।

8. (b)

गेटकीपिंग वह प्रक्रिया है जिसके माध्यम से प्रसार के लिए सूचना को फ़िल्टर किया जाता है, चाहे वह प्रकाशन, प्रसारण, इंटरनेट या संचार के किसी अन्य माध्यम के लिए हो। यह प्रक्रिया न केवल यह निर्धारित करती है कि कौन सी जानकारी का चुनाव किया जाना है, बल्कि यह भी निर्धारित करती है कि संदेशों की सामग्री और प्रकृति क्या है?
कुर्ट लेविन ने 'गेट कीपिंग' नामक शब्द दिया। यह एक गेट का उपयोग करके अवांछित या बेकार चीजों को ब्लॉक करने के अलावा और कुछ नहीं है। यहां निर्णय लेने वाले को 'गेटकीपर' कहा जाता है। सर्वप्रथम इसका व्यापक रूप से मनोविज्ञान के क्षेत्र में उपयोग किया जाता है और बाद में यह संचार के क्षेत्र में भी होने लगा है। अब यह संचार अध्ययन में आवश्यक सिद्धांतों में से एक है। गेटकीपर ही यह तय करता है कि कौन सी जानकारी समूह या व्यक्ति को दी जानी चाहिए और कौन सी जानकारी नहीं।
अत: आम संप्रेषण (mass communication) और कक्षा में होने वाले संप्रेषण में सूचना एवं विषय वस्तु के प्रक्रमण (filtering) की प्रक्रिया को गेटकीपिंग कहा जाता है।

9. (a)

भाषा के 'पार' (par) से आया है जिसका अर्थ है समान (equal) होना। जब आप किसी के समान होते हैं, तो आप उनके साथी होते हैं। अगर आपकी अपनी आयु के बच्चे आप पर कुछ भी ऐसा-वैसा करने के लिए दबाव डाल रहे हैं जो आप नहीं करना चाहते हैं, तो यह साथियों का दबाव है।
सहकर्मी समूह वार्तालाप या अंत:क्रिया (peer group interaction) मूल रूप से बेहतर वैचारिक स्पष्टता में सहायता करती है। इसके अतिरिक्त कक्षा में साथी समूह अन्त: क्रिया से अवधारणा के अवबोध में सहायता मिलती है।
यदि हम संपर्क निर्माण का कार्य करें तो वह, सामान्य तौर पर, व्यापारियों तथा व्यावसायिकों द्वारा सामाजिक संबंध बनाने के संदर्भ में उपयोग किया जाता है, लेकिन यह अधिकतर बाह्य व्यक्तियों के साथ होता है।

10. (a)

सुनना, प्रभावी संचार का एक महत्वपूर्ण पहलू है। निम्नलिखित चित्र कक्षा संचार में सुनने के महत्व को दर्शाता है।
अत: किसी शिक्षक के लिए सुनना महत्वपूर्ण है ताकि वह अधिगम कर्ता की आवश्यकताएं पूरी कर सके।

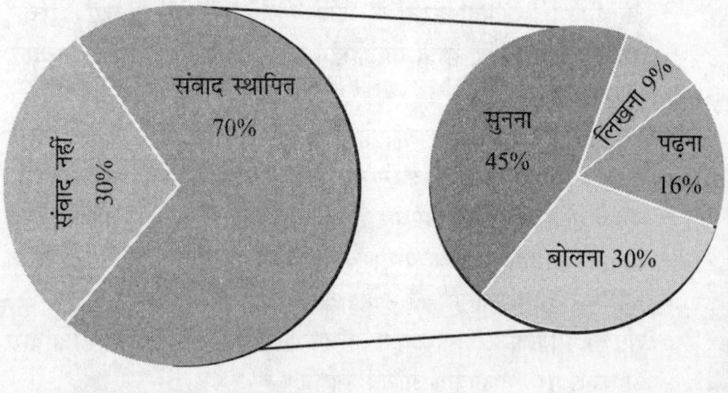

एक शिक्षक के लिए, सुनने का अर्थ यह है कि वे विद्यार्थियों के प्रश्नों के बारे में अधिक सीखते हैं। उनका प्रभावी निवारण शिक्षण को अधिक प्रभावी बनाता है। शिक्षार्थी की प्रगति के लिए शिक्षार्थी का मूल्यांकन करना लाभदायक है।

11. (d)

संप्रेषण के लिए अर्थ-संबंधी बाधाएं (semantic barrier) प्रतीकात्मक बाधाएं हैं जो संप्रेषित किये गए संदेश को उद्देश्य से इतर किसी अन्य से विकृत करती हैं, जिससे संदेश को समझना मुश्किल हो जाता है। शब्दों, संकेतों और प्रतीकों के अर्थ एक व्यक्ति से दूसरे व्यक्ति में भिन्न हो सकते हैं और एक ही शब्द के सैकड़ों अर्थ हो सकते हैं। संप्रेषण का अर्थ विषयक व्यवधान उस परिस्थिति में होता है, जब प्रेषिती तक पहुंचने के पूर्व ही सिग्नल प्राप्त हो सके।

12. (c)

अवाचिक संप्रेषण (non-verbal Communication) में किसी भी शब्द का उपयोग नहीं किया जाता है। इसके अंतर्गत आवाज़ का उतार – चढ़ाव, शारीरिक मुद्राएं, चक्षु संपर्क, स्पर्श और वाणी रूपांतर आदि आते हैं। यह संप्रेषण के वाचिक संप्रेषण (verbal Communication) की तुलना में कई मानवीय भावनाओं को प्रभावी ढंग से संप्रेषित कर सकता है। प्रश्नानुसार, तृतीय विकल्प किसी व्यक्ति द्वारा अनुपालन किया जाने वाला ड्रेस कोड अवाचिक संप्रेषण को अवश्यमेव द्योतित (essentially signifies) करता है।

अन्य विकल्पों में लिखित निर्देश, कक्षाओं में भाग लेने वाला शिक्षार्थी, और शिक्षण आदि शब्दों का उपयोग यह दर्शाता है कि वे वाचिक संप्रेषण के उदाहरण हैं।

13. (d)

अभिकथन (A) के अनुसार, संप्रेषण में प्रतिभागपरक सांकेतिक वातावरण तथा गैर – प्रतिभागियों में भी सामाजिक संबंध का पाया जाना पूर्वकल्पित होता है। यहां हमें पूर्वकल्पित शब्द पर ध्यान देने की आवश्यकता है। संप्रेषण सदैव सांकेतिक वातावरण से संबंधित नहीं हो सकता है और गैर – प्रतिभागियों के साथ सदैव साझा नहीं किया जा सकता है क्योंकि इसमें भागीदारी करना आवश्यक है। इसलिए अभिकथन गलत है।

कारण (R) में, किसी भी प्रकार के संचार के लिए सामाजिक संपर्क एक महत्वपूर्ण पहलू है। इससे सामाजिक अंत: क्रिया संभव होती है, जो अन्य कारकों के साथ मिलकर सामुदायिक भावना को बढ़ाती है।

14. (d)

प्रागनुभविक संप्रेषण (Transcendental communication) : यह संप्रेषण अपने (वर्तमान) स्वयं को पार करने का अनुभव है। ट्रान्सेंडेंट की परिभाषा असाधारण या मानवीय अनुभव से परे है। ईश्वर या स्वयं से वार्तालाप इसका एक उत्कृष्ट उदाहरण है।

जब हम पारस्परिक संचार के चरणों को समझते हैं, तो हम प्रभावी ढंग से संवाद कर सकते हैं:

(1) चरणबद्ध चरण (phatic stage): यह प्रारंभिक चरण है, जो बातचीत के पाठ्यक्रम को निर्धारित करता है। यह अभिवादन और इशारों के साथ आरंभ होता है जैसे कि चक्षु संपर्क, मुस्कान, आदि।

(2) व्यक्तिगत चरण (personal stage): यह दूसरा चरण है जिसमें व्यक्ति द्वारा अधिक व्यक्तिगत विषयों को वार्तालाप में सम्मिलित किया जाता है। यहां, हम दूसरों से अपने बारे में अधिक वार्तालाप करने के लिए तैयार हो जाते हैं और झिझक कम हो जाती है।

(3) अन्तरंग चरण (intimate stage): यह चरण मुख्य रूप से दोस्तों, परिवार और रिश्तेदारों के मध्य वार्तालाप के लिए होता है, जहां बातचीत में सम्मिलित लोग एक-दूसरे के साथ उच्च स्तर की अंतरंगता साझा करते हैं।

15. (a)

आधुनिक जनसंचार माध्यम वैश्वीकरण का एक महत्वपूर्ण अंग है, जो इसे पूंजी प्रधान भी बनाता है। उदाहरण के लिए, हम सांस्कृतिक आधिपत्य शब्द का उपयोग कर सकते हैं, जो प्रमुख संस्कृति की शक्ति को संदर्भित करता है और यहां तक कि स्थानीय संस्कृतियों से आगे निकल जाता है। लेकिन वर्तमान समय में, इंटरनेट विश्व भर में एक सस्ता विकल्प बन गया है, लेकिन पैमाने की अर्थव्यवस्थाएं (economic of scale), अच्छा अनुभव, स्विचिंग लागत आदि विभिन्न कारक हैं, जो आधुनिक जनसंचार माध्यम को एक महंगा उद्यम बनाते हैं।

16. (a)

जन संचार का सहसंबंधात्मक प्रकार्य किसी भी समाज के लिए महत्वपूर्ण होता है, क्योंकि विज्ञापन और जनसपर्क जैसे व्याख्यात्मक पहलू ही जनता की राय बनाते हैं और उसे प्रभावित करते हैं। विज्ञापन और जनसंपर्क जनमत को प्रभावित करते हैं। उदाहरण के लिए, लोग एक दो बार विज्ञापन देखने के बाद उसी उत्पाद को क्रय करने की प्रवृत्ति रखते हैं। इसलिए लोगों की राय तब बनती है, जब उनके द्वारा कुछ तथ्यों को आपस में जोड़ा जाता है और विज्ञापन या अभियान के माध्यम से वांछित फैशन में व्याख्या की जाती है। इसी तरह समाचारों द्वारा प्रस्तुत किये जाने वाले तथ्यों पर भी जनता की अपनी राय होती है।

17. (d)

बहु अर्थकता और एक पिष्टोक्ति का उपयोग प्रभावी संप्रेषण की कुछ बाधाएं होती हैं। इनकी संक्षिप्त व्याख्या निम्न प्रकार प्रकार की जा सकती है:।

(a) बहु – अर्थकता (polysemy): यह 'अर्थपूर्ण अस्पष्टता' का एक पहलू है, जो शब्द अर्थों की बहुलता से संबंधित है। उदाहरण के लिए, अच्छा दिन, अच्छा संतरा, अच्छा निर्णय आदि।

(c) पिष्टोक्ति का उपयोग (use of cliche's): यह एक शब्द या वाक्यांश है, जिसे लिखित रूप में अत्यधिक उपयोग किया गया है। पिष्टोक्ति जैसे 'कोई कसर न छोड़ें' का लेखन में इतना अधिक उपयोग किया जाता है, कि उन्होंने अपनी सारी प्रभावशीलता खो दी है। ये वाक्यांश निर्बल और अर्थहीन हो गए हैं।

इसके अतिरिक्त वाक्य की आसान संरचना एवं सरल भाषा प्रभावी संप्रेषण की विशेषताएं हैं।

18. (d)

संचार प्रौद्योगिकी हम सभी के लिए आवश्यक टूल है। शिक्षा में संचार प्रौद्योगिकी अधिगम को अधिक सुगम बनाता है और छात्रों को अधिगम प्रक्रिया में सम्मिलित रखता है। ऐसा इसलिए है, क्योंकि प्रौद्योगिकी एक ही पाठ को भिन्न-भिन्न ढंगों से पढ़ाने के लिए इसे और अधिक रोचक और मनोरंजक बनाने के लिए भी अवसर प्रदान करती है।

किसी कक्षा में संचार प्रौद्योगिकी के उपयोग से मानव भागीदारी एवं विषयवस्तु का बहिर्वेशन (extrapolation) बेहतर ढंग से किया जा सकता है।

बाहरी और आंतरिक संचार के लिए संचार उपकरणों की एक विस्तृत विविधता का उपयोग किया जाता है। इन उपकरणों में मेल, ईमेल, टेलीफोन, सेल फोन, स्मार्टफोन, कंप्यूटर, वीडियो और वेब कॉन्फ्रेंसिंग टूल, सोशल नेटवर्किंग, साथ ही ऑनलाइन सहयोग और उत्पादकता प्लेटफॉर्म शामिल हैं।

संचार मुख्य रूप से मौखिक, गैर मौखिक और दृश्य मीडिया जैसे तीन प्रकार के ढंगों से होता है। शैक्षणिक संस्था के सदस्य और विद्यार्थी, वर्चुअल मैसेजिंग सेवाओं के साथ एक दूसरे से संपर्क तथा वार्तालाप कर सकते हैं। वे अपने कार्य को अधिक केंद्रीय और रोचक ढंग से व्यवस्थित करने में सक्षम बनते हैं।

19. (c)

शिक्षक की भूमिका शिक्षण-अधिगम प्रक्रिया का अभिन्न अंग होती है और अधिगम को तब अधिक सुगम बनाया जा सकता है, जब इसे शिक्षार्थी की आवश्यकताओं और रुचि के अनुरूप बनाया जाता है।

व्यक्तिगत शिक्षा (personalised education) के अंतर्गत पाठ्यक्रम एवं अध्ययन सामग्री को व्यक्तिगत शिक्षार्थी की आवश्यकताओं के अनुरूप संरचित किया जाता है। यह एक शैक्षणिक दृष्टिकोण है, जिसका उपयोग किसी विशेष शिक्षार्थी की आवश्यकताओं के अनुसार अधिगम को व्यक्तिकृत करने के लिए किया जाता है।

अत: कक्षा में किसी विशिष्ट प्रयोक्ता के लिए तैयार की गई विषयवस्तु का परिणाम वैयक्तीकरण (personalization) होगा।

तकनीकी विकास के साथ, उदार समाज और मुक्त शिक्षण व्यवस्था छात्रों के लिए स्वाभाविक अपेक्षाएं बन गया है। इससे उनको अपने व्यक्तित्व विकास में भी सहायता मिलती है।

20. (b)

हम अधिगम या ज्ञान प्राप्त करने के लिए कक्षा में बैठते हैं। यहां, हम शैक्षणिक संस्थानों में सम्पूर्ण शिक्षा को छात्रों तक पहुंचाने के लिए 'AIDA' परिवर्णी शब्द का उपयोग कर सकते हैं जो शिक्षण प्रक्रिया को एक युगम ढंग से समझाने का प्रयास करता है।

1. Attention – जागरुकता का होना
2. Interest – रुचि उत्पन्न होना
3. Desire – मूल्यांकन की इच्छा
4. Action – ज्ञान की प्राप्ति

अत: कक्षागत संप्रेषण के तत्वों का सही क्रम जागरुकता, रुचि, मूल्यांकन और ज्ञान है।

यहां भविष्य के प्रश्नों के लिए हम निम्न का भी वर्णन कर रहे हैं। यहां शिक्षण में मूलत: दो प्रकार की विधियों का वर्णन कर रहे हैं।

1. विश्लेषणात्मक विधि (analytical method): यह छात्रों की खोज (discovery), संज्ञानात्मक और तर्क क्षमता के विकास की एक विधि है।

2. संश्लेषण विधि (synthetic method): यह विषयों के सुरुचिपूर्ण प्रस्तुति (elegant presentation) की एक विधि है।

किसी को शिक्षण क्रिया को विश्लेषणात्मक पद्धति से आरंभ करना चाहिए और निगमनात्मक (deductive) ढंग से उस विषय पर आगे बढ़ना चाहिए। इन विधियों से भी ऊपर आत्म अध्ययन की विधि है।

21. (b)

सभी मनुष्य एक सांस्कृतिक सन्दर्भ में बड़े होते हैं, जिसमें उसकी भाषा और संज्ञात्मक विकास होता है। स्व:बोध लोगों को उनकी संस्कृति का अनुमोदन और उनकी पहचान नहीं होती है। अत: प्रतिरोध के साथ कोई संस्कृतिकरण घटित नहीं होता है। अत: अभिकथन सत्य है। प्रतिशोधन दूसरे से जानकारी छिपाने की प्रक्रिया है। समाज में लोगों को अपने मूल्य और स्व-हित होते हैं जो संप्रेषित संवाद को परिशोधित करते हैं। अत: तर्क भी सत्य है परन्तु तर्क अभिकथन की व्याख्या नहीं है।

22. (d)

(a) प्रयोजनमूलक (सोद्देश्य) (Purposeful): यह संप्रेषण केवल विचारों के आदान-प्रदान से परे है और यह पता लगाता है कि वे क्यों उपस्थित हैं। यह एक संगठन को आपके संचार के पीछे के कारण, सबसे प्रभावी दृष्टिकोण और उस परिणाम के बारे में सोचने की अनुमति देता है, जिसे आप प्राप्त करना चाहते हैं। छात्र इसका प्रयोग कक्षा से बाह्य वातावरण में भी कर सकते हैं। यह उन्हें जो चाहिए, उसे प्राप्त करने में सहायता करता है। इसे व्यवहारिकता में ही प्रयोग किया जाता है ताकि छात्र इससे जुड़ सकें और कक्षा के बाहर बातचीत में, उस सामग्री का उपयोग करने की कल्पना कर सकें।

(b) व्यावहारिक (Pragmatic): इससे तात्पर्य उस विधि से है, जिसमें बच्चे सामाजिक परिस्थितियों में भाषा का उपयोग करते हैं।

(i) विभिन्न उद्देश्यों के लिए भाषा का उपयोग करने की क्षमता।
(ii) स्थिति के अनुसार, श्रोता की आवश्यकता को पूरा करने के लिए भाषा को अनुकूलित करने की क्षमता।

23. (c)

प्रतिपुष्टि विश्लेषण (Feedback analysis) यह उद्देश्य निर्धारित करने और प्रदर्शन की समीक्षा करने की प्रक्रिया है। यह सक्रिय रूप से सुनने, विश्लेषण करने और पुन: बेहतर प्रदर्शन करने के लिए सर्वोत्तम संभव समाधान का पता करना है। शिक्षण में सतत प्रतिपुष्टि से विद्यार्थियों की छिपी हुई प्रतिभा सामने आती है इसलिए पाठ्यक्रम में मूल्यांकन का विशेष महत्व है। यह लोगों को एक साथ लाता है और कूट संकेतक – कूट विसंकेतक की सहायता से एक सुव्यवस्थित संचार प्रवाह बनाता है।

कूट संकेतक (Encoding) : एक संदेश का निर्माण जिसे आप दूसरे व्यक्ति के साथ साझा करना चाहते हैं।

कूट विसंकेतक (Decoding): संदेश के अर्थ की व्याख्या करना।

संप्रेषण विनिमय तभी प्रासंगिक माना जाता है जब इसमें प्रतिपुष्टि का अवयव भी हो। इस प्रकार हम कह सकते है कि संप्रेषण एक चक्रीय प्रक्रिया (circular process) है। संप्रेषण में कूट संकेतक – कूट विसंकेतक भूमिकाओं में अदला – बदली प्रतिपुष्टि विश्लेषण के कारण होती है।

24. (a)

यह प्रत्यक्ष उत्तर है। कक्षागत अंत:क्रियाएं छात्र प्रतिबद्धता द्वारा प्रभावित होती हैं।

25. (b)

प्रौद्योगिकी सक्षम (tech–enabled) संप्रेषण को विभिन्न तकनीकी उपकरणों की सहायता से संदेश या सूचना के हस्तांतरण के रूप में परिभाषित किया जा सकता है। आधुनिक संप्रेषण अधिक तीव्र और कम थकाऊ हो गया है। समूह एसएमएस (group sms) सेवाओं और ई सुविधा की सहायता से, छात्र और संकाय सदस्य एक दूसरे के मध्य सरलता से कम व्यय पर समाचार और जानकारी साझा कर सकते हैं। इसलिए, जब किसी कक्षा में विभिन्न प्रदर्शन स्तरों वाले छात्र बड़ी संख्या में हों, तो शिक्षक को शिक्षात्मक अंत: क्रियाओं हेतु टेक्नोलॉजी सहायित संप्रेषण का चुनाव करना चाहिए।

26. (a)

सामाजिक मांगों और संचार उद्देश्यों के मध्य प्रत्यक्ष संबंध है। इसलिए, कक्षागत संप्रेषण सामाजिक मांगों द्वारा पूर्व निर्धारित होता है, क्योंकि सकारात्मक शैक्षणिक क्रियाएं अधिगमकर्ता को सामाजिक महत्व का ज्ञान अर्जित करने में सहायक होनी चाहिए। अत: (A) और (R) दोनों सही हैं।

27. **(b)**

कक्षा संचार तीन श्रेणियों में सम्मिलित है, मौखिक, गैर–मौखिक और लिखित। ये सतही स्तर हैं। मौखिक संचार का अर्थ वह सब है जो शिक्षक या छात्र जोर से बोलता है। एक गैर–मौखिक भाषा में, लोग विशिष्ट श्रोताओं पर निर्देशित लिखित संचार व्यक्त करते हैं। शिक्षक और छात्र एक दूसरे के साथ कई अलग–अलग संदर्भों में बातचीत करते हैं।

28. **(c)**

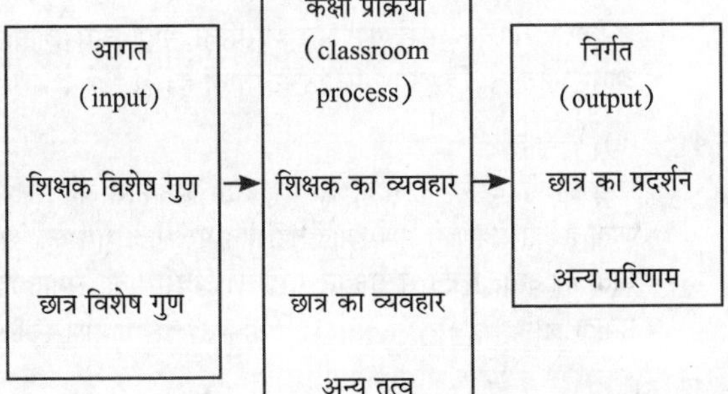

प्रभावी कक्षा संप्रेषण शिक्षण–अधिगम प्रक्रिया में अंतरण कर सकता है। अध्यापन से ही विद्या आती है। शिक्षण प्रक्रिया पर्यावरण की एक व्यवस्था है जिसमें छात्र वार्तालाप कर सकते हैं और अध्ययन कर सकते हैं कि कैसे सीखना है। शिक्षण–अधिगम की प्रक्रिया का उद्देश्य, ज्ञान का संचरण, कौशल प्रदान करना और अभिवृत्तियों, मूल्यों और व्यवहारों का निर्माण करना है। अन्य विकल्प प्रश्न की दृष्टि से उपयुक्त नहीं हो सकते।

29. **(d)**

शिक्षार्थी संप्रेषण के लंबे समय से धारित अभिवृतियों में चुनौती देने की अपेक्षाकृत उच्च क्षमता है। एक लंबे समय तक चलने वाली अभिवृत्ति एक स्वभाव, भावना या ढंग है जो रचनात्मक, सहकारी या आशावादी नहीं है। यह हम में से किसी को भी कहीं भी प्रभावित कर सकता है।

30. **(c)**

प्रभावी कक्षा संप्रेषण संरचना के लिए विभिन्न आलंकारिक तकनीकें हैं।

(1) दिवसीय विषय को विद्यार्थियों की अभिरुचि से संबधित करना–छात्रों की जिज्ञासा जागृत करने के लिए दिवस के विषय को छात्र हितों, अनुभव और पूर्व ज्ञान से जोड़ें और समझाएं कि यह उनके लिए मूल्यवान और उपयोगी क्यों है।

(2) एक विचार से दूसरे विचार पर सरल अंतरण करें– तार्किक ढंग से कक्षा की संरचना करें। उदाहरण के लिए, विषय को एक कहानी के रूप में फ्रेम करें, एक समस्या प्रस्तुत करें और फिर उसका समाधान विकसित करें, घटनाओं का वर्णन करें और कालानुक्रमिक रूप से संपूर्ण प्रक्रिया प्रस्तुत करें या एक व्यापक विषय के लिए एक परस्पर विचार के संबंध को दिखाएं।

(3) एक मार्गी संप्रेषण अपनाएं – एक मार्गी संप्रेषण में, सूचना केवल एक ही दिशा में प्रेषित की जाती है (प्रेषक से प्राप्तकर्ता तक)। इसका उपयोग तथ्यात्मक जानकारी प्रदान करने के लिए किया जाता है। यह संप्रेषण तीव्र और व्यवस्थित होता है।

अन्य आलांकारिक तकनीकी साक्ष्यों को प्रयोग करना, योजनाबद्ध संप्रेषण और संक्षिप्त सूचना प्रदान करना आदि हैं।

31. **(d)**

चर्चा के विषय के उद्देश्य को परिभाषित करना अनिवार्यत: कक्षा सम्प्रेषण का पहला कदम नहीं है। अभिकथन गलत है। क्योंकि कक्षा सम्प्रेषण के अंतर्गत सर्वप्रथम जिस विषय पर चर्चा करनी होती है उसके उद्देश्य को ही परिभाषित करनी पड़ती है। तर्क सही है क्योंकि उद्देश्यों को स्पष्ट रूप से परिभाषित करने से विद्यार्थियों को बेहतर ढंग से समझने में मदद मिलती है। उद्देश्यों के स्पष्टीकरण के पश्चात विषय–वस्तु का अधिगम आसानी से होता है।

32. **(a)**

भाषेतर (पैरालैंग्वेज) गैर–मौखिक संचार का क्षेत्र है जो विचारों और भावनाओं को व्यक्त करने के साधन के रूप में शरीर की भाषा और आवाज की बारीकियों पर जोर देता है। स्वर, बल, और प्रभाव भाषेतर संप्रेषण के महत्वपूर्ण घटक हैं।

33. **(c)**

प्रश्नानुसार, संप्रेषण की प्रक्रिया में फीडबैक का लाभ यह है क्योंकि यह संप्रेषण को स्पष्ट करता है। संप्रेषण में प्रतिक्रिया आवश्यक है ताकि यह पता चल सके कि प्राप्तकर्ता ने संदेश को उन्हीं शब्दों में समझा है जैसा कि प्रेषक ने चाहा था और वह उस संदेश से सहमत है या नहीं। 'प्रभावी संप्रेषण' के लिए प्रतिक्रिया आवश्यक है।

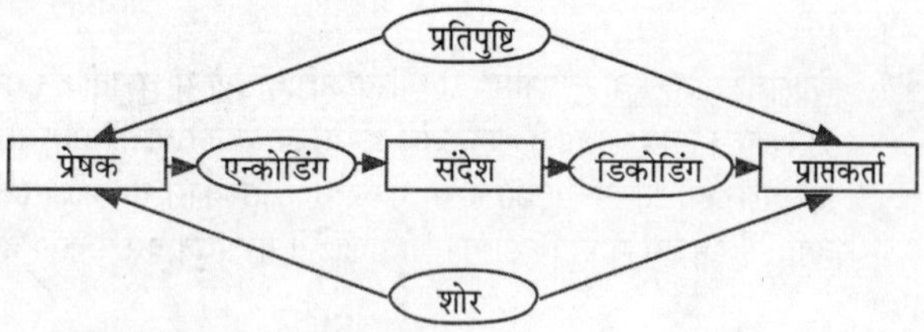

34. (b)

कक्षा कक्ष शिक्षण के सन्दर्भ में उस आधारभूमि को क्या कहते हैं जिस पर अधिगमकर्ता के बीच स्नेहिल और परिपोषक सम्बन्ध शिक्षक की भावात्मकता के आधार पर बनाये जा सकते हैं। जबकि प्रतिपुष्टि के माध्यम से अधिगमकर्ता अपने अधिगम की प्रतिक्रिया को व्यक्त करता है।

35. (d)

सूक्ष्म-अभिव्यक्तियां (micro expressions), चेहरे की वे अभिव्यक्तियां हैं, जो अंतर्निहित भावनाओं को धोखा देती हैं जिन्हें व्यक्ति दबाने का प्रयत्न कर रहा हो सकता है। वे अधिकतर आंखों और मुंह के आसपास होती हैं और बहुत संक्षिप्त होती हैं, और इनका अंतराल सामान्य तौर पर 1/25 और 1/15 सेकंड के मध्य होता है। यद्यपि सूक्ष्म भाव चेहरे के होते हैं, वे शरीर में भी दिखाई दे सकते हैं, उदाहरण के लिए हाथों की छोटी गति और पैरों की गति आदि। चेहरे के भाव और अन्य गैर-मौखिक संकेत हमारी समझ को बढ़ाते हैं। चेहरे की अभिव्यक्ति में मुस्कुराहट, भ्रूभंग, आंखें घुमाना, आंखों से संपर्क करना, चिल्लाना और ऊब या दिलचस्पी प्रकट करना सम्मिलित है। अन्य चेहरे के भाव उत्तेजना या झटके का संकेत दे सकते हैं जैसे किसी की आंखें या मुंह व्यापक रूप से खोलना आदि। अत: कक्षा में संप्रेषण की इकाई के रूप में सूक्ष्म अभिव्यक्तियां संचारशील (fleeting) होती हैं।

36. (c)

संप्रेषण दो या दो से अधिक व्यक्तियों के बीच मौखिक, लिखित, सांकेतिक या प्रतीकात्मक माध्यम से विचार एवं सूचनाओं के प्रेषण की प्रक्रिया है। संप्रेषण हेतु सन्देश का होना आवश्यक है। संप्रेषण में पहला पक्ष प्रेषक (सन्देश भेजने वाला) तथा दूसरा पक्ष प्रेषणी (सन्देश प्राप्तकर्ता) होता है। कक्षा में अच्छे सम्प्रेषण हेतु निम्नलिखित तत्व अनिवार्य है -

(i) समधिकता का समुचित उपयोग
(ii) प्रतिपुष्टि की तात्कालिकता
(iii) गैर-भाषायी संकेत
(iv) उचित प्रतीकों का प्रयोग

37. (b)

प्रभावोत्पादक शिक्षण व्यवहार की श्रेणी में उन सभी शैक्षणिक एवं प्रशैक्षणिक व्यवहारों एवं गतिविधियों को शामिल किया जाता है जो शिक्षण -अधिगम प्रणाली को सुगम बनाता है । निम्नलिखित को प्रभावोत्पादक की श्रेणी से सम्बंधित मुख्य शिक्षण व्यवहार माना जायेगा -

(i) नेत्र संपर्क, वाणी और भावभंगिमा में अन्तर द्वारा उत्साह और जोश प्रदर्शित करना
(ii) जो अधिगमकर्ता, अवबोध के विभिन्न स्तर पर हो, उसके लिए विचारों को स्पष्ट करना
(iii) अर्थपूर्ण मौलिक सराहना का प्रयोग कर अधिगम प्रक्रिया विधार्थियों की सक्रिय भागीदारी प्राप्त करना और इसे बनाये रखना

38. (c)

शिक्षणशास्त्र और सामाजिक अन्त:क्रिया शिक्षक के दो प्रमुख परिणामोंन्मुखी कार्यकलाप है। कक्षा की अन्त: क्रिया शिक्षक और छात्रों के बीच संचार है जो कक्षा की प्रतिक्रियाशील गतिविधि के रूप में लगातार चलती रहती है। एक नियमित अभ्यास के रूप में, यह शिक्षार्थियों के बीच भाषा कौशल के विकास को बढ़ाती है। इन दोनों कार्यकलापों में सम्प्रेषण की भूमिका महत्वपूर्ण होती है। अत: अभिकथन सत्य हो और तर्क गलत है।

39. (c)

सम्प्रेषण व्यवस्था ही शिक्षण की विभिन्न क्रियाओं में सामंजस्य स्थापित करती है तथा शिक्षा के उद्देश्यों को पूरा करती है। कक्षा शिक्षण में सम्प्रेषण के बिना एक कदम भी आगे नहीं चला जा सकता है। सम्प्रेषण एक स्थिर कार्य नहीं है बल्कि यह एक गतिशील प्रक्रिया है। निरंतरता प्रभावोत्पादक शैक्षणिक सम्प्रेषण है।

40. (d)

वाचिक सम्प्रेषण का अभिप्राय सूचनाओं के प्रसारण से है जो वाचिक (मौखिक अथवा लिखित) अथवा अवाचिक (मुद्रा, चिह्न और प्रतीक) के माध्यम से हो सकती है। कोई सम्प्रेषण जिसमें शब्दों का प्रयोग सम्मिलित होता है उसे वाचिक सम्प्रेषण कहते हैं। वाचिक सम्प्रेषण कौशल बोलने की क्षमताओं से अधिक का प्रतिनिधित्व करते हैं। वे प्रदर्शित करते हैं कि आप बोलने और लिखित बातचीत, दोनों में संदेश कैसे वितरित करते हैं और प्राप्त करते हैं। अग्रहाको के विश्लेषण का अर्थ है अपने लक्षित ग्रहाको की पहचान करना। सफलतापूर्वक शैक्षिक सम्प्रेषण, वाचिक सम्प्रेषण और शारीरिक भाषा और आग्रह्को की आवश्यकता के विश्लेषण पर निर्भर करता है।

41. (a)

सम्प्रेषण में दूसरे के भाव, विचार और जानकारी को साझा किया जाता है। सम्प्रेषण में पूर्ण ध्यान नहीं देने पर श्रोता भ्रम का शिकार हो जाता है। अत: ध्यान से सुनकर सम्प्रेषण अवरोध की समाप्त किया जा सकता है।

42. (c)

यदि कोई शिक्षक कक्षा में एक प्रभावी सम्प्रेषक के रूप में अपनी सामर्थ्य में वृद्धि करना चाहता है तो उसे पहले अपने छात्रों को समझना चाहिए क्योंकि ऐसा करने से वह सही दिशा में अपनी सामर्थ्य एवं क्षमता में वृद्धि कर पायेगा। अत: अभिकथन सत्य है। छात्रों को समझने की सामर्थ्य तथा आशयित श्रवण असमबद्ध प्रकथन नहीं है। छात्रों को समझना, उनके मन की भावना व चेतना को समझना है, ऐसा करके एक शिक्षक अपने छात्रों में गुणात्मक सुधार ला सकता है। अत: तर्क असत्य है।

43. (b)

तात्कालिक व्यवहार वे क्रियाएं हैं जो मनुष्य में उत्कंठा, भागीदारी, मनोवैज्ञानिक निकटता, संचार की उपलब्धता और सकारात्मक प्रभाव का संचार करती हैं। तात्कालिक व्यवहार मौखिक और अशाब्दिक दोनों हैं। सामाजिक मनोवैज्ञानिक अल्बर्ट मेहरबियन (Albert Meherbian) ने ऐसे विशेष गुणों को 'तात्कालिकता के सिद्धांत' (immediacy) का नाम दिया। उनके अनुसार 'लोग उन व्यक्तियों और चीजों की ओर आकर्षित होते हैं जिन्हें वे चाहते हैं, और वे उन वस्तुओं से बचते हैं या दूर जाते हैं जिनको वे नहीं चाहते, लोग उनका नकारात्मक मूल्यांकन करते हैं या पसंद नहीं करते हैं'।

तात्कालिकता मौखिक तथा सांकेतिक हो सकती है।

1. सांकेतिक तात्कालिकता उत्कंठा और संयोजकता को इंगित करती है। तात्कालिक संकेत आंतरिक या बाह्य घटनाएं हैं जो अधिगम और व्यवहार को प्रभावित करती हैं। संकेत मौखिक या अशाब्दिक हो सकते हैं। सिर हिलाना, मुस्कुराना, आंखों से संपर्क करना, शरीर की धीमी गति, आगे की ओर झुकना, आवाज का स्वाभाविक स्वर आदि संकेतों की कुछ तात्कालिकताएं हैं।

2. भाषाई संदेश स्पष्ट रूप से तात्कालिकता का संचार करते हैं।

इन सब में हमारी सांस्कृतिक पृष्ठभूमि महत्वपूर्ण भूमिका अदा करती है, इस पृष्ठभूमि का ना होना बाधाजनक होता है। सांस्कृतिक मतभेद इनमें से कुछ मौखिक संकेतों को अनुपयुक्त बना सकते हैं।

'तात्कालिकता के सिद्धांत' (immediacy of cues) में वृद्धि करने के लिए कुछ उदाहरण यहां वर्णित किये गए हैं।

1. सर्वनाम – 'मैं' और 'आप' जैसे व्यक्तिगत सर्वनामों के बजाय 'हम' जैसे बहुवचन सर्वनामों का प्रयोग संचार में तत्कालता दर्शाता है।

2. संचार का ढंग – एक दूसरे को संबोधित करने के अनौपचारिक साधनों का उपयोग करना भी संचार में तात्कालिकता का संकेत देता है। अनौपचारिकता संचारकों को निकट लाती है और संचार को सरल बनाती है। यहां सांस्कृतिक मतभेदों को ध्यान में रखें – कुछ संस्कृतियों में अनौपचारिकता को अपमानजनक माना जा सकता है।

3. मुक्तता का आभास – संचार में मुक्तता का आभास होना और जानकारी को साझा करने के लिए तैयार रहना भी तत्काल व्यवहार है।

4. प्रशंसा – कुछ लोग यह कहते हैं कि प्रशंसा करना एक ब्रह्मास्त्र है, यह सकारात्मक संचार को प्रोत्साहित करने और संचार में तुरंत संकेत देने में सहायता करता है।

उपरोक्त चर्चा के आधार पर हम भविष्य में ऐसे प्रश्नों का उत्तर दे सकते हैं।

इसलिए, (b) इसका सही विकल्प है।

44. (c)

अकादमिक संचार को 'विद्वतापूर्ण संचार' भी कहा जाता है। यह संरचित संचार को परिलक्षित करता है, यह सामान्य तौर पर शैक्षणिक गतिविधियों में उपयोग किया जाता है।

ऊर्ध्वाधर संचार (Vertical Communcation):

ऊर्ध्वाधर संचार एक संगठन के सदस्यों के मध्य सूचना का प्रवाह है जो सोपान (hierarchy) के विभिन्न स्तरों पर होता है। इसका उपयोग नीचे और ऊपर दोनों दिशाओं में किया जा सकता है, यह अनुशासन की कला सीखाने के लिए महत्वपूर्ण हैं, लेकिन इस पर अधिमान देना सही नहीं होगा। विद्यार्थियों के व्यक्तित्व के विकास के लिए उनका परस्पर संचार अधिक महत्वपूर्ण है।

एक विद्यार्थी की अकादमिक सफलता के लिए सुविकसित संचार कौशल महत्वपूर्ण हैं। शिक्षा के सभी स्तरों पर, छात्रों को प्रभावी ढंग से संवाद करने में सक्षम होना चाहिए।

सुविकसित संचार कौशल के अभाव में, विद्यार्थी अपने साथियों से पिछड़ने या भावनात्मक रूप दुर्बल होने एवं विद्यालय त्याग करने का जोखिम उठाते हैं।

इसलिए, अकादमिक संचार में सुधार के लिए, छात्रों को प्रशिक्षित करना, छात्रों की सांस्कृतिक और भाषाई रुकावटों की पहचान करके उन्हें दूर करने का प्रयत्न करना और उन्हें किसी विषय की अत्यधिक जानकारी एकत्र करने से रोकना आवश्यक है।

अत: सही विकल्प (c) है।

45. (c)

मौखिक संचार: मौखिक संचार, संचार का वह माध्यम है जो मौखिक शब्दों के माध्यम से प्रसारित होता है। यहां प्रेषक अपनी भावनाओं और विचारों को शब्द देता है और उन्हें भाषणों, चर्चाओं, प्रस्तुतियों और बातचीत के रूप में व्यक्त करता है।

मौखिक संचार की प्रभावशीलता वक्ता के स्वर, भाषण की स्पष्टता, मात्रा, गति, शरीर की भाषा और बातचीत में प्रयुक्त शब्दों की गुणवत्ता पर निर्भर करती है। मौखिक संचार में प्रतिक्रिया तत्कालिक होती है क्योंकि संदेश प्रेषक और सन्देश प्राप्तकर्ता द्वारा संदेश का एक साथ प्रसारण और प्राप्ति होती है। मौखिक संचार तुल्यकालिक होता है।

इसके विपरीत, लिखित संचार की प्रकृति अतुल्यकालिक है क्योंकि यह विभिन्न अंतरालों पर होता है। प्राप्तकर्ता किसी भी समय प्रेषक का संदेश प्राप्त कर सकता है।

1. तुल्यकालिक (synchronous): यह वास्तविक समय में होता है, जैसे कि किसी मित्र के साथ बातचीत।

2. अतुल्यकालिक (asynchronous): अतुल्यकालिक संचार वह संचार है जो तत्काल नहीं होता है और लंबे समय तक चलता है, जैसे पत्र, ईमेल, या संदेश, परिपत्र, मैनुअल, रिपोर्ट, टेलीग्राम, कार्यालय ज्ञापन, बुलेटिन आदि।

अत: सही विकल्प (c) है।

46. (a)

निम्नलिखित प्रकाशनों के उद्भव का क्रम निम्नलिखित है:

प्रकाशन	उदगम का वर्ष	विशेषताएं
आदर्श (स्टैण्डर्ड) समाचार पत्र	1645	• यह अभी भी ऑनलाइन प्रारूप पर प्रकाशित है।
समाचार पुस्तकें	1641	• यह 8 या 16 पेज बनाने और घरेलू समाचारों को सम्मिलित करने के लिए एक या दो शीटों को मोड़कर ऑक्टावो से युक्त है।

प्रकाशन	उदगम का वर्ष	विशेषताएं
समाचार शीट्स	1566	• यह अखबार का सरलतम रूप है। • यह पहली बार वेनिस में हस्तलिखित शीट के रूप में अस्तित्व में आया।
पत्रिकाएं	1901	• इसका एक कॉम्पैक्ट आकार है। • उच्च गुणवत्ता वाली पत्रकारिता के साथ छोटा आकार है।

प्रकाशन	उदगम का वर्ष	विशेषताएं
ब्रॉडशीट्स	1772	• यह सबसे बड़ा समाचार प्रारूप है। • ऊर्ध्वाधर लंबाई 57 सेमी है। • इसमें सदैव पेपर का आकार A1 होता है।

अत: सही विकल्प (a) है।

47. **(b)**

संचार की प्रणाली	केंद्रीय अवयव
पश्चिमी	यह एक विधि या भाषा है जिसका उपयोग किसी बिंदु को व्यक्त करने या दर्शकों को समझाने के लिए किया जाता है। शब्दाडंबरपूर्ण शब्द का प्रयोग सर्वप्रथम अरस्तू ने किया था। शब्दाडंबर चार विशिष्ट ढंगों से संवेदनाओं के लिए अपील करती है: • शब्द (Logos) – तर्क के लिए एक अपील • मनोभाव (Pathos) – भावना के लिए एक अपील • लोकाचार (Ethos) – नैतिक अधिकार एवं विश्वसनीयता के लिए अपील • कैरोस (kairos) – समय के लिए एक अपील (इसे क्रोनो से संबंधित माना गया है) **केंद्रीय अवयव:** अलंकारिक साधन
भारतीय	भावनाओं को मौखिक और गैर-मौखिक रूप से व्यक्त करने के विभिन्न तरीके हैं। **केंद्रित अवयव:** संवेगात्मक रूपभेद
बौद्ध मत	एक सामान्य लक्ष्य, उद्देश्य, सर्वोपरि संकल्प, लचीला और सभी के लिए खुला। **केंद्रित अवयव:** गैर-प्रतिस्पर्धात्मक एवं सहयोगी
चीनी	यह एक ऐसी प्रणाली है, जो व्यक्तियों के समूहों, जैसे सांस्कृतिक, वर्ग, या लिंग के मध्य अंतर का पता लगाने के लिए उपयोग होती है। **केंद्रित अवयव:** द्वि-आधारी प्रतिकूलता का सह-अस्तित्व

48. (c)

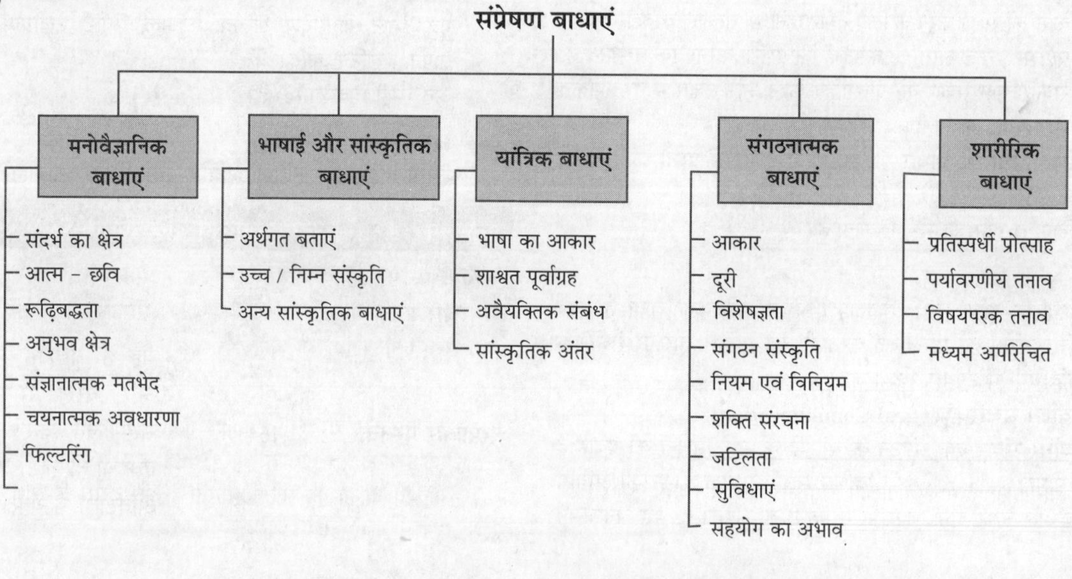

मनोवैज्ञानिक शोर (psychological noise): मनोवैज्ञानिक शोर, वक्ता या श्रोता की मनोस्थिति से संबंधित है। अस्पष्ट विचार, पूर्वकल्पित विचार और कटाक्ष मनोवैज्ञानिक शोर के उदाहरण हैं। मनोवैज्ञानिक शोर एक अवधारणा है, जो व्यवहार और प्रदर्शन पर गैर-विशिष्ट पर्यावरणीय कारकों के प्रभाव को संदर्भित करता है। इस प्रकार, संदेश की निष्क्रिय धारणा मनोवैज्ञानिक शोर का ही परिणाम है।

सांस्कृतिक रूढ़िबद्धता (cultural stereotyping): यह अहंकार से उत्पन्न होता है और बाधा उत्पन्न करता है। जब लोग प्रतिक्रिया करते हैं जैसे कि उन्हें, प्रेषक से आने वाले संदेश पूर्व ज्ञात हैं। सांस्कृतिक रूढ़िवादिता के उदाहरण में कुछ जातीय समूहों के प्रति पूर्वाग्रह सम्मिलित हैं।

भौतिक शोर (Physical noise): भौतिक शोर कोई बाह्य या पर्यावरणीय उत्तेजना है, जो हमें प्रेषक द्वारा भेजे गए इच्छित संदेश को प्राप्त करने से विचलित करता है। भौतिक शोर के उदाहरणों में उच्च तापमान, खराब वेंटिलेशन, अखबार में अस्पष्ट छपाई, पृष्ठभूमि में अन्य लोगों द्वारा की जाने वाली बातचीत, पृष्ठभूमि संगीत (background music) आदि सम्मिलित हैं।

अर्थिम शोर (semantic noise): यह शब्दों के प्रयोग को लेकर असहमति से उत्पन्न होता है, जो संदेश की प्रत्येक व्यक्ति की अलग -अलग समझ का परिणाम होता है।

49. (c)

जन मीडिया का उपयोग मीडिया के उस हिस्से को निरूपित करने के लिए किया जाता है, जिसे विशेष रूप से बहुत बड़े क्षेत्र के दर्शकों तक पहुंचने के लिए डिज़ाइन किया गया है।

जन मीडिया के कार्यों का सही क्रम इस प्रकार है:

1. सूचना
2. शिक्षा
3. मनोरंजन
4. संस्कृति का प्रसारण
5. सामाजिक एकीकरण

50. (a)

अभिकथन: समाज हमारे सामाजिक समूहों जैसे छोटे शहरों, देशों के माध्यम से, व्यापक सांस्कृतिक समूहों से निर्मित होते हैं। इन समाजों में लोग विशेष संस्कृतियों, विचारों, रीति-रिवाजों और सामाजिक व्यवहारों का निर्माण करते हैं, जो एक समाज को दूसरे से भिन्न बनाते हैं। एक समाज अपनी भाषा, रीति-रिवाजों, इतिहास और भूगोल के माध्यम से समानताएं और विशेषताएं प्राप्त करता है। संस्कृति और संचार प्रणाली एक समाज को एकजुट करती है और इसे दूसरों से भिन्न बनाती है।

तर्क: सांस्कृतिक लोगों के एक विशेष समूह की अपनी अलग विशेषताएं और ज्ञान है, जिसमें भाषा, धर्म, व्यंजन, सामाजिक आदतें, संगीत और कला आदि सम्मिलित हैं। भाषा एक महत्वपूर्ण सांस्कृतिक अवयव है, जो अन्त:सामाजिक समझ से जुड़ा हुआ है। किसी समाज की संस्कृति गतिशील (dynamic) होती है और यह मूल्यों, विश्वासों और धारणाओं के मध्य वार्तालाप पर निर्भर करता है। अत: एक समाज जन साधारण को इसकी भाषा, रीति-रिवाजों, इतिहास और भूगोल के माध्यम से समानता प्राप्त करता है, क्योंकि जनसाधारण द्वारा समाज की एकता द्वारा, उसकी संप्रेषण प्रणाली तथा संस्कृति सुगम बनती है।

51. (c)

संप्रेषण की महत्वपूर्ण विशेषताएं इस प्रकार हैं:

1. **जीवन पर्यन्त प्रक्रिया है (life long process)**: संचार एक जीवन पर्यन्त प्रक्रिया है, क्योंकि यह व्यक्ति के जन्म से आरम्भ होती है। संचार के माध्यम से ही बच्चे सामाजिक संबंधों से सीखने, भावनाओं को व्यक्त करने और रोजमर्रा की गतिविधियों में हिस्सा लेने में सक्षम होते हैं। संचार एक व्यक्ति की एक बहुत ही महत्वपूर्ण सामाजिक आवश्यकता है, जिसका पालन-पोषण एक व्यक्ति द्वारा अपने संपूर्ण जीवनकाल के दौरान किया जाता है।
2. **सार्वभौमिक प्रक्रिया है (universal process)**: सार्वभौमिकता का अर्थ है, कि यह दुनिया में प्रत्येक व्यक्ति से या समाज में एक विशेष समूह के प्रत्येक व्यक्ति से संबंधित है।
3. **एक सामूहिक प्रक्रिया है (collective process)**: संचार अनिवार्य रूप से विचारों का एक सहयोग है। क्लाउड शैनन के अनुसार, संचार एक विचार है जो प्रत्येक दूसरे व्यक्ति को प्रभावित करता है। इस प्रकार, यह एक सामूहिक और सहयोगी प्रक्रिया है।

छनन प्रक्रिया (filtering process): फ़िल्टरिंग तब होती है, जब संदेश के प्राप्तकर्ता यानी अंतिम व्यक्ति तक पहुंचने से पूर्व, संदेश को कई व्यक्तियों से होकर गुजरना होता है। यह अक्सर मूल संदेश के परिवर्तन में परिणत होता है, जो प्रभावी संचार के लिए एक बाधा है।

एक अवरोध रहित प्रक्रिया नहीं है (barrierless process): बाधाएं अवांछनीय हैं, लेकिन पूर्ण रूप से परिहार्य नहीं हैं। संचार बाधाओं के कुछ उदाहरण सूचना अधिभार, चुनिंदा धारणाएं, कार्यस्थल की गपशप, शब्दार्थ और लिंग अंतर आदि हैं।

52. (d)

COVID-19 महामारी ने वास्तव में स्थिति परिवर्तित कर दी है। वर्तमान में, आईसीटी वास्तव में शिक्षण का एकमात्र ढंग बन गया है। ऑनलाइन शिक्षा कई मायनों में महत्वपूर्ण है। यह समय, प्रभावी और कुशल अधिगम के विषय में लचीलापन प्रदान करता है। इसके अंतर्गत अधिगम की गति शिक्षार्थी द्वारा निर्धारित की जाती है।

लेकिन साथ ही, हमें यह समझना चाहिए कि ऑनलाइन अधिगम विशिष्ट और शोषण करने वाली अवधारणा है। जो कुछ भी सिखाया जा रहा है उसे प्रभावी ढंग से सीखने के लिए शिक्षार्थी के पास आवश्यक साधन और तकनीक का उपलब्ध होना आवश्यक है, उदाहरण के लिए सुचारू लैपटॉप, उच्च और स्थिर गति वाली इंटरनेट सुविधा आदि। इस प्रकार ऑनलाइन अधिगम विधि अत्यधिक भेदभावपूर्ण और प्रतिद्वंद्वी दोनों है। इस प्रकार, ऑनलाइन प्लेटफॉर्म शिक्षण और सीखने को एक उप-प्रकार की वैकल्पिक शिक्षा बनाते हैं।

53. (c)

कार्यात्मक संचार (functional communication) के माध्यम से एक व्यक्ति स्वाभाविक और स्वतंत्र रूप से अपनी इच्छाओं और आवश्यकताओं को संप्रेषित करता है और दूसरों के साथ समूहीकरण

करता है। यह संचार के विभिन्न रूपों जैसे भाषण, चित्र विनिमय, हावभाव, सांकेतिक भाषा और सहायक उपकरणों के माध्यम से हो सकता है।

अत: कार्यात्मक संचार कक्षा शिक्षण के उद्देश्यों और लक्ष्यों को प्राप्त करने के लिए अधिक प्रभावी है।

54. (b)

संप्रेषण के समय निम्नलिखित मनोवैज्ञानिक बाधाएं उत्पन्न हो सकती हैं:

चयनात्मक धारणा (selective perception): यह उस स्थिति में होता है, जब व्यक्ति परिवर्तन के बारे में केवल कुछ विवरणों को ही याद रखना चुनता है। यह एक तरह का पूर्वाग्रह ही है, जिसमें हम ऐसे उद्दीपनों (stimulator) को नजरअंदाज कर देते हैं, जो कि हमारी पूर्व मान्यताओं के विरुद्ध हों और भावनात्मक या मानसिक परेशानी का कारण बन सकते हैं। उदाहरण के लिए यदि कोई शिक्षक किसी छात्र के बारे में अनुकूल राय रखता हो और वह छात्र ख़राब प्रदर्शन करे, तो वह शिक्षक उसके बारे में अच्छा ही कहता रहे, उसकी गलतियों को नजरअंदाज कर दे, तो हम यह कह सकते हैं कि वह शिक्षक चयनात्मक धारणा से ग्रसित है।

अन्यमनस्कता (inattentiveness): इसके अंतर्गत, संदेश प्राप्तकर्ता आरामदायक वातावरण में रहना चाहता है।

व्यक्ति विशेष संदर्भ (frame of reference): यह हमारी संस्कृति (आदर्श एंव मूल्य), बाल्यावस्था के अनुभव, आनुवंशिकता पर निर्भर करता है। किन्हीं दो व्यक्तियों का संदर्भ एक समान नहीं हो सकता तथा यह समय के अनुसार परिवर्तित होता रहता है।

आत्म छवि (self – image): प्रत्येक व्यक्ति अपने बारे में कुछ छवि या धारणा बनाकर रखता है और हमारी आत्म छवि अचेतन मन में शब्दों का अर्थ निकालने में एक महत्वपूर्ण भूमिका निभाती है। आत्म छवि को सामाजिक, सांस्कृतिक, पारिवारिक एवं स्वयं के अनुभव भी प्रभावित करते हैं।

अनुभव क्षेत्र (field of experience): विज्ञान के छात्र को हो सकता है कि हिंदी साहित्य उतनी अच्छी तरह से समझ न आये, जितना कि मानविकी विद्यार्थी को आने की संभावना रहती है।

संज्ञानात्मक मतभेद (cognitive differen): संज्ञानात्मक को हम ज्ञान संबंधी भी कहते हैं और यदि हमारी सोच या ज्ञान में कोई मतभेद हो तो उसे संज्ञानात्मक मतभेद कहा जाता है।

मानसिक डर या बचाव की मुद्रा (Mental fear or defencive posturing): यदि कोई व्यक्ति डरा या सहमा हुआ रहता हो, वह किसी संप्रेषित संदेश की प्रतिक्रिया में शीघ्र ही बचाव की मुद्रा में आ जायेगा।

निस्पंदन (Filtering): इसका अर्थ होता है सूचना में जोड़ – तोड़ करके उसको प्राप्तकर्ता के अनुकूल बनाना, लेकिन इस प्रक्रिया में मिलने वाले संदेश का अर्थ ही बदल जाता है। इसे ग्रेपवाइन भी कहा जाता है, अनौपचारिक संचार में इसकी अधिक संभावना रहती है।

अत: प्रभावी संप्रेषण के लिए मनोवैज्ञानिक अवरोधों में अन्मयस्कता, लिखित शब्दों पर अधिक भरोसा एवं सीमित प्रतिधारण (limited retention) को सम्मिलित किया जा सकता है।

55. (c)

संप्रेषण में मानवीय पक्ष विद्यार्थियों को सहभागी बनाता है। अभिकथन सत्य है।

प्रौद्योगिकी संचालित कक्षीय परिवेश में अध्यापक की संप्रेषणात्मक भूमिका द्वितीयक नहीं होती है क्योंकि प्रौद्योगिकी स्व संचालित (automated) नहीं है। विद्यार्थियों के निर्देशन, समस्या समाधान और मार्गदर्शन में अध्यापक की भूमिका प्राथमिक ही रहती है। सूक्ष्म गतिकी सहित मानव भागीदारी सदैव महत्वपूर्ण होती है।

अत: मानवीय पक्ष छात्रों के सामाजिक और भावनात्मक विकास का एक महत्वपूर्ण घटक है। इसलिए प्रौद्योगिकी संचालित कक्षा के वातावरण में भी शिक्षक की संवादात्मक भूमिका हमेशा प्राथमिक रहेगी।

56. (c)

लंबवत संचार (Vertical communication): लंबवत संचार प्रकृति में औपचारिक होता है, यह नीचे से ऊपर या ऊपर से नीचे की ओर हो सकता है। परिवार और प्रबंधन जैसे सामाजिक संस्थानों में विभिन्न पदानुक्रमों में लंबवत संचार होता है।

क्षैतिज संचार (Horizontal communication): क्षैतिज संचार का अर्थ है सदस्यों के मध्य समान स्तर पर संचार। इसके अंतर्गत औपचारिक और अनौपचारिक दोनों ही प्रकार के संप्रेषण आते हैं। यदि किसी संगठन में विभिन्न व्यक्तियों या विभागों में परस्पर निर्भरता अधिक हो, तो क्षैतिज संप्रेषण अधिक प्रभावशाली रहता है। ग्रेपवाइन संचार (अनौपचारिक) इसका एक भाग हो सकता है। इसमें अभिविन्यस्त अफ्वाह की अधिक संभावना रहती है।

वृतीय संप्रेषण (Circular communication): वृतीय संप्रेषण का अर्थ है 'प्रभावी' संचार जिसके लिए प्रतिक्रिया तंत्र की आवश्यकता होती है। इसमें अभिविन्यस्त प्रतिपूर्ति हमें संप्रेषण प्रक्रिया में सही एवं गलत के मूल्यांकन में सहायता करती है।

इसकी व्याख्या कोल और चैन मॉडल से की जा सकती है:

क्रियान्वितिपरक (Transactional): संप्रेषण को संदेश प्रेषक और प्राप्तकर्ता के मध्य विचारों का आदान प्रदान माना गया है। संप्रेषण एक स्थिर कार्य नहीं है बल्कि एक गतिशील प्रक्रिया है। अंतर्वैक्तिक संप्रेषण में इसका उपयोग किया जाता है।

57. (a)

अध्यापक द्वारा कक्षा में अनुनयात्मक संप्रेषण का अर्थ उसके द्वारा दी गयी सूचना के प्रारूप को विद्यार्थियों के लिए स्वीकार्य बनाता है। जीआर मिलर (1980) के अनुसार अनुनयात्मक संप्रेषण कोई भी ऐसा संदेश है जिसका मूलभूत उद्देश्य दूसरे की प्रतिक्रियाओं को आकार देना, सुदृढ़ करना या बदलना है।

यदि संप्रेषण संस्थानिक स्तर पर होता है, तो इसके पीछे छवि निर्माण का प्रयोजन है। अनुनयात्मक संप्रेषण में भावनात्मक या तर्कसंगत माध्यमों के माध्यम से श्रोताओं या पाठकों को कुछ दृष्टिकोणों, कार्यों और विचारों को अपनाने के लिए समझाने या मार्गदर्शन करने का कार्य सम्मिलित है। इसमें भावनात्मक बुद्धिमत्ता, सक्रिय रूप से सुनना, पारस्परिक कौशल वार्तालाप और तर्क आदि सम्मिलित हैं।

58. (a)

विभिन्न समुदायों का अस्तित्व एक - दूसरे से स्वतंत्र होता है, परन्तु संयुक्त रूप से किसी प्रकार वे समाज के सामुदायिक जीवन की संकल्पना प्रदान करते हैं। यानी भले ही समुदाय एक-दूसरे से स्वतंत्र रूप से उपस्थित हों, फिर भी वे बाह्य व्यक्ति को सामुदायिक जीवन का प्रदर्शन करते हैं।

दूसरा कथन इमैनुएल कांट द्वारा रचित 'शुद्ध तर्क की आलोचना' (critique of pure reason) से लिया है, वह एक जर्मन दार्शनिक और महान विचारकों में से एक थे। 'पृथ्वी का अस्तित्व या तो किसी अज्ञात संयोग का प्रतिफल है या किसी आंतरिक आवश्यकता या किसी बाह्य करक के कारण हैं।' अत: दोनों कथन सही हैं।

59. (b)

संचार में मध्यस्थता के लिए प्रौद्योगिकी का बड़े पैमाने पर उपयोग किया जाता है। तकनीकी बाधाएं फीडबैक और गैर-मौखिक संकेतों के अभाव, ध्रुवीकरण, पीढ़ी अंतराल और सामाजिक-आर्थिक समूहों (जैसे शहरी ग्रामीण विभाजन) के रूप में होती हैं। नेत्र संपर्क, चेहरे के भाव और शरीर की भाषा जैसे गैर-मौखिक संकेतों के बिना, लोग संदेशों को गलत समझने की अधिक संभावना रखते हैं, जिससे संचार की गुणवत्ता प्रभावित होती है।

ऑनलाइन शिक्षण के लिए संचार बाधाओं के रूप में कोई विशिष्ट वैधता नहीं है। सांस्कृतिक बाधाएं जैसे भाषाई, निम्न संदर्भ, उच्च संदर्भ के रूप में उपस्थित हैं।

जेंडर पक्षपात संचार बाधा का एक उदाहरण है। सामान्य तौर पर, लैंगिक रूढ़िवादिता के कारण पुरुषों को 'प्रतिस्पर्धी' और 'स्वतंत्र' समझा जाता है, जबकि महिलाओं को 'सहकारी' समझा जाता है।

अत: ऑन लाइन शिक्षण के प्रमुख संप्रेषण अवरोध तकनीक, संस्कृति एवं लिंग हैं।

60. (d)

मीडिया उत्पादन प्रक्रिया के समय, समग्र उद्देश्य योजना के एक भाग के रूप में निर्धारित किए जाते हैं। योजना बनाने के बाद, सामग्री तैयार करने और प्रसारण किया जाता है। यह देखने के लिए कि परियोजना सफल हुई (या नहीं), फीडबैक किया जाता है।

61. **(a)**

सामयिक विघटन (Temporal disintegration): सामयिक विघटन शब्द फ्रेडरिक मेगस द्वारा प्रयोग में लाया गया था। एक संज्ञानात्मक दृष्टिकोण से, अस्थायी विघटन का अर्थ है कि व्यक्ति को उन यादों, धारणाओं और अपेक्षाओं को बनाए रखने, समन्वय करने और क्रमबद्ध रूप से अनुक्रमित करने में कठिनाई होती है, जो उसके लक्ष्य के लिए प्रासंगिक हैं।

मनोवैज्ञानिक विघटन (psychological disintegration): व्यक्तित्व के मनोवैज्ञानिक विघटन का अर्थ है कि व्यक्ति अब विश्वासों, दृष्टिकोणों, लक्षणों और व्यवहार संबंधी प्रतिक्रियाओं का एक एकीकृत, पूर्वानुमेय सेट प्रस्तुत नहीं करता है। सिज़ोफ्रेनिया (schizophrenia) में विघटित, अव्यवस्थित व्यक्तित्व के सबसे चरम उदाहरण पाए जाते हैं।

यहां हम भविष्य के प्रश्नों के लिए 'सकारात्मक विघटन का सिद्धांत' (Theory of Positive Disintegration - TPD) की संक्षिप्त चर्चा कर रहे हैं जो कि यूनिट 1 की 'भावनात्मक विशेषता' (emotional characteristic) के अंतर्गत भी आता है। यह TPD व्यक्ति के 'अवस्थांतर' (transition) के समयकाल में प्रकट होता है। TPD 'व्यक्तित्व विकास' का एक जटिल सिद्धांत है, इस सिद्धांत को के. डाब्रोवस्की (1902-1980) द्वारा विकसित किया गया है। इस सिद्धांत की विशेषता यह है कि मानसिक रोग के कुछ लक्षण (जैसे, न्यूरोसिस, चिंता) जिसे अक्सर किसी व्यक्ति की कमियों या खामियों (जैसे, घबराहट, कुप्रबंधन) के रूप में माना जाता है, को सकारात्मक संकेतों के रूप में देखा जाता है कि एक व्यक्ति अपने व्यक्तित्व को अपने 'आदर्श व्यक्तित्व' की ओर विकसित कर रहा है, यहां 'आदर्श व्यक्तित्व' का अर्थ है कि [illegible], [illegible], और [illegible], जिसको प्राप्त करने हेतु व्यक्ति कई प्रकार की त्रुटियां करता है, इसलिए ऐसी स्थिति से हमें अधिक डरने की आवश्यकता नहीं।

स्थानिक एकीकरण (Spatial integration): स्थानिक एकीकरण योजना के लिए प्रासंगिक विभिन्न संस्थाओं जैसे भूमि उपयोग, योजना संस्थानों और हितधारकों के एकीकरण का प्रतीक है। यह क्षेत्रों के मध्य वार्तालाप के अवसरों और स्तर को व्यक्त करता है और सहयोग करने की इच्छा को प्रतिबिंबित कर सकता है।

62. **(b)**

संचार का सकारात्मक प्रभाव योजना, मीडिया चयन और भाषा के उपयोग पर निर्भर करता है।

आयोजन या योजना बनाना: एक संचार योजना विकसित करने से संदेश के संदर्भ पर ध्यान केंद्रित करने और अपने लक्षित दर्शकों तक पहुंचने में मदद मिल सकती है। एक योजना आपके संचार विधियों की दक्षता और सरलता को प्रभावित कर सकती है।

मीडिया चयन: यह लागत दूरी की तात्कालिकता और आपके संदेश की प्रकृति पर निर्भर करता है। किसी संदेश को संप्रेषित करने के लिए गलत मीडिया या अनुपयुक्त माध्यम संचार में बाधा उत्पन्न करेगा।

भाषा का प्रयोग: भाषा ही मानवीय जुड़ाव की आधारशीला है। भाषा हमें अपने विचारों और भावनाओं को दूसरों के साथ साझा करने की अनुमति देती है। प्रेषक और प्राप्तकर्ता दोनों को एक ही भाषा में संवाद करना चाहिए, तभी संचार प्रभावी माना जायेगा। अन्यथा यह संचार बाधा का कारण भी बन सकता है।

63. **(c)**

अभिकथन (A): संप्रेषण की सार्वभौमिकता शिक्षा को सजीव एवं जीवंत बनाती है।

संप्रेषण की सार्वभौमिकता का तात्पर्य है कि संप्रेषण सभी के लिए जानने योग्य है और सभी द्वारा इसका उपयोग किया जाता है। शिक्षा में संप्रेषण सर्वोपरि है, बिना संप्रेषण के अधिगम प्रक्रिया असंभव है। शिक्षण प्रक्रिया में संदेश को प्रभावी और सटीक ढंग से संप्रेषित करना अत्यंत महत्वपूर्ण है। संप्रेषण, शिक्षा का एक प्रमुख तत्व है, संचार की सार्वभौमिकता ही शिक्षा को महत्वपूर्ण और जीवंत बनाती है।

तर्क (R): सांकेतिक आख्यान शिक्षण की प्रभावी विधि होने की विश्वसनीयता पर खरा नहीं उतरता।

सांकेतिक आख्यान (semiotic narration) हमें यह समझने में सहायता करता है कि शब्दों का अर्थ कैसे बनाया जाता है और उस अर्थ को किस प्रकार संप्रेषित किया जाता है।

यह विश्लेषण का एक ढंग है कि हम जिस परिदृश्य और संस्कृति में रहते हैं, उसका अनजाने में हम सभी पर व्यापक प्रभाव पड़ता है और इसी प्रकार अर्थों पर भी इसका प्रत्यक्ष प्रभाव पड़ता है। यह मौखिक, दृश्य और प्रतीकात्मक संदेशों का विश्लेषण करने में हमारी सहायता करता है।

64. (d)

संचार प्रणाली के विकास पर कालानुक्रमिक क्रम इस प्रकार है:

1. **गुफा चित्र (Cave paintings)**: संप्रेषण के लिए प्रयुक्त प्रतीकों का सबसे प्राचीन रूप गुफा चित्र है। इतिहासकारों के अनुसार, गुफा चित्र किसी क्षेत्र को चिह्नित करने या घटनाओं को रिकॉर्ड करने के लिए बनाए जाते थे। सबसे प्राचीन गुफा पेंटिंग की खोज फ्रांस में चौवेट गुफा के अंदर 30,000 ईसा पूर्व में हुई थी।

Photo credit: siloto / Shutterstock

2. **भाषा का उदय (Emergence of language)**: हमारे प्रारंभिक पूर्वजों ने संवाद करने के लिए विभिन्न प्रकार के संकेतों और प्रतीकों का उपयोग किया है। लगभग 10,000 ईसा पूर्व, पेट्रोग्लिफ बनाए गए थे। वे चट्टान की सतह पर नक्काशी करते थे, जिसे सामान्य तौर पर रॉक कला के रूप में जाना जाता है। 9,000 ईसा पूर्व में, चित्रलेख विकसित किए गए, जिसमें प्राचीन लोग एक कहानी वाचन के लिए तार्किक चित्र बनाते थे। बाद में, प्राचीन संस्कृतियों ने विचारधारा विकसित की। मिस्रवासियों के पास उनकी चित्रलिपि थी। चीनियों के पास अपने अक्षर थे। अंत में, वर्णमाला, जिसने भाषा और संचार को फिर से परिभाषित किया, लगभग 2,000 ई.पू. के आसपास विकसित किया गया था।
3. **अंतर्वैक्तिक संचार (मौखिक)**: इसकी संक्षिप्त व्याख्या अगले प्रश्न के हल में की गई है।
4. **मुद्रण प्रौद्योगिकी की उपस्थिति (Appearance of printing technology)**: 1440 में, जर्मन जोहान्स गुटेनबर्ग ने प्रिंटिंग प्रेस प्रणाली विकसित की, जिसने संचार को हमेशा के लिए बदल कर रख दिया। इसके साथ ही 16वीं शताब्दी में समाचार पत्र विकसित होने लगा। 1605 में स्ट्रासबर्ग में जोहान कैरोलस का जर्मन भाषा का प्रकाशन पहला समाचार पत्र था। सर्वप्रथम अंग्रेजी भाषा का समाचार पत्र 1620 में एम्स्टर्डम में प्रकाशित हुआ था।
5. **दूरसंचार प्रणाली (Telecommunication system)**: सैमुअल मोर्स द्वारा मोर्स कोड का आविष्कार करने के बाद टेलीग्राफ संचार आरंभ हुआ, जिसने ISO मूल लैटिन वर्णमाला को एन्कोड किया। मोर्स कोड ने क्लिक, टोन और लाइट की श्रृंखला के माध्यम से संदेशों को प्रसारित किया। 1830 में, मोर्स ने टेलीग्राफी तकनीक में मोर्स कोड को एकीकृत किया जिसने लंबी दूरी के संचार में क्रांति ला दी। 1844 में, मोर्स ने अपना पहला टेलीग्राफ संदेश भेजा।

   टेलीफोन का आविष्कार 1876 में स्कॉटिश अलेक्जेंडर ग्राहम बेल द्वारा किया गया था। टेलीफोन एक दूरसंचार उपकरण है जो मानव ऑडियो संकेतों को इलेक्ट्रॉनिक संकेतों में परिवर्तित करता है जो केबल के माध्यम से प्रेषित होते हैं। इसे व्यावसायिक रूप से स्थानीय और लंबी दूर की कॉल को पूरा करने के लिए विकसित किया गया था। 1900 के दशक में, लैंडलाइन टेलीफोन सेवा आरंभ हुई। अब तक, टेलीफोन सबसे विश्वसनीय दूरसंचार उपकरणों में से एक है।

Photo credit: blueringmedia / 123RF

65. (c)

संबंध के आधार पर संचार को निम्नलिखित भागों में वर्गीकृत किया जा सकता है:

1. **अव्यैक्तिक संप्रेषण (Intrapersonal communication) :** (इंट्रा-पर्सनल कम्युनिकेशन) इसे आत्म चर्चा आत्म विचार या आत्म मंथन के रूप में भी जाना जाता है। इसमें संदेश प्रेषक और संदेश प्राप्तकर्ता एक ही व्यक्ति होता है। इसमें ध्यान लगाना, चिंतन करना और इष्ट देव से प्रार्थना करना सम्मिलित है।

   हम प्राय: ऐसे शब्दों में प्रयोग करते हैं – हे परमात्मा 'ओह माय गॉड', यह क्या हो गया 'ओह नो' (जब मुसीबत में हो), श्वाह' (जब उत्तेजित हों) और 'थैंक गॉड' आदि अव्यैक्तिक संप्रेषण के उदाहरण हैं।

2. **अंतर्वैक्तिक संप्रेषण (Interpersonal communi-cation)**: इसे डायडिक संचार भी कहा जाता है। यह दो लोगों के मध्य नियमित संचार का सार्वभौमिक परस्पर संवाद है। पारस्परिक संचार की प्रभावशीलता संचार में दो भागीदारों के मध्य पारस्परिक संबंध, उनकी स्थिति, भूमिका और कौशल पर बहुत अधिक निर्भर करती है। इसे आगे औपचारिक और अनौपचारिक संचार में विभाजित किया जा सकता है।
3. **समूह संप्रेषण (Group communication)**: यह अंतर्वैक्तिक संप्रेषण का ही विस्तृत रूप है, जहां दो या दो से अधिक व्यक्ति विचारों एवं कौशलों का आदान प्रदान करते हैं। समूह संचार, व्यक्ति की आयु, लिंग, शिक्षा और आर्थिक और सामाजिक, भाषाई, धार्मिक, राष्ट्रीय, क्षेत्रीय और नस्लीय अंतर जैसे कई विषम कारकों से प्रभावित होता है।
4. **जन संप्रेषण (Mass media)**: संप्रेषण इसका निर्माण दो शब्दों जन + संप्रेषण के योग से हुआ है। यह यांत्रिक उपकरणों का उपयोग करके कई संदेशों को एक साथ बहुत लोगों तक पहुंचाता है। उदाहरण के लिए पत्रकारिता और विज्ञापन के लिए जनसंचार माध्यमों का उपयोग अधिक प्रभावी है।

दिशा के आधार पर संचार को निम्नलिखित भागों में वर्गीकृत किया जा सकता है:

लंबवत संचार (Vertical communication): यह मूल रूप से औपचारिक संचार है। यह ऊपर (नीचे से ऊपर की ओर) और नीचे (ऊपर से नीचे की ओर) हो सकता है।

क्षैतिज संचार (Horizontal communication): साथियों और सहकर्मियों के पदानुक्रम में समान स्तर के लोगों के साथ संचार को पार्श्व संचार कहा जाता है। यह विभिन्न विभागों की अन्योन्याश्रयता (interdependence) पर निर्भर करता है।

तिर्यक संप्रेषण (Diagonal communication): जब पदसोपान (hierarchy) के विपरीत विभिन्न स्तरों के अधिकारी और कार्मिक एक दूसरे से सम्पर्क स्थापित करते हैं, तो इसे तिर्यक संप्रेषण कहा जाता है। इस संप्रेषण का उपयोग करने पर समय की बचत होती है।

66. (a)

शिक्षा में सविमर्श या चिंतन स्तर में सम्प्रेषण प्रक्रिया अति उच्च स्तर पर सक्रिय एवं अन्तक्रियात्मक होती है। यह स्तर विद्यार्थीयों को अपने प्रदर्शन को समझने में सहायता करता है। इस स्तर में शिक्षार्थी तर्क तथा कल्पना द्वारा समस्या को समझने का प्रयास करते हैं। समस्या के समाधान के लिए विद्यार्थी अनुसन्धान करते हैं।

67. (d)

संज्ञानात्मक विस्वरता (cognitive dissonance) को एक मनोवैज्ञानिक घटना के रूप में परिभाषित किया जा सकता है जो तब उत्पन्न होती है, जब हम दो परस्पर विरोधी संज्ञानों जैसे व्यवहार, दृष्टिकोण, मूल्यों को धारण करते हैं। लोग अपने दृष्टिकोण और धारणाओं में एकरूपता की तलाश करते हैं, इसलिए यह संघर्ष बेचैनी या परेशानी की भावनाओं का कारण बनता है। यह विरोधाभास बेचैनी की भावना उत्पन्न करता है, जिसे अराजक स्थिति कहा जाता है। इस घटना का अध्ययन सर्वप्रथम लियोन फेस्टिंगर द्वारा किया था। लोगों के विश्वास और उनके व्यवहार के मध्य यह विभिन्नता लोगों को ऐसे कार्यों में संलग्न होने के लिए प्रेरित करती है जो असुविधा की भावनाओं को कम करने में सहायक होंगे। लोग इस तनाव को भिन्न – भिन्न ढंगों जैसे कि अस्वीकार करके, समझाकर, या नई जानकारी से बचकर आदि से दूर करने का प्रयत्न करते हैं।

अत: कक्षागत संप्रेषण में अव्यवस्थित परिस्थितियों का परिणाम संज्ञानात्मक विस्वरता है।

68. **(b)**

संप्रेषण का सदैव एक संदर्भ होता है। संप्रेषण में संदर्भ के निम्न चार आयाम/निर्धारक हैं।

भौतिक संदर्भ (Physical context): यह उस स्थान को संदर्भित करता है, जैसे सार्वजनिक, सम्मेलन कक्ष, कक्षा आदि में जहां संचार हो रहा है । यह उस स्थान के परिवेश को भी संदर्भित करता है। सामाजिक संदर्भ, सांस्कृतिक संदर्भ और संबधात्मक संदर्भ लेन-देन संबंधी संव्यावहारिक संप्रेषण के निर्धारक हैं।

सामाजिक संदर्भ (Social context): सामाजिक संदर्भ मुख्य रूप से संदेश प्रेषक और प्राप्त कर्ता के मध्य भूमिका, स्थिति एवं समाज के मानदंड और संस्कृति से संबंधित है।

मनोवैज्ञानिक संदर्भ (Psychological context): यह औपचारिक या अनौपचारिक रूप से मित्रता या मित्रता की विशेषता वाले वातावरण को संदर्भित करता है।

अस्थायी संदर्भ (Temporal context): यह संचार में समय कारक को संदर्भित करता है, जैसे कि दिन के किस समय संचार होता है। सुबह, हम सामान्य तौर पर जीवन के धार्मिक और आध्यात्मिक पहलुओं के बारे में बात करते हैं, और दिन के समय, सामान्य तौर पर पेशेवर पहलुओं आदि के बारे में बात करते हैं।

69. **(c)**

वर्तमान समय में, चुनाव के दौरान दोनों राजनीतिक दलों द्वारा दुष्प्रचार (propaganda) का उपयोग किया जाता है। राष्ट्रीय और स्थानीय मीडिया द्वारा उम्मीदवारों के चरित्र दोषों को इस तरह प्रस्तुत किया जाता है कि तथ्यों और समस्याओं को काफी सीमा तक नजरअंदाज कर दिया जाता है। इसके अतिरिक्त, मीडिया कवरेज आधारहीन अफवाहों, अपमानजनक उपनाम, सनसनीखेज विवरण और गैर-वास्तविक मुद्दों पर केंद्रित है।

70. **(c)**

संचार का अर्थ सूचना का विनिमय, समझ और संदर्भीकरण करना है।

विनिमय (Exchanghe): संचार एक दोतरफा प्रक्रिया है, यह चक्रीय या निरंतर प्रक्रिया है।

समझ (Understand): संचार केवल संदेश प्रदान करने और सुनने के बारे में नहीं है, बल्कि इसे प्रेषक और प्राप्तकर्ता द्वारा समझा जाना चाहिए।

संदर्भीकरण (Contextualisation): प्रेषक और रिसीवर द्वारा संदेश को उस ढंग से समझने में सक्षम होना चाहिए, जिस संदर्भ में इसे संप्रेषित किया गया हो।

71. (a)

संप्रेषण में भाषा संदिग्धता शब्दों के गलत प्रयोग के कारण उत्पन्न होती है। अनौपचारिक समय पदों के कारण भिन्न व्याख्या होती है।

72. (b)

व्यक्ति के बोध और धारणाएं संप्रेषण सामान्यीकरण के आधार हैं। परिवेश के सामान्यीकरण अनुभव के माध्यम से विकसित होते हैं। अत: दोनों कथन सत्य हैं।

73. (a)

संप्रेषण के विषय में निम्नलिखित मिथक (myths) हैं:

- अच्छे संप्रेषक जन्मजात (born) होते हैं, बनाये नहीं जाते हैं।
- मंच भीति (stage fright) संप्रेषण की आशंका नहीं है।
- संप्रेषण कौशल का संबंधों से कोई लेना-देना नहीं है।

74. (d)

संप्रेषण (संचार) में सबसे बड़ी एकल समस्या यह भ्रम है कि यह हुआ है-जॉर्ज बर्नार्ड शॉ रॉबिन्स के अनुसार, एक संगठन में प्रभावी संचार के लिए बाधाओं का क्रम है:

फिल्टरिंग > चयनात्मक प्रत्यक्षण > सूचना भार > भावनाएं > भाषा

फिल्टरिंग (Filtering): फिल्टरिंग किसी संगठन के सदस्यों को किसी स्थिति की पूरी तस्वीर प्राप्त करने से रोकता है। यहां मुख्य उद्देश्य किसी व्यक्ति की प्रतिक्रियाओं का प्रबंधन करना है। ऊर्ध्वगामी संचार (upward Communication) के दौरान लोग बुरी खबरों को अधिक छानते हैं। प्रभावी संचार भेजने और प्राप्त करने की आपकी संभावनाओं को अधिकतम करने के लिए, एक संदेश को विभिन्न ढंगों से वितरित करना और कई स्रोतों से जानकारी प्राप्त करना सहायक होता है।

चयनात्मक धारणा (Selective perception): चयनात्मक धारणा का तात्पर्य, अपनी आवश्यकताओं के अनुरूप, जो हम देखते और सुनते हैं, उसका छनन करना है। यह प्रक्रिया अक्सर अचेतन होती है। हम पर हर दिन सूचनाओं की बहुत अधिक उत्तेजनाओं के साथ बमबारी होती है, चाहे हम, उनको चाहें या न चाहें। इसलिए सूचना को हम अपनी आवश्यकता के अनुसार चुनते हैं। 'चयनात्मक धारणा' एक समय बचाने का उपाय है। यह एक जटिल संस्कृति में एक आवश्यक उपकरण है, लेकिन इससे गलतियां भी हो सकती हैं।

सूचना भार (Information load): हर प्रकार का संदेश, हर दिन विभिन्न ढंगों से हम तक पहुंचता रहता है। कुछ संदेश सामाजिक होते हैं, कुछ विज्ञापन के रूप में, कुछ व्यावसायिक होते हैं, जैसे ई-मेल, मेमो, और वॉयस मेल, सहयोगियों के साथ वार्तालाप। अन्य कुछ व्यक्तिगत संदेश भी होते हैं-हमारे प्रियजनों और मित्रों दोस्तों के संदेश और वार्तालाप। इन सबके साथ 'निपट पाना' कई बार बड़ा कठिन कार्य हो जाता है। असंतुलन की इस स्थिति को 'सूचना अधिभार' के रूप में जाना जाता है।

भावनाएं (Emotions): एक प्रभावी संचार के लिए एक प्रेषक और एक रिसीवर की आवश्यकता होती है। उन्हें एक दूसरे से बात करने और सुनने के लिए मुक्त भाव होना चाहिए। उनके बीच राय या व्यक्तित्व में संभावित मतभेद हो सकते हैं। यदि वे स्पष्ट रूप से संवाद करने के लक्ष्य को प्राप्त करना चाहते हैं तो उन दोनों को भावनाओं के प्रवाह से स्वयं को अलग रखना पड़ सकता है। एक रिसीवर जो भावनात्मक रूप से परेशान है, वह प्रेषक जो कह रहा है उसे अनदेखा या विकृत कर देता है। एक प्रेषक जो भावनात्मक रूप से परेशान है, विचारों या भावनाओं को प्रभावी ढंग से प्रस्तुत करने में असमर्थ हो सकता है।

विभिन्न लोगों के लिए शब्दों का भिन्न-भिन्न अर्थ हो सकता है, या किसी दूसरे व्यक्ति के लिए उनका कोई अर्थ नहीं हो सकता है। इसे शब्दार्थ (semantics) कहा जाता है।

भाषा (Language): प्रभावी संचार स्पष्ट, तथ्यात्मक और लक्ष्योन्मुखी होता है। यह भी सम्मानजनक है। किसी व्यक्ति को एक विशेषण (एक मस्तिष्क, एक मधुमेह) द्वारा संदर्भित करना, व्यक्ति को उस एक विशेषता में कम कर देता है। वह भाषा जो किसी व्यक्ति को भड़काती या रूढ़िबद्ध करती है, संचार प्रक्रिया को जहर बना देती है। आयु, जातीयता, यौन वरीयता, अभद्रता के आधार पर किसी व्यक्ति (या समूह) का अपमान करने वाली भाषा से बचना चाहिए।

75. (d)

प्रभावी संप्रेषण के तत्व इस प्रकार हैं:

सामान्य संदर्भ विन्यास (Common frame of reference): अभिग्राहक और प्रेषक के मध्य संगतता का होना। उदाहरण के लिए, समान भाषा संदेश के प्रेषक और प्राप्तकर्ता के मध्य बेहतर समझ विकसित करती और संचार को अधिक प्रभावी बनाती है।

सर्वसमता (congruence): संकेतक और विसंकेतक के बीच सामान्य रुचि के संदेशों का आदान-प्रदान।

भाषा प्रासंगिकता (language relevance): बोधगम्य भाषा का प्रयोग।

संगत वातावरण (compatible environment): समान पृष्ठभूमि के लोगों से संप्रेषण करना।

76. (a)

संचार के तत्वों का वर्णन करने में, एक व्यक्ति या एक घटना जो मौखिक या गैर-मौखिक उपयोग प्रदान करती है, जिसका कोई प्रतिउत्तर दे सकता है, स्रोत कहलाता है। स्रोत या प्रेषक मूल रूप से संदेश का मूल है। स्रोत वे वस्तुएं हैं, जो किसी चैनल या माध्यम से संदेश को सांकेतिक शब्दों में परिवर्तित करते, बनाते और प्रसारित करते हैं।

शैनन वीवर गणितीय मोडर

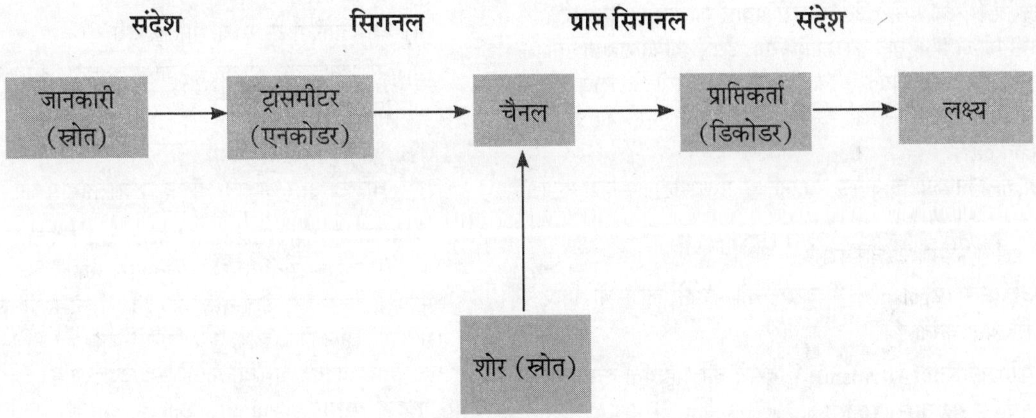

77. (c)

कार्यसूची निर्माण (Agenda building) एक सामूहिक संप्रेषण प्रक्रिया है, जिसमें मीडिया, सरकार और नागरिक परस्पर एक दूसरे को प्रभावित करते हैं। कार्यसूची संज्ञानात्मक प्रभाव और असक्रिय श्रोताओं को कम सामाजिक प्रभाव वाले मानता है। (A) सत्य है और (R) असत्य है।

मीडिया का प्रभाव खबरों की प्रस्तुति और समाचारों में किए गए मुद्दों को प्रभावित करता है, जो जनता के दिमाग को प्रभावित करता है। समाचार रिपोर्ट इसे इस तरह से बनाती हैं कि जब किसी विशेष समाचार रिपोर्ट को अन्य समाचारों की तुलना में महत्व और ध्यान दिया जाता है, तो दर्शक स्वत: ही इसे सबसे महत्वपूर्ण समाचार और जानकारी के रूप में समझेंगे। किसकी प्राथमिकताएं पहले आती हैं और उसके बाद मीडिया द्वारा तय की जाती है कि लोग कैसे सोचते हैं और दर्शकों के मध्य इसका कितना प्रभाव पड़ेगा।

एजेंडा-बिल्डिंग को ''एक ऐसी प्रक्रिया के रूप में परिभाषित किया गया है, जिसके माध्यम से राजनीतिक अभिजात वर्ग की नीति एजेंडा मीडिया एजेंडा और सार्वजनिक एजेंडा सहित विभिन्न कारकों से प्रभावित होते हैं'' (रोजर्स एंड डियरिंग, 1988)।

- नीति बनाने और बढ़ावा देने वाले अभिजात वर्ग को एजेंडा निर्माण कहा जाता है।
- सरकारी मुद्दे एजेंडा निर्माण में प्राथमिकता देते हैं।

78. (d)

कथन I: जनसंचार की कला मुखोन्मुख संप्रेषण या अन्य किसी भी प्रकार के संप्रेषण की अपेक्षा अधिक सरल है। इस प्रकार, कथन I असत्य है। मास मीडिया केवल सूचना का भौतिक प्रसारण नहीं है, बल्कि एक जटिल, एकीकृत, मिश्रित और संवादात्मक प्रणाली है जिसके परिणामस्वरूप आंकड़े, पाठ, चित्र और ध्वनि का सहज एकीकरण करके प्रसारित किया जाता है। जबकि मुखोन्मुख संप्रेषण संवादात्मक है। इसमें प्रतिक्रिया तंत्र यह निर्धारित करने में सहायता करता है कि प्राप्तकर्ता ने संदेश के अर्थ को समझा है या नहीं। जनसंचार में दर्शकों के मध्य विविधता, प्रतिक्रिया की कमी, शब्दार्थ अवरोध और चैनल में शोर प्रेषित संदेश की व्यवहार्यता को कम करते हैं। इस प्रकार, जनसंचार की कला अधिक जटिल है।

कथन II: जब हम दूसरों के साथ संवाद करते हैं तो हम में से प्रत्येक 3S (दृष्टि, ध्वनि और गंध) और 2T (स्पर्श और स्वाद) का उपयोग करता है। इस प्रकार, कथन II सत्य है।

79. (d)

संप्रेषण में, पुनर्निवेशन/प्रतिक्रिया यह संकेत है कि प्राप्तकर्ता द्वारा संदेश को समझ लिया गया है या नहीं। यह प्रेषक और प्राप्तकर्ता के मध्य संप्रेषण को प्रोत्साहित करता है।

पुनर्निवेशन दर्शकों की प्रतिक्रियाओं को दर्शाती है जब:

(i) कोई संप्रेषण के प्रभावों को जानता है।
(ii) कोई संदेश के विषयवस्तु की गुणवत्ता जानता है।
(iii) कोई संप्रेषण की वस्तु के भविष्य की संभावनाओं को जानता है।

80. (a)

वह शक्ति जो संप्रेषण की प्रक्रिया में, किसी के शब्दों और उसकी भावनाओं के मिलान, शरीर और भाव भंगिमाओं के संयोजन से मिलती हो, उसे सर्वांगसमता (congruence) के रूप में जाना जाता है।

गैर-मौखिक सर्वांगसमता अशाब्दिक समूहों के मध्य निरंतरता है जिसे हम देख रहे हैं जो हमारी समझ को प्रभावित करते हैं कि क्या संदेश दिया जा रहा है।

81. (a)

समाज पक्षीय उत्प्रेरण (Prosocial Motivation): ग्रांट (2008) के अनुसार, समाज पक्षीय उत्प्रेरण ऐसे प्रयास को करने की इच्छा है जो दूसरों को लाभ पहुंचाने का कार्य करेगा। इसमें व्यक्ति सहमत होने, सहानुभूति दिखाने, सहायक रवैया दिखाने और दूसरों के लिए एक सामान्य चिंता दिखाने के लिए दूसरों को लाभान्वित करने का प्रयास कर सकते हैं।

संप्रेषण शोध निष्कर्षों के अनुसार सामाजिक प्रेरणा के लिए कुछ मात्रा में गपशप आवश्यक है।

समाज पक्षीय उत्प्रेरण के चार रूप हैं:

1. **अहंकार (Egoism):** मैं दूसरों की अपने लाभ के लिए सहायता करता हूं।
2. **परोपकारिता (Altruism):** मैं दूसरों की सहायता करता हूं, क्योंकि यह करना सही है ।
3. **सामूहिकता (Collectiveness):** मैं समूह को लाभ पहुंचाने के लिए दूसरों की सहायता करता हूं।
4. **सिद्धांतवाद (Principlism):** मैं नैतिक सिद्धांत को बनाए रखने के लिए दूसरों की सहायता करता हूं।

82. (c)

अन्त: सांस्कृतिक संप्रेषण (intercultural communication) में अधिकारों के मध्य दूरियां, व्यक्तिवाद और लैंगिक भूमिकाएं महत्वपूर्ण हैं।

83. (a)

जब संदेश गंभीर हों, तो मुस्कान व हंसने वाले इमोजी से बचना चाहिए। गैर-शाब्दिक संकेत शाब्दिक संप्रेषण की तरह हमेशा प्रासंगिक होते हैं। संचार सदैव एक संदर्भ में होता है। संदर्भ के बिना, शब्दों और कार्यों का कोई अर्थ नहीं होता है। संचार में चार प्रकार के संदर्भ होते हैं: भौतिक संदर्भ (वह स्थान जहां संचार होता है), सामाजिक संदर्भ (प्रेषक और रिसीवर के मध्य संबंध की स्थिति), मनोवैज्ञानिक संदर्भ (औपचारिक और अनौपचारिक), सामयिक संदर्भ (संचार में समय कारक) आदि। अत: (A) और (R) दोनों सत्य हैं और (R), (A) की सही व्याख्या है।

84. (d)

मानवीय संप्रेषण कौशल का सही क्रम इस प्रकार है: स्व-प्रस्तुति, संबंध, समूह अन्त: क्रिया, सार्वजनिक भाषण, फ़ीड फारवर्ड।

85. (b)

मनोवैज्ञानिक बाधाएं (Psychological Barriers): मनोवैज्ञानिक मूल रूप से मन (psyche) से संबंधित है। खराब अवधारणा, संदर्भ का ढांचा, अनुभव का क्षेत्र, संज्ञानात्मक असंगति, चयनात्मक धारणा और फ़िल्टरिंग मनोवैज्ञानिक बाधाओं के प्रकार हैं।

सांगठनिक बाधाएं (Organisational Barriers): ये बाधाएं तब उत्पन्न होती हैं, जब कोई संगठन विकसित होता है। उन्हें निम्नलिखित स्थितियों के लिए उत्तरदायी ठहराया जा सकता है:

(i) संगठन का आकार
(ii) कर्मचारियों के मध्य भौतिक दूरी
(iii) संगठनात्मक संस्कृति, जो स्वतंत्रता और विश्वास को प्रभावित करती है।
(iv) कार्यात्मक विशेषज्ञता (शक्ति संरचना)
(v) वरिष्ठों और अधीनस्थों के मध्य सहयोग का अभाव

व्यैक्तिक बाधाएं (Personal Barriers): व्यक्तिगत बाधाएं प्रेषक और रिसीवर से संबंधित वे व्यक्तिगत कारक हैं, जो संचार प्रक्रिया में बाधा के रूप में कार्य करती हैं। इन कारकों में जीवन के अनुभव, भावनाएं, दृष्टिकोण, व्यवहार आदि सम्मिलित हैं। अधिकार की चुनौती का डर व्यक्तिगत बाधाओं का ही एक उदाहरण है।

शब्दार्थ बाधाएं (Semantic Barriers): जब शब्दों के उपयोग के संबंध में असहमति होती है, यह व्यक्ति की विभिन्न संस्कृतियों के परिणामस्वरूप उत्पन्न होती हैं। तकनीकी भाषा के प्रयोग से शब्दार्थ संबंधी बाधाएं हैं।

86. (a)

संप्रेषण या संचार में प्रभावी (effective) शब्द का अर्थ है कि कोई भी संदेश एक अच्छी जानकारी या समझ के साथ ठीक ढंग से भेजा गया और प्राप्त भी किया गया है। यह समझ 'प्रतिपुष्टि' (feedback) से परिलक्षित होती है।

एक कक्षा में, एक प्रभावी श्रोता पूरी तरह से शिक्षण पर केंद्रित होता है और इस प्रकार के पर्यावरण में विद्यमान किसी भी प्रकार की व्याकुलता (या शोर) का विरोध करने का प्रयास करता है।

संचार के संदेश में निस्पंदन या फिल्टरिंग को वास्तव में एक संचार में बाधा के रूप में माना जा सकता है क्योंकि रिसीवर की प्रतिक्रिया को प्रबंधित करने के उद्देश्य से कुछ तथ्यों को छिपाया, विकृत या हेरफेर किया जाता है। उदाहरण के लिए, एक प्रबंधक अपने डिवीजन के खराब बिक्री के आंकड़ों को छिपाने का प्रयास करता है ताकि रिसीवर (बॉस) क्रोधित न हो।

87. (a)

यह प्रश्न दुतरफा आमने-सामने संप्रेषण के विषय में लेखकों द्वारा विभिन्न स्तर दिए गए हैं। दुतरफा संप्रेषण में संदेश भेजने वाले को प्राप्तकर्ता से प्रतिकृति मिलती है, जो संचार के मूल उद्देश्य को पूरा करता है। संचार का मुख्य उद्देश्य संदेश को इच्छित रूप में समझना है।

किसी ओर व्यक्ति, माध्यम या बाधा के इस संचार में उपस्थित न होने तथा आमने सामने होने के कारण इस स्तर को 'स्तर एक' माना गया है।

मौखिक, शारीरिक, श्रवण, भावनात्मक और ऊर्जावान को भी संप्रेषण के पांच स्तरों के रूप में वर्णित किया गया है।

88. (b)

समय बोध (time sense)–इसको काल बोध भी कहा जा सकता है, समय को हम भूतकाल, वर्तमान काल तथा भविष्य काल भी कहते हैं, समय के अनुसार, हमारी संस्कृति भी बदलती रहती है।

समय संस्कृति से जुड़े लौकिक पहलू से जुड़ा हुआ है। पश्चिमी संस्कृतियाँ, यहां तक कि कुछ दक्षिण पूर्व एशिया भी अपने समय को घड़ी के अनुसार मापते हैं, इस बात को ध्यान में रखते हुए कि प्रत्येक गतिविधि की एक सटीक शुरुआत और अंत होना चाहिए जिसे रैखिक समय कहा जा सकता है। उनके लिए 'समय सीमा' शब्द बहुत महत्वपूर्ण है। पश्चिमी लोग यह भी देखते हैं कि समय की सीमित आपूर्ति है, इसलिए वे उसी के अनुसार संरचना करते हैं।

भारत में भी लोग समय को अत्यधिक महत्वपूर्ण मान कर चलते हैं, परन्तु यहां पुनर्जन्म की एक अवधारणा है, हम मानते हैं कि अगर इस जन्म में कुछ पूरा नहीं किया जा सका, तो अगले जन्म में पूरा हो जाएगा। भारत में सत्य युग, द्वापर युग, त्रेता युग और कलियुग की अवधारणाएं हैं, अलग-अलग समय अवधि के अनुसार और संस्कृति उसी के अनुसार बदलाव करती है। भारत, पाकिस्तान, बांग्लादेश आदि के अधिकांश हिस्सों में एक संस्कृति घटना या व्यक्तित्व से संबंधित है। अगर हम इतिहास को देखें तो संस्कृति भी यात्रा करती है। उदाहरण के लिए, लगभग सभी सभ्यताओं जैसे कि यूनान, भारत, अमेरिका आदि में विवाह को एक संस्था के रूप में मान्यता दी गयी है।

कृतज्ञता का स्तर (level of gratitude)–'कृतज्ञता का अभ्यास' संस्कृति का एक अभिन्न भाग है। रॉबर्ट एम्मन्स के अनुसार, जैसा कि उन्होंने अपनी पुस्तक थैंक्स में व्यक्त किया था, 'कृतज्ञता सचमुच उन कुछ वस्तुओं में से एक है जो लोगों के जीवन को मापने के लिए परिवर्तित कर सकती है।' कृतज्ञता हमारे स्वास्थ्य और रिश्तों को श्रेष्ठतर बना सकती है—इसे जीवन में हमारे कल्याण को बढ़ाने के लिए सबसे अच्छी तरह से अध्ययन और प्रभावी ढंगों में से एक बनाती है। कृतज्ञता का यह स्तर हमारी संस्कृति के अनुसार भिन्न होता है जैसे भारत, चीन, रूस, जापान, जर्मनी आदि। विभिन्न संस्कृतियों के उच्च संदर्भ, निम्न संदर्भ, अस्थायी संदर्भ, भावनात्मक संदर्भ, निर्देश, फाटिक संदर्भ हो सकते हैं जिनका उल्लेख पियर्सन द्वारा प्रकाशित पुस्तक UGC NET पेपर 1 की इकाई 3 में किया गया है।

उन्होंने संस्कृतियों में कुछ समानताएं पाईं, साथ ही साथ कुछ अंतर-इस बात की एक प्रारंभिक झलक कि कृतज्ञता की ओर हमारे आरंभिक पग कैसे बड़ी सामाजिक ताकतों द्वारा आकार ले सकते हैं। मौखिक या मौखिक कृतज्ञता, ठोस कृतज्ञता (टॉफी, चॉकलेट आदि को अर्पित किए जाने का प्रयास) और संयोजी कृतज्ञता (मित्रता या सहायता आदि) हो सकती है।

89. (c)

कथन I–लघु समूह संचार तीन या अधिक लोगों के बीच बातचीत को संदर्भित करता है जो एक सामान्य उद्देश्य, पारस्परिक प्रभाव और एक साझा पहचान के माध्यम से जुड़े हुए हैं जो रिश्ते की जरूरतों को इंगित करते हैं। एक छोटे समूह की ऊपरी संख्या 15 से 20 के बीच ली जाती है।

कथन II–एक परिवार को भी लघु समूह के रूप में लिया जा सकता है जहां कार्य से संबंधित महत्वपूर्ण निर्णय लिए जाते हैं। एक व्यक्ति जो समूह के कार्य के बारे में अच्छी तरह से सूचित है और/या समूह के सदस्य के रूप में अत्यधिक प्रेरित है, एक नेता के रूप में उभर सकता है और आंतरिक निर्णय लेने की प्रक्रियाओं को गति प्रदान कर सकता है, जैसे कि नए सदस्यों की भर्ती या समूह भूमिकाएं सौंपना, जो प्रभावित करते हैं एक समूह की संरचना। अलग-अलग सदस्य भी समूह के भीतर विभिन्न भूमिकाओं की ओर प्रवृत्त होंगे और कुछ प्रक्रियाओं और दूसरों पर कार्रवाई के पाठ्यक्रमों को प्रभावित करेंगे। समूह आकार, कार्य और संसाधन जैसे बाहरी कारक भी समूह संरचना को प्रभावित करते हैं।

90. (d)

सभी विकल्प सही उत्तर के बहुत निकट प्रतीत होते हैं, इसलिए हमें उन सभी के बारे में कुछ जानकारी प्राप्त करने की आवश्यकता है।

A. मीडिया उत्पादों के लिए निष्क्रिय रूप से लालसा लालायित होना–इस वाक्य में 'निष्क्रिय' शब्द का प्रयोग किया गया है, अन्यथा हम दर्शकों के लिए मीडिया, दर्शकों और उत्पादों को गतिशील और सक्रिय रूप में देखते हैं।

B. मीडिया सामग्री की सर्वाहारी ग्राह्यता–यहाँ सर्वाहारी का अर्थ है, सभी प्रकार के भोजन की वस्तुओं या भोजन का सेवन करना और ग्राह्यता का अर्थ एक प्रकार से भक्षण करना है। सर्वाहारी ग्राह्यता का अर्थ है कि सभी प्रकार की सामग्री का मीडिया द्वारा प्रयोग किया जा रहा है, लेकिन मीडिया को दर्शकों या जनता को भी सामग्री दिखानी है ताकि उसकी सराहना (या मूल्यह्रास) हो।

C. पहचान के माध्यम से क्षतिपूर्ति–यहां, पहचान का अर्थ दर्शकों या जनता के साथ जुड़ाव है ताकि किसी प्रकार के पुरस्कार (विज्ञापनों के माध्यम से) उत्पन्न किए जा सकें। यह मूल रूप से YouTube, Facebook, Instagram आदि द्वारा किया जा रहा है। वे वफादारी और ग्राहक संबंध प्रबंधन (Customer Relationship Management) विकसित करते हैं।

D. प्रतिस्थानिक इच्छापूर्ति–प्रतिस्थानिक का अर्थ है कि यदि कोई कार्य हम स्वयं पूरा न कर पाएं तो कोई और उसको पूरा करे जिससे हमें संतुष्टि की प्राप्ति हो। उदाहरण के रूप में, जब एक माँ जो हमेशा एक नर्तकी बनना चाहती थी, अपने बच्चों को लगातार बैले करने के लिए प्रेरित करती है।

सिग्मंड फ्रायड (Sigmund Freud) का सबसे प्रसिद्ध सिद्धांत है-इच्छापूर्ति, जो यह कहता है कि जब इच्छाएं हमारे जाग्रत जीवन में पूरी नहीं हो पईं या नहीं हो सकती हैं, तो वे हमारे सपनों में पूरी होती हैं। यहां तक कि चिंतित या दंड देने वाले सपनों की जड़ें इच्छापूर्ति में होती हैं। फ्रायड का स्वप्न सिद्धांत इस विचार में निहित है कि हम सभी

को अपनी सभी इच्छाओं और इच्छाओं को व्यक्त करने या पूरी तरह से पूरा करने के लिए एक ढंग की आवश्यकता है।

अब हम देखते हैं कि लोग अपने सपनों और कल्पनाओं के नेतृत्व में चलते हैं। सोशल मीडिया उत्पाद की आवश्यकता उत्पन्न करता है जिसे जनता तब तक महसूस नहीं करती, जब तक उन्हें सोशल मीडिया पर नहीं देखती।

उपयुक्त भूमिकाओं के लिए सुझाव के स्रोत-यह बिंदु बहुत महत्वपूर्ण है। आधुनिक युग के बालक भी वयस्क सदस्यों की भूमिकाओं के प्रति सहानुभूति रखना चाहते हैं। इस भूमिका धारणा का अर्थ है कि वे अधिक मुखर और चुनौतीपूर्ण होते जा रहे हैं। मीडिया तक उनकी लगभग पूरी पहुंच है जो उन्हें बड़ों द्वारा निभाई जा रही भूमिकाओं को चुनौती देने में सक्षम बनाती है।

91. (b)

A. अपने व्याख्या दृष्टिकोण पर बल देना, इसका अर्थ यह है कि हम अत्यधिक व्यक्तिपरक हो सकते हैं। यह सामाजिक दृष्टि से प्रासंगिक नहीं है क्योंकि हमें उन्मुक्त और विविध समाज से निपटना है। विश्व में चहुं ओर वैश्वीकरण हो रहा है। इस प्रकार का दृष्टिकोण 'जातीयतावाद' की भावना को भी इंगित करता है।

B. अपनी संस्कृति की पहचान को भूल जाने का अर्थ है कि हम दूसरी संस्कृति के साथ सम्प्रेषण के लिए एक संस्कृति के रूप में भाग नहीं ले रहे हैं, यह एक व्यक्तिगत अनुभव तो बन सकता है, लेकिन एक संस्कृति का दूसरे के साथ नहीं। ऐसा संपर्क स्थापित करना शायद सांस्कृतिक रूप से फलदायी न हो।

C. पारस्परिक सम्मान का एक पारिस्थितिकी तंत्र विश्वास की भावना पैदा करता है ताकि एक संस्कृति अन्य संस्कृतियों के साथ बेहतर संवाद कर सके। अगर हम उदाहरण के रूप में, संयुक्त राज्य अमेरिका में किसी विशेष पर्व पर भारतीय एक विश्वसनीय और सम्मानित संस्कृति के रूप में वहां के स्थानीय लोगों से सम्पर्क साधने का प्रयास करते हैं तो वह सफल रहते हैं।

D. अन्य लोगों के सांस्कृतिक संदर्भ को जानें। यह 'सांस्कृतिक सापेक्षवाद' की भावना को बढ़ावा देता है ताकि हम इस बात पर बल दे सकें कि हर संस्कृति समान रूप से महत्वपूर्ण है। यह अन्य संस्कृतियों के साथ बेहतर संचार में मदद करता है।

E. सदैव तथ्यों को बताने का अर्थ यह है कि हम पारदर्शिता और विश्वसनीयता में विश्वास रखते हैं, हम सत्यवादी हैं और हम कुछ नहीं छिपा रहे हैं।

इस प्रकार C, D और E यानी (b) सही उत्तर है।

92. (a)

दोनों कथन सत्य हैं।

कथन I-यहाँ, हम सम्प्रेषण के तीन मॉडलों के बारे में बात कर सकते हैं-रेखीय या रैखिक, अंत:क्रियात्मक या संवादात्मक और कार्य सम्पादन।

1. रैखिक मॉडल (linear model): भौतिक रूप से संचार का संचरण है-अधिकतर एकतरफा संचार, जिसमें प्रतिपुष्टि नहीं होती।

2. कार्य सम्पादन मॉडल (transactional): यह सामाजिक और संबंधपरक पहलुओं और इस प्रकार से विकसित सामाजिक संदर्भ को ध्यान में रखता है।

3. अंत:क्रियात्मक या संवादात्मक मॉडल (interactive): यह इस तथ्य पर निर्भर करता है कि जिस प्रकार से संदेश प्रेषित एवं प्राप्त किए जाते हैं, इसके अंतर्गत अनुभव के क्षेत्र, (field of experience), भौतिक संदर्भ (physical context) और मनोवैज्ञानिक संदर्भ (psychological context) आदि आते हैं। हम अंत:क्रियात्मक सम्प्रेषण के लिए सोशल मीडिया, इंटरैक्टिव और ऑनलाइन मार्केटिंग, उपयोगकर्ता द्वारा तैयार की गई सामग्री, चैट रूम आदि का उदाहरण ले सकते हैं। हम सदैव तत्काल प्रतिक्रिया की तलाश करते हैं। यहां, सम्प्रेषण एक ऐसी प्रक्रिया है, जहां प्रतिभागी वैकल्पिक रूप से प्रेषक और प्राप्तकर्ता के रूप में स्थिति बनाते हैं और भौतिक और मनोवैज्ञानिक संदर्भों में प्रतिक्रिया प्राप्त करके अर्थ उत्पन्न करते हैं।

1. संवादात्मक संचार में निरंतर प्रतिक्रिया मुख्य तत्व है। कोई संदेश प्राप्त होता है या समझा जाता है, तो हम जल्दी से समझने में सक्षम होते हैं। व्हाट्सएप को एक उदाहरण के रूप में लिया जा सकता है।
2. दर्शकों के साथ लगातार अपडेट और संचार होता है।
3. इस संवादात्मक संचार में अधिक पारदर्शिता है।
4. यहां अतिरिक्त सरेखण अवसर प्राप्त होते हैं। यह ढंग बहिर्मुखी भी होता है।
5. हम बड़ी संख्या में दर्शकों के साथ जानकारी साझा कर सकते हैं।

कथन 2 के लिए-इच्छुक अभ्यर्थी एक बार फिर ब्लूम टैक्सोनॉमी को देख सकते हैं, जो कि डिजिटल प्रतिष्ठित संचार को भी दर्शाता है।

93. (c)

वीडियो कॉन्फ्रेंसिंग से हम ऑडियो और वीडियो प्रसारण द्वारा दो या दो से अधिक स्थानों पर बैठकें कर सकते हैं। वीसी विशेष रूप से वेब कैमरा, डिस्प्ले डिवाइस, माइक्रोफोन (वॉयस कम्युनिकेशन के लिए), हाई-स्पीड इंटरनेट कनेक्टिविटी और पर्सनल कंप्यूटर का उपयोग करता है। वीसी के साथ, जो बैठक में भाग लेते हैं वे एक दूसरे को देख, सुन और बोल सकते हैं, चाहे उनकी भौगोलिक स्थिति कुछ भी हो। यह घर और व्यापार दोनों में उपयोग में लाया जा सकता है। हाल के दिनों में, क्लाउड-आधारित सेवाओं की उपलब्धता ने न्यूनतम अग्रिम निवेश के साथ वीडियो कॉन्फ्रेंसिंग करने की सुविधा प्रदान की है। अब ऑडियो और वीडियो दोनों के प्रदर्शन को बेहतर बनाने के लिए तीव्रता से उभरती हुई आर्टिफिशियल इंटेलिजेंस (एआई) संचालित सुविधाओं का लाभ है।

94. (a)

आइए संचार और प्रतिक्रिया के मुख्य पहलुओं पर चर्चा करें।

सम्प्रेषण सामान्य जन के मध्य वार्तालाप का मुख्य स्रोत है जिसके द्वारा वे अपने विचारों को एक दूसरे के साथ साझा करते हैं। जीवन के हर पहलू में सम्प्रेषण महत्वपूर्ण है। सम्प्रेषण मौखिक, अशाब्दिक

या सांकेतिक भाषा या शरीर की भाषा के उपयोग के माध्यम से हो सकता है। प्रतिपुष्टि को फीडबैक के रूप में संदर्भित किया जा सकता है। प्रतिपुष्टि का अर्थ है कि संदेश को प्राप्त करने वाला व्यक्ति जानकारी प्राप्त करने की प्रतिक्रिया को उत्पन्न कर रहा है, यह गैर-मौखिक संकेतों के रूप में हो सकता है। इस प्रकार, प्रतिपुष्टि दोतरफा संचार के मूल उद्देश्य को पूरा करता है। प्रतिपुष्टि के महत्व को निम्न तथ्यों से भी जाना जा सकता है।

1. सम्प्रेषण को प्रभावी बनाने के लिए प्रतिपुष्टि का तत्व सदैव होना चाहिए।
2. प्रतिपुष्टि के प्रभावी श्रवण भी आता है।
3. प्रतिपुष्टि प्रेरित करने का कार्य भी करती है।
4. प्रतिपुष्टि प्रदर्शन में सुधार का कार्य भी करती है।
5. प्रतिपुष्टि निरंतर अधिगम का एक उपकरण है।

प्रतिपुष्टि निम्न प्रकार का हो सकता है:

1. नकारात्मक प्रतिपुष्टि (Negative feedback): यह गलतियों, संचार की प्रक्रिया के दौरान त्रुटियों, उन क्षेत्रों को दर्शाता है जिन्हें ठीक से समझा नहीं गया है और सुधार की आवश्यकता है।

2. सकारात्मक प्रतिपुष्टि (Positive feedback): प्रेषक द्वारा दिए गए संदेश की उचित समझ है।

3. नकारात्मक फीडफॉरवर्ड (Negative feedforward): ये मूल रूप से कार्य और संचार के भविष्य के व्यवहार के बारे में सुधारात्मक टिप्पणियां हैं।

4. सकारात्मक फीडफॉरवर्ड (Positive feedforward): ये भविष्य की घटनाओं के बारे में पुष्टि करते हैं।

95. (c)

व्यक्तियों के समूह के मध्य सम्प्रेषण की संगतता का अर्थ है उनके मध्य अनुकूल स्थिति को पैदा किया जा सके, ताकि सम्प्रेषण का मुख्य उद्देश्य प्राप्त किया जा सके, जिसमें एक व्यक्ति के विचार दूसरे को समझ आ सकें। यह एक प्रकार से प्राकृतिक क्षमता होनी चाहिए।

(a) परिचारिकता (Stewardship)-यह एक नैतिक मूल्य है जो संसाधनों की उपयुक्त योजना और प्रबंधन का भी प्रतीक है।

(b) मीडिया में रुचि (Interest in Media)-यह भिन्न प्रकार से भी हो सकती है। यदि दो व्यक्ति एक ही मीडिया में रुचि रखते हैं तो यह सम्पूर्ण अनुकूलता का प्रतीक नहीं-एक व्यक्ति की रुचि क्रिकेट मैच में हो सकती है, और दूसरे की रूस यूक्रेन युद्ध में हो सकती है।

(c) तदनुभूति (Empathy)-यहां यह दर्शाया जाता है कि हम दूसरे व्यक्ति को कितनी करुणा और समझ दे सकते हैं। तदनुभूति का अर्थ है हम अपने आप को उस व्यक्ति की स्थिति में स्वयं को खड़ा करके महसूस करते हैं, यदि हम उस व्यक्ति की स्थिति में होते तो हमारी स्थिति क्या होती, जबकि सहानुभूति (sympathy) किसी को बाहर से दी जा सकती है।

(d) बाह प्रभाव-यह हमे किसी अस्थायी संगति में सहायता कर सकता है, न कि सम्प्रेषण संगतता की अनुकूल स्थिति उपजाने में।

96. (d)

जन प्रवाद सम्प्रेषण (grapevine communication) मूल रूप से प्रकृति में अनौपचारिक सम्प्रेषण (informal communication) है, ताकि अधिक से अधिक लोग इसमें अपनापन और सहज भाव अनुभव कर सकें । वे इससे इसलिए भी जुड़ना चाहते हैं ताकि वह स्वयं की भावनाओं को व्यक्त कर सकें। इस प्रकार, अनौपचारिक संचार समूह के व्यक्तियों के मनोबल को बढ़ाता है।

संक्षेप में, कर्मचारी विभिन्न मुद्दों पर चर्चा करते हैं, जिन से कर्मचारियों की चिंताओं का मूल्यांकन भी होता है, उनके क्रोध भाव का भी पता चलता है, ऐसे समूह में उपस्थिति मात्र होना भी कई समस्याओं का हल है।

औपचारिक संचार (formal communication) एक निर्धारित दिशा में चलता है, इसलिए कर्मचारी नियमों और विनियमों से बंधे होते हैं।

हम एक जापानी अवधारणा गुणवत्ता चक्र (quality circle) को भी देख सकतें है जो कि 10-15 कर्मचारियों का समूह होता है और संस्था के लिए अच्छे सुझाव भी देता है।

97. **(d):** माधय्त (मध्यस्थित) संप्रेषण में आलोचनात्मक पढ़ना संज्ञानात्मक (cognitive) स्वभाव का है क्योंकि इसमें पाठक को सक्रिय रूप से पाठ और उसके तर्कों का विश्लेषण, व्याख्या, और मूल्यांकन करना पड़ता है।

आलोचनात्मक पढ़ना निष्क्रिय पठन से अलग है, जो केवल पाठ का अवशोषण या समझना है। आलोचनात्मक पढ़ने में प्रश्न पूछना, मान्यताओं की पहचान करना, साक्ष्य का मूल्यांकन करना, और पाठ को चुनौती देना शामिल है।

आलोचनात्मक पढ़ना शैक्षिक और व्यावसायिक सफलता के लिए एक महत्वपूर्ण कौशल है, क्योंकि इससे संज्ञानात्मक सोच, संचार, और समस्या-निवारण की क्षमताओं का विकास होता है।

98. **(c):** प्रतीकात्मक संप्रेषण का अर्थ है ऐसे प्रतीक, जैसे कि शब्द, संकेत, चित्र, या ध्वनियाँ, का उपयोग, जो एक समूह या संस्कृति द्वारा साझा कि, गए अर्थों को व्यक्त करते हैं। यह हमें अपने विचारों, भावनाओं, और विचारों को व्यक्त करने के साथ-साथ अन्य लोगों के साथ समय और स्थान के पार संवाद करने की अनुमति देता है। प्रतीकात्मक संचार हमें विभिन्न प्रकार की कला, साहित्य, विज्ञान, और संस्कृति में रचना और भागीदारी करने में भी सक्षम बनाता है।

प्रतीकात्मक संचार अन्य संचार के ढंगों, जैसे यंत्रीय (instrumental), गैर-आनुष्ठानिक (non-ritualistic), यांत्रिक (mechanical) से भिन्न है, जो अधिक शारीरिक क्रियाओं, प्राकृतिक प्रतिक्रियाओं, या कृत्रिम उपकरणों पर आधारित हैं। प्रतीकात्मक संचार को उच्च स्तर की संज्ञानात्मक और भाषिक कौशलों की आवश्यकता होती है, इसके साथ ही प्रतीक प्रणाली की सामान्य समझ भी हमें होनी चाहिए।

99. (b): शिक्षा प्रणाली के साथ संचार का एकीकरण यह दर्शाता है कि इससे मुख्य रूप से शिक्षार्थियों को लाभ होना चाहिए। इससे हमें निम्नलिखित लाभ मिलते हैं:

2. शैक्षिक अधिकारों की सार्वजनिक जागरूकता बढ़ाना- ताकि संचार चैनलों के माध्यम से पारदर्शी तरीके से सार्वजनिक जुड़ाव बढ़ाया जा सके।
3. नीति नर्माण की गुणवत्ता में सुधार करना - हितधारकों से विविध परिप्रेक्ष्यों और प्रतिक्रिया को ध्यान में रखकर।
4. शैक्षिक सेवा वितरण में सुधार करना - सिस्टम को जानकारी साझा करने, प्रतिक्रिया तंत्र के माध्यम से अधिक कुशल बनने की आवश्यकता है। शिक्षकों, प्रशासकों, अभिभावकों, और छात्रों के बीच सहयोग होना चाहिए।

इस प्रकार, (b) सही उत्तर है।

100. (d): आइए संचार प्रभावों को देखें:

1. यंत्रीय प्रभाव (Instrumental Effect) (A) - (IV) यह मूल रूप से लक्ष्यों की उपलब्धि से जुड़ा हुआ है।
2. प्रतिष्ठा प्रभाव (Prestige Effect) - (I) यह आत्म-अनुमोदन प्रतिष्ठा प्रभाव से जुड़ा हुआ है।
3. सौंदर्य शास्त्रीय प्रभाव (Aesthetic Effect) - (II) यह सौंदर्य कला और साहित्य के नमूनों के साथ जुड़ा हुआ है।
4. प्रविलंबन प्रभाव (Respite Effect) - (III) इसका अर्थ है कि हास्य की भावना दिखाना, यह एक ब्रेक या राहत को दर्शाता है जो 'एक सुखद व्याकुलता' है।

इस प्रकार, 1-IV, 2-I, 3-II, 4-III के साथ, सही उत्तर (d) है।

101. (b): संकेतों का आधिक्य: फर्डिनेंड डी सौसुर ने भाषा को संकेतों (शब्दों, ध्वनियों, प्रतीकों) की एक प्रणाली के रूप में देखा जो अर्थ और विचारों का प्रतिनिधित्व करते हैं। प्रोफ्यूजन का अर्थ है विशाल विविधता या जटिल नेटवर्क से निपटना।

(a) तकनीकी कूट (technical code) व्यावहारिक कार्य पर ध्यान केंद्रित करने का सुझाव देता है।

(c) शब्दाडम्बर (verbalism) नकारात्मक शब्द है और शब्दों के अत्यधिक उपयोग का तात्पर्य है।

(d) बृहत सामान्यीकरणकर्ता (macro generaliser) भाषा की जटिल संरचना को प्रतिबिंबित नहीं करता है।

102. (c): लोक सेवा संचार सटीक, व्यापक और उद्देश्यपूर्ण होना चाहिए। पक्षपात और गलत सूचना से बचने के लिए इसे राय और तथ्यों को अलग करना चाहिए। अन्य विकल्प स्वीकार्य नहीं हैं।

103. (a): A, B, C केवल

मार्शल मैक्लुहान ने मीडिया को उनके भावनात्मक जुड़ाव और संवेदी भागीदारी के स्तर के आधार पर "हॉट (गर्म)" और "शांत" में वर्गीकृत किया। टेलीफोन, टेलीविजन, रेडियो और सिनेमा जैसे गर्म मीडिया को संवेदी भागीदारी में कम माना जाता है और अंतराल को भरने और अर्थ बनाने के लिए दर्शकों की सकिय भागीदारी की आवश्यकता होती है।

दूसरी ओर, प्रिंट को इसकी उच्च संवेदी भागीदारी के कारण एक "शांत" माध्यम माना जाता है। पाठक के पास अपनी गति और जानकारी पर अधिक नियंत्रण होता है, जिससे भावनात्मक रूप से कम आवेशित अनुभव होता है।

104. (a): कथन I और कथन II दोनों ही सत्य हैं।

कथन I: इंटरनेट में भौतिक रूप से केबल, राउटर और सर्वर और बातचीत और समुदाय भी शामिल हैं।

कथन II: मार्क पोस्टर जैसे मीडिया विद्वानों की यह अवधारणा, टेलीविजन और रेडियो जैसे पारंपरिक, एकतरफा मीडिया से इंटरैक्टिव प्लेटफार्मों में बदलाव पर प्रकाश डालती है जहां उपयोगकर्ता सकिय रूप से जुड़ते हैं और योगदान करते हैं।

अध्याय

5

गणितीय तर्क और अभिवृत्ति

सीखने के उद्देश्य

- तर्क के प्रकार
- संख्या श्रेणी, अक्षर श्रृंखला, कूट और संबंध
- गणितीय अभिक्षमता (अंश, समय और दूरी, अनुपात, समानुपात, प्रतिशतता लाभ और हानि, ब्याज और छूट, औसत आदि)
- कूट लेखन एवं कूट अनुवाद
- वर्गीकरण

1. श्रृंखला **[Jul 2018]**
−1, 5, 15, 29,..... ?......., ...
की अगली संख्या है :

(a) 36 (b) 47
(c) 59 (d) 63

2. श्रृंखला **[Jul 2018]**
ABD, DGK, HMS, MTB, SBL, ………...?........., …
की अगली संख्या है :

(a) ZKU (b) ZCA
(c) ZKW (d) KZU

3. एक महिला ने अपने पति से राकेश का परिचय कराते हुए कहा, ''इसके भाई के पिता मेरे दादा के इकलौते पुत्र हैं।'' यह महिला राकेश की क्या लगती हैं? **[Jul 2018]**

(a) चाची (b) माता
(c) बहन (d) पुत्री

4. दो संख्याओं का अनुपात 2:5 है। यदि दोनों संख्याओं में 16 जोड़ा जाए तो उनका अनुपात 1:2 हो जाता है। ये संख्याएँ: **[Jul 2018]**

(a) 16, 40 (b) 20, 50
(c) 28,70 (d) 32,80

5. नीचे एक प्रश्न दिया गया है और उसके बाद तीन कथन दिए गए हैं। उन कथनों I, II और III की पहचान करें, जो प्रश्नों का उत्तर देने के लिए आवश्यक हैं।

प्रश्न : एक कक्षा में अध्ययन करने वाले 30 छात्रों की औसत उम्र क्या है?

I. कक्षा में लड़के और लड़कियाँ 7:8 के अनुपात में हैं।
II. लड़के और लड़कियों की औसत आयु क्रमश: 12.2 वर्ष और 11.4 वर्ष है।
III. कक्षा में लड़कों की संख्या लड़कियों की संख्या की तुलना में दो कम है।

सही विकल्प का चयन करें। **[2019]**

(a) केवल (I) और (II)
(b) केवल (II) और (III)
(c) केवल (I) और (III)
(d) केवल (II) और (I) या (III) में से कोई भी एक

6. दो अंकों a और b का गुणनफल इन संख्याओं के योग का दोगुना है, तो a और b के व्युत्क्रम का योग कितना होगा? **[Jun 2019]**

(a) 1/8 (b) 1/2
(c) 2 (d) 4

7. संवर्ग A के 40 कर्मचारियों के एक समूह की औसत आयु 31 वर्ष है। संवर्ग B के 60 कर्मचारियों के एक अलग समूह की औसत आयु 28 वर्ष है। इन दोनों समूहों के कर्मचारियों की एक साथ मिलाकर औसत आयु कितनी है? **[Jun 2019]**

(a) 29.8 वर्ष (b) 29.5 वर्ष
(c) 29.2 वर्ष (d) 29 वर्ष

8. एक विमान एक वर्गाकार मैदान के चारों किनारों पर 400, 600, 800 और 200 कि.मी./घं. की गति से उड़ता है। मैदान के चारों तरफ विमान की औसत गति बताइए। **[Jun 2019]**

(a) 324 कि.मी./घं. (b) 360 कि.मी./घं.
(c) 384 कि.मी./घं. (d) 396 कि.मी./घं.

9. एक खुदरा विक्रेता अपनी सभी वस्तुओं पर लागत मूल्य से 40% अधिक मूल्य अंकित करता है और इस प्रकार 20% लाभ की उम्मीद रखता है। इसके बाद वह अंकित मूल्य पर 20% की छूट देता है। बिक्री पर उसे वास्तविक कितना प्रतिशत लाभ होगा? **[Jun 2019]**

(a) 20% (b) 18%
(c) 16% (d) 12%

10. यदि $0.75x = 0.02y$ हो, तो $\frac{y-x}{y+x}$ का मान है: **[Jun 2019]**

(a) $\frac{73}{75}$ (b) $\frac{75}{77}$
(c) $\frac{73}{77}$ (d) $\frac{730}{75}$

11. यदि पाँच संख्याओं का औसत –20 हो, और उनमें से तीन संख्याओं का योग 82 हो, तो अन्य दो संख्याओं का औसत क्या होगा? **[Jun 2019]**

(a) –66 (b) –33
(c) –34 (d) –132

12. कोई व्यक्ति गांव से रेलवे स्टेशन की यात्रा 20 kmph की दर से करता है तथा 5 kmph की दर से आता है। यदि संपूर्ण यात्रा में उसे 5 घंटे लगते हैं, तो गांव से रेलवे स्टेशन की दूरी ज्ञात कीजिए। **[Jun 2019]**

(a) 10 km (b) 15 km
(c) 20 km (d) 40 km

13. कोई व्यापारी ₹100, ₹40 तथा ₹60 प्रति लीटर की लागत वाले तीन प्रकार के रिफाइन्ड तेल को लीटर के पदों में 2: 4: 8 अनुपात में मिलाता है और इस मिश्रण को ₹66 प्रति लीटर की दर से बेचता है। उसे कितने प्रतिशत का लाभ होता है? **[Jun 2019]**

(a) 12% (b) 10%
(c) 9% (d) 8%

14. निम्नलिखित में से संख्या श्रृंखला को पूरा करें: **[Jun 2019]**

JAK, KBL, LCM, MDN, ...

(a) OEP (b) NEO
(c) MEN (d) PEQ

15. यदि संख्या 345*xy* 90 द्वारा विभाज्य है, तो $(x + y) =$? **[Jun 2019]**

(a) 9 (b) 8
(c) 7 (d) 6

16. किसी मानचित्र पर 1 इंच 250 मील को प्रदर्शित करता है। यदि उस मानचित्र पर दो शहरों के बीच की दूरी $4\frac{1}{2}$ इंच है तो उनके बीच की वास्तविक दूरी क्या होगी? **[Jun 2019]**

(a) 1100 मील (b) 1125 मील
(c) 1150 मील (d) 1200 मील

17. यदि $(a - b)$ का 60% = 40% जो $(a + b)$ है, तो a का b कितने प्रतिशत होगा? **[Jun 2019]**

(a) 20% (b) 25%
(c) 40% (d) 50%

18. किसी राशि पर 9 वर्ष और 12 वर्ष के लिए एक समान ब्याज दर से अर्जित साधारण ब्याज का अनुपात क्या होगा? **[Jun 2019]**

(a) 3: 4 (b) 2: 3
(c) 4: 9 (d) आँकड़े अपर्याप्त हैं।

19. छह मित्र A, B, C, D, E और F एक बंद वृत्त में केन्द्र की ओर देखते हुए बैठे हैं। E, D की बायीं ओर है। C, A और B के बीच में है। F, E और A के बीच में है। C के दायीं ओर कौन है? **[Jun 2019]**

(a) A (b) B
(c) D (d) E

20. यदि किसी कूट में BAT = 23 और CAT = 24 है, तो BALL के लिए निम्नलिखित में से कौन-सा कूट लिखेंगे? **[Jun 2019]**

(a) 27 (b) 28
(c) 32 (d) 39

21. यदि RED को कूट भाषा में 6720 लिखा जाए, तो GREEN को किस प्रकार कूटबद्ध किया जाएगा? **[Jun 2019]**

(a) 16717209 (b) 1677209
(c) 9207716 (d) 1677199

22. एक परिवार में A, B, C, D, E और F छह सदस्य हैं जिसमें से दो विवाहित दंपत्ति हैं। E जो एक शिक्षक है, का विवाह डॉक्टर से हुआ है जो C और F की माँ है। B जो वकील है का विवाह A से हुआ है। A का एक पुत्र और एक पौत्र है। दो विवाहित महिलाओं में से एक गृहणी है। परिवार में एक विद्यार्थी और एक पुरुष इंजीनियर भी है। A का C से क्या संबंध हैं?

(a) दादा (b) माता
(c) बहन (d) दादी

23. वर्ग की एक भुजा की लंबाई (5.0 से.मी. × 5.0 से.मी.) में 1 प्रतिशत की वृद्धि की जाती है। वर्ग के क्षेत्र में कितने प्रतिशत की वृद्धि होगी? **[Dec 2019]**

(a) 1% (b) 2%
(c) 2.5% (d) 4%

24. निम्नलिखित श्रृंखला में 'X' के मान का पता लगाइए:
3, 2, 11 14, 27, 34, 51, X **[Dec 2019]**

(a) 62 (b) 69
(c) 60 (d) 71

25. एक व्यक्ति ने शॉपिंग मॉल से तीन वस्तुएं खरीदीं जिसमें प्रत्येक की कीमत ₹1500 और दो वस्तुएं खरीदीं जिसमें प्रत्येक की कीमत ₹1800 है। कुल बिल पर उसे 10 प्रतिशत की छूट दी गई। वस्तुओं का औसत मूल्य कितना है? **[Dec 2019]**

(a) 1650 (b) 1458
(c) 1658 (d) 1550

26. एक 50 वर्षीय व्यक्ति का एक पुत्र है जिसकी आयु उस व्यक्ति की आयु का 2/5 है। कितने वर्ष बाद व्यक्ति के आयु का औसत उसके पुत्र का 5/3 हो जाएगा? **[Dec 2019]**

(a) 10 वर्ष (b) 15 वर्ष
(c) 20 वर्ष (d) 25 वर्ष

27. एक सबसे छोटी अविभाज्य संख्या कौन सी है जो किसी सबसे छोटी अविभाज्य संख्या की एक ही साथ में वर्ग और घन दोनों हैं? **[Dec 2019]**

(a) 8 (b) 9
(c) 36 (d) 64

28. यदि $x : y = 7 : 9$ तो $3x - 5y : 4x + y = ?$ **[Dec 2019]**

(a) $\frac{-24}{37}$ (b) $\frac{-22}{37}$
(c) $\frac{15}{22}$ (d) $\frac{42}{37}$

29. प्रदत्त श्रृंखला में गलत संख्या कौन सी है? **[Dec 2019]**
3, 13, 43, 53, 63, 83

(a) 13 (b) 53
(c) 63 (d) 83

30. एक धनराशि चक्रवृद्धि ब्याज के साथ एक वर्ष में ₹2400 और दो वर्ष में ₹3000 हो जाती है। मूलधन क्या है? **[Dec 2019]**

(a) ₹1900 (b) ₹1910
(c) ₹1915 (d) ₹1920

31. एक व्यक्ति 70 पेंसिलों को 90 रुपये में बेच कर 25% हानि उठाता है। 30% मुनाफा कमाने के लिए 234 रुपये में कितनी पेंसिल बेचनी होंगी? **[Dec 2019]**

(a) 95 (b) 100
(c) 105 (d) 110

32. एक विक्रेता को 60 रुपये प्रति कि.ग्रा. और 78 रुपये प्रति कि.ग्रा. मूल्य की चीनी की दो भिन्न किस्मों को किस अनुपात में मिलाना होगा ताकि वह इस मिश्रण को 76.80 रुपये की दर से बेच कर 20% लाभ अर्जित कर सके? **[Dec 2019]**

(a) 7: 4 (b) 7: 2
(c) 5: 3 (d) 5: 2

33. कुल 10 विद्यार्थियों में से 9 विद्यार्थियों का औसत वजन 60 कि.ग्रा. है। यदि 10वें विद्यार्थी का वजन सभी 10 विद्यार्थियों के औसत वजन से 9 कि.ग्रा. अधिक है, तो 10वें विद्यार्थी का वजन होगा _______ **[Dec 2019]**

(a) 61 कि.ग्रा. (b) 69 कि.ग्रा.
(c) 70 कि.ग्रा. (d) 71 कि.ग्रा.

34. नीचे एक प्रश्न दिया गया है जिसके बाद तीन कथन प्रस्तुत हैं। उन कथनों की पहचान करनी है जो प्रश्न के उत्तर के लिए आवश्यक हैं: **[Dec 2019]**

प्रश्न: एक विक्रेता द्वारा एक वस्तु की बिक्री से कितने प्रतिशत लाभ होता है?

कथन:
(1) वह मुद्रित मूल्य पर 10 प्रतिशत छूट देता है।
(2) यदि वह कोई छूट नहीं देता तो उसे 25% लाभ होता।
(3) वस्तु का लागत मूल्य 8000 रुपये है।

नीचे दिये गये विकल्पों में से सही विकल्प चुनिए:

(a) केवल (1) और (2) (b) केवल (2) और (3)
(c) केवल (1) और (3) (d) (1), (2) और (3)

35. अपूर्व मधु का पुत्र है। विनोद मधु के पति का भाई है। अपूर्व और विनोद में क्या संबंध है ? **[Dec 2019]**

(a) चाचा (b) भाई
(c) भतीजा (d) चचेरा भाई

36. a और b का अनुपात 3: 7 है। प्रत्येक संख्या में 9 जोड़ने पर यह अनुपात 9: 17 हो जाता है तो a और b निम्नलिखित में से कौन सी संख्या है? **[Dec 2019]**

(a) (6, 14) (b) (9, 21)
(c) (15, 35) (d) (18, 42)

37. किसी छात्र को अपनी परीक्षा में कुल मिलाकर 78 प्रतिशत अंक मिले जिनमें भौतिक विज्ञान, रसायन विज्ञान, गणित, कंप्यूटर विज्ञान और सामान्य अंग्रेजी शामिल हैं। प्रत्येक विषय में प्राप्त अंक और अधिकतम अंक निम्नलिखित तालिका में दर्शाए गए हैं – **[Dec 2019]**

विषय	भौतिक विज्ञान (अधिकतम अंक 200)	रसायन विज्ञान (अधिकतम अंक 100)	गणित (अधिकतम अंक 200)	कंप्यूटर विज्ञान (अधिकतम अंक 200)	सामान्य अंग्रेजी (अधिकतम अंक 100)
प्राप्त अंक	155	80	165	140	X

छात्र द्वारा अंग्रेजी (X) में कितने अंक प्राप्त किये गए?

(a) 68 (b) 74
(c) 84 (d) 90

38. निम्नलिखित श्रृंखला में लुप्त अंक क्या है ? **[Dec 2019]**

2, 4, 6, 12, 10, 36, 14, ?, 18, 324,

(a) 50 (b) 72
(c) 108 (d) 18

39. निम्नलिखित श्रृंखला का अगला पद क्या है? **[Dec 2019]**

AT, EQ, IN, OK, ...

(a) UH (b) UP
(c) US (d) UU

40. 'कुछ छात्र कर्तव्यनिष्ठ हैं', यह किस प्रकार के तर्क वाक्य का उदाहरण है? **[Dec 2019]**

(a) सार्वभौम विधेय (b) सार्वभौम निषेध
(c) विशेष विधेय (d) विशिष्ट निषेध

41. A, B का पिता है और C, A की बहन है। D, C का पोता है। D का B से क्या संबंध है? **[Dec 2019]**

(a) चाचा (b) भतीजा
(c) चचेरा भाई (d) पोता

42. यदि HPU = 9, JNU = 9, तो DU = ? **[Dec 2019]**

(a) 5 (b) 6
(c) 4 (d) 7

43. निम्नलिखित में से अक्षरों का वह कौन-सा सेट है जिसे नीचे दी गई अक्षर श्रृंखला के रिक्त स्थानों पर क्रमानुसार लगाने से वह पूरी हो जाएगी? **[Dec 2019]**

bb____b____ab____cbba____bcbb____

(a) acbac (b) acbbb
(c) cbbba (d) abbbc

44. दो शहर P और Q एक दूसरे से 360 किमी दूर हैं। एक कार स्थान P से स्थान Q को 40 किमी / प्रति घंटे की रफ़्तार से जाती है तथा यह P स्थान पर 60 किमी / प्रति घंटे की रफ़्तार से लौटती है। कार की औसत रफ़्तार कितनी है? **[Dec 2019]**

(a) 45 किमी / प्रति घंटा (b) 48 किमी / प्रति घंटा
(c) 50 किमी / प्रति घंटा (d) 55 किमी/ प्रति घंटा

45. यदि 'ENGLAND' का कूट 'ULSNYLV' है तो इसी कूट भाषा का प्रयोग करने पर 'IRELAND' का कूट निम्नलिखित में से किस प्रकार लिखा जाएगा? **[Dec 2019]**

(a) HQUNYLV (b) QHUNYLV
(c) QUHNYLV (d) HUQNYLV

46. निम्नलिखित श्रृंखला में 'X' का मान निर्धारित कीजिए: **[Dec 2019]**

2, 9, 20, 35, 54, 77, 'X'

(a) 104 (b) 102
(c) 89 (d) 110

47. एक दुकानदार ने रेफ्रिजरेटर ₹22,000 में बेचा और उसे 10 प्रतिशत का लाभ हुआ। यदि उसे रेफ्रिजरेटर पर 18 प्रतिशत का लाभ लेना हो तो वह उसे कितने में बेचेगा? **[Dec 2019]**

(a) 23,600 रु (b) 39,600 रु
(c) 36,000 रु (d) 24,600 रु

48. तीन व्यक्ति एक मैदान का चक्कर लगा रहे हैं। वे उस मैदान का एक चक्कर लगाने में क्रमशः 20, 30 और 40 मिनट लेते हैं। यदि वे सभी किसी एक ही स्थान से टहलना प्रारंभ करते हैं तो कितने समय के बाद उस स्थान पर पुनः मिलेंगे? **[2020]**

(a) 1 घंटे-बाद (b) $1\frac{1}{2}$ घंटे-बाद
(c) 2 घंटे-बाद (d) $2\frac{1}{2}$ घंटे-बाद

49. 65 विद्यार्थियों वाली एक कक्षा में 27 विद्यार्थी हिन्दी बोलते हैं, 21 विद्यार्थी अंग्रेजी बोलते हैं, और 17 विद्यार्थी बांग्ला बोलते हैं। 7 विद्यार्थी केवल अंग्रेजी और हिन्दी बोलते हैं, 6 विद्यार्थी केवल हिन्दी और बांग्ला बोलते हैं तथा 5 विद्यार्थी केवल अंग्रेजी और बांग्ला बोलते हैं। यदि 12 विद्यार्थी केवल हिन्दी बोलते हैं तो कितने विद्यार्थी सभी तीनों भाषाएं बोलते हैं। **[2020]**

(a) 5 (b) 4
(c) 3 (d) 2

50. चार क्रमिक पूर्ण विषम संख्याओं का योग 2160 है। इनमें से सबसे बड़ी संख्या कौन-सी होगी? **[2020]**

(a) 327 (b) 429
(c) 543 (d) 641

51. एक दो अंकों वाली संख्या अपने दोनों अंकों के योग से 4 गुना है। इसके अंकों का क्रम बदलने से बनी संख्या मूल संख्या से 27 अधिक है। मूल संख्या बताएं। **[2020]**

(a) 27 (b) 36
(c) 42 (d) 54

52. तीन संख्याओं के वर्गों का योग 83 है। इनमें से प्रत्येक दो संख्याओं के परस्पर गुणनफल का योग 71 है। इन संख्याओं का योग होगा **[2020]**

(a) 15 (b) 49
(c) 142 (d) 225

53. एक परीक्षा में उत्तीर्ण होने के लिए अधिकतम 36 प्रतिशत अंक प्राप्त करना आवश्यक है। एक छात्र ने 90 अंक प्राप्त किये और उसे 9 अंकों के अन्तर से अनुतीर्ण कर दिया गया। अधिकतम अंकों की गणना कीजिए। **[2020]**

(a) 200 (b) 275
(c) 300 (d) 225

54. किसी धन राशि का 2 (दो) वर्ष की अवधि के लिए 6 प्रतिशत प्रति वर्ष की दर से साधारण ब्याज ₹300 है। उसी अवधि के लिए उसी दर पर तथा उसी राशि पर चक्रवृद्धि ब्याज होगा। **[2020]**

(a) ₹310 (b) ₹308
(c) ₹307 (d) ₹309

55. 60, 30, 20, 15 के अनुक्रम के अगले दो पद यह हैं। **[2020]**

(a) 10 और 5 (b) 4 और 2
(c) 10 और 8 (d) 12 और 10

56. दो शहरों P और Q के बीच 360 किमी की दूरी है। एक कार 40 किमी/घंटे की गति से P से Q तक जाती है और P पर 60 किमी/घंटे की गति से वापस आ जाती है। कार की औसत गति क्या है। **[2020]**

(a) 45 कि.मी. प्रति घंटा
(b) 48 कि.मी. प्रति घंटा
(c) 50 कि.मी. प्रति घंटा
(d) 55 कि.मी. प्रति घंटा

57. यदि 5472 → 9, 6342 → 6, 7584 → 6 और 9237 → P है तो P है: (→ का अर्थ उपलक्षित करना है) **[2020]**

(a) 2 (b) 3
(c) 4 (d) 5

58. एक व्यक्ति की आयु अपने पुत्र की आयु से 30 वर्ष अधिक है। पाँच वर्ष पहले, उसकी आयु अपने पुत्र की आयु की 6 गुना थी। पुत्र की आयु कितनी है? **[2020]**

(a) 10 वर्ष (b) 11 वर्ष
(c) 12 वर्ष (d) 15 वर्ष

59. निम्नांकित श्रृंखला में अगली संख्या क्या होगी? **[2020]**
4, 12, 28, 52, ...

(a) 76 (b) 84
(c) 98 (d) 104

60. एक वाहन चालक 150 किमी दूर स्थित किसी स्थान पर 50 किमी/घंटा की औसत गति से जाता है और 30 किमी/घंटा की गति से वापस आता है। इस पूरी यात्रा में उसकी औसत गति कितनी रही है? **[2020]**

(a) 35 किमी/घंटा
(b) 37.5 किमी/घंटा
(c) 40 किमी/घंटा
(d) 42.5 किमी/घंटा

61. कोई धन राशि जिस पर वार्षिक रूप से चक्रवृद्धि ब्याज लगता है, 4 वर्षों के बाद दुगुनी हो जाती है। ब्याज की दर ज्ञात कीजिए। **[2020]**

(a) ~ 14% (b) ~ 19%
(c) ~ 18% (d) ~ 15%

62. निम्नांकित शब्द श्रृंखला में, अगला पद क्या होगा: **[2020]**
bdf, egi, hjl, _______
(a) kmo (b) jmp
(c) ilo (d) kno

63. 70 संख्याकों का औसत 32 है। यदि प्रत्येक संख्या 3 तक बढ़ा दी जाती है तो नई औसत यह होगी: **[2020]**
(a) 31 (b) 33
(c) 35 (d) 37

64. एक व्यक्ति सीधी सड़क पर बिन्दु A से बिन्दु B तक 15 मिनट के लिए 60 कि.मी. प्रति घंटा की गति से कार चलाता है और उसके बाद 10 मिनट के लिए बिन्दु B से बिन्दु C तक 90 कि.मी. प्रति घंटा की गति से कार चलाता है बिन्दु A से बिन्दु C तक उसकी यात्रा की औसत गति होगी: **[2020]**
(a) 75 कि.मी. प्रति घंटा
(b) 72 कि.मी. प्रति घंटा
(c) 68 कि.मी. प्रति घंटा
(d) 78 कि.मी. प्रति घंटा

65. एक विद्यार्थी इंग्लिश, भौतकी, रसायन विज्ञान तथा गणित में क्रमशः 55, 60, 65 तथा 70 अंक प्राप्त करता है। यदि इंग्लिश, भौतिकी, रसायन विज्ञान तथा गणित का श्रेय क्रमशः 2, 3, 3 तथा 4 है तो विद्यार्थी के औसत अंक क्या होंगे? **[2020]**
(a) 62.50 (b) 63.75
(c) 64.25 (d) 64.75

66. 5 बजे 5 बार बजने के लिए एक घड़ी को 5 सैकेंड का समय लगता है। उसको 9 बजे 9 बार बजने में कितना समय लगेगा? **[2020]**
(a) 9 सैकेंड (b) 10 सैकेंड
(c) 12 सैकेंड (d) 8 सैकेंड

67. एक दुकानदार 1500.00 के अंकित मूल्य पर 40 प्रतिशत की छूट के साथ वस्तु की बिक्री करता है। वस्तु के मूल मूल्य पर वह अभी भी 20 प्रतिशत का लाभ प्राप्त करता है। वस्तु का मूल मूल्य क्या है? **[2020]**
(a) ₹500 (b) ₹750
(c) ₹600 (d) ₹1080

68. नीचे दो कथन दिए गए हैं: **[2020]**
कथन I: यदि A और B की गतियों का अनुपात a : b है तो समान दूरी तय करने में उनके द्वारा लिए गए समय का अनुपात b : a होगा।
कथन II: मान लीजिए दो व्यक्ति समान दिशा में क्रमशः u m/s और v m/s की गति से जा रहे हैं, जहाँ u > v है। तो उनकी सापेक्षिक गति (u + v) m/s होगी।
उपर्युक्त कथनों के आलोक में निम्नांकित विकल्पों में से सही उत्तर चुनें:
(a) कथन-I और II दोनों सही हैं।
(b) कथन-I और II दोनों गलत हैं।
(c) कथन-I सही है, किन्तु कथन-II गलत है।
(d) कथन-I गलत है, किन्तु कथन-II सही है।

69. निम्नलिखित तीन व्यंजकों पर विचार करें: **[2020]**
A. 35 ÷ 0.07
B. 2.5 ÷ 0.0005
C. 136.09 ÷ 43.9
A, B और C के सरलीकृत मान हेतु सही अवरोही क्रम क्या है?
(a) B > A > C (b) C > A > B
(c) C > A > A (d) B > A > A

70. निम्नलिखित में से कौन-सी संख्याएं भाज्य संख्याएं हैं? **[2020]**
1. 11 2. 13
3. 19 4. 21
5. 15
नीचे दिए गए विकल्पों में से सही उत्तर का चयन कीजिए:
(a) केवल 1 और 5 (b) केवल 2 और 3
(c) केवल 3 और 5 (d) केवल 4 और 5

71. निम्नलिखित क्रम में से असंगत संख्या का पता लगाएं: **[2020]**
644, 328, 164, 84, 44, 24, 14

(a) 44 (b) 84
(c) 164 (d) 328

72. कविता ने 25 प्रतिशत की हानि पर 1950 रुपये में एक मोबाइल फोन बेचा। 30% के लाभ पर उस मोबाइल को बेचने हेतु उसे कितनी कीमत पर बेचना होगा? **[2020]**

(a) 2600/- रुपये
(b) 2780/- रुपये
(c) 3000/- रुपये
(d) 3380/- रुपये

73. यदि HEART को SQPMZ के रूप में लिखा जाता है तो EARTH को किस तरह लिखा जा सकता है? **[2020]**

(a) QPMSZ (b) QPMZS
(c) QMPSZ (d) QMPZS

74. अनुक्रम में, 10KL13, 15PQ18, 19TU22, _______ में अंतिम स्थान पर क्या होगा? **[2020]**

(a) 22VW23 (b) 22VW24
(c) 23XY25 (d) 23XY26

75. 10 सेमी की भुजा वाले एक घन का आयतन इसकी भुजाओं को 1.0% बढ़ाकर बदल दिया गया है। इस घन के आयतन में प्रतिशत वृद्धि होगी? **[2020]**

(a) 1% (b) 6%
(c) 3% (d) 10%

76. एक वस्तु की बिक्री पर 8%, 10% और 12% की तीन उत्तरवर्ती छूटों की वास्तविक छूट क्या है? **[2020]**

(a) 28.316% (b) 27.136%
(c) 28.136% (d) 27.631%

77. एक घनात्मक पूर्णांक का 20 गुणा उसके वर्ग से 96 कम है। पूर्णांक क्या है? **[2020]**

(a) 24 (b) 20
(c) 30 (d) 14

78. एक जीवाणु समूह की जनसंख्या 4% वार्षिक की दर से बढ़ती है। किसी कारणवश इस जनसंख्या में 1% की अतिरिक्त वार्षिक वृद्धि होती है। अत: 2 वर्ष बाद इस जनसंख्या में प्रतिशत वृद्धि कितनी होगी? **[2021]**

(a) 10.25 (b) 10.5
(c) 10.75 (d) 10

79. निम्नलिखित में से कौन-सा/से कथन सही है/हैं: **[2021]**

(A) यमन एक 600 लीटर लंबी सड़क को 5 मिनट में पार करता है। उसकी गति है 7.2 किमी/घंटा।
(B) विनोद अपनी कुल यात्रा का 2/15 भाग रेलगाड़ी से पूरा करता है 9/20 भाग बस से और शेष 10 किमी साइकिल से। उसकी कुल यात्रा दूरी 24 किमी है।
(C) अनीता एक कार्य को 8 दिन में पूरा करती है। वह इस कार्य के 1/8 हिस्से को दो दिन में पूरा कर सकती है।

उपर्युक्त कथनों में से कौन से कथन सही हैं?

(a) केवल A और B (b) केवल A और C
(c) केवल A (d) केवल B

80. इस श्रृंखला में अगली संख्या कौन-सी होगी? **[2021]**

1, 1.5, 2.5, 4?

(a) 5.5 (b) 5
(c) 6.5 (d) 6

81. अभी दोपहर के 12 बजने में कितनी मिनट कम हैं यदि 48 मिनट पूर्व 9 बजे के बाद इसकी सुई तीन गुने मिनट पर थी? **[2021]**

(a) 33 मिनट (b) 40 मिनट
(c) 43 मिनट (d) 43.5 मिनट

82. नीचे दो कथन दिए गए हैं: **[2021]**

कथन–I: यदि एक संख्या 3 और 4 दोनों से विभाज्य है, तो यह संख्या 12 से विभाज्य है।

कथन–II: एक संख्या 3 से विभाज्य है, यदि और केवल उस संख्या के सभी अंकों का योग 6 से विभाज्य है।

उपरोक्त कथनों के आलोक में, नीचे दिए गए विकल्पों में से सही उत्तर का चयन कीजिए:

(a) कथन I और II दोनों असत्य हैं।
(b) कथन I और II दोनों सत्य हैं।
(c) कथन I असत्य है, किन्तु कथन II सत्य हैं।
(d) कथन I सत्य है, किन्तु कथन II असत्य है।

83. नीचे दो कथन दिए गए हैं: **[2021]**

कथन–I: संख्या 89325324 विभाज्य है 66 से।

कथन–II: प्राकृत संख्याओं के समुच्चय को पूर्ण संख्याओं का समुच्चय भी कहते हैं।

उपरोक्त कथनों के आलोक में, नीचे दिए गए विकल्पों में से सही उत्तर का चयन कीजिए:

(a) कथन I और II दोनों असत्य हैं।
(b) कथन I और II दोनों सत्य हैं।
(c) कथन I असत्य है, किन्तु कथन II सत्य है।
(d) कथन I सत्य है, किन्तु कथन II असत्य है।

84. यदि ₹24 के विक्रय मूल्य का परिणाम सूची मूल्य पर 20% छूट है, तो किस विक्रय मूल्य का परिणाम सूची मूल्य पर 30% छूट होगा? **[2021]**

(a) 18 (b) 20
(c) 21 (d) 27

85. निम्नलिखित कथनों पर विचार करें: **[2021]**

A. यदि A की चाल B की चाल से अधिक है, तो समान दूरी तय करने में A को B से अधिक समय लगेगा।
B. दो चालें 1500 मी. / मिनट और 90 किमी / घं, समान हैं।
C. 18 किमी / घं. की चाल से पैदल चलते हुए 2 मिनट 30 सेकेंड में तय की जानेवाली दूरी 750 मीटर है।

नीचे दिए गए विकल्पों में से सही उत्तर का चयन कीजिए:

(a) केवल A और B (b) केवल A और C
(c) केवल B और C (d) केवल C

86. वह पेड़ कितना लंबा है जो उस दीवार से 6 मीटर छोटा है जो पेड़ से सात गुना ऊँची है? **[2021]**

(a) 1 मीटर (b) 1.25 मीटर
(c) 2 मीटर (d) 7 मीटर

87. इस श्रृंखला में अगली संख्या कौन सी आएगी? **[2021]**

6, 4, 2.5, 1.5, ?

(a) $\frac{0.5}{0.5}$ (b) $\frac{-0.5}{-0.5}$
(c) $\frac{1}{1}$ (d) $\frac{-1}{-1}$

88. मोबाइल फोन का स्वामी ग्राहक से लागत मूल्य का 25% अधिक लेता है। अगर ग्राहक ने मोबाइल फोन के लिए 8,000/रुपए का भुगतान किया, तो मोबाइल का लागत मूल्य क्या था? **[2021]**

(a) 5600/- रुपए (b) 6000/- रुपए
(c) 6400/- रुपए (d) 7000/- रुपए

89. B, H, R, F, ..., ... के क्रम में अगला अक्षर कौन-सा होगा? **[2021]**

(a) L (b) Z
(c) P (d) X

90. Y और X के बीच का संबंध $Y = X^2$ के रूप में है। अगर X में 6% का परिवर्तन हो, तो Y में प्रतिशत (%) परिवर्तन क्या होगा? **[2021]**

(a) ~36% (b) ~12%
(c) ~8% (d) ~6%

91. एक व्यक्ति बिंदु A से बिंदु B के बीच 120 किलोमीटर की दूरी कार से तय करता है। अगर पहले 40 किलोमीटर के दौरान उसकी कार की गति 50 किलोमीटर प्रति घंटा थी और शेष दूरी के लिए 60 किलोमीटर प्रति घंटा, तो बिंदु A से बिंदु B के बीच उसकी कार की औसत गति क्या थी? **[2021]**

(a) 55 कि.मी./घंटा
(b) 54.25 कि.मी./घंटा
(c) 56.25 कि.मी./घंटा
(d) 58.25 कि.मी./घंटा

92. 1, 3, 6, 10, ... के क्रम में अगला अंक होगा: **[2021]**

(a) 12 (b) 15
(c) 18 (d) 20

93. प्रश्न चिह्न को कौन सी संख्या प्रतिस्थापित करेगी? **[2021]**

7, 8, 9, 10, 12, 14, 16, 20, 21, 28, ?

(a) 27 (b) 36
(c) 32 (d) 29

94. Y से X उतना ही छोटा है जितना वह Z से बड़ा है यदि Y और Z की आयु का योग 36 वर्ष है, तो X की आयु क्या है? **[2021]**

(a) 16 वर्ष (b) 15 वर्ष
(c) 18 वर्ष (d) 20 वर्ष

95. दो व्यक्ति एक ही दिशा में 3 कि.मी. / घंटे और 6 कि.मी. / घंटे की गति से चल रहे हैं। एक रेलगाड़ी उनके पीछे से आती है और उनके पास से 9 और 10 सेकेंड में गुजर जाती है रेलगाड़ी की गति है: **[2021]**

(a) 33 कि.मी./ घंटा
(b) 22 कि.मी./ घंटा
(c) 44 कि.मी./ घंटा
(d) 35 कि.मी./ घंटा

96. नीचे दो कथन दिए गए हैं: **[2021]**

कथन–I: 4 और 5 के बीच, एक घड़ी की मिनट और घंटे वाली सुइयां 4 बज कर 20 मिनट पर एक साथ होती हैं।

कथन–II: 4 और 5 के बीच एक घड़ी की मिनट और घंटेवाली सुइयां 4 बज कर 40 मिनट पर समकोण पर होती हैं।

उपरोक्त कथनों के आलोक में, नीचे दिए गए विकल्पों में से सही उत्तर का चयन कीजिए:

(a) कथन I और II दोनों सत्य हैं।

(b) कथन I और II दोनों असत्य हैं।

(c) कथन I सत्य है, किन्तु कथन II असत्य है।

(d) कथन I असत्य है, किन्तु कथन II सत्य है।

97. निम्नलिखित कथनों पर विचार कीजिए: **[2021]**

(1) यदि A का वेतन B से 20% अधिक है, तो B का वेतन A से 20% कम है।

(2) 28 पेन बेच कर एक व्यक्ति 4 पेन की बिक्री कीमत के बराबर लाभ अर्जित करता है। लाभ 15% है।

(3) 1 से आरंभ कर N सतत प्राकृत संख्याओं का औसत $\frac{(N+1)}{2}$ है।

नीचे दिए गए विकल्पों में से सही उत्तर का चयन कीजिए:

(a) केवल (1) और (3)

(b) केवल (2) और (3)

(c) केवल (1) और (2)

(d) केवल (3)

98. यदि पवन की गति 4.0 मी./से. से बढ़कर 5.0 मी./से. हो जाती है, तो एक आदर्श पवन चक्की से प्राप्त होने वाले विद्युत उत्पादन में लगभग कितने के गुणक से वृद्धि होगी? **[2021]**

(a) ~4 (b) ~5

(c) ~2 (d) ~3

99. A, B और C एक निश्चित राशि आपस में साझा करते हैं। A को 35%, B को ₹1500 और C को $\frac{1}{20}$ प्राप्त होता है। धन की मूल राशि कितनी है?

(a) ₹1500 (b) ₹2000

(b) ₹2250 (c) ₹2500

100. दी गई श्रृंखला में लुप्त पद ज्ञात कीजिए: **[2022]**
4, 6, 12, 14, 28, 30?

(a) 32 (b) 36

(c) 52 (d) 60

101. एक निश्चित कोड में, O को E, A को C, M को I, S को O, N को P, E को M, I को A, P को N और C को S लिखा जाता है, तो इस कोड में COMPANION को कैसे लिखा जायेगा? **[2022]**

(a) SEINCPAEP (b) SENCIAPEP

(c) SENCPIAPE (d) SNEIPCAPE

102. 43 छात्रों की एक कक्षा में आशमन का रैंक नीचे से 16वां है। ऊपर से उसका रैंक कितना होगा? **[2022]**

(a) 28 (b) 27

(c) 26 (d) 29

103. एक पाइप पानी के टैंक को दूसरे पाइप से तीन गना तेजी से भर सकता है। यदि दोनों पाइपों का प्रयोग इकट्ठे किया जाए तो वे टैंक को 36 मिनटों में भर देंगे। अकेला धीमी गति वाला पाइप टैंक को भरने में कितना समय लेगा? **[2022]**

(a) 192 मिनट (b) 108 मिनट

(c) 144 मिनट (d) 160 मिनट

104. एक फुटकर विक्रेता ने 40 पेन को थोक विक्रेता से 36 पेन के अंकित भाव पर खरीदा। यदि वह इन पेन को 1% बट्टे (छूट) पर बेचता है, तो उसका लाभ प्रतिशत क्या होगा? **[2022]**

(a) 12% (b) 15 %

(c) 20% (d) 10%

105. एक निश्चित कोड में '467' का अर्थ पत्तियाँ हरी हैं, '485' का अर्थ 'हरा रंग अच्छा है' और '639' का अर्थ 'वे खेल रहे हैं'। इस कोड में पत्तियों का अंक कौन सा है? **[2022]**

(a) 6 (b) 7

(c) 4 (d) 9

106. एक कक्षा में छात्रों की औसत आयु 15 वर्ष है। जब कक्षा में 5 नए लड़कों का पंजीकरण (दाखिला) किया गया, जिनकी औसत आयु 12 वर्ष 6 महीने थी, तो औसत आयु 6 महीने कम हो गई। मूलत: कक्षा में कितने छात्र थे? **[2022]**

(a) 15 (b) 20

(c) 18 (d) 16

107. श्रृंखला में लुप्त पद ज्ञात कीजिए: **[2022]**
2, 10, 30, 68, 130, 222?

(a) 350 (b) 352

(c) 194 (d) 104

108. दो वृक्षों A और B पर पक्षियों की एक निश्चित संख्या है। वृक्ष A पर बैठे पक्षी, वृक्ष B पर बैठे पक्षियों से कहते हैं कि यदि वृक्ष

B से 2 पक्षी वृक्ष A पर स्थानांतरित हो जाए तो दोनों पर उनकी संख्या समान हो जाएगी। परंतु वृक्ष B पर बैठे पक्षी, A पर बैठे पक्षियों को कहते हैं यदि तुम्हारी तरफ से (वृक्ष A) दो पक्षी हमारी तरफ (वृक्ष B) स्थानांतरित हो जाते हैं, तो उनकी संख्या वृक्ष A से दुगुनी हो जाएगी। दोनों वृक्षों A और B पर क्रमशः कितने पक्षी बैठे हैं? **[2022]**

(a) 8,12 (b) 10,14
(c) 14,10 (d) 5, 7

109. किसी फल विक्रेता के पास तीन दिन तक बेचे जा सकने के लिए फल-भंडार उपलब्ध है। उपलब्ध फलों का 50% वह प्रतिदिन बेच देता है और बाकी-बचे फलों का 10% फल प्रत्येक रात में बर्बाद हो जाते हैं। यदि तीन दिनों में बेकार हो जाने वाले फलों की कुल संख्या 1983 है, तब ज्ञात कीजिए कि फल विक्रेता के पास शुरुआत में कितने फल थे? **[2023]**

(a) 22,000 (b) 21,000
(c) 19,000 (d) 24,000

110. किसी मूलधन-राशि पर 5% प्रतिवर्ष की दर से 2 वर्षों की अवधि में साधारण और चक्रवृद्धि ब्याज के मध्य अंतर ₹11.25 है। मूलधन-राशि ज्ञात कीजिए। **[2023]**

(a) ₹4,500 (b) ₹5,500
(c) ₹4,000 (d) ₹4,300

111. यदि $x = 10$ और $y = 0.1$, निम्नलिखित कौन से व्यंजक का मान उच्चतम है? **[2023]**

(a) x^2y^2 (b) $x^2 - y^2$
(c) $x^2 + y^2$ (d) x^2/y^2

112. किसी निश्चित कूट भाषा में Tour को 4,156 के रूप में लिखा गया है, Screw को 73698 के रूप में लिखा गया है और Tear को 4926 के रूप में लिखा गया है। Sweater शब्द को उसी कूट भाषा में कैसे लिखा जाएगा? **[2023]**

(a) 7849692 (b) 7892694
(c) 7829946 (d) 7892496

113. नीचे दी गयी श्रृंखला में प्रश्नसूचक चिह्न के स्थान पर कौन-सी संख्या होनी चाहिए? **[2023]**

5, 7, 11, 19, 35, 67, ?

(a) 111 (b) 121
(c) 131 (d) 141

114. वर्ष 2020 में किसी व्यक्ति की मासिक आय ₹65000 थी और उसका मासिक व्यय ₹45000 था। वर्ष 2021 में उसकी मासिक आय 15% तथा मासिक व्यय 7% बढ़ गया। उसकी बचत में कितने प्रतिशत की वृद्धि हुई? **[2023]**

(a) 33% (b) 31%
(c) 35% (d) 28%

115. किसी संख्या का 5/9 किसी दूसरी संख्या के पच्चीस प्रतिशत के बराबर है। दूसरी संख्या के 1/4 के बराबर है। तीसरी संख्या का मान 2960 है। पहली संख्या का 30% कितना होगा? **[2023]**

(a) 9.99 (b) 99.9
(c) 89.9 (d) 88.9

116. किसी व्यक्ति ने अपनी सेवा-निवृत्ति उपदान का 1/3 भाग 6% साधारण ब्याज की दर से; उपदान 1/4 भाग 7% और शेष को 8% साधारण ब्याज की दर से निवेश किया। यदि इन निवेशों पर उसकी वार्षिक प्राप्ति ₹7012.5 है, तो व्यक्ति द्वारा निवेश की गई कुल उपदान की धनराशि ज्ञात कीजिए। **[2023]**

(a) ₹89000 (b) ₹99000
(c) ₹95000 (d) ₹105000

117. यदि किसी निश्चित कूट भाषा में 'Cheater' को ejgcvgt के रूप में कूटबद्ध किया गया है, तो उसी कूट भाषा में 'Preacher' किस प्रकार कूटबद्ध होगा? **[2023]**

(a) 'rtgcejgt' (b) 'qsfbdifs'
(c) 'rtgbdjgt' (d) 'stgbdjgt'

118. नीचे दी गई श्रृंखला में कौन-सी संख्या प्रश्नवाचक चिन्ह (?) को प्रतिस्थापित करेगी? **[2023]**

7, 10, 19, 46, 127, ?

(a) 202 (b) 192
(c) 173 (d) 370

उत्तरमाला

1. (b)	**2.** (c)	**3.** (c)	**4.** (d)	**5.** (d)	**6.** (b)	**7.** (c)	**8.** (c)	**9.** (d)	**10.** (c)
11. (a)	**12.** (c)	**13.** (b)	**14.** (b)	**15.** (d)	**16.** (b)	**17.** (a)	**18.** (a)	**19.** (a)	**20.** (a)
21. (c)	**22.** (d)	**23.** (b)	**24.** (a)	**25.** (b)	**26.** (d)	**27.** (d)	**28.** (a)	**29.** (c)	**30.** (d)
31. (c)	**32.** (b)	**33.** (c)	**34.** (a)	**35.** (c)	**36.** (d)	**37.** (c)	**38.** (c)	**39.** (a)	**40.** (c)
41. (b)	**42.** (a)	**43.** (c)	**44.** (b)	**45.** (b)	**46.** (a)	**47.** (a)	**48.** (c)	**49.** (d)	**50.** (c)
51. (b)	**52.** (a)	**53.** (b)	**54.** (d)	**55.** (d)	**56.** (b)	**57.** (b)	**58.** (b)	**59.** (b)	**60.** (b)
61. (b)	**62.** (a)	**63.** (c)	**64.** (b)	**65.** (b)	**66.** (b)	**67.** (b)	**68.** (c)	**69.** (a)	**70.** (d)
71. (d)	**72.** (d)	**73.** (b)	**74.** (d)	**75.** (c)	**76.** (b)	**77.** (a)	**78.** (a)	**79.** (a)	**80.** (d)
81. (a)	**82.** (d)	**83.** (d)	**84.** (d)	**85.** (c)	**86.** (a)	**87.** (c)	**88.** (c)	**89.** (d)	**90.** (b)
91. (c)	**92.** (b)	**93.** (a)	**94.** (c)	**95.** (a)	**96.** (c)	**97.** (b)	**98.** (c)	**99.** (d)	**100.** (d)
101. (a)	**102.** (a)	**103.** (c)	**104.** (d)	**105.** (b)	**106.** (b)	**107.** (a)	**108.** (b)	**109.** (d)	**110.** (a)
111. (d)	**112.** (d)	**113.** (c)	**114.** (a)	**115.** (b)	**116.** (b)	**117.** (c)	**118.** (d)		

संकेत और स्पष्टीकरण

1. (b)

शृंखला का अंतर 4 से बढ़ रहा है, इसलिए अगला अंतर 18 है, और अगला पद 47 होना चाहिए।

$5-(-1)=6$

$15-5=10$

$29-15=14$

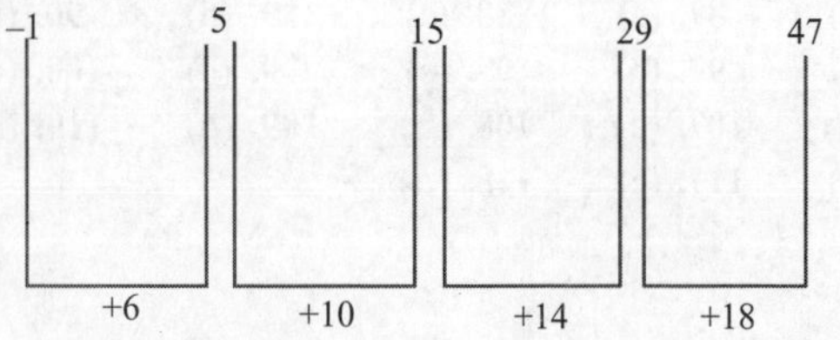

2. (c)

A	+3	D	+4	H	+5	M	+6	S	+7	Z
B	+5	G	+6	M	+7	T	+8	B	+9	K
D	+7	K	+8	S	+9	B	+10	L	+11	W

3. (c)

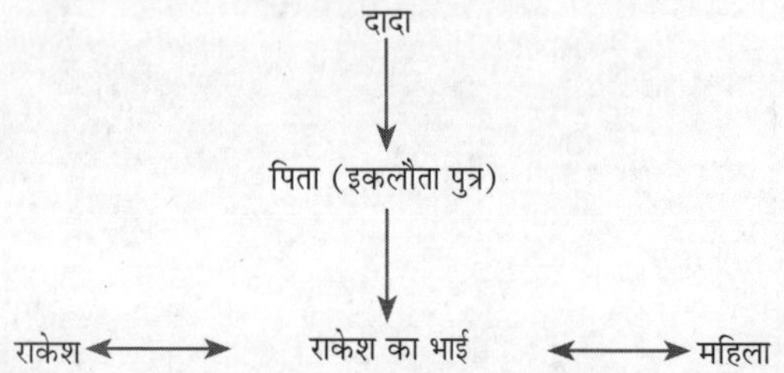

4. (d)

मान लीजिए, कि संख्याएं $2x{:}5x$ हैं

प्रश्नानुसार,

$$\frac{(2x+16)}{(5x+16)}=\frac{1}{2}$$

इसे हल करने पर, हमें $x = 16$ प्राप्त होता है

अत: वांछित संख्याएं $2 \times 16 = 32$ और $5 \times 16 = 80$ हैं।

5. (d)

कथन-(I) से : $7x + 8x = 30 \Rightarrow x = 2$

अत: लड़कों की संख्या = 14, लड़कियों की संख्या = 16

कथन-(II) से : लड़कों की कुल आयु = $12.2 \times 14 = 170.8$

लड़कियों की कुल आयु = $11.4 \times 16 = 182.4$

$$\text{औसत आयु} = \frac{\text{छात्रों की कुल संख्या}}{\text{छात्रों की संख्या}} = \frac{353.2}{30} = 11.77$$

कथन -III से: लड़कों की संख्या = x, लड़कियों की संख्या = $x + 2$

प्रश्नानुसार $x + (x + 2) = 30$

$2x = 30 - 2 = 28$

$x = 14$

अत: लड़कों की संख्या = 14

लड़कियों की संख्या = 16

अत: केवल (II) और (I) या (III) से उत्तर प्राप्त किया जा सकता है।

6. (b)

मान लीजिए कि दो अंक a और b हैं।

अत: $ab = 2(a + b)$

$1/2 = (a + b)/ab$

$1/2 = a/ab + b/ab$

$1/2 = 1/b + 1/a$ या $1/a + 1/b = 1/2$

यदि दो अंकों a और b का गुणनफल इन संख्याओं के योग का दोगुना है, तो a और b के व्युत्क्रम का योग 1/2 होगा।

7. (c)

संवर्ग A के 40 कर्मचारियों के एक समूह की औसत आयु = 31 वर्ष

संवर्ग B के 60 कर्मचारियों के एक समूह की औसत आयु = 28 वर्ष

औसत = कुल योग/कुल संख्या

प्रश्न के अनुसार:

दोनों समूहों की कुल आयु = $31 \times 40 + 60 \times 28 = 2920$ वर्ष

कर्मचारियों की कुल संख्या = $40 + 60 = 100$

औसत आयु = $2920/100 = 29.2$ वर्ष

8. (c)

प्रश्नानुसार, विमान की गति कि.मी प्रति घंटे के आधार पर है। गणना को सरल करने के लिए, विमान की गति को 400, 600, 800 और 200 = 2400 कि.मी के LCM के रूप में लिया जाता है । हम जानते हैं कि वर्ग की सभी भुजाएं समान होती हैं।

पहली भुजा को तय करने में लिया गया समय

= 2400/400 = 6 घंटे

दूसरी भुजा को तय करने में लिया गया समय

= 2400/600 = 4 घंटे

तीसरी भुजा को तय करने में लिया गया समय

= 2400/800 = 3 घंटे

चौथी भुजा को तय करने में लिया गया समय

= 2400/200 = 12 घंटे

कुल दूरी = $4 \times 2400 = 9600$ किमी

कुल लिया गया समय = $6 + 4 + 3 + 12 = 25$ घंटे

औसत गति = $9600/25 = 384$ किमी/घंटा

9. (d)

माना क्रय मूल्य = ₹100

अंकित मूल्य = 100 + 40 = ₹140

विक्रय मूल्य = 140 – 140 का 20% = 140 – 28 = ₹112

अत: वास्तविक लाभ प्रतिशत = 112 – 100 = 12%

10. (c)

$0.75x = 0.02y$

$\frac{x}{y} = \frac{0.02}{0.75} = \frac{2}{75},$

$x = 2,\ y = 75$

इस प्रकार

$\left(\frac{y-x}{y+x}\right) = \frac{75-2}{75+2} = \frac{73}{77}$

11. (a)

पांच संख्याओं का औसत = 5 × (−20) = −100

उन में से तीन संख्याओं का योग = 32

तो, शेष दो संख्याओं का योग = −100 − 32 = −132

दो संख्याओं का औसत = −132/2 = − 66

12. (c)

गांव ⟶ रेलवे स्टेशन

गांव और रेलवे स्टेशन के मध्य दूरी दोनों प्रकार से समान है।

कुल समय = 5 किमी प्रति घंटा

माना एक गांव से रेलवे स्टेशन तक पहुंचने में t घंटे और रेलवे स्टेशन से गांव तक पहुंचने में 5 − t घंटे लगते हैं ।

इस प्रकार, d = 20 × t = 5 × (5 − t) t = 1 घंटा

दूरी = 20 × 1 = 20 किमी

वैकल्पिक रूप में, इस प्रश्न को हार्मोनिक औसत के आधार पर भी किया जा सकता है, जहाँ हम निम्न फार्मूला से औसत गति दर निकल सकते हैं

औसत गति

$= \frac{2xy}{(x+y)}$ = 2 × 5 × 20 /

= (5 + 20) = 8 कि.मी प्रति घंटा

कुल दूरी = समय × औसत गति = 5 × 8 = 40 कि.मी

क्योंकि इसमें स्टेशन पर जाने और आने की दूरी समान है, इसलिए स्टेशन से गांव तक की दूरी = $\frac{40}{2}$ = 20 कि.मी

13. (b)

मान लीजिए कि तीन प्रकार के रिफाइन्ड तेल को क्रमश: 2 : 4 : 3 लीटर के अनुपात में मिलाया जाता है।

कुल मात्रा = 2 + 4 + 3 = 9 लीटर

कुल लागत = 100 × 2 + 40 × 4 + 60 × 3 = ₹540

लागत प्रति लीटर = 540/9 = 60

प्रति लीटर बिक्री मूल्य = ₹66

लाभ = 66 − 60 = ₹6

लाभ प्रतिशत = 6/60 × 100 = 10%

14. (b)

प्रत्येक पद में प्रथम और तृतीय अक्षर क्रम में हैं। मध्य अक्षर भी प्रत्येक पद में सरल अनुक्रमण के अनुसार है।

J	A	K
10	1	11

K	B	L
11	2	12

L	C	M
12	3	13

M	D	N
13	4	14

N	E	O
14	5	15

15. (d)

10 से विभाज्यता के लिए संख्या का अंतिम अंक 0 होना चाहिए। इसी प्रकार, 9 से विभाज्यता के लिए, उस संख्या के अंकों का योग 9 से विभाज्य होना चाहिए। यहाँ, 345*xy* एक संख्या है जो 90 से विभाज्य है। यानी 345*xy*, 9 और 10 से विभाज्य है। 345*xy* 10 से विभाज्य है, इसलिए y का मान = 0 है

अब, 345 × 0, 9 से विभाज्य है। इसलिए, $(3 + 4 + 5 + x + 0)$ = $(12 + x)$ 9 से विभाज्य है। तो, सबसे छोटी संख्या जिसे 12 में जोड़ा जाना चाहिए जो कि 9 से विभाज्य है, 6 है। इसलिए, $x = 6$।

इसलिए, $(x + y) = (6 + 0) = 6$.

16. (b)

मानचित्र पर एक इंच = 250 मील

मानचित्र पर दो शहरों के मध्य दूरी = $4\frac{1}{2} = \frac{9}{2}$ इंच

आवश्यक उत्तर = 250 × $\frac{9}{2}$ = 1125 मील

अत: शहरों के मध्य वास्तविक दूरी 1125 मील होगी।

17. (a)

$\frac{6\not{0}}{10\not{0}}(a-b) = \frac{4\not{0}}{10\not{0}}(a+b)$

$6a - 6b = 4a + 4b$

$2a = 10b$

$a = 5b;\ b = a/5$

माना a का x% b है; इसलिए

$\frac{x}{100} \times a = b$

$\frac{x}{100} \times a = \frac{a}{5}$

$x = \frac{100}{5} = 20\%$

18. (a)

साधारण ब्याज = $\frac{\text{मूलधन} \times \text{दर} \times \text{समय}}{100}$

इसका अर्थ है कि साधारण ब्याज यहां समय के प्रत्यक्ष अनुपात में है। इस प्रकार, ब्याज 9:12 के अनुपात में होगा अर्थात 3:4 सही उत्तर है।

19. (a)

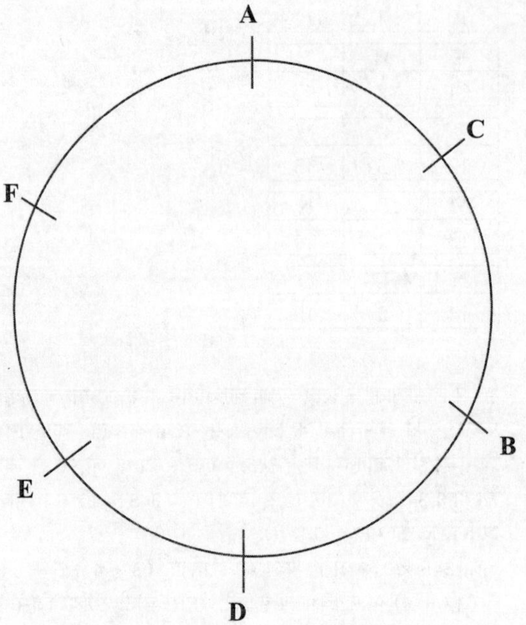

20. (a)

यदि BAT = 23, CAT = 24 तो BALL = 2 + 1 + 12 + 12 = 27

अत: BALL का कूट 27 होगा ।

21. (c)

दिया गया कूट निम्नलिखित प्रकार से कूटबद्ध किया गया है:

R	E	D
↓	↓	↓
18	5	4
+2	+2	+2
20	7	6

उसी प्रकार कूटबद्ध करने पर

G	R	E	E	N
↓	↓	↓	↓	↓
7	18	5	5	14
+2	+2	+2	+2	+2
9	20	7	7	16

GREEN का कूटबद्ध 9207716 होगा

22. (d)

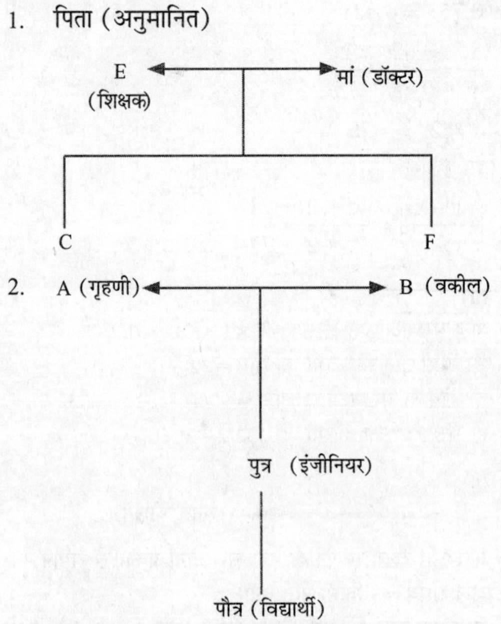

आईये, अब प्रश्नानुसार दिए गए विकल्पों पर गौर करें:

(a) कोई दादा नहीं – A महिला है

(b) कोई मां नहीं – C की मां डॉक्टर है

(c) कोई बहन नहीं – केवल भाई यानी F

(d) दादी – अत: यह विकल्प सही उत्तर है।

23. (b)

वर्ग की लंबाई = 5.0 सेमी

क्षेत्रफल = 5 × 5 = 25 सेमी^{2}

लंबाई में वृद्धि = 1% = 0.05 सेमी

वृद्धि के बाद, वर्ग की लंबाई = 5.05 सेमी

क्षेत्रफल = 5.05 × 5.05 = 25.5025 सेमी^{2}

क्षेत्रफल में अंतर = 25.5025 – 25 = 0.5025 सेमी^{2}

क्षेत्रफल में: वृद्धि = 0.5025 / 25 = 100 = 2.01 = 2% (लगभग)

शॉर्ट कट विधि:

अभीष्ट वृद्धि = $(2x + \frac{x^2}{100})\% = (2 \times 1 + \frac{1^2}{100}) = 2.01\%$

यहाँ पर x प्रतिशत वृद्धि को दर्शा रहा है, जो कि 1% है और मूल विधि $\frac{x + y + xy}{100}$ है। यहाँ x और y, दोनों ही 1% हैं।

24. (a)

हम पदों को $n^2 + 2$, $n^2 - 2$, $n^2 + 2$, $n^2 - 2$ के क्रम में रखते हैं।

यदि हम $n = 1$ को $n^2 + 2$ में रखते हैं, तो हमें (1)2 + 2 = 3 प्राप्त होता है, जो कि प्रथम पद है।

इसी प्रकार, यदि हम $n = 2$ को $n^2 - 2$ में रखते हैं, तो हमें प्राप्त होता है, $(2)^2 - 2 = 2$ (दूसरा पद)

तीसरी संख्या = $(3)^2 + 2 = 11$
चौथी संख्या = $(4)^2 - 2 = 14$
पांचवीं संख्या = $(5)^2 + 2 = 27$
छठी संख्या = $(6)^2 - 2 = 34$
सातवीं संख्या = $(7)^2 + 2 = 51$
आठवीं संख्या = $(8)^2 - 2 = 62$
जो आठवां और अभीष्ट पद है।

25. (b)
3 वस्तुओं का मूल्य = ₹4500
2 वस्तुओं का मूल्य = ₹3600
कुल राशि = 4500 + 3600 = ₹8100
दी गई छूट = 10% = 8100 × 10/100 = ₹810
छूट के बाद राशि = 8100 – 810 = ₹7290
इसलिए, प्रत्येक वस्तु का औसत मूल्य = 7290/5 = ₹1458

26. (d)
व्यक्ति की आयु = 50 वर्ष
पुत्र की आयु = 50 × 2/5 = 20 वर्ष
माना x वर्ष के पश्चात व्यक्ति (पिता) की आयु पुत्र की आयु की 5/3 हो जाएगी।
प्रश्नानुसार, (50 + x) = 5/3 (20 + x)
150 + 3x = 100 + 5x
2x = 50 वर्ष
x = 25 वर्ष
ऐसी स्थिति 25 वर्ष के बाद आएगी, इसलिए (d) सही उत्तर है।

27. (d)
यहां 8, अंक 2 का घन है लेकिन यह किसी पूर्णांक का वर्ग नहीं है।
9, अंक 3 का एक वर्ग है, लेकिन यह भी किसी पूर्णांक का घन नहीं है।
36, अंक 6 का एक वर्ग है, लेकिन यह किसी पूर्णांक का घन नहीं है।
64, अंक 8 का वर्ग भी है और 4 का घन है।
इसलिए, सबसे छोटी अविभाज्य संख्या 64 है जो एक ही साथ में वर्ग और घन दोनों हैं।

28. **(a)**

$$\frac{x}{y} = \frac{7}{9} \rightarrow x = \frac{7}{9}y$$

$$\frac{3x - 5y}{4x + y} = \frac{3\left(\frac{7}{9}y\right) - 5y}{4\left(\frac{7}{9}y\right) + y}$$

$$\frac{\frac{7}{3}y - 5y}{\frac{28y}{9} + y} = \frac{\frac{-8}{3}y}{\frac{37}{9}y} = \frac{-8}{3} \times \frac{9}{37}$$

$$= \frac{-24}{37}$$ उत्तर

29. **(c)**
63 के अतिरिक्त प्रत्येक संख्या एक अभाज्य संख्या (prime number) है।

30. **(d)**
इसका हल प्राप्त करने के लिए, हमें व्युत्क्रमित गणना करनी होगी। प्रश्न के अनुसार, दोनों गणनाओं में ब्याज दर समान है।
ब्याज = 3000 - 2400 = ₹600
मूलधन = ₹2400
समय = 1 वर्ष
R = I × 100/P × T
R = 25%
25% की दर पूर्व वर्ष की गणना पर भी लागू की जा सकती है। इससे ब्याज की राशि में 25% की कमी आएगी। प्रथम वर्ष के लिए यह ₹480 होगा।
इसलिए, मूल मूलधन राशि = 2400 - 480 = ₹1920

31. **(c)**
माना 70 पेंसिलों का विक्रय मूल्य (SP) = ₹90
प्रश्न के अनुसार:
90 = CP × (100 – 25) /100
CP = ₹120
दूसरी स्थिति में, ₹234 के SP और 30% के लाभ के लिए,
CP = 234 × 100/130 = ₹180
यदि ₹120 में पेंसिलों की संख्या 70 है, तो ₹180 के CP के लिए पेंसिलों की संख्या डेढ़ गुना होनी चाहिए।
यानी 70 × 1.5 = 105

32. **(b)**
मिश्रण के 1 किलो का विक्रय मूल्य (S.P) = ₹76.8
लाभ = 20%
विक्रय मूल्य (C.P) मिश्रण के 1 किलो का = 100/100 + 20 × 76.8 = ₹64
आरोप का नियम लागू करने पर (applying rule of Allegation)

पहली प्रकार की 1 किलो चीनी की मूल्य = 60	दूसरी प्रकार की 1 किलो चीनी की मूल्य = 78

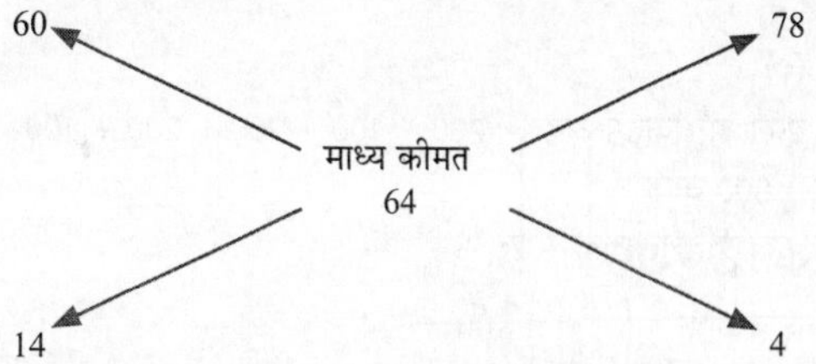

इस प्रकार, 14: 4 या 7:2 उत्तर अपेक्षित है।

33. **(c)**
10 विद्यार्थियों का औसत भार = x कि. ग्रा, तो कुल भार = $10x$
तब $10x = [(9 \times 60)] + (x + 9)$

$10x = 540 + x + 9$

$9x = 549$

$x = 61$

10वीं के छात्र का वजन = $x + 9$

= 61 + 9 = 70 किलो।

34. (a)

माना वस्तु पर अंकित मूल्य = ₹100

छूट = 10%

तब SP = ₹90

यदि कोई छूट नहीं दी जाती है तो लाभ 25% का है। इसका अर्थ है कि SP ₹100 है।

अत: CP = 100 × 100 / (100 + 25) = ₹80

हमें केवल 'प्रतिशत' लाभ की गणना करनी है, इसलिए हमें तीसरे विकल्प की आवश्यकता नहीं है।

35. (c)

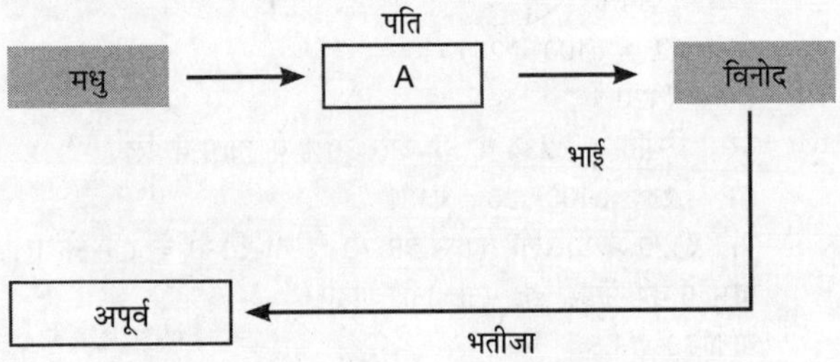

अपूर्व, मधु का पुत्र है। विनोद, मधु के पति क भाई है। इसका अर्थ है कि A, मधु का पति है। इस कथन के अनुसार, अपूर्व विनोद का भतीजा है।

36. (d)

प्रश्नानुसार संख्या = 3x और 7x

संख्या में 9 जोड़ने पर , $\frac{(3x+9)}{(7x+9)} = \frac{9}{17} \Rightarrow x = 6$

अतरू संख्या = 3 × 6, 7 × 6 = 18, 42

37. (c)

कुल अधिकतम अंक = 200 + 100 + 200 + 200 + 100

= 800 अंक

कुल प्रतिशत अंक = 78%

कुल अंक = $\left(\frac{78}{100}\right) \times 800 = 624$

प्राप्त कुल अंक = 155 + 80 + 165 + 140 + x = 540 + x

$540 + x = 624$

$x = 624 - 540 = 84$

अंग्रेजी में प्राप्त अंक = 84

38. (c)

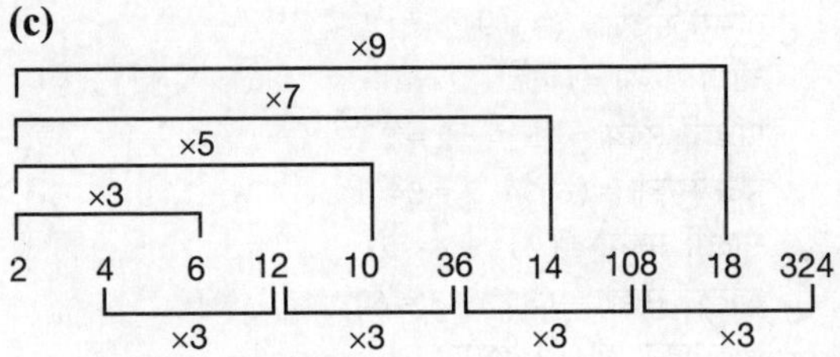

वैकल्पिक विधि

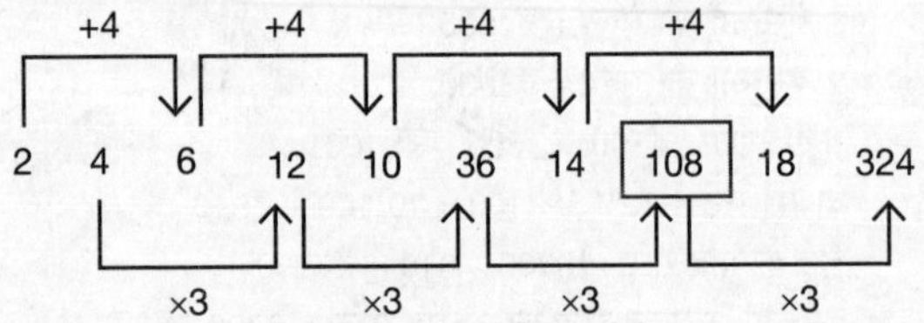

39. (a)

श्रृंखला का पहला अक्षर स्वर (Vowel) है – A, E, I, O, U

श्रृंखला का दूसरा अक्षर निम्नवत क्रम से घट रहा है –

$T \xrightarrow{-3} Q \xrightarrow{-3} N \xrightarrow{-3} K \xrightarrow{-3} H$

अत: अगला पद UH होगा।

40. (c)

इस तर्कवाक्य में छात्र, उद्देश्य तथा कर्तव्यनिष्ठ विधेय है। विधेय, उद्देश्य की विशेषता को प्रस्तुत कर रहा है। अत: यह विधेय वाक्य है।

41. (b)

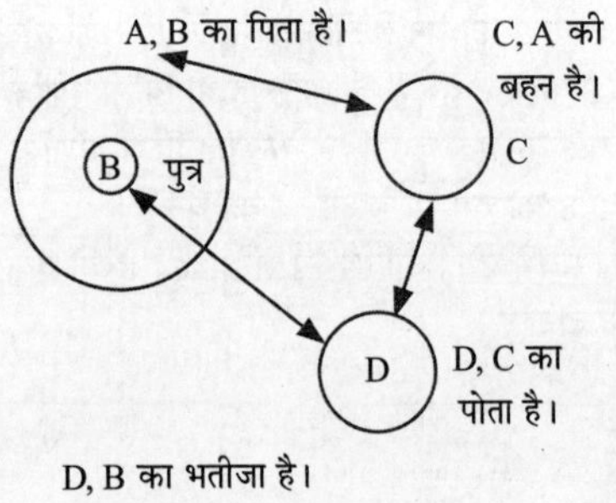

42. (a)

HPU = 8 + 16 + 21 = 45 → 45 ÷ 5 = 9

JNU = 10 + 14 + 21 = 45 → 45 ÷ 5 = 9

इसी तरह,. DU = 4 + 21 = 25 → 25 ÷ 5 = 5

43. (c)

दिया गया श्रेणी का क्रम इस प्रकार होगा:

bbcbba / bbcbbba / bbcbba

44. (b)

अभीष्ट गति = $\frac{2xy}{x+y} = \frac{2 \times 40 \times 60}{40 + 60}$ = 48 किमी/ घंटा

45. (b)

प्रश्नानुसार

$E \xrightarrow{+1} F \longrightarrow U$

$N \xrightarrow{+1} O \longrightarrow L$

$G \xrightarrow{+1} H \longrightarrow S$

$L \xrightarrow{+1} M \longrightarrow N$

$A \xrightarrow{+1} B \longrightarrow Y$

$N \xrightarrow{+1} O \longrightarrow L$

$D \xrightarrow{+1} E \longrightarrow V$

उसी प्रकार IRELAND का कूट इस प्रकार होगा –

$I \xrightarrow{+1} J \longrightarrow Q$

$R \xrightarrow{+1} S \longrightarrow H$

$E \xrightarrow{+1} F \longrightarrow U$

$L \xrightarrow{+1} M \longrightarrow N$

$A \xrightarrow{+1} B \longrightarrow Y$

$N \xrightarrow{+1} O \longrightarrow L$

$D \xrightarrow{+1} E \longrightarrow V$

46. (a)

2 9 20 35 54 77 104

+7 +11 +15 +19 +23 +27

+4 +4 +4 +4 +4

47. (a)

पहली विधि:

माना विक्रय मूल्य = ₹22,000

लाभ प्रतिशत = 10%

विक्रय मूल्य = क्रय मूल्य × $\left(\frac{100 + x}{100}\right)$

क्रय मूल्य = 22,000 × $\frac{100}{110}$ = ₹20,000

वांछित विक्रय मूल्य = 20,000 × $\frac{118}{110}$ = ₹23,600

दूसरी विधि:

माना क्रय मूल्य = 100%

10% लाभ पर विक्रय मूल्य = 110%

18% लाभ पर विक्रय मूल्य = 118%

प्रश्नानुसार 110% = ₹22,000

$\Rightarrow$ 118% = $\frac{22,000}{110} \times 118$ = ₹23,600

48. (c)

तीन व्यक्ति एक चक्कर पूरा करने में 20, 30 और 40 मिनट का समय लेते हैं।

20, 30 और 40 मिनट का LCM 120 मिनट है।

120 मिनट = 2 घंटे

तो, 120 मिनट या 2 घंटे के बाद, वे पुन: उसी बिंदु पर मिलेंगे।

अत: सही विकल्प (c) है।

49. (d)

तीनों भाषा बोलने वाले छात्र = हिंदी बोलने वाले छात्र – (केवल हिंदी बोलने वाले छात्र + केवल अंग्रेजी और हिंदी बोलने वाले छात्र + केवल हिंदी और बांग्ला बोलने वाले छात्र)

= 27 – (12 + 7 + 6)

= 27 – 25 = 2

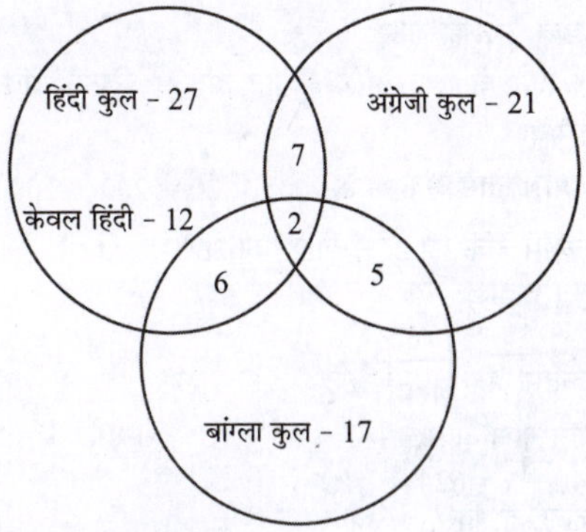

अत: सही विकल्प (d) है।

50. (c)

माना प्रथम पूर्ण विषम संख्या 'n' है

अगली तीन क्रमिक पूर्ण विषम संख्याएं 'n + 2', 'n + 4', 'n + 6' होंगीं।

प्रश्नुसार, इनका योग करने पर

$\Rightarrow n + (n + 2) + (n + 4) + (n + 6) = 2160$

$\Rightarrow 4n + 12 = 2160$

$\Rightarrow 4(n + 3) = 2160$

$\Rightarrow (n + 3) = \frac{2160}{4} = 540$

$n = 540 - 3 = 537$

सबसे बड़ी संख्या $n + 6 = 537 + 6 = 543$

उन पूर्ण विषम संख्या में से सबसे बड़ी संख्या 543 है तो, सही विकल्प (c) है।

51. (b)

इस प्रकार के प्रश्नों को विकल्प से बनायें। संख्या 36, अपने अंकों के योग से चार गुना अधिक है (जैसे - 3 + 6 = 9, यहाँ 9 को चार से गुणा करने पर 36 प्राप्त होता है)। संख्या के अंकों को बदल देने से 36, 63 हो जाता है जो मूल संख्या 36 से 27 अधिक है। अत: दोनों शर्तें यहाँ पूरी होती हैं।

52. (a)

माना कि तीन संख्याएं 'a', 'b' और 'c' हैं।

a, b और c के वर्गों का योग $= a^2 + b^2 + c^2$

उनके गुणनफल का योग $= ab + bc + ca = 71$

हम जानते हैं कि,

$\Rightarrow (a + b + c)^2 = a^2 + b^2 + c^2 + 2\ (ab + bc + ca)$

$\Rightarrow (a + b + c)^2 = 83 + 2 \times 71 = 83 + 142 = 225$

$\Rightarrow a + b + c = 15$

तीन संख्याओं का योग 15 है। अत: (a) सही उत्तर है।

53. (b)

उत्तीर्ण अंक = 36%

छात्र द्वारा प्राप्त अंक = 90

यदि छात्र फ़ैल हो जाए

उत्तीर्ण होने के लिए अंक = प्राप्त अंक + जितने अंक से अनुतीर्ण किया गया

माना अधिकतम अंक = X

अधिकतम अंक का 36% या X का 36%

= 90 + 9 = 99

अधिकतम अंक $= X = 100 \times \frac{99}{36} = 275$

54. (d)

हम जानते हैं, कि

$P = \frac{SI \times 100}{(R \times T)}$

$= \frac{300 \times 100}{(6 \times 2)}$

= ₹2500

इसलिए मूलधन P = ₹2500

चक्रवृद्धि ब्याज प्राप्त करने के लिए हम निम्नलिखित सूत्र का प्रयोग करेंगे

कुल धनराशि $= P\ (1 + r/100)^T$

$= 2500\ (1 + 6/100)^2 =$ ₹2809

चक्रवृद्धि ब्याज = कुल धनराशि − मूलधन = 2809 − 2500 = ₹309

अत: उसी अवधि के लिए उसी दर पर तथा उसी धन राशि पर चक्रवृद्धि ब्याज ₹309 होगा।

55. (d)

यह श्रृंखला निम्नलिखित पैटर्न का अनुसरण कर रही है।

60 / 1 = 60

60 / 2 = 30

60 / 3 = 20

60 / 4 = 15

60 / 5 = 12

60 / 6 = 10

अत: 12 और 10 अनुक्रम के अगले दो पद होंगे।

56. (b)

औसत गति $= \frac{2xy}{x + y} = \frac{2 \times 40 \times 60}{100} = 48$ किमी/ घंटा

57. (b)

प्रश्न में अंकों के योग को लिखा गया है। जैसे 5472 = 5 + 4 + 7 + 2 = 18 = 1 + 8 = 9

उसी प्रकार 9237 = 9 + 2 + 3 + 7 = 21 = 2 + 1 = 3

अत: P = 3 होगा ।

58. (b)

माना पुत्र की आयु = X वर्ष

प्रश्नानुसार, पिता की आयु = $X + 30$ वर्ष

पांच वर्ष पूर्व,

$X + 30 - 5 = 6\ (X - 5)$

$X + 25 = 6X - 30$

$25 + 30 = 6X - X$

$5X = 55$

$X = 55/5 = 11$ वर्ष

59. (b)

$1^2 + 3 = 4$

$3^2 + 3 = 12$

$5^2 + 3 = 28$

$7^2 + 3 = 52$

$9^2 + 3 = 84$

अत: सही उत्तर 84 है।

60. (b)

अभीष्ट गति = $\frac{2xy}{x+y} = \frac{2 \times 50 \times 30}{50+30}$ = 37.5 किमी/ घंटा

61. (b)

माना मूलधन = 1

$A = P\left(1 + \frac{r}{100}\right)^{nt}$

समयावधि = 4 वर्ष, राशि = 2

तो चक्रवृद्धि ब्याज = राशि – 1 = $P\left(1 + \frac{r}{100}\right)^{t} - 1$

$\Rightarrow 1 = 1\left(1 + \frac{r}{100}\right)^{4} - 1$

$\Rightarrow 2 = 1\left(1 + \frac{r}{100}\right)^{4}$

$\Rightarrow 2^{\frac{1}{4}} = 1 + \frac{r}{100}$

$\Rightarrow 1.189 = 1 + \frac{r}{100}$

$\Rightarrow r = 18.92\% \sim 19\%$ (लगभग)

इस प्रकार, ब्याज की दर 19% होगी।

62. (a)

श्रृंखला के अनुसार 3 अक्षरों के प्रथम सेट में प्रत्येक अक्षर पिछले अक्षर को छोड़कर आता है और अगले सेट का प्रथम अक्षर पिछले सेट के अंतिम अक्षर का पिछला अक्षर है। अत: श्रृंखला में अगला सेट KMO है।

63. (c)

माना कुल योग 'x' है।

$X/70 = 32$

$x = 32 \times 70 = 2240$

प्रश्नानुसार, प्रत्येक संख्या में 3 की वृद्धि की जाती है। यानी

$70 \times 3 = 210$

नया औसत = $(2240 + 210)/70 = 35$

नोट: यदि प्रत्येक संख्या को समान अंक जैसे 3 से बढ़ा दिया जाये, तो औसत में भी उसी संख्या के बराबर वृद्धि यानी

$(32 + 3 = 35)$ होगी।

64. (b)

सभी विकल्प किमी/घंटा के रूप में दिए गए हैं। इस प्रकार, हम मिनटों को घंटों में परिवर्तित कर सकते हैं – 15 मिनट 1/4 घंटे है और 10 मिनट 1/6 घंटे है।

घंटों में कुल समय 25/60 है, जो 5/12 है।

औसत गति = कुल दूरी / कुल समय

= $[(60 \times 1/4) + (90 \times 1/6)] / 5/12$

= 72 किमी/घंटा

65. (b)

अंक को भार के रूप में प्रदर्शित किया जा सकता है।

भारित औसत = कुल भारित अंक / कुल भार

अंक (Marks)	भार (Weights)	भारित अंक
55	2	110
60	3	180
65	3	195
70	4	280
	12	765

भारित औसत = 765/12 = 63.75

66. (b)

जब घड़ी की सुई 5 पर 5 बार बजती है, तो 4 का समय अंतराल होता है।

प्रत्येक समय अंतराल पर लिया गया समय = 5/4 = 1.25 सेकंड

अत: 5 बजे 5 बार स्ट्राइक करने में 5 सेकंड (4×1.25) का समय लगता है।

इसी प्रकार, जब घड़ी 9 बजे 9 बार बजती है, तो 8 का समय अंतराल होता है

और 9 बजे 9 बार स्ट्राइक करने में 10 सेकंड (8×1.25) का समय लगता है।

67. (b)

अंकित मूल्य = 1500

दुकानदार का शुद्ध विक्रय मूल्य

= ₹1500 का (100 – 40)%

= ₹1500 × $\frac{60}{100}$

= ₹900

मान लें, वस्तु का मूल मूल्य = ₹x

लाभ प्रतिशत = 20%

विक्रय मूल्य = $x + x$ का 20% = $x + x/5 = 6/5\,x$

प्रश्नानुसार, $6/5x$ = ₹900

$X = (900 \times 5) / 6$ = ₹750

68. (c)

कथन I: यदि A और B की गति का अनुपात a:b है, तो समान दूरी को तय करने में लिए गए समय का अनुपात b:a होगा।

कथन II: मान लीजिए दो व्यक्ति समान दिशा में क्रमश: u m/s और v m/s पर गति से जा रहे हैं, जहां $u > v$ है, तो उनकी सापेक्षिक गति $(u + v)m/s$ होगी।

किसी दूरी को तय करने में लिया गया समय सदैव उसकी गति के व्युत्क्रमानुपाती (inversely proportional या reciprocal) होता है। यहां हम बेहतर समझ के लिए सापेक्ष गति की अवधारणा पर चर्चा कर रहे हैं।

सापेक्ष गति को किसी अन्य के संबंध में गतिमान वस्तु की गति के रूप में परिभाषित किया गया है। जब दो वस्तुएं एक ही दिशा में गतिमान होती हैं, तो सापेक्ष गति की गणना उनके अंतर के रूप में की जाती है। जब दो वस्तुएं विपरीत दिशाओं में गतिमान होती हैं, तो दो गतियों को जोड़कर सापेक्ष गति की गणना की जाती है। इसलिए उपरोक्त कथन II असत्य है क्योंकि दोनों व्यक्तियों की सापेक्षिक गति को जोड़ा गया है। इसके विपरीत, जब दो वस्तुएं एक ही दिशा में गति करती हैं, तो गति घटाई जाती है ।

69. (a)

यह एक प्रत्यक्ष प्रश्न है। हम इस व्यंजक को भाग विधि की सहायता से हल करके सही उत्तर प्राप्त कर सकते हैं।

A: $35/0.07 = 35 \times \frac{100}{7} = 500$

B: $25/0.0005 = 25 \times \frac{10000}{5} = 50000$

C: $136.09/43.9 = 3.1$

अत: $B > A > C$ सही उत्तर है।

70. (d)

यह एक प्रत्यक्ष प्रश्न है। आइए, पहले हम यह समझते हैं कि अभाज्य और अभाज्य संख्याएं किसे कहते हैं।

भाज्य संख्याएं (Prime numbers): वे संख्याएं, जिनमें कम से कम दो या दो से अधिक गुणनखंड (divisible) हों, भाज्य संख्याएं कहलाती हैं। इसमें 8, 10, 12, 25, 20 आदि सम्मिलित हैं।

अभाज्य संख्याएं (Non–Prime numbers): वे प्राकृतिक संख्याएं जो केवल 1 और स्वयं से ही विभाज्य (divisible) होती हैं। कुछ अभाज्य संख्याओं में 2, 3, 5, 7, 11, 13, आदि आते हैं। याद रखें, कि 1 न तो अभाज्य है और न ही भाज्य है ।

दिए गए प्रश्न के अनुसार 21 और 15 अभाज्य संख्याएं हैं और 11, 13 और 19 अभाज्य संख्याएं हैं, जो 1 और स्वयं से विभाज्य हैं।

71. (d)

हम श्रृंखला पर आधारित प्रश्नों को जोड़ या घटाव (addition or substraction) और गुणा या भाग विधि (multiplication or division) से सरलता से हल कर सकते हैं। यदि दो श्रृंखलाओं के मध्य अंतर छोटा है, तो हम जोड़ या घटाव विधि का उपयोग करते हैं। यदि हमें दो श्रृंखलाओं के मध्य अधिक बड़ा अंतर मिलता है, तो केवल उस स्थिति में ही गुणन विधि का उपयोग करें।

इस प्रश्न में, यदि हम श्रृंखला के अंतिम तत्व से आरंभ करें, तो 24 और 14 के मध्य 10 का अंतर है और श्रृंखला में अगले तत्व (44–24) में 20 का अंतर है। और इसी प्रकार हम जब श्रृंखला में आगे बढ़ते हैं, तो 40 का अंतर प्राप्त होगा यानी यहां पर प्रत्येक अंतर को 2 से गुणा किया गया है।

अत: हम पाते हैं, कि असंगत संख्या 328 होगी।

वैकल्पिक रूप में प्रश्न का हल पाने के लिए:

यहाँ हम दाहिना हाथ से क्रमश: गणना शुरू कर रहे हैं।

पहली संख्या = 14

दूसरी संख्या = $14 \times 2 - 4 = 24$

तीसरी संख्या = $24 \times 2 - 4 = 44$

चौथी संख्या = $44 \times 2 - 4 = 84$

इसी प्रकार बाकी की संख्याएं, $84 \times 2 - 4 = 164$; $164 \times 2 - 4 = 324$ और $324 \times 2 - 4 = 624$ बनती हैं, इसलिए, (d) सही उत्तर है जहाँ यह असंगत संख्या आती है।

72. (d)

मोबाइल फोन का विक्रय मूल्य = ₹1950

हानि = 25%

हम जानते हैं कि,

$$\text{S.P.} = \frac{(100 - \text{हानि}\%)}{100} \times \text{C.P}$$

$$1950 = \frac{(100 - 25\%)}{100} \times \text{C.P}$$

$$1950 = \frac{75}{100} \times \text{C.P}$$

C.P = ₹2600

अत: मोबाइल फोन का क्रय मूल्य ₹2600 है।

यदि कविता मोबाइल फोन पर 30% का लाभ प्राप्त करना चाहती है। तो विक्रय मूल्य (S.P.)

$$\text{S.P.} = \frac{(100 + \text{लाभ}\%)}{100} \times \text{C.P}$$

$$= \frac{(100 + 30\%)}{100} \times 2600$$

S.P = ₹3380

73. (b)

यदि HEART को SQPMZ लिखा जाता है, तो EARTH को उसी कोड में इस प्रकार लिखा जा सकता है:

इस कोडिंग में, H = S, E = Q, A = P, R = M और T = Z के रूप में दर्शाया गया है।

उसी प्रकार, EARTH में भी HEART के समान अक्षर हैं, इसलिए कोडिंग वही रहेगी। यहां केवल अक्षरों में फेरबदल की गई है। इस लिए, EARTH को QPMZS के रूप में लिखा जा सकता है।

74. (d)

10	K	L	13
15	P	Q	18
19	T	U	22
23	X	Y	26

75. **(c)**

घन की भुजा = 10 सेमी

घन का आयतन = (भुजा)^3 = 1000 सेमी^{3}

प्रश्नानुसार, घन की नई भुजा = $10 \times \frac{100 + 1}{100}$ = 10.1 सेमी

घन का नया आयतन = (भुजा)^3 = $(10.1)^3$ सेमी^{3} = 1030.30 सेमी^{3}

आयतन में प्रतिशत वृद्धि = $\frac{1030.30 - 1000}{1000} \times 100 = 3\%$

76. **(b)**

यहाँ पर प्रश्न का हल दो चरणों में निकाला गया है, पहले दो प्रतिशत संज्ञान में लिए जाते हैं, और फिर उनके उत्तर का तीसरे दिए गए प्रतिशत से संयोजन किया जाता है, ताकि हम वांछित उत्तर निकाल पाएं।

यहाँ हम शॉर्टकट के निम्न फार्मूला का उपयोग करेंगे:

$\frac{X + Y + XY}{100}$

प्रश्नानुसार, 8% और 10% के समतुल्य छूट

$= (-8) + (-10) + \frac{(-8) \times (-10)}{100} = -17.2\%$

अब −17.2% और −12% के समतुल्य छूट

$= -17.2 + (-12) + \frac{(-17.2) \times (-12)}{100} = -27.136\%$

77. **(a)**

माना घनात्मक पूर्णांक = x

प्रश्नानुसार, $20x = x^2 - 96 \Rightarrow x^2 - 20x - 96 = 0$

$\Rightarrow (x - 24)(x + 4) = 0 \Rightarrow x = 24$

78. **(a)**

मान लीजिए, जीवाणु की संख्या = 100

प्रश्नानुसार, जीवाणु जनसंख्या में वार्षिक वृद्धि की दर = 4%

किसी कारणवश जनसंख्या में अतिरिक्त वृद्धि = 1%

अत: कुल वृद्धि = 5%

दो वर्ष के बाद प्रतिशत वृद्धि = $5 + 5 + \frac{(5 \times 5)}{100} = 10.25\%$

79. **(a)**

(a). दूरी = 600 मीटर = 0.600 किमी

समय = 5 मिनट = 5/60 घंटा

गति = दूरी / समय

= 0.600/60 × 5 = 36/5 = 7.2 किमी/घंटा

इस प्रकार, कथन। सत्य है।

(b)

X(2/15) + X (9/20) + 10 = 24

2X/15 + 9X/20 + 10 = 24

8X + 27 X / 60 + 10 = 24

35X/60 = 14

X = 14 × 60/35 = 24

इस प्रकार, कथन II सत्य है।

(c) अनीता 8 दिनों में एक कार्य पूरा कर सकती है। वह एक दिन में 1/8 पूरा कर सकती है। इस प्रकार, कथन III असत्य है।

80. **(d)**

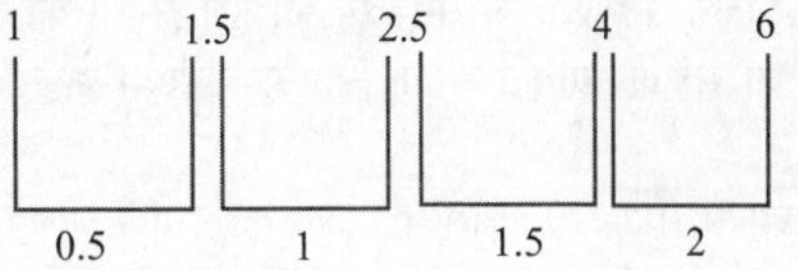

81. **(a)**

माना X, दोपहर से पूर्व के मिनट को दर्शाता है:

12:00 − X − 48 = 9:00 + 3X

12: 00 − 9: 00 − 48 = 4X

3:00 − 48 = 4X

अब, 3 घंटो को मिनटों में परिवर्तित करने पर

180 − 48 = 4X

X = 33

अत:, अभी दोपहर के 12 बजने में 33 मिनट कम है, यदि 48 मिनट पूर्व सुबह 9 बजे के बाद इसकी सुई 3X मिनट पर थी।

82. **(d)**

विभाज्यता के नियम (Divisibility rules):

अंक 1: प्रत्येक संख्या 1 से विभाज्य होती है।

अंक 2: यदि कोई संख्या सम है या एक संख्या जिसका अंतिम अंक एक सम संख्या है यानी 0 सहित 2,4,6,8 है, तो यह हमेशा 2 से पूर्णत: विभाज्य होती है।

अंक 3: एक संख्या 3 से पूर्णत: विभाज्य होती है यदि उसके सभी अंकों का योग 3 से विभाज्य हो।

अंक 4: यदि किसी संख्या के अंतिम दो अंक 4 से विभाज्य हैं, तो वह संख्या 4 का गुणज है और 4 से पूर्णत: विभाज्य है।

अंक 5: वे संख्याएँ, जो अंकों के साथ अंतिम होती हैं, 0 या 5 हमेशा 5 से विभाज्य होती हैं।

अंक 6: वे संख्याएँ जो 2 और 3 दोनों से विभाज्य हैं, 6 से विभाज्य हैं। यानी, यदि दी गई संख्या का अंतिम अंक सम है और उसके अंकों का योग 3 का गुणज है, तो दी गई संख्या भी 6 की गुणज है

अंक 8: यदि किसी संख्या के अंतिम तीन अंक 8 से विभाज्य हों, तो वह संख्या 8 से पूर्णत: विभाज्य होती है।

अंक 9: 9 से विभाज्यता का नियम 3 के विभाज्यता नियम के समान है। यानी यदि किसी संख्या के अंकों का योग 9 से विभाज्य हो, तो संख्या स्वयं 9 से विभाज्य होती है।

अंक 10: 10 के लिए विभाज्यता नियम कहता है कि कोई भी संख्या जिसका अंतिम अंक 0 है, 10 से विभाज्य है।

अंक 11: यदि किसी संख्या के वैकल्पिक अंकों के योग का अंतर 11 से विभाज्य हो तो वह संख्या 11 से पूर्णत: विभाज्य होती है।

अंक 12: एक संख्या 12 से विभाज्य होती है यदि संख्या 3 और 4 दोनों से विभाज्य है।

83. (d)

संख्या 89325324 संख्या 66 से पूर्ण रूप से विभाज्य है। यह एक प्रत्यक्ष प्रश्न है, प्रत्यक्ष भाग विधि से सही उत्तर प्राप्त किया जा सकता है। इस प्रकार, कथन । सत्य है।

कथन **II**, प्राकृत संख्याओं के समुच्चय को पूर्ण संख्या का समुच्चय नहीं कहा जा सकता। प्राकृत संख्या और पूर्ण संख्या के मध्य अंतर इस प्रकार है:

प्राकृत संख्याओं में 1 से अनंत (∞) तक के सभी धनात्मक पूर्णांक सम्मिलित होते हैं और इनका उपयोग गिनती के उद्देश्य से भी किया जाता है। प्राकृत संख्याओं के समुच्चय को 'N' अक्षर द्वारा निरूपित किया जाता है।

पूर्ण संख्याओं में संख्या 0 सहित सभी प्राकृत संख्याएं सम्मिलित होती हैं। दूसरे शब्दों में, सभी प्राकृत संख्याएं पूर्ण संख्याएं होती हैं, लेकिन सभी पूर्ण संख्याएं प्राकृत संख्याएं नहीं होती हैं।

प्राकृत संख्याएं (Natural Numbers) = 61,2,3,4,5,6,7,8, 9...8

पूर्ण संख्याएं (Whole Numbers) = 60,1,2,3,4,5,7,8, 9...8

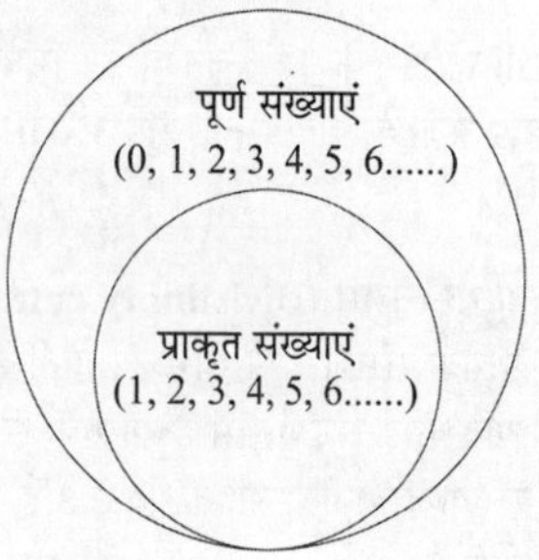

84. (d)

प्रश्नानुसार, विक्रय मूल्य = 24

छूट = 20%

सूची (या क्रय) मूल्य = 100/(100 −% छूट) × विक्रय मूल्य

इसलिए, सूची (या क्रय) मूल्य = [100 / (100 − 20] × 24

= (100 / 80) × 24 = 30

यदि ₹30 के सूची मूल्य पर 30% की छूट दी जाए, तो ₹ में छूट = 30 × 30/100 = 9

विक्रय मूल्य = ₹30 − ₹9 = 27

85. (c)

(a) यदि A की चाल/गति B की चाल से अधिक है, तो उसी दूरी की यात्रा करने के लिए, A को B से कम समय लगेगा।

(b) इस कथन में चाल को भिन्न-भिन्न इकाइयों में दिया गया है।

हम यहां 90 किमी/घंटा को मीटर प्रति मिनट में परिवर्तित कर रहे हैं।

चाल = 90 किमी/घंटा = 90000 मीटर / 60 मिनट = 1500 मीटर / मिनट

इस प्रकार, यह निष्कर्ष निकाला जा सकता है कि दो चालें 1500 मीटर/मिनट और 90 किमी/घंटा समान हैं। अत: कथन B सत्य है।

(c) चाल = 18 किमी/घंटा = 18 × 5/18 = 5 मीटर/सेकंड

समय = 2 मिनट 30 सेकंड = 150 सेकंड

दूरी = गति × समय

= 5 × 150 = 750 मीटर

इस प्रकार, 18 किमी/घंटा की गति से चलने पर, 2 मिनट और 30 सेकंड में तय की गई दूरी 750 मीटर है। अत: कथन c सत्य है।

86. (a)

यह एक प्रत्यक्ष प्रश्न है। इसे तर्क की सहायता से सरलता से हल किया जा सकता है।

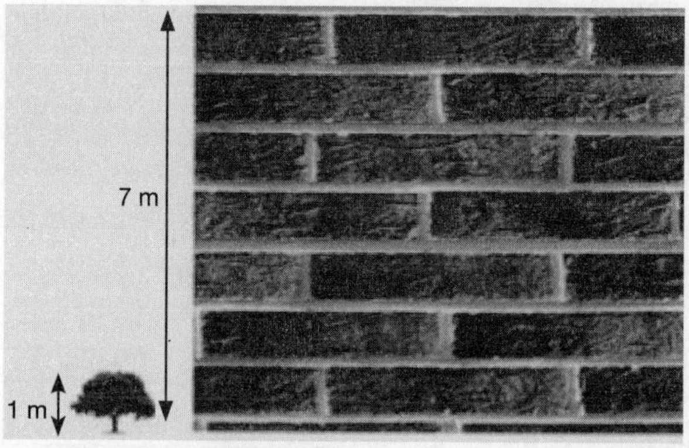

माना पेड़ की ऊंचाई = X मीटर

दीवार की ऊँचाई = 7X मीटर

प्रश्नानुसार:

7X − 1 X = 6 मीटर

6 X = 6 मीटर

X = 1 मीटर

87. (c)

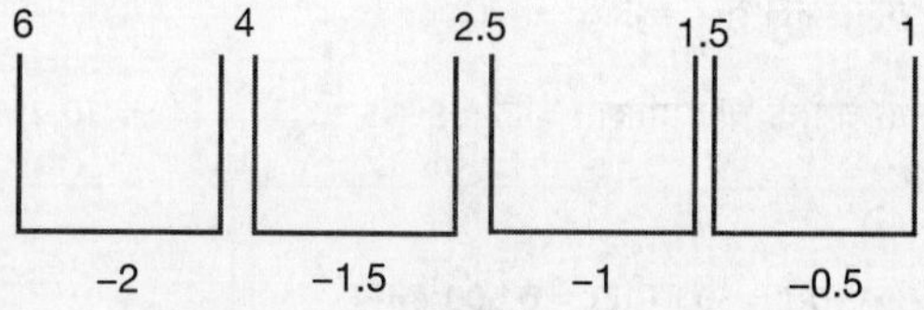

88. (c)

माना मोबाइल फोन का लागत मूल्य = 3

लाभ = 25%

मोबाइल फोन का विक्रय मूल्य = 8000

विक्रय मूल्य =(लागत मूल्य (100 + लाभ %))/100

8000 = (x (100 + 25))/100

x = 8000 × 100/125 = 6400

इस प्रकार, मोबाइल फोन का लागत मूल्य 6400 है।

89. (d)

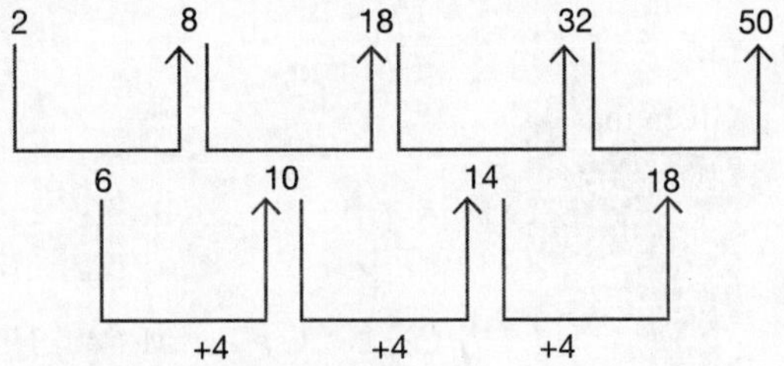

अत: श्रृंखला का अगला पद X होगा।

90. (b)

प्रश्नानुसार, X और Y के मध्य संबंध; Y = X2

माना X = 10, अत: $Y = (10)^2 = 100$

X में 6% का परिवर्तन होने पर,

X = 10 + 10 × 6/100 = 10 + 0.6 = 10.6

$Y = 100 + (10.6)^2 = 112.36$

Y में प्रतिशत परिवर्तन = 112.36 – 100/100 × 100 = 12.36%

91. (c)

कुल दूरी = 120 किमी

औसत गति = कुल दूरी / कुल समय

समय = 40/50 + 80/60 = 240 + 400/300 = 640/300 कि.मी/घंटा

अत: औसत गति = 120 × 300/640 = 56.25 कि.मी/घंटा

92. (b)

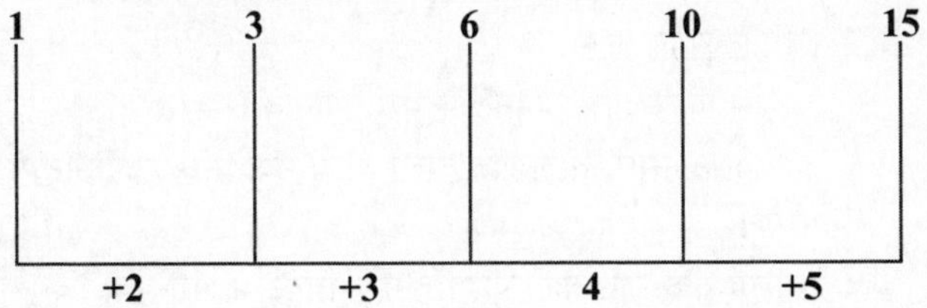

93. **(a)**

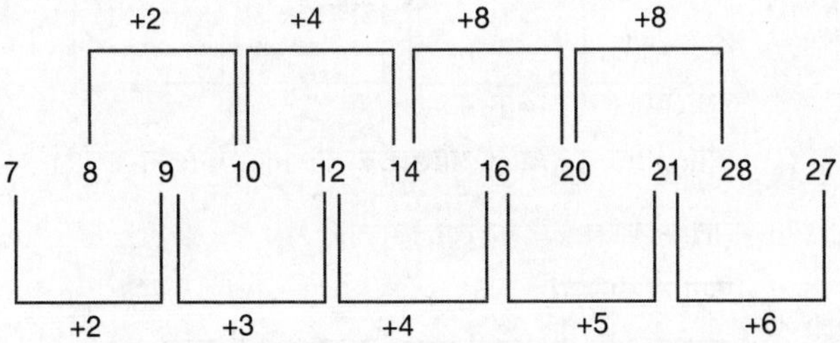

94. **(c)**

प्रश्नानुसार, Y और Z की आयु का योग 36 वर्ष है।

प्रश्नानुसार,

Y – X = X – Z

2X = Y + Z

2X = 36

$X = (\frac{36}{2}) = 18$ वर्ष

95. **(a)**

दो व्यक्तियों की गति 3 km/h $= 3 \times \frac{5}{18} = \frac{5}{6}$ m/s और 6 km/hr

$= 6 \times \frac{5}{18} = \frac{5}{3}$ m/s

माना ट्रेन की गति x m/s है। तो, सापेक्ष गति $\left(x - \frac{5}{6}\right)$ m/s और $\left(x - \frac{5}{3}\right)$ m/s हैं।

ट्रेन की लंबाई = सापेक्ष गति × व्यक्तियों को पार करने में लिया गया समय।

ट्रेन की लंबाई $= \left(x - \frac{5}{6}\right) \times 9 = \left(x - \frac{5}{3}\right) \times 10$

$x = \frac{50}{3} - \frac{45}{6} = \frac{100-45}{6} = \frac{55}{6}$ m/s

ट्रेन की गति = 55/6 × 18/5 = 33 km/h

96. **(c)**

कथन I: हम जानते हैं कि एक घड़ी 60 मिनट में 360° की दूरी तय करती है।

1 मिनट = 360/60 = 6°

और घड़ी की एक घंटे की सुई 12 घंटे में 360° की दूरी तय करती है

1 घंटा = 360 /12 = 30°

4 बजे घंटे की सुई 120° और मिनट की सुई 0° को कवर करती है।

माना कि x मिनट के पश्चात दोनों सुइयां संपाती होंगी।

तो, घंटे की सुई 120° + x/2 मिनट और मिनट की सुई उस समय तक 6x को कवर करती है।

120 + x/2 = 6 3

6x – x/2 = 120

12x – x/2 = 120

11x = 240

x = 240/11 = 21.81 मिनट।

4 और 5 के मध्य, घड़ी की मिनट की सुई और घंटे की सुई 4 बजकर 21.81 मिनट पर मिलती है। इस प्रकार, कथन – सत्य है।

कथन II: हम जानते हैं कि मिनट की सुई द्वारा 5 मिनट में तय की गई दूरी = 30°

अत: 1 मिनट का कोणीय मान = 6°

मिनट और घंटे की सुई द्वारा 4:40 पर बनाया गया कोण = 6 × 40 = 240°

इस प्रकार, कथन II असत्य है।

97. **(b)**

कथन A: यदि A का वेतन B से 20% अधिक है, तो B का वेतन A से 20% कम है।

माना B का वेतन = ₹100

A का वेतन = 100 + 100 × 20/100 = 100 + 20 = ₹120

A और B के वेतन के बीच का अंतर = 120 – 100 = ₹20

% अंतर = (20/120) × 100 = 16.66%। अत: कथन A असत्य है।

कथन B: मान लीजिए 1 पेन का विक्रय मूल्य = ₹1

अत: 28 पेनों का विक्रय मूल्य = ₹28

लाभ = 4 कलमों का विक्रय मूल्य = ₹4

28 कलमों का क्रय मूल्य = विक्रय मूल्य – लाभ = 28 – 4 = ₹24

लाभ% = 4/28 × 100 = 14.28%। इस प्रकार, कथन II असत्य है।

कथन C: प्राकृत संख्याएं वे संख्याएं हैं जिनका उपयोग गिनती और क्रम के लिए किया जाता है। इसमें सभी सकारात्मक पूर्णांक सम्मिलित हैं जो 1 से आरंभ होते हैं और अनंत पर समाप्त होते हैं। 1 से आरंभ कर N क्रमागत/सतत प्राकृत संख्याओं का औसत (N+1)/2 है। अत: केवल कथन C सत्य है।

98. **(c)**

आदर्श पवन चक्की का विद्युत उत्पादन पवन गति के घन के समानुपाती होता है।

पवन गति 4 मी./से. पर विद्युत उत्पादन = 64

पवन गति 5 मी/से पर विद्युत उत्पादन = 125

अभीष्ट गुणक = $\frac{125}{64}$ = ~2

99. **(d)**

माना मूल राशि = ₹x

प्रशानुसार, $x - \left(\frac{35}{100}x + \frac{1}{20}x\right) = 1500$

$\Rightarrow x - \frac{7}{20}x - \frac{1}{20}x = 1500 \Rightarrow x =$ ₹2500

100. (d)

4 6 12 14 28 30....

दोनों को पहली संख्या में जोड़ा जाता है, फिर हमें एक परिणाम संख्या मिलती है और फिर उस संख्या को दो से गुणा किया जाता है–

4 + 2 = 6

6 × 2 = 12

12 + 2 = 14

14 × 2 = 28

28 + 2 = 30

30 × 2 = 60

101. (a)

Given that

वास्तविक शब्द	O	A	M	S	N	E	I	P	C
परिवर्तित शब्द	E	C	I	O	P	M	A	N	S

तदनुसार

दत्त शब्द	C	O	M	P	A	N	I	O	N
कोडिड शब्द	S	E	I	N	C	P	A	E	P

इस प्रकार, (a) सही उत्तर है।

102. (a)

इसका अर्थ यह है कि कक्षा में आशमन से नीचे रैंक वाले 15 छात्र हैं, और आशमन का सोलहवां स्थान है।

कक्षा में उसकी स्थिति को ध्यान में रखते हुए, कक्षा में आशमन से 27 छात्र ऊपर हैं, जो कि हमें 43–16 से प्राप्त होते हैं। इस प्रकार आशमन का ऊपर से नीचे आते हुए स्थान कक्षा में 28 वां है।

103. (c)

हम यह मान कर चल रहे हैं कि धीमी गति वाला पाइप टैंक को x मिनट में भरेगा।

तब इस पाइप द्वारा 1 मिनट में भरा गया टैंक = $1/x$

प्रश्न के अनुसार, तीव्र गति वाली पाइप टैंक को $x/3$ मिनट में भरेगा।

इसलिए तीव्र गति वाले पाइप द्वारा 1 मिनट में भरा गया टैंक = $1/x/3 = 3/x$

प्रश्न के अनुसार, $1/x + 3/x = 1/36$

$4/x = 1/36$

इसलिए, $x = 144$ मिनट

अत: धीमी गति वाला पाइप टैंक को 144 मिनट में भरेगा।

104. (d)

प्रश्न के अनुसार

40 पेन का क्रय मूल्य = 36 पेन का अंकित मूल्य

माना 40 पेन का क्रय मूल्य = 36 कलमों का पेन मूल्य = 36 रुपये

विभिन्न भागों को अलग करने पर

40 पेन का क्रय मूल्य = रु 36

36 पेन का अंकित मूल्य = रु 36

40 पेन का अंकित मूल्य = रु 40

अंकित मूल्य पर छूट 1% है।

छूट = 40 रुपये का 1% = 40 पैसे

विक्रय मूल्य = रु 40-40 पैसे = रु 39.60

लाभ की गणना सदैव क्रय मूल्य पर की जाती है I

अत: लाभ = रु 39.60 - रु 36 = रु 3.60

लाभ प्रतिशत = 3.60/36 × 100 = 10%

105. (b)

'पत्तियां हरी हैं' और 'हरा रंग अच्छा है' को 467 और 485 द्वारा कोडित किया गया है। हरा रंग शब्द दोनों वाक्यों में है और इसलिए उसका कोड 4 है।

इस प्रकार, 'हरा रंग' को 4.........(1) द्वारा दर्शाया गया है

इसी तरह, 'पत्तियां हरी हैं' और 'वे खेल रहे हैं' को 467 और 639 द्वारा कोडित किया गया है, इनमें 'हैं' शब्द सामान्य है, जिनको कोड 6 से दर्शाया गया हैं। ....(2)

(1) और (2) की तुलना करने पर हम कह सकते हैं कि पत्तियाँ 7 से इंगित होती हैं।

अत: (b) सही उत्तर है।

106. (b)

माना विद्यार्थियों की मूल संख्या = X

औसत आयु = कुल आयु / छात्रों की संख्या

मूल रूप से कुल आयु = 15X वर्ष

नई कुल आयु = 15X + 5(12.5) = 15X + 62.5 वर्ष = 15X + 125/2

विद्यार्थियों की नई संख्या = X + 5

नई औसत आयु = 15 वर्ष-अर्ध वर्ष = 14.5 वर्ष

= 29/2 वर्ष = (15X + 125/2)/(X + 5)

= 29/2 (X + 5) = 15X + 125/2

= 29X + 145 = 30X + 125

= 30X - 29X = 145–125

इसलिए, X = 145–125 = 20

इस प्रकार, छात्रों की मूल संख्या 20 थी।

अत: (b) सही उत्तर है।

107. (a)

हम यहां इस सूत्र का उपयोग करेंगे: $N^3 + 1$ जहाँ N = 1, 2, 3, 4, ...

$1^3 + 1 = 2$

$2^3 + 2 = 10$

$3^3 + 3 = 30$

$4^3 + 4 = 68$

$5^3 + 5 = 130$

$6^3 + 6 = 222$

$7^3 + 7 = 350$

इस प्रकार, (a) सही उत्तर है।

108. (b)

माना वृक्ष A पर पक्षियों की संख्या = A

तथा वृक्ष B पर पक्षियों की संख्या = B

पहली स्थिति में-यदि दो पक्षी B से A की ओर जाते हैं, तो A और B पर पक्षी बराबर होंगे।

B – 2 = A + 2

A – B = – 4 ......(1)

दूसरी स्थिति में-यदि 2 पक्षी A से B में स्थानांतरित होते हैं, तो B पर पक्षी A की तुलना में दोगुने होंगे। यहाँ, हम A पर पक्षियों को दोगुना कर रहे हैं ताकि A और B दोनों समान हों।

2(A – 2) = B + 2

2A – 4 = B + 2

2A – B = 2 + 4 = 6

2A – B = 6 ......(2)

अब हम समीकरण 1 से 2 को घटाएंगे

A – B – (2A – B) = – 4 – 6

–1A = –10

A = 10

समीकरण (1) में A = 10 रखने पर

10 – B = –4

–B = –4 – 10

B = 14

अब, A = 10, B = 14, इस प्रकार (B) सही उत्तर है।

मूल्यों को जोड़कर और घटाकर प्रश्न को उत्तर विकल्पों से सीधे भी हल किया जा सकता है।

109. **(d):** मान लीजिए कि कुल फल भंडार = 100

पहला दिन और रात

पहले दिन बेचे गए फलों की संख्या = 50%

शाम को बचे हुए फल = 100 - 50 = 50

पहली रात में बर्बाद होने वाले फल = 50 का 10% = 5

इस प्रकार, पहले दिन की कथा 50 + 5 = 55 फलों के साथ समाप्त होती है।

दूसरा दिन और रात

सुबह में फलों की संख्या = 100 - 55 = 45

दूसरे दिन बेचे गए फलों की संख्या = 45 का 50% = 22.5

शाम को बचे फलों की संख्या = 45 - 22.5 = 22.5

दूसरी रात के दौरान नष्ट किए गए फल = 22.5 का 10% = 2.25
दूसरे दिन के दौरान बेचे और बर्बाद हो गए फलों की कुल संख्या = 22.5 + 2.25 = 24.75
तीसरे दिन और रात को सुबह बेचे जाने वाले फलों की संख्या = 100 −(55 + 24.75) = 20.25
बेचे गए फल = 20.25 का 50% = 10.125
बर्बाद किए गए फल = 10.125 का 10% = 1.0125
तीन दिनों के बाद के बाद की स्थिति
कुल बर्बाद फल = 5 + 2.25 + 1.0125 = 7.26 8.2625%
वास्तव में कुल फल = 1983
कुल वास्तविक फल = 1983 × 100/8.2625 = 24000
अत: (d) सही उत्तर है।

110. (a)

हम मान सकते हैं कि साधारण ब्याज (Simple Interest) = SI तथा चक्रवृद्धि ब्याज (Compound Interest) = CI
आइए मान लें, कुल मूलधन (SI और CI – दोनों के लिए) = ₹100
ब्याज दर = 5%, समय अवधि = 2 वर्ष
SI और CI के लिए प्रथम वर्ष में पूर्ण ब्याज राशि ₹5 है, दोनों प्रथम वर्ष के लिए समान हैं।
अंतर दूसरे वर्ष के दौरान ब्याज के कारण आता है।
SI गणना के लिए मूल राशि 100 + 5 = ₹105
दूसरे वर्ष के लिए, CI और SI के बीच का अंतर = 105 × 5 × 1/100 = ₹5.25
दूसरे वर्ष के लिए SI = ₹5 रुपये
इस प्रकार, अंतर = 5.25 − 5 = ₹0.25
यदि अंतर ₹0.25 है, तो मूल राशि = ₹100
यदि अंतर ₹11.25 है, तो मूल राशि = 100/.25 × 11.25 = ₹4,500

111. (d):

हमें उच्चतम मूल्य की गणना करने की आवश्यकता है:
$X^2 = 10 \times 10 = 100$, $y^2 = 0.1 \times 0.1 = .01 = 1/100$
अब उन्हें विकल्पों में फिट करें
(a) 100 × 1/100 = 1
(b) 100 − .01 = 99.99
(c) 100 + .01 = 100.01
(d) 100/1/100 = 100 × 100 = 10000
अत: (d) सही उत्तर है।

112. (d): सर्वप्रथम हम 'Tour', 'Screw', तथा 'Tear' कूटों का उपयोग करेंगे:

T	O	U	R
4	1	5	6

S	C	R	E	W
7	3	6	9	8

T	E	A	R
4	9	2	6

उपरोक्त कूटन करने के बाद हम SWEATER का कूट प्राप्त करेंगे:

S	W	E	A	T	E	R
7	8	9	2	4	9	6

अत: (d) सही उत्तर है।

113. (c): हम यहाँ 5 को प्रथम संख्या मान कर चलेंगे:
$5 + 2^1 = 7; 7 + 2^2 = 11; 11 + 2^3 = 19;$
$19 + 2^4 = 35; 35 + 2^5 = 67; 67 + 2^6 = 131$
अत: (c) सही उत्तर है।

114. (a): ATQ, हम 2021 के लिए बचत की गणना करेंगे, फिर अंतर लेंगे और प्रतिशत वृद्धि की गणना करेंगे।
बचत = आय – व्यय
2020 में बचत = 2020 में आय – 2020 में व्यय = 65,000 – 45,000 = ₹20,000
2021 में आय (2020 की तुलना में 15% वृद्धि के साथ) = 100 + 15% = ₹115
2021 में 15% की वृद्धि के साथ वास्तविक आय = (100 + 15)/100 × 65000 = ₹74,750
इसी तरह, 2021 में व्यय = (100 + 7)/100 × 45,000 = ₹48,150
2021 में बचत = 74,750 – 48,150 = ₹26,600
बचत में अंतर = 26,600 – 20,000 = ₹6,600
अब, बचत में प्रतिशत वृद्धि = अंतर / (2020 में बचत) × 100
प्रतिशत वृद्धि = (6,600/20,000) × 100 ≈ 33%
अत:, (a) उत्तर है।

115. (b): हमें विपरीत ढंग से प्रश्न के समाधान की ओर बढ़ने की आवश्यकता है – तीसरी संख्या से पहले निपटना है।
तीसरी संख्या 2960 है, इसलिए दूसरी संख्या = 2960 का 1/4 = 740 है।

प्रथम संख्या का 5/9 = 740 का 25% = 185

पहली संख्या = 185 × 9/5 = 333

पहली संख्या का 30% = 333 का 30% = 99.9

116. (b): मान लीजिए कि सेवा निवृति उपदान की राशि = ₹300 है, ₹300 का यह आंकड़ा लिया गया है क्योंकि गणना के लिए यह आसान है। (हम कोई भी आंकड़ा ले सकते हैं जैसे कि 'X' या ₹1 भी)

पहला भाग = 300 का 1/3 = ₹100

1 भाग पर रिटर्न = 100 का 6% = ₹6

दूसरा भाग = उपदान का 1/4 भाग 300 का 1/4 = ₹75

इस उपदान पर प्राप्ति = ₹75 का 7% = ₹5.25

शेष तीसरा भाग = ₹300 – (100 + 75) = ₹125

शेष तीसरे भाग पर ब्याज की प्राप्ति = 125 का 8% = ₹10

इस प्रकार, निवेश पर कुल प्राप्ति = 6 + 5.25 + 10 = ₹21.25

यदि वास्तविक प्राप्ति 7012.5 रुपये है, तो कुल उपदान = 300/21.25 × 7012.5 = ₹99,000

117. (c)

C	H	E	A	T	E	R
+2	+2	+2	+2	+2	+2	+2
E	J	G	C	V	G	T

इसी प्रकार

P	R	E	A	C	H	E	R
+2	+2	+2	+2	+2	+2	+2	+2
R	T	G	C	E	J	G	T

इस प्रकार, सही विकल्प (c) है।

118. (d): श्रृंखला 7, 10, 19, 46, 127 लगातार संख्याओं के बीच अंतर में एक पैटर्न का अनुसरण करती है। ये अंतर 3, 9, 27 और 81 हैं जो वास्तव में 3 के गुणक हैं, विशेष रूप से 3^1, 3^2, 3^3, 3^4 और अंत में 3^5 जो 243 है।

अत: उत्तर 127 + 243 = 370 है।

अध्याय

6 युक्तियुक्त तर्क

सीखने के उद्देश्य

- युक्ति के ढाँचे का बोध: युक्ति के रूप, निरुपाधिक तर्कवाक्य का ढांचा, अवस्था और आकृति, औपचारिक एवं अनौपचारिक युक्ति दोष, भाषा का प्रयोग, शब्दों का लक्ष्यार्थ और वस्तवर्थ, विरोध का परंपरागत वर्ग
- युक्ति के प्रकार: निगमनात्मक और आगमनात्मक युक्ति का मूल्यांकन और विशिष्टीकरण
- अनुरूपताएं
- वेन का आरेख: तर्क की वैधता सुनिश्चित करने के लिए वेन आरेख का सरल और बहुप्रयोग
- भारतीय तर्कशास्त्र: ज्ञान के साधन
- प्रमाण: प्रत्यक्ष, अनुमान, उपमान, शब्द अर्थापत्ति और अनुपलब्धि
- अनुमान की संरचना, प्रकार, व्याप्ति, हेत्वाभास

1. प्रज्ञा की श्रेष्ठता किसी एक विषय के बारे में उसकी एकाग्रता शक्ति पर उसी प्रकार निर्भर करती है जिस प्रकार कॉनकेव दर्पण उस पर पड़ने वाली सभी किरणों को एक बिन्दु पर संग्रहित करता है। उपरोक्त कथन में किस प्रकार का तर्क निहित है? **[Jul 2018]**

(a) गणितीय (b) मनोवैज्ञानिक

(c) सादृश्यात्मक (d) निगमनात्मक

2. नीचे दो आधार वाक्य (A और B) दिए गए हैं। इनसे चार निष्कर्ष निकाले गए हैं। उस कूट का चयन कीजिए, जो वैध रूप में निगमित निष्कर्ष को दर्शाता है (आधार वाक्यों को व्यक्तिगत और संयुक्त रूप से लेकर)। **[Jul 2018]**

आधार वाक्य :

(A) अधिकांश नर्तक शारीरिक रूप से फिट हैं।

(B) अधिकांश गायक नर्तक हैं।

निष्कर्ष :

(1) अधिकांश गायक शारीरिक रूप से फिट हैं।

(2) अधिकांश नर्तक गायक हैं।

(3) अधिकांश शारीरिक रूप से फिट व्यक्ति नर्तक हैं।

(4) अधिकांश शारीरिक रूप से फिट व्यक्ति गायक हैं।

(a) (1) और (2) (b) (2) और (3)

(c) (3) और (4) (d) (4) और (1)

3. निम्नलिखित में से कौनसा आगमनात्मक तर्क में पूर्व-कल्पित है? **[Jul 2018]**

(a) सर्वसमिका का नियम (b) प्रकृति में अपरिवर्तनीयता

(c) प्रकृति में सामंजस्य (d) प्रकृति की समरूपता

4. 'पालतू पशु कम खूंखार होते हैं', यदि इस प्रतिज्ञप्ति को असत्य मान लिया जाता है, तो निम्नलिखित में से किस वाक्य / आधार वाक्यों को निश्चित रूप से सत्य मानने का दावा किया जा सकता है? सही कूट का चयन कीजिए : **[Jul 2018]**

आधार वाक्य :

(1) सभी पालतू पशु खूंखार होते हैं।

(2) अधिकांश पालतू पशु खूंखार होते हैं।

(3) कोई भी पालतू पशु खूंखार नहीं होता है।

(4) कुछ पालतू पशु खूंखार नहीं होते हैं।

(a) (1) और (2) (b) केवल (1)

(c) (3) और (4) (d) केवल (2)

5. निम्नलिखित में से कौनसा कथन वेन चित्र विधि के संदर्भ में सही नहीं है? **[Jul 2018]**

(a) यह तर्कों की वैधता के परीक्षण की एक विधि है।

(b) यह एक चित्र में न्याय वाक्य के दोनों आधार वाक्यों को प्रदर्शित करती है।

(c) इसमें निरपेक्ष न्याय वाक्य के मानक रूप के दो आधार वाक्यों के लिये परस्पर व्याप्त दो वृत्तों की आवश्यकता होती है। इसका वर्गों के अलावा आधार वाक्यों को प्रदर्शित करने के लिए उपयोग किया जा सकता है।

(d) निम्नांकित तालिका में किसी देश के लिए पांच वर्षों 2012 से 2016 तक चावल के उत्पादन, निर्यात और प्रति व्यक्ति उपभोग के बारे में आँकड़े सारांकित हैं।

6. यदि VARANASI का कूट WCUESGZQ है, तो KOLKATA का कूट होगा: **[Jul 2018]**

(a) LOQOZEH
(b) HLZEOOQ
(c) ZELHOQO
(d) LQOOFZH

7. चूंकि अन्य लोगों के साथ सर्वाधिक अन्योन्यक्रिया अति सतही स्तर पर होती है, अच्छे/अच्छी .... करना काफी कठिन हो जाता है। **[Jun 2019]**

(a) मार्ग-सुधार (b) पूर्वानुमान
(c) कार्य (d) घोषणाएं

8. सभी भद्र व्यक्ति विनम्र हैं। **[Jun 2019]**

कोई अपराधी विनम्र नहीं है।

कोई अपराधी भद्र व्यक्ति नहीं है।

उपर्युक्त न्याय वाक्य में प्रमुख पद की पहचान कीजिये।

(a) आधारवाक्यों में विधेय
(b) आधारवाक्यों में कर्ता
(c) प्रथम आधारवाक्य का कर्ता और निष्कर्ष का विधेय
(d) दूसरे आधारवाक्य का कर्ता और निष्कर्ष का कर्ता

9. उस तर्क की पहचान कीजिये जिसके अन्तर्गत सार्वभौमिक तर्कवाक्य से दृष्टांतपरक आधारवाक्य का अनुमान लगाया जा सकता है **[Jun 2019]**

(a) निगमनात्मक तर्क
(b) आगमनात्मक तर्क
(c) लघुकारक तर्क
(d) सादृश्यमूलक तर्क

10. बंगलौर झांसी से बड़ा शहर है, सतपुड़ा चितौड़ से बड़ा शहर है। राजगढ़ झांसी के समान बड़ा नहीं है, लेकिन वह सतुपड़ा से बड़ा है। सबसे छोटा कौन सा शहर है? **[Jun 2019]**

(a) बंगलौर (b) झांसी
(c) सतपुड़ा (d) चित्तौड़

11. वह प्रत्यक्ष जिसके द्वारा हमें किसी वस्तु का ज्ञान विधेय की विशेषता द्वारा नहीं होता बल्कि कतिपय असंबंधित अवयवों के बोध से होता है, कहलाती है: **[Jun 2019]**

(a) नियत प्रत्यक्ष
(b) अनियत प्रत्यक्ष
(c) वाचिक प्रत्यक्ष
(d) निहितार्थ

12. निम्नलिखित तर्क पर विचार कीजिये। **[Jun 2019]**

'ध्वनि अस्थायी है क्योंकि यह श्रव्य है।'

नीचे दिए गए विकल्प से भारतीय तर्कशास्त्र के आधार पर उपर्युक्त तर्क में हेत्वाभास की पहचान कीजिये।

(a) तुच्छ तर्क का हेत्वाभास
(b) असंगत तर्क का हेत्वाभास
(c) गलत अभिकथन का हेत्वाभास
(d) विरोधाभासी तर्क का हेत्वाभास

13. कोई संगीतकार जापानी नहीं हैं। **[Jun 2019]**

सभी नाई संगीतकार हैं।

कोई नाई जापानी नहीं है।

उपर्युक्त न्यायवाक्य में मध्यपद की पहचान कीजिए:

(a) पहले आधार वाक्य में कर्त्ता और दूसरे आधार वाक्य में विधेय
(b) पहले आधार वाक्य में विधेय और दूसरे आधार वाक्य में कर्त्ता
(c) दोनों आधार वाक्यों में विधेय
(d) दोनों आधार वाक्यों में कर्त्ता

14. आगमनात्मक तर्क किस तरह उत्पन्न होता है? **[Jun 2019]**

(a) सार्वभौमिक से विशिष्ट
(b) विशिष्ट से सार्वभौमिक
(c) सार्वभौमिक से सार्वभौमिक
(d) विशिष्ट से विशिष्ट

15. पांच मित्रों में विनीत मोनिका से लम्बा है लेकिन राम जितना लंबा नहीं है। जैकब दलीप से लंबा है लेकिन मोनिका से छोटा है। इस समूह में सबसे लंबा कौन है? **[Jun 2019]**

(a) राम (b) मोनिका
(c) विनीत (d) जैकब

16. नीचे दिए उदाहरण पर विचार कीजिए। **[Jun 2019]**

देवदत्त मोटा हो रहा है।

वह दिन में खाना नहीं खाता है।

इसलिए:

वह रात को खाना खाता होगा,

अन्य बातें समान रहते हुए।

नीचे दिए गए विकल्प की सहायता से उपर्युक्त उदाहरण में निहित तर्क की पहचान कीजिए।

(a) अर्थापत्ति (b) अनुपलब्धि
(c) अनुमान (d) शब्द

17. नीचे दिए तर्क पर विचार कीजिए। **[Jun 2019]**

ध्वनि स्थायी है क्योंकि यह जार की तरह की उत्पाद हैं,

नीचे दिए गए विकल्पों से भारतीय तर्क के आधार पर उपर्युक्त तर्क में निहित श्रामक्ता की पहचान कीजिए।

(a) विरोधाभासी तर्क वाला हेत्वाभास
(b) असत्य अभिकथन से सम्बन्धित हेत्वाभास
(c) असंबद्ध तर्क का हेत्वाभास
(d) तुच्छ तर्क का हेत्वाभास

18. 'सभी न्यायाधीश निष्पक्ष हैं' यह तर्क .... का उदाहरण हैं। **[Jun 2019]**

(a) सार्वभौम विधेय
(b) सार्वभौम निषेध
(c) विशिष्ट विधेय
(d) विशिष्ट निषेध

19. निम्नलिखित किन युक्तियों में 'आधार वाक्य' और 'निष्कर्ष' के मध्य जो संबंध होता है वह तार्किक अनिवार्यता का होता है? **[Jun 2019]**

(a) आगमनात्मक (b) निगमनात्मक
(c) निदर्शनात्मक (d) सादृश्यमूलक

20. भारतीय तर्कशास्त्र में अनुमान का मूल है: **[Jun 2019]**

(a) गौण पद और मुख्य पद के बीच परिवर्ती संबंध
(b) मध्यवर्ती पद और गौणपद के बीच अपरिवर्ती संबंध
(c) मध्यवर्ती पद और मुख्य पद के बीच परिवर्ती सहवर्तिता
(d) मध्यवर्ती पद और मुख्य पद के बीच अपरिवर्ती सहवर्तिता

21. निम्नलिखित कथनों पर विचार करें और सही विकल्प चुनें: **[Dec 2019]**

(1) मध्य पद न्यूनतम एक आधारिका में वितरित होना चाहिए।
(2) मध्य पद निष्कर्ष में विद्मान होना चाहिए।
(3) दोनों आधारिकाएं वैध युक्ति में विशिष्ट हो सकती हैं।
(4) दोनों आधारिकाएं वैध युक्ति में नकारात्मक हो सकती हैं।

(a) (3) और (4) (b) केवल (3)
(c) केवल (1) (d) (2) और (3)

22. ज्ञान के साधन के रूप में अनुपलब्धि के संदर्भ में कौन-सा सही है? **[Dec 2019]**

(a) मुझे मेज पर रखे घट का संज्ञान नहीं हो रहा इसलिए यह वहाँ पर नहीं है
(b) मेज पर घट की अनुपस्थिति को मैं सीधे प्रत्यक्ष करता हूं।
(c) चूँकि मुझे घट वहाँ नहीं मिला इसलिए मेज पर घट की अनुपस्थिति का मैं अनुमान लगाता हूं।
(d) मैं मेज पर रखे घट की अनुपस्थिति के विषय में जानता हूँ क्योंकि दूसरी अनुपस्थितियों में मैं इसकी समरूपता जानता हूँ।

23. ''यदि वर्षा होगी, तो सूखा समाप्त हो जाएगा। सूखा समाप्त हो गया अत: वर्षा हुई।'' यह किस प्रकार का हेत्वाभास है? **[Dec 2019]**

(a) निगमनात्मक हेत्वाभास
(b) आगमनात्मक हेत्वाभास
(c) उपगमनात्मक हेत्वाभास
(d) अनौपचारिक हेत्वाभास

24. निम्नलिखित में से कौन-सा विकल्प किसी तर्क का वैशिष्ट्य लक्षण होता है? **[Dec 2019]**

(a) यह या तो मान्य है या अमान्य
(b) यह न तो मान्य है और न ही अमान्य
(c) यह या तो सही है या गलत
(d) यह न तो सही है और न ही गलत

25. ''इस अस्पताल में कुछ नर्से सफेद वस्त्र नहीं पहनती हैं, कुछ चिकित्सक निजी प्रैक्टिस करते हैं और महँगी दवाइयाँ लिखते हैं। इसलिए, इस अस्पताल में घटिया गुणवत्ता स्तर का उपचार होता है।'' इस युक्ति में कौन-सा हेत्वाभास है? **[Dec 2019]**

(a) संग्रह-दोष (b) स्लिपरी स्लोप
(c) उपाधि-दोष (d) विग्रह-दोष

26. 'योगज' शब्द निम्नलिखित प्रमाणों में किससे संबंधित है? **[Dec 2019]**

(a) प्रत्यक्ष (b) अनुमान
(c) वाचिक प्रमाण (d) उपमान

27. निम्नलिखित में ऐसे कौन से तर्कवाक्य हैं जो एक ही समय में सत्य तो हो सकते हैं किन्तु एक ही समय में असत्य नहीं हो सकते हैं? **[Dec 2019]**

(a) विपरीतार्थी (b) विरोधाभासी
(c) उप-विपरीतार्थी (d) उपाश्रित

28. ईश्वर के अस्तित्व को सिद्ध करने के लिए, भारतीय शास्त्रीय न्याय परंपरा द्वारा किस प्रमाण का प्रयोग किया जाता है? **[Dec 2019]**

(a) अर्थपत्ति (b) उपमानर
(c) प्रत्यक्ष (d) अनुमान

29. 'सभी बाघ पशु हैं', यह किस प्रकार के तर्कवाक्य का उदाहरण है? **[Dec 2019]**

(a) विशेष निषेध (b) विशेष विधेय
(c) सार्वभौम निषेध (d) सार्वभौम विधेय

30. 'चूहा एक पशु है, अंत: एक बड़ा चूहा पशु है।' के अंतर्गत कौन सा तर्कदोष है? **[Dec 2019]**

(a) स्ट्रा-मैन (b) स्लिपरी स्लोप
(c) अनेकार्थ (d) संग्रह दोष

31. निम्नलिखित में से कौन-सा भारतीय तर्क शास्त्र में अनुमान के उदाहरण (अनुमिति) द्वारा संकेतित है? **[Dec 2019]**

(a) कारण का कथन
(b) प्रतिक्षप्ति को सिद्ध करना
(c) निष्कर्ष प्रमाणित
(d) उदाहरण के साथ सार्वभौम प्रतिक्षप्ति

32. देवदत्त मोटा है और वह दिन में भोजन नहीं करता है। अत: देवदत्त रात्रि में भोजन कर रहा है। भारतीय तर्कशास्त्र में उपर्युक्त उदाहरण किस प्रकार का मामला है? **[Dec 2019]**

(a) तुलना (b) निहितार्थ
(c) अवधारणा (d) वाचिक साक्ष्य

33. क्लासिकल स्क्वेयर ऑफ अपोजिशन के अनुसार यदि 'A' तर्कवाक्य सच है तो निम्नलिखित में से कौन-सा सही है? **[Dec 2019]**

(a) 'E' तर्कवाक्य गलत है, 'I' तर्कवाक्य सही है और 'O' तर्कवाक्य गलत है
(b) 'E' तर्कवाक्य सही है, 'I' तर्कवाक्य सही है और 'O' तर्कवाक्य सही है
(c) 'E' तर्कवाक्य गलत है, 'I' तर्कवाक्य गलत है और 'O' तर्कवाक्य सही है
(d) 'E' तर्कवाक्य सही है, 'I' तर्कवाक्य गलत है और 'O' तर्कवाक्य गलत है

34. 'कुछ लड़कियाँ विद्यार्थी नहीं है'। तर्कवाक्य के संदर्भ में निम्नलिखित कथनों पर विचार कीजिए: **[Dec 2019]**

(1) कर्त्ता शब्द विद्यार्थी वितरित है।
(2) विधेय शब्द लड़कियां वितरित नहीं है।
(3) विधेय शब्द विद्यार्थी वितरित है।
(4) कर्त्ता शब्द लड़कियां वितरित नहीं है।

निम्नलिखित से सही विकल्प चुनिए:

(a) केवल (1) और (2) सही हैं
(b) केवल (2) और (3) सही हैं
(c) केवल (1) और (4) सही हैं
(d) केवल (3) और (4) सही हैं

35. निम्नलिखित मूल्यों को उनके विशिष्ट कार्यों के साथ सुमेलित कीजिए: **[Dec 2019]**

(1) त्याग	(i) निर्दिष्ट समय में कार्य करना।
(2) सत्यनिष्ठा	(ii) व्यक्ति के मस्तिष्क का कृत्य पर परिसीमित होना।
(3) आत्म नियंत्रण	(iii) प्रेम और अनुराग प्रदर्शित करना।
(4) परोपकारिता	(iv) स्वार्थ की मंशा के बिना सहायता करना।

निम्नलिखित में सही विकल्प चुनिए:

(a) (1)-(ii), (2)-(i), (3)-(iv), (4)-(iii)
(b) (1)-(iv), (2)-(i), (3)-(ii), (4)-(iii)
(c) (1)-(iii), (2)-(iv), (3)-(i), (4)-(ii)
(d) (1)-(i), (2)-(iii), (3)-(ii), (4)-(iv)

36. 'हर कोई पार्टी में जा रहा है। आपको भी जाना चाहिए।' इस अनुमान कथन में कौन सा तर्कदोष है? **[Dec 2019]**

(a) एड पॉप्युलम
(b) अनेकार्थक (इक्विवोकेशन)
(c) एड वेरिक्यूनडियम
(d) एड इग्नोरेंटियम

37. एक वृत्त का क्षेत्रफल उतना है जितना 11 सेमी विकर्ण लम्बाई वाले वर्ग का है। वृत्त का व्यास कितना है? **[Dec 2019]**

(a) ~8.7 सेमी (b) ~17.4 सेमी
(c) ~7.8 सेमी (d) ~15.6 सेमी

38. 'मि.X एक मलिन बस्ती में रहता है और वह बेरोजगार है। इसलिए, मिस्टर X मंत्री बनने योग्य है।' इस युक्ति से हेत्वाभास का कौन-सा प्रकार प्रदर्शित होता है? **[Dec 2019]**

(a) संग्रह दोष (b) एड मिज़रीकार्डियम
(c) विग्रह-दोष (d) उपाधि - दोष

39. तर्क की भारतीय शास्त्रीय परंपरा के संदर्भ में निम्नांकित पर विचार कीजिए: **[Dec 2019]**

(1) यह केवल युक्ति के रूप से संबंधित है।
(2) यह केवल युक्ति की विषय-वस्तु से संबंधित है।
(3) यह केवल प्रात्यक्षिक ज्ञान से संबंधित है।
(4) यह केवल सादृश्य प्रस्तुति से संबंधित है।

नीचे से सही विकल्प चुनिए:

(a) केवल (1) (b) केवल (2)
(c) (1) और (2) दोनों (d) (3) और (4) दोनों

40. कथन 'कुत्ते सरीसृप नहीं होते हैं' इसमें कौन सा पद वितरित है? **[Dec 2019]**

(a) केवल उद्देश्य पद
(b) केवल विधेय पद
(c) उद्देश्य और विधेय दोनों पद
(d) उद्देश्य या विधेय दोनों में से कोई नहीं

41. निम्नलिखित में से कौन-सा तर्कवाक्य 'सभी कवि स्वप्नद्रष्टा होते हैं' से विपरीत है? **[Dec 2019]**

(a) कुछ कवि स्वप्नद्रष्टा होते हैं।
(b) कुछ कवि स्वप्नद्रष्टा नहीं होते हैं।
(c) कोई भी स्वप्नद्रष्टा नहीं होता है।
(d) कोई भी स्वप्नद्रष्टा कवि नहीं होता है।

42. निम्नलिखित में से कौन-से प्रमाण वैशेषिक दर्शन में स्वीकार किए जाते हैं? **[2020]**

(1) प्रत्यक्ष (2) अनुमान
(3) उपमान (4) शब्द
(5) अर्थपति

नीचे दिए गए विकल्पों में से सही उत्तर चुनिए:

(a) केवल (1) और (2)
(b) केवल (2) और (3)
(c) केवल (3) और (4)
(d) केवल (1) और (4)

43. सूची-I को सूची-II से सुमेलित कीजिए: **[2020]**

सूची-I (अवधरणा/सिद्धांत)	सूची-II (सम्प्रदाय)
(1) प्रतीत्यसमुत्पाद	(I) वेदांत
(2) अभाव	(II) सांख्य
(3) साम्यावस्था	(III) न्याय
(4) अभ्यास	(IV) बौद्ध

निम्नलिखित विकल्पों में से सही उत्तर चुनिए:

(a) (1)-(I), (2)-(III), (3)-(IV), (4)-(II)
(b) (1)-(II), (2)-(IV), (3)-(III), (4)-(I)
(c) (1)-(IV), (2)-(III), (3)-(II), (4)-(I)
(d) (1)-(IV), (2)-(I), (3)-(II), (4)-(III)

44. निरूपाधित न्यायवाक्य के लाक्षणिक प्रयोग में किसी प्रतिज्ञप्ति की मात्रा और गुणवत्ता निम्नलिखित में से किसको निर्धारित करती है? **[2020]**

(a) न्यायवाक्य की वैधता
(b) न्यायवाक्य का विन्यास
(c) न्यायवाक्य के प्रारूप
(d) न्यायवाक्य का हेत्वाभास

45. सूची-I को सूची-II से सुमेलित कीजिए: **[2020]**

सूची-I (संकल्पनाएं)	सूची-II (दार्शनिक)
1. घटना एवं परासत्ता	I. अरस्तु
2. संभावना एवं वास्तविक होना	II. जेस्कार्टस
3. मन एवं शरीर द्वैतवाद	III. लॉक
4. प्राथमिक एवं गौण गुण	IV. कांत

निम्नलिखित विकल्पों में से सही उत्तर चुनिए:

(a) 1-I, 2-III, 3-IV, 4-II
(b) 1-III, 2-II, 3-I, 4-IV
(c) 1-IV, 2-I, 3-II, 4-III
(d) 1-II, 2-IV, 3-III, 4-I

46. वर्जित मध्य के नियम के अनुसार: **[2020]**

(a) प्रतिज्ञप्ति एक साथ सही और गलत हो सकती है।
(b) प्रतिज्ञप्ति या तो सही है या गलत है।
(c) प्रतिज्ञप्ति सही है यदि यह सही है।
(d) प्रतिज्ञप्ति न तो सही है और न ही गलत।

47. सूची-I को सूची-II से सुमेलित कीजिए: सूची-I गौतम द्वारा दिए गए ज्ञान के चार माध्यमों को वर्णित करता है जबकि सूची-II उनके विवरण देती है। [2020]

सूची-I (ज्ञान के माध्यम)	सूची-II (विवरण)
(1) बोध (प्रत्यक्षीकरण)	(I) संज्ञान जो किसी अन्य संज्ञान को मानता है।
(2) अनुमान	(II) शब्द एवं उसके संकेतों के बीच संबंध का ज्ञान।
(3) तुलना	(III) विश्वासपात्र व्यक्ति का कथन तथा उसके अभिप्राय को समझने में सुसंगत।
(4) शब्द	(IV) वस्तुओं के साथ कुछ अवयवों के परस्पर व्यवहार द्वारा उत्पन्न शुद्ध संज्ञान।

नीचे दिये गये विकल्पों में से सही उत्तर चुनिए:

(a) (1)-(I), (2)-(IV), (3)-(III), (4)-(II)
(b) (1)-(IV), (2)-(I), (3)-(II), (4)-(III)
(c) (1)-(III), (2)-(II), (3)-(I), (4)-(IV)
(d) (1)-(II), (2)-(III), (3)-(IV), (4)-(I)

48. भारतीय दर्शन का अन्तर्निहित कारण (समवायी) अरस्तु द्वारा बताए गए कौन से कारणों के सदृश्य हैं? [2020]

(a) भौतिक कारण (b) आकारिक कारण
(c) सक्षम कारण (d) प्रयोजन कारण

49. निम्नलिखित न्यायवाक्यों पर विचार कीजिए: [2020]

(1) पहाड़ी में आग है
(2) क्योंकि उसमें धुआं है
(3) जिसमें भी धुआं होता है उसमें आग होती है
(4) उस पहाड़ी में धुआं है जो निरपवाद रूप से आग से संबंधित है
(5) अत: उसमें आग है।

इस तर्क न्यायवाक्य में उपनय क्या है/हैं?

(a) केवल (1) और (2) (b) केवल (2) और (3)
(c) केवल (4) (d) केवल (5)

50. भारतीय तर्कशास्त्र में लघु पद में मध्य पद की उपस्थिति को कहा जाता है: [2020]

(a) व्याप्ति (b) पक्ष धर्मिता
(c) लिंग (d) परामर्श

51. जीवित देवदत्त या तो अपने घर में है या जीवित देवदत्त अपने घर में नहीं है [2020]

अत: जीवित देवदत्त कहीं और है।

उपरोक्त किस प्रमाण का उदाहरण है?

(a) बोध एवं अनुमान (प्रत्यक्ष एवं अनुमान)
(b) तुलना (उपमान)
(c) शब्द प्रमाण
(d) अर्थपति

52. भारतीय दर्शन की निम्नलिखित कौन सी प्रणाली वेदों के प्रति विरोधात्मक है? [2020]

(1) पूर्व मीमांसा (2) उत्तर मीमांसा
(3) बौद्ध मत (4) जैन मत
(5) चार्वाक

नीचे दिये गये विकल्पों से सही उत्तर चुनिये:

(a) केवल (1), (2) और (3)
(b) केवल (2), (3) और (4)
(c) केवल (3), (4) और (5)
(d) केवल (4), (5) और (1)

53. नीचे दो कथन दिए गए हैं: [2020]

कथन I: समग्र ज्ञान एक प्रकार का प्रत्यास्मरण है। यह कुछ हद तक सही है।

कथन II: सभी मनुष्य स्वभाव से ही बोध चाहते हैं।

उपर्युक्त कथनों के आलोक में निम्नांकित विकल्पों में से सही उत्तर चुनें:

(a) कथन-I और II दोनों सही हैं।
(b) कथन-I और II दोनों गलत हैं।
(c) कथन-I सही है, किन्तु कथन-II गलत है।
(d) कथन-I गलत है, किन्तु कथन-II सही है।

54. नीचे दो कथन दिए गए हैं: [2020]

कथन I: जब मैं अपने अंत:करण में झांकता हूँ तो हमेशा एक या दूसरी अवधारणा से टकरा जाता हूँ। मैं कभी भी स्वयं को पकड नहीं सकता हूँ।

कथन II: आत्म सभी प्रकार के ज्ञान की तार्किक पूर्वमान्यता है। इसलिए इसके सन्दर्भ में पदार्थ और व्यक्ति की अवधारणाएँ इस पर लागू नहीं की जा सकती।

उपर्युक्त कथनों के आलोक में निम्नांकित विकल्पों में से सही उत्तर चुनें:

(a) कथन-I और II दोनों सही हैं।

(b) कथन-I और II दोनों गलत हैं।

(c) कथन-I सही है, किन्तु कथन-II गलत है।

(d) कथन-I गलत है, किन्तु कथन-II सही है।

55. सूची-I को सूची-II के साथ सुमेलित कीजिए: **[2020]**

सूची-I अवधारणा	सूची-II सम्प्रदाय
1. निर्वाण	I. सांख्य
2. नि:श्रेयस	II. जैन धर्म
3. अपवर्ग	III. उपनिषद्
4. मोक्ष	IV. बौद्ध धर्म

नीचे दिए गए विकल्पों में से सही उत्तर का चयन कीजिए:

(a) 1 – IV, 2 – III, 3 – II, 4 – I

(b) 1 – I, 2 – II, 3 – IV, 4 – III

(c) 1 – II, 2 – I, 3 – III, 4 – IV

(d) 1 – III, 2 – IV, 3 – II, 4 – I

56. निगमनात्मक प्रक्रिया प्रवृत्त होती है- **[2020]**

(a) विशेष से सार्वभौम की ओर

(b) सार्वभौम से विशेष की ओर

(c) विशेष से विशेष की ओर

(d) सार्वभौम से सार्वभौम की ओर

57. भारतीय तर्कशास्त्र के संदर्भ में, 'इस पहाड़ी में धुंआ है, जो अपरिवर्तनीय रूप से आग से जुड़ा है', को कहा जाता है: **[2020]**

(a) प्रतिज्ञा या प्रतिज्ञप्ति

(b) उदाहरण सहित सार्वज्ञौम सहवर्तिता

(c) उपनय-विद्यमान मामले में सार्वभौम सहवर्तिता

(d) पूर्ववर्ती प्रतिज्ञप्ति से निष्कर्ष या निगमन निकालना

58. निम्नलिखित में से अरस्तु के न्यायवाक्य की विशेषता की पहचान कीजिए: **[2020]**

(1) यह निगमनात्मक-आगमनात्मक और रूपात्मक सामग्री है।

(2) यह केवल निगमनात्मक और आकारिक होता है।

(3) प्रतिज्ञप्ति के साध्य और पक्ष पद अलग अलग होते हैं।

(4) यह वाचिक होता है।

(5) वाचिक रूप अनुमिति का सार नहीं होता है।

नीचे दिये गये विकल्पों में से सही उत्तर चुनिये:

(a) केवल (1), (2) और (3)

(b) केवल (1), (3) और (5)

(c) केवल (2), (3) और (4)

(d) केवल (1), (4) और (5)

59. जब मध्य पद साध्य पद से सकारात्मक और नकारात्मक दोनों रूप से संबंधित है तो अनुमिति कहलाती है, **[2020]**

(a) सह अस्तित्व की समरूपता पर आधारित

(b) केवलान्वयी

(c) केवल व्यतिरेकी

(d) अन्वय व्यतिरेकी

60. निम्नलिखित में से उनकी पहचान कीजिए जो असिद्ध मध्य पद के हेत्वाभास को प्रदर्शित करते हैं? **[2020]**

(1) आश्रयसिद्ध (2) स्वरूपसिद्ध

(3) व्याप्यत्वासिद्ध (4) विरूद्ध

(5) बाधित

नीचे दिये गये विकल्पों में से सही उत्तर चुनिये:

(a) केवल (1), (2) और (3)

(b) केवल (2), (3) और (4)

(c) केवल (1), (4) और (5)

(d) केवल (1), (3) और (4)

61. नीचे दो कथन दिए गए हैं: **[2020]**

कथन (I) : उपमिति को पद और उसके अर्थ के बीच के संबंध के ज्ञान के रूप में परिभाषित किया गया है।

कथन (II) : शब्द प्रमाण किसी आम व्यक्ति का कथन होता है तथा यह उसके अर्थ के अवबोध से संबंधित है।

उपर्युक्त कथनों के आलोक में निम्नांकित विकल्पों में से सर्वाधिक उपयुक्त उत्तर चुनें:

(a) कथन I और II दोनों सही हैं।

(b) कथन I और II दोनों सही नहीं हैं।

(c) कथन I सही है किंतु कथन II सही नहीं हैं।

(d) कथन I सही नहीं है किंतु कथन II सही है।

62. आयुर्वेद, जो स्वदेशी चिकित्सा प्रणाली है, का वर्णन निम्नलिखित में से किसमें मिलता है? **[2020]**

(a) ॠग्वेद (b) यजुर्वेद

(c) सामवेद (d) अथर्ववेद

63. 'पहाड़ी पर धुआं है क्योंकि वहाँ आग है', इस कथन में किस प्रकार का हेत्वाभास है? [2020]

(a) असिद्ध (b) साधारण
(c) असाधारण (d) व्याप्यत्वासिद्ध

64. सभी ज्ञेय वस्तुएँ अभिधेय हैं; [2020]
बर्तन एक ज्ञेय वस्तु है;
इसलिए, बर्तन अभिधेय है
उपरोक्त किस प्रकार के अनुमान का उदाहरण है?

(a) केवलान्वयी
(b) केवलव्यतिरेकी
(c) अन्वयव्यतिरेकी
(d) शेषवत्

65. सूची-I के युग्मों को सूची-II के उनके सादृश्य युग्मों के साथ सुमेलित कीजिए: [2020]

सूची-I	सूची-II
1. समाचार पत्र: प्रेस	I. प्यास: पानी
2. कुत्ता: कुत्ताघर	II. गाय: बछड़ा
3. मुर्गी: चूजा	III. कपड़ा: मिल
4. अंधेरा: लैम्प	IV. चूहा: बिल

नीचे दिए गए विकल्पों में से सही उत्तर चुनिए:

(a) 1 – II, 2 – IV, 3 – I, 4 – III
(b) 1 – III, 2 – IV, 3 – II, 4 – I
(c) 1 – IV, 2 – II, 3 – I, 4 – III
(d) 1 – I, 2 – III, 3 – II, 4 – IV

66. 'मैं सुगंधित चन्दन के एक टुकड़े को देखती हूं' किसका सही वर्णन है? [2021]

(a) ज्ञानलक्षण
(b) निर्विकल्प प्रत्यक्ष
(c) सामान्य लक्षण
(d) योगज

67. तर्कवाक्य के विपरीत के वर्ग में 'E' तर्कवाक्य को सही है और 'I' को गलत मानिए और सही कूट चुनिए: [2021]

(a) 'A' सही है; 'A' सही है
(b) 'I' गलत है; 'E' सही है
(c) 'O' गलत है; 'E' सही है
(d) 'O' अनिर्धारित है; 'O' अनिर्धारित है

68. निम्नलिखित में से कौन भारतीय न्यायवाक्य का संघटक सदस्य नहीं है: [2021]

(a) हेतु (b) समस्या
(c) उदाहरण (d) उपनय

69. विश्लेषणात्मक आगमन निम्नलिखित में से किस की विधि है? [2021]

(A) घटनाओं की सुव्यवस्थित व्याख्या
(B) प्राकल्पनाएँ सृजित करना
(C) प्राकल्पनाओं का परीक्षण करना
(D) मुक्त व्याख्या
(E) केवल निराकरणीय प्राकल्पनाओं का परीक्षण करना

नीचे दिए गए विकल्पों में से सही उत्तर का चयन कीजिए:

(a) केवल A, B और E,
(b) केवल A, B और C,
(c) केवल B, C और D,
(d) केवल C, D, और E,

70. तर्क दोष का नाम बताएं: [2021]
सभी पाठय पुस्तकें सावधनीपूर्वक अध्ययन के लिए अभिप्रेत हैं।
कुछ संदर्भ पुस्तकें सावधनीपूर्वक अध्ययन के लिए अभिप्रेत हैं।
अत: कुछ संदर्भ पुस्तकें पाठ्य पुस्तकें हैं।

(a) ऋणात्मक आधार वाक्य से सकारात्मक निष्कर्ष
(b) अनन्य आधार वाक्य
(c) अस्तित्ववाचक तर्क दोष
(d) अवितरित हेतु

71. इस तर्क में किए गए दोष का नाम बताएं। [2021]
'महिलाओं को समझने वाले सभी पुरुष संभाव्य रूप से आदर्श पति हैं।
सभी संभाव्य रूप से आदर्श पति असीम धैर्य वाले पुरुष होते हैं।
अत: असीम धैर्य वाले कुछ पुरुष महिलाओं को समझने वाले पुरुष होते हैं।''

(a) व्यावर्तक आधारिका
(b) अस्तित्वपरक तर्कदोष
(c) अवैध साध्य
(d) अव्यास हेतु

72. दिए गए तर्क को द्योतित करने के लिए सही कूट – संकेत का चयन करें: [2021]

सभी कलाकार अहंकारी हैं।

कुछ कलाकार रंक हैं।

अत: कुछ रंक अहंकारी हैं।

(a) AII - I आकार

(b) AII - II आकार

(c) AII - III आकार

(d) AII - IV आकार

73. सूची–I को सूची–II से सुमेलित कीजिए: **[2021]**

सूची-I	सूची-II
A. यदि 'A' सत्य है	I. 'E' सत्य है; 'O' सत्य है
B. यदि 'E' सत्य है	II. 'O' असत्य है; 'E' असत्य है
C. यदि 'I' असत्य है	III. 'A' असत्य है; 'I' असत्य है
D. यदि 'O' असत्य है	IV. 'E' असत्य है; 'I' सत्य है

नीचे दिए गए विकल्पों में से सही उत्तर चुनिए:

(a) A-I, B-II, C-III, D-IV

(b) A-II, B-III, C-I, D-IV

(c) A-III, B-I, C-II, D-IV

(d) A-IV, B-II, C-III, D-I

74. सूची–I को सूची–II से सुमेलित कीजिए: **[2021]**

सूची-I	सूची-II
A. आश्रयासिद्ध	I. 'ध्वनि शाश्वत है क्योंकि वह दृश्यमान है।
B. स्वरूपासिद्ध	II. सभी वास्तविक क्षणिक हैं; ध्वनि वास्तविक है; ध्वनि क्षणिक है।
C. व्याप्यत्वसिद्ध	III. सभी पदार्थ शाश्वत हैं क्योंकि वे ज्ञय हैं।
D. अनुपसंहारी	IV. 'आकाश कमल सुगंधित है क्योंकि यह कमल वर्ग का सदस्य है।

नीचे दिए गए विकल्पों में से सही उत्तर चुनिए:

(a) A-I, B-III, C-II, D-IV

(b) A-II, B-IV, C-I, D-III

(c) A-III, B-II, C-IV, D-I

(d) A-IV, B-II, C-II, D-III

75. अनुमान का हेतु साध्य से संबंधित है, न कारण के रूप में और न ही कार्य के रूप, में परन्तु वे हमारे अनुभव में एक दूसरे से समान रूप से संबंधित हैं। इसे कहते हैं: **[2021]**

(a) पक्षधर्मता (b) पूर्ववत

(c) सामान्यतोदृष्ट (d) शेषवत

76. तर्क शास्त्र के भारतीय शास्त्रीय सिद्धान्त के अनुसार अनुमान के सम्बन्ध में निम्नलिखित विकल्पों में से कौन सत्य है? **[2021]**

(1) यह निगमनात्मक है।

(2) यह आगमनात्मक है।

(3) इसे औपचारिक रूप से वैध होना चाहिए।

(4) इसे वस्तुपरक रूप से सत्य होना चाहिए।

नीचे दिए गए विकल्पों में से सही उत्तर का चयन कीजिए:

(a) केवल (1), (2) और (4)

(b) केवल (1), (2) और (3)

(c) केवल (1), (3) और (4)

(d) (1), (2), (3) और (4)

77. उन सारी वस्तुओं का संग्रह जिसके लिए एक पद का सही रूप में प्रयोग किया जा सकता है, कहलाता है: **[2021]**

(1) उस पद का गुणा

(2) उस पद का लक्ष्यार्थ

(3) उस पद का वस्त्वर्थ

(4) उस पद का वाच्यार्थ

नीचे दिए गए विकल्पों में से सही उत्तर का चयन कीजिए:

(a) केवल (1) और (2) (b) केवल (2) और (3)

(c) केवल (1) और (4) (d) केवल (3) और (4)

78. 'दैनिक समाचार में आज सुबह एक लेख आया जिसमें कुछ स्थानीय किशोरों को मादक नशीले पदार्थों को रखने के आरोप में गिरफ्तार किया गया था। आजकल के किशोर और कुछ नहीं बल्कि कूड़े के ढेर हैं।' उपर्युक्त कथन में कौन सा हेत्वाभास है? **[2021]**

(a) रेड हेरिंग

(b) स्ट्रॉ मैन

(c) व्यक्ति के विरुद्ध तर्क (ऐड होमिनेस)

(d) शीघ्र सामान्यीकरण

79. नीचे दो कथन दिए गए हैं: एक अभिकथन (Assertion A) के रूप में लिखित है तो दूसरा उसके कारण (Reason R) के रूप में: **[2021]**

अभिकथन (A): नैयायिकों ने आगमनात्मक प्रणाली को पृथक् मान्यता नहीं दी है जैसा कि पाश्चात्य तर्क शास्त्रियों ने किया है।

कारण (R) : न्याय शाखा के अनुसार सार्वभौम प्रतिज्ञप्तियाँ अलौकिक प्रत्यक्षीकरणों में से एक प्रत्यक्षीकरण ही से प्राप्त की जाती है।

उपरोक्त कथन के आलोक में, नीचे दिए गए विकल्पों में से सही उत्तर का चयन कीजिए:

(a) (A) और (R) दोनों सत्य हैं और (R), (A) की सही व्याख्या है।

(b) (A) और (R) दोनों सत्य हैं लेकिन (R), (A) की सही व्याख्या नहीं

(c) (A) सत्य है लेकिन (R) असत्य है।

(d) (A) असत्य है लेकिन (R) सत्य है।

80. नीचे दो कथन दिए गए हैं: **[2021]**

कथन (I) : शेषवत्, अप्रासंगिक के विलोपन से जो बचता है उसका अनुमान है।

कथन (II) : शेषवत् अनुमान पाश्चात्य आगमनात्मक तर्कशास्त्र में अवशेष की प्रणाली से मेल खाता है।

उपरोक्त कथन के आलोक में, नीचे दिए गए विकल्पों में से सही उत्तर का चयन कीजिए:

(a) कथन I और II दोनों सत्य हैं।

(b) कथन I और II दोनों असत्य हैं।

(c) कथन I सत्य है, लेकिन कथन II असत्य I हैं।

(d) कथन I असत्य है, लेकिन कथन II सत्य हैं।

81. सूची I को सूची से सुमेलित कीजिए: **[2021]**

सूची–I (विरोध वर्ग में तर्क वाक्य)	सूची–II (निष्कर्ष तर्क वाक्य)
(1) यदि 'A' सत्य है	(i) 'I' असत्य है; 'O' सत्य है
(2) यदि 'A' सत्य है	(ii) 'E' असत्य है; 'A' अनिर्धारित है
(3) यदि 'A' राज्य है	(iii) 'E' और 'I' अनिर्धारित हैं
(4) यदि 'A' सत्य है	(iv) 'E' असत्य है; 'I' सत्य है

नीचे दिए गए विकल्पों में से सही उत्तर चुनिए:

(a) (1)–(i), (2)–(iii), (3)–(ii), (4)–(iv)

(b) (1)–(ii), (2)–(i), (3)–(iii), (4)–(iv)

(c) (1)–(iii), (2)–(ii), (3)–(i), (4)–(iv)

(d) (1)–(iv),(2)–(i), (3)–(ii), (4)–(iii)

82. जब एक हेतु दो विपरीत दृष्टिकोणों के बीच मानसिक दोलन की स्थिति उत्पन्न करने से आगे नहीं जाता है, तो यह निम्नलिखित का हेत्वाभास है: **[2021]**

(a) विरुद्ध का तर्क दोष

(b) प्रकरणसम का तर्क दोष

(c) असिद्ध का तर्क दोष

(d) सव्यभिचार का तर्क दोष

83. निम्नलिखित तर्क में कौन-सा तर्क दोष है:

''सभी पाठ्य पुस्तकें सावधानीपूर्वक अध्ययन हेतु अभिप्रेत पुस्तकें हैं कुछ संदर्भ पुस्तकें ऐसी पुस्तकें हैं जो सावधानीपूर्वक अध्ययन हेतु अभिप्रेत पुस्तकें हैं'' अत: कुछ संदर्भ पुस्तकें पाठ्यपुस्तकें हैं: **[2021]**

(a) अवैध साध्य

(b) अवैध पक्ष

(c) चार पदों का तर्क दोष

(d) अविभाजित हेतु

84. 'सूर्य गतिशील है, किसी अन्य गतिशील वस्तु की भांति इसकी अवस्थिति परिवर्तित होती है' अनुमान का यह उदाहरण किस का प्रतिनिधित्व करता है? **[2021]**

(a) पूर्ववत् (b) शेषवत्

(c) सामान्यतोदृष्टा (d) पक्षता

85. गलत कथन को चुनिए: **[2021]**

(a) 'सत्य' और 'असत्य' तर्कवाक्य के विशेषण हो सकते हैं परंतु, तर्क के कदापि नहीं।

(b) निगमनात्मक तर्क के मामले में 'सही' और 'गलत' तकनीकी पदों का प्रयोग होता है।

(c) आगमनात्मक तर्क न तो वैध होते हैं और न ही अवैध उनका मूल्यांकन बेहतर अथवा बदतर के रूप में किया जाता है।

(d) निगमनात्मक तर्क का निष्कर्ष अनिवार्यत: उसकी आधारिका से निकलता है।

86. यदि अभिकथन 'कोई भी पक्षी स्तनधारी नहीं है' सत्य दिया गया है, तो तत्काल क्या अनुमान लगाया जा सकता है? **[2022]**

(1) 'सभी पक्षी स्तनधारी होते हैं' असत्य है।

(2) 'कुछ पक्षी स्तनधारी होते हैं' असत्य है।

(3) 'कुछ पक्षी स्तनधारी नहीं होते हैं' असत्य है।

(4) 'कुछ पक्षी स्तनधारी नहीं होते हैं' सत्य है।

नीचे दिए गए विकल्पों में से सही उत्तर चुनें:

(a) केवल (1), (2) और (3)

(b) केवल (1), (2) और (4)

(c) केवल (1) और (4)

(d) केवल (1) और (3)

87. 'XYZ होम फाइनेंस देश में सबसे बेहतर वित्तीय उत्पाद उपलब्ध करता है, क्योंकि XYZ एक पारिवारिक सदस्य एवं एक अच्छे मित्र के रूप में आपका अपना घर होने की आवश्यकता को पूरा करता है।' इस तर्क में निम्नलिखित प्रकार का हेत्वाभाव मिलता है: **[2022]**

(a) एड पॉपुलम (b) एड होमिनेम
(c) शीघ्र सामान्यीकरण (d) रेड हेरिंग

88. नीचे दो कथन दिए गए हैं: **[2022]**

कथन I: 'कुछ S, P हैं', 'कुछ S, P नहीं हैं' का विपरीतार्थक है।

कथन II: 'कुछ S, P नहीं हैं, 'सभी S, P हैं' का व्याघाती है।

उपर्युक्त कथनों के आलोक में निम्नलिखित विकल्पों में से सही उत्तर चुनें:

(a) कथन I और II दोनों सत्य हैं।
(b) कथन I और II दोनों असत्य हैं।
(c) कथन I सत्य है, किन्तु कथन II असत्य है।
(d) कथन I असत्य है, किन्तु कथन II सत्य है।

89. नीचे दो कथन दिए गए हैं: **[2022]**

कथन I: भारतीय चिंतकों के लिए अनुमान का अर्थ केवल न्यायवाक्यात्मक अनुमान है, जो मध्य पद और मुख्य पद के बीच अपरिवर्ती सहवर्तिता संबंध पर आधारित है।

कथन II: जहाँ-जहाँ मुख्य पद की अनुपस्थिति हो, वहाँ मध्य पद अनुपस्थित होना चाहिए।

उपर्युक्त कथनों के आलोक में निम्नलिखित विकल्पों में से सही उत्तर चुनें:

(a) कथन I और II दोनों सत्य हैं।
(b) कथन I और II दोनों असत्य हैं।
(c) कथन I सत्य है, किन्तु कथन II असत्य है।
(d) कथन I असत्य है, किन्तु कथन II सत्य है।

90. नीचे दो कथन दिए गए हैं: **[2022]**

कथन I: भारतीय शास्त्रीय तर्कशास्त्रियों (न्यायिकों) के अनुसार कार्य से कारण का अनुमान 'पूर्ववत' कहलाता है।

कथन II: न्यायिकों के अनुसार कार्य से कारण का अनुमान संभव नहीं है।

उपर्युक्त कथनों के आलोक में निम्नलिखित विकल्पों में से सही उत्तर चुनें:

(a) कथन I और II दोनों सत्य हैं।
(b) कथन I और II दोनों असत्य हैं।
(c) कथन I सत्य है, किन्तु कथन II असत्य है।
(d) कथन I असत्य है, किन्तु कथन II सत्य है।

91. एक बुद्धिमान संत का कथन है: 'ज्ञान की भूख को दूर करना भोजन की भूख को दूर करने से अधिक कठिन है इसलिए व्यक्ति को भोजन पर अधिक ध्यान देना चाहिए।' इस तर्क में कौन-सा तर्क दोष है? **[2022]**

(a) प्रश्न का अनुरोध करना
(b) असत्य द्वन्द्व
(c) इग्नोरेशियो इलेन्ची (असंगत निष्कर्ष)
(d) आवेग आग्रह

92. 'हमें चंद्रमा की अपेक्षा सूर्य को अधिक महत्व देना चाहिए क्योंकि चंद्रमा अंधेरा होने पर प्रकाशित होता है, जबकि सूर्य प्रकाश होने पर प्रकाशित होता है' इस कथन में निम्नलिखित तर्कदोष है: **[2022]**

(a) आवेग के प्रति आग्रह
(b) गलत कारण का तर्क दोष
(c) असत्य द्वंद्व
(d) समार्थकता

93. पद 'शास्त्रार्थमीमांसा' किससे उद्गमित हुआ है? **[2022]**

(a) समाजशास्त्र (b) ईश्वरमीमांसा
(c) नृविज्ञान (d) अर्थशास्त्र

94. नीचे दो कथन दिए गए हैं: एक अभिकथन (Assertion A) के रूप में लिखित है तो दूसरा उसके कारण (Reason R) के रूप में;

अभिकथन (A): क्लासिकी भारतीय तर्कशास्त्रियों (नैय्यायिक) के अनुसार सभी तर्क-दोष भौतिक तर्क दोष होते हैं।

कारण (R): न्याय मत के अनुसार न्याय-वाक्य निगमात्मक-आगमात्मक और औपचारिक-भौतिक होता है।

उपर्युक्त कथनों के आलोक में निम्नांकित विकल्पों में से सही उत्तर का चयन कीजिए: **[2022]**

(a) (A) और (R) दोनों सत्य हैं और (R), (A) की सही व्याख्या है।
(b) (A) और (R) दोनों सत्य हैं, लेकिन (R), (A) की सही व्याख्या नहीं है।
(c) (A) सत्य है, लेकिन (R) असत्य है।
(d) (A) असत्य है, लेकिन (R) सत्य है।

95. अभिकथन 'कुछ पौधे माँसभक्षी नहीं होते हैं' को असत्य माना गया है, ऐसी स्थिति में निम्नलिखित में से किसे तात्कालिक अनुमानित किया जा सकता है? **[2022]**

(1) 'कुछ पौधे माँसभक्षी होते हैं' सही है।

(2) 'कुछ पौधे माँसभक्षी होते हैं' गलत है।

(3) 'कोई भी पौधा माँसभक्षी नहीं होता है' गलत है।

(4) 'सभी पौधे माँसभक्षी होते हैं', सही है।

नीचे दिए गए विकल्पों में से सही उत्तर चुनें:

(a) केवल (2), (3) और (4)

(b) केवल (1) और (4)

(c) केवल (1) और (3)

(d) केवल (1), (3) और (4)

96. निम्नलिखित कौन-से कथन न्याय (क्लासिकी भारतीय तर्क मत) के हेत्वाभास संबंधी के सन्दर्भ में सत्य हैं? **[2022]**

(1) इसका अर्थ है कि मध्य पद तर्क प्रतीत होता है परंतु वैध तर्क नहीं होता।

(2) सभी तर्क दोष, भौतिक तर्क दोष होते हैं।

(3) जब कोई अनुमान कारण-कार्य संबंध पर आधारित न होकर सह-अस्तित्व की एकरूपता पर आधारित होता है तो इससे तर्कदोष उत्पन्न होता है।

(4) तर्कदोष उस स्थिति में उत्पन्न होते हैं जब मध्यपद की पाँच विशेषताओं में किसी का भी उल्लंघन होता है

नीचे दिए गए विकल्पों में से सही उत्तर चुनें:

(a) केवल (1), (2) और (3)

(b) केवल (1), (2) और (4)

(c) केवल (2), (3) और (4)

(d) (1), (2), (3) और (4)

97. निम्नलिखित युक्ति में कौन सा तर्कदोष है? **[2023]**

''समाज के रूप में हमारा दायित्व है कि हम जरूरतमंद लोगों की सहायता करें, क्योंकि जिन लोगों के पास पर्याप्त संसाधन नहीं होता है उनका सामुदायिक संसाधनों पर अधिकार होता है।''

(a) आत्माश्रय दोष (b) वाक्छल

(c) संहति-दोष (d) मनोभाव आग्रह

98. सूची I के साथ सूची II का मिलान कीजिए। **[2023]**

सूची-I (कथन)	सूची-II (तार्किक रूप से समान)
(1) कोई भी मछली स्तनपायी नहीं होती है।	(i) कोई भी मछली गैर-स्तनपायी नहीं होती है।
(2) सभी मछलियाँ स्तनपायी होती हैं।	(ii) कोई भी स्तनपायी मछलियाँ नहीं होते हैं।
(3) कुछ मछलियाँ स्तनपायी होती हैं।	(iii) कुछ स्तनपायी गैर-मछलियां होते हैं।
(4) कुछ स्तनपायी मछलियाँ नहीं होते हैं।	(iv) कुछ स्तनपायी मछलियाँ होते हैं।

(a) (1)–(iv), (2)–(i), (3)–(iii), (4)–(ii)

(b) (1)–(ii), (2)–(iii), (3)–(iv), (4)–(i)

(c) (1)–(ii), (2)–(i), (3)–(iv), (4)–(iii)

(d) (1)–(iii), (2)–(ii), (3)–(iv), (4)–(i)

99. यदि कथन 'कुछ पशु पक्षी होते हैं' गलत रूप से दिया गया है, तो निम्नलिखित में से कौन सा/से कथन तात्कालिक रूप से सत्य अनुमानित किया/किए जा सकता/सकते है/हैं? **[2023]**

(1) सभी पशु पक्षी होते हैं।

(2) कोई भी पशु पक्षी नहीं होते हैं।

(3) कुछ पशु पक्षी नहीं होते हैं।

(4) सभी पक्षी पशु होते हैं।

नीचे दिए गए विकल्पों में से सबसे उपयुक्त उत्तर का चयन कीजिए:

(a) केवल (2) (b) केवल (1) और (4)

(c) केवल (3) (d) केवल (2) और (3)

100. निम्नलिखित में से कौन से कथन इस प्रकार संबंधित हैं कि वे दोनों सत्य नहीं हो सकते हैं, यद्यपि वे दोनों गलत हो सकते हैं? **[2023]**

(1) सभी वृक्षों में जड़ें होती हैं।

(2) किसी भी वृक्ष में जड़ नहीं होती हैं।

(3) कुछ वृक्षों में जड़ें होती हैं।

(4) कुछ वृक्षों में जड़ें नहीं होती हैं।

नीचे दिए गए विकल्पों में सें सबसे उपयुक्त उत्तर का चयन कीजिए:

(a) केवल (3) और (4) (b) केवल (1) और (2)

(c) केवल (2) और (4) (d) केवल (1) और (3)

101. भारतीय शास्त्रीय न्याय मत के अनुसार निम्नलिखित में से कौन सा बाधित तर्क दोष (गैर-अनुमानसिद्ध व्याघातित मध्य पद) का उदाहरण है? **[2023]**

(a) ध्वनि गुण है क्योंकि यह दृश्य होती है।

(b) ध्वनि शाश्वत है क्योंकि यह उत्पन्न होती है।

(c) सभी वस्तुएँ गैर-शाश्वत हैं क्योंकि वे ज्ञेय होती हैं।

(d) अग्नि शीतल है क्योंकि यह एक तत्व होती है।

102. निम्नलिखित युक्ति में कौनसा तर्क-दोष किया गया है?

''मैंने जब आपको बुलाया तो आप न तो अपनी कक्षा में थे, न ही आप प्रयोगशाला में थे। आप मुझसे क्यों बच रहे हैं?'' **[2023]**

(a) चक्रक युक्ति-दोष (b) 'रेड हेरिंग'

(c) छल प्रश्न तर्क-दोष (d) फिसलनयुक्त ढलान

103. निम्नलिखित में से कौनसे कथन तार्किक रूप से समतुल्य हैं? **[2023]**

(1) कुछ पशु पक्षी हैं।

(2) कुछ पशु गैर-पक्षी नहीं हैं।

(3) कुछ गैर-पक्षी गैर-पशु नहीं हैं।

(4) कुछ पक्षी पशु हैं।

नीचे दिए गए विकल्पों में से सही उत्तर का चयन कीजिए:

(a) केवल (2) और (3)

(b) केवल (2), (3) और (4)

(c) केवल (1), (2) और (4)

(d) केवल (1), (2) और (3)

104. यदि कथन ''कोई भी पशु मछली नहीं हैं'' गलत के रूप में दिया गया है, तो निम्नलिखित में से किन कथनों का तात्कालिक रूप से सही होने का अनुमान किया जा सकता है? **[2023]**

(1) सभी मछलियां पशु हैं।

(2) कुछ पशु मछलियां नहीं हैं।

(3) सभी पशु मछलियां हैं।

(4) कुछ पशु मछलियां हैं।

नीचे दिए गए विकल्पों में से सही उत्तर का चयन कीजिए:

(a) केवल (2) और (4)

(b) केवल (1), (3), और (4)

(c) केवल (3) और (4)

(d) केवल (4)

105. निम्नलिखित में से कौन सी प्रतिज्ञप्तियाँ एक-दूसरे के विपरीत हैं? **[2023]**

(1) सभी मछलियां स्तनपायी हैं।

(2) कुछ मछलियां स्तनपायी हैं।

(3) कोई भी मछली स्तनपायी नहीं है।

(4) कुछ मछलियां स्तनपायी नहीं हैं।

नीचे दिए गए विकल्पों में से सही उत्तर का चयन कीजिए:

(a) केवल (2) और (4)

(b) केवल (1) और (3)

(c) केवल (1) और (4)

(d) केवल (2) और (3)

106. न्याय (शास्त्रीय भारतीय तर्कशास्त्र का विचार-सम्प्रदाय) के अनुसार निम्नलिखित में से किस युक्ति में अनुपसम्हारी (गैर-एकांतिक मध्यवर्ती पद) तर्क-दोष सम्मिलित है? **[2023]**

(a) पहाड़ी पर धुआँ है क्योंकि वहां आग है।

(b) ध्वनि शाश्वत है क्योंकि यह श्रव्य है।

(c) सभी चीजें गैर-शाश्वत हैं क्योंकि वे ज्ञेय हैं।

(d) ध्वनि शाश्वत है क्योंकि यह उत्पन्न की जाती है।

उत्तरमाला

1. (c)	**2.** (b)	**3.** (d)	**4.** (a)	**5.** (c)	**6.** (c)	**7.** (b)	**8.** (c)	**9.** (a)	**10.** (d)
11. (b)	**12.** (a)	**13.** (a)	**14.** (b)	**15.** (a)	**16.** (a)	**17.** (a)	**18.** (a)	**19.** (b)	**20.** (d)
21. (c)	**22.** (a)	**23.** (a)	**24.** (a)	**25.** (b)	**26.** (a)	**27.** (c)	**28.** (d)	**29.** (d)	**30.** (c)
31. (d)	**32.** (b)	**33.** (a)	**34.** (d)	**35.** (b)	**36.** (a)	**37.** (c)	**38.** (b)	**39.** (b)	**40.** (c)
41. (c)	**42.** (a)	**43.** (c)	**44.** (b)	**45.** (c)	**46.** (b)	**47.** (b)	**48.** (a)	**49.** (c)	**50.** (b)
51. (d)	**52.** (c)	**53.** (a)	**54.** (a)	**55.** (a)	**56.** (b)	**57.** (c)	**58.** (c)	**59.** (d)	**60.** (a)
61. (a)	**62.** (d)	**63.** (d)	**64.** (a)	**65.** (b)	**66.** (a)	**67.** (b)	**68.** (b)	**69.** (b)	**70.** (d)
71. (b)	**72.** (b)	**73.** (b)	**74.** (d)	**75.** (c)	**76.** (d)	**77.** (d)	**78.** (d)	**79.** (a)	**80.** (a)
81. (d)	**82.** (b)	**83.** (d)	**84.** (c)	**85.** (b)	**86.** (b)	**87.** (a)	**88.** (d)	**89.** (a)	**90.** (c)
91. (c)	**92.** (b)	**93.** (b)	**94.** (a)	**95.** (d)	**96.** (b)	**97.** (a)	**98.** (b)	**99.** (d)	**100.** (b)
101. (b)	**102.** (b)	**103.** (a)	**104.** (d)	**105.** (b)	**106.** (b)				

संकेत और स्पष्टीकरण

1. (c)

प्रज्ञा की श्रेष्ठता एक विषय के बारे में उसकी एकाग्रता शक्ति पर उसी प्रकार निर्भर करती है, जिस प्रकार, कॉनकेव दर्पण उस पर पड़ने वाली सभी किरणों को एक बिंदु पर संग्रहित करता है। अभ्यर्थी इस वाक्य में दिए गए, 'जिस प्रकार' शब्द पर ध्यान केंद्रित करें, जो 'सादृश्यता' (analogy) को संदर्भित कर रहा है । इसका अर्थ यह है कि किन्हीं दो समान वस्तुओं की तुलना कर रहे हैं।

2. (b)

यह I प्रकार का कथन है। I-प्रकार के कथन के सब्जेक्ट (S) और प्रेडीकेट (P) आपस में परिवर्तित किये जा सकते हैं।

अत: यदि 'अधिकांश नर्तक शारीरिक रूप से फिट हैं' सत्य है तो 'अधिकांश शारीरिक रूप से फिट नर्तक हैं' सत्य होगा।

उसी प्रकार यदि 'अधिकांश गायक नर्तक हैं' सत्य है तो 'अधिकांश नर्तक गायक हैं' भी सत्य होगा।

अत: कथन -2 और 3 मान्य है।

3. (d)

जॉन स्टुअर्ट मिल्स ने वर्ष 1843 में अपनी पुस्तक 'सिस्टम ऑफ लॉजिक' में बताया कि आगमनात्मक निष्कर्ष प्रकृति की एकरूपता के पर आधारित थे कि भविष्य अतीत जैसा ही होगा।

अत: प्रकृति की समरूपता आगमनात्मक तर्क में पूर्व - कल्पित है।

4. (a)

प्रश्नानुसार, 'पालतू पशु कम खूंखार होते हैं' यदि इस प्रतिज्ञप्ति (prpositions) को असत्य मान लिया जाता है, तो सभी पालतू पशु खूंखार होते हैं निश्चित रूप से सत्य माना जा सकता है।

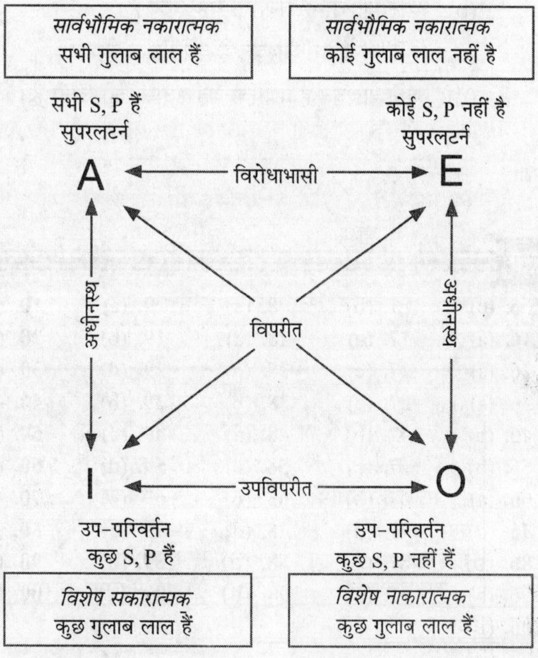

विरोधाभासी (Contraries): ये कथन एक साथ सत्य और असत्य नहीं हो सकते हैं। यदि एक सत्य है, तो दूसरा अनिवार्य रूप से असत्य होगा और इसके विपरीत।

विपरीत (Contradictory): दोनों विपरीत एक साथ असत्य हो सकते हैं, लेकिन वे एक ही समय में सत्य नहीं हो सकते। यदि उनमें से एक सत्य है, तो दूसरा अवश्य ही असत्य होगा और यदि एक असत्य है, तो दूसरा सत्य या असत्य हो सकता है।

उप-विपरीत (Sub – contraries): उप-विपरीत प्रस्ताव एक साथ सत्य हो सकते हैं, लेकिन वे एक ही समय में असत्य नहीं हो सकते।

उप-परिवर्तन (Sub – alteren): उप वैकल्पिक प्रस्ताव एक साथ सत्य या एक साथ असत्य हो सकते हैं।

5. (c)

वेन चित्र विधि

1. यह तर्कों की वैधता के परीक्षण की एक विधि है।
2. यह एक चित्र में न्याय वाक्य के दोनों आधार वाक्यों को प्रदर्शित करती है।
3. इसका वर्गों के अतिरिक्त आधार वाक्यों को प्रदर्शित करने के लिए उपयोग किया जा सकता है।

6. (c)

उपरोक्त प्रश्न में V(+1) A(+2) R(+3) A(+4) N(+5) A(+6) S (+7) I(+8) में +1, +2, +3, +4, ... +8 के अनुसार जोड़कर WCUESGZQ लिखा गया है। उसी प्रकार K(+1) O(+2) L(+3) K(+4) A(+5) T(+6) A(+7) का कोड LQOOFZH होगा।

7. (b)

चूँकि अन्य लोगों के साथ सर्वाधिक अन्योन्यक्रिया 'अत्यधिक सतही स्तर' शब्दों का प्रयोग होता है, यहां पूर्वानुमान ही उपयुक्त उत्तर है।

8. (c)

यह परिभाषा के अनुसार है। प्रथम आधारवाक्य में, 'सभी भद्र व्यक्ति विनम्र हैं', यहां पर 'भद्र' कर्ता हैं।

'कोई अपराधी विनम्र नहीं हैं' इस पद में, 'विनम्र' विधेय हैं। प्रमुख पद प्रस्ताव में कर्ता होता है और प्रमुख पद निष्कर्ष में विधेय है। अत: उपर्युक्त न्याय वाक्य में प्रमुख पद प्रथम आधारवाक्य का 'कर्ता' और निष्कर्ष में 'विधेय' है।

9. (a)

निगमनात्मक का अर्थ है, सामान्य से विशिष्ट की ओर ले जाना। इस प्रकार, 'निगमनात्मक तर्क' सही उत्तर है। एक निगमनात्मक तर्क, वह तर्क है जिसका उद्देश्य तर्ककर्ता द्वारा वैध रूप से मान्य होना है, यानी, निष्कर्ष की सत्यता की गारंटी प्रदान करने के लिए बशर्ते कि तर्क का प्रस्ताव सत्य हो। इस बिंदु को यह कहकर भी व्यक्त किया जा सकता है कि, एक निगमनात्मक तर्क में, प्रस्ताव का उद्देश्य इस निष्कर्ष के लिए इतना दृढ़ समर्थन प्रदान करना है कि, यदि प्रस्ताव सत्य है, तो निष्कर्ष का असत्य होना असंभव होगा।

एक तर्क जिसमें प्रस्ताव निष्कर्ष की गारंटी देने में सफ्ल होता है, उसे वैध तर्क कहा जाता है। यदि एक वैध तर्क में सही प्रस्ताव है, तो तर्क को भी सही कहा जाता है।

10. (d)

प्रश्नानुसार, यदि बंगलौर झांसी से बड़ा शहर है, सतपुड़ा चितौड़ से बड़ा शहर है। राजगढ़ झांसी के समान बड़ा नहीं है, लेकिन वह सतपुड़ा से बड़ा है। इसलिए, सबसे छोटा चितौड़ है।

बंगलौर
↓
झांसी
↓
राजगढ़
↓
सतपुड़ा
↓
चितौड़

अत: निगमनात्मक तर्क ही एक ऐसा तर्क है जिसके अंतर्गत सार्वभौमिक तर्कवाक्य से दृष्टान्तपरक आधारवाक्य का अनुमान लगाया जा सकता है।

11. (b)

भारतीय दर्शन प्रत्यक्ष प्रमाण के दो भागों को स्वीकार करता है – नियत और अनियत।

(1) नियत या सविकल्पक

(2) अनियत या निर्विकल्पक।

नियत प्रत्यक्ष (Determinate Perception): नियत या निश्चित प्रत्यक्ष में, प्राप्त ज्ञान वास्तविक और उसके गुणों के संदर्भ में सीधे संबंधित है। कथित वस्तु के ज्ञान के साथ नियतिवाद जुड़ा हुआ है। 'इस जार' की धारणा पर विचार करें। जब ज्ञान प्रत्यक्ष के माध्यम से होता है, तो हमें निश्चित ज्ञान होता है 'मैं जार को जानता हूं' – यानी विषय और वस्तु के मध्य संबंध तुरंत स्थापित हो जाता है। यह अद्वैत द्वारा परिभाषित ज्ञान का निर्धारण है।

अनियत प्रत्यक्ष (Indeterminate Perception): अनियत या अनिश्चित प्रत्यक्ष में, प्राप्त ज्ञान सीधे विषय से संबंधित नहीं है, अर्थात नियततत्ववाद 'मैं यह जानता हूं' अलग से उपस्थित नहीं है। आइए एक उदाहरण लेते हैं: – 'यह वह देवदत्त है'। यहां हमारे पास दो घटक हैं: 'यह देवदत्त है' और 'वह देवदत्त है', लेकिन उन्हें एकात्मक कथन में जोड़ा गया है 'यह वह देवदत्त है'। 'यह' वर्तमान और यहां को संदर्भित करता है, जबकि 'वह' अतीत और वहां को संदर्भित करता है। इसलिए 'उस देवदत्त' का ज्ञान स्मृति से आता है। 'यह देवदत्त' प्रत्यक्ष रूप से माना जाता है, क्योंकि वस्तु हमारे सामने प्रत्यक्ष प्रमाण के लिए उपलब्ध है।

अत: वह प्रत्यक्ष जिसके द्वारा हमें किसी वस्तु का ज्ञान किसी विधेय की विशेषता द्वारा नहीं होता बल्कि कतिपय असंबंधित अवयवों के बोध से होता है, वह अनियत प्रत्यक्ष कहलाती है।

वाचिक प्रत्यक्ष (Verbal Testimony): इसे एक विश्वसनीय व्यक्ति के कथन के रूप में परिभाषित किया गया है। वाचिक प्रत्यक्ष को ज्ञान प्राप्ति का मुख्य साधन माना गया है।

निहितार्थ (Implication): इस प्रमाण के माध्यम से हम किन्ही दो तथ्यों के मध्य विरोधाभास के परिणामस्वरूप एक तथ्य की खोज करते हैं।

उदाहरण के लिए, दिन के समय भोजन न करने वाले सभी मोटे व्यक्ति रात को भोजन करने वाले व्यक्ति हैं।

'देवदत्त एक मोटा व्यक्ति है, जो दिन के समय में नहीं खाता है। इसलिए देवदत्त एक मोटा व्यक्ति है जो रात के समय भोजन करता है।

12. (a)

हेत्वाभास, सामान्य तौर पर तार्किक रूप से असत्य तर्क से उत्पन्न होते हैं और इस प्रकार एक तर्क की वैधता को कम करते हैं।

विरोधाभासी तर्क का हेत्वाभास (fallacy of Contradictory): विरोधाभासी भ्रांति में एक प्रतिविरोध सम्मिलित है जो एक अनुमान को परस्पर विरोधी या असंगत आधार बनाता है।

दिए गए कथन में 'ध्वनि स्थायी है क्योंकि यह एक जार की तरह उत्पन्न की जा सकती है।' यदि हम इस कथन को भागों में देखते हैं कि 'ध्वनि स्थायी है' और 'यह एक जार की तरह उत्पन्न होती है जो विरोधाभासी है।'

गलत अभिकथन का हेत्वाभास (Fallacy of Wrong Assertion): यही कारण है कि असत्य होते हुए भी सत्य के रूप में दोहराया जाता है।

असंगत तर्क का हेत्वाभास (Fallacy of Irrelevant Reason): यह एक निष्कर्ष के समर्थन में दिया गया है जो निष्कर्ष की सच्चाई या असत्य के लिए अप्रासंगिक है।

तुच्छ तर्क का हेत्वाभास (fallacy of trivial reason): तुच्छ कारणों की भ्रांति एक अनौपचारिक तार्किक भ्रांति है जिसमें चर्चा किए जा रहे विषय से ध्यान हटाने के लिए अप्रासंगिक और कभी-कभी तुच्छ आपत्तियां की जाती हैं। साधारण होने वाली आपत्तियां रेड हेरिंग का विषय है। तुच्छ कारण का भ्रम जो एक निष्कर्ष के समर्थन में दिया गया है जो निष्कर्ष की सच्चाई या असत्य को स्थापित करने में महत्वहीन है।

अत: भारतीय तर्कशास्त्र के आधार पर 'ध्वनि अस्थायी है क्योंकि यह श्रव्य है' इस तर्क में तुच्छ तर्क का हेत्वाभास है।

13. (a)

वाक्यों के दो भाग होते हैं

विषय **संज्ञा या सर्वनाम**	**विधेय** **क्रिया**
उत्तर: *कौन या क्या*	उत्तर: *इसके बारे में क्या है?*
1. वह	मुस्कुराता है।
2. पतझड़ के पत्ते	को धीरे से जमीन पर घुमाएं।

एक मध्य पद एक ऐसा पद है जो दोनों प्रस्तावों में मौजूद होता है। मध्य पद एक प्रस्ताव के विषय के रूप में या एक प्रस्ताव के विधेय के रूप में प्रस्तुत रहता है।
कोई संगीतकार जापानी नहीं हैं।
सभी नाई संगीतकार हैं।
कोई नाई जापानी हैं।
उपर्युक्त न्यायवाक्य में मध्य पद प्रथम आधार वाक्य में कर्ता और दूसरे आधारवाक्य में विधेय में मौजूद हैं। हम प्रश्न कथन को ही देख सकते हैं कि मध्यपद संगीतकार परिसर में उपस्थित नहीं हो रहे हैं।

14. (b)

'आगमनात्मक तर्क (Inductive argument)' विशिष्ट से सामान्य या 'विशिष्ट से सार्वभौमिक' की ओर बढ़ता है। एक आगमनात्मक तर्क वह तर्क है जिसमें प्रस्ताव, निष्कर्ष के संभावित सत्य का समर्थन करने वाले कारण प्रदान करता है। एक आगमनात्मक तर्क में, प्रस्ताव का उद्देश्य केवल इतना दृढ़ होना है कि यदि वे सत्य हैं, तो यह संभावना नहीं हो सकती कि निष्कर्ष असत्य हो।

15. (a)

सभी मित्रों की लम्बाई को निम्नलिखित क्रम से व्यवस्थित किया जा सकता है:

राम
विनीत
मोनिका
जैकब
दलीप

16. (a)

भारतीय न्यायदर्शन के अनुसार अर्थापत्ति छह प्रमाणों में से एक प्रमाण है :

अर्थापत्ति (Implication): अर्थापत्ति से तात्पर्य परिस्थितियों के एक समूह से नव ज्ञान प्राप्त करना है। केंद्रीय विचार यह है कि किसी अन्य तथ्य की पृष्ठभूमि के खिलाफएक नए तथ्य के संज्ञान में आने से किसी तरह का पक्षपात उत्पन्न होता है, जिसे तीसरे तथ्य के बिना हल नहीं किया जा सकता है।
प्रश्नानुसार, देवदत्त मोटा हो रहा है ।
वह दिन में खाना नहीं खाता है ।
इसलिए, वह रात को खाना खाता होगा ।
ऊपर दिए गए उदाहरण में, देवदत्त के मोटे होने और दिन में भोजन न करने के मध्य पक्षपात है। अत: यह अर्थापत्ति प्रमाण का एक उदाहरण है।

17. (a)

विरोधाभासी प्रस्ताव में तार्किक रूप से अशुद्ध तर्क सम्मिलित होता है, जो असंगत प्रस्तावों के आधार पर निष्कर्ष निकालता है। एक प्रस्ताव अनिवार्य रूप से विरोधाभासी तब होता है, जब वह एक ही बात पर अधिक जोर देता है और उसकी अस्वीकृति भी देता है। अत: 'ध्वनि स्थायी है क्योंकि यह जार की तरह की उत्पाद है'। भारतीय तर्क के आधार पर उपर्युक्त तर्क में विरोधाभासी तर्क का हेत्वाभास (fallacy of contradictory) मौजूद है।

18. (a)

सभी विषय विधेय द्वारा परिभाषित कक्षा में वितरित किए जाएंगे।
सार्वभौम विधेय (Universal Affirmative): इन प्रस्तावों का आरंभ सभी या प्रत्येक से होता है। सार्वभौम विधेय को A से निरूपित किया जाता है।
उदाहरण: 'सभी न्यायाधीश निष्पक्ष हैं', यह तर्क सार्वभौम विधेय का उदाहरण है।
सार्वभौम निषेध (Universal Negative): ऐसा प्रस्ताव, जो कोई नहीं (no) एक भी नहीं (none) से आरंभ होता है। सार्वभौम निषेध को 'E' से निरूपित किया जाता है।
उदाहरण: 'सभी न्यायाधीश निष्पक्ष नहीं हैं'।
विशिष्ट विधेय (Particular Affirmative): ऐसा प्रस्ताव, जो कुछ (some), कभी - कभी (sometimes), अधिकतर (mostly) आदि शब्दों से आरंभ होता है। विशिष्ट विधेय को 'I' से निरूपित किया जाता है।
उदाहरण: 'कुछ न्यायाधीश निष्पक्ष हैं'।
विशिष्ट निषेध (Particular Negative): ऐसा प्रस्ताव, जो कुछ .... नहीं (some....not) और सभी......नहीं (all.....not) आदि शब्दों से आरंभ होता है। विशिष्ट विधेय को 'O' से निरूपित किया जाता है।
उदाहरण: 'कुछ न्यायाधीश निष्पक्ष नहीं हैं'।

19. (b)

'तार्किक अनिवार्यता' का अर्थ है कि प्रस्ताव और निष्कर्ष के मध्य संबंध प्रत्यक्ष और दृढ़ है। ऐसा 'निगमनात्मक' प्रस्तावों के संदर्भ में होता है। आगमनात्मक प्रस्तावों में सदैव 'संभावना' की गुंजाइश होती है।
सादृश्यमूलक तर्क एक विशेष प्रकार का आगमनात्मक तर्क है, जिसके द्वारा कथित समानताएं कुछ और समानता का अनुमान लगाने के लिए आधार के रूप में उपयोग की जाती हैं जिन्हें अभी प्राप्त किया जाना है। सादृश्य तर्क सामान्य ढंग है, जिसके द्वारा मनुष्य वस्तुओं को समझने और निर्णय लेने का प्रयास करता है।
एक प्रदर्शनकारी तर्क एक ऐसा निष्कर्ष स्थापित करता है जिसका निषेध विरोधभासी है। आगमनात्मक निष्कर्ष के निष्कर्ष का निषेध विरोधाभास नहीं है। यदि रोटी का अगला टुकड़ा पौष्टिक नहीं है, तो इसे विरोधाभास नहीं कहा जा सकता है।

20. (d)

अपरिवर्तनीय संयोग मूल रूप से 'व्याप्ति' है। अनुमान को लिंग और साध्य के मध्य एक सार्वभौमिक संबंध के रूप में क्रमश: मध्य और प्रमुख पदों के रूप में व्याप्ति के ज्ञान की आवश्यकता होती है। मध्य पद के रूप में लिंग (linga) का यह ज्ञान सदैव साध्य से संबंधित होता है, जो उनके एक दूसरे से संबंध के पूर्व अनुभव के परिणामस्वरूप होता है।

21. (c)

मध्य पद न्यूनतम एक आधारिका या प्रस्ताव में वितरित होना चाहिए।

22. (a)

अनुपलब्धि एक भिन्न स्वतंत्र प्रमाण है, जिसका शाब्दिक अर्थ है किसी भी विषय पर एक राय या एक विचार। किसी वस्तु के न होने का आभास उसके न होने से होता है। अनुपलब्धि किसी वस्तु के अस्तित्व का तत्काल ज्ञान है। यह अनस्तित्व (non-apprehension) के प्रमाण को संदर्भित करता है। उदाहरण के लिए, मुझे मेज पर रखे घट का संज्ञान नहीं हो रहा, इसलिए यह वहां पर नहीं है।

23. (a)

जब निष्कर्ष प्रस्ताव का पालन नहीं करता है, तो निगमनात्मक हेत्वाभास या भ्रांति उत्पन्न होती है। इन्हें गैर-अनुक्रमक या निष्कर्ष के रूप में संदर्भित किया जाता है जिनका प्रारंभिक प्रमाणों से कोई लेना-देना नहीं होता है। एक निगमनात्मक तर्क निम्नलिखित पैटर्न का अनुसरण करता है।

प्रस्ताव 1: सभी कुत्तों के पांव होते हैं।

प्रस्ताव 2: टिनी एक कुत्ता है।

निष्कर्ष: इसलिए, टिनी के पांव हैं।

प्रश्नानुसार, 'यदि वर्षा होगी, तो सूखा समाप्त हो जायेगा। सूखा समाप्त हो गया, अत: वर्षा हुई।' यह निगमनात्मक हेत्वाभास है।

24. (a)

दर्शनशास्त्र में तर्क का एक विशिष्ट लक्षण यह होता है कि यह या तो मान्य होता है या अमान्य होता है। तर्क कथनों की एक श्रृंखला होती है जिसके द्वारा किसी व्यक्ति या समुदाय को किसी बात के लिए सहमत किया जाता है। सामान्यत: किसी तर्क के बिन्दु साधारण भाषा में प्रस्तुत किये जाते हैं और उसके आधार पर निष्कर्ष तैयार किया जाता है।

25. (b)

स्लिपरी स्लोप का हेत्वाभास, त्रुटि या भ्रान्ति या अशुद्धि तब होती है जब हम मानते हैं कि एक क्रिया घटनाओं की एक श्रृंखला से उत्पन्न होगी। इसके परिणामस्वरूप अंतिम चरण में एक अवांछनीय घटना होगी। हम मानते हैं कि अंतिम घटना अपरिहार्य है। यदि हम स्लिपरी स्लोप त्रुटि से उद्यत हैं तो यह भूल जाते हैं कि प्रथम और अंतिम घटना के मध्य अन्य घटनाएं भी घटित होंगी, फिर अंतिम घटना घटने की संभावना है।

इस प्रकार, स्लिपरी स्लोप का हेत्वाभास एक तार्किक भ्रान्ति है, जहां एक तर्क दिया जाता है जो अनुरोध करता है कि:

(a) एक छोटी सी क्रिया, घटनाओं की एक श्रृंखला उत्पन्न करेगी, जिसके परिणामस्वरूप नकारात्मक परिणाम होंगे।

(b) स्लिपरी स्लोप तर्कों के पीछे यह विचार है कि हमें A जैसा कुछ नहीं करना चाहिए क्योंकि A, B की ओर ले जाएगा और B, C की ओर ले जाएगा और इसी तरह, जब तक कुछ अप्रत्याशित घटित नहीं होता।

'इस अस्पताल में कुछ नर्सें सफेद वस्त्र नहीं पहनती हैं, कुछ चिकित्सक निजी प्रेक्टिस करते हैं और महंगी दवाइयां लिखते हैं। इसलिए, इस अस्पताल में घटिया गुणवत्ता स्तर का उपचार होता है' यहां पर एक घटना के परिणामस्वरूप दूसरी घटना की उत्पत्ति हो रही है और इसी प्रकार घटनाओं की यह श्रृंखला आगे चलती रहेगी।

26. **(a)**

'योगज' शब्द प्रत्यक्ष प्रमाण से संबंधित है। प्रमाण का अर्थ है प्रमाण (साक्ष्य) और सत्य ज्ञान प्राप्ति का साधन। प्रत्यक्ष से अभिप्राय उस वस्तु से है जो किसी की आंखों के सामने घटित होती है।

(1) प्रत्यक्ष (Perception) – यह दो प्रकार का होता है-

आंतरिक (Internal) – यानी आंतरिक इन्द्रियां, मन।

बाह्य (External) – यह पांच इंद्रियों और शब्दार्थ वस्तुओं की परस्पर क्रिया से उत्पन्न होती है।

भारतीय दर्शन में, ज्ञान के पांच साधनों में से प्रत्यक्ष ही व्यक्ति को किसी वस्तु की सही अनुभूति करने में सहयता करती है।

(2) अनुमान (Inference) – अनुमान का अर्थ है पूर्ण अनुभव पर आधारित ज्ञान के आधार पर किसी अन्य वस्तु का अनुमान लगाना या मापना।

(3) वाचिक प्रमाण (Verbal Testimony) – यह विश्वसनीय व्यक्तियों, मानव या परमात्मा के शब्दों पर आधारित है। वाचिक प्रमाण या शब्द ज्ञान प्राप्ति का मुख्य साधन माना गया है।

(4) उपमान (Comparision) – उपमान या तुलना किसी नाम और वस्तु के मध्य संबंध का ज्ञान है।

27. **(c)**

उप-विपरीतार्थी (Sub–Contrary): पूर्वसर्ग को निरूपित करना जो दोनों एक साथ सत्य हो सकते हैं लेकिन एक साथ असत्य नहीं हो सकते। उदाहरण के लिए, कुछ x, y हैं और कुछ x, y नहीं हैं।

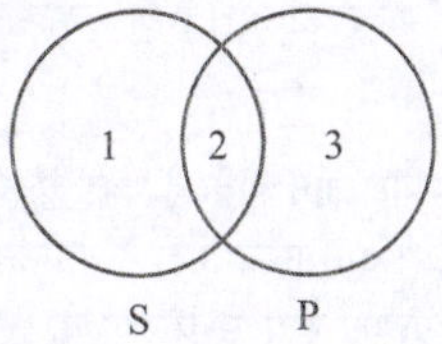

Source: Slideplayer.com

1 = S जो P नहीं हैं।

2 = S जो P हैं।

3 = P जो S नहीं है।

28. **(d)**

भारतीय शास्त्रीय न्याय परम्परा के अनुसार सत्य ज्ञान प्राप्ति के लिए छह प्रमाण हैं। न्याय दर्शन के अनुसार, प्रमाण ही सत्य ज्ञान प्राप्ति के साधन हैं। वे प्रत्यक्ष, अनुमान, उपमान, शब्द, अर्थापत्ति और अनुपलब्धि को स्वीकार करते हैं।

'अनुमान' (inference) एक विचार या निष्कर्ष है जो उस प्रमाण और तर्क के आधार पर निकाला जाता है जिसे हमने पूर्व अनुभव किया हो। स्मृति में उपस्थित अनुभवों के आधार पर अनुमान लगाकर हम नव ज्ञान की प्राप्ति करते हैं, यानी जो पहले से ज्ञात है उसके आधार पर वस्तुओं का अनुमान लगाने की प्रक्रिया ही अनुमान है।

उदाहरण के लिए, यदि कोई दरवाजा धम्म से बंद करता है, तो आप अनुमान लगा सकते हैं कि वह किसी बात को लेकर परेशान है। उदाहरण उसी प्रकार शास्त्रीय न्याय परम्परा ईश्वर के अस्तित्व को सिद्ध करने के लिए अनुमान 'प्रमाण' का प्रयोग करती है।

29. (d)

प्रस्तावों को निम्नलिखित रूप में भी रखा जा सकता है:

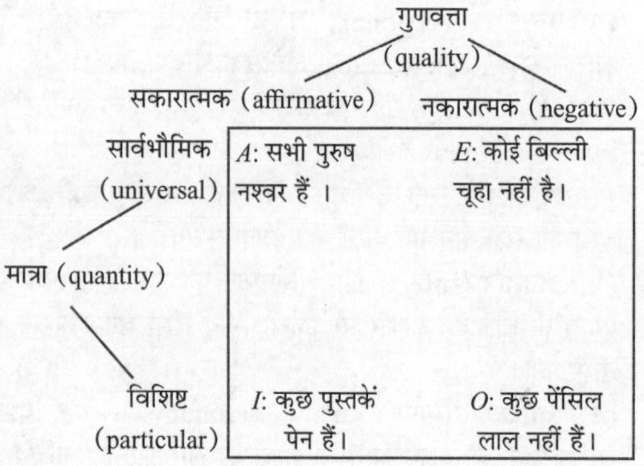

30. (c)

अनेकार्थ (equivocation) का अर्थ किसी शब्द या वाक्यांश के दो या दो से अधिक भिन्न अर्थों के मध्य रूपांतरित होना है जो तर्क के लिए महत्वपूर्ण है। तर्क प्रभावी होने के लिए, शब्दों का अर्थ आधार वाक्य और निष्कर्ष में समान होना चाहिए।

'चूहा एक जानवर है। इसलिए, एक बड़ा चूहा एक बड़ा जानवर है।' यह तर्क एक सापेक्ष शब्द के अस्पष्ट उपयोग को दर्शाता है। संदर्भ के आधार पर 'बड़े' शब्द का अर्थ भिन्न- भिन्न जानवर है।

31. (d)

अनुमान तर्क से प्राप्त ज्ञान होता है। यह एक सार्वभौमिक प्रस्ताव है। अनुमान धारणा पर आधारित होता है लेकिन ऐसे निष्कर्ष पर पहुँचने में सक्षम है जो प्रत्यक्ष रूप से धारणा के लिए खुला नहीं हो सकता है। जैसे - यदि धुँआ है तो वहां आग होगी - यह सार्वभौमिक है। सार्वभौमिक कथन में प्रस्ताव विषय वर्ग के सभी सदस्यों को संदर्भित करता है।

32. (b)

अर्थापत्ति (Implication): इस प्रमाण के माध्यम से हम दो तथ्यों के मध्य विरोधाभास के परिणामस्वरूप एक तथ्य की खोज करते हैं। आइए पूरा उदाहरण देखें।

1. मोटा देवदत्त दिन में नहीं खाता।
2. लेकिन, उनका वजन कम नहीं होता है।

ये दो विरोधाभासी कथन अर्थपति प्रमाण के साथ मेल खाते हैं, कि वह रात के दौरान खा रहा होगा। अर्थपति प्रमाण एक संस्कृत शब्द है जिसका अर्थ निहितार्थ है।

तुलना (Comparison): उपमान या तुलना किसी नाम और वस्तु के मध्य संबंध का ज्ञान है। किसी वस्तु को उनकी समानता के आधार पर दिए गए विवरण पर तुलना करना।

अवधारणा या अनुमान (Perception): अनुमान का शाब्दिक अर्थ है ऐसा ज्ञान जो कुछ अन्य ज्ञान का अनुसरण करता है। अनुमान दो प्रकार का होता है:

(i) स्वार्थानुमान : स्वयं के लिए अनुमान
(ii) परार्थानुमान : दूसरों के लिए अनुमान

वाचिक – साक्ष्य (Verbal Testimony): शब्द ज्ञान प्राप्ति का मुख्य साधन माना गया है। वाचिक – साक्ष्य को वेदों के अधिकार (सबसे प्राचीन पवित्र ग्रंथों) के रूप में सम्मानित किया गया है।

33. (a)

इस प्रश्न का उत्तर जानने के लिए हमें 'विपक्ष के वर्ग' (classical square of opposition) के आरेख को देखना होगा।

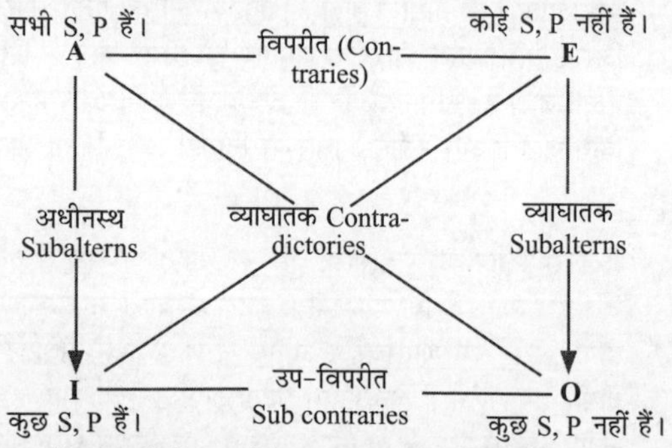

वाक्यों के विरोध संबंध आधार पर निष्कर्ष (Square of Opposition)

34. (d)

व्याप्त एवं अव्याप्त पदों की तालिका (Table of Distributed and Undistributed Terms)

वाक्य (Proposition)	संकेत (Symbol)	उद्देश्य (Subject)	विधेय (Predicate)
सर्वव्यापी सकारात्मक Universal Affirmative	A	व्याप्त Distributed	अव्याप्त Undistributed
सर्वव्यापी नकारात्मक Universal Negative	E	व्याप्त Distributed	व्याप्त Distributed
अंशव्यापी सकारात्मक Particular Affirmative	I	अव्याप्त Undistributed	अव्याप्त Undistributed
अंशव्यापी नकारात्मक Particular Negative	0	अव्याप्त Undistributed	व्याप्त Distributed

'श्रेणीबद्ध प्रस्तावों' की समीक्षा से हमें यहां सहायता मिल सकती है।

हमें इस कथन को देखने की आवश्यकता है – 'कुछ लड़कियां छात्र नहीं हैं'। यह कथन टाइप 'O' के साथ सही जाता है।
यहां, 'लड़कियां' एक विषय है क्योंकि हम उससे एक व्यक्ति या वस्तु के रूप में चर्चा कर रहे हैं, वह कुछ करती हैं।
विधेय का अर्थ है जो विषय के बारे में कुछ बताता है।
प्रश्नानुसार, 'कुछ लड़कियां विद्यार्थी नहीं हैं'। इस तर्कवाक्य में 'विधेय' (predicate) शब्द वितरित है, कर्ता (subject) शब्द लड़कियां वितरित नहीं हैं।

35. (b)

यह शब्दों और उनके अर्थों का प्रत्यक्ष है। वे भाषाओं के विषय के अंतर्गत आते हैं।
त्याग (sacrifice) – स्वार्थ की मंशा के बिना सहायता करना।
सत्यनिष्ठा (sincerity) – निर्दिष्ट समय में कार्य करना।
आत्म नियंत्रण (self–control) – व्यक्ति के मस्तिष्क का कृत पर परिसीमित होना।
परोपकारिता (altruism) – प्रेम और अनुराग प्रदर्शित करना।

36. (a)

एड पॉप्युलम (Ad Populam): इसे बैन्ड्वैगन (अनुरूपता प्रभाव) की भ्रांति के रूप में भी जाना जाता है, इसके अंतर्गत तर्ककर्ता दर्शकों को कुछ करने या विश्वास करने के लिए मनाने का प्रयास करता है। उदाहरण के लिए, हर कोई पार्टी में जा रहा है, इसलिए आपको भी जाना चाहिए।
यह एक भ्रामक तर्क है, जो यह निष्कर्ष निकालता है कि एक प्रस्ताव सत्य होना चाहिए क्योंकि कई या अधिकतर लोग इसे मानते हैं। संक्षिप्त रूप से 'यदि कई लोग ऐसा मानते हैं, तो ऐसा ही है।' उदाहरण के लिए, अधिक से अधिक संख्या में लोग योग की ओर रुख कर रहे हैं, ताकि वे अपनी अंतरात्मा से संपर्क कर सकें।

37. (c)

वृत्त का क्षेत्रफल = πr^2

वर्ग का विकर्ण = $\dfrac{a}{\sqrt{2}}$

प्रश्नानुसार, $\dfrac{a}{\sqrt{2}} = \pi r^2 \quad \Rightarrow \left(\dfrac{11}{\sqrt{2}}\right)^2 = \dfrac{22}{7} \times r^2$

$\Rightarrow r = 4.38$

वृत्त का व्यास = $2 \times 4.36 = 8.7$ cm

38. (b)

एड मिज़रीकार्डियम (Ad misericordium) भावनाओं के लिए एक सशक्त अपील पर आधारित एक तर्क है। इसे आर्गुमेंटम एड मिजरीकार्डियम या दुख की दया के लिए अपील के रूप में भी जाना जाता है। जब दया के रूप में सहानुभूति की अपील मुद्दे के लिए अत्यधिक अतिरंजित या अप्रासंगिक है, तो एड मिजरीकार्डियम को तार्किक भ्रम माना जाता है। उदाहरण, मिस्टर X एक स्लम में रहता है और बेरोजगार है इसलिए, मिस्टर X मंत्री बनने के योग्य है। यह भावनाओं के लिए एक मजबूत अपील है।

39. (b)

जब आप शास्त्रीय भारतीय तर्कशास्त्र के अनुसार दूसरों के सामने अनुमान के आधार पर तर्क प्रस्तुत करते हैं, तो उपमान एक आवश्यक कदम नहीं है। हिंदू धर्म में उपमान एक प्रमाण या किसी चीज का ज्ञान रखने का साधन है, यह समानता के आधार पर दो वस्तुओं के मध्य संबंधों का ज्ञान प्रदान करता है। इसका अर्थ किसी ज्ञात वस्तु से तुलना करके किसी अज्ञात वस्तु का ज्ञान प्राप्त करना भी है।

40. (c)

किसी स्पष्ट कथन को प्रतिज्ञप्ति कहा जाता है। एक प्रतिज्ञप्ति में उद्देश्य (जिसके बारे में कहा जाता है) और विधेय (उद्देश्य के बारे में बतलाना) और संयोजक (उद्देश्य और विधेय के सम्बन्ध को दर्शाना) होता है।
एक प्रतिज्ञप्ति का मानक रूप होता है = परिमाणक + उद्देश्य + संयोजक + विधेय
वाक्य 'कुत्ते सरीसृप नहीं होते हैं' में विधेय पद सरीसृप वितरित है और उद्देश्य पद कुत्ते अवितरित है।

41. (c)

'सभी कवि स्वप्नद्रष्टा होते हैं' यह 'A–टाइप' है।
'कोई कवि स्वप्नद्रष्टा नहीं होता है' यह 'E–टाइप' है।
अत: विरोधाभास प्रस्तावों की जोड़ी है जिसमें दोनों सत्य नहीं हो सकते हैं लेकिन दोनों एक साथ सत्य हो सकते हैं। 'A' और 'E' विपरीत कथन हैं।

42. (a)

वैशेषिक दर्शन भारतीय दर्शन के छह स्कूलों में से एक है।
1. इस स्कूल के संस्थापक कणाद कश्यप थे।
2. 'वैशेषिका' शब्द 'विशेष' से लिया गया है, जिसका अर्थ है विशिष्टता।
3. वैशेषिक बहुलवादी यथार्थवाद की एक प्रणाली है।
4. यह भौतिकी और तत्वमीमांसा की एक प्रणाली है और अनुभव की सभी वस्तुओं को छह श्रेणियों में वर्गीकृत करती है।
   a) द्रव्य b) गुना
   c) कर्म d) सामान्य
   e) विशेष f) समवय
5. यह भौतिकवाद नहीं, बल्कि परमाणुवाद है।
6. वैशेषिक विचारधारा आध्यात्मिक पदार्थों, आत्मा और ईश्वर की वास्तविकता और कर्म के नियम को भी स्वीकार करती है।
7. यह अन्य दर्शनशास्त्रों से स्वतंत्र है, और इसका अपना तर्क, ज्ञानमीमांसा, तत्वमीमांसा और नैतिकता है।

वैशेषिक दर्शन की ही भांति न्यायदर्शन में भी पदार्थों के तत्व ज्ञान से नि:श्रेयस की सिद्धि बतायी गयी है। न्यायदर्शन में 16 पदार्थ माने गये हैं। इसमें सर्वप्रथम प्रमाण के अंतर्गत चार अवयव आते हैं – प्रत्यक्ष , अनुमान , उपमान एवं शब्द। वैशेषिका केवल दो को ही स्वीकार करती है – प्रत्यक्ष और अनुमान। जबकि वैशेषिका वास्तविकता की केवल सात श्रेणियों को पहचानती है।

दोनों प्रणालियां व्यक्तिगत स्व की मुक्ति को अंतिम लक्ष्य के रूप में स्वीकार करती हैं। दोनों स्वीकार करते हैं कि अज्ञान ही सभी दुखों का मूल कारण है। वास्तविकता के सही ज्ञान से ही मुक्ति प्राप्त होती है। हालांकि, दोनों के मध्य कुछ अंतर भी हैं।

अत: सही विकल्प (a) है।

43. (c)

अवधारणा / सिद्धांत	सम्प्रदाय
प्रतीत्यसमुत्पाद	**बुद्ध धर्म** 1. अगर यह मौजूद है, तो वह भी मौजूद है; यदि इसका अस्तित्व समाप्त हो जाता है, तो उसका अस्तित्व भी समाप्त हो जाता है। 2. इसका अर्थ है कि आश्रित संगठन या आश्रित समुत्पाद। 3. सभी घटना या धर्म अन्य घटना या धर्म के आधार पर उत्पन्न होते हैं।
अभाव	**न्याय** • इस का अर्थ है न होना या नकारना या किसी चीज का अभाव
समयावस्था	**सांख्य** • इसका अर्थ है संतुलन की स्थिति
अभ्यास	**वेदांत** • इसका अर्थ है 'अध्यारोपण'। इसे 'अध्यायपोरा' के नाम से भी जाना जाता है। • इसका अर्थ है एक चीज पर 'बैठना' या कुछ समय के लिए अपने स्वभाव को छिपाना। • इसे कहीं और प्रकट होने के रूप में परिभाषित किया गया है, जैसा कि स्मृति में (पूर्व प्राप्त अनुभव) किसी चीज की पहले से ही कल्पना की गई है।

अत: सही विकल्प (c) है।

44. (b)

विन्यास या अवस्था: एक स्पष्ट न्यायशास्त्र की अवस्था (Mood) तीन अक्षरों की एक श्रृंखला है, जो प्रस्ताव के प्रकार के अनुरूप – प्रमुख आधार, लघु आधार, और निष्कर्ष (A, E, I, या O) पर आधारित होती है।

न्यायशास्त्र के सामान्य नियमों के अनुसार, हमारे पास 11 अवस्थाएँ शेष हैं:

AAA, AAI, AEE, AEO, AII, AOO, EAE, EAO, EIO, IAI, OAO.

हमारे पास 24 वैधिक या मान्य अवस्थाएं हैं, जिसमें पहला आंकड़ा AAA, EAE, AII, EIO, (AAI), (EAO) का है।

यहां यह बात ध्यान देने योग्य है कि तीन श्रेणीबद्ध न्यायशास्त्र चार प्रकारों में से किसी एक का मिश्रण हो सकता है। प्रत्येक न्यायशास्त्र में तीन श्रेणीगत प्रस्ताव हैं और चार प्रकार या 43 = 64 संभावित संयोजन (विन्यास या अवस्था) हैं। 64 विन्यास या अवस्थाओं में से प्रत्येक के लिए चार आंकड़े संभव हैं, अवस्था और आकृति की कुल 256 संभावित व्यवस्थाएं हैं।

सही उत्तर (b) है।

45. (c)

कांत	**घटना और परासत्ता** 1. घटना – यह मूलत: दिखावे हैं, जो हमारे अनुभव का निर्माण करते हैं। 2. परासत्ता – यह स्वयं (अनुमानित) वस्तुएं हैं, जो वास्तविकता का निर्माण करती हैं।
अरस्तू	**संभावित और वास्तविक होना** 1. वास्तविक अस्तित्व का अर्थ है किसी व्यक्ति के कृत्यों या कर्मों से संबंधित वास्तव में कुछ प्राप्त होना। 2. संभावित अस्तित्व का अर्थ है संभावना में मौजूद होना, वास्तविकता में नहीं।
डेसकार्टेस	**मन और शरीर द्वैतवाद** 1. मन और शरीर अवयव हैं। 2. मानसिक घटनाएं गैर-भौतिक हैं
लोके	**प्राथमिक और गौण गुण** 1. ज्ञानमीमांसा और तत्वमीमांसा का एक वैचारिक भेद। 2. प्राथमिक गुण दृढ़ता, विस्तार, गति, संख्या और आकृति जैसी वस्तुओं के गुण हैं। 3. रंग, स्वाद, गंध, ध्वनि आदि जैसी संवेदनाओं से उत्पन्न द्वितीयक गुण।

अत: सही विकल्प (c) है।

46. (b)

वर्जित मध्य पद के तीन मूलभूत नियम हैं:

1. गैर-विरोधाभास का नियम: एक प्रस्ताव सत्य और असत्य एक साथ हो सकता है।

2. पहचान का नियम: प्रत्येक वस्तु अपने आप में समान होती है।

3. अपवर्जित मध्य का नियम: एक प्रस्ताव या तो सत्य है या असत्य।

वर्जित मध्य का नियम कहता है कि कोई प्रस्ताव सत्य है या उसका निषेध सत्य है।

इसका अर्थ है कि एक कथन या तो सत्य है या असत्य।

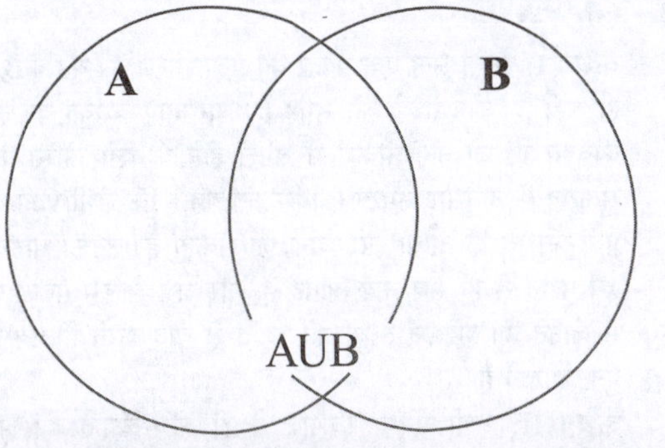

यह सत्य और असत्य के मध्यस्थ को बहिष्कृत कर देता है।

अत: विकल्प (b) सही उत्तर है।

47. (b)

प्रत्यक्ष (perception): यह मूल रूप से किसी की आंखों के सामने होता है। प्रत्यक्ष ज्ञान प्राप्ति एक वैध स्त्रोत है, जो किसी वस्तु के इंद्रिय अंग के संपर्क से उत्पन्न होता है। प्रत्यक्ष को निम्नलिखित दो श्रेणियों में विभाजित किया गया है:

साधारण या लौकिक (ordinary): सामान्य धारणा में, ज्ञान इंद्रियों के बाहय वस्तुओं के संपर्क से उत्पन्न होता है।

असाधारण या अलौकिक (extraordinary): इसके तीन भेद हैं:

1. वर्गों की धारणा (सामान्य लक्षण)
2. जटिलता (ज्ञान लक्षण), और
3. अंतर्ज्ञान (योगज)

अनुमान (inference): अनुमान वह अनुभूति है, जो पूर्व ज्ञान के आधार पर, किसी अन्य संज्ञान का अनुमान लगाती है।। उदाहरण के लिए, पहाड़ी पर धुआं है इसलिए वहां पर अग्नि होनी चाहिए।

उपमान (comparision): यह उप और मन का संयोजन है। उप का अर्थ समानता है और मन का अर्थ अनुभूति है। इस प्रकार, उपमान समानता के आधार पर प्राप्त होने वाला ज्ञान है।

शब्द (verbal testimony): यह एक विश्वसनीय व्यक्ति का बयान है, जैसे कि अलौकिक विषयों के लिए ऋषियों के शब्द ज्ञान का एक वैध स्त्रोत माना जाता है। उनके शब्द का संकलन वेदों में भी किया गया है। वेद को अचूक माना गया है क्योंकिउनकी उत्पति ईश्वर के मुख से हुई है।

48. (a)

भौतिकी द्वितीय - 3 और मेटाफिजिक्स V-2 में, अरस्तू चार कारणों का अपना सामान्य विवरण प्रदान करता है। यह विवरण इस अर्थ में सामान्य है कि यह उन सभी वस्तुओं पर लागू होता है जिसके लिए कलात्मक उत्पादन और मानव कार्रवाई सहित स्पष्टीकरण की आवश्यकता होती है। अरस्तू के चार कारणों को आधार मानकर 'क्यों' प्रश्न के उत्तर में दिए जा सकते हैं:

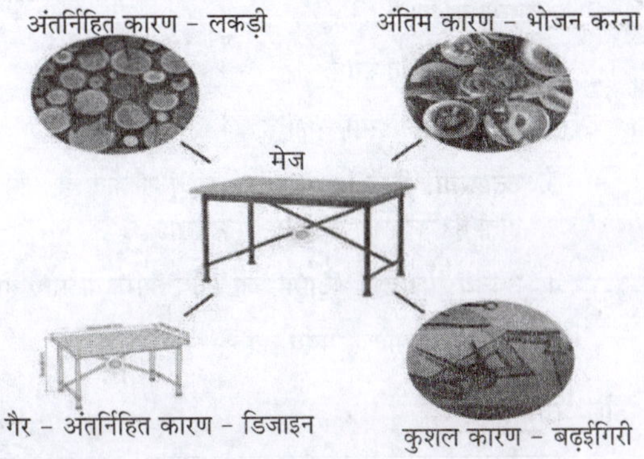

1. **समावयी या अंतर्निहित कारण:** यह वह पदार्थ है जिससे प्रभाव उत्पन्न होता है। उदाहरण के लिए, धागे कपड़े का अंतर्निहित कारण हैं और मिट्टी बर्तन का अंतर्निहित कारण है। प्रभाव इसके भौतिक कारण में निहित है। धागों में कपड़ा समा जाता है। प्रभाव अपने भौतिक कारण से अलग नहीं हो सकता, हालांकि कारण अपने प्रभाव से स्वतंत्र रूप से मौजूद हो सकता है। भौतिक कारण सदैव एक पदार्थ होता है।
2. **असमावयी या गैर-अंतर्निहित कारण:** यह भौतिक कारण में निहित है और प्रभाव के उत्पादन में सहायता करता है। धागे का संयोजन कपड़े का गैर-अंतर्निहित कारण है। धागों के कपड़े का रंग गैर-अंतर्निहित कारण है, दोनों भौतिक कारणों में सह-अस्तित्व में हैं। गैर-अंतर्निहित कारण सदैव एक गुण या क्रिया होता है। यह पदार्थ की विशेषताओं को परिभाषित करने वाला औपचारिक कारण है।
3. **निमिता या कुशल कारण:** यह वह शक्ति है, जो भौतिक कारण की सहायता करती है वह कुशल की निमिता है। यह वह शक्ति है जो भौतिक कारण को प्रभाव उत्पन्न करने में सहायता करती है। बुनकर कपड़े का कुशल कारण है। कुशल कारण में सहायक उपकरण भी सम्मिलित हैं उदाहरण के लिए बुनकर का करघा और शटल या कर्मचारी और कुम्हार का पहिया। कुशल कारण पदार्थ, गुण या क्रिया हो सकता है।
4. **अंतिम कारण:** अंतिम कारण वह है जिसके लिए कोई वस्तु परिवर्तित होती है। एक बीज का अंतिम सिरा एक वयस्क पौधा होता है। एक सेलबोट का उद्देश्य नौकायन है। रैंप के शीर्ष पर एक गेंद अंत में नीचे आ जाएगी।

49. (c)

उपनय न्यायशास्त्र (परार्थ-अनुमान) के पांच चरणों में से चौथे को संदर्भित करता है, जिसे अनुमान के रूप में भी जाना जाता है, जो दूसरे के लिए अभिप्रेत है। अनुमान को सोलह पदार्थों या श्रेणियों में से प्रथम के रूप में वर्गीकृत किया गया है। परार्थ-अनुमान (सिलोगिज्म) में पांच उपभाग होते हैं। जिसमें से चतुर्थ उपनय है। यह प्रमाणिकता के लिए वस्तु की अपरिवर्तनीय स्थिति कीं घोषणा का आवेदन है।

उदाहरण के लिए:

1. **प्रतिज्ञा:** पर्वत उग्र है
2. **हेतु:** क्योंकि इसमें धुआं है,
3. **उदाहरण:** जिस किसी पदार्थ में धुंआ होता है, वह ज्वलनशील होता है। उदाहरण के लिए, एक रसोई
4. **उपनय:** पहाड़ में धुंआ है, जो सदैव अग्नि के साथ होता है।
5. **निगमन:** इसलिए, पर्वत उग्र है,

50. (b)

भारतीय तर्कशास्त्र में अनुमान को 'अनुमान' के रूप में जाना जाता है। अनुमान का शाब्दिक अर्थ ज्ञान है जो किसी अन्य ज्ञान के बाद प्राप्त होता है। लघु पद में मध्य पद की उपस्थिति पक्षधर्मता कहलाती है और मध्य पद का वृहत पद से अपरिवर्तनशील जुड़ाव व्याप्ति कहलाता है। व्याप्ति द्वारा योग्य पक्षधर्मता के ज्ञान को परमरसा कहा जाता है। इस प्रकार, अनुमान को परमरसा के माध्यम से उत्पन्न होने वाले ज्ञान के रूप में परिभाषित किया गया है।

51. (d)

अर्थपति (Implication): भारतीय दर्शन में, अर्थपति ज्ञान के पांच प्रमाणों में से एक है। अर्थपति वह ज्ञान है, जिसे अनुमान के माध्यम से प्राप्त किया जाता है। इसमें स्पष्ट रूप से असंगत तथ्यों की व्याख्या करने के लिए कुछ अकल्पनीय तथ्यों कि अवधारणा सम्मिलित है। उदाहरण के लिए, देवदत्त जीवित है और वह घर पर नहीं है, और हम मानते हैं कि वह कहीं ओर है। यानी उसका जीवित रहना और घर के बाहर होने में अस्तित्व का अनुमान लगया जा रहा है। इसे अर्थपति अनुमान या निहितार्थ कहा जाता है।

52. (c)

भारतीय दर्शन में दर्शन के छह रुढ़िवादी विचारधाराएँ हैं, जो वेदों के अधिकार को दैवीय रहस्योद्घाटन के रूप में पहचानती हैं। इसके विपरीत, जैन तथा बौद्ध (दोनों अरूढ़िवादी) और चार्वाक (भौतिकवादी) मत वेदों के प्रति विरोधात्मक थे।

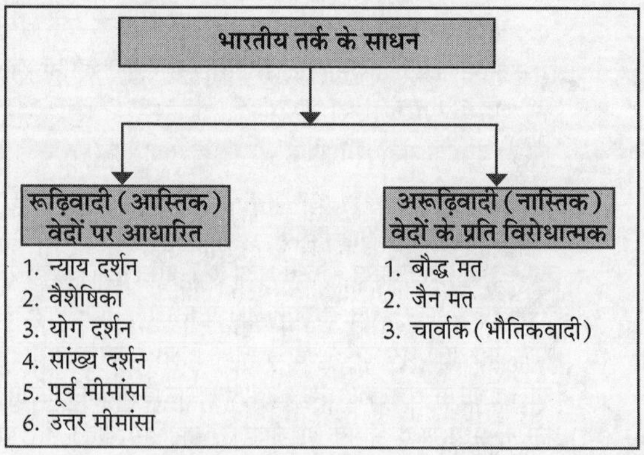

53. (a)

कथन I: समग्र ज्ञान एक प्रकार का प्रत्यास्मरण है। यह कुछ हद तक ही सही है। ज्ञान तथ्यों का संग्रह है। योग्यताएं व्यक्ति का ज्ञान और व्यवहार हैं, जो उन्हें नौकरी में सफ्ल होने के लिए प्रेरित करती हैं। सुकरात के अनुसार, स्मरण का सिद्धांत यह है कि सभी प्रकार का ज्ञान पूर्व अनुभव के आधार पर जाना जा सकता है। उनका मानना है कि हम पहले से ही सब कुछ जानते हैं और जब से हम पैदा हुए हैं तब से जानते हैं। हम इन तथ्यों को स्मृति से याद करते हैं जब हम उन्हें पुनः सीखते हैं।

कथन II: सभी मनुष्य स्वभाव से ही बोध चाहते हैं। अरस्तू के अनुसार, सभी मनुष्य स्वभाव से समझ या ज्ञान की इच्छा रखते हैं। अत: दोनों कथन सत्य हैं।

54. (a)

पहला कथन 'जब में अपने अंत:करण में झांकता हूं, तो हमेशा एक या दूसरी अवधारणा से टकरा जाता हूं। मैं कभी भी स्वयं को पकड़ नहीं सकता हूं।' यह कथन डेविड ह्यूम के एक उद्धरण से लिया गया है।

दूसरा कथन 'आत्म सभी प्रकार के ज्ञान की तार्किक पूर्वमान्यता है इसलिए इसके संदर्भ में पदार्थ और व्यक्ति की अवधारणाएं इस पर लागू नहीं की जा सकती।' मनुष्य न केवल अपने आस-पास की दुनिया के बारे में बल्कि स्वयं की गतिविधियों, शरीर और मानसिक जीवन के बारे में भी जागरूक होता है। इस प्रकार, सभी मनुष्य आत्म-जागरूक हैं। आत्म-चेतना को स्वयं के प्रति जागरूकता के रूप में समझा जा सकता है। अत: आत्म स्वयं के बारे में सभी प्रकार के ज्ञान का तार्किक अनुमान है और पदार्थों की अवधारणाएं किस प्रकार किसी व्यक्ति पर लागू नहीं होती हैं। अत: दोनों कथन सही हैं।

55. (a)

ये शब्द जीवन के अंतिम लक्ष्यों को दर्शाते हैं, हालांकि इन शब्दों में बहुत समानताएं हैं।

(i) निर्वाण (Nirvana): निर्वाण बौद्ध धर्म की अवधारणा है। निर्वाण का शाब्दिक अर्थ सांसारिक मन की गतिविधियों और उससे संबंधित पीड़ा को 'तीव्रता से बाहर निकालना' या 'शमन या ठंडा करना' (blow our or quenching) है। निर्वाण बौद्ध धर्म में अंतिम आध्यात्मिक लक्ष्य है और संसार में पुनर्जन्म से सामाजिक मुक्ति का प्रतीक है।

(ii) नि:श्रेयस (Nishreyasa): नि:श्रेयस स्वयं की खोज है। यह अपने भीतर सहज आध्यात्मिकता की खोज है। इसे मानव जाति का सर्वोच्च लक्ष्य कहा जाता है। नि:श्रेयस उपनिषद की एक अवधारणा है।

(iii) अपवर्ग (Apavarga): अपवर्ग शब्द का अर्थ है 'मुक्ति'। पवर्ग का अर्थ है 'भौतिक अस्तित्व'। भौतिक अस्तित्व में, व्यक्ति बहुत मेहनत करता है, लेकिन अंतत: वह भ्रमित ही होता है। एक बार तो देह मर जाती है और फ्रि से बहुत मेहनत करने के लिए उसे दूसरे शरीर को स्वीकार करना पड़ता है। यह भौतिक अस्तित्व का चक्र है। अपवर्ग का शाब्दिक अर्थ बिल्कुल विपरीत होता है। अपवर्ग जैन धर्म की अवधारणा है।

(iv) मोक्ष (Moksha): मोक्ष परम आध्यात्मिक मुक्ति है। मोक्ष सांख्य मत की अवधारणा है।

56. (b)

निगमनात्मक (deductive) का अर्थ है सार्वभौम से विशेष की ओर बढ़ना। निगमनात्मक विधि मूल रूप से शोध करने के लिए वैज्ञानिक दृष्टिकोण है। इसे सकारात्मकता से पहचाना जा सकता है।

परीक्षार्थी इस बात का ध्यान रखें: निगमनात्मक अनुमान में हम सामान्य तथ्य से विशिष्ट तथ्य (general to particular) की ओर बढ़ते हैं जबकि आगमनात्मक अनुमान में हम विशिष्ट तथ्य से सामान्य तथ्य (particular to general) की ओर बढ़ते हैं।

57. (c)

जब कोई पहाड़ी पर धुआं देखता है, तो धुएं और अग्नि के मध्य सार्वभौमिक व्याप्ति के कारण अपने पूर्व अनुभव / स्मृति के आधार पर यह निष्कर्ष निकालता है कि दूर पहाड़ी पर अग्नि है। तीन शब्द अरिस्टोटेलियन न्यायशास्त्र में प्रमुख, लघु और लघु शब्दों के अनुरूप हैं। निम्नलिखित एक विशिष्ट न्याय न्यायशास्त्र है।

प्रतिज्ञा: इस पहाड़ी में आग है ।

हेतु: क्योंकि इसमें धुआं है ।

उदाहरण: जिस किसी वस्तु में धुंआ होता है, उसमें अग्नि होती है, जैसे की रसोई में ।

उपनय: यह पहाड़ी धुएं के रूप में जो सदैव अग्नि से जुड़ी रहती है।

निगमन: इसलिए, इस पहाड़ी में अग्नि है।

प्रश्नानुसार, भारतीय तर्कशास्त्र के संदर्भ में, इस पहाड़ी पर धुआं है जो अपवर्तनीय रूप से आग से जुड़ा हुआ है। इसे उपनय – विद्यमान विषय में सार्वभौम सहवर्तिता कहा जाता है।

58. (c)

ग्रीक दार्शनिक अरस्तू को निगमनात्मक तर्क का जनक माना जाता है, उन्होंने निगमनात्मक तर्क की खोज की।

उन्होंने एक क्लासिक उदाहरण लिखा: सभी पुरुष नश्वर हैं। सुकरात एक आदमी है। इसलिए, सुकरात नश्वर है। अरस्तू के इस उदाहरण को न्यायवाद कहा जाता है। एक न्यायशास्त्र एक निष्कर्ष पर पहुंचने के लिए निगमनात्मक तर्क का उपयोग करता है, जो दो या दो से अधिक प्रस्तावों पर आधारित होता है जिन्हें सत्य माना जाता है।

अरस्तू शुद्ध मौखिकवाद के लिए प्रसिद्ध हैं, हालांकि भारतीय तर्क मौखिकवाद में अधिक विश्वास नहीं करता है।

अत: अरस्तु के न्यायवाक्य की विशेषताएं निम्नलिखित हैं:

1. यह केवल निगमनात्मक और आकारिक होता है।
2. प्रतिज्ञप्ति के साध्य और पक्ष पद भिन्न – भिन्न होते हैं।
3. यह वाचिक होता है।

59. (d)

अरिस्टोटेलियन न्यायशास्त्र की तरह, भारतीय अनुमान में तीन प्रमुख पद हैं:

1. लघु पद: पक्ष
2. मध्य पद: लिंग या हेतु
3. प्रमुख पद: साध्य

उदाहरण: यदि हम किसी पहाड़ी में धुंआ देखते हैं, तो हम यह निष्कर्ष निकालते हैं कि उस पहाड़ी में अग्नि अवश्य होगी।

- लघु पद (पक्ष): पहाड़ी
- वृहत पद (साध्य): अग्नि
- मध्यम पद (लिंग): धुंआ

व्याप्ति: धुआं सदैव अग्नि से संबंधित होता है। निम्नलिखित बिंदु महत्वपूर्ण हैं, क्योंकि यह प्रश्न हमारी प्राचीन तर्क प्रणाली और पश्चिमी तर्क प्रणाली का एक संयोजन है।

1. अन्वय (उपस्थिति में समझौता) को इस तरह से वर्णित किया जा सकता है– जहां धुआं है, वहां अग्नि होनी चाहिए (जैसे कि रसोई में)। इसका अर्थ है कि हेतु और साध्य को एक साथ उपस्थित होने के लिए सहमत होना चाहिए। ऐसा कोई संदर्भ नहीं होना चाहिए, जिसमें एक उपस्थित हो और दूसरा अनुपस्थित हो।

2. व्यतिरेक वह है जहां अग्नि नहीं है, वहां धुआं नहीं होना चाहिए (जैसे झील या नदी में)। हेतु और साध्य को एक साथ अनुपस्थित रहने के लिए सहमत होना चाहिए।

ऐसा संदर्भ हो सकता है जहां अग्नि हो, लेकिन कोई धुआं न हो, जैसे लाल-गर्म लोहे की छड़ में। लोहे की छड़ में लगी अग्नि को स्पर्श करके (प्रत्याक्ष) सहजता से अनुभव किया जा सकता है और वहां अनुमान की कोई आवश्यकता नहीं है। अत: धुएं के अभाव में भी अग्नि का बोध होता है।

एक पहाड़ी में आग की उपस्थिति के हमारे अनुमान में हमारे अनुमान का क्या औचित्य है? सर्वप्रथम, हम धुएं की उपस्थिति का अनुभव करते हैं जो कि मध्य शब्द या हेतु या पक्ष है। लघु पद में मध्य पद की इस उपस्थिति को पक्षधर्मता के नाम से जाना जाता है। दूसरे, हम मध्य पद (मध्य) और प्रमुख पद (साध्य) के मध्य अपरिवर्तनीय संबंध को याद करते हैं।

60. (a)

असिधा: यह अप्रमाणित मध्य का भ्रम है। मध्य पद लघु पद (पक्षधर्मता) में उपस्थित होना चाहिए। यदि ऐसा नहीं है, तो यह अप्रमाणित है। यह तीन प्रकार का होता है:

आश्रय असिधा: लघु पद मध्य पद का स्थान विशेष (locus) है। यदि लघु पद असत्य है, तो इसमें मध्य पद उपस्थित नहीं हो सकता। उदाहरण के लिए, 'आकाश-कमल सुगंधित है, क्योंकि यह कमल झील के कमल की तरह है।

स्वरूप असिधा: यहां लघु पद अवास्तविक नहीं है, लेकिन मध्य पद, लघु पद में उपस्थित नहीं हो सकता। उदाहरण के लिए, 'ध्वनि एक गुण है, क्योंकि यह दृश्यमान है'। यहां 'दृश्यता' उस ध्वनि से संबंधित नहीं हो सकती, जो श्रव्य है'।

व्याप्यत्व असिधा: यहां व्याप्ति सशर्त (सोपधिका) है। हम यह नहीं कह सकते, 'जहां अग्नि है, वहां धुआं है'। अग्नि तभी धूम्र उत्पन्न करती है, जब वह गीले ईंधन से जुड़ी हो। एक लाल-गर्म लोहे का बॉलर स्पष्ट आग यानी धूम्र उत्पन्न नहीं करता है। अत: उक्त व्यापमति के लिए 'गीले ईंधन से संबद्धता' एक आवश्यक शर्त है। वातानुकूलित होने के कारण, मध्य शब्द भ्रामक हो जाता है, यदि हम कहते हैं: 'पहाड़ी में धुआं है, क्योंकि इसमें अग्नि है'।

61. (a)

उपमिति तीसरे प्रकार की वैध अनुभूति है, इसका साधन उपमान कहलाता है। सामान्य तौर पर, यह तुलना और सादृश्यता से प्राप्त ज्ञान है। यह एक शब्द और उसके अर्थ के मध्य संबंध का ज्ञान भी है। यह समानता या समानता के ज्ञान से निर्मित होता है। उपमन केवल एक नाम और उस नाम से निरूपित वस्तु के मध्य संबंध का ज्ञान है। यह समानता के ज्ञान से उत्पन्न होता है क्योंकि एक आदमी एक जंगली गाय को 'गव्य' के रूप में पहचानता है, जब वह गाय के समान होता है और इस वर्णन को याद करता है कि 'गव्य गाय की तरह एक जानवर है'।

शब्द भारतीय प्रणालियों में ज्ञान का एक वैध स्रोत है। यह एक विश्वसनीय व्यक्ति (अपतवाक्य) का कथन है और इसके अर्थ को समझने में निहित है। एक वाक्य को शब्दों के संग्रह के रूप में परिभाषित किया जाता है और एक शब्द को परिभाषित किया जाता है जो उसके अर्थ को व्यक्त करने के लिए शक्तिशाली होता है। न्याय कहता है कि एक शब्द में अपना अर्थ व्यक्त करने की शक्ति ईश्वर से आती है। पश्च न्याय के अनुसार, यह लंबे समय से स्थापित परंपरा से आता है।

शाब्दिक गवाही दो प्रकार की होती है- वैदिक (भगवान द्वारा बोली जाने वाली) और धर्मनिरपेक्ष (लौकिक)। इस प्रकार, वैदिक गवाही परिपूर्ण और अचूक है, क्योंकि वेद भगवान द्वारा कहे गए हैं।

62. (d)

आयुर्वेद कुछ स्कूलों के अनुसार अथर्व या ऋग्वेद का उपवेद है या पंचम वेद है। इसे अथर्ववेद का उपांग भी माना जाता है।

अथर्ववेद अन्य वैदिक ग्रंथों से भिन्न है। इसमें भजन और गद्य दोनों अंश हैं और यह 20 पुस्तकों में विभाजित है। इसमें सटीक उद्देश्यों की प्राप्ति के लिए जादुई मंत्र हैं: दीर्घायु मंत्र, इलाज, शाप, और समृद्धि के लिए प्रार्थना, राजत्व के लिए आकर्षण और ब्राह्मणत्व और बुरे कार्यों के लिए प्रायश्चित आदि का वर्णन है ।

अत: आयुर्वेद, जो स्वदेशी चिकित्सा प्रणाली है, का वर्णन अथर्ववेद में मिलता है।

63. **(d)**

असिद्ध: यह अप्रमाणित मध्य पद की अशुद्धि या हेत्वाभास है। मध्य पद सदैव लघु पद में उपस्थित होना चाहिए। यदि ऐसा नहीं है, तो यह अप्रमाणित है। यह अशुद्धि तीन प्रकार की हो सकती है:

1. **आश्रय असिद्ध:** यदि लघु पद असत्य है, तो लघु पद में मध्य पद उपस्थित नहीं हो सकता। उदाहरण के लिए, आकाश कमल सुगंधित है, क्योंकि यह झील के कमल की तरह ही एक कमल है।
2. **स्वरूप असिद्ध:** इसमें लघु पद असत्य नहीं है। लेकिन मध्य पद इसकी बहुत छोटी प्रकृति नहीं हो सकती है, जो कि लघु अवधि में उपस्थित हो। उदाहरण के लिए, ध्वनि एक गुण है, क्योंकि यह दृश्यमान है। यहां दृश्यता उस ध्वनि से संबंधित नहीं हो सकती जो श्रव्य है।
3. **व्याप्यतत्वासिद्ध:** यहां, व्याप्ति की प्रकृति सशर्त है। इस प्रकार, हम यह नहीं कह सकते कि 'जहां अग्नि है वहां धुआं है'। अग्नि तभी धूम्रपान करती है, जब वह गीले या पानी वाले ईंधन से जुड़ी हो। लाल-गर्म लोहे की गेंद या स्पष्ट आग धूम्र उत्पन्न नहीं करती है।

सव्यभिचार और अनैकान्तिका: यह अनियमित मध्य पद का हेत्वाभास है। यह पुन: तीन प्रकार का होता है।

1. **साधारण:** यहां मध्य पद बहुत ही विस्तृत होता है। यह इस नियम का उल्लंघन करता है कि नकारात्मक संदर्भों में मध्य पद अनुपस्थित होना चाहिए। उदाहरण के लिए, 'पहाड़ी पर धुआं है क्योंकि वहां अग्नि है। अग्नि ज्वलनशील और अज्वलनशील दोनों प्रकार की वस्तुओं में भी विद्यमान हो सकती है।
2. **असाधारण:** इसमें मध्य पद बहुत संकीर्ण है। यह केवल 'पक्ष' में ही उपस्थित है। यह न तो 'सपक्ष' में होता है और न ही 'विपक्ष' में। उदाहरण के लिए, 'ध्वनि शाश्वत है, क्योंकि यह श्रव्य है।' यहां श्रव्यता केवल ध्वनि से संबंधित है, यानी कहीं ओर उपस्थित नहीं है।
3. **अनुपसंहारी:** यहां मध्य पद गैर-अनन्य (non – exclusive) है। उदाहरण के लिए, 'सभी वस्तुएं गैर-शाश्वत हैं, क्योंकि वे जानने योग्य हैं।

64. **(a)**

भारतीय तर्कशास्त्र में inference को 'अनुमान' के नाम से भी जाना जाता है। अनुमान शब्द का अर्थ है 'ज्ञान के बाद' यानी, वह ज्ञान जो दूसरे ज्ञान का अनुसरण करता है। किसी चिन्ह या चिह्न (लिंग) के पूर्व ज्ञान के कारण अनुमान को किसी वस्तु (लिंगी) के ज्ञान के रूप में परिभाषित किया जा सकता है।

व्याप्ति की प्रकृति के आधार पर, अनुमान को निम्नलिखित तीन भागों में विभाजित किया जा सकता है:

केवलान्वयी अनुमान: जब मध्य और प्रमुख पद के बीच व्याप्ति केवल उपस्थिति में एक समान समझौते से प्राप्त होती है। इसे केवलान्वयी अनुमान कहा जाता है।

उदाहरण: सभी ज्ञेय वस्तुएं अभिधेय हैं।
बर्तन एक ज्ञेय वस्तु है।
इसलिए, बर्तन अभिधेय है।

केवलव्यतिरेकी अनुमान: जब मध्य और प्रमुख पद के मध्य व्याप्ति केवल अनुपस्थिति में एक समान समझौते से प्राप्त होती है, तो इसे केवलाव्यतिरेकी अनुमान कहा जाता है। इस निष्कर्ष में, हेतु केवल साध्य से नकारात्मक रूप से संबंधित है।

उदाहरण: जो अन्य तत्वों से अलग नहीं है, उसमें गंध नहीं होती है।
पृथ्वी में गंध है।
इसलिए, पृथ्वी अन्य तत्वों से भिन्न है।

अन्वयव्यतिरेकी अनुमान: जब अनुमान में मध्य पद सकारात्मक या नकारात्मक दोनों प्रकार से प्रमुख पद से संबंधित होता है, तो इसे अन्वयव्यतिरेकी अनुमान कहा जाता है।

इसमें हेतु और साध्य के मध्य उनकी उपस्थिति और अनुपस्थिति दोनों के संबंध में एक सार्वभौमिक संबंध है।

उदाहरण: पहाड़ी धुएं के रंग की है, इसलिए पहाड़ी उग्र है।
कोई भी गैर-उग्र वस्तु धुएँ के रंग की नहीं है।
पहाड़ी धूमिल है।
इसलिए, पहाड़ी गैर-उग्र नहीं है।

शेषवत अनुमान: यहां हम एक कथित प्रभाव से अप्रत्याशित कारण का अनुमान लगाते हैं।

उदाहरण के लिए, जब हम एक नदी में बाढ़ देखते हैं, तो हम अनुमान लगाते हैं कि भारी वर्षा हुई होगी।

65. (b)

सादृश्यता (Analogy): सादृश्यता से अभिप्राय दो वस्तुओं की तुलना करना है, जो किसी न किसी प्रकार से एक दूसरे से संबंधित हैं।

सूची I युग्म	सूची II सादृश्य युग्म
1. समाचार पत्र- प्रेस	I. कपड़ा – मिल
2. कुत्ता – कुत्ताघर	II. चूहा – बिल
3. मुर्गी – चूजा	III. गाय – बछड़ा
4. अंधेरा – लैम्प	IV. प्यास – जल

66. (a)

'मैं सुगंधित चंदन के एक टुकड़े को देखती हूं' ज्ञानलक्षण का उदाहरण है।

67. (b)

यदि हम प्रस्ताव के विरोध के वर्ग में 'E' प्रस्ताव को सत्य और 'I' को असत्य मानते हैं तो 'I' को असत्य और 'E' को सत्य माना जाता है।

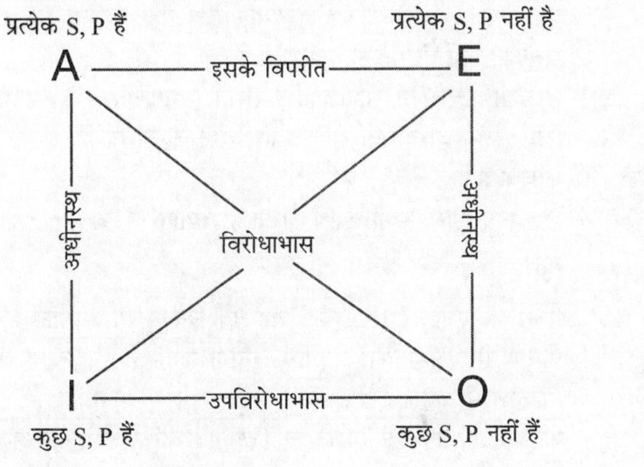

68. (b)

उद्देश्य के आधार पर, अनुमान को दो भागों में वर्गीकृत किया जा सकता है - स्वार्थानुमान (स्वयं के लिए अनुमान) और पार्थानुमान (दूसरों के लिए अनुमान)।
स्वार्थानुमान के निम्नलिखित पांच सदस्य हैं:

1. **प्रतिज्ञा (पूर्वसर्ग):** पहाड़ी उग्र है।
2. **हेतु (कारण):** क्योंकि इसमें धुआं है।
3. **उदाहरण (उदाहरण):** जहां - जहां धुआं होता है, वहां पर रसोई की तरह अग्नि होती है।
4. **उपनय (अनुवांशिक सहसंबंध):** पहाड़ी पर धुआं होता है, जो सदैव अग्नि के साथ पाया जाता है।
5. **निगमन (निष्कर्ष):** इसलिए, पहाड़ी उग्र है।

इस प्रकार, हेतु, साध्य, उदाहरण, उपनय और निगमन भारतीय न्यायवाक्य के संघटक सदस्य हैं।

69. (b)

विश्लेषणात्मक आगमन (analytic induction) एक विधि है:
1. घटनाओं की सुव्यवस्थित व्याख्या
2. प्राकल्पनाएं सृजित करना
3. प्राकल्पनाओं का परीक्षण करना

70. (d)

अवितरित हेतु (Undistributed middle): यह निगमनात्मक की तार्किक भ्रान्ति है, जिसमें एक न्यायवाक्य का मध्य पद एक प्रस्ताव में भी वितरित नहीं किया जाता है।

प्रस्ताव	प्रकार	वितरण
सभी पाठ्य पुस्तकें सावधानीपूर्वक अध्ययन के लिए अभिप्रेत हैं।	'A' प्रकार (सार्वभौमिक सकारात्मक)	केवल विषय
कुछ संदर्भ पुस्तकें सावधानीपूर्वक अध्ययन के लिए अभिप्रेत हैं।	'O' प्रकार (विशेष रूप से सकारात्मक)	न तो विषय और न ही विधेय

इस प्रकार, प्रस्ताव 1 में सावधानीपूर्वक अध्ययन (हेतु /मध्य पद / विधेय) वितरित नहीं किया गया है। प्रस्ताव 2 में, संदर्भ पुस्तकें (विषय) और सावधानीपूर्वक अध्ययन (विधेय) दोनों का वितरण नहीं किया गया है। अत: यह अवितरित हेतु का तर्क दोष है।

71. (b)

अस्तित्वपरक तर्कदोष (Existential fallacy) : आधुनिक तर्कशास्त्र में, किसी वर्ग के सदस्य होने की धारणा को अस्वीकार्य माना जाता है। वर्ष 1905 में बर्ट्रेंड रसेल ने 'द एक्जस्टिंशियल इम्पोर्ट ऑफ़ प्रपोजशिन' नामक एक निबंध लिखा जिसमें उन्होंने इस बूलियन दृष्टिकोण को 'पीनो की व्याख्या' कहा। इसके अंतर्गत, हम मानते हैं कि एक वर्ग में सदस्य होते हैं, भले ही हमें स्पष्ट रूप से प्रदर्शित नहीं किया गया हो।

व्यावर्तक आधारिका (Exclusive premises) : यह एक क्लासिकल न्यायशास्त्र में प्रतिबद्ध तर्कदोष है, जो अमान्य है क्योंकि इसके दोनों प्रस्ताव नकारात्मक हैं।

अवैध साध्य (Illicit major) : अवैध साध्य एक स्पष्ट सिद्धांत में प्रतिबद्ध एक औपचारिक तर्कदोष है, जो अमान्य है क्योंकि इसका

वृहत पद, प्रमुख प्रस्ताव में वितरित नहीं किया गया है लेकिन निष्कर्ष में वितरित किया गया है।

अव्याप्त हेतु **(Undistributed middle)** : अव्याप्त हेतु की भ्रांति एक औपचारिक तर्कदोष है, जो तब प्रतिबद्ध होती है जब एक श्रेणीबद्ध न्यायशास्त्र में मध्य पद को प्रमुख प्रस्ताव में वितरित नहीं किया जाता है।

72. (b)

प्रश्नानुसार

सभी कलाकार अहंकारी है – A-type

कुछ कलाकार रंक है – I-type

अत: कुछ रंक अहंकारी है– I– Type

अत: गया कथन All -II आकार का है

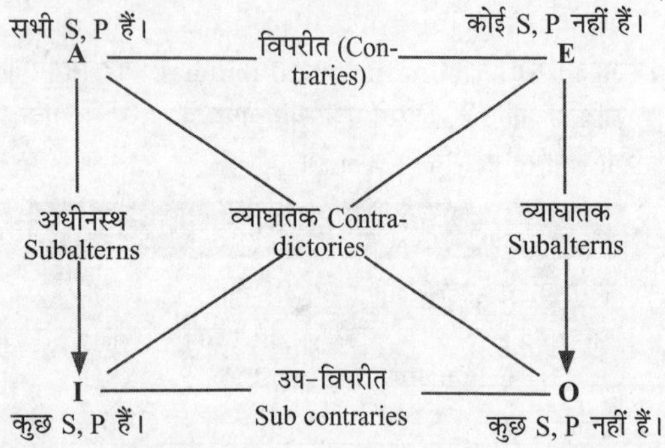

73. (b)

अंतर्विरोधी/व्याघातक (Contradictories): यह एक ही विषय वाले दो प्रस्तावों के मध्य संबंध है, लेकिन गुणवत्ता और मात्रा दोनों में भिन्न है। इसके अंतर्गत A–B और E–I प्रस्ताव को सम्मिलित किया जाता है। अंतर्विरोधी प्रस्ताव एक साथ सत्य और असत्य नहीं हो सकते हैं। यदि एक सत्य है, तो दूसरा अनिवार्य रूप से असत्य है और इसके विपरीत अर्थात यदि 'A' सत्य है, तो 'O' असत्य है; 'E' असत्य है।

विपरीत (Contrary): जब दो सार्वभौमिक प्रस्ताव केवल गुणवत्ता में भिन्न होते हैं। परिभाषा के अनुसार, दोनों विपरीत प्रस्ताव एक ही समय में असत्य और सत्य भी हो सकते हैं। यदि उनमें से एक सत्य है, तो दूसरा अनिवार्य रूप से असत्य होना चाहिए। यदि एक असत्य है, तो दूसरा सत्य या असत्य हो सकता है। अर्थात यदि 'E' सत्य है, तो 'A' सत्य है; 'I' असत्य है।

उप–विपरीत (Sub – contraries): जब दो विशेष प्रस्ताव केवल गुणवत्ता में भिन्न होते हैं, तो विरोध को उप–विपरीत कहा जाता है। उप–विपरीत प्रस्ताव एक साथ सत्य हो सकते हैं, लेकिन वे एक ही समय में असत्य नहीं हो सकते। यदि उनमें से एक सत्य है, तो दूसरा सत्य या असत्य हो सकता है, लेकिन यदि उनमें से एक असत्य है, तो दूसरा अवश्य ही सत्य होना चाहिए। अर्थात यदि 'I' सत्य है, तो 'E' सत्य है; 'O' सत्य है।

अधीनस्थ (sub–alternation): जब दो प्रस्ताव केवल मात्रा में भिन्न होते हैं (एक सार्वभौमिक है और दूसरा विशेष है), ऐसे विरोध को अधीनस्थ कहा जाता है। यह प्रस्ताव एक साथ सत्य या एक साथ असत्य हो सकते हैं। अर्थात यदि 'O' सत्य है, तो 'E' असत्य है; 'I' सत्य है।

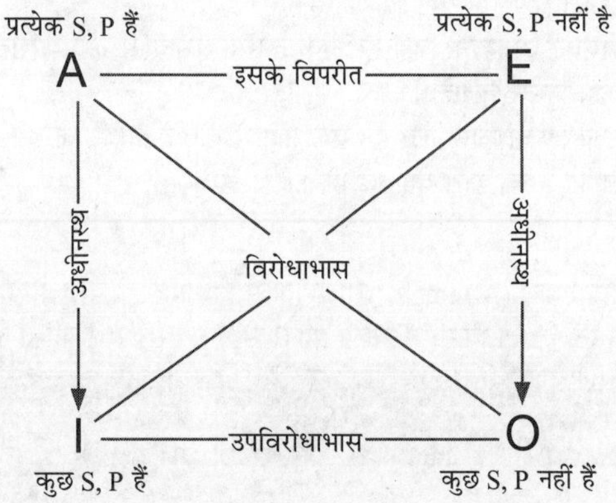

74. (d)

प्रथम तीन के साथ 'असिद्ध' शब्द प्रयुक्त हुआ है। यह अप्रमाणित मध्य पद की भ्रान्ति / युक्तिदोष है। मध्य पद लघु पद (पक्षधर्मता) में उपस्थित होना चाहिए। यदि ऐसा नहीं है, तो यह अप्रमाणित है। यह तीन प्रकार का होता है:

A. आश्रयासिद्ध: लघु पद, मध्य पद का स्थान है। यदि लघु पद असत्य है, तो इसमें मध्य पद उपस्थित नहीं हो सकता। उदाहरण के लिए, 'आकाश-कमल सुगंधित है, क्योंकि यह कमल वर्ग का सदस्य है।'

B. स्वरूपासिद्ध: यहां लघु पद असत्य नहीं है। लेकिन मध्य पद का स्वभाव लघु अवधि में उपस्थित नहीं होता। उदाहरण के लिए, 'ध्वनि एक गुण है, क्योंकि यह दृश्यमान है'। यहां दृश्यता उस ध्वनि से संबंधित नहीं हो सकती, जो श्रव्य है।

C. व्याप्यत्वसिद्ध: यहां व्याप्ति सशर्त (सोपधिका) है। उदाहरण के लिए, सभी वास्तविक क्षणिक हैं; ध्वनि वास्तविक है, इसलिए ध्वनि क्षणिक है।

D. अनुपसंहारी: सभी पदार्थ शाश्वत हैं, क्योंकि ये ज्ञेय (knowable) हैं।

75. (c)

पूर्ववत अनुमान (एक पूर्व): यह एक प्रकार का अनुमान है, जिसमें कारण से प्रभाव का अनुमान लगाया जाता है। उदाहरण के लिए, आकाश में बादल देखकर वर्षा होने का अनुमान लगाना ।

शेषवत अनुमान (एक पश्च): यहां हम एक कथित प्रभाव से अप्रत्याशित कारण का अनुमान लगाते हैं। उदाहरण के लिए, जब हम एक नदी को बाढ़ में देखते हैं और अनुमान लगाते हैं कि भारी वर्षा हुई होगी।

सामान्यतोदृष्ट अनुमान: यह केवल अनुभव के आधार पर अनुमान को संदर्भित करता है। इसके दो प्रकार हैं:

(i) स्वार्थ: इससे अभिप्राय स्वयं के लिए अनुमानित ज्ञान से है।

(ii) परार्थ: यह दूसरे के लिए अनुमानित ज्ञान है, यदि उद्देश्य दूसरों को निष्कर्ष की सच्चाई का प्रदर्शन करना है।

अत: यदि अनुमान का हेतु साध्य से संबंधित है, न कारण के रूप में और न ही कार्य के रूप में, लेकिन वह हमारे अनुभव में एक-दूसरे से समान रूप से संबंधित है, इसे सामान्यतोदृष्ट कहा जाता है।

76. (d)

अनुमान और तर्क का अध्ययन है। भारतीय प्रणालियों के ज्ञान का तर्क और सिद्धांत सीमा तक उनके आध्यात्मिक सिद्धांतों से रंगा हुआ है। दर्शन मूल रूप से मनुष्य और प्रकृति की व्याख्या से संबंधित है। यह ज्ञान की प्रक्रिया का विश्लेषण, मूल्यांकन और प्रदर्शन है।

भारतीय तर्क प्रणाली के अनुसार, ज्ञान पहले प्रत्यक्ष या तुलना (उपमान) या शब्द के माध्यम से प्राप्त होता है।

भारतीय तर्कशास्त्र में, दर्शन के छह रूढ़िवादी दृष्टिकोण हैं जो वेदों के अधिकार को दैवीय रहस्योद्घाटन के रूप में पहचानते हैं। जिन लोगों ने इस अधिकार को नहीं पहचाना वे जैन और बौद्ध (दोनों विधर्मी) और चारवाक (भौतिकवादी) थे।

तर्कशास्त्र के भारतीय शास्त्रीय सिद्धांत के अनुसार, अनुमान की विशेषताएं इस प्रकार हैं:

(i) यह निगमनात्मक है।

(ii) यह आगमनात्मक है।

(iii) यह औपचारिक रूप से वैध होना चाहिए।

(iv) यह वस्तुपरक रूप से सत्य होना चाहिए।

77. (d)

उन सभी वस्तुओं का संग्रह, जिसके लिए एक पद का सही ढंग से प्रयोग किया जा सकता है, उस पद का वस्त्वर्थ (Extension of that Term) या उस पद का वाच्यार्थ (Denotation of that Term) कहलाता है। किसी शब्द का अर्थ उसकी स्पष्ट परिभाषा है जैसा कि शब्दकोश में सूचीबद्ध है। आइए, एक उदाहरण के रूप में 'घर' शब्द पर विचार करें। घर का वाच्यार्थ या शाब्दिक अर्थ 'वह स्थान जहां कोई रहता है' या 'निवास' है।

तर्क में, वस्त्वर्थ से अभिप्राय उस सहसंबद्ध शब्द से है, जो किसी शब्द या अवधारणा के संदर्भ को इंगित करते हैं। इसके विपरीत, गुणार्थ (Intension of that Term) किसी शब्द या अवधारणा की आंतरिक सामग्री को इंगित करता है, जो इसकी औपचारिक परिभाषा का गठन करता है; और 'वस्त्वर्थ' विशेष वस्तुओं का नामकरण करके इसकी प्रयोज्यता की सीमा को इंगित करता है जिसे यह दर्शाता है। एक गुणार्थ शब्द का उपयोग कब किया जाना चाहिए, इसके लिए आवश्यक और पर्याप्त शर्तों को निर्दिष्ट करके किसी शब्द का अर्थ निकाला जाता है। उदाहरण के लिए, 'कुवांरा' शब्द का गुणार्थ एक 'अविवाहित व्यक्ति' से है।

यद्यपि, भाषा की अभिव्यक्ति दूसरे प्रकार के शब्द अर्थ, एक अर्थ या संघ या संघों के समूह से आती है, जो एक शब्द सामान्य तौर पर दिमाग में आता है। घर का लक्ष्यार्थ (Connotation) अर्थ सुरक्षा, आराम और परिवार का स्थान है। यह उद्धरण 'अपना घर अपना होता है' घर के वाच्यार्थ का उल्लेख नहीं करता है, लेकिन घर शब्द हम में से अधिकांश में भावनाएं उत्पन्न करता है।

78. (d)

शीघ्र सामान्यीकरण (Hasty Generalisation): भ्रांति के इस रूप के दो प्रकार होते हैं-प्रत्यक्ष भ्रांति और इसका विपरीत। दोनों ही विषयों में सामान्यीकरण के अनुचित उपयोग के कारण भ्रांति उत्पन्न होती है। ये भ्रांति तब होती है, जब सामान्य और विशेष परिस्थितियों के मध्य अंतर को नज़रअंदाज कर दिया जाता है। प्रश्नानुसार, ''दैनिक समाचार में आज सुबह लेख आया जिसमें कुछ स्थानीय किशोरों को मादक नशीले पदार्थों को रखने के आरोप में गिरफ्तार किया गया था। आजकल के किशोर और कुछ नहीं बल्कि कूड़े का ढेर हैं।'' यहां स्थानीय बच्चों की गिरफ्तारी का अर्थ यह नहीं है कि आजकल के सभी किशोर कूड़े का ढेर हैं।

रेड हेरिंग (अप्रासंगिक थीसिस): रेड हेरिंग में, मूल मुद्दे के रूप में श्रोताओं (या पाठकों) का ध्यान हटाने के लिए एक तर्क में एक अप्रासंगिक विषय या भ्रम प्रस्तुत किया जाता है। इस भ्रम का प्रयोग अक्सर साहित्य में जासूसी या रहस्यपूर्ण उपन्यासों में किया जाता है। श्रोताओं को झूठे उदाहरण बनाने के लिए प्रेरित किया जा सकता है। उदाहरण के लिए, एक शिक्षक परीक्षा के दौरान एक छात्र को नकल करते हुए पकड़ता है। छात्र उत्तर देता है, 'मुझे पता है कि मैंने गलती की है। कृपया मेरे माता-पिता के बारे में सोचें। उनको बहुत बुरा लगेगा।' छात्र ने अपनी प्रतिक्रिया में एक रेड हेरिंग का उपयोग किया। वह अपने शिक्षक को वास्तविक मुद्दे से विचलित करने के लिए दया की अपील करने का प्रयास करता है।

स्ट्रॉमेन: स्ट्रॉमेन तर्क को एक हानिरहित, बेजान तिनके के नाम पर रखा गया है। स्ट्रॉमेन फॉलसी में कुछ हमलों में प्रतिद्वंद्वी की स्थिति वास्तव में पकड़ में नहीं आती है। जब यह पुआल से बना हो तो अपने प्रतिद्वंद्वी को हराना बहुत आसान होता है। उदाहरण के लिए,

एड होमिनेम (व्यक्ति के विरुद्ध तर्क): 'X' का तर्क अच्छा है और अच्छे साक्ष्य द्वारा समर्थित है। लेकिन साथ ही 'X' का व्यक्तित्व या चरित्र आम तौर पर अच्छा नहीं रहा है। हम अपना ध्यान परिसर से हटकर तर्क करने वाले व्यक्ति के व्यक्तित्व पर केंद्रित करते हैं। यह भ्रांति अधिकतर राजनीतिक मामलों में पाई जाती है। सामान्य तौर पर इस झूठ को करने के पीछे प्रतिद्वंद्विता का हाथ होता है।

79. (a)

नैयायिकों ने आगमनात्मक प्रणाली को प्राथमिक मान्यता नहीं दी है जैसाकि पाश्चात्य तर्कशास्त्रियों ने किया है। न्याय विचारधारा के अनुसार सार्वभौम प्रतिज्ञप्तियां आलौकिक प्रत्यक्षीकरणों में से एक प्रत्यक्षीकरण ही से प्राप्त की जाती है।

80. (a)

शेषवत अनुमान: यह वह है जिसमें हम अनुमान लगाते हैं कि अप्रत्याशित कारण एक कथित प्रभाव है। उदाहरण के लिए, हम नदी में जल की तेज गंदी धारा के रूप में पिछली बारिश का अनुमान लगाते हैं। शेषवत अप्रासंगिक के विलोपन से जो बचता है, उसका अनुमान है। शेषवत अनुमान पाश्चात्य आगमनात्मक तर्कशास्त्र में अवशेष की प्रणाली से मेल खाता है। अत: दोनों कथन सत्य हैं।

81. (d)

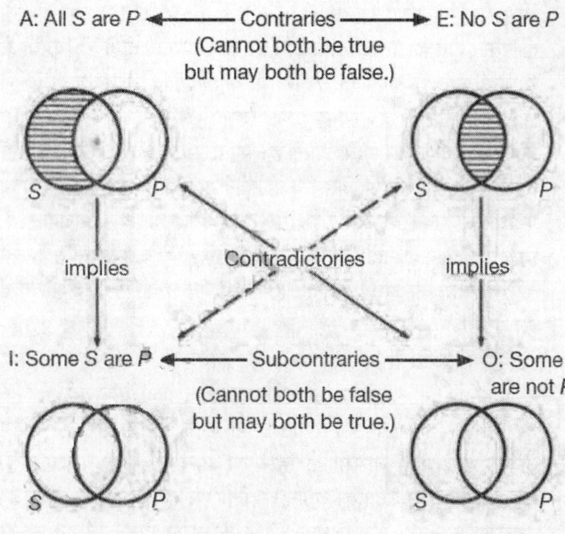

82. **(b)**

विरुद्ध का तर्क दोष **(Fallacy of Virudha):** यह विरोधाभासी मध्य है। मध्य पद, प्रमुख पद की उपस्थिति से व्याप्त होने के बजाय, प्रमुख पद की अनुपस्थिति से व्याप्त है। लघु पद में प्रमुख पद के अस्तित्व को प्रमाणित करने के स्थान पर, उसमें उसका अस्तित्व प्रमाणित नहीं होता है। उदाहरण के लिए, 'ध्वनि शाश्वत है, क्योंकि यह उत्पन्न होती है'। यहां 'उत्पादित' ध्वनि की शाश्वतता को प्रमाणित करने के स्थान पर उसकी चिरकालिकता को प्रमाणित करता है।

प्रकरणसम का तर्कदोष **(Fallacy of Parakaransama):** जब एक हेतु/मध्य पद दो विपरीत दृष्टिकोणों के मध्य मानसिक दोलन की स्थिति उत्पन्न करने से आगे नहीं जाता है,तो इसे प्रकरणसम का हेत्वाभास कहा जाता है।

असिद्ध का तर्क दोष **(Fallacy of Asidha):** यह अप्रमाणित मध्य पद का दोष है। मध्य पद लघु पद (पक्षधर्मता) में उपस्थित होना चाहिए। यदि ऐसा नहीं है, तो यह अप्रमाणित है।

सव्यभिचार का तर्कदोष **(Fallacy of Savyabhichara):** यह अनियमित मध्य पद है। जिसमें मध्य पद या तो बहुत व्यापक या बहुत संकीर्ण प्रकृति का होता है।

83. **(d)**

अवैध साध्य **(Illicit Major):** अवैध साध्य एक स्पष्ट सिद्धांत में प्रतिबद्ध एक औपचारिक दोष है जो अमान्य है क्योंकि इसका प्रमुख शब्द प्रमुख आधार में वितरित नहीं किया गया है लेकिन निष्कर्ष में वितरित किया गया है।

अवैध पक्ष **(Illicit Minor):** अवैध पक्ष की भ्रांति को मुख्य प्रस्ताव में वितरित नहीं किया जाता है लेकिन निष्कर्ष में वितरित किया जाता है (लेकिन इसके विपरीत नहीं)।

अविभाजित हेतु **(Undistributed Middle):** अविभाजित हेतु की भ्रांति एक औपचारिक भ्रांति है जो तब प्रतिबद्ध होती है जब एक श्रेणीबद्ध न्यायशास्त्र में मध्य पद को लघु प्रस्ताव या प्रमुख प्रस्ताव में वितरित नहीं किया जाता है। इस प्रकार यह एक न्यायशास्त्रीय भ्रांति है।

चार पदों का तर्कदोष **(Fallacy of Four Terms):** चार पदों का तर्कदोष एक प्रकार का औपचारिक दोष है जो न्यायशास्त्र में अपेक्षित तीन के बजाय चार (या अधिक) पद होते हैं, जो इसे अमान्य बना देता है।

उदाहरण के लिए, कोई भी अमीर व्यक्ति शाकाहारी नहीं है और सभी वकील अमीर लोग हैं। इसलिए, कोई वकील आवारा नहीं है। शब्द के बीच कोई तार्किक संबंध नहीं है। यह चार पदों का तर्कदोष है।

84. **(c)**

पूर्ववत अनुमान: इसमें हम एक कथित कारण से अप्रत्याशित प्रभाव का अनुमान लगाते हैं। उदाहरण के लिए, हम भविष्य में होने वाली वर्षा का अनुमान काले भारी बादलों के प्रकट होने से लगाते हैं।

शेषवत अनुमान: इसमें हम एक कथित प्रभाव से अप्रत्याशित कारण का अनुमान लगाते हैं। उदाहरण के लिए, हम पिछली बारिश का अनुमान नदी में तीव्र बहाव वाले कीचड़ भरे जल से लगाते हैं।

सामान्यतोदृष्टा अनुमान: 'सूर्य गतिशील है, किसी अन्य गतिशील वस्तु की भांति इसकी अवस्थिति परिवर्तित होती है'।

पक्षता अनुमान: यह मूल रूप से अनुमान में पक्ष से संबंधित है।

85. **(b)**

निगमनात्मक तर्क (Deductive Argument) के संदर्भ में, 'सही (Correct) और गलत (Incorrect)' तकनीकी पदों का उपयोग किया जाता है।

86. (b)

विरोध का परम्परागत वर्ग (Classical Square of Opposition)

अब हम प्रश्न वाक्य देख सकते हैं।

कोई भी पक्षी स्तनधारी नहीं हैं: E- प्रकार

A. सभी पक्षी स्तनधारी होते हैं: A- प्रकार

B. कुछ पक्षी स्तनधारी होते हैं: I- प्रकार

D. कुछ पक्षी स्तनधारी नहीं होते हैं: O- प्रकार

सत्य तालिका (Truth Table)

A	E	I	O
T	F	T	F
F	T	F	T
D	F	T	D
F	D	D	T

अभिकथन में E-प्रकार को सत्य माना गया है, यदि हम सत्य तालिका से तुलना करें तो हम दूसरे स्तर (Level 2) का चयन

करेंगे जहां 'A' असत्य (F) माना जाता है, 'I' भी असत्य (F) माना जाता है, तथा 'O' सत्य (T) माना जाता है।
अत: (b) इसका सही उत्तर है।

87. (a)

A. एड पॉपुलम (Ad Populum)–इसे 'अपील टू पॉपुलरिटी' भी कहा जा सकता है। ऐसे तर्क अतिशयोक्ति की भावना से भी लिए जाते हैं। यह तर्क एक 'स्थिति' या व्यवस्था का समर्थन करता है, और एक बहुसंख्यक सामान्य वर्ग के लोगों को उस स्थिति का समर्थन करने की अपील करता है ताकि एक साझा राय को तैयार किया जा सके।

इस कथन में, XYZ लोग ग्राहकों द्वारा एक परिवार के [illegible] की भांति बनने की अपील की जा रही है, उसका वित्तीय प्रबंधन भी अच्छा बताया जा रहा है, जैसे कि अधिकतम वित्तपोषण द्वारा, तुलनात्मक रूप से कम ब्याज दर, लंबी अवधि और आसान समान मासिक किस्तों Equated Monthly Instalment की भुगतान प्रणाली आदि। इस बैंक के आत्मविश्वासी उत्साह को एड पॉपुलम जैसे हेत्वाभास का नाम दिया जा रहा है।

B. एड होमिनेम (लैटिन में 'व्यक्ति के लिए'-Ad hominem)–यह तर्कपूर्ण रणनीतियों की एक श्रेणी है जिसमें उनके तर्क की सामग्री के बजाय उनके चरित्र, उद्देश्य, पृष्ठभूमि या अन्य व्यक्तिगत विशेषताओं की आलोचना करना आदि सम्मिलित है।

हम यहाँ एक त्वरित उदाहरण प्रस्तुत कर रहे हैं:
पहला व्यक्ति: जब भी हम एक समूह के रूप में बाहर जाते हैं तो मैं सदैव ड्राइवर बनकर थक जाता हूँ।
दूसरा व्यक्ति: आप रात में ड्राइविंग को लेकर बहुत घबराए हुए हैं, इसलिए निश्चित रूप से, आप ड्राइव नहीं करना चाहते हैं।
यहां दोनों तर्क काफी सीमा तक एक दूसरे से भिन्न हैं। यहां उद्देश्य, पृष्ठभूमि, व्यक्तिगत आलोचना सम्मिलित है।

C. शीघ्र सामान्यीकरण (Hasty Generalisation)–इस प्रकार की भ्रांति को कभी-कभी 'अति-सामान्यीकरण हेत्वाभास' भी कहा जा सकता है। हमारा तर्क बहुत ही छोटा या तुच्छ है, लेकिन उसके आधार पर दावे बड़े बड़े किये जा रहे हैं। यहां हमारे पास केवल एक या दो उदाहरण हैं, या फिर हम किसी प्रकार के पूर्वाग्रह से ग्रसित हैं।
उदाहरण के लिए, भारतीय क्रिकेट टीम के कप्तान या किसी खिलाड़ी को छींक आ जाती है, तो हम यह दावा करें कि भारतीय टीम पूरी तरह से सर्दी से ग्रस्त है।

D. रेड हेरिंग (Red Herring)–एक तार्किक हेत्वभाव या भ्रांति है जिसमें प्रासंगिक जानकारी के साथ अप्रासंगिक जानकारी भी प्रस्तुत की जाती है, जो उस प्रासंगिक जानकारी से ध्यान भटकाती है। यह जानबूझकर या अनजाने में किया जा सकता है। फिल्मों, टेलीविजन और साहित्य में अक्सर एक लाल हेरिंग का उपयोग किया जाता है।

88. (d)

कथन I–'कुछ S, P हैं', जो कि 'I-श्रेणी' से संबंधित हैं और 'कुछ S, P नहीं है', 'O-श्रेणी' से संबंधित है।
यहां 'विरोध का वर्ग' (square of opposition) को देख कर हम कह सकते हैं कि I और O एक-दूसरे के उप-विपरीत हैं, वे एक-दूसरे के विपरीतार्थक नहीं हैं। अत:, कथन I एक असत्य कथन है।
कथन II–'सभी S, PÓ हैं, एक 'A-श्रेणी' कथन है और 'कुछ S, P नहीं हैं' एक 'O-श्रेणी' कथन है। ऐसी स्थिति को अगर हम प्रश्न 26 के अंतर्गत 'विरोध का परम्परागत वर्ग' में देखें तो O और A दोनों एक दूसरे के व्याघाटी हैं। इस प्रकार, कथन II एक सत्य कथन है।
अत: (d) सही उत्तर है।

89. (a)

कथन I–अनुमान मूल रूप से अनुमानात्मक ज्ञान प्राप्त करने के बारे में है। यह आगे अपरिवर्तनीय संयोग या व्यापति से जुड़ा हुआ है। इस प्रकार, अनुमान न्यायशास्त्रीय अनुमान पर आधारित है जो मूल रूप से मध्य अवधि और प्रमुख अवधि के बीच अपरिवर्तनीय संयोग (व्याप्ति) है। सहवर्ती का अर्थ है किसी और चीज के साथ विद्यमान या घटित होने का तथ्य।
इस प्रकार, हम मूल रूप से व्याप्ति की परिभाषा से चिंतित हैं जो कि प्रमुख शब्द (साध्य) के गैर-अस्तित्व के स्थान में मध्य पद (हेतु) की गैर-मौजूदगी है। व्याप्ति मध्य पद और प्रमुख पद के बीच एक अपरिवर्तनीय और बिना शर्त संबंध है।
उदाहरण के लिए, पहाड़ी आग से भरी है क्योंकि यह धुएं से भरी है। यहाँ, धुआँ जो कि मध्य पद है, आग के क्षेत्र (प्रमुख पद) के बाहर के सभी क्षेत्रों से अनुपस्थित है।

कथन II–व्याप्ति को प्रमुख पद के साथ मध्य पद की सह-उपस्थिति के रूप में भी परिभाषित किया जा सकता है जब मध्य पद से कोई शर्त जुड़ी नहीं होती है। व्याप्ति उस प्रकृति का आधिपत्य है जो मध्य पद का प्रमुख पद से संबंध स्थापित करती है।

हम निम्न आरेख की सहायता से लघु पद (पक्ष), मध्य पद (हेतु) और प्रमुख पद (साध्य) के बीच संबंध दिखा सकते हैं।

पक्ष	हेतु	साध्य
लघु पद	**मध्य पद**	**प्रमुख पद**
(पर्वत)	(कारण)	अग्नि
गुण-लिंग	व्याप्य (धुंआँ)	व्यापका
	factum probans	Factum probandum

90. (c)

अनुमान वह ज्ञान है जो प्रमाण के बाद प्राप्त होता है। अनुमान प्रत्यक्ष ज्ञान नहीं है बल्कि यह कुछ धारणा, गवाही आदि के बाद प्राप्त होता है। प्रश्न के अनुसार, हम निम्नलिखित तीन पहलुओं पर चर्चा कर सकते हैं।

1. पूर्ववत–यह मूल रूप से संबंध को प्रभावित करने वाला कारण है। इसे अकल्पनीय प्रभाव भी कहा जा सकता है, इस प्रकार कथित कारण पहले आता है और उसके बाद, अनपेक्षित प्रभाव (अनुमान)।

उदाहरण के लिए, हम वर्तमान काले घनिष्ठ बादलों से भविष्य की वर्षा का अनुमान लगा सकते हैं।

2. शेषावत–एक अनुमान जिसमें हम कारण का अनुभव नहीं करते हैं, एक कथित प्रभाव से जाना जाता है। उदाहरण के लिए, हमें हो चुकी वर्षा के बारे में नदी में गंदे पानी के बहाव से पता चलता है।

3. समयोद्रष्ट अनुमान–इस दुनिया में कई सार्वभौमिक स्थान हैं जैसे पृथ्वी के चारों ओर चंद्रमा की विभिन्न स्थितियाँ। इनसे हम निष्कर्ष निकाल सकते हैं।

91. (c)

ज्ञान की भूख को दूर करना अधिक कठिन कार्य है क्योंकि जितना इसको मिटायेंगे उतनी यह अधिक बढ़ती जाएगी, इस को संतृप्त करना असंभव सा कार्य है, जबकि भोजन की भूख दिन में समय-समय पर ही लगती है, यह कितना कार्य किया, कितना बीच में अंतराल आया, कैसा हमारी काया है, इन सब बातों पर निर्भर करता है। इसलिए यह तुलनात्मक दृष्टि से सरल कार्य प्रतीत होता है।

इग्नोरेटियो एलेंची को 'अज्ञानता का खंडन' भी कहा जाता है। खंडन का अर्थ है तर्क, साक्ष्य, या प्रमाण द्वारा किसी कथन असत्य या गलत प्रमाणित होना। यहां हम स्पष्ट रूप से किसी अप्रासंगिक निष्कर्ष पर पहुंच जाते हैं। ऐतिहासिक रूप से, इस हेत्वाभास को एक तर्क के प्रतिवाद के रूप में अधिक संकीर्ण रूप से परिभाषित किया गया है जो किसी तथ्य को प्रमाणित करने की भावना से विरोधाभासी प्रमाणित करने का प्रयास नहीं करता है। इस कथन में, ज्ञान की भूख और भोजन की भूख, बिना किसी महत्वपूर्ण मूल्य के, संकीर्ण रूप से जुड़ी हुई हैं। व्यावहारिक रूप से, यह 'कैच-ऑल (catch all)' श्रेणी के रूप में कार्य करता है। इग्नोरेटियो एलेंची (असंगत निष्कर्ष) का पारंपरिक रूप यहां तब होता है जब किसी तर्क का निष्कर्ष उसके परिसर के लिए अप्रासंगिक होता है। गैर अनुक्रमिक के हेत्वाभास को भी प्राय: इस संस्करण के साथ पहचाना जाता है।

92. (b)

गलत कारण का तर्कदोष (Fallacy of False Cause): यह हेत्वाभास एक घटना के कारण को दूसरे में गलत ढंग से प्रस्तुत करती है, जो केवल प्रतीत होता है। प्रश्न कथन में लिया गया उदाहरण बहुत स्वाभाविक है। चंद्रमा अंधेरा, होने पर रात में चमकने में सक्षम होता है क्योंकि उसे सूर्य से प्रकाश मिलता है जो वापस परावर्तित होता है। चन्द्रमा का स्वयं का कोई प्रकाश नहीं होता है।

सूर्य का स्व-जनित प्रकाश होता है जो कि नाभकीय ऊर्जा पर निर्भर करता है, लेकिन पृथ्वी अपने अक्ष पर घूमती हुई सूर्य के गिर्द भी चक्कर काटती है, जिस कारण सूर्य का प्रकाश हमें हर समइय दिखाई नहीं देता।

93. (b)

समाजशास्त्र (Sociology) समाज, समूहों और सामाजिक संस्थाओं से जुड़ा हुआ है।

ईश्वरमीमांसा (Theology) ईश्वर की प्रकृति और धर्म और धार्मिक मान्यताओं का अध्ययन है। शास्त्रार्थमीमांसा (Hermeneutics) ईश्वरमीमांसा का ही एक भाग या उससे संबंधित है जो कि माननीय ग्रंथों (विशेष रूप से धार्मिक) को समझने और व्याख्या करने की कला है, शास्त्रार्थमीमांसा प्रकृति में दार्शनिक और धार्मिक है। इस व्याख्याशास्त्र का इतिहास युगों, मानविकी विधियों, सामाजिक विज्ञान और यहां तक कि प्राकृतिक विज्ञानों के सभी विषयों में फैला हुआ है।

से चार प्रमुख पहलुओं से पहचाना जा सकता है: रूढ़िवादी, महत्वपूर्ण, कट्टरपंथी और मध्यम।

नृविज्ञान (anthropology) अपनी संपूर्णता में मनुष्य का अध्ययन है।

अर्थशास्त्र (economics) सूक्ष्म और मैक्रो-अर्थशास्त्र के रूप में धन संबंधी विषयों से संबंधित है।

94. (a)

अभिकथन (A)-सभी तर्क दोष भौतिक तर्क दोष होते हैं।

यहां पहले हम कुछ विशेष जानकारी प्राप्त कर लें। एक वैध मध्य पद की पांच विशेषताएं होती हैं, जो कि वे इस प्रकार हैं:

1. पक्षधर्मता-यह अल्पावधि में उपस्थित होना चाहिए। उदाहरण के लिए, पर्वत में धुआं विद्यमान होना चाहिए।

2. सपक्षसत्व-यह उन सभी सकारात्मक उदाहरणों में उपस्थित होना चाहिए जिनमें प्रमुख शब्द विद्यमान हैं। उदाहरण के लिए, धुआं उस रसोई में विद्यमान होना चाहिए जहां अग्नि विद्यमान हो।

3. विपक्षसत्व-यह उन सभी नकारात्मक उदाहरणों में अनुपस्थित होना चाहिए जिनमें प्रमुख शब्द अनुपस्थित हैं। उदाहरण के लिए, उस झील में धुआँ नहीं होना चाहिए जिसमें अग्नि नहीं होती है।

4. अबधिता-यह लघु पद के साथ असंगत होना चाहिए। उदाहरण के लिए, उसे अग्नि की शीतलता सिद्ध नहीं करनी चाहिए।

5. अविरुद्ध-यह विरोध करने वाले कारणों की अनुपस्थिति से योग्य होना चाहिए जो एक विरोधाभासी निष्कर्ष की ओर ले जाते हैं। उदाहरण के लिए, 'कारण होने के तथ्य' का उपयोग ध्वनि की 'शाश्वतता' को प्रमाणित करने के लिए नहीं किया जाना चाहिए।

जब भी इनमें से किसी एक विशेषता का उल्लंघन होता है, तो हेत्वाभास उसका स्थान ले लेती है। किसी अनुमान की वैधता हेतु या कारण की वैधता पर निर्भर करती है। यह इस तथ्य के कारण है कि न्यायिक अनुमान की सभी त्रुटियों या भ्रांतियों को कारण (हेत्वभाषा) की त्रुटि मानते हैं। इस प्रकार अनुमान के सभी हेत्वाभास, भौतिक तर्क दोष होते हैं।

तर्क के दोष पांच प्रकार के होते हैं-सिद्ध, सव्यभिचार, सतप्रतिपक्ष, बधिता और विरुध। पियर्सन पुस्तक की इकाई 6 में अंतिम विषय के रूप में इनकी चर्चा की गई है।

कारण (Reason)-न्याय प्रणाली औपचारिक है और निगमनात्मक-आगमनात्मक है, जिसे निम्नलिखित उदाहरण के माध्यम से समझा जा सकता है:

95. (d)

सर्वव्यापी सकारात्मक (Universal Affirmative)	A	सभी S, P हैं All S are P
सर्वव्यापी नकारात्मक Universal Negative	E	कोई S, P नहीं है No S are P
अंशव्यापी सकारात्मक Particular Affirmative	I	कुछ S, P हैं Some S are P
अंशव्यापी नकारात्मक Particular Negative	O	कुछ S, P नहीं हैं Some S are not P

अब प्रश्न कथन को देखें-'कुछ पौधे माँसभक्षी नहीं हैं', जो मूल रूप से O-प्रकार है। यह असत्य होने के लिए दिया गया है।

A. 'कुछ पौधे माँसभक्षी होते हैं' यह I-प्रकार को दर्शाता है-प्रश्न में **सही** होने के लिए दिया गया है।

B. 'कुछ पौधे माँसभक्षी होते हैं' यह फिर से I-प्रकार को दर्शाता है-परन्तु यह **गलत** होने के लिए दिया गया।

C. कोई भी पौधा माँसभक्षी नहीं है-यह E-टाइप-यह **गलत** होने के लिए दिया गया है।

D. सभी पौधे माँसभक्षी होते हैं-A-टाइप-यह **सही** होने के लिए दिया गया है।

A	E	I	O
T	F	T	F
F	T	F	T
D	F	T	D
F	D	D	T

यदि O-प्रकार गलत है, तो क्षैतिज रूप से देखने पर हम कह सकते हैं कि

I-टाइप सत्य है-जो यह दर्शाता है कि विकल्प ए उत्तर का एक हिस्सा है।

इसी प्रकार E-टाइप असत्य है, अर्थात विकल्प C उत्तर का एक भाग है।

A सत्य है, अर्थात विकल्प D भी उत्तर का भाग है।

इसका अर्थ यह है कि A, C और D सभी उत्तर का भाग हैं। इस प्रकार कुल मिलाकर, सही (d) उत्तर है।

96. (b)

मध्य पद को हेतु, लिंग, चिन्ह, साधना (reason) कहा जाता हैं, जबकि वृहत पद को साध्य तथा लघु पद को पक्ष कहा जाता है। न्याय के अंतर्गत यदि हम निष्कर्ष की बात करें तो उसके अंतर्गत निम्न पांच अवयव आते हैं

1. प्रतिज्ञा-proposition to be proved
2. हेतु-reason
3. उदाहरण-example
4. उपनय-comparison
5. निगमना-conclusion

नदी में बाढ़ आ गयी क्योंकि मूसलाधार वर्षा हुई।
यहां पर,
मध्य पद-हेतु (reason)-वर्षा
लघु पद (पक्ष)-नदी
वृहत पद (साध्य)-बाढ़
मूल रूप से, वैध ज्ञान की कसौटी को प्रमाण कहा जाता है। दो परिसरों से एक प्रस्ताव के निष्कर्ष को न्यायशास्त्र कहा जाता है। तर्क की किसी भी त्रुटि को भ्रांति कहा जाता है। न्याय प्रणाली में, इसे हेत्वभाषा कहा जाता है।
ए और बी पहलुओं पर पहले के एक प्रश्न में चर्चा की गई है।

C. यदि हेतु (कारण) गायब है, (शायद यह हमें आगमनात्मक की भांति प्रतीत हो सकता है)।

D. लिंगपरमसरा: न्यायशास्त्र में मुख्य रूप से पांच कथन होते हैं। इनमें, मध्यम पद वृहद् और लघु के मध्य एक सेतु का काम करती है। इसलिए, मध्य पद का मुख्य उत्तरदायित्व किसी कथन को वैध या अमान्य प्रमाणित करना होता है। एक मध्य पद किस प्रकार प्रमुख पद से संबंधित है, उसको लिंगपरमसरा कहा जाता है। मध्य पद की पाँच मुख्य निम्न विशेषताएँ होती हैं :

1. पक्षधर्मता-यह अल्पावधि में उपस्थित होना चाहिए। उदाहरण के लिए, पहाड़ी में धुआं मौजूद होना चाहिए।

2. सपक्षसत्व-यह उन सभी सकारात्मक उदाहरणों में उपस्थित होना चाहिए जिनमें प्रमुख शब्द मौजूद हैं। उदाहरण के लिए, धुआं उस रसोई में मौजूद होना चाहिए जहां आग मौजूद हो।

3. विपक्षसत्व-यह उन सभी नकारात्मक उदाहरणों में अनुपस्थित होना चाहिए जिनमें प्रमुख शब्द अनुपस्थित हैं। उदाहरण के लिए, उस झील में धुआँ नहीं होना चाहिए जिसमें आग नहीं होती है।

4. अबधिता-यह लघु पद के साथ असंगत होना चाहिए। उदाहरण के लिए, उसे अग्नि की शीतलता सिद्ध नहीं करनी चाहिए।

5. अविरुद्ध-यह विरोध करने वाले कारणों की अनुपस्थिति से योग्य होना चाहिए जो एक विरोधाभासी निष्कर्ष की ओर ले जाते हैं। उदाहरण के लिए, 'कारण होने के तथ्य' का उपयोग ध्वनि की 'शाश्वतता' को साबित करने के लिए नहीं किया जाना चाहिए।
उपरोक्त पांचों को हेत्वभाषा या इसके प्रकारों से जोड़ा गया है। भारतीय तर्क में एक भ्रांति को हेतवासा कहा जाता है। इसका अर्थ है कि मध्य पद एक कारण प्रतीत होता है लेकिन वैध कारण नहीं है। सभी भ्रांतियां भौतिक भ्रांति हैं। हमने एक वैध मध्य पद की पांच विशेषताओं का उल्लेख किया है। जब इसका उल्लंघन किया जाता है, तो हमारे पास भ्रम होता है। पांच प्रकार की भ्रांतियों को मान्यता दी गई है।

1. असिद्ध या साधनासमा-यह अप्रमाणित मध्य पद का हेत्वाभास है।
2. सव्यभिचार-यह अनियमित मध्य पद का हेत्वाभास है।
3. सतप्रतिपक्ष-यहाँ मध्य पद एक अन्य मध्य पद के विपरीत है।
4. बधिता-यह अपरंपरागत रूप से विरोधाभासी मध्य पद है।
5. विरुद्ध-यह विरोधाभासी मध्य पद है

97. **(a):** यहाँ, त्रुटि है 'आत्माश्रय दोष' (begging the question)। हम इस दोष को प्रमाणित करने के लिए निम्नलिखित दृश्य विकसित कर सकते हैं।
कथन या पूर्व कथन या पूर्वधारणा (Premise): जिन लोगों के पास पर्याप्त संसाधन नहीं हैं, उन्हें समुदाय के संसाधनों का अधिकार है।
निष्कर्ष (Conclusion): एक समाज के रूप में, हमारी ज़रूरतमंदों का समर्थन करने की ज़िम्मेदारी है।
पूर्वधारणा एक सामाजिक ज़िम्मेदारी को मान लेती है (ज़रूरतमंदों के समुदाय के संसाधनों के अधिकार के माध्यम से)। यह पूर्वधारणा निष्कर्ष की ओर भी ले जाती है कि समाज की एक ज़िम्मेदारी है। इस प्रकार, तर्क में इसके पूर्वधारणा के लिए कोई स्वतंत्र समर्थन नहीं है। इस प्रकार, दोनों एक ही दिशा में जाते हैं। यह वृत्ताकार तर्क 'प्रश्न की याचना' त्रुटि की विशेषता है।

(b) वाक्छल (या समानार्थी भ्रम - Equivocation)- यह त्रुटि तब होती है जब तर्क में एक शब्द का उपयोग विभिन्न अर्थों के साथ अस्पष्ट रूप से किया जाता है। उदाहरण के लिए, इस मामले में 'संसाधन'।

(c) संहति दोष (या संगठन की त्रुटि - Fallacy of Composition)- जो कुछ एक समूह के व्यक्तिगत भागों के लिए सत्य है, वह समूह के समग्र के लिए भी सत्य है।

(d) मनोभाव आग्रह (Appeal to Emotions): यह वास्तव में कुछ भावनाओं का और अधिकारों का अधिक है।

98. **(b):**
A-II: 'कोई भी मछली स्तनपायी नहीं होती है' का अर्थ है 'कोई भी स्तनपायी मछली नहीं होती है' (विपरीतानुमान - contrapositive)।
B-I: 'सभी मछलियाँ स्तनपायी होती हैं' का अर्थ है 'कोई भी मछली गैर-स्तनपायी नहीं होती है' (विरोधी)।
C-IV: 'कुछ मछलियाँ स्तनपायी होती हैं' का अर्थ है 'कुछ स्तनपायी मछलियाँ होती हैं' (अनुमान)।
D-II: 'कुछ स्तनपायी मछलियाँ नहीं होती हैं' का अर्थ है 'कुछ स्तनपायी गैर-मछलियाँ होती हैं' (विशेष सकारात्मक - particular affirmative)।
इसलिए, (b) सही उत्तर है।

99. (d): हमें पुस्तक में यूनिट 6 में विरोध का परम्परागत वर्ग के अंतर्गत सत्य सारणी का संदर्भ लेना होगा।

प्रस्ताव	A	E	I	O
Level 1	T	F	T	F
Level 2	F	T	F	T
Level 3	D	F	T	D
Level 4	F	D	D	T

प्रश्न के मुख्य कथन में 'कुछ पशु पक्षी होते हैं' (I) को असत्य बताया गया है। हमें प्रश्न के अनुसार, सत्य तालिका में सत्य कथन/कथनों की पहचान करनी होगी।

1. सभी पशु पक्षी होते हैं (A) - असत्य
2. कोई भी पशु पक्षी नहीं होते हैं (E) - सत्य
3. कुछ पशु पक्षी नहीं होते हैं (O) - सत्य
4. सभी पक्षी पशु होते हैं (A) - असत्य

इसलिए, 2 और 3 सत्य हैं, इसलिए (d) सही उत्तर है।

100. (b):

सबसे पहले हम मुख्य प्रश्न में दी गई परिभाषा को समझने का प्रयत्न करते हैं। इन कथनों को विरोधी (contraries) कहा जाता है। विरोधी वे A और E प्रस्ताव हैं, जैसे 'सभी वृक्षों में जड़ें होती हैं' और 'किसी भी वृक्ष में जड़ नहीं होती है'। विरोधी एक-दूसरे के विरुद्ध होते हैं, यानि कि वे एक ही समय में एक-दूसरे को सत्य होने से रोकते हैं। हालांकि, वे दोनों गलत भी हो सकते हैं। अत: प्रश्न में 1 और 2 ऐसा जोड़ा है जो कि सही उत्तर बनता है।

101. (b): ध्वनि शाश्वत है क्योंकि यह उत्पन्न होती है। यह कथन न्याय तर्क में बाधित हेत्वाभाषा का उदाहरण है। बाधित भ्रम तब उत्पन्न होता है जब एक तर्क कुण्डली में मध्य पद को एक शक्तिशाली ज्ञान का स्रोत (प्रमाण) विरोध करता है। इस विषय में मध्य पद 'उत्पन्न' होता है।

102. (b): तर्क में किया गया भ्रम 'रेड हेरिंग' (red herring) है, जो मुख्य तर्क या विषय से ध्यान भटकाने के लिए संदिग्ध या अप्रासंगिक जानकारी चर्चा के मध्य में लेकर आता है।

(a) चक्र (वृत्ताकार - circular argument) तर्क अधिकतर निष्कर्ष को एक आधार के रूप में दोहराता है, जिससे तर्क का एक बंद लूप (closed loop) बनता है।

(c) जटिल प्रश्न (complex question) दो या दो से अधिक प्रश्नों को एक में जोड़ता है, जिससे निहित परिसरों में से एक को स्वीकार किए बिना उत्तर देना मुश्किल हो जाता है।

(d) फिसलन युक्त ढलान (slippery slope) का अर्थ है कि एक दिशा में एक छोटा सा पग भी गलत हो सकता है, जो कि अनिवार्य रूप से एक विनाशकारी परिणाम की ओर ले जाएगा, ऐसा बिना अक्सर बिना प्रमाण या औचित्य के हो सकता है।

103. (a): यह 'तर्क समतुल्यता' का प्रश्न है।

1. कुछ पशु पक्षी हैं।
2. कुछ पशु गैर-पक्षी नहीं हैं, जो "कुछ पशु पक्षी हैं" के तुल्य हैं।
3. कुछ गैर-पक्षी गैर-पशु नहीं हैं। इसका अर्थ यह है कि कुछ गैर-पक्षी पक्षी हैं।
4. कुछ पक्षी पशु हैं। यह कथन A के समतुल्य है।

इस प्रकार, केवल 1, 2 और 4 "कुछ पशु पक्षी हैं" के समान तार्किक अर्थ को दर्शाते हैं।

104. (d): यहाँ 'कोई भी पशु मछली नहीं है' E- प्रकार का प्रस्ताव है। यहाँ हमें विरोध के परम्परागत वर्ग के अंतर्गत सत्य तालिका को देखना चाहिए, जिसमें तीसरे स्तर पर 'E' असत्य या गलत रूप में दिया गया है। इसके साथ केवल I- प्रकार को सत्य दर्शाया गया है, इसके अनुसार केवल (4) सही दर्शाया गया है।

105. (b): यह प्रश्न विपक्ष के वर्ग के अनुसार है, दो प्रस्ताव एक दूसरे के विपरीत हैं यदि वे दोनों सच नहीं हो सकते हैं, लेकिन वे दोनों गलत हो सकते हैं। उदाहरण के लिए, "सभी मछलियाँ स्तनपायी हैं" और "कोई मछली स्तनपायी नहीं है" विपरीत हैं, क्योंकि वे दोनों सत्य नहीं हो सकते हैं, लेकिन वे दोनों असत्य हो सकते हैं यदि कुछ मछलियाँ स्तनपायी हैं और कुछ नहीं हैं। दिए गए विकल्पों में से सही उत्तर है - (1) ओर (3) - अर्थात (b)

106. (b): प्रश्न कथन के अलावा, यह तब होता है जब एक शब्दांश में मध्य पद अस्पष्ट होता है और विभिन्न चीजों को संदर्भित कर सकता है, जिससे एक अमान्य निष्कर्ष निकलता है। हमें मुद्दों को 'मध्यावधि' के साथ देखने की जरूरत है

(a) पहाड़ी में धुआं है क्योंकि इसमें आग है: मध्य शब्द 'आग है' द्वारा इंगित किया जाता है। आग (मध्यावधि)

की उपस्थिति विशेष रूप से धुएँ की ओर ले जाती है – characteristic being inferred).

(b) ध्वनि शाश्वत है क्योंकि यह श्रव्य है: श्रव्य होना (मध्यावधि) केवल ध्वनि के शाश्वत होने के लिए नहीं है, क्योंकि कई गैर-शाश्वत चीजें भी श्रव्य हैं। यह एक गैर-अनन्य मध्यावधि का एक उदाहरण है।

(c) सभी चीजें गैर-शाश्वत हैं क्योंकि वे ज्ञेय (जानने योग्य) हैं: ज्ञात (मध्यावधि) होने का गुण गैर-शाश्वत चीजों के लिए अनन्य नहीं है; शाश्वत चीजें भी ज्ञात हो सकती हैं। यह एक गैर-अनन्य मध्यावधि का एक और उदाहरण हो सकता है।

(d) ध्वनि शाश्वत है क्योंकि यह उत्पन्न की जाती है: मध्य शब्द 'उत्पन्न किया जा रहा है'। यह केवल इसे शाश्वत होने की ओर नहीं ले जाता है। कई उत्पादित चीजें गैर-शाश्वत होती हैं। इस तर्क में एक गैर.अनन्य मध्य अवधि भी शामिल प्रतीत होती है।

इस प्रकार, (b) सबसे स्पष्ट परिणाम प्रतीत होता है।

अध्याय

7 आंकड़ा व्याख्या

सीखने के उद्देश्य

- आंकड़ों का स्रोत, प्राप्ति और वर्गीकरण
- गणात्मक एवं मात्रात्मक आंकड़े
- चित्रवत वर्णन (बार-चार्ट, हिस्टोग्राम, पाई-चार्ट, टेबल और रेखा-चार्ट) और आंकड़ों का मान-चित्रण
- आंकड़ों की व्याख्या
- आंकड़े और सुशासन

इस तालिका में दिए गए आँकड़ों के आधार पर प्रश्न संख्या 1–5 के उत्तर दीजिए।

वर्ष	उत्पादन (मिलियन किलोग्राम में)	निर्यात (मिलियन किलोग्राम में)	प्रति व्यक्ति उपभोग (किलोग्राम में)
2012	186.5	114	36.25
2013	202	114	35.2
2014	238	130	38.7
2015	221	116	40.5
2016	215	88	42

जहाँ, प्रति व्यक्ति उपभोग = (उपभोग मिलियन किलोग्राम में)/(जनसंख्या मिलियन में) और
उपभोग (मिलियन किलोग्राम में) = उत्पादन – निर्यात

1. किस वर्ष में पिछले वर्ष की तुलना में चावल के उपभोग में सर्वाधिक प्रतिशत की वृद्धि हुई? **[Jul 2018]**

(a) 2013 (b) 2014
(c) 2015 (d) 2016

2. वर्ष 2014 में देश की जनसंख्या (मिलियन में) कितनी थी? **[Jul 2018]**

(a) 2.64 (b) 2.72
(c) 2.79 (d) 2.85

3. किस वर्ष की अवधि में निर्यात और उपभोग का अनुपात सर्वाधिक था? **[Jul 2018]**

(a) 2012 (b) 2013
(c) 2014 (d) 2015

4. देश की जनसंख्या किस वर्ष में सर्वाधिक थी? **[Jul 2018]**

(a) 2013 (b) 2014
(c) 2015 (d) 2016

5. वर्ष 2012–2016 की अवधि में चावल का औसत उपभोग (मिलियन कि. ग्राम) कितना है? **[Jul 2018]**

(a) 104 (b) 102.1
(c) 108 (d) 100.1

निम्नलिखित सारणी पर विचार कीजिये। इसमें पांच विभिन्न विभागों में विद्यार्थियों की कुल संख्या तथा उनमें छात्रों एवं छात्राओं का प्रतिशत दर्शाया गया है। सारणी में दिए गए आंकड़ों के आधार पर प्रश्नों के उत्तर दीजिए।

विभाग	छात्राओं का प्रतिशत	छात्रों का प्रतिशत	विद्यार्थियों का प्रतिशत
भौतिक विज्ञान	45	55	450
रसायन शास्त्र	35	65	550
अंग्रेजी	55	45	300
हिन्दी	60	40	250
गणित	40	60	500

6. अंग्रेजी तथा हिन्दी विभागों में कुल मिलाकर छात्राओं की कुल संख्या क्या है? **[Jun 2019]**

(a) 315 (b) 325
(c) 335 (d) 345

7. अंग्रेजी विभाग में छात्रों की संख्या तथा गणित विभाग में छात्रों की संख्या का अनुपात क्या है? **[Jun 2019]**

(a) 9 : 12 (b) 9 : 20
(c) 3 : 5 (d) 45 : 60

8. किस विभाग में छात्राओं की अधिकतम संख्या है? **[Jun 2019]**

(a) भौतिक विज्ञान (b) रसायन शास्त्र
(c) अंग्रेजी (d) गणित

9. रसायन शास्त्र विभाग में विद्यार्थियों की कुल संख्या गणित विभाग में विद्यार्थियों की कुल संख्या का लगभग कितना प्रतिशत है? **[Jun 2019]**

(a) 90% (b) 95%
(c) 105% (d) 110%

10. किस विभाग में छात्रों की न्यूनतम संख्या है? **[Jun 2019]**

(a) भौतिक विज्ञान (b) अंग्रेजी
(c) हिन्दी (d) गणित

निम्नलिखित तालिका पर विचार कीजिए जो वर्ष 2011-2018 के बीच कंपनी के उर्वरक उत्पादन (10000 टन) को दर्शाता है: तालिका में दिए गए आंकड़ों के आधार पर प्रश्न संख्या 11-15 के उत्तर दीजिए।

वर्ष	उर्वरकों का उत्पादन
2011	35
2012	50
2013	70
2014	55
2015	75
2016	60
2017	85
2018	90

11. दिए गए कितने वर्षों में उर्वरकों का उत्पादन दिए गए वर्षों के औसत उत्पादन से अधिक था? **[Jun 2019]**

(a) 2 (b) 3
(c) 4 (d) 5

12. 2013 से 2014 तक उर्वरकों के उत्पादन में कितने प्रतिशत गिरावट आयी? **[Jun 2019]**

(a) 20.4 प्रतिशत (b) 21.4 प्रतिशत
(c) 22.6 प्रतिशत (d) 24.2 प्रतिशत

13. वर्ष 2018 की तुलना में वर्ष 2011 में उर्वरकों के उत्पादन में वृद्धि का प्रतिशत लगभग कितना था? **[Jun 2019]**

(a) 157% (b) 165%
(c) 177% (d) 182%

14. किस वर्ष में उत्पादन में वृद्धि का प्रतिशत पिछले साल की तुलना में अधिकतम था? **[Jun 2019]**

(a) 2012 (b) 2013
(c) 2015 (d) 2018

15. निम्नलिखित वर्षों के युग्म में से किसमें औसत उत्पादन स्तर 2012 और 2013 के औसत उत्पादन के बिल्कुल समान था? **[Jun 2019]**

(a) 2011 और 2012
(b) 2011 और 2017
(c) 2012 और 2014
(d) 2015 और 2016

'आंकड़ों की व्याख्या' (Data Interpretation): प्रश्न संख्या 16 से 20 तक

निम्नलिखित तालिका विद्यार्थियों द्वारा प्राप्त अंकों के अनुसार विद्यालय में दो सेक्शन A और B में विद्यार्थियों के वितरण को दर्शाता है। प्रत्येक सेक्शन A और B में कुल 45 विद्यार्थी हैं। तालिका में दिए गए आंकड़ों के आधार पर प्रश्नों का उत्तर दीजिए।

विद्यार्थियों द्वारा प्राप्त अंक		
वर्गान्तर में प्राप्तांक	विद्यार्थियों की संख्या	
	सेक्शन-A	सेक्शन-B
[0 - 9]	2	4
[10 - 19]	5	5
[20 - 29]	10	9
[30 - 39]	4	4
[40 - 49]	8	7
[50 - 59]	4	5
[60 - 69]	7	5
[70 - 79]	5	6

16. यदि उत्तीर्णांक 30 है, तो दोनों सेक्शनों में अनुतीर्ण विद्यार्थियों की कुल संख्या कितनी है? **[Jun 2019]**

(a) 43 (b) 35
(c) 16 (d) 26

17. यदि उत्तीर्णांक 40 है तो सेक्शन B में उत्तीर्ण होने वाले विद्यार्थियों का प्रतिशत लगभग कितना है? **[Jun 2019]**

(a) 48% (b) 51%
(c) 50% (d) 47%

18. सेक्शन-A और सेक्शन-B दोनों में कितने विद्यार्थियों ने 10 से कम अंक प्राप्त किए? **[Jun 2019]**

(a) 10 (b) 11
(c) 12 (d) 6

19. सेक्शन-A में कितने विद्यार्थियों ने 30 या अधिक अंक किंतु 50 से कम अंक प्राप्त किए हैं? **[Jun 2019]**

(a) 12 (b) 14
(c) 10 (d) 13

20. सेक्शन-A और सेक्शन-B में कितने विद्यार्थियों ने 50 या 50 से अधिक अंक प्राप्त किए? **[Jun 2019]**

(a) 23 (b) 43
(c) 32 (d) 34

निम्नलिखित सारिणी पर विचार करें जिसमें विभिन्न कंपनियों A, B और C के द्वारा वर्ष 2012-2018 के बीच किए गए निर्यात की राशि (करोड़ रु. में) दिखाई गई है। सारिणी में दिए गए आंकड़े के आधार पर, प्रश्न 21-25 का उत्तर दें:

कंपनियों द्वारा किए गए निर्यात की वर्ष-वार राशि

वर्ष	निर्यात की राशि (करोड़ रु. में)		
	A	B	C
2012	40	90	70
2013	70	50	100
2014	50	70	130
2015	80	70	100
2016	110	90	70
2017	60	110	90
2018	130	150	110

21. दी गई अवधि के दौरान कंपनी B द्वारा किए गए निर्यात की औसत वार्षिक राशि कंपनी C द्वारा किए गए निर्यात की औसत वार्षिक राशि का लगभग कितना प्रतिशत (%) है? **[Dec 2019]**

(a) 89.64%
(b) 91.21%
(c) 94.03%
(d) 93.33%

22. दी गई अवधि के दौरान कितने वर्षों में कंपनी A द्वारा दिए गए निर्यात की राशि, दी हुई अवधि के दौरान की इसकी औसत वार्षिक निर्यात राशि से अधिक रही है? **[Dec 2019]**

(a) 2 (b) 3
(c) 4 (d) 5

23. वर्ष 2017 में तीनों कंपनियों के औसत निर्यात एवं वर्ष 2012 में तीनों कंपनियों के औसत निर्यात में क्या अंतर है? **[Dec 2019]**

(a) ₹15.33 करोड़
(b) ₹18.67 करोड़
(c) ₹25 करोड़
(d) ₹20 करोड़

24. किस वर्ष कंपनी A एवं कंपनी B के निर्यात के बीच पूर्ण अंतर न्यूनतम था? **[Dec 2019]**

(a) 2013 (b) 2014
(c) 2015 (d) 2016

25. निम्नलिखित किन युग्म वर्षों के दौरान तीनों कंपनियों का कुल निर्यात समान रहा है? **[Dec 2019]**

(a) 2014 और 2017
(b) 2015 और 2017
(c) 2016 और 2017
(d) 2014 और 2015

आंकड़ों की व्याख्या: प्रश्न संख्या 26 से 30 तक के लिए

निम्नलिखित तालिका में वर्ष 2001 से 2007 के दौरान हुए विभिन्न प्रकार या ब्रांड के कंप्यूटरों की बिक्री को दर्शाया गया है। आंकड़ों के आधार पर प्रश्न संख्या 26-30 का उत्तर दीजिए।

बेचे गए विभिन्न प्रकार के कंप्यूटरों की संख्या (हजार में)

वर्ष	कंप्यूटर का प्रकार			
	लेनोवो	एसर	आई बी एम	एच सी एल
2001	20	40	50	80
2002	30	25	60	70
2003	50	50	50	55
2004	60	70	40	35
2005	70	85	70	25
2006	80	45	80	20
2007	90	60	100	10

26. वर्ष 2002 तथा वर्ष 2005 में बेचे गए एसर कंप्यूटरों की संख्या में कितना अंतर है? **[Dec 2019]**

(a) 15,000 (b) 20,000
(c) 45,000 (d) 60,000

27. वर्ष 2001 में हुई बिक्री की तुलना में वर्ष 2007 में लेनोवो कंप्यूटर की बिक्री में कितने प्रतिशत की वृद्धि हुई है? **[Dec 2019]**

(a) 200% (b) 250%
(c) 300% (d) 350%

28. उस कंप्यूटर का प्रकार बताइए जिसकी कुल बिक्री इन सात वर्षों के दौरान अधिकतम रही है: **[Dec 2019]**

(a) आई बी एम
(b) लेनोवो
(c) एसर
(d) एच सी एल

29. किस वर्ष एसर कंप्यूटर की बिक्री का प्रतिशत कुल बिके कंप्यूटरों की संख्या की तुलना में अधिकतम रहा था? **[Dec 2019]**

(a) 2003 (b) 2004
(c) 2005 (d) 2007

30. उस प्रकार/ब्रांड के कंप्यूटर का नाम बताइए, जिसकी बिक्री में वर्ष 2001 से वर्ष 2007 के दौरान सतत गिरावट हुई है: **[Dec 2019]**

(a) लेनोवो
(b) एसर
(c) आई बी एम
(d) एच सी एल

प्रश्न संख्या 31 से 35 'आंकड़ों की व्याख्या' (Data Interpretation) से संबंधित है।

निम्नलिखित तालिका में वर्ष 2012 से 2018 तक सात विभिन्न वर्षों के दौरान किसी कंपनी द्वारा उत्पादित तीन विभिन्न प्रकार (A, B और C) के वाहनों की संख्या के आँकड़े दर्शाए गये हैं। तालिका में दिये गये आँकड़ों के आधार पर निम्नलिखित प्रश्नों (1–5) के उत्तर दीजिए:

<u>तीन प्रकार के वाहनों का वर्षवार उत्पाद:</u>

वर्ष ↓ / वाहन →	A - टाइप	B - टाइप	C - टाइप
2012	5000	20000	15000
2013	15000	10000	22500
2014	10000	15000	30000
2015	17500	15000	23000
2016	25000	20000	15000
2017	13000	25000	20000
2018	30000	35000	25000

31. वर्ष 2016 से 2017 तक B टाइप के वाहनों के उत्पादन में कितने प्रतिशत की वृद्धि हुई? **[Dec 2019]**

(a) 10% (b) 5%
(c) 20% (d) 25%

32. वर्ष 2014 में उत्पादित A टाइप वाहनों की संख्या वर्ष 2016 में उत्पादित C टाइप वाहनों की संख्या का कितना प्रतिशत था? **[Dec 2019]**

(a) ~33.33% (b) ~66.67%
(c) 50% (d) 15%

33. कितने वर्षों में A टाइप वाहनों का उत्पादन दिये गये वर्षों में औसत उत्पादन से कम था? **[Dec 2019]**

(a) 2 (b) 4
(c) 3 (d) 1

34. दिये गये वर्षों में कंपनी द्वारा उत्पादित B वाहनों की औसत संख्या क्या थी? **[Dec 2019]**

(a) 20000 (b) 25000
(c) 15000 (d) 30000

35. निम्नलिखित में से किस वर्ष तीनों प्रकार के वाहनों का कुल उत्पादन 60000 था? **[Dec 2019]**

(a) 2013 (b) 2014
(c) 2015 (d) 2016

प्रश्न सं. 36 से 40

निम्नलिखित तालिका में पाँच विषयों में पाँच छात्रों द्वारा प्राप्त किये गये अंकों की प्रतिशतता दी गयी है। प्रत्येक विषय के पूर्णांक विषय के नाम के नीचे कोष्ठकों में दिये गये हैं।

छात्र	प्राप्तांकों की प्रतिशतता				
	गणित (100)	रसायन (150)	भौतिकी (150)	अंग्रेजी (100)	शारीरिक शिक्षा (100)
A	90	80	95	80	90
B	80	75	90	70	80
C	100	95	95	85	95
D	75	70	60	65	60
E	60	50	65	50	70

36. E के कुल प्राप्तांक हैं: **[Dec 2019]**

(a) 252.5 (b) 251.5
(c) 353.5 (d) 352.5

37. A और C के कुल प्राप्तांकों का अंतर कितना है? **[Dec 2019]**

(a) 40.5 (b) 41.5
(c) 42.5 (d) 43.5

38. किस विषय में छात्रों ने न्यूनतम औसत (%) प्रतिशत अंक प्राप्त किये हैं? **[Dec 2019]**

(a) रसायन विज्ञान (b) भौतिकी विज्ञान
(c) अंग्रेजी (d) शारीरिक शिक्षा

39. C द्वारा कुल कितने प्रतिशत अंक प्राप्त किये गये? **[Dec 2019]**

(a) 92.20% (b) 94.17%
(c) 95.21% (d) 91.17%

40. रसायन विज्ञान में छात्रों का औसत प्रतिशत प्राप्तांक क्या है? **[Dec 2019]**

(a) 74% (b) 79%
(c) 80% (d) 81%

सारणी में दिए गए आंकड़ों के आधार पर प्रश्नों का उत्तर दें:

निम्नलिखित सारणी पर विचार करें जिसमें वर्ष 2013-2018 के दौरान कंपनी 'ए' का मुनाफा (%), कंपनी 'बी', की आय तथा कंपनी 'बी' का व्यय एवं प्रतिशत लाभ (%) की गणना करने का सूत्र दर्शाया गया है।

वर्ष-वार वित्तीय विवरण

वर्ष	कंपनी 'A' का लाभ%	कंपनी 'B' की आय (लाख रु में)	कंपनी 'B' का व्यय (लाख रु में)
2013	40%	48.6	36
2014	25%	35	25
2015	60%	62.4	48
2016	40%	77	44
2017	10%	80	50
2018	20%	72	45

जहां लाभ (%) $= \frac{\text{आय} - \text{व्यय}}{\text{व्यय}} \times 100$

41. वर्ष 2013 में कंपनी A तथा कंपनी B के लाभ प्रतिशत में क्या अंतर है? **[Dec 2019]**

(a) 5% (b) 7%
(c) 12% (d) 15%

42. यदि वर्ष 2014 में कंपनी 'A' की आय 32.5 लाख रु थी, तो वर्ष 2014 में कंपनी 'A' एवं कंपनी 'B' के शुद्ध लाभ (लाख रु में) का योग क्या था? **[Dec 2019]**

(a) 12.8 लाख रु
(b) 13.2 लाख रु
(c) 15 लाख रु
(d) 16.5 लाख रु

43. कंपनी 'B' का प्रतिशत लाभ किस वर्ष सबसे अधिक था? **[Dec 2019]**

(a) 2014 (b) 2015
(c) 2016 (d) 2017

44. यदि वर्ष 2017 में कंपनी 'A' का व्यय 45 लाख रु था तो उस वर्ष कंपनी 'A' का शुद्ध लाभ (लाख रु में) कंपनी 'B' के शुद्ध लाभ (लाख रु में) का कितना प्रतिशत था? **[Dec 2019]**

(a) 15% (b) 25%
(c) 40% (d) 75%

45. यदि वर्ष 2018 में कंपनी 'A' की आय 90 लाख रु थी, तो उस वर्ष कंपनी 'B' का शुद्ध लाभ कंपनी 'A' के शुद्ध लाभ से कितना प्रतिशत अधिक है? **[Dec 2019]**

(a) 30% (b) 60%
(c) 75% (d) 80%

आंकड़ों की व्याख्या: सत्र 2019-20 के दौरान एक महाविद्यालय में पाँच विभिन्न विषयों नामत: आई टी, प्रबंधन, वाणिज्य, विज्ञान तथा कला में विद्यार्थियों के दाखिले के विषय में निम्नलिखित तालिका में विवरण दिए गए हैं। 1500 छात्राओं सहित विद्यार्थियों की कुल 3500 संख्या को महाविद्यालय में दाखिल किया गया। तालिका के आँकड़ों के आधार पर प्रश्न संख्या 46-50 तक के उत्तर दीजिए:

विषय	दाखिला लेने वाले विद्यार्थियों का प्रतिशत (%) (3500 में से)	दाखिला लेने वाले छात्राओं का प्रतिशत (%) (1500 में से)
आई टी	20%	18%
प्रबंधन	16%	12%
वाणिज्य	12%	21%
विज्ञान	22%	11%
कला	30%	38%

46. प्रबंधन विषय तथा आई टी विषय में एक साथ छात्रों की कुल संख्या कितनी है? **[2020]**

(a) 1050 (b) 810
(c) 1120 (d) 980

47. विज्ञान में दाखिला लेने वाले छात्रों की संख्या से कला में दाखिल छात्राओं की संख्या का क्या अनुपात है? **[2020]**

(a) 14 : 23 (b) 2 : 3
(c) 114 : 121 (d) 53 : 65

48. विज्ञान एवं वाणिज्य विषयों में एक साथ दाखिला लेने वाली छात्राओं की कुल संख्या कितनी है? **[2020]**

(a) 450 (b) 495
(c) 345 (d) 480

49. यदि विज्ञान विषय में दाखिला लेने वाली 20 प्रतिशत छात्राएं, अपने विषय को प्रबंधन में बदलती हैं तो सब मिलाकर प्रबंधन विषय से संबंधित विद्यार्थियों की कुल नई संख्या क्या होगी? **[2020]**

(a) 593 (b) 733
(c) 453 (d) 1003

50. कला, विज्ञान तथा वाणिज्य में दाखिला लेने वाली छात्राओं की कुल संख्या महाविद्यालय में विद्यार्थियों की कुल संख्या का कितना प्रतिशत (%) है? **[2020]**

(a) 25% (b) 30%
(c) 40% (d) 60%

नीचे दी गई तालिका में वर्ष 2015 से 2019 तक छह अलग-अलग देशों से तेल आयात के आंकड़े (मिलियन टन में) दिए गए हैं। तालिका के अनुसार, प्रश्न संख्या 51 से 55 के उत्तर दें:

देशों से वर्ष वार तेल आयात (मिलियन टन में)

देश / वर्ष	सऊदी अरब	ईरान	ईराक	नाइजीरिया	कुवैत	वेनेज़ुएला
2015	28.8	20.5	15.8	11.6	13.9	7.2
2016	29.9	21.8	14.4	10.5	14.8	7.6
2017	27.2	21.2	15.0	13.2	11.8	7.3
2018	27.4	18.5	17.2	15.9	11.5	10.3
2019	32.6	17.5	24.6	14.2	17.8	9.6

51. कुल मिलाकर सभी वर्षों के लिए ईराक़ से तेल आयात के औसत और वेनेज़ुएला से तेल आयात के औसत का अनुपात क्या है? [२०२०]

(a) 14 : 29 (b) 29 : 14
(c) 39 : 23 (d) 23 : 29

52. निम्नलिखित में से किस वर्ष के दौरान पिछले वर्ष की तुलना में नाइजीरिया से तेल आयात में प्रतिशत वृद्धि/कमी सर्वाधिक रही? **[2020]**

(a) 2016 (b) 2018
(c) 2017 (d) 2019

53. वर्ष 2017 में ईरान से तेल आयात कुल मिलाकर सभी वर्षों में ईरान से कुल तेल आयात का लगभग कितना प्रतिशत है? **[2020]**

(a) 20% (b) 23%
(c) 21% (d) 25%

54. दी गई अवधि के लिए कुवैत से तेल आयात में पिछले वर्ष के मुकाबले प्रतिशत वृद्धि या कमी का लगभग औसत क्या है? **[2020]**

(a) 4% (b) 5%
(c) 15% (d) 21%

55. यदि P और Q क्रमश: वर्ष 2019 और 2017 में सभी देशों से तेल आयात के औसत हैं, तो P–Q लगभग किसके बराबर है? **[2020]**

(a) 3.43 मिलियन टन
(b) 3.34 मिलियन टन
(c) 2.43 मिलियन टन
(d) 2.34 मिलियन टन

निम्नांकित तालिका में किसी शहर के तीन अस्पतालों में भिन्न-भिन्न रोगों के रोगियों की मासिक जानकारी दर्शायी गई है। तालिका में दिए गए आंकड़ों के आधार पर 56-60 तक प्रश्नों के उत्तर दें:

रोग/अस्पताल	अस्पताल (क)	अस्पताल (ख)	अस्पताल (ग)
हृदयाघात	320	240	360
मधुमेह	650	1350	1950
रक्तचाप	700	1400	2100
गुर्दा संबंधी रोग	210	420	630

56. सभी तीन अस्पतालों में कुल रोगियों की तुलना में मधुमेह से पीड़ित रोगियों की संख्या का प्रतिशत कितना है? **[2020]**

(a) ~ 25.90% (b) ~ 38.24%
(c) ~ 39.42% (d) ~ 35.12%

57. सबसे कम सूचित रोग के रोगियों की औसत संख्या कितनी है? **[2020]**

(a) ~ 415.2 (b) ~ 325.4
(c) ~ 391.7 (d) ~ 306.6

58. अस्पताल (क) की तुलना में अस्पताल (ग) में हृदयाघात रोगियों की प्रतिशत वृद्धि कितनी है? **[2020]**

(a) 12.5% (b) 13.2%
(c) 11.9% (d) 9.2%

59. गुर्दा रोगों के उपचार के लिए आनेवाले रोगियों के संबंध में अस्पताल (क) से अस्पताल (ग) के बीच अनुपात कितना है? **[2020]**

(a) 2:3 (b) 3:4
(c) 1:3 (d) 1:5

60. अस्पताल (क) की तुलना में अस्पताल (ग) में कुल रोगियों की संख्या में प्रतिशत वृद्धि कितनी है? **[2020]**

(a) ~ 120% (b) ~ 168%
(c) ~ 141% (d) ~ 145%

नीचे दी गई तालिका के वर्ष 2014 से 2019 के दौरान अभियांत्रिकी के पाँच विषयों (क्षेत्रों) में साक्षात्कार (I) के लिए उपस्थित हुए और दाखिला प्राप्त किए (A) अभ्यर्थियों की संख्या से संबंधित आँकड़े दिए गए हैं। तालिका के अनुसार, प्रश्न (61-65) के उत्तर दीजिए:

विभिन्न अभियांत्रिकी विषयों (क्षेत्रों) में अभ्यर्थियों की वर्ष-वार संख्या:

वर्ष ↓ / अभियांत्रिकी विषय →	केमिकल		सिविल		एयरोस्पेस		पेट्रोलियम		इलेक्ट्रिकल	
	I	A	I	A	I	A	I	A	I	A
2014	1274	1090	2108	2068	1180	1140	960	935	1216	1194
2015	1165	1065	2050	1980	1260	1180	1004	985	1132	1120
2016	1108	1024	1860	1815	1132	1040	870	855	1260	1246
2017	1230	1180	1996	1948	1060	980	1094	1070	1191	1170
2018	1492	1372	2530	2500	1465	1425	1160	1040	1242	1222
2019	982	930	3488	3448	1640	1640	1020	,1010	1362	1342

61. छह वर्षों के दौरान, एयरोस्पेस और इलेक्ट्रिकल इंजीनियरिंग विषयों में साक्षात्कार हेतु उपस्थित हुए अभ्यर्थियों की कुल संख्या के बीच अंतर क्या है? **[2020]**

(a) 334 (b) 61
(c) 66 (d) 344

62. सिविल इंजीनियरिंग विषय में दाखिला लेने वाले अभ्यर्थियों की संख्या में वर्ष 2015 की तुलना में वर्ष 2016 में कितने प्रतिशत की वृद्धि/कमी हुई? **[2020]**

(a) 9.09% (b) 8.43%
(c) 8.33% (d) 9.19%

63. केमिकल इंजीनियरिंग विषय में सभी वर्षों के दौरान साक्षात्कार हेतु उपस्थित हुए अभ्यर्थियों की कुल संख्या की तुलना में उक्त अवधि के दौरान दाखिला लेने वाले अभ्यर्थियों की कुल संख्या का प्रतिशत कितना है? **[2020]**

(a) 8.1% (b) 91.68%
(c) 8.8% (d) 91.86%

64. वर्ष 2016 में अभियांत्रिकी के सभी पांच विषयों में प्रवेश हेतु साक्षात्कार के लिए उपस्थित हुए अभ्यर्थियों की औसत संख्या कितनी है? **[2020]**

(a) 1216 (b) 1314
(c) 1316 (d) 1246

65. वर्ष 2014 में पेट्रोलियम इंजीनियरिंग विषय में दाखिला हेतु साक्षात्कार के लिए उपस्थित होने वाले अभ्यर्थियों की संख्या तथा वर्ष 2015 में इलेक्ट्रिकल इंजीनियरिंग विषय में दाखिला लेने वाले अभ्यर्थियों की संख्या के बीच क्या अनुपात है? **[2020]**

(a) 3: 5 (b) 6: 7
(c) 7: 6 (d) 5: 3

आंकड़ों की व्याख्या प्रश्न संख्या (66 से 70)

वर्ष 2009 और 2019 में विभिन्न भारतीय शहरों में अवस्थित आई टी कंपनियों में रोजगार रिक्ति के वितरण प्रतिशत के आंकड़े नीचे सारणी में प्रदत्त किये गये हैं। वर्ष 2009 में, रिक्ति की कुल संख्या 5.4 लाख थी और वर्ष 2019 में यह संख्या 8.6 लाख थी। सारणी में दिये गये आँकड़ों के आधार पर प्रश्नों के उत्तर दीजिए:

शहर-वार रोजगार रिक्ति

शहर	रोजगार रिक्ति का प्रतिशत	
	2009	2019
बंगलौर	15	22
हैदराबाद	10	8
पुणे	12	6
मुंबई	10	18
चेन्नई	8	10
एन सी आर	21	20
अन्य शहर	24	16

66. बंगलौर शहर में वर्ष 2019 और 2009 में उपलब्ध रिक्तियों की संख्या के मध्य अंतर कितना है? **[2020]**

(a) 108200 (b) 113120
(c) 118400 (d) 96400

67. वर्ष 2009 और 2019 में हैदराबाद में उपलब्ध रिक्तियों की औसत संख्या कितनी है? **[2020]**

(a) 41080 (b) 42740
(c) 58610 (d) 61400

68. वर्ष 2009 में चेन्नई शहर में और मुंबई में वर्ष 2019 में उपलब्ध रिक्तियों की कुल संख्या कितनी है? **[2020]**

(a) 2.16 लाख (b) 2.04 लाख
(c) 1.98 लाख (d) 1.92 लाख

69. यदि वर्ष 2019 में पुणे में रिक्तियों की संख्या 48000 है और प्रतिशत वितरण जैसा सारणी में दिया गया है, के अनुसार है, तो वर्ष 2019 में एन सी आर में उपलब्ध रिक्तियों की संख्या कितनी है? **[2020]**

(a) 1.2 लाख (b) 1.32 लाख
(c) 1.48 लाख (d) 1.6 लाख

70. वर्ष 2009 से 2019 में हैदराबाद शहर में उपलब्ध रिक्तियों में लगभग कितने प्रतिशत की वृद्धि दिखाई देती है? **[2020]**

(a) 21.8% (b) 23.23%
(c) 26.23% (d) 27.41%

तालिका का सावधानीपूर्वक अध्ययन कीजिए और निम्नलिखित प्रश्नों के उत्तर दीजिए:

निम्नलिखित तालिका में प्रदत्त वर्षों में एक कंपनी के प्रति वर्ष व्यय (लाख रुपये में) का विवरण दर्शाया गया है:

व्यय की वस्तुएँ / वर्ष	वेतन	यात्रा	आतिथ्य	ऋण पर ब्याज	कर
2016	330	70	30	28	80
2017	380	65	33	31	87
2018	420	72	35	33	91
2019	450	75	40	36	94
2020	480	84	43	39	97

71. किस वर्ष में वेतन व आतिथ्य का अनुपात सर्वाधिक रहा है? **[Nov 2021]**

(a) 2017 (b) 2018
(c) 2019 (d) 2020

72. 2016 से 2020 के दौरान यात्रा व आतिथ्य पर औसत व्यय कितना हुआ है? **[Nov 2021]**

(a) 108.3 (b) 108.7
(c) 109.4 (d) 110.5

73. 2019 से 2020 तक के व्यय में कितने प्रतिशत की वृद्धि हुई? **[Nov 2021]**

(a) 5.3 (b) 5.8
(c) 6.9 (d) 7.2

74. किस वर्ष में यात्रा व्यय का प्रतिशत न्यूनतम रहा है? **[Nov 2021]**

(a) 2017 (b) 2018
(c) 2019 (d) 2020

75. करों पर औसत व्यय और ऋण के ब्याज पर औसत व्यय का अंतर है: **[Nov 2021]**

(a) 54.8 (b) 55.6

(c) 56.4 (d) 57.2

निम्नलिखित तालिका को ध्यानपूर्वक पढ़िए और नीचे दिए गए प्रश्नों 76-80 के उत्तर दीजिए:

दिए गए वर्षों में चार भिन्न-भिन्न राज्यों (A, B, C, D) से एक विश्वविद्यालय प्रवेश परीक्षा में सम्मिलित होने वाले अभ्यर्थियों की संख्या (N) (लाख में) और उस परीक्षा में सफल होने वाले अभ्यर्थियों की प्रतिशतता (P) निम्नलिखित तालिका में दी हुयी हैं:

राज्य	A		B		C		D	
वर्ष	N	P(%)	N	P(%)	N	P(%)	N	P(%)
2016	2.31	32	1.64	42	2.60	46	3.3	29
2017	2.02	44	1.72	41	2.45	36	3.1	32
2018	1.98	39	2.02	37	2.20	33	2.9	31
2019	1.85	28	2.10	43	2.50	42	2.7	34
2020	2.20	33	1.90	46	2.55	30	3.0	35

76. 2019 में (सभी राज्यों से) असफल अभ्यर्थियों की औसत संख्या ज्ञात करें: **[2021]**

(a) 135320 (b) 137270

(c) 139870 (d) 144025

77. किस वर्ष में राज्य B से अधिकतम संख्या में अभ्यर्थी प्रवेश परीक्षा में सफल हुए? **[2021]**

(a) 2016 (b) 2018

(c) 2019 (d) 2020

78. 2016 से 2020 तक राज्य A से प्रवेश परीक्षा में सफल होने वाले विद्यार्थियों की कुल संख्या ज्ञात करें: **[2021]**

(a) 355460 (b) 358660

(c) 360890 (d) 364420

79. 2020 में (सभी राज्यों से) सफल होने वाले विद्यार्थियों की औसत संख्या ज्ञात करें: **[2021]**

(a) 84550 (b) 84580

(c) 85375 (d) 86770

80. (सभी राज्यों से) 2017 में सफल होने वाले विद्यार्थियों की कुल संख्या और 2018 में सफल होने वाले विद्यार्थियों की कुल संख्या का अंतर ज्ञात करें: **[2021]**

(a) 31750 (b) 31880

(c) 32220 (d) 32340

नीचे दी गई तालिका ए.बी.सी. कार्पोरेशन के वर्ष 2013-2020 के विगत आठ वर्षों की बिक्री और आय को दर्शाती है तथा तालिका II वर्ष 2020 बिक्री के प्रतिशत को चार अलग-अलग श्रेणियों में दर्शाती है। तालिका में दिए गए आँकड़ों के आधार पर प्रश्न 81-85 के उत्तर दीजिए:

तालिका-I: वर्षवार विक्रय एवं आय

वर्ष	बिक्री (रु. बिलियन)	आय (रु. मिलियन)
2013	3	500
2014	6	900
2015	8	200
2016	7	400
2017	5	700
2018	9	800
2019	8	700
2020	10	600

तालिका-II: श्रेणीगत, वर्ष 2020 में विक्रय

वर्ग	बिक्री की प्रतिशतता (%)
कम्प्यूटर	25%
टी.वी.	20%
स्मार्ट फोन	40%
अन्य	15%

81. वर्ष 2013-2020 की अवधि के लिए ए.बी.सी. कॉरपोरेशन की बिक्री का औसत (रु. बिलियन में) क्या है? **[2021]**

(a) 5.5 (b) 6.0

(c) 7.0 (d) 8.0

82. किस वर्ष में पूर्वगामी वर्ष की तुलना में प्रतिशत (%) वृद्धि सर्वाधिक थी? **[2021]**

(a) 2014 (b) 2015

(c) 2016 (d) 2017

83. वर्ष 2015 में आय तथा बिक्री के बीच का अनुपात क्या था? **[2021]**

(a) 25 : 1 (b) 1 : 4
(c) 1 : 25 (d) 1 : 40

84. निम्नलिखित में से कौन सा/से कथन तालिका I और II में दिए गए आँकड़ों के आधार पर निगमित किए जा सकते हैं? **[2021]**

(1) वर्ष 2020 में हुई स्मार्टफोन की बिक्री, 2013 की कुल बिक्री से अधिक थी।

(2) सर्वाधिक आय वाले वर्ष में हुई आय न्यूनतम बिक्री वाले वर्ष में हुई बिक्री से अधिक थी।

(3) अगर वर्ष 2020 में स्मार्टफोन की बिक्री 10 प्रतिशत कम हुई होती और कंप्यूटर की बिक्री 10 प्रतिशत अधिक होती तब कंप्यूटर की बिक्री की तुलना में स्मार्टफोन की बिक्री कम हुई होती।

नीचे दिए गए विकल्पों में से सही उत्तर का चयन कीजिए:

(a) केवल (1)
(b) केवल (1) और (2)
(c) केवल (1) और (3)
(d) केवल (3)

85. वर्ष 2013–2019 की अवधि के लिए ए.बी.सी. कॉरपोरेशन की आय का कुल योगफल (रु. मिलियन में) क्या है? **[2021]**

(a) 4800 (b) 4200
(c) 4000 (d) 5000

तालिका का सावधानीपूर्वक अध्ययन कीजिए और नीचे दिए गए प्रश्नों का उत्तर दीजिए:

निम्नलिखित तालिका में 5 भिन्न वर्षों में पाँच भिन्न पाठ्यक्रमों में नामांकित विद्यार्थियों का विवरण दिया गया है।

टिप्पणी: कोष्ठकों में प्रदत्त संख्या प्रत्येक पाठ्यक्रम की अधिकतम सीटें दर्शाती हैं–

पाठ्यक्रम

वर्ष	बी. टेक (60)	एम.सी.ए. (60)	एम.टेक (30)	एम. फिल (20)	समेकित एम. टेक (30)
2016	45	52	25	16	26
2017	55	56	26	18	24
2018	48	43	21	14	25
2019	53	40	23	15	23
2020	50	46	28	13	27

86. किस वर्ष में अधिकतम विद्यार्थी नामांकन हुआ है? **[2021]**

(a) 2019 (b) 2017
(c) 2020 (d) 2016

87. 2016-20 के दौरान बी. टेक में औसत रिक्त सीटों और एम.टेक में औसत रिक्त सीटों के बीच अंतर कितना है? **[2021]**

(a) 4.2 (b) 4.3
(c) 4.4 (d) 4.1

88. किस वर्ष में रिक्त सीटों की संख्या अधिकतम है? **[2021]**

(a) 2019 (b) 2020
(c) 2018 (d) 2017

89. 2016 से 2020 के दौरान किस कोर्स में कुल रिक्त सीटों की संख्या न्यूनतम है? **[2021]**

(a) बी. टेक (b) एम.सी.ए.
(c) एम. टेक (d) एम. फिल

90. 2016 में औसत नामांकन व 2017 में औसत नामांकन के बीच का अंतर क्या है? **[2021]**

(a) 3.0 (b) 3.3
(c) 3.4 (d) 3.2

निम्नांकित सारणी में चार राज्यों (A, B, C, D) के अन्तर्गत कारों का प्रतिशत में वितरण और डीजल एवं पेट्रोल इंजन कारों का अनुपात प्रदर्शित किया गया है। सभी चार राज्यों में कारों की कुल संख्या 1400 है। सारणी में आंकड़ों पर आधारित, प्रश्नों के उत्तर दीजिए।

राज्य-वार कारों का वितरण

		अनुपात
राज्य	कारों का प्रतिशत में वितरण	डीजल इंजन कार: पेट्रोल इंजन कार
(1)	14%	3 : 4
(2)	28%	5 : 9
(3)	32%	5 : 3
(4)	26%	1 : 1

91. राज्य 'B' में डीजल इंजन कारों की संख्या और राज्य 'D' में पेट्रोल इंजन कारों की संख्या के बीच अंतर क्या है? **[2022]**

(a) 24 (b) 42
(c) 56 (d) 68

92. राज्य 'C' में पेट्रोल इंजन कारों की संख्या राज्य 'A' में डीजल कारों की संख्या की तुलना में कितने प्रतिशत अधिक है? **[2022]**

(a) 100% (b) 125%
(c) 200% (d) 120%

93. यदि राज्य 'C' में 25% डीजल कारें वातानुकूलित हैं तो राज्य 'C' में गैर वातानुकूलित डीजल कारों की संख्या क्या है? **[2022]**

(a) 150 (b) 90
(c) 190 (d) 210

94. राज्य 'C' में कारों की कुल संख्या और राज्य 'B' में पेट्रोल इंजन कारों की संख्या के बीच अन्तर क्या है? **[2022]**

(a) 212 (b) 224
(c) 204 (d) 196

95. सभी राज्यों के अन्तर्गत पेट्रोल इंजन कारों की संख्या का योग क्या है? **[2022]**

(a) 710 (b) 712
(c) 714 (d) 716

निम्नलिखित तालिका में पिछले 2016 से 2021 तक के छह वर्षों के दौरान एक शहर में पुरुषों, महिलाओं एवं बच्चों की संख्या और अधिक वजनी पुरुषों महिलाओं एवं अधिक वजनी बच्चों के बारे में डेटा (दत्त) प्रस्तुत किए गए हैं।

एक शहर में जनसंख्या का वर्ष-वार वितरण

वर्ष	संख्या			अधिक वजनी का प्रतिशत (%)		
	पुरुष	महिलाएं	बच्चे	पुरुष	महिलाएं	बच्चे
2016	27000	19000	7500	15%	36%	30%
2017	37500	32000	10500	7%	35%	23%
2018	31500	30000	6000	30%	25%	35%
2019	33000	27000	8000	16%	30%	30%
2020	35000	34000	10000	12%	27%	32%
2021	39000	37500	22500	37.50%	22%	36%

96. वर्ष 2016 और 2017 में उन बच्चों की कुल संख्या क्या थी, जो अधिक वनज की समस्या से पीड़ित नहीं थे? **[2022]**

(a) 4,530 (b) 4,350
(c) 12,810 (d) 14,820

97. वर्ष 2019 में उन पुरुषों, महिलाओं और बच्चों की संख्या कितनी थी, जो अधिक वजनी थे? **[2022]**

(a) 4812 (b) 5016
(c) 5395 (d) 5260

98. वर्ष 2021 में अधिक वजनी पुरुषों की संख्या उन पुरुषों की संख्या की तुलना में कितने प्रतिशत थी, जो उसी वर्ष में अधिक वजन की समस्या से पीड़ित नहीं थे? **[2022]**

(a) 55% (b) 60%
(c) 50.5% (d) 65.5%

99. वर्ष 2018 में अधिक वजनी महिलाओं एवं अधिक वजनी बच्चों की कुल संख्या और उसी वर्ष में अधिक वजन पुरुषों की संख्या के बीच क्या अंतर था? **[2022]**

(a) 150 (b) 450
(c) 345 (d) 865

100. वर्ष 2018 में अधिक वजनी महिलाओं की संख्या का अनुपात वर्ष 2020 में अधिक वजनी पुरुषों की तुलना में क्या था? **[2022]**

(a) 6 : 7 (b) 21 : 65
(c) 15 : 73 (d) 25 : 14

निम्नलिखित तालिका में वर्ष 2017-2021 के दौरान तीन विद्यालयों A, B और C में नामांकित बालिकाओं की संख्या प्रदर्शित है। तालिका में दिए गए आंकड़े के आधार पर प्रश्न का उत्तर दीजिए:

बालिकाओं का वर्षवार नामांकन

वर्ष	विद्यालयों में बालिकाओं का नामांकन		
	A	B	C
2017	200	150	100
2018	150	255	250
2019	275	150	199
2020	250	300	200
2021	300	250	275

101. वर्ष 2020 में विद्यालय C में नामांकित बालिकाओं की संख्या और उसी वर्ष में विद्यालय A और B में नामांकित कुल बालिकाओं की संख्या के बीच अनुपात है: **[2023]**

(a) 11:3 (b) 3:11
(c) 4:11 (d) 4:7

102. वर्ष 2021 और वर्ष 2017 में नामांकित बालिकाओं की संख्या के बीच न्यूनतम अंतर किस विद्यालय में है। **[2023]**

(a) केवल विद्यालय A में
(b) केवल विद्यालय B में
(c) केवल विद्यालय C में
(d) विद्यालय A और विद्यालय B दोनों में

103. सभी तीनों विद्यालयों में वर्ष 2019 में नामांकित बालिकाओं की औसत संख्या है: **[2023]**

(a) 208 (b) 200
(c) 216 (d) 225

104. वर्ष 2017 में सभी तीनों विद्यालयों में नामांकित बालिकाओं की कुल संख्या वर्ष 2020 में विद्यालय C में नामांकित बालिकाओं की कुल संख्या का ....% है। **[2023]**

(a) 44.4 (b) 225
(c) 165 (d) 240

105. सभी तीनों विद्यालयों में नामांकित बालिकाओं की कुल संख्या किस वर्ष में द्वितीयक सर्वाधिक है? **[2023]**

(a) 2017 (b) 2019
(c) 2020 (d) 2021

निम्नलिखित तालिका में काम पर जाने के लिए प्रयुक्त साधनों के सर्वेक्षण के परिणाम को प्रस्तुत किया गया है:

काम पर जाने के लिए निम्न प्रकार द्वारा यात्रा करने वाले लोगों की संख्या			
साइकिल	कार	बस	पैदल
72	18	35	55

नोट: (a) काम पर जाने के लिए साइकिल से यात्रा करने वाले 8 में से 1 व्यक्ति 65 वर्ष से अधिक आयु के पाये गये थे।

(b) साइकिल चलाने वाले 3 लोगों में से 1 ने कहा कि वे वर्षा वाले दिनों में काम पर जाने के लिए बस से यात्रा करते थे।

उपर्युक्त आँकड़ों के आधार पर प्रश्न का उत्तर दीजिये।

106. कितने लोग वर्षा वाले दिन साइकिल से यात्रा कर काम करने गये? **[2023]**

(a) 24 (b) 48
(c) 72 (d) 64

107. कितने उत्तरदाताओं ने निदर्शित किया कि वे काम करने साइकिल से जाते थे और उनकी उम्र 65 वर्ष से अधिक थी? **[2023]**

(a) 12 (b) 9
(c) 8 (d) 7

108. निम्नलिखित में से कौन सा कथन सत्य है? **[2023]**

(a) दो गुने से कुछ कम लोगों ने यह निदर्शित किया कि वे काम पर जाने के लिए कार की बजाय बस से यात्रा करते थे।
(b) दो गुने से कुछ अधिक लोगों ने यह निदर्शित किया कि वे काम पर जाने के लिए कार की बजाय बस से यात्रा करते थे।
(c) कुछ अधिक लोगों ने यह निदर्शित किया कि वे काम पर जाने के लिए कार की बजाय बस से यात्रा करते थे।
(d) कुछ कम लोगों ने यह निदर्शित किया कि वे काम पर जाने के लिए बस की बजाय कार से यात्रा करते थे।

109. काम पर जाने के यात्रा-साधनों में से किसका योग सर्वेक्षण में प्रस्तुत उत्तरों के आधी संख्या को प्रस्तुत करता है? **[2023]**

(1) साइकिल और कार (2) बस और कार
(3) पैदल और बस (4) पैदल और साइकिल

निम्नलिखित विकल्पों में से सही उत्तर का चयन कीजिए:

(a) केवल (1) और (2) (b) केवल (1) और (3)
(c) केवल (2) और (3) (d) केवल (2) और (4)

110. कितने अधिक लोगों ने यह निदर्शित किया कि उन्होंने बस या कार से यात्रा करने के बजाय काम पर जाने के लिए साइकिल से यात्रा की? **[2023]**

(a) 72 (b) 35
(c) 18 (d) 19

उत्तरमाला

1. (b) **2.** (c) **3.** (a) **4.** (d) **5.** (d) **6.** (a) **7.** (b) **8.** (a) **9.** (d) **10.** (c)
11. (c) **12.** (b) **13.** (a) **14.** (a) **15.** (b) **16.** (b) **17.** (b) **18.** (d) **19.** (a) **20.** (c)
21. (c) **22.** (b) **23.** (d) **24.** (c) **25.** (d) **26.** (d) **27.** (d) **28.** (a) **29.** (c) **30.** (d)
31. (d) **32.** (b) **33.** (b) **34.** (a) **35.** (d) **36.** (d) **37.** (c) **38.** (c) **39.** (b) **40.** (c)
41. (a) **42.** (d) **43.** (c) **44.** (a) **45.** (d) **46.** (b) **47.** (c) **48.** (d) **49.** (a) **50.** (b)
51. (b) **52.** (c) **53.** (c) **54.** (d) **55.** (a) **56.** (b) **57.** (d) **58.** (a) **59.** (c) **60.** (b)
61. (a) **62.** (c) **63.** (d) **64.** (d) **65.** (b) **66.** (a) **67.** (d) **68.** (c) **69.** (d) **70.** (d)
71. (b) **72.** (c) **73.** (c) **74.** (c) **75.** (c) **76.** (d) **77.** (c) **78.** (d) **79.** (c) **80.** (d)
81. (c) **82.** (c) **83.** (d) **84.** (c) **85.** (b) **86.** (b) **87.** (c) **88.** (c) **89.** (d) **90.** (a)
91. (b) **92.** (a) **93.** (d) **94.** (d) **95.** (c) **96.** (c) **97.** (d) **98.** (b) **99.** (a) **100.** (d)
101. (c) **102.** (d) **103.** (a) **104.** (b) **105.** (c) **106** (b) **107.** (b) **108.** (c) **109.** (b) **110.** (d)

संकेत और स्पष्टीकरण

प्रश्न 1 से 5 तक 'आंकड़ा व्याख्या' से लिए गए हैं:

1. (b)

विभिन्न वर्षों के लिए उपभोग निम्नानुसार दी गई है:
वर्ष 2012: 186.5 – 114 = 72.5
वर्ष 2013: 202 – 114 = 88
वर्ष 2014: 238 – 130 = 108
वर्ष 2015: 221 – 116 = 105
वर्ष 2016: 215 – 88 = 127

वर्ष 2013 के लिए प्रतिशत वृद्धि $= \left[\frac{(88 - 72.5)}{72.5}\right] \times 100$

$= \frac{15.5}{72.5} \times 100 = 21.37\%$

वर्ष 2014 के लिए प्रतिशत वृद्धि $= \left[\frac{(108 - 88)}{88}\right] \times 100$

$= \frac{20}{88} \times 100 = 22.72\%$

वर्ष 2015 के लिए उपभोग में कमी आई है।

वर्ष 2016 के लिए प्रतिशत वृद्धि $= \left[\frac{(127 - 105)}{105}\right] \times 100$

$= \frac{22}{105} \times 100 = 20.95\%$

2. (c)

प्रति व्यक्ति खपत = (उपभोग मिलियन किग्रा में)/ (जनसंख्या मिलियन में)
या जनसंख्या मिलियन में = उपभोग मिलियन किग्रा में/प्रति व्यक्ति खपत
= 108 मिलियन किग्रा/38.7 किग्रा = 2.79 मिलियन
नोट: चूंकि जनसंख्या की गणना मिलियन में की जानी है, इकाइयों के रूपांतरण की कोई आवश्यकता नहीं है, क्योंकि उपभोग भी मिलियन में दिया गया है।

3. (a)

हम पहले ही प्रश्न में उपभोग की गणना कर चुके हैं
2012 के लिए वांछित अनुपात = 114 : 72.5 = 1.57
2013 के लिए वांछित अनुपात = 114 : 88 = 1.29
2014 के लिए वांछित अनुपात = 130 : 108 = 1.20
2015 के लिए वांछित अनुपात = 116 : 105 = 1.10
2016 के लिए वांछित अनुपात = 88 : 127 = 0.69

4. (d)

जनसंख्या = उपभोग (मिलियन किग्रा में) / प्रति व्यक्ति उपभोग (किलो में)

वर्ष 2013 की जनसंख्या $= \frac{86}{36.25} = 2.42$ मिलियन

वर्ष 2014 के लिए जनसंख्या = 2.79 (पहले से गणना की गई)

वर्ष 2015 के लिए जनसंख्या $= \frac{105}{40.5} = 2.59$ मिलियन

वर्ष 2016 के लिए जनसंख्या $= \frac{127}{42} = 3.02$ मिलियन

5. (d)

औसत उपभोग = (72.5 + 88 + 108 + 105 + 127)/5 = 500.5/5
= 100.1 मिलियन किग्रा

प्रश्न 6 से 10 तक 'आंकड़ा व्याख्या' से लिए गए हैं:

6. (a)

अंग्रेजी विभाग में छात्राओं की संख्या = 300 का 55%
$= 300 \times \frac{55}{100} = 165$
हिंदी विभाग में छात्राओं की संख्या = 250 – 100 = 150
दोनों विभागों में छात्राओं की कुल संख्या = 165 + 150 = 315

7. (b)

अंग्रेजी विभाग में छात्रों की संख्या = 135
गणित में छात्रों की संख्या = 300
आवश्यक अनुपात = 135 : 300 = 9 : 20

8. (a)

प्रत्येक विभाग में छात्राओं की संख्या इस प्रकार है:
भौतिक विज्ञान में छात्राओं की संख्या = 450 × 45/100 = 203
रसायन शास्त्र में छात्राओं की संख्या = 35/100 × 550 = 193
अंग्रेजी में छात्राओं की संख्या= 55/100 × 300 = 165
गणित में छात्राओं की संख्या = 40/100 × 500 = 200
इस प्रकार, भौतिक विज्ञान विभाग में छात्राओं की संख्या अधिकतम है।

9. (d)

रसायन शास्त्र विभाग में विद्यार्थियों की कुल संख्या = 550
गणित विभाग में विद्यार्थियों की कुल संख्या = 500
आवश्यक प्रतिशत = 550 / 500 × 100 = 110%
अत: रसायन शास्त्र विभाग में विद्यार्थियों की कुल संख्या गणित विभाग में विद्यार्थियों की कुल संख्या का 110% है।

10. (c)

प्रत्येक विभाग में छात्रों की संख्या इस प्रकार है:
भौतिक विज्ञान में छात्रों की संख्या = 450 का 55% = 248
अंग्रेजी में छात्रों की संख्या = 300 – 165 = 135
हिंदी में छात्रों की संख्या $= 250 \times \frac{40}{100} = 100$
गणित में छात्रों की संख्या = 500 – 200 = 300
इस प्रकार, हिंदी विभाग में छात्रों की संख्या न्यूनतम है।

प्रश्न 11 से 15 तक 'आंकड़ा व्याख्या' से लिए गए हैं:

11. (c)

औसत उत्पादन

$$= \frac{(35 + 50 + 70 + 55 + 75 + 60 + 85 + 90)}{8} = 65$$

इस प्रकार वर्ष 2013, 2015, 2017 और 2018 के उत्पादन के आंकड़े औसत उत्पादन से अधिक थे।

12. (b)

आवश्यक प्रतिशत $= \frac{(70 - 55)}{70} \times 100 = -21.42\%$

13. (a)

वर्ष 2011 में उर्वरकों के उत्पादन में वृद्धि = 35 टन

वर्ष 2018 में उर्वरकों के उत्पादन में वृद्धि = 90 टन

आवश्यक प्रतिशत $= \frac{(90 - 35)}{35} \times 100 = 157\%$

14. (a)

वर्ष 2012 के लिए, आवश्यक प्रतिशत $= \frac{50 - 35}{35} \times 100 = 42\%$

वर्ष 2013 के लिए, आवश्यक प्रतिशत $= \frac{70 - 50}{50} \times 100 = 40\%$

वर्ष 2015 के लिए, आवश्यक प्रतिशत $= \frac{75 - 55}{55} \times 100 = 36\%$

वर्ष 2018 के लिए, आवश्यक वर्ष 2018 के लिए अभीष्ट %

$= \frac{90 - 85}{85} \times 100\% = 5.88\%$

इस प्रकार, वर्ष 2012 सही उत्तर है।

15. (b)

वर्ष 2011 में उर्वरक उत्पादन = 35 और वर्ष 2017 में उर्वरक उत्पादन = 85

औसत उत्पादन $= \frac{35 + 85}{2} = 60$

अत: वर्ष 2011 और 2017 में औसत उत्पादन स्तर 2012 और 2013 के औसत उत्पादन स्तर के समान है।

16. (b)

उत्तीर्ण होने का अंक = 30

सेक्शन –A में उत्तीर्ण कुल विद्यार्थी = 4 + 8 + 4 + 7 + 5 = 28

सेक्शन –B में उत्तीर्ण कुल विद्यार्थी = 4 + 7 + 5 + 5 + 6 = 27

दोनों सेक्शन मिलाकर कुल उत्तीर्ण विद्यार्थी = 28 + 27 = 55

दोनों सेक्शन मिलाकर कुल विद्यार्थी = 45 + 45 = 90

दोनों सेक्शन मिलाकर कुल अनुतीर्ण विद्यार्थी = 90 – 55 = 35

अत: सही उत्तर (b) होगा।

17. (b)

प्रश्नानुसार उत्तीर्ण अंक = 40

सेक्शन -B में उत्तीर्ण होने वाले विद्यार्थियों की संख्या

= 7 + 5 + 5 + 6 = 23

सेक्शन -B में कुल विद्यार्थी = 45

अभीष्ट प्रतिशत $= \frac{23}{45} \times 100 = 51\%$

सही उत्तर (b) होगा।

18. (d)

सेक्शन-A और सेक्शन-B दोनों में 10 से कम अंक प्राप्त करने वाले विधार्थियों की संख्या

= 2 + 4 = 6

अत: विकल्प (d) सही है ।

19. (a)

सेक्शन –A में 30 या अधिक अंक किन्तु 50 से कम अंक प्राप्त करने वाले विधार्थियों की संख्या = 4 + 8 = 12

अत: सही उत्तर (a) होगा ।

20. (c)

दी गयी तालिका से

सेक्शन –A में 50 या 50 से अधिक अंक प्राप्त करने वाले विद्यार्थियों की संख्या

= 4 + 7 + 5 = 16

सेक्शन –B में 50 या 50 से अधिक अंक प्राप्त करने वाले विद्यार्थियों की संख्या

= 5 + 5 + 6 = 16

दोनों सेक्शन मिलाकर अभीष्ट संख्या = 16 + 16 = 32

अत: विकल्प (c) सही है।

प्रश्न 21 से 25 तक 'आंकड़ा व्याख्या' से लिए गए हैं:

21. (c)

कंपनी B का औसत निर्यात $= \frac{630}{7} = 90$ करोड़ रु

कंपनी C का औसत निर्यात $= \frac{670}{7} = 95.71$ करोड़ रु

प्रश्न के अनुसार, $\frac{90}{95.71} \times 100 = 94.03\%$

तो, B, C की औसत राशि का लगभग 94% है।

22. (b)

कंपनी A का कुल निर्यात = 540 करोड़ रु

कंपनी A का औसत निर्यात $= \frac{540}{7} = 77.14$ करोड़ रु

वर्ष 2015 में कुल निर्यात अपने औसत से अधिक है। इसी प्रकार, वर्ष 2016 और 2018 में कुल निर्यात औसत से अधिक है। अत: तीन वर्षों में कंपनी A द्वारा निर्यात की गई राशि इसकी औसत निर्यात राशि से अधिक रही है।

23. (d)

वर्ष 2012 में, तीनों कंपनियों का औसत निर्यात = 40/3 + 90/3 + 70/3

= 200/3 = 66.67 करोड़ रु

वर्ष 2017 में औसत निर्यात = 60 + 110 + 90/30 = 260/3 = 86.67 करोड़ रु

औसत निर्यात में अंतर = 86.67 – 66.67 = 20 करोड़ रु

24. (c)

वर्ष 2013 में, कंपनी A और B से निर्यात के मध्य अंतर = 70 – 50 = 20 करोड़ रु

वर्ष 2014 में, कंपनी A और B से निर्यात के मध्य अंतर = 70 – 50 = 20 करोड़ रु

वर्ष 2015 में, कंपनी A और B से निर्यात के मध्य अंतर = 80 – 70 = 10 करोड़ रु

वर्ष 2016 में, कंपनी A और B से निर्यात के मध्य अंतर = 110 – 90 = 20 करोड़ रु

इसलिए, वर्ष 2015 में अंतर न्यूनतम है।

25. (d)

तीनों कंपनियों का कुल निर्यात

वर्ष 2014 = 50 + 70 + 130 = ₹250 करोड़

वर्ष 2015 = 80 + 70 + 100 = ₹250 करोड़

वर्ष 2016 = 110 + 90 + 70 = ₹270 करोड़

वर्ष 2017 = 60 + 110 + 90 = ₹260 करोड़

इसलिए वर्ष 2014 और वर्ष 2015 में तीनों कंपनियों का कुल निर्यात एक समान है।

प्रश्न 26 से 30 तक 'आंकड़ा व्याख्या' से लिए गए हैं:

26. **(d)**

वर्ष 2005 में बेचे गए एसर कम्प्यूटरों की संख्या = 85,000

वर्ष 2002 में बेचे गए एसर कम्प्यूटरों की संख्या = 25,000

कंप्यूटरों की संख्या में अंतर

= 85,000 – 25,000 = 60,000

27. **(d)**

वर्ष 2001 में कुल बिक्री = 20

वर्ष 2007 में कुल बिक्री = 90

बिक्री में वृद्धि = 90 - 20 = 70

बिक्री में: वृद्धि = 70/20 × 100 = 350%

28. **(a)**

आई बी एम की कुल बिक्री (हजारों में) = 50 + 60 + 50 + 40 + 70 + 80 + 100 = 450

इसी प्रकार, लेनोवो की कुल बिक्री = 400

एसर की कुल बिक्री = 375

एचसीएल की कुल बिक्री = 295

इसलिए, आईबीएम कंप्यूटर की बिक्री सभी वर्षों में अधिकतम है।

29. **(c)**

यहां, हमें बेचे गए कंप्यूटरों की कुल संख्या की गणना करने की आवश्यकता नहीं है। एक चर के रूप में, वे हर जगह प्रकट हो सकते हैं। इसलिए, हमें परिणाम प्राप्त करने के लिए अंश पर ध्यान देना चाहिए। तो सही उत्तर 85,000 है जो कि विकल्प (c) है।

30. **(d)**

इस प्रश्न को सांय अवलोकन के आधार पर भी हल किया जा सकता है। सारणी में दिए गए आंकड़ों के अनुसार एचसीएल कंप्यूटर की बिक्री पिछले कुछ वर्षों में लगातार कम हुई है।

प्रश्न 31 से 35 तक 'आंकड़ा व्याख्या' से लिए गए हैं:

31. **(d)**

वर्ष 2016 में B टाइप वाहनों का उत्पादन = 20000

वर्ष 2017 में B टाइप वाहनों का उत्पादन = 25000

2017 में प्रतिशत वृद्धि = (25000 – 20000) / 20000 × 100 = 25%

32. **(b)**

वर्ष 2014 में उत्पादित A टाइप वाहनों की संख्या = 10000

वर्ष 2016 में उत्पादित C टाइप वाहनों की संख्या = 15000

उत्पादन का प्रतिशत = 10000 / 15000 × 100 = 66.67%

33. **(b)**

दिए गए वर्षों में A टाइप वाहनों का औसत उत्पादन

$= \frac{115500}{7} = 16500$

हम कह सकते हैं, कि वर्ष 2012, 2013, 2014, 2017 में उत्पादन औसत से कम है।

34. **(a)**

दिए गए वर्षों में उत्पादित B टाइप वाहनों की औसत संख्या = (20000 + 10000 + 15000 + 15000 + 20000 + 25000 + 35000)/7 =140000 / 7 = 20000

35. **(d)**

वर्ष 2016 में तीनों प्रकार का कुल उत्पादन = 25000 + 20000 + 15000 = 60000

प्रश्न 36 से 40 तक 'आंकड़ा व्याख्या' से लिए गए हैं:

36. **(d)**

गणित में अंक $= \frac{60}{100} \times 100 = 60$

रसायन विज्ञान $= \frac{50}{100} \times 150 = 75$

भौतिकी $= \frac{65}{100} \times 150 = 97.5$

अंग्रेजी $= \frac{50}{100} \times 100 = 50$

शारीरिक शिक्षा = $\frac{70}{100} \times 100 = 70$

E के कुल अंक = 60 + 75 + 97.5 + 50 + 70 = 352.5

37. (c)

तालिका में दिए गए अंक प्रतिशत में हैं तो पहले हमें उनको पूर्ण शुद्ध अंकों में परिवर्तित करना पड़ सकता है जो कि हमें निम्न विधि से प्राप्त होंगे:

प्रतिशत में दिए गए अंक / 100 × (ऊपर ब्रैकेट में) दिए अधिकतम अंक

A और C द्वारा प्राप्त कुल अंकइस प्रकार हैं:

	A	C
गणित	90	100
रसायन	120	142.5
भौतिकी	142.5	142.5
अंग्रेजी	80	85
शारीरिक शिक्षा	90	95
	522.5	565

अत: प्राप्त अंकों में अंतर = 565 − 522.5 = 42.5

38. (c)

सभी विषयों में छात्रों द्वारा प्राप्त किए औसत अंकों का प्रतिशत इस प्रकार है:

रसायन विज्ञान = (80 + 75 + 95 + 70 + 50) / 5 = 74%

भौतिकी = (95 + 90 + 95 + 60 + 65)/5 = 81%

अंग्रेजी = (80 + 70 + 85 + 65 + 50)/5 = 70%

शारीरिकशिक्षा = (90 + 80 + 95 + 60 + 70)/5 = 79%

छात्रों ने अंग्रेजी विषय में न्यूनतम औसत प्रतिशत अंक प्राप्त किए हैं।

39. (b)

C द्वारा प्राप्त अंकों का कुल प्रतिशत = 565/600 × 100 = 94.17%

40. (c)

रसायन विज्ञान में छात्रों द्वारा प्राप्त अंकों का औसत प्रतिशत = (80 + 75 + 95 + 70 + 50)/5 = 74%

प्रश्न 41 से 45 तक 'आंकड़ा व्याख्या' से लिए गए हैं:

41. (a)

वर्ष 2013 में कंपनी A का प्रतिशत लाभ = 40%

वर्ष 2013 में कंपनी B का प्रतिशत लाभ

$$= \frac{48.6 - 36}{36} \times 100 = 35\%$$

लाभ में प्रतिशत का अंतर = 40 − 35 = 5%

42. (d)

हमें इस प्रश्न में आय और राजस्व को एक जैसा मान कर चलना है, यहाँ प्रश्न के उत्तरों के अनुसार भी आय और लाभ में अंतर है, दोनों कंपनी लाभ भी कमा रही हैं।

वर्ष 2014 में कंपनी A की आय= ₹32.5 लाख

% लाभ = 25%

वर्ष 2014 में कंपनी A का व्यय

$$= \frac{32.5 \times 100}{(100 + 25)} = \frac{32.5 \times 100}{125} = ₹26 \text{ लाख} +$$

कंपनी A का लाभ = 32.5 − 26 = ₹6.5 लाख

वर्ष 2014 में कंपनी B का लाभ = 35 − 25 = ₹10 लाख

वर्ष 2014 में कंपनी A और B के लाभ का योग

= 6.5 + 10 = ₹16.5 लाख

43. (c)

सभी वर्षों के दौरान कंपनी B का प्रतिशत लाभ इस प्रकार है:

वर्ष 2014 = $\frac{35 - 25}{25} \times 100 = 40\%$

वर्ष 2015 = $\frac{62.4 - 48}{48} \times 100 = 30\%$

वर्ष 2016 = $\frac{77 - 44}{44} \times 100 = 75\%$

वर्ष 2017 = $\frac{80 - 50}{50} \times 100 = 60\%$

अत: वर्ष 2016 में कंपनी का लाभ अधिकतम था।

44. (a)

वर्ष 2017 में कंपनी A का व्यय = ₹45 लाख

कंपनी A का लाभ प्रतिशत = 10%

शुद्ध लाभ = $\frac{10}{100} \times 45$ = ₹4.5 लाख

वर्ष 2017 में कंपनी B का लाभ = 80 − 50 = ₹30 लाख

A का लाभ B के लाभ के जितने प्रतिशत है

= $\frac{4.5}{30} \times 100 = 15\%$

45. (d)

वर्ष 2018 में कंपनी A की आय= ₹90 लाख

प्रतिशत लाभ = 20%

2018 में कंपनी A का व्यय

$$= \frac{90 \times 100}{(100 + 20)} = 90 \times \frac{5}{6} = ₹75 \text{ लाख}$$

वर्ष 2018 में कंपनी A का शुद्ध लाभ = 90 − 75 =₹15 लाख

वर्ष 2018 में कंपनी B का शुद्ध लाभ = 72 − 45 = ₹27 लाख

शुद्ध लाभ में अंतर = 27 − 15 = ₹12 लाख

वांछित % = $\frac{12}{15} \times 100 = 80\%$

प्रश्न 46 से 50 तक 'आंकड़ा व्याख्या' से लिए गए हैं:

46. (b)

प्रबंधन विषय में नामांकित छात्र = 3500 का 16% = 16 × 3500 / 100 = 560

प्रबंधन विषय में छात्राएं = 1500 का 12% = 180

छात्रों की संख्या = 560 – 180 = 380

आई टी विषय में नामांकित छात्र = 3500 का 20%

$= 35000 \times \frac{20}{100} = 700$

आई टी विषय में छात्राएं = 1500 का 18% = 1500 × 18/100 = 270

छात्रों की संख्या = 700 – 270 = 430

अत: प्रबंधन और आई टी विषय में एक साथ छात्रों की कुल संख्या = 380 + 430 = 810

अत: सही विकल्प (b) है।

47. (c)

कला में नामांकित छात्राएं = 1500 का 38% = 1500 × 38 / 100 = 570

विज्ञान विषय के छात्र = 3500 का 22% = 3500 × 22 /100 = 770

विज्ञान विषय में छात्र = विज्ञान विषय में छात्रों की कुल संख्या – विज्ञान विषय में छात्राओं की संख्या

= 770 – 1500 का 11% = 770 – (1500 × 11 / 100) = 770 – 165 = 605

इसलिए, 570 / 605 = 114 : 121

इसलिए, सही विकल्प (c) है ।

48. (d)

विज्ञान विषय में नामांकित छात्राएं = 1500 का 11 / 100 = 165

वाणिज्य विषय में नामांकित छात्राएं = 1500 का 21 / 100 = 315

अत: दोनों विषयों में छात्राओं की कुल संख्या = 165 + 315 = 480

तो, सही विकल्प (d) है।

49. (a)

विज्ञान विषय की छात्राएं

$= 1500 \times \frac{11}{100} = 165$

प्रबंधन में अपने विषय को बदलने वाली छात्राएं

$= 165 \times \frac{20}{100} = 33$

प्रबंधन में विद्यार्थियों की कुल संख्या

$= 3500 \times \frac{16}{100} + 33 = 593$

50. (b)

कला, विज्ञान और वाणिज्य विषयों में नामांकित छात्राओं की कुल संख्या = 1500 का (38% + 11% + 21%) = 1500 का 70% = 1050

सभी विषयों में नामांकित छात्रों की कुल संख्या = 3500

इस प्रकार, तीनों वर्गों में नामांकित छात्राओं की संख्या को सभी विषयों में एक साथ छात्रों की कुल संख्या से विभाजित करने पर

= 1050 / 3500 × 100 = 30%

तो, (b) सही विकल्प है।

प्रश्न 51 से 55 तक 'आंकड़ा व्याख्या' से लिए गए हैं:

51. (b)

सभी वर्षों में ईराक़ से कुल तेल आयात = 15.8 + 14.4 + 15.0 + 17.2 + 24.6 = 87.4 मिलियन टन

ईराक़ से औसत आयात = 87.4 / 5 = 17.4 मिलियन टन

सभी वर्षों में वेनेजुएला से कुल तेल आयात = 7.2 + 7.6 + 7.3 + 10.3 + 9.6 = 42.0 मिलियन टन

वेनेजुएला से औसत आयात = 42/5 = 8.4 मिलियन टन

वांछित अनुपात = ईराक़ से औसत आयात / वेनेजुएला से औसत आयात = 17.4/8.4 = 29 : 14

(यहाँ सटीक अनुपात न होकर कुछ सन्निकटिकरण की संभावना है)

52. (c)

नाइजीरिया से तेल आयात में प्रतिशत वृद्धि / कमी की गणना इस प्रकार की जा सकती है:

वर्ष 2016 में प्रतिशत वृद्धि/कमी = (10.5 – 11.6) / 11.6 × 100 = –9.48%

वर्ष 2017 में प्रतिशत वृद्धि/कमी = (13.3 – 10.5) / 10.5 × 100 = 25.71%

वर्ष 2018 में प्रतिशत वृद्धि/कमी = (15.9 – 13.2) / 13.2 × 100 = 20.45%

वर्ष 2019 में प्रतिशत वृद्धि/कमी = (14.2 – 15.9) / 15.9 × 100 = –10.69%

इसलिए, नाइजीरिया से तेल आयात में प्रतिशत वृद्धि वर्ष 2017 में सर्वाधिक रही।

ध्यान दें: ऋणात्मक चिन्ह का प्रयोग उत्पादन में कमी दर्शाने के लिए किया गया है।

53. (c)

वर्ष 2017 में ईरान से तेल आयात = 21.2 मिलियन टन

सभी वर्षों में ईरान से कुल तेल आयात

= 20.5 + 21.8 + 21.2 + 18.5 + 17.5 = 99.5

वांछित प्रतिशत = 21.2 / 99.5 × 100 = 21.30%

54. (d)

वर्ष 2016 में तेल आयात में प्रतिशत वृद्धि / कमी

= (14.8 – 13.9) / 13.9 × 100 = 6.47%

वर्ष 2017 में तेल आयात में प्रतिशत वृद्धि / कमी

= (11.8 – 14.8) / 14.8 × 100 = – 20.27%

वर्ष 2018 में तेल आयात में प्रतिशत वृद्धि / कमी

= (11.5 – 11.8) / 11.8 × 100 = – 2.54%

वर्ष 2019 में तेल आयात में प्रतिशत वृद्धि / कमी

= (17.8 – 11.5) / 11.5 × 100 = 54.78%

दी गयी अवधि के लिए, कुवैत से तेल आयात में प्रतिशत औसत वृद्धि या कमी

= 6.47 + 20.27 + 2.54 + 54.78 / 4 = 84.06 / 4

= 21.015 ≈ 21%

55. (a)

प्रश्नानुसार, माना P वर्ष 2019 है और Q वर्ष 2017 है।

P (2019) = 32.6 + 17.5 + 24.6 + 14.2 + 17.8 + 9.6 /6 = 116.3/6 = 19.38 मिलियन टन

Q (2017) = 27.2 + 21.2 + 15.0 + 13.2 + 11.8 + 7.3/6 = 95.7/6 = 15.95 मिलियन टन

इसलिए, P – Q = 19.38 – 15.95 = 3.43 मिलियन टन

प्रश्न 56 से 60 तक 'आंकड़ा व्याख्या' से लिए गए हैं:

56. (b)

अस्पताल (क) में रोगियों की कुल संख्या = 320 + 650 + 700 + 210 = 1880

अस्पताल (ख) में रोगियों की कुल संख्या = 240 + 1350 + 1400 + 420 = 3410

अस्पताल (ग) में रोगियों की कुल संख्या = 360 + 1950 + 2100 + 630 = 5040

अस्पतालों (क), (ख) और (ग) में रोगियों की कुल संख्या = 1880 + 3410 + 5040 = 10330

सभी अस्पतालों में मधुमेह के रोगियों की कुल संख्या = 650 + 1350 + 1950 = 3950

अत: मधुमेह से पीड़ित रोगियों की संख्या का वांछित प्रतिशत

= 3950 / 10330 × 100 = 38.24%

57. (d)

हृदयाघात सबसे कम सूचित रोग है। अत: हृदयाघात के रोगियों की संख्या का औसत इस प्रकार है:

तीनों अस्पतालों में हृदयाघात रोगियों की संख्या = 920

औसत संख्या = 920/3 = 306.6

58. (a)

अस्पताल (क) की तुलना में अस्पताल (ग) में कुल रोगियों संख्या में 40 की वृद्धि हुई है।

वांछित प्रतिशत = (360 – 320) / 320 × 100 = 40 / 320 × 100 = 12.5%

59. (c)

अस्पताल (क) में गुर्दा रोग के रोगियों की संख्या : अस्पताल (ख) में गुर्दा रोग के रोगियों की संख्या

= 210 : 630

= 1 : 3

60. (b)

हम प्रश्न 56 में ही ये ज्ञात कर चुके हैं कि अस्पताल (क) और अस्पताल (ग) में रोगियों कि संख्या क्रमश: 1880 और 5040 है।

संख्या में वृद्धि = 5040 – 1880 = 3160

प्रतिशत वृद्धि = $\frac{3160}{1880} \times 100 = 168.96\%$

प्रश्न 61 से 65 तक 'आंकड़ा व्याख्या' से लिए गए हैं:

61. (a)

एयरोस्पेस विषय में साक्षात्कार हेतु उपस्थित हुए अभ्यर्थियों की कुल संख्या = 1180 + 1260 + 1132 + 1060 + 1465 + 1640 = 7737

इलेक्ट्रिकल इंजीनियरिंग विषय में साक्षात्कार हेतु उपस्थित हुए अभ्यर्थियों की कुल संख्या = 1216 + 1132 + 1260 + 1191 + 1242 + 1362 = 7403

अंतर = 7737 – 7403 = 334

62. (c)

वर्ष 2015 में सिविल इंजीनियरिंग विषय में दाखिला लेने वाले अभ्यर्थियों की संख्या = 1980

वर्ष 2016 में सिविल इंजीनियरिंग विषय में दाखिला लेने वाले अभ्यर्थियों की संख्या = 1815

अंतर = 1980 – 1815 = 165

प्रतिशत परिवर्तन = 165/1980 × 100 = 8.33%

63. (d)

केमिकल इंजीनियरिंग विषय में सभी वर्षों के दौरान कुल साक्षात्कार = 1274 + 1165 + 1108 + 1230 + 1492 + 982 = 7251

प्रवेश लेने वाले कुल अभ्यर्थी = 1090 + 1065 + 1024 + 1180 + 1372 + 930 = 6661

आवश्यक प्रतिशत = 6661/7251 × 100 = 91.86%

64. (d)

वर्ष 2016 में अभियांत्रिकी विषय में साक्षात्कार के लिए उपस्थित होने वाले कुल अभ्यर्थी = 1180 + 1860 + 1132 + 870 + 1260 = 6230

आवश्यक प्रतिशत = 6230 / 5 = 1246

65. (b)

वर्ष 2014 में पेट्रोलियम इंजीनियरिंग विषय में साक्षात्कार हेतु उपस्थित हुए अभ्यर्थियों की संख्या = 960

वर्ष 2015 में इलेक्ट्रिकल इंजीनियरिंग विषय में साक्षात्कार हेतु उपस्थित हुए अभ्यर्थियों की संख्या = 1120

अभीष्ट अनुपात = 960 / 1120 = 6 : 7

प्रश्न 66 से 70 तक 'आंकड़ा व्याख्या' से लिए गए हैं:

66. **(a)**

बंगलौर शहर में वर्ष 2019 में उपलब्ध रिक्तियों की संख्या

= 8.6 लाख × 22/100 = 189200

बंगलौर शहर में वर्ष 2009 में उपलब्ध रिक्तियों की संख्या
= 5.4 लाख × 15/100 = 81000
प्रत्याशित अंतर = 189200 – 81000 = 108200

67. (d)

वर्ष 2009 में हैदराबाद शहर में उपलब्ध रिक्तियों की संख्या
= 5.4 लाख × 10/100 = 54000
वर्ष 2019 में हैदराबाद शहर में उपलब्ध रिक्तियों की संख्या
= 8.6 लाख × 8/100 = 68800
इसलिए, औसत रिक्तियों की संख्या = वर्ष 2009 में उपलब्ध रिक्तयां + वर्ष 2019 में उपलब्ध रिक्तयां / 2
= 54000 + 68800 / 2 = 61400

68. (c)

वर्ष 2009 में चेन्नई शहर में उपलब्ध रिक्ति = 5.4 लाख × 8/100 = 43200
वर्ष 2019 में मुंबई शहर में उपलब्ध रिक्तियों की संख्या = 8.6 लाख × 18/100 = 154800
अत: रिक्तियों की कुल संख्या = 43200 + 154800 = 198000 = 1.98 लाख

69. (d)

प्रश्नानुसार,
वर्ष 2019 में पुणे शहर में उपलब्ध रिक्तियों की संख्या = 48000
दी गई तालिका के अनुसार कुल संख्या का 6% = 48000
इसलिए, कुल संख्या = (48000 × 100) / 6 = 800000
इस प्रकार,
एन सी आर में 20% संख्या रोज़गार रिक्तियों की है।
इसलिए एन सी आर में रिक्तियों की कुल संख्या = 800000 का 20%
= 800000 × 20 / 100 = 1.6 लाख

70. (d)

वर्ष 2009 में हैदराबाद शहर में उपलब्ध रिक्तियों की संख्या
= 5.4 लाख का 10 प्रतिशत = 54000
वर्ष 2019 में हैदराबाद शहर में उपलब्ध रिक्तियों की संख्या
= 8.6 लाख का 8 प्रतिशत = 68800
इस प्रकार, हैदराबाद शहर में रिक्तियों में प्रतिशत वृद्धि

$$= \left[\frac{(68800 - 54000)}{54000}\right] \times 100 = \frac{14800}{54000} \times 100 = 27.41\%$$

प्रश्न 71 से 75 तक 'आंकड़ा व्याख्या' से लिए गए हैं:

71. (b)

सभी वर्षों के दौरान वेतन व आतिथ्य का अनुपात

वर्ष 2017 = 380 : 33 = $\frac{380}{33}$ = 11.51

वर्ष 2018 = 420 : 35 = $\frac{420}{35}$ = 12

वर्ष 2019 = 450 : 40 = $\frac{450}{40}$ = 11.25

वर्ष 2020 = 480 : 43 = $\frac{480}{43}$ = 11.16

इस प्रकार, वर्ष 2018 में वेतन व आतिथ्य का अनुपात सर्वाधिक था।

72. (c)

वर्ष 2016 से 2020 के दौरान यात्रा पर व्यय = 70 + 65 + 72 + 75 + 84 = 366
वर्ष 2016 से 2020 के दौरान आतिथ्य पर व्यय = 30 + 33 + 35 + 40 + 43 = 181

अत: औसत व्यय = $\frac{(366 + 181)}{5}$ = 109.4

73. (c)

वर्ष 2019 में कुल व्यय = 450 + 75 + 40 + 36 + 94 = 695
वर्ष 2020 में कुल व्यय = 480 + 84 + 43 + 39 + 97 = 743

अत: व्यय में प्रतिशत वृद्धि = $\frac{(743 - 695)}{695} \times 100$

= $\frac{48}{695} \times 100$ = 6.90%

74. (c)

सभी वर्षों के दौरान कुल व्यय में यात्रा व्यय का प्रतिशत
वर्ष 2017 में कुल व्यय = 380 + 65 + 33 + 31 + 87 = 596
वर्ष 2017 में यात्रा व्यय कुल व्यय का जितना प्रतिशत है

= $(\frac{65}{596}) \times 100$ = 10.91%

इसी प्रकार,
वर्ष 2018 में यात्रा व्यय कुल व्यय का जितना प्रतिशत है

= $\frac{72}{651} \times 100$ = 11.05

वर्ष 2019 में यात्रा व्यय कुल व्यय का जितना प्रतिशत है

= 450 + 75 + 40 + 36 + 94 = $\frac{75}{695} \times 100$ = 10.79

वर्ष 2020 में यात्रा व्यय कुल व्यय का जितना प्रतिशत है

= 480 + 84 + 43 + 39 + 97 = $\frac{84}{743} \times 100$ = 11.30

इस प्रकार, वर्ष 2019 में यात्रा व्यय का प्रतिशत न्यूनतम रहा है।

75. (c)

करों पर औसत व्यय = $\frac{(80 + 87 + 91 + 94 + 97)}{5} = \frac{449}{5}$
= 89.8

ऋण के ब्याज पर औसत व्यय = $\frac{(28 + 31 + 33 + 36 + 39)}{5}$ = $\frac{167}{5}$ = 33.4

अंतर = 89.8 – 33.4 = 56.4

प्रश्न 76 से 80 तक 'आंकड़ा व्याख्या' से लिए गए हैं:

असफल विद्यार्थी (प्रतिशत) = 100 − पास होने वाले विद्यार्थियों का प्रतिशत

वर्ष 2019 में विभिन्न राज्यों से असफल होने वाले विद्यार्थियों की राज्यवार संख्या

राज्य A = 185000 × (100 – 28) /100 = 185000 × 72/100 = 133200

राज्य B = 210000 × (100 – 43) /100 = 210000 × 57/100 = 119700

राज्य C = 250000 × (100 – 42) /100 = 250000 × 58/100 = 145000

राज्य D = 270000 × (100 – 34)/100 = 270000 × 66/100 = 178200

76. (d)

कुल असफल विद्यार्थी = 133200 + 119700 + 145000 + 178200 = 576200

वांछित औसत = **कुल असफल विद्यार्थी / दिए गए कुल राज्य**

= 576200 / 4 = 144025

77. (c)

सभी वर्षों में राज्य B से सफल होने वाले विद्यार्थियों की संख्या

वर्ष 2016 = 164000 × 42/100 = 68880

वर्ष 2017 = 172000 × 41/100 = 70520

वर्ष 2018 = 202000 × 37/100 = 74740

वर्ष 2019 = 210000 × 43/100 = 90300

वर्ष 2020 = 190000 × 46/100 = 87400

इस प्रकार, राज्य B से वर्ष 2019 में सर्वाधिक अभ्यर्थी प्रवेश परीक्षा में सफल हुए।

78. **(d)**

सभी वर्षों में राज्य A से सफल होने वाले विद्यार्थियों की संख्या

वर्ष 2016 = 231000 × 32/100 = 73920

वर्ष 2017 = 202000 × 44/100 = 88880

वर्ष 2018 = 198000 × 39/100 = 77220

वर्ष 2019 = 185000 × 28/100 = 51800

वर्ष 2020 = 220000 × 33/100 = 72600

कुल योग = 73920 + 88880 + 77220 + 51800 + 72600 = 364420

अत: वर्ष 2016 से 2020 तक राज्य A से प्रवेश परीक्षा में सफ्ल होने वाले कुल विद्यार्थियों की संख्या 364420 है।

79. (c)

वर्ष 2020 में सभी राज्यों से सफल होने वाले विद्यार्थियों की संख्या:

राज्य A = 220000 × 33/100 = 72600

राज्य B = 190000 × 46/100 = 87400

राज्य C = 255000 × 30/100 = 76500

राज्य D = 300000 × 35/100 = 105000

विद्यार्थियों की औसत संख्या = (72600 + 87400 + 76500 + 105000)/4 = 341500/4 = 85375

80. (d)

वर्ष 2017 में सभी राज्यों से सफ्ल होने वाले विद्यार्थियों की कुल संख्या:

राज्य A = 20000 × 44/100 = 88880

राज्य B = 172000 × 41/100 = 70520

राज्य C = 245000 × 36/100 = 88200

राज्य D = 310000 × 32/100 = 99200

सभी राज्यों से वर्ष 2017 में सफल होने वाले विद्यार्थियों की कुल संख्या

= 88880 + 70520 + 88200 + 99200 = 346800

वर्ष 2018 में सभी राज्यों से सफल होने वाले विद्यार्थियों की कुल संख्या:

राज्य A = 198000 × 39/100 = 77220

राज्य B = 202000 × 37/100 = 74740

राज्य C = 220000 × 33/100 = 72600

राज्य D = 290000 × 31/100 = 89900

सभी राज्यों से वर्ष 2018 में सफल होने वाले विद्यार्थियों की कुल संख्या

= 72220 + 74740 + 72600 + 89900 = 314460

अत: अंतर = 346800 – 314460 = 32340

प्रश्न 81 से 85 तक 'आंकड़ा व्याख्या' से लिए गए हैं:

81. (c)

सभी वर्षों के दौरान ए.बी.सी कॉर्पोरेशन की बिक्री का योग (₹ बिलियन में) = 3 + 6 + 8 + 7 + 5 + 9 + 8 + 10 = 56 बिलियन

वांछित औसत = 56/8 = ₹7.0 बिलियन।

82. (c)

सभी वर्षों के दौरान आय में वर्षवार प्रतिशत वृद्धि इस प्रकार है:

वर्ष 2014 = $\frac{(900 - 500)}{400} \times 100 = \frac{400}{500} \times 100 = 80\%$

वर्ष 2015 = आय में कमी है। हमें इसकी गणना करने की आवश्यकता नहीं है।

वर्ष 2016 = $\frac{(400 - 200)}{200} \times 100 = \frac{200}{200} \times 100 = 100\%$

वर्ष 2017 = $\frac{(700 - 400)}{400} \times 100 = \frac{300}{400} \times 100 = 75\%$

अत: वर्ष 2016 में पूर्वगामी वर्ष की तुलना में प्रतिशत वृद्धि सर्वाधिक थी।

83. (d)

इस प्रश्न को हल करने से पहले हमें मिलियन और बिलियन वर्णों पर ध्यान देने की आवश्यकता है।

1 मिलियन = 10^6

1 बिलियन = 10^9

1 बिलियन = 1000 मिलियन

वर्ष 2015 में कुल आय = 200 मिलियन

वर्ष 2015 में कुल बिक्री = 8 बिलियन = 8 × 1000 = 8000 मिलियन
अब दोनों संख्याएं मिलियन में हैं, इसलिए अनुपात निकालना सरल कार्य है।
वांछित अनुपात = 200 : 8000 = 2 : 80 = 1 : 40

84. (c)

(1) वर्ष 2013 में हुई कुल बिक्री = ₹3 बिलियन
वर्ष 2020 में, कुल हुई बिक्री 10 बिलियन का 40% = ₹4 बिलियन
इस प्रकार, वर्ष 2020 में स्मार्टफोन की बिक्री वर्ष 2013 में कुल बिक्री से अधिक है।

(2) सर्वाधिक आय वर्ष 2014 में हुई = 900 मिलियन
न्यूनतम बिक्री वर्ष 2013 में हुई = 3 बिलियन = 3 × 1000 = 3000 मिलियन
इसलिए, कथन (2) गलत है।

(3) वर्ष 2020 में, यदि कुल बिक्री को 100 मान लें
स्मार्ट फोन की बिक्री 10% प्रतिशत कम होने के बाद
= 40 – 10 = 30
कंप्यूटर की बिक्री 10% प्रतिशत अधिक होने के बाद
= 25 + 10 = 35
इस प्रकार कथन (3) सत्य है।

85. (b)
वर्ष 2013 – 2019 की अवधि के लिए ए.बी.सी कॉर्पोरेशन की आय का योग (₹ मिलियन में) = 500 + 900 + 200 + 400 + 700 + 800 + 700 = ₹ 4200 मिलियन

प्रश्न 86 से 90 तक 'आंकड़ा व्याख्या' से लिए गए हैं:

86. (b)
सभी वर्षों के दौरान पांच पाठ्यक्रमों के लिए विद्यार्थियों का नामांकन इस प्रकार है:
वर्ष 2016 = 45 + 52 + 25 + 16 + 26 = 164
वर्ष 2017 = 55 + 56 + 26 + 18 + 24 = 179
वर्ष 2019 = 53 + 40 + 23 + 15 + 23 = 154
वर्ष 2020 = 50 + 46 + 28 + 13 + 27 =164
वर्ष 2017 में अधिकतम विद्यार्थी नामांकन हुआ है।

87. (c)
वर्ष 2016 – 20 के दौरान बीटेक में औसत रिक्त सीटें

$$= \left[\frac{(60-45)+(60-55)+(60-48)+(60-53)+(60-50)}{5}\right]$$

$$= \frac{49}{5} = 9.8$$

इसी प्रकार, 2016 – 20 के दौरान एमटेक में औसत रिक्त सीटें

$$= \left[\frac{(30-25)+(30-26)+(30-21)+(30-23)+(30-28)}{5}\right]$$

$$= \frac{27}{5} = 5.4$$

वांछित अंतर = 9.8 – 5.4 = 4.4

88. (c)
सभी वर्षों के दौरान पांच पाठ्यक्रमों के लिए रिक्त सीटों की कुल संख्या इस प्रकार है:
रिक्त सीटें = अधिकतम सीटें – नामांकित छात्र
वर्ष 2017 = 5 + 4 + 4 + 2 + 6 = 21
वर्ष 2018 = 12 + 17 + 7 + 6 + 5 = 47
वर्ष 2019 = 7 + 20 + 7 + 5 + 7 = 46
वर्ष 2020 = 10 + 14 + 2 + 7 + 3 = 36
वर्ष 2018 में रिक्त सीटों की संख्या अधिकतम है ।

89. (d)
सभी वर्षों के दौरान एक साथ पांच पाठ्यक्रमों के लिए रिक्त सीटों की कुल संख्या इस प्रकार है:
रिक्त सीटें = अधिकतम सीटें – नामांकित छात्र
बी.टेक = 15 + 5 + 12 + 7 + 10 = 49
एम.सी.ए = 8 + 4 + 17 + 20 + 14 = 63
एम.टेक = 5 + 4 + 7 + 7 + 2 = 27
एम.फिल = 4 + 2 + 6 + 5 + 7 = 24
इस प्रकार, वर्ष 2016-20 के दौरान एम.फिल पाठ्यक्रम में कुल रिक्त सीटों की संख्या न्यूनतम है।

90. (a)
वर्ष 2016 में औसत नामांकन = (45 + 52 + 25 + 16 + 26)/5 = 164/5 = 32.8
वर्ष 2017 में औसत नामांकन = (55 + 56 + 26 + 18 + 24)/5 = 179/5 = 35 .8
अत: वांछित अंतर = 35.8 – 32.8 = 3.0

प्रश्न से ऐसा प्रतीत होता है कि हमें सर्वप्रथम कुछ प्रत्यक्ष या शॉर्टकट ढंग का उपयोग करके मूलभूत जानकारी प्राप्त करने का प्रयास करना चाहिए।

राज्य	कारों का प्रतिशत में विवरण (कारों की कुल संख्या – 1400)	राज्य में कारों की संख्या	डीजल इंजन कार : पेट्रोल इंजन कार	डीजल कार	पेट्रोल कार
A	14%	196	3 : 4	196 का 3 / (3+4) = 84	196 – 84 = 112
B	28%	392	5 : 9	392 का 5/(5 + 9)	392 – 140 = 252

राज्य	कारों का प्रतिशत में विवरण (कारों की कुल संख्या – 1400)	राज्य में कारों की संख्या	डीजल इंजन कार : पेट्रोल इंजन कार	डीजल कार	पेट्रोल कार
C	32%	448	5 : 3	5/8 × 448 = 280	448 – 280 = 168
D	26%	364	1 : 1	364/(1+1) = 182	182

राज्य A में कार संख्या = 1400 का 14% = $\frac{14}{100}$ × 1400 = 196

राज्य B में कार संख्या = 1400 का 28%, यानी 196 का दोगुना = 2 × 196 = 392

राज्य C में कार संख्या = राज्य B में कार संख्या + 1400 का 4% = 392 + 56 = 448

राज्य D में कार संख्या = राज्य B में कार संख्या 1400 में से 2% घटाकर = 392 – 2% of 1400 = 392 – 28 = 364

हम यह देखने के लिए संख्याओं का योग ले सकते हैं कि यह 1400 है।

91. (b)

राज्य B में डीजल इंजन वाली कारों की संख्या = 182
राज्य D में पेट्रोल इंजन वाली कारों की संख्या = 140
अंतर = 182 – 140 = 42

92. (a)

राज्य C में पेट्रोल इंजन वाली कारों की संख्या = 168
राज्य A में डीजल इंजन वाली कारों की संख्या = 84
अंतर = 168 – 84 = 84

प्रतिशत अंतर = $\frac{84}{84}$ × 100 = 100%

93. (d)

राज्य C में वातानुकूलित कारों की संख्या = 280 का 25% = 70
गैर वातानुकूलित कारों की संख्या = 280 – 70 = 210

94. (d)

राज्य C में कुल कारों की संख्या = 448
राज्य B में पेट्रोल इंजन वाली कारों की संख्या = 252
अंतर = 448 – 252 = 196

95. (c)

सभी राज्यों में पेट्रोल इंजन वाली कारों की संख्या = 112 + 252 + 168 + 182 = 714

96. (c)

वर्ष 2016 में अधिक वजन वाले बच्चों का प्रतिशत = 100 – 30 = 70%
उनकी संख्या = 70/100 × 7500 = 5250
वर्ष 2017 में अधिक वजन वाले बच्चों का प्रतिशत = 100 – 28 = 72%
उनकी संख्या = 72/100 × 10500 = 7560
ऐसे बच्चों कुल संख्या = 5250 + 7560 = 12,810
अत: (c) सही उत्तर है।

97. (d)

वर्ष 2019 के लिए

अधिक वजन वाले पुरुषों की संख्या = 33000 का 16% = 16/100 × 33000 = 5280
अधिक वजन वाली महिलाओं की संख्या = 27000 का 30% = 30/100 × 27000 = 8100
अधिक वजन वाले बच्चों की संख्या = 8000 का 30% = 30/100 × 8000 = 2400
उपरोक्त तीनों का योग = 5280 + 8100 + 2400 = 15780
उनका औसत = 15780 / 3 = 5260
अत: (d) सही उत्तर है।

98. (b)

अगर हम मान लें कि 2021 में पुरुषों की कुल संख्या 100 थी तो अधिक वजन वाले पुरुषों की संख्या = 37.5
अधिक वजन वाले पुरुषों की संख्या = 100 – 37.5 = 62.5
आवश्यक प्रतिशत = 37.5 / 62.5 × 100 = 3 / 5 × 100 = 60%
इस प्रकार, (b) सही उत्तर है।

99. (a)

वर्ष 2018 के लिए

अधिक वजन वाली महिलाओं की संख्या = 30000 का 25% = 25/100 × 30000 = 7500
अधिक वजन वाले बच्चों की संख्या = 6000 का 35% = 35/100 × 6000 = 2100
अधिक वजन वाले पुरुषों और महिलाओं की कुल संख्या = 7500 + 2100 = 9600

अधिक वजन वाले पुरुषों की संख्या = 31500 का 30% = 30/100 × 31500 = 9450

अभीष्ट अंतर = 9600 − 9450 = 150

100. (d)

2018 में अधिक वजन वाली महिलाओं और 2020 में अधिक वजन वाले पुरुषों की संख्या के बीच आवश्यक अनुपात

= 30000 का 25% : 35000 का 12%

= 7500 : 4200

= 25 : 14

अत: (d) सही उत्तर है।

101. **(c):** हमें 2020 में स्कूल C में लड़कियों के अनुपात की गणना करने के लिए A और B में 2020 के कुल की तुलना में कुछ मूलभूत जानकारी की आवश्यकता है।

2020 में स्कूल C में लड़कियाँ = 200

2020 में स्कूल A और B में कुल लड़कियाँ = 250 + 300 = 550

इस प्रकार, अनुपात = 200 : 550 = 4 : 11

अत: सही उत्तर (c) है।

102. **(d):** 2021 और 2017 में नामांकनों के बीच का अंतर:

स्कूल A: 300 − 200 = 100

स्कूल B: 250 − 150 = 100

स्कूल C: 275 − 100 = 175

स्कूल A और B में न्यूनतम अंतर 100 है।

इस प्रकार, सही उत्तर (d) है।

103. **(a):** 2019 में कुल लड़कियाँ: 275 + 150 + 199 = 624

अत: औसत = 624/3 = 208

इस प्रकार, सही उत्तर (a) है।

104. **(b):** 2017 में कुल लड़कियाँ = 200 + 150 + 100 = 450

इस प्रकार, वांछित प्रतिशत = (450/200) × 100 = 225%

इस प्रकार, सही उत्तर (b) है।

105. **(c):** प्रत्येक वर्ष के लिए कुल नामांकन:

2017 = 450; 2019 = 624; 2020 = 750; 2021 = 825

2021 में सबसे अधिक नामांकन कुल 825 है, और 2020 में दूसरा सबसे अधिक कुल 750 है।

इस प्रकार, सही उत्तर (c) है।

106. **(b):** नियमित दिनों में 'साइकिल चालकों' की सामान्य संख्या = 72

ध्यान दें कि वर्षा के दिनों में, 3 में से 1 साइकिल चालक 'बस' से यात्रा करते हैं। यह इंगित करता है कि तीन में से 2 अभी भी वर्षा के दिनों में साइकिल का उपयोग करते हैं।

इस प्रकार, बरसात के दिनों में साइकिल चालकों की संख्या = 2/3 × 72 = 48

अत: (b) उत्तर है।

107. **(b):** नियमित दिनों में 'साइकिल चालकों' की सामान्य संख्या = 72

ध्यान दें कि काम पर जाने वाले लोगों में से 8 में से 1 की आयु 65 वर्ष से अधिक थी।

अत: उनकी निरपेक्ष संख्या = 72 का 1/8 = 9

अत: (b) उत्तर है।

108. **(c):** तुलना कार और बस के यात्रियों के बीच है। हमें पहले बुनियादी तथ्यों को लेने और उन तथ्यों के विरुद्ध कथनों की तुलना करने की आवश्यकता है।

कार से यात्रा करने वाले लोगों की संख्या = 18

बस से यात्रा करने वाले लोगों की संख्या = 35

ध्यान रखें कि उत्तर विकल्पों में थोड़ा कम या थोड़ा अधिक संख्या की कोई सीमा नहीं दी गई है। (शायद ऐसा इस कारण से है कि यह एक सर्वे संबंधित तथ्य है)

(a) यहाँ अंतर केवल 1 का है, कथन में 'कुछ कम लोग' लिखा हुआ है। (युक्तियुक्त तर्क के अनुसार व्याख्या भिन्न भी हो सकती है)

(b) यह कथन बिल्कुल भी सत्य नहीं है।

(c) कुछ अधिक लोगों ने यह निर्देशित किया है कि वे कार की तुलना में बस से काम पर जाते हैं। – यह तथ्य स्पष्ट रूप से सही है।

अत: (c) सही उत्तर है।

109. **(b):** ATQ, पहले यात्रियों की कुल संख्या = 72 (साइकिल) + 18 (कार) + 35 (बस) + 55 (वॉक) = 180 की गणना करें।

इस 180 का आधा = 90

अब, उन विकल्पों को देखें जिनका कुल मिलान 90 से होता है।

A. साइकिल और कार = 72 + 18 = 90

B. बस और कार = 35 + 18 = 53

C. पैदल और बस = 55 + 35 = 90

D. पैदल और साइकिल = 35 + 72 = 107

इस प्रकार, A और C 90 से मेल खाते हैं। अत: (b) उत्तर है।

110. **(d):** साइकिल से काम पर जाने वाले लोगों की संख्या = 72

बस या कार से यात्रा करने वाले लोगों की संख्या = 18 (कार) + 35 (बस) = 53

साइकिल चलाने वालों और बस या कार से यात्रा करने वालों के बीच का अंतर 72 − 53 = 19 है।

अत: (d) सही उत्तर है।

अध्याय

8

सूचना और संचार प्रौद्योगिकी

सीखने के उद्देश्य

- आईसीटी: सामान्य संक्षिप्तियां और शब्दावली
- आईसीटी के प्रकार
- इंटरनेट, इन्ट्रानेट, ई-मेल, श्रव्य-दृश्य कान्फ्रेंसिंग का मूलभूत बात
- उच्च शिक्षा में डिजिटल पहलें
- आईसीटी और सुशासन

1. आई. सी. टी. शब्द पद के बारे में निम्नलिखित में से कौनसा / कौनसे कथन सही है/हैं ? **[Jul 2018]**

P: आई.सी.टी. प्रथमाक्षरी नाम है, जिसका पूरा नाम इंडियन क्लासीकल टेक्नोलॉजी है।

Q: आई.सी.टी. के अंतर्गत वे परिणामी प्रावधिकी सम्मिलित हैं जिनके अंतर्गत श्रव्य-दृश्य, दूरभाष और कम्प्यूटर (संगणक) नेटवर्क एक साथ समान केबलिंग प्रणाली द्वारा संयोजित किए जाते हैं।

(a) केवल P (b) केवल Q
(c) P और Q (d) न तो P और न ही Q

2. एक नए लैपटॉप का निर्माण किया गया है, जिसका भार कम है और अधिक लघु है तथा अपने पूर्ववर्ती मॉडल्स की तुलना में कम बिजली का उपयोग करता है। इसको बनाने में निम्नलिखित में से किस प्रौद्योगिकी का उपयोग किया गया है ? **[Jul 2018]**

(a) यूनिवर्सल सीरियल बस माउस
(b) फास्टर रैन्डम एक्सेस मेमोरी
(c) ब्ल्यू रे ड्राइव
(d) सॉलिड स्टेट हार्ड ड्राइव

3. निम्नलिखित ईमेल फील्ड्स में से 'स्वामी' को संदेश मिलने पर वह कौन से ईमेल पतों को जान सकेगा ? **[Jul 2018]**

To... राम@टेस्ट.कॉम
Cc... राज@टेस्ट.कॉम; रवि@टेस्ट.कॉम
Bcc... स्वामी@टेस्ट.कॉम; रामा@टेस्ट.कॉम

(a) राम@टेस्ट.कॉम
(b) राम@टेस्ट. कॉम; राज@टेस्ट.कॉम; रवि@टेस्ट.कॉम
(c) राम@टेस्ट.कॉम, रामा@टेस्ट.कॉम
(d) राम@टेस्ट. कॉम; रामा@टेस्ट.कॉम; राज@टेस्ट.कॉम; रवि@टेस्ट.कॉम

4. भंडारण की निम्नलिखित इकाइयों को सही क्रम में रखिए, जिसमें पहले लघुतम इकाई से प्रारम्भ करते हुए दीर्घतम इकाई की ओर जाएं: **[Jul 2018]**

(1) किलोबाइट (2) बाइट
(3) मेगाबाइट (4) टेराबाइट
(5) गीगाबाइट (6) बिट

निम्नलिखित कूट से अपना उत्तर दीजिए :

(a) (6), (2), (1), (3), (4), (5)
(b) (6), (2), (1), (4), (5), (3)
(c) (6), (2), (1), (3), (5), (4)
(d) (6), (2), (1), (4), (3), (5)

5. कम्प्यूटर मेमोरी के बारे में निम्नलिखित में से कौनसा / कौनसे कथन सही है/हैं ? **[Jul 2018]**

P : रीड ओनली मेमोरी (ROM) 'वॉलेटाइल' मेमोरी है।

Q : रैन्डम एक्सेस मेमोरी (RAM) 'वॉलेटाइल' मेमोरी है।

R : सेकन्डरी मेमोरी 'वॉलेटाइल' मेमोरी है।

(a) केवल P (b) केवल Q
(c) केवल P और Q (d) केवल P और R

6. सी पी यू के दो मुख्य अवयव हैं: [Jun 2019]
(a) कन्ट्रोल यूनिट और ए एल यू
(b) ए एल यू और बस
(c) कन्ट्रोल यूनिट और रजिस्टर
(d) रजिस्टर और मेन मेमोरी

7. वेब पेज के निर्माण हेतु निम्नलिखित में से किसका उपयोग किया जाता है? [Jun 2019]
(a) एच टी टी पी
(b) यू आर एल
(c) एपफटी पी
(d) एच टी एम एल

8. निम्नलिखित में से कौन सर्च इंजन है? [Jun 2019]
(a) इन्टरनेट (b) बिंग
(c) स्काइप (d) एक्रोबेट रीडर

9. ज्वाइंट फोटोग्राफिक एक्सपर्ट्स (जे पी ई जी) का उपयोग किसे कम्प्रेस करने के लिए किया जाता है? [Jun 2019]
(a) म्यूजिक (b) वीडियो
(c) इमेज (d) फेम

10. सूचना प्रौद्योगिकी (आई टी) का वह उपयोग जिसे समाज की आवश्यकताएं पूरी करने हेतु सरकार की क्षमता में सुधार करने के लिए किया जाता है, कहलाता है [Jun 2019]
(a) ई-व्यापार (b) ई-प्रशासन
(c) ई-शासन (d) ई-विपणन

11. निम्नलिखित को सुमेलित कीजिए। [Jun 2019]

सेट-I	सेट-II
(1) प्रथम पीढ़ी	(i) ट्रांजिस्टर
(2) द्वितीय पीढ़ी	(ii) वी एल एस आई माइक्रोप्रोसेसर
(3) तृतीय पीढ़ी	(iii) वेक्यूम ट्यूब
(4) चौथी पीढ़ी	(iv) इंटीग्रेटिड सर्किट

निम्नलिखित में से सही उत्तर का चयन कीजिए:

	(1)	(2)	(3)	(4)
(a)	(iii)	(iv)	(i)	(ii)
(b)	(iii)	(i)	(iv)	(ii)
(c)	(iii)	(i)	(ii)	(iv)
(d)	(i)	(iii)	(iv)	(ii)

12. एक टेराबाइट (TB) मेमोरी किसके समान है? [Jun 2019]
(a) 1024 KB
(b) 1024 × 1024 KB
(c) 1024 × 1024 × 1024 KB
(d) 1024 × 1024 × 1024 Bytes

13. .... एक कंप्यूटर प्रोग्राम है जो अन्य प्रलेखों या करणीय कोड में अपनी प्रतिलिपियाँ, अंत:स्थापित करने से फैलता है। [Jun 2019]
(a) ऑपरेटिंग सिस्टम (b) कंप्यूटर वायरस
(c) फायर वॉल (d) एंटी वायरस

14. ऑडियो और वीडियो कंप्रेशन में RGB का अभिप्राय है: [Jun 2019]
(a) रेड, ग्रे, ब्लू (b) रेड, ग्रीन, ब्लू
(c) रेड, ग्रीन, ब्लैक (d) रेड, ग्रे, ब्लैक

15. निम्नलिखित में से कौन-सा वेब ब्राउजर नहीं है? [Jun 2019]
(a) इंटरनेट एक्सप्लोरर
(b) मोजिला फायर फॉक्स
(c) गूगल क्रोम
(d) याहू

16. एक ई-मेल भेजते समय To :, Cc : और Bcc फील्डों में विभेद करने के संबंध में निम्नलिखित कथनों में से कौन-सा सही है? [Jun 2019]
(a) To : फील्ड में प्राप्तकर्ता Bcc : और Cc : फील्डों में मौजूद ई-मेल पतों को देख सकते हैं।
(b) Cc : फील्ड में प्राप्तकर्ता To : और Bcc : फील्डों में मौजूद ई-मेल पतों को देख सकते हैं।
(c) Bcc : फील्ड में प्राप्तकर्ता To : और Cc : फील्डों में मौजूद ई-मेल पतों को देख सकते हैं।
(d) Cc : फील्ड में केवल प्राप्तकर्ता Bcc : फील्डों में अन्य ई-मेल पतों को देख सकते हैं।

17. एक समूह को डिजिटल प्रौद्योगिकी की उपलब्धता और दूसरे समूह को इसकी अनुपलब्धता से जो विषमता उत्पन्न होगी उसे कहा जाता है: [Jun 2019]
(a) इंटरनेट असमानता
(b) वेब असमानता
(c) प्रौद्योगिकीय असंतुलन
(d) डिजिटल विभाजन

18. इंटरनेट पारिभाषिक शब्दावली में परिवर्णी WYSIWYG का अर्थ होता है? **[Jun 2019]**

(a) व्हाट यू सॉ इज व्हाट यू गॉट
(b) व्हाट यू सी इज व्हाट यू गेट
(c) व्हेयर यू सी इज व्हेयर यू गॉट
(d) व्हाट यू सी इज व्हाट यू गॉट

19. सॉफ्टवेयर, जिसे आप नि:शुल्क डाउनलोड कर सकते हैं, किंतु ट्रायल अवधि के बाद इसका प्रयोग जारी रखने के लिए आपको भुगतान करना पड़ता है, इसको कहते हैं: **[Jun 2019]**

(a) पब्लिक डोमेन सॉफ्टवेयर
(b) फ्रीवेयर
(c) ओपन-सोर्स सॉफ्टवेयर
(d) शेयरवेयर

20. निम्नलिखित कंप्यूटर संघटकों में से कौन-सा पहुंच की गति की दृष्टि से सबसे तेज़ है? **[Jun 2019]**

(a) यू एस बी ड्राइव (b) सॉलिड स्टेट ड्राइव
(c) रैम (आर ए एम) (d) हार्ड डिस्क ड्राइव

21. एस डब्ल्यू ए वाई ए एम (स्वयं) का अर्थ है: **[Jun 2019]**

(a) स्टडी वर्ल्ड ऑफ ऐक्शन-लर्निंग फॉर यंग एस्पायरिंग माइन्डस
(b) स्टडी वेब्स ऑफ ऐक्टिव-लर्निंग फॉर यंग एस्पायरिंग माइन्डस
(c) स्टुडेन्ट वर्ल्ड ऑफ ऐक्शन-लर्निंग फॉर यंग एलिंग माइन्डस
(d) स्टडी वेब्स ऑफ ऐक्टिव-लर्निंग फॉर यूथ अवेयरनेस माइन्डस

22. निम्नलिखित में से कौन-सा शैक्षणिक एफ एम रेडियो नेटवर्क है? **[Jun 2019]**

(a) ज्ञान दर्शन (b) ज्ञान वाणी
(c) ज्ञान धारा (d) जी आई ए एन

23. निम्नलिखित में से क्या सूचना प्रौद्योगिकी पर बढ़ती निर्भरता के कारण उत्पन्न मुख्य मुद्दा है/मुद्दे हैं? **[Dec 2019]**

(1) लाभकारिता
(2) सुरक्षा संबंधी खतरे
(3) निजता संबंधी चिंता

सही विकल्प चुनें:

(a) केवल (1) और (2) (b) केवल (1) और (3)
(c) केवल (2) और (3) (d) (1), (2) और (3)

24. निम्नलिखित में से कौन-सी संचार प्रौद्योगिकी सिर्फ असमकालिक संचार का उपयोग करती है? **[Dec 2019]**

(1) वीडियो कॉनफ्रेंसिंग
(2) ई-मेल
(3) मंच
(4) तत्क्षण संदेश

सही विकल्प चुनें:

(a) केवल (1) और (3)
(b) केवल (2) और (4)
(c) केवल (2) और (3)
(d) केवल (1) और (4)

25. निम्नलिखित में से कौन-सा कथन सही है/हैं? **[Dec 2019]**

(1) द्विआधारी संख्या में निरूपित अविभाज्य संख्या 00111, 01001, 01011, P, ... के क्रम में अगली अविभाज्य संख्या P, 01101 के रूप में निरूपित होगी।
(2) अष्टक एक द्विआधारी संख्या होती है जिसमें पूरे आठ अंक होते हैं।

सही विकल्प चुनें:

(a) केवल (1) (b) केवल (2)
(c) (1) और (2) दोनों (d) (1) और (2) कोई नहीं

26. कंप्यूटर-नेटवर्किंग के सन्दर्भ में सूची-I को सूची-II से मिलाएं: **[Dec 2019]**

सूची-I	सूची-II
(1) वी ओ आई पी	(i) आंकड़ा अंतरण के लिए प्रकाश पल्सों का प्रयोग करता है।
(2) फाइबर ऑप्टिक केबल	(ii) फोन कॉल करने के लिए इंटरनेट का प्रयोग
(3) यू आर एल	(iii) किसी छोटे भवन में कंप्यूटरों को आपस में जोड़ने के लिए सबसे उपयुक्त
(4) यूटीपी केबल	(iv) इंटरनेट पर एक वेब एड्रेस ढूंढने के लिए वेब ब्राउजर्स द्वारा प्रयुक्त सामग्री

सही विकल्प चुनें:

(a) (1)-(iv), (2)-(i), (3)-(ii), (4)-(iii)
(b) (1)-(ii), (2)-(i), (3)-(iv), (4)-(iii)
(c) (1)-(ii), (2)-(iii), (3)-(iv), (4)-(i)
(d) (1)-(iv), (2)-(iii), (3)-(ii), (4)-(i)

27. उस विकल्प को चुनें जिसमें इंटरनेट पर ध्वनि फाइलों के वितरण के लिए उपयुक्त फॉरमेट की फाइलें होती हैं: **[Dec 2019]**

(a) डब्ल्यू एम वी, एमपी 4, डब्ल्यू एम ए, एमपी 3
(b) ए वी आई, एम आई डी आई, डब्ल्यू ए वी, एमपी 3
(c) ए वी आई, एम ओ वी, डब्ल्यू एम वी, एमपी 3
(d) एम आई डी आई, डब्ल्यू ए वी, डब्ल्यू एम ए, एमपी 3

28. शिक्षा में सूचना और सम्प्रेषण प्रौद्योगिकी का उद्देश्य है: **[Dec 2019]**

(a) छात्र/छात्राओं को आकर्षित करना।
(b) शिक्षण को रुचिकर बनाना।
(c) अधिगम परिणामों को इष्टतम बनाना।
(d) शिक्षण में प्रौद्योगिकी संस्कृति को बढ़ावा देना।

29. कंप्यूटर से संबंधित गतिविधियों में किसी भाषा अनुवादक के वर्णन के लिए निम्नलिखित में से कौनसा विकल्प अनुपयुक्त है? **[Dec 2019]**

(a) असेम्बलर (b) कंपाइलर
(c) इंटरप्रेटर (d) कोडेक

30. निम्नलिखित में से कौनसा विकल्प चतुर्थ पीढ़ीय भाग (4 जी एल) कहलाये जाने के लिए सर्वाधिक उपयुक्त है? **[Dec 2019]**

(a) ए एल जी ओ एल (b) जावा
(c) सी (d) एस क्यू एल

31. नीचे दो कथन दिए गए हैं – एक को अभिकथन (A) और दूसरे कथन को तर्क (R) कहा गया है। **[Dec 2019]**

अभिकथन (A): स्निफिंग का प्रयोग डाटा चोरी या किसी नेटवर्क से संबंधित सूचना चुराने के लिए किया जाता है।

तर्क (R): स्निफिंग प्रदत्त नेटवर्क के माध्यम से गुजरने वाले सभी डाटा पैकेटों की निगरानी और उन्हें कब्जे में लेने की एक प्रक्रिया होती है।

उपरोक्त उल्लिखित दो कथनों के प्रकाश में निम्नलिखित विकल्पों में से सही विकल्प चुनिए:

(a) (A) और (R) दोनों सही हैं और (R), (A) की सही व्याख्या है।
(b) (A) और (R) दोनों सही हैं किंतु (R), (A) की सही व्याख्या नहीं है।
(c) (A) सही है, परन्तु (R) सही नहीं है।
(d) (A) सही नहीं है, किन्तु (R) सही है।

32. निम्नलिखित में से कौन सा पद अभिकल्प (डिजाइन) के लिए डिजिटल लर्निंग परिवेश से संबंधित है? **[Dec 2019]**

(a) ई-विद्वान (b) ई-आचार्य
(c) ई-कल्प (d) ई-यंत्र

33. निम्नलिखित में से कौन सा यंत्र (टूल) आभासी वर्ग कक्षा परिवेश प्रदान करने के लिए एक साझेदारी यंत्र (टूल) है? **[Dec 2019]**

(a) ए-लैब (b) ए-व्यू
(c) ए-टयुटर (d) ए-लर्नर

34. निम्नलिखित में से क्या एक अतिव्यापक दृष्टि प्रदान करता है जो सामाजिक रूप से प्रासंगिक क्षेत्रों में शोध को मार्गदर्शन देता है? **[Dec 2019]**

(a) ए आर आई आई ए
(b) आई एम पी आर आई एन टी
(c) एन आई आर एफ
(d) स्वयं प्रभा

35. निम्नलिखित में से कौन-सा/से कथन सही हैं? **[Dec 2019]**

(1) सॉफ्टवेयर को आर ए एम से सेकेंडरी स्टोरेज में रखा जाता है और फिर सी पी यू द्वारा क्रियान्वित होता है।
(2) सर्च इंजन ऐसी सॉफ्टवेयर प्रणाली है जो विश्वव्यापी वेब (डबल्यू डबल्यू डबल्यू) पर सूचना तलाश करने के लिए अभिकल्पित किया गया है।

सही विकल्प चुनिए:

(a) केवल (1)
(b) केवल (2)
(c) (1) और (2) दोनों
(d) (1) और (2) दोनों में से कोई नहीं

36. सूची एक को सूची दो से सुमेलित कीजिए: **[Dec 2019]**

सूची-I (डिजिटल पहल)	सूची-II (प्रयोजन)
(1) उमंग	(i) जी 2 बी सेवाएं
(2) भीम	(ii) अधिगम प्लेटफार्म
(3) ई बिज	(iii) यूनिफाइड पेमेंट इंटरफेस
(4) स्वयम	(iv) सभी सरकारी सेवाओं का लाभ लेने के लिए सिंगल प्वाइंट एक्सेस

सही विकल्प का चयन करें:

(a) (1)-(ii), (2)-(i), (3)-(iii), (4)-(iv)

(b) (1)-(iii), (2)-(ii), (3)-(iv), (4)-(i)

(c) (1)-(iv), (2)-(iii), (3)-(i), (4)-(ii)

(d) (1)-(i), (2)-(iv), (3)-(ii), (4)-(iii)

37. साइबर एड्रेस (यू आर एल) हेतु घटकों की सूची का विकल्प जो शुरू से अंत सही क्रम में हो, का चयन करें: **[Dec 2019]**

(a) प्रोटोकॉल, होस्ट के डोमेन का नाम, पाथ/फाइल

(b) पाथ/फाइल, प्रोटोकॉल, होस्ट के डोमेन का नाम

(c) प्रोटोकॉल, पाथ/फाइल, होस्ट के डोमेन का नाम

(d) होस्ट के डोमेन का नाम, प्रोटोकॉल, पाथ/फाइल

38. नीचे दो कथन दिए गए हैं– अभिकथन (A) और दूसरे तर्क (R) है: **[Dec 2019]**

अभिकथन (A) : ब्लॉग सोशल मीडिया का एक रूप है।

तर्क (R) : ब्लॉग के माध्यम से कोई व्यक्ति आम जनता से बात कर सकता है।

उपर्युक्त कथनों के आलोक में सही विकल्प का चयन करें:

(a) (A) और (R) दोनों सही हैं, और (R), (A) की सही व्याख्या है।

(b) (A) और (R) दोनों सही हैं, और (R), (A) की सही व्याख्या नहीं है।

(c) (A) सही है किंतु, (R) गलत है।

(d) (A) गलत है किंतु, (R) सही है।

39. सूची–I को सूची–II से सुमेलित करें: **[Dec 2019]**

सूची–I	सूची–II
(1) डब्ल्यू डब्ल्यू डब्ल्यू (www)	(i) परिवर्तनशील स्मृति
(2) जावा (JAVA)	(ii) गैर-परिवर्तनशील स्मृति
(3) रैम (RAM)	(iii) वर्ल्ड वाइड वेब
(4) रॉम (ROM)	(iv) प्रोग्रामिंग भाषा

निम्नलिखित में से सही विकल्प चुनें:

(a) (1)–(i), (2)–(ii), (3)–(iii), (4)–(iv)

(b) (1)–(ii), (2)–(iii), (3)–(iv), (4)–(i)

(c) (1)–(iii), (2)–(iv), (3)–(i), (4)–(ii)

(d) (1)–(iv), (2)–(i), (3)–(ii), (4)–(iii)

40. निम्नलिखित दो सूचियों को सुमेलित कीजिए। सूची–I में राज्यों के नाम और सूची–II में राज्य विशिष्ट अभियान (मिशन) दिए गए हैं। **[Dec 2019]**

सूची–I	सूची–II
(1) आंध्र प्रदेश	(i) मुख्यमंत्री जल स्वावलंबन अभियान
(2) गुजरात	(ii) जलयुक्त सीवर अभियान
(3) महाराष्ट्र	(iii) नीति संरक्षण उद्यम
(4) राजस्थान	(iv) सुजलाम सुफलाम जल अभियान

निम्नलिखित विकल्पों में से सही उत्तर का चयन कीजिए:

(a) (1)–(i), (2)–(ii), (3)–(iii), (4)–(iv)

(b) (1)–(iv), (2)–(iii), (3)–(ii), (4)–(i)

(c) (1)–(ii), (2)–(i), (3)–(iv), (4)–(iii)

(d) (1)–(iii), (2)–(iv), (3)–(ii), (4)–(i)

41. मॉन्ट्रियल प्रोटोकॉल किससे संबंधित है? **[Dec 2019]**

(a) जलवायु परिवर्तन की समस्या के निराकरण के लिए संयुक्त राष्ट्र सदस्य राष्ट्रों के बीच सहयोग

(b) ओजोन का क्षरण करने वाले पदार्थों के उत्पादन और खपत को चरणबद्ध रूप से समाप्त करना।

(c) पर्यावरणीय संधारणीयता सुनिश्चित करना।

(d) पूरे विश्व में जीवन की सामाजिक गुणवत्ता की सुरक्षा करना।

42. कोचीन अंतर्राष्ट्रीय हवाई अड्डे को निम्नलिखित में से किस श्रेणी में संयुक्त राष्ट्र का 'चैंपियन ऑफ द अर्थ' पुरस्कार दिया गया है? **[Dec 2019]**

(a) नीतिगत नेतृत्व

(b) उद्यमिता भविष्य दृष्टि

(c) विज्ञान और नवोन्मेष

(d) प्रेरणा और क्रियान्विति

43. निम्नलिखित में से कौन सा संगठन राष्ट्रीय महत्त्व की संस्था होने के साथ-साथ सभी विश्वविद्यालयों के लिए उभयनिष्ठ प्लेटफॉर्म उपलब्ध कराता है? **[Dec 2019]**

(a) विश्वविद्यालय अनुदान आयोग

(b) एसोसिएशन ऑफ इंडियन यूनिवर्सिटीज

(c) दूरस्थ शिक्षा परिषद

(d) उच्च अध्ययन संस्थान

44. सूची को सूची II के साथ सुमेलित करें: [Dec 2019]

सूची I (साफ्टवेयर)	सूची II (विवरण)
(1) वेब ब्राउज़र	(i) लिखित दस्तावेज बनाना
(2) वर्ड प्रोसेसर	(ii) वेब पृष्ठों को बनाना तथा एडिट करना
(3) स्प्रेडशीट	(iii) वेबसाइट्स के साथ जुड़ना तथा वेब पृष्ठों को प्रदर्शित करना
(4) वेब ऑथरिंग	(iv) संख्यात्मक आंकड़ों का विश्लेषण तथा संक्षेपण

सही विकल्प चुनें:

(a) (1)–(ii), (2)–(iv), (3)–(i), (4)–(iii)

(b) (1)–(iii), (2)–(i), (3)–(iv), (4)–(ii)

(c) (1)–(iii), (2)–(i), (3)–(ii), (4)–(iv)

(d) (1)–(ii), (2)–(i), (3)–(iv), (4)–(iii)

45. निम्नलिखित में से विकल्प चुनें जिसमें एकन्तिक रूप से टेक्स्ट फॉर्मेट समाहित है: [Dec 2019]

(a) जेपीईजी, एमपी 3, आरटीएफ

(b) सीएसवी, आरटीएफ, टीएक्सटी

(c) जीआईएफ, जेपीईजी, एमपी 3

(d) सीएसवी, एमपी 3, पीडीएफ

46. नीचे दो कथन दिए गए हैं जिनमें एक अभिकथन (A) तथा दूसरा तर्क (R) है: [Dec 2019]

अभिकथन (A): सीपीयूज़ की क्लॉक स्पीड को हाल ही के वर्षों में पर्याप्त रूप से नहीं बढ़ाया गया है।

तर्क (R): आजकल प्रयोग किए जा रहे साफ्टवेयर अधिक तीव्र हैं, अत: प्रोसेसर्स के अधिक तीव्र नहीं होने की आवश्यकता नहीं है।

उपरोक्त दो कथनों के संदर्भ में सही विकल्प चुनें:

(a) (A) तथा (R) दोनों सही हैं तथा (R) (A) की सही व्याख्या है।

(b) (A) तथा (R) दोनों सही हैं तथा (R) (A) की सही व्याख्या नहीं है।

(c) (A) सही है परन्तु (R) गलत है।

(d) (A) गलत है परन्तु (R) सही है।

47. यदि डाटा को तकनीकी मीडिया का प्रयोग कर दर्ज किया गया है, तो निम्नांकित में से इसकी व्याख्या में अनिवार्य कदम क्या होगा? [Dec 2019]

(a) लिप्यंकन

(b) संरचनात्मक समीकरण प्रतिरूपण

(c) अनुक्रमिक विश्लेषण

(d) प्रतिचयन

48. 'सभी बिल्लियां स्तनधारी हैं' का परिवर्तित वाक्य है: [Dec 2019]

(a) कुछ स्तनधारी बिल्लियां नहीं हैं।

(b) कोई भी स्तनधारी बिल्लियां नहीं हैं।

(c) कुछ स्तनधारी बिल्लियां हैं।

(d) सभी स्तनधारी बिल्लियां हैं।

49. निम्नलिखित में से कौन एक सर्च इंजन है? [Dec 2019]

(a) इंटरनेट (b) बिंग

(c) स्काइप (skype) (d) एक्रोबैट रीडर

50. निम्नलिखित में से कौन सी एक प्रोग्रामिंग भाषा है? [Dec 2019]

(a) डीप लर्निंग (b) मशीन लर्निंग

(c) कृत्रिम बुद्धि (d) पाइथन

51. निम्नलिखित कथनों में से कौन-सा/से कथन सही है/हैं? [Dec 2019]

(1) लोकल एरिया नेटवर्क (एल ए एन) सामान्यत: एक ब्रांड के कंप्यूटर पर अवस्थित होते हैं।

(2) परिवर्णी शब्द आई एस पी का आशय इंटरनेट स्टैंडर्ड प्रोवाइडर से है।

सही विकल्प चुनें:

(a) केवल (1)

(b) केवल (2)

(c) (1) और (2) दोनों

(d) (1) और (2) दोनों में से कोई नहीं

52. निम्नलिखित में कौन-सा/से कथन सही है/हैं? [Dec 2019]

(i) सीपीयू की क्लॉक स्पीड को हट्र्ज में मापा जाता है।

(ii) ब्लूटूथ प्रौद्योगिकी वाई-फाई प्रौद्योगिकी से अधिक ऊर्जा की खपत करती है।

सही विकल्प चुनें:

(a) केवल (i)

(b) केवल (ii)

(c) (i) और (ii) दोनों

(d) (i) और (ii) में से कोई नहीं

53. अनेक प्राप्तकर्ताओं को एक साथ भेजा गया कोई अवांछिक ई-मेल मैसेज होता है: **[2020]**

(a) इनबॉक्स (b) स्पैम

(c) वायरस (d) अटैक

54. नीचे दो कथन दिए गए हैं: **[2020]**

कथन (I) : ऑपरेटर विशेष प्रतीक होते हैं जिनका प्रयोग परिकलन करने, तुलना करने और तार्किक स्थितियों की जांच करने के लिए किया जाता है।

कथन (II) : रिलेशनल ऑपरेटरों का प्रयोग अंकगणितीय संक्रिया (अरिथमेटिक ऑपरेशन) के लिए किया जाता है।

उपर्युक्त कथनों के आलोक में निम्नांकित विकल्पों में से सर्वाधिक उपयुक्त उत्तर चुनें:

(a) कथन (I) और (II) दोनों सही हैं।

(b) कथन (I) और (II) दोनों गलत हैं।

(c) कथन (I) सत्य है किंतु कथन (II) गलत है।

(d) कथन (I) असत्य है किंतु कथन (II) सही है।

55. नीचे दो कथन दिए गए हैं: **[2020]**

कथन (I) : समवर्गीय (पीयर टू पीयर) नेटवर्क में कोई केंद्रीय सर्वर नहीं होता है बल्कि इसके बजाय प्रत्येक कंप्यूटर एक सर्वर और एक क्लायंट के रूप में कार्य कर सकता है।

कथन (II) : LAN व्यक्ति विशेष हेतु बनाया गया कंप्यूटर नेटवर्क होता है।

उपर्युक्त कथनों के आलोक में निम्नांकित विकल्पों में से सर्वाधिक उपयुक्त उत्तर चुनें:

(a) कथन (I) और (II) दोनों सही हैं।

(b) कथन (I) और (II) दोनों गलत हैं।

(c) कथन (I) सत्य है किंतु कथन (II) गलत है।

(d) कथन (I) असत्य है किंतु कथन (II) सही है।

56. कोई कंप्यूटर नेटवर्क दो या दो से अधिक कंप्यूटरों को निम्नलिखित में से क्या करने में सक्षम बनाता है: **[2020]**

(a) स्पीड बढ़ाने में

(b) डाटा और हार्डवेयर संसाधनों को साझा करने में

(c) कार्य बढ़ाने में

(d) सॉफ्टवेयर की निगरानी करने में

57. संक्षेपाक्षर OCR का पूरा नाम है: **[2020]**

(a) आप्टिकल कैरेक्टर रिकोगनिशन

(b) आनलाईन कंप्यूटर रीडर

(c) आप्टिकल कंप्यूटर रिकोगनिशन

(d) आप्टिकल कंट्रोल रीडर

58. कंप्यूटर सिस्टम में प्राथमिक स्टोरेज और द्वितीयक स्टोरेज में भेद करने के लिए निम्नलिखित में से कौन सा कथन सही है? **[2020]**

(a) प्राथमिक स्टोरेज धीमा, अधिक खर्चीला और अनवरत होता है।

(b) प्राथमिक स्टोरेज तेज, अधिक खर्चीला और अनवरत होता है।

(c) प्राथमिक स्टोरेज तेज एवं कम खर्चीला होता है और अनवरत नहीं होता है।

(d) प्राथमिक स्टोरेज तेज एवं अधिक खर्चीला होता है और अनवरत नहीं होता है।

59. नीचे दो कथन दिए गए हैं: **[2020]**

कथन (I) : 'स्वयम' भारत सरकार की एक पहल है जिसका उद्देश्य ग्रामीण क्षेत्रों में स्व-सहायता समूहों को बढ़ावा देना है।

कथन (II) : 'ई-तंत्र' आई आई टी मुम्बई द्वारा एम एच आर डी - एन एम ई सी टी के माध्यम से 'इम्बेडिड सिस्टम्स एंड रोबोटिक्स' में शिक्षा के प्रसार के लिए एक पहल है।

उपर्युक्त कथनों के आलोक में निम्नांकित विकल्पों में से सही उत्तर चुनें:

(a) कथन I और II दोनों सही हैं।

(b) कथन I और II दोनों गलत हैं।

(c) कथन I सही है किंतु कथन II गलत हैं।

(d) कथन I असत्य है किंतु कथन II सही है।

60. नीचे दो कथन दिए गए हैं: **[2020]**

कथन (I) : सर्च इंजन को वेब ब्राउजर के रूप में भी जाना जाता है।

कथन (II) : 189.365.250.2 एक वैध आई पी ऐड्रेस का उदाहरण है।

उपर्युक्त कथनों के आलोक में निम्नांकित विकल्पों में से सही उत्तर चुनें:

(a) कथन I और II दोनों सही हैं।
(b) कथन I और II दोनों गलत हैं।
(c) कथन I सत्य है किंतु कथन II गलत हैं।
(d) कथन I असत्य है किंतु कथन II सही है।

61. सूची-I को सूची-II से सुमेलित कीजिए: **[2020]**

सूची-I (कंप्यूटर काम्पोनेन्ट)	सूची-II (वर्णन)
(1) रेम (आर ए एम)	(I) कंप्यूटर का मस्तिष्क
(2) डी वी डी - रोम (आर ओ एम)	(II) गणना और तुलना संबंधी सभी संक्रियाएं करता है।
(3) ए एल यू	(III) केवल एक बार लिखा जा सकता है।
(4) सी पी यू	(IV) कम्पयूटर पर वर्तमान में चल रहे प्रोग्राम को चालू रखता है।

नीचे दिये गये विकल्पों में से सही उत्तर चुनिए:

(a) (1)-(II), (2)-(IV), (3)-(I), (4)-(III)
(b) (1)-(I), (2)-(IV), (3)-(II), (4)-(III)
(c) (1)-(IV), (2)-(III), (3)-(II), (4)-(I)
(d) (1)-(III), (2)-(IV), (3)-(II), (4)-(I)

62. निम्नलिखित अधूरे वाक्य पर विचार करें: **[2020]**

3जी एक .... रेंज की बेतार प्रौद्योगिकी है। कुछ क्रियाकलापों के लिए .... बेंडविथ की आवश्यकता होती है जिन्हें 3जी द्वारा नहीं किया जा सकता है।

ब्लूटूथ एक .... रेंज की बेतार प्रौद्योगिकी है जिसका उपयोग डेटा ट्रांसफर के लिए डिवाइसों को आपस में जोड़ने के लिए किया जाता है। ब्लू टूथ डेटा ट्रांसफर का .... कीमत वाला साधन है।

नीचे दी गई सूची में क्रम में सही शब्द चुनकर उपर्युक्त वाक्यों को पूरा करें:

(1) लम्बी (2) निम्न
(3) छोटी (4) उच्च

नीचे दिये गये विकल्पों में से सही उत्तर का चयन करें:

(a) (1), (4), (3), (2) (b) (3), (4), (1), (2)
(c) (3), (2), (1), (4) (d) (1), (2), (3), (4)

63. परिवर्णी शब्द GIF का पूरा रूप क्या है? **[2020]**

(a) ग्राफिक्स इंटरचेंज फॉर्मेट
(b) ग्राफिक्स इंटरचेंज फाइल
(c) ग्लोबल इंटरचेंज फॉर्मेट
(d) ग्राफिक्स इनपुट फॉर्मेट

64. निम्नलिखित में निम्नतम से उच्चतम स्पीड की दृष्टि से कंप्यूटर मेमोरी की सही सूची कौन-सी है? **[2020]**

(a) मुख्य स्मृति, कैशे स्मृति, द्वितीयक भंडारण
(b) कैशे स्मृति, द्वितीयक भंडारण, मुख्य स्मृति
(c) द्वितीयक भंडारण, मुख्य स्मृति, कैशे स्मृति
(d) द्वितीयक भंडारण, कैशे स्मृति, मुख्य स्मृति

65. इंटरनेट की स्पीड .... में मापी जाती है- **[2020]**

(a) GHz (b) Gbps
(c) GB (d) dpi

66. नीचे दो कथन दिए गए हैं: पहला अभिकथन (A) और दूसरा तर्क (R) है: **[2020]**

अभिकथन (A): मशीन लर्निंग में अच्छी गुणवत्ता और पर्याप्त डेटा की आवश्यकता होती है ताकि एल्गोरिदम के प्रशिक्षण और परीक्षण हो सके।

तर्क (R): सही वर्गीकरण के लिए अच्छी गुणवत्ता वाले डेटा जो शोर से मुक्त हो तथा पर्याप्त डेटा एल्गोरिदम का प्रशिक्षण और परीक्षण के लिए अपेक्षित होता है।

उपयुक्त कथनों के आलोक में निम्नांकित विकल्पों में से सर्वाधिक उपयुक्त उत्तर चुनें:

(a) (A) और (R) दोनों सही हैं और (R), (A) की सही व्याख्या है।
(b) (A) और (R) दोनों सही हैं और (R), (A) की सही व्याख्या नहीं है।
(c) (A) सही है पर (R) गलत है।
(d) (A) सही नहीं है पर (R) सही है।

67. वेबसाइट का प्रयोग कर किसी की शिकायत करने को कहा जाता है- **[2020]**

(a) साइबर वेंटिंग (b) वेब हेट
(c) वेब ऐंगर (d) साइबर दुरूपयोग

68. सूची-I को सूची-II से सुमेलित कीजिए: **[2020]**

सूची-I (संचार के उदाहरण)	सूची-II (संचार के प्रकार)
(1) ई-मेल भेजना	(I) संकेत विज्ञान संबंधी
(2) मौखिक अनुदेश	(II) संव्यवहार
(3) व्यक्तियों के दो समूहों के बीच सूचना का आदान प्रदान	(III) औपचारिक
(4) यातायात संकेत	(IV) अनौपचारिक

नीचे दिये गये विकल्पों में से सही उत्तर चुनिए:

(a) (1)-(III), (2)-(IV), (3)-(II), (4)-(I)

(b) (1)-(II), (2)-(III), (3)-(I), (4)-(IV)

(c) (1)-(I), (2)-(II), (3)-(IV), (4)-(III)

(d) (1)-(IV), (2)-(I), (3)-(III), (4)-(II)

69. निम्नलिखित में से कौन-सा कथन कंप्यूटरों के संबंध में सही है? **[2020]**

(a) सॉफ्टवेयर का रैम (RAM) से द्वितीयक स्टोरेज में लोड किया जाता है और उसके बाद सी पी यू द्वारा क्रियान्वित किया जाता है।

(b) सॉफ्टवेयर को द्वितीयक स्टोरेज रैम (RAM) में लोड किया जाता है और उसके बाद सीपीयू द्वारा क्रियान्वित किया जाता है।

(c) सॉफ्टवेयर को द्वितीयक स्टोरेज से रैम (RAM) में लोड किया जाता है और उसके बाद मदरबोर्ड द्वारा क्रियान्वित किया जाता है।

(d) सॉफ्टवेयर को रैम (RAM) से द्वितीयक स्टोरेज में लोड किया जाता है और उसके बाद मदरबोर्ड द्वारा क्रियान्वित किया जाता है।

70. नीचे दो कथन दिए गए हैं एक को अभिकथन (A) और दूसरे को तर्क (R) कहा गया है। **[2020]**

अभिकथन (A) : रैंडम एक्सेस मेमोरी (RAM) सहज परिवर्तनीय होती है और इसमें वर्तमान में प्रयोग किए जाने वाले आंकड़े और प्रोग्राम स्टोर किए जाते हैं।

तर्क (R) : रैम (RAM) एक स्टोरेज माध्यम है जिसमें इसकी विषय वस्तु बिजली आपूर्ति बाधित हो जाने के बाद भी बनी रहती है उपर्युक्त कथनों के आलोक में निम्नांकित विकल्पों में से सही उत्तर चुनें:

(a) (A) और (R) दोनों सही हैं और (R), (A) की सही व्याख्या है।

(b) (A) और (R) दोनों सही हैं परंतु (R), (A) की सही व्याख्या नहीं है।

(c) (A) सही है परन्तु (R) सही नहीं है।

(d) (A) सही नहीं है परन्तु (R) सही है।

71. सूची-I को सूची-II से सुमेलित कीजिए: **[2020]**

सूची-I (कंप्यूटर शब्दावली)	सूची-II (व्याख्या)
(1) आपरेटिंग सिस्टम (ओ एस)	(I) इंटरनेट से चलने वाली एक सेवा
(2) डब्ल्यू.डब्ल्यू. डब्ल्यू (WWW)	(II) सॉफ्टवेयर जो किसी हार्डवेयर को नियंत्रित करने में ओ एस की सहायता करता है।
(3) डिवाइस ड्राइवर	(III) सॉफ्टवेयर जो बाह्य उपकरणों को नियंत्रित करता है तथा मेमोरी और प्रोसेसर टाइम आवंटित करता है।
(4) आई पी (IP)	(IV) नेटवर्क ऐड्रेसेज को परिभाषित करता है और इसका प्रयोग 'पैकेट्स' को भेजने के लिए किया जाता है।

नीचे दिये गये विकल्पों में से सही उत्तर चुनें:

(a) (1)-(II), (2)-(IV), (3)-(III), (4)-(I)

(b) (1)-(III), (2)-(I), (3)-(II), (4)-(IV)

(c) (1)-(IV), (2)-(I), (3)-(II), (4)-(III)

(d) (1)-(III), (2)-(IV), (3)-(II), (4)-(I)

72. निम्नलिखित अधूरे वाक्य पर विचार कीजिए। **[2020]**

Wi-Fi, Wireless Fidelity का संक्षिप्त नाम तथा यह LAN या इंटरनेट जुड़ने में परिकलन ________ को सक्षम बनाने हेतु कम दूरी की ________ का प्रयोग करने वाले ________ का एक समुच्चय है।

निम्नलिखित सूची में से क्रमानुसार सही शब्दों का चयन करके उपर्युक्त वाक्य को पूरा करें:

(1) मानकों (2) तरंगों

(3) उपकरणों

नीचे दिये गये विकल्पों में से सही उत्तर चुनिए:

(a) (3), (2), (1) (b) (3), (1), (2)

(c) (1), (3), (2) (d) (1), (2), (3)

73. यदि किसी दी गई ध्वनि की तीव्रता में दोगुना की वृद्धि होती है तो डेसिबल में ध्वनि के स्तर में कितनी वृद्धि होगी: **[2020]**

(a) ~ 2 dB (b) ~ 3 dB
(c) ~ 6 dB (d) ~ 10 dB

74. सूची-I को सूची-II के साथ सुमेलित कीजिए: **[2020]**

सूची-I	सूची-II
1. वेब ब्राउजर	I. हार्ड डिस्क
2. ऑपरेटिंग सिस्टम	II. क्रोम
3. सेकेण्ड्री मेमोरी	III. एम एस-वर्ड
4. एप्लीकेशन सॉफ्टवेयर	IV. डास

नीचे दिए गए विकल्पों में से सही उत्तर चुनिए:
(a) 1 – III, 2 – II, 3 – I, 4 – IV
(b) 1 – II, 2 – IV, 3 – I, 4 – III
(c) 1 – III, 2 – I, 3 – II, 4 – IV
(d) 1 – III, 2 – I, 3 – IV, 4 – II

75. सूची-I को सूची-II के साथ सुमेलित कीजिए: **[2020]**

सूची-I	सूची-II
1. सॉफ्टवेयर	I. समस्या निवारण की सोपानिक पद्धति
2. हार्डवेयर	II. मूल तथ्य एवं आंकड़े
3. एल्गोरिदम	III. हार्ड डिस्क
4. डाटा	IV. लाइनक्स

नीचे दिए गए विकल्पों में से सही उत्तर का चयन कीजिए:
(a) 1 – III, 2 – I, 3 – II, 4 – IV
(b) 1 – III, 2 – II, 3 – I, 4 – IV
(c) 1 – IV, 2 – I, 3 – II, 4 – III
(d) 1 – IV, 2 – III, 3 – I, 4 – II

76. जॉयस्टिक किस प्रकार की युक्ति है? **[2020]**

(a) इनपुट (b) आउटपुट
(c) मेमोरी (d) प्रोसेसर

77. निम्नलिखित में से कौन-सा एप्लीकेशन सॉफ्टवेयर है? **[2020]**

(a) एन्ड्राइड (b) आई ओ एस
(c) लाइनक्स (d) एम एस वर्ड

78. सूचना है: **[2020]**

(a) अव्यवस्थित प्रदत्त
(b) संसाधित प्रदत्त
(c) व्यतिरिक्त प्रदत्त
(d) हमेशा क्रमिक प्रदत्त

79. नीचे दो कथन दिए गए हैं, जिसमें एक को अभिकथन (A) और दूसरे को तर्क (R) कहा गया है। **[2020]**

अभिकथन (A) : शोध में आईसीटी के उपयोग से शोध परिणामों की अभिगम्यता और परिशुद्धता सरल हो जाती है।

तर्क (R) : एक शोधकर्ता को शोध-प्रबन्ध लेखन में संदर्भीकरण और प्रारूप की विभिन्न शैलियों का अनुपालन करना पड़ता है ताकि आईसीटी का अनुप्रयोग किया जा सके।

उपर्युक्त कथनों के आलोक में निम्नांकित विकल्पों में से सही उत्तर चुनें:

(a) (A) और (R) दोनों सही हैं और (R), (A) की व्याख्या सही है।
(b) (A) और (R) दोनों सही हैं परंतु (R), (A) की व्याख्या सही नहीं है।
(c) (A) सही है परन्तु (R) सही नहीं है।
(d) (A) सही नहीं है परन्तु (R) सही है।

80. नीचे दो कथन दिए गए हैं एक अभिकथन (Assertion A) के रूप में और दूसरा उसके कारण (Reason R) के रूप में: **[2021]**

अभिकथन (A): प्रथम स्प्रेडशीट सॉफ्टवेयर अनुप्रयोग विसिकाल्क का आम तौर पर प्रथम किलर अनुप्रयोग के रूप में उदाहरण दिया जाता है।

कारण (R): विसिकाल्क ने पीसी को व्यापारिक दुनिया में लाने में सहायता दी।

उपरोक्त कथनों के आलोक में नीचे दिए विकल्पों में से सही उत्तर का चयन कीजिए:

(a) (A) असत्य है, परन्तु (R) सत्य है।
(b) (A) सत्य है, परन्तु (R) असत्य है।
(c) (A) और (R) दोनों सत्य हैं और (R), (A) की सही व्याख्या है।
(d) (A) और (A) दोनों सत्य हैं परन्तु (R), (A) की सही व्याख्या नहीं है।

81. मुक्त स्रोत सॉफ्टवेयर की बजाय स्वामित्व वाले सॉफ्टवेयर का प्रयोग करने की निम्नलिखित में से क्या हानि होगी? **[2021]**

(a) स्वामित्व वाले सॉफ्टवेयर तक केवल पासवर्ड से पहुंच हो सकती है।

(b) स्वामित्व वाले सॉफ्टवेयर को केवल स्वामित्व वाली प्रणालियों पर ही प्रयोग किया जा सकता है।

(c) स्वामित्व वाले सॉफ्टवेयर का केवल इंटरनेट कनेक्शन से ही प्रयोग किया जा सकता है।

(d) स्वामित्व वाले सॉफ्टवेयर सामन्य तौर पर अध्कि महंगे होते हैं।

82. एक संगीत शिक्षक के सन्दर्भ में जो प्रशिक्षण सामग्री तैयार करने के लिए कंप्यूटर का प्रयोग करना चाहता है, सूची-I को सूची-II से सुमेलित कीजिए: **[2021]**

सूची-I (प्रशिक्षण सामग्री)	सूची-II (सर्वाधिक उपयुक्त फाइल फार्मेट)
(A) ऐसे अनुदेशों की मुद्रित प्रतियां की संगीत कैसे करें	I. MP3
(B) संगीत वादन करते हुए उनकी ध्वनि फाइल	II. DOC
(C) संगीत वादन करते हुए उनकी वीडियो फाइल	III. JPEG
(D) जिन वाद्यों के वह अध्यापन करते हैं उनकी छवियां	IV. AVI

नीचे दिए गए विकल्पों में से सही उत्तर चुनिए:

(a) (A)–(I), (B)–(II), (C)–(III), (D)–(IV)

(b) (A)–(II), (B)–(I), (C)–(III), (D)–(IV)

(c) (A)–(II), (B)–(I), (C)–(IV), (D)–(III)

(d) (A)–(III), (B)–(I), (C)–(IV), (D)–(II)

83. सूची-I को सूची-II से सुमेलित कीजिए: **[2021]**

सूची-I (विषय वस्तु क्षेत्र)	सूची-II (समेकन प्रौद्योगिकी अनुप्रयोग)
(A) पठन/भाषा कलाएं	I. बेसिक पठन कौशल विकसित करने के लिए सॉफ्टवेयर प्रोग्राम
(B) गणित	II. दूरस्थ स्थान और काल की गवेषणा करने के लिए अनुरूपण
(C) विज्ञान	III. अमूर्त अथवा कठिनता से साकार कल्पना कर पाने वाले
(D) समाज अध्ययन	IV. जटिल संबंधों को स्पष्ट करने के लिए अनुरूपण

नीचे दिए गए विकल्पों में से सही उत्तर चुनिए:

(a) (A)–(I), (B)–(III), (C)–(IV), (D)–(II)

(b) (A)–(II), (B)–(I), (C)–(III), (D)–(IV)

(c) (A)–(III), (B)–(IV), (C)–(II), (D)–(I)

(d) (A)–(IV), (B)–(II), (C)–(I), (D)–(III)

84. सूची-I को सूची-II से सुमेलित कीजिए: **[2021]**

सूची-I (विवरण)	सूची-II (उपयुक्त तकनीकी शब्द)
(A) इंटरनेट पर प्रत्येक डिवाइस के लिए अंकीय	I. VOIP
(B) नेटवर्क इंटरफेस कार्ड के लिए यूनीक	II. URL
(C) फोन कॉल करने के लिए इंटरनेट का प्रयोग	III. MAC एड्रेस
(D) इंटरनेट वेब ऐड्रेस खोजने के लिए वेब ब्राउजर द्वारा प्रयुक्त विषय वाक्य	IV. IP एड्रेस

नीचे दिए गए विकल्पों में से सही उत्तर चुनिए:

(a) (A)–(I), (B)–(III), (C)–(IV), (D)–(II)

(b) (A)–(II), (B)–(III), (C)–(I), (D)–(IV)

(c) (A)–(IV), (B)–(III), (C)–(I), (D)–(II)

(d) (A)–(IV), (B)–(III), (C)–(II), (D)–(I)

85. कंप्यूटर की आंतरिक व बाहरी मेमोरी के संबंध में निम्नलिखित में से कौन-से कथन सही हैं? **[2021]**

(A) पोर्टेबल हार्ड ड्राइव आंतरिक मेमोरी का उदाहरण है।

(B) मैग्नेटिक टेप का डेटा बैक-अप के लिए प्रयोग किया जाता है।

(C) RAM आंतरिक मेमोरी है।

(D) जब बिजली बंद कर दी जाती है तो ROM डेटा को खो देता है।

नीचे दिए गए विकल्पों में से सही उत्तर का चयन कीजिए:

(a) केवल A और C (b) केवल A और B

(c) केवल B और C (d) केवल C और D

86. 200M वेबमीटिंग प्लेटफार्म के बेसिक निशुल्क रूपांतर में कितने मिनट ऑन लाइन क्लास चलाने की अनुमति है? **[2021]**

(a) 30 मिनट (b) 40 मिनट

(c) 50 मिनट (d) 60 मिनट

87. निम्नलिखित में से कौन से कथन सही हैं? **[2021]**

A. सिंप्लेक्स डाटा संचरण केवल दो दिशाओं में होता है।

B. अर्ध-डुप्लेक्स डाटा संचरण दोनों दिशाओं में होता है पर एक ही समय में नहीं।

C. पूर्ण डुप्लेक्स डाटा संचरण एक ही समय में दोनों दिशाओं में होता है।

D. श्रेणीबद्ध डाटा संचरण तब होता है जब डाटा को, एक बार में 8 बिट करके, एकल तार पर भेजा जाता है।

E. समांतर डाटा संचरण तब होता है जब एक बिट डाटा को एकल तार पर भेजा जाता है।

नीचे दिए गए विकल्पों में से सही उत्तर का चयन कीजिए:

(a) केवल A, B और C

(b) केवल B और C

(c) केवल C और D

(d) केवल C, D और E

88. वर्ल्ड वाइड (www) क्या है ? **[2021]**

(a) वेबसाइटों पर भंडारित बेबपेजों का संग्रह

(b) हाइपरटेक्स्ट प्रोसेसर

(c) एक दूसरे से जुड़े हुए नेटवर्क

(d) वेब ब्राउजर

89. ईथरनेट क्या है? **[2021]**

(a) कॉलिजन - डिटेक्शन प्रोटोकॉल

(b) तारों से जुड़े कई लैनों (LAN) द्वारा प्रयुक्त प्रोटोकॉल

(c) ऐड्रेस ट्रांसलेशन के लिए प्रयुक्त प्रोटोकॉल

(d) सुरक्षा प्रोटोकॉल

90. उस तकनीक का क्या नाम है जिसमें बिंबों का प्रयोग किया जाता है जो प्राय: शब्दों की अपेक्षा अधिक भाव व्यक्त करते हैं और विविध प्रकार के साहचर्यों और सोच को जगाने में अधिक सटीक व शक्तिशाली होते हैं? **[2021]**

(a) विचारावेश (b) माइंड - मैपिंग

(c) स्टोरी बोर्डिंग (d) सिनेक्टिक्स

91. नीचे दो कथन दिए गए हैं: **[2021]**

कथन-I: डीवीडी में डाटा को संग्रहित करने के लिए एकल बलयित 'ट्रैक' का प्रयोग किया जाता है जो केंद्र से शुरू होकर छोर की ओर बढ़ते हुए कार्य करता है।

कथन-II: डीवीडी केवल - पठनीय (रीड-ओनली) डिवाइस हैं।

उपरोक्त कथनों के आलोक में, नीचे दिए गए विकल्पों में से सही उत्तर का चयन कीजिए:

(a) कथन I और II दोनों असत्य हैं।

(b) कथन I और II दोनों सत्य हैं।

(c) कथन I असत्य है, किन्तु कथन II सत्य है।

(d) कथन I सत्य है, किन्तु कथन II असत्य है।

92. सूची-I को सूची-II से सुमेलित कीजिए: **[2021]**

सूची-I	सूची-II
A. सिस्टम सॉफ्टवेयर	I. लाइब्रेरी मैनेजमेंट सिस्टम
B. ऐप्लिकेशन सॉफ्टवेयर	II. फायरवॉल
C. सुरक्षा सॉफ्टवेयर	III. कंपाइलर
D. सन्निहित सॉफ्टवेयर	IV. स्वचालित फ्रिज

नीचे दिए गए विकल्पों में से सही उत्तर चुनिए:

(a) A-I, B-III, C-IV, D-II

(b) A-II, B-IV, C-I, D-III

(c) A-III, B-I, C-II, D-IV

(d) A-III, B-IV, C-I, D-II

93. जब किसी कंप्यूटर को स्विच ऑन किया जाता है तो BIOS निम्नलिखित में से किससे लोड किया जाता है? **[2021]**

(a) हार्ड डिस्क (b) रैम

(c) रॉम (d) सीडी-रॉम

94. निम्नलिखित कंप्यूटर स्टोरेज क्षमताओं को सबसे अधिक से सबसे कम क्षमता के सही क्रम में चिन्हित कीजिए। **[2021]**

(1) 100 गीगा बाइट

(2) 1000000000 बाइट

(3) 1 टैरा बाइट

(4) 1000000 किलो बाइट

नीचे दिए गए विकल्पों में से सही उत्तर का चयन कीजिए:

(a) (3), (1) (4), (2) (b) (3), (1), (2), (4)

(c) (1), (3), (4), (2) (d) (1), (3), (2) (4)

95. नीचे दो कथन दिए गए हैं: **[2021]**

कथन (I) : सर्च ईंजन वेबसाइट हैं जो प्रयोक्ता को WWW पर जानकारी सर्च करने में सहायता करती हैं।

कथन (II) : किसी सर्च टर्म के लिए, सर्च ईंजन सभी प्रयोक्ताओं को बिल्कुल एकसमान परिणाम देता है।

उपरोक्त कथन के आलोक में, नीचे दिए गए विकल्पों में से सही उत्तर का चयन कीजिए:

(a) कथन I और II दोनों सत्य हैं।

(b) कथन I और II दोनों असत्य हैं।

(c) कथन I सत्य है, लेकिन कथन II असत्य है।

(d) कथन I असत्य है, लेकिन कथन II सत्य है।

96. कंप्यूटर के संबंध में निम्नलिखित में से कौन-से रैंडम एक्सेस स्टोरेज डिवाइस हैं? **[2021]**

(1) मैगनेटिक टेप (2) हार्ड डिस्क

(3) पेन् ड्राइव (4) सी डी आर ओ एम

नीचे दिए गए विकल्पों में से सही उत्तर का चयन कीजिए:

(a) केवल (1), (2) और (3)

(b) केवल (1), (3) और (4)

(c) केवल (2), (3) और (4)

(d) केवल (1), (2) और (4)

97. सूची-I के साथ सूची-II का मिलान कीजिए: **[2021]**

सूची-I कंप्यूटर शब्दावली	सूची-II विवरण
(1) मैगनेटिक टेप	(i) डिजीटल कैमरा, फोटो प्रिन्टर और सेल फोन में प्रयुक्त होता है।
(2) मेमोरी कार्ड	(ii) डाटा को पढ़ने या लिखने के लिए लेजर बीम टेक्नोलॉजी का प्रयोग करता है।
(3) हार्ड डिस्क	(iii) डाटा आर्काइवल प्रयोजन हेतु प्रयुक्त होता है परन्तु इसे आवश्यक रूप से क्रमानुसार एक्सेस किया जाना चाहिए।
(4) विषयगत अर्थ	(iv) स्पिंडल पर रखे जानेवाले डिस्कों का समुच्चय

नीचे दिये गए विकल्पों में से सही उत्तर का चयन कीजिए:

(a) (1)-(iii) (2)-(i), (3)-(iv), (4)- (ii)

(b) (1)-(iv), (2)-(i), (3)-(iii), (4) - (ii)

(c) (1)-(iii), (2)-(iv), (3)-(i), (4)- (ii)

(d) (1)-(ii), (2)-(iii), (3)-(i), (4)-(iv)

98. उस सॉफ्टवेयर अनुप्रयोग का क्या नाम है जो सुगम पहुँच वाले पुस्तकचिह्न-भण्डारगृह निर्माण में सहायक है और जो सदस्यों अथवा सामान्य जनों द्वारा तलाश योग्य बज जाता है? **[2021]**

(a) सामाजिक पुस्तकचिह्न

(b) डाटाबेस प्रबंधन प्रणाली

(c) उद्यम संसाधन नियोजन

(d) संदर्भ प्रबंधन उपकरण

99. फिशिंग क्या है – **[2021]**

(a) आंकड़ों को हैकर तक भेजना।

(b) कोई व्यक्ति प्रयोक्ताओं को वैध प्रतीत होने वाले ई-मेल भेजता है।

(c) इंटरनेट पर किसी मद की स्वचलित तलाश

(d) वेबसाइटों की वर्तनी जांचना।

100. नीचे दो कथन दिए गए हैं: **[2021]**

कथन-(I): यदि सेंसर आंकड़े स्वीकार्य रेंज से बाहर हैं, तो माइक्रो प्रोसेसर/ कंप्यूटर कार्रवाई करेगा।

कथन-(II): जब कुछ घटित होता है सिर्फ तब ही नियंत्रण अनुप्रयोग में सेंसर माइक्रो प्रोसेसर/ कंप्यूटर को आंकड़े भेजता है।

उपरोक्त कथनों के आलोक में, नीचे दिए गए विकल्पों में से सही उत्तर का चयन कीजिए:

(a) कथन I और II दोनों सत्य हैं।

(b) कथन I और II दोनों असत्य हैं।

(c) कथन I सत्य है, किन्तु कथन II असत्य है।

(d) कथन I असत्य है, किन्तु कथन II सत्य है।

101. निम्नलिखित कथनों पर विचार कीजिए: **[2021]**

(1) डब्ल्यूएलएएन एक वाइड एरिया नेटवर्क है।

(2) केंद्र (हब) आने वाले डेटा पैकेट को नेटवर्क पर सही डिवाइस को भेजता है।

(3) आईपी पता विनिर्माण चरण में ही डिवाइस के लिए निर्धारित किया जाता है।

(4) किसी डिवाइस को नेटवर्क से जोड़ने की अनुमति के लिए नेटवर्क इंटरप्रेस कार्ड की आवश्यकता है।

(5) इंटरनेट पर प्राप्त डेटा पैकेटों की राउटर जांच करते हैं।

उपर्युक्त कथनों में से कौन से कथन सही हैं:

(a) केवल (1) और (2)

(b) केवल (2) और (5)

(c) केवल (4) और (5)
(d) केवल (2), (3) और (4)

102. सूची–I को सूची–II से सुमेलित कीजिए: **[2021]**

सूची-I	सूची-II
(1) इनपुट डिवाइस	(i) ट्रैफिक लाइट सिमुलेटर
(2) आउटपुट डिवाइस	(ii) स्कैनर
(3) पॉइंटिंग डिवाइस	(iii) स्पीकर
(4) सेंसर डिवाइस	(iv) ट्रैकर बॉल

नीचे दिए गए विकल्पों में से सही उत्तर चुनिए:
(a) (1)–(ii), (2)–(iii), (3)–(iv), (4)–(i)
(b) (1)–(i), (2)–(ii), (3)–(iv), (4)–(iii)
(c) (1)–(iii), (2)–(i), (3)–(iv), (4)–(ii)
(d) (1)–(ii), (2)–(iv), (3)–(iii), (4)–(i)

103. फायर वाल क्या होती है? **[2021]**
(a) नेटवर्क लेयर में एड्रेस ट्रांसलेशन के लिए प्रयोग होती है।
(b) नेटवर्क इंटरफेस कार्ड के भण्डारण के लिए प्रयोग होती है।
(c) नेटवर्क कंजेशन कंट्रोल के लिए प्रयोग होती है।
(d) प्रयोक्ता के कंप्यूटरों और बाहरी कंप्यूटर के बीच का हार्डवेयर अथवा सॉफ्टवेयर।

104. नीचे दो कथन दिए गए हैं: एक को अभिकथन (A) और दूसरे को कारण (R) कहा गया है। **[2022]**

अभिकथन (A): कंप्यूटर नेटवर्किंग में मॉडेम को इनपुट और आउटपुट डिवाइस दोनों के रूप में माना जाता है।

कारण (R): मॉडेम डेटा (अपलोड/आउटपुट) भेजता है और उसी समय डेटा (डाउनलोड/इनपुट) प्राप्त करता है।

उपर्युक्त कथनों के आलोक में निम्नांकित विकल्पों में से सही उत्तर चुनें:
(a) (A) और (R) दोनों सही हैं और (R), (A) की सही व्याख्या है।
(b) (A) और (R) दोनों सही हैं परन्तु (R), (A) की सही व्याख्या नहीं है।
(c) (A) सत्य है, परन्तु (R) असत्य है।
(d) (A) असत्य है, परन्तु (R) सत्य है।

105. जो प्रोग्राम एक कंप्यूटर सिस्टम में किसी अन्य छद्मावेश के रूप में प्रकट होते हैं, उन्हें कहा जाता है: **[2022]**
(a) ट्रोजन हॉर्सेज (b) वायरसेज
(c) वेब बग्स (d) जॉम्बीज़

106. आपके शिक्षक ने आपको किसी कंप्यूटर में अतिरिक्त रैम (RAM) को संस्थापित करने का अनुदेश दिया है। निम्नलिखित चरणों (1-3) के सही क्रम की पहचान कीजिए जिसका आपके द्वारा रैम को सुरक्षित रूप से संस्थापित करने के लिए पालन किया जाना चाहिए। **[2022]**
(1) रैम (RAM) को संस्थापित करना।
(2) कंप्यूटर को पावर सप्लाई से अलग करना।
(3) कलाई पर प्रति-स्थैतिक बैंड बांधना।

नीचे दिए गए विकल्पों में से सही उत्तर चुनिए:
(a) (1), (2), (3) (b) (3), (1), (2)
(c) (2), (1), (3) (d) (2), (3), (1)

107. नीचे दो कथन दिए गए हैं: **[2022]**

कथन I: 'स्वयम्' पहल युवा स्टार्टअप उद्यमियों को वित्तीय और तकनीकी सहायता प्रदान करने की दिशा में एक महत्वपूर्ण कदम है।

कथन II: डिजिलॉकर लोगों की टैग लाइन में कहा गया है:- 'माई डॉक्युमेंट्स, एनीटाइम, एनीव्हेअर' अर्थात; मेरा दस्तावेज, किसी भी समय, कहीं भी।

उपर्युक्त कथनों के आलोक में निम्नलिखित विकल्पों में से सही उत्तर चुनें:
(a) कथन I और II दोनों सत्य हैं।
(b) कथन I और II दोनों असत्य हैं।
(c) कथन I सत्य है, किन्तु कथन II असत्य है।
(d) कथन I असत्य है, किन्तु कथन II सत्य है।

108. **[2022]**

सूची-I (कंप्यूटर पद)	सूची-II (परिभाषा)
(1) स्पाईवेयर	(i) लघु दूरियों पर डेटा संचारित करने के लिए उपयोग की जाने वाली बेतार प्रौद्योगिकी
(2) फायरवॉल	(ii) सॉफ्टवेयर जो उपयोगकर्ता को किसी अन्य व्यक्ति के कंप्यूटर कार्यकलापों की सूचना प्राप्त करने के लिए अनुमति देता है।
(3) ब्लूटूथ	(iii) किसी नेटवर्क पर हमला, जिसमें व्यर्थ के यातायात का आप्लावन।
(4) सेवा से वंचित करना	(iv) हार्डवेयर या सॉफ्टवेयर, जिसे एक नेटवर्क की संरक्षा के लिए बनाया गया है, जो डेटा के प्रविष्ट या न प्रविष्ट हो सकने को नियंत्रित करता है।

नीचे दिए गए विकल्पों में से सही उत्तर चुनिए:

(a) (1)–(iii), (2)–(iv), (3)–(i), (4)–(ii)
(b) (1)–(iv), (2)–(ii), (3)–(iii), (4)–(i)
(c) (1)–(i), (2)–(iv), (3)–(ii), (4)–(iii)
(d) (1)–(ii), (2)–(iv), (3)–(i), (4)–(iii)

109. निम्नलिखित में से कौन से एक कम्प्यूटर प्रणाली के प्रमुख घटक हैं? **[2022]**

(1) ए.एल.यू. (अर्थमेटिक-लॉजिक यूनिट)
(2) सी.यू. (कंट्रोल यूनिट)
(3) प्रोसेसर रजिस्टर
(4) एस.एस.डी. (सोलिड-स्टेट ड्राइव)
(5) वी.आर.ए.एम. (वीडियो रैम)

नीचे दिए गए विकल्पों में से सही उत्तर चुनें:

(a) केवल (1), (2) और (4)
(b) केवल (1), (2) और (3)
(c) केवल (3), (4) और (5)
(d) केवल (2), (3) और (4)

110. निम्नलिखित स्प्रेडशीट पर विचार कीजिए: **[2022]**

	A	B	C
1	4	3	
2	5	2	
3	7		
4	8		9
5	9		
6			

यदि सेल (कक्षिका) सी4 में सूत्र = \$A\$3 + B2 को सेल सी5 में प्रतिकृत किया जाता है तो सेल सी5 में मान (वैल्यू) क्या होगा?

(a) 9 (b) 8
(c) 7 (d) 17

111. निम्नलिखित में से कौन सा भारत सरकार के कार्यक्रम-'डिजिटल इंडिया' के अंतर्गत एक प्रमुख पहल-डिजिलॉकर के संबंध में सही नहीं है? **[2022]**

(a) डिजिलॉकर खाते के लिए हस्ताक्षर करने वाले भारतीय नागरिक समर्पित क्लाउड स्टोरेज स्पेस प्राप्त करते हैं, जो उनकी आधार संख्या से लिंक्ड होती है।
(b) इसका उद्देश्य भौतिक दस्तावेजों के उपयोग की समाप्ति है और उनके दस्तावेजों की किसी भी समय किसी भी जगह कहीं भी पहुंच प्रदान कराना तथा उसे ऑनलाइन साझा करना है।
(c) नागरिक स्वयं अपलोड कर सकते हैं और ई-साइन सुविधा का उपयोग कर डिजिटल रूप से हस्ताक्षर कर सकते हैं।
(d) डिजिलॉकर लोगों का स्लोगन है-'माई डाक्यूमेंट्स, एनीटाइम, एनीव्हेयर' (अर्थात मेरे दस्तावेज, किसी भी समय, कही भी)।

112. कम्प्यूटर के अनेक उपयोगकर्ता मालवेयर के बारे में चिन्तित हैं। निम्नलिखित में से कौन से मालवेयर के दो उदाहरण हैं? **[2022]**

(1) फायरवॉल (2) वॉर्म
(3) राउटर (4) वायरस

नीचे दिए गए विकल्पों में से सही उत्तर चुनें:

(a) केवल (1) और (3)
(b) केवल (1) और (2)
(c) केवल (2) और (4)
(d) केवल (3) और (4)

113. नीचे दो कथन दिए गए हैं: **[2023]**

कथन I: इंटरनेट, साइबर स्पेस के प्रौद्योगिक-विज्ञान (टेक्नो-साइंस) जगत के अस्तित्व को प्रतिबिंबित करता है।

कथन II: साइबर स्पेस ने ई-मेल, डब्ल्यू डब्ल्यू डब्ल्यू सदृश और अनेकों अन्य उप-मीडिया के आगमन को अनिवार्य बना दिया है।

उपरोक्त कथन के आलोक में, नीचे दिए गए विकल्पों में से सही उत्तर का चयन कीजिए:

(a) कथन I और II दोनों सत्य हैं।
(b) कथन I और II दोनों असत्य हैं।
(c) कथन I सत्य है, लेकिन कथन II असत्य है।
(d) कथन I असत्य है, लेकिन कथन II सत्य है।

114. निम्नलिखित एमएस-एक्सेल शीट पर विचार कीजिए: **[2023]**

	A	B	C	D	E
1	दिन	मौसम	तापमान	टेनिस खेलना?	दौड़ने जाना?
2	सोमवार	सनी (Sunny)	हाई (High)		
3	मंगलवार	विन्डी (Windy)	हाई (High)		

	A	B	C	D	E
4	बुधवार	रेनिंग (Raining)	मीडियम (Medium)		
5	गुरुवार	सनी (Sunny)	लो (Low)		
6	शुक्रवार	सनी (Sunny)	मीडियम (Medium)		

माना कि सूत्र =IF (B2= "Sunny", IF(C2<> "Low", "Yes", "No"), "No") D2 में प्रविष्ट किया जाता है और फिर सेल को कॉपी किया जाता है तथा इसे D3:D6 में पेस्ट किया जाता है। कॉलम D किन दिनों "Yes" दर्ज करेगा?

(a) केवल सोमवार और शुक्रवार
(b) केवल सोमवार और मंगलवार
(c) केवल गुरुवार और शुक्रवार
(d) सोमवार, गुरुवार और शुक्रवार

115. निम्नलिखित में से कौन सा कथन डाटा संपीड़न को सर्वोत्तम ढंग से वर्णित करता है? **[2023]**

(a) सुरक्षित की गई फाइल के फाइल साइज के परिकलन की प्रक्रिया
(b) एक से अधिक भाषा में वर्णों को कूटबद्ध करने की प्रक्रिया
(c) मूल डाटा की अपेक्षा कम बिट के प्रयोग द्वारा सूचना को कूटबद्ध करने की प्रक्रिया
(d) किसी फाइल से आवश्यक डाटा को हटाने की प्रक्रिया

116. नीचे दो कथन दिए गए हैं: **[2023]**

कथन I: ट्विटर वेब 2.0 अप्लीकेशन का एक उदाहरण है।
कथन II: वेब 2.0 स्थैतिक टेक्स्ट आधारित सूचना वेबसाइटों से संबंधित है।

उपरोक्त कथन के आलोक में, नीचे दिए गए विकल्पों में से सही उत्तर का चयन कीजिए:

(a) कथन I और II दोनों सत्य हैं।
(b) कथन I और II दोनों असत्य हैं।
(c) कथन I सत्य है, लेकिन कथन II असत्य है।
(d) कथन I असत्य है, लेकिन कथन II सत्य है।

117. निम्नलिखित में से कौन सी व्यवस्था समकालिक सम्प्रेषण का प्रयोग करती हैं? **[2023]**

(1) स्काइप वीडियो कॉल (2) फेसबुक चैट
(3) ईमेल (4) स्नैपचैट पर संदेशन
(5) टेलीफोन कॉल

नीचे दिए गए विकल्पों में से सही उत्तर का चयन कीजिए:

(a) केवल (1), (2) और (5)
(b) केवल (1), (2), (4) और (5)
(c) केवल (1), (3), (4) और (5)
(d) केवल (2) और (3)

118. सूची I के साथ सूची II का मिलान कीजिए। **[2023]**

सूची-I (भंडारण युक्ति)	सूची-II (विवरण)
(1) सॉलिड स्टेट ड्राइव (एसएसडी)	(i) वह आप्टिकल मीडिया जो एक साथ पठन-लेखन कार्य को करने के लिए संकेन्द्री ट्रैकों का प्रयोग करता है।
(2) रॉम (ROM)	(ii) इसकी प्रकृति अस्थाई होती है, यह प्रोग्राम और डाटा को वर्तमान प्रयोग के लिए संचित करता है।
(3) डीवीडी-रैम	(iii) इसका कोई घटक संचलनशील नहीं होता है और इसलिए यह बहुत सख्त एवं विश्वसनीय प्रौद्योगिकी है।
(4) रैम (RAM)	(iv) इसकी प्रकृति स्थायी होती है जो फर्मवेयर को भंडारित करता है।

निम्नलिखित विकल्पों में से सही उत्तर का चयन कीजिए:

(a) (1)–(i), (2)–(iv), (3)–(iii), (4)–(ii)
(b) (1)–(iii), (2)–(iv), (3)–(i), (4)–(ii)
(c) (1)–(ii), (2)–(iii), (3)–(i), (4)–(iv)
(d) (1)–(iv), (2)–(iii), (3)–(i), (4)–(ii)

119. निम्नलिखित एमएस-एक्सेल स्प्रेडशीट पर विचार कीजिए, जिसमें जनसंख्या का कॉलम व्यक्तियों की मिलियन में शहर की जनसंख्या प्रदर्शित करता है। **[2023]**

	A	B	C	D	E	F
1.	शहर	राज्य	जनसंख्या	हरियाणा	मध्य प्रदेश	उत्तर प्रदेश
2.	पटियाला	पंजाब	8.34			
3.	सोनीपत	हरियाणा	3.86			
4.	नोएडा	उत्तर प्रदेश	2.71			
5.	इंदौर	मध्य प्रदेश	2.16			
6.	मंडी	हिमाचल प्रदेश	1.49			

A	B	C	D	E	F
7. सागर	मध्य प्रदेश	1.38			
8. पानीपत	हरियाणा	1.39			
9. ग्वालियर	मध्य प्रदेश	1.24			

मान लो, सूत्र-IF ($B2=D$1,$A2,0) को सेल D2 में प्रविष्ट किया जाता है और इसके बाद D2 को कॉपी (प्रतिलिपि) किया जाता है और D2:F9 में पेस्ट किया जाता है तो D2:F9 की रेंज में कितने सेल्स में 0 होंगे?

(a) 0 (b) 6

(c) 12 (d) 18

120. निम्नलिखित में से कौनसा कथन ईमेल सुरक्षा के बारे में ईमेल इनक्रिप्शन (गोपन) का सर्वोत्तम वर्णन करता है? **[2023]**

(a) यह एक स्व-प्रतिकृति प्रोग्राम है, जो ईमेल द्वारा विस्तृत हो सकता है।

(b) यह संवेदनशील सूचना के संरक्षण के लिए ईमेल के संदेशों की विषयवस्तु को छदमवेश धारण कर छिपाता है।

(c) इसमें उसी ईमेल पते को अनेक डुप्लीकेट 1(द्वेध) मेल्स को प्रेषित करना सम्मिलित है।

(d) ईमेल हैडर को परिवर्तित किया जाता है ताकि संदेश किसी अन्य से आया हुआ प्रतीत होता है।

121. नीचे दो कथन दिए गए हैं: **[2023]**

कथन I: एम. पी. 3 संरूप (फोर्मेट) में भंडारित एक संगीत क्लिप डब्ल्यू.ए.वी संरूप में भंडारित उसी क्लिप की तुलना में अधिक मेमोरी लेगा।

कथन II: एम. पी. 3 संरूप में भंडारित संगीत फाइलस डब्ल्यू.ए.वी संरूप में भंडारित फाइलों की तुलना में बेहतर गुणवत्तापरक होती हैं।

उपरोक्त कथनों के आलोक में, नीचे दिए गए विकल्पों में से सही उत्तर का चयन कीजिए:

(a) कथन I और II दोनों सत्य हैं।

(b) कथन I और II दोनों असत्य हैं।

(c) कथन I सत्य है, लेकिन कथन II असत्य है।

(d) कथन I असत्य है, लेकिन कथन II सत्य है।

122. निम्नलिखित में से कौनसे कथन परिशुद्ध हैं? **[2023]**

(1) वेब 2.0 अपने उपयोगकर्ताओं के साथ बिना किसी अंतर्क्रिया के एक साधारण स्थिर वेबसाइट है।

(2) वेब 2.0 मशीनों का उपयोग कर सूचना द्वारा व्यक्तियों को एक साथ अधिक निकट लाती है।

(3) वेब 3.0 सूचना का उपयोग कर मशीनों को एक साथ अधिक निकट लाती है।

नीचे दिए गए विकल्पों में से सही उत्तर का चयन कीजिए:

(a) केवल (1) (b) केवल (2)

(c) केवल (2) और (3) (d) केवल (4)

123. सूची I के साथ सूची II का मिलान कीजिए। **[2023]**

सूची-I (निर्गम उपकरण (आउटपुट डिवाइस))	सूची-II (वर्णन)
(1) इंकजेट प्रिन्टर (स्याही जेट मुद्रक)	(i) सपाट पैनल प्रदर्श (डिसप्ले) जो तरल क्रिस्टल्स की प्रकाश माडुलन (मॉडयूलेशन) विशेषताओं का उपयोग करता है।
(2) एल.सी.डी. स्क्रीन	(ii) सपाट पैनल प्रदर्श, जो पिक्सेल्स के रूप में प्रकाश उत्सर्जन डायोड्स के विन्यास का उपयोग करता है।
(3) एल.ई.डी. स्क्रीन	(iii) कागज़ पर स्याही के बिन्दुक (ड्रॉपलेट्स) ठेलता (प्रोपेल्ड) है।
(4) लेज़र प्रिंटर	(iv) वैद्युत आवेशित (चार्ज की गई) पाउडरयुक्त स्याही कागज पर स्थानांतरित होती है।

निम्नलिखित विकल्पों में से सही उत्तर का चयन कीजिए:

(a) (1)–(iv), (2)–(i), (3)–(ii), (4)–(iii)

(b) (1)–(iv), (2)–(ii), (3)–(i), (4)–(iii)

(c) (1)–(ii), (2)–(i), (3)–(iii), (4)–(iv)

(d) (1)–(iii), (2)–(i), (3)–(ii), (4)–(iv)

उत्तरमाला

1. (b)	**2.** (d)	**3.** (b)	**4.** (c)	**5.** (b)	**6.** (a)	**7.** (d)	**8.** (b)	**9.** (c)	**10.** (c)
11. (b)	**12.** (c)	**13.** (b)	**14.** (b)	**15.** (d)	**16.** (c)	**17.** (d)	**18.** (b)	**19.** (d)	**20.** (c)
21. (b)	**22.** (b)	**23.** (c)	**24.** (c)	**25.** (c)	**26.** (b)	**27.** (d)	**28.** (c)	**29.** (d)	**30.** (d)
31. (a)	**32.** (c)	**33.** (b)	**34.** (b)	**35.** (b)	**36.** (c)	**37.** (a)	**38.** (a)	**39.** (c)	**40.** (c)
41. (b)	**42.** (b)	**43.** (d)	**44.** (b)	**45.** (d)	**46.** (b)	**47.** (a)	**48.** (a)	**49.** (b)	**50.** (d)
51. (d)	**52.** (a)	**53.** (b)	**54.** (c)	**55.** (c)	**56.** (b)	**57.** (a)	**58.** (d)	**59.** (b)	**60.** (b)
61. (c)	**62.** (a)	**63.** (a)	**64.** (c)	**65.** (b)	**66.** (a)	**67.** (a)	**68.** (a)	**69.** (b)	**70.** (c)
71. (b)	**72.** (d)	**73.** (b)	**74.** (b)	**75.** (d)	**76.** (a)	**77.** (d)	**78.** (b)	**79.** (c)	**80.** (c)
81. (d)	**82.** (c)	**83.** (a)	**84.** (c)	**85.** (c)	**86.** (b)	**87.** (b)	**88.** (a)	**89.** (b)	**90.** (b)
91. (d)	**92.** (c)	**93.** (c)	**94.** (b)	**95.** (c)	**96.** (c)	**97.** (a)	**98.** (a)	**99.** (b)	**100.** (c)
101. (c)	**102.** (a)	**103.** (d)	**104.** (a)	**105.** (a)	**106.** (d)	**107.** (b)	**108.** (d)	**109.** (b)	**110.** (c)
111. (d)	**112.** (c)	**113.** (a)	**114.** (d)	**115.** (c)	**116.** (c)	**117.** (b)	**118.** (b)	**119.** (d)	**120.** (b)
121. (d)	**122.** (c)	**123.** (b)							

संकेत और स्पष्टीकरण

1. (b)

-कथन P में आई.टी.सी. की परिभाषा गलत है। आईसीटी का पूरा नाम इनफार्मेशन एन्ड कम्युनिकेशन टेक्नोलॉजी है। (आईसीटी) दूरसंचार, प्रसारण मीडिया, बुद्धिमान भवन प्रबंधन प्रणाली, और नेटवर्क-आधारित नियंत्रण और निगरानी कार्यों को संभालने के लिए उपयोग की जाने वाली सभी तकनीक को संदर्भित करता है।

नेटवर्क वेब विभिन्न उपकरणों को एक साथ कार्य करने में सक्षम बनाता है। उदाहरण के लिए, नेटवर्क वेब में इंटरकनेक्टेड टेलीफोन सेवाओं, मानकीकृत कंप्यूटरीकृत हार्डवेयर, इंटरनेट, रेडियो, टीवी आदि का एक विस्तृत आधारभूत ढांचा सम्मिलित किया जाता है।

अतः आई सी टी के अंतर्गत वे परिणामी प्राविधिकी (converging technologies) सम्मिलित हैं, जिनके अंतर्गत श्रव्य - दृश्य, दूरभाष और कंप्यूटर (संगणक) नेटवर्क एक साथ समान केबलिंग प्रणाली द्वारा संयोजित किये जाते हैं।

2. (d)

प्रश्नानुसार, एक नए लैपटॉप का निर्माण किया गया है, जिसका भार कम है और अधिक लघु है तथा अपने पूर्ववर्ती मॉडल्स की तुलना में कम विद्युत का उपयोग करता है। इसको बनाने में सॉलिड स्टेट हार्ड ड्राइव प्रौद्योगिकी का उपयोग किया गया है।

सॉलिड स्टेट ड्राइव (SSD) एक अन्य प्रकार की हार्ड डिस्क ड्राइव (HDD) है। SSD में कोई गतिमान यांत्रिक घटक नहीं होते हैं। एक पारंपरिक हार्ड डिस्क ड्राइव में चुंबकीय डिस्क होती है, जिसका उपयोग डेटा संग्रहीत करने के लिए किया जाता है। SSD में एक इंटीग्रेटेड सर्किट होता है, जो डेटा का भण्डारण (store) करता है। पारंपरिक HDD के लाभों में उच्च गति, शॉक प्रतिरोधी, डेटा की सुरक्षा, वजन में हल्का, लघु आकार, बूट करने में कम समय, न्यून बिजली की खपत आदि सम्मिलित हैं।

3. (b)

CC का अर्थ कार्बन कॉपी है, जबकि Bcc का अर्थ ब्लाइंड कार्बन कॉपी है। सभी प्राप्तकर्ता मुख्य प्राप्तकर्ता के पते (address) देख सकते हैं (प्रति (To) फ़ील्ड और Cc प्राप्तकर्ताओं के, लेकिन Bcc प्राप्तकर्ताओं के नहीं)। एक Bcc प्राप्तकर्ता भी अन्य गुप्त प्रतिलिपि (blind carbon copy) प्राप्तकर्ताओं के पते नहीं देख सकता है।

'स्वामी' (स्वामी/@test.com) को तीन पते ram@test.com और raj@test.com और ravi@test.com दिख सकेंगे, लेकिन ram@test.com को यह दिखाई नहीं देंगे।

4. (c)

बिट बाइनरी नंबर सिस्टम के भीतर एक अंक है।

विभिन्न स्मृति आकारों का लघुतम से दीर्घतम सारणीबद्ध निरूपण निम्नानुसार है:

नाम	के समान (Equal to)	आकार (In Bytes)
बिट (Bit)	1 बिट	1/8 एकल बाइनरी अंक (0,1)
निब्बल (Nibble)	4 बिट	1/2 (rare)
बाइट (Byte)	8 बिट	1
किलोबाइट (KB)	1024 बाइट	1024
मेगाबाइट (MB)	1024 किलोबाइट	1048576
गीगाबाइट (GB)	1024 मेगाबाइट	1,073,741,824
टेराबाइट (TB)	1024 गीगाबाइट	1,099,511,627,776
पेटाबाइट (PB)	1024 टेराबाइट	1,125,899,906,842,624

5. (b)

RAM का पूरा नाम Random Access Memory होता है इसे Main Memory और प्राथमिक मेमोरी भी कहते हैं। RAM में CPU द्वारा वर्तमान में किये जा रहे कार्यों का डाटा और निर्देश स्टोर रहते हैं। यह मेमोरी CPU का भाग होती है।

ROM की फुल फॉर्म Read-Only Memory होता है। ROM, जो केवल Read-Only Memory के लिए जाना जाता है, एक प्रकार का मेमोरी डिवाइस या स्टोरेज माध्यम है जो सूचनाओं को स्थायी यानि परमानेंट रूप से स्टोर करके रखता है। यह Random Access Memory (RAM) के साथ-साथ कंप्यूटर की प्राइमरी मेमोरी यूनिट के रूप में जाना जाता है।

सेकेंडरी मेमोरी का कार्य पर्सनल डेटा, सॉफ्टवेयर डेटा और कंप्यूटर के सभी डेटा को स्टोर करना है, यह डेटा कुछ भी हो सकता है जैसे फोटो, वीडियो, मूवी, गाने, गेम, डॉक्यूमेंट आदि। सेकेंडरी मेमोरी की स्टोरेज क्षमता बहुत अधिक होती है, इसलिए इसमें बहुत सारा डेटा आसानी से स्टोर किया जा सकता है।

6. (a)

सीपीयू के दो मुख्य अवयव कंट्रोल यूनिट और ए एल यू हैं।

1. कंट्रोल यूनिट (CU): कंप्यूटर की सेंट्रल प्रोसेसिंग यूनिट का एक घटक है जो प्रोसेसर के संचालन को निर्देशित करता है। एक सीयू आमतौर पर कोडित निर्देशों को समय और नियंत्रण संकेतों में परिवर्तित करने के लिए एक बाइनरी डिकोडर का उपयोग करता है जो अन्य इकाइयों के संचालन को निर्देशित करता है। अधिकांश कंप्यूटर संसाधनों का प्रबंधन सीयू द्वारा किया जाता है।

2. अंकगणितीय तर्क इकाई (ALU): एक डिजिटल सर्किट है जिसका उपयोग अंकगणीतीय क्रियाओं (जोड़, घटाना, गुणा, भाग)

और तार्किक क्रियाओं के लिए किया जाता है। यह कंप्यूटर के सेंट्रल प्रोसेसिंग यूनिट (सीपीयू) का महत्वपूर्ण भाग का प्रतिनिधित्व करता है। आधुनिक CPU में बहुत शक्तिशाली और जटिल ALU होते हैं।

रजिस्टर (Register): सी पी यू के भीतर उच्च गति, विशेष प्रयोजन वाली स्मृति इकाईयां होती हैं, जिनको रजिस्टर कहा जाता है। यह एक प्रकार की कंप्यूटर मेमोरी है जिसका उपयोग सीपीयू द्वारा तुरंत उपयोग किए जा रहे डेटा और निर्देशों को शीघ्रता से स्वीकार करने, संग्रहीत करने और स्थानांतरित करने के लिए किया जाता है। कंप्यूटर आर्किटेक्चर में रजिस्टर एक बहुत तीव्र कंप्यूटर मेमोरी है।

बस (BUS): बस, लैटिन भाषा में ऑम्निबस का संक्षिप्त रूप है और ऐतिहासिक रूप से डेटा हाईवे भी कहा जाता है। यह एक संचार प्रणाली है, जो कंप्यूटर के अंदर या कंप्यूटर के अवयवों के मध्य डेटा स्थानांतरित करती है। आंतरिक बस सीपीयू के अंदर केवल रजिस्टरों को जोड़ती है।

मेन मेमोरी (Main Memory): कंप्यूटिंग में, मेमोरी एक उपकरण या प्रणाली है जिसका उपयोग कंप्यूटर या संबंधित कंप्यूटर हार्डवेयर और डिजिटल इलेक्ट्रॉनिक उपकरणों में तत्काल उपयोग के लिए जानकारी संग्रहित करने के लिए किया जाता है। कंप्यूटर में मुख्य मेमोरी को रैंडम एक्सेस मेमोरी (RAM) कहा जाता है। इसे रैम के नाम से भी जाना जाता है। यह कंप्यूटर का वह भाग है, जो ऑपरेटिंग सिस्टम सॉफ्टवेयर, सॉफ्टवेयर एप्लिकेशन और अन्य सूचनाओं को CPU के लिए स्टोर करता है ताकि कार्यों को करने के लिए आवश्यकता पड़ने पर तीव्र और सरल पहुंच प्राप्त हो सके।

7. (d)

एच टी एम एल (Hyper Text Markup Language): HTML वेब पेज और वेब एप्लिकेशन बनाने के लिए मानक मार्क-अप भाषा है। कैस्केडिंग स्टाइल शीट्स (CSS) और जावा स्क्रिप्ट के साथ यह वर्ल्ड वाइड वेब के लिए आधारशिला प्रौद्योगिकियों का एक जाल बनाता है।

यू आर एल (Universal Resource Locator): इसको एक वेब पोर्टल के रूप में भी जाना जाता है। एक URL में इंटरनेट पर एक संसाधन का स्थान भी होता है।

एफ टी पी (File Transfer Protocol): डेटा फाइलों को एक कंप्यूटर से दूसरे कंप्यूटर पर भेजने हेतु उपयोग में लाया जाता है।

एच टी टी पी (Hyper Text Transfer Protocol): हाइपरटेक्स्ट ट्रांसफर प्रोटोकॉल (HTTP) हाइपरमीडिया दस्तावेज़ों को प्रसारित करने के लिए एक एप्लिकेशन-लेयर प्रोटोकॉल है। इसे वेब ब्राउज़र और वेब सर्वर के मध्य संचार के लिए डिज़ाइन किया गया था, लेकिन इसका उपयोग अन्य उद्देश्यों के लिए भी किया जा सकता है।

8. (b)

सर्च इंजन एक ऐसा सॉफ्टवेयर है जिसे इंटरनेट के द्वारा चलाया जाता है और जहां पर हम किसी भी प्रकार की सूचना की खोज कर सकते हैं। गूगल, बिंग, एमएसएन और याहू! सबसे लोकप्रिय सर्च इंजन हैं।

9. (c)

ज्वाइंट फोटोग्राफिक एक्सपर्ट ग्रुप का उपयोग इमेज (छवि) को कम्प्रेस करने के लिए किया जाता है।

10. (c)

ई - शासन: इलेक्ट्रॉनिक शासन को सरकार द्वारा सरकारी सेवाओं को प्रदान करने और सुविधा प्रदान करने, सूचनाओं के आदान-प्रदान, संचार लेनदेन और विभिन्न प्रणालियों और सेवाओं के एकीकरण के लिए (आईसीटी) के उपयोग के रूप में परिभाषित किया जा सकता है। अत: सूचना प्रौद्योगिकी में ई- शासन का उपयोग समाज की आवश्यकताएं पूरी करने हेतु सरकार की क्षमता में सुधार करने के लिए किया जाता है। यह अन्य विकल्पों की तुलना में अधिक उपयुक्त विकल्प है।

ई-प्रशासन: इलेक्ट्रॉनिक प्रशासन ऐसे कई तंत्रों को संदर्भित करता है जो एक पारंपरिक कार्यालय में कागजी प्रक्रियाओं को इलेक्ट्रॉनिक प्रक्रियाओं में परिवर्तित करते हैं, जिसका लक्ष्य कागज रहित कार्यालय बनाना है एवं उत्पादकता और प्रदर्शन में सुधार करना है।

ई-मार्केटिंग: यह एक कंप्यूटरीकृत, नेटवर्क वाले वातावरण, जैसे इंटरनेट और वर्ल्ड वाइड वेब में उत्पादों और सेवाओं की अवधारणा, वितरण, प्रचार और मूल्य निर्धारण की योजना बनाने और क्रियान्वित करने की एक प्रक्रिया है, ताकि विनिमयों को सुविधाजनक बनाया जा सके और ग्राहकों की मांगों की तत्काल पूर्ति की जा सके।

ई-बिजनेस: इलेक्ट्रॉनिक बिजनेस से अभिप्राय इंटरनेट पर बिजनेस प्रोसेस का संचालन करना है। ऑनलाइन बिजनेस या ई-बिजनेस किसी भी तरह का बिजनेस या कमर्शियल ट्रांजैक्शन है जिसमें इंटरनेट पर जानकारी शेयर एवं एकत्रित करना सम्मिलित है। यह वाणिज्य, व्यवसायों, समूहों और व्यक्तियों के मध्य उत्पादों और सेवाओं का आदान-प्रदान करता है और इसे किसी भी व्यवसाय की आवश्यक गतिविधियों में से एक के रूप में देखा जा सकता है।

11. (b)

1490-1956: प्रथम पीढ़ी-वैक्यूम ट्यूब।

आरंभिक कंप्यूटरों में मेमोरी के लिए वैक्यूम ट्यूबों को सर्किटरी और चुंबकीय ड्रम के रूप में प्रयोग किया।

1956-1963: द्वितीय पीढ़ी - ट्रांजिस्टर।

1964-1971: तृतीय पीढ़ी - एकीकृत सर्किट।

1972-2010: चतुर्थ पीढ़ी - माइक्रोप्रोसेसर।

2010 के बाद: पंचम पीढ़ी - आर्टिफिशियल इंटेलिजेंस।

12. (c)

कंप्यूटर स्मृति को आरोही क्रम में इस प्रकार दर्शाया जा सकता है:

किलोबाइट (KB): किलोबाइट, डिजिटल सूचना के लिए यूनिट बाइट का एक गुणक है। किलोबाइट के लिए अंतरराष्ट्रीय स्तर पर अनुशंसित इकाई प्रतीक शब्द गलत हैं, जाँचें है। किलोबाइट सामान्य तौर पर 1024 (210) बाइट्स को संदर्भित करता है।

मेगाबाइट (MB): 1024 किलोबाइट (KB) मेगाबाइट डिजिटल जानकारी के लिए यूनिट बाइट का एक गुणक है। इसकी अनुशंसित

इकाई प्रतीक MB है। इंटरनेशनल सिस्टम ऑफ़ यूनिट्स (SI) में 1000000 (106) का गुणक है। इसलिए, एक मेगाबाइट सूचना के दस लाख बाइट्स है।

गीगाबाइट (GB): गीगाबाइट डिजिटल जानकारी के लिए यूनिट बाइट का एक गुणक है। SI यूनिट्स में उपसर्ग गीगा का अर्थ 109 है। इसलिए, एक गीगाबाइट एक अरब बाइट्स (1024 एमबी या 1024 × 1024 किलोबाइट) है। गीगाबाइट का इकाई चिह्न GB है।

टेराबाइट (TB): एक टेराबाइट (TB) डिजिटल डेटा की एक इकाई है, जो लगभग 1 ट्रिलियन बाइट्स के बराबर होती है। दशमलव संकेतन (base 10) में, एक टेराबाइट 1 ट्रिलियन बाइट्स (1024 GB या 1024 × 1024 × 1024 KB) है। बाइनरी नोटेशन में, एक टेराबाइट 240 बाइट्स या 1,099,511,627,776 बाइट्स के बराबर होता है।

13. (b)

कम्प्यूटर वायरस या कम्प्यूटर विषाणु एक कंप्यूटर प्रोग्राम (computer program) है जो अपनी अनुलिपि कर सकता है और उपयोगकर्ता की अनुमति के बिना एक कंप्यूटर को संक्रमित कर सकता है और उपयोगकर्ता को इसका पता भी नहीं चलता है। यहाँ Virus की Full Form होती है Vital Information Resources Under Seize। सबसे पहली बार गणितज्ञ जॉन वॉन न्यूमैन ने कंप्यूटर वायरस बनाया। 1949 में Self Replicating Program बनाया था जो कि कंप्यूटर के अंदर अपने आप बढ़ता चला जाता है इसे दुनिया का सबसे पहला वायरस माना जाता है।

14. (b)

ऑडियो और वीडियो कम्प्रेशन का उपयोग डिजिटल वीडियो सामग्री को एन्कोड करने के लिए या उपयोग किए जाने वाले डेटा को कम करने की एक विधि है। डेटा में यह कमी वीडियो सामग्री की एक क्लिप के लिए छोटे भंडारण आवश्यकताओं और कम संचरण बैंडविड्थ को संभव बनाती है। ऑडियो कम्प्रेशन को भी इसी उद्देश्य के लिए परिभाषित किया गया है। आरजीबी प्रकाश के तीन रंगों को संदर्भित करता है जिन्हें विभिन्न रंगों को बनाने के लिए एक साथ मिलाया जा सकता है। अत: RGB से अभिप्राय रेड, ग्रीन और ब्लू है।

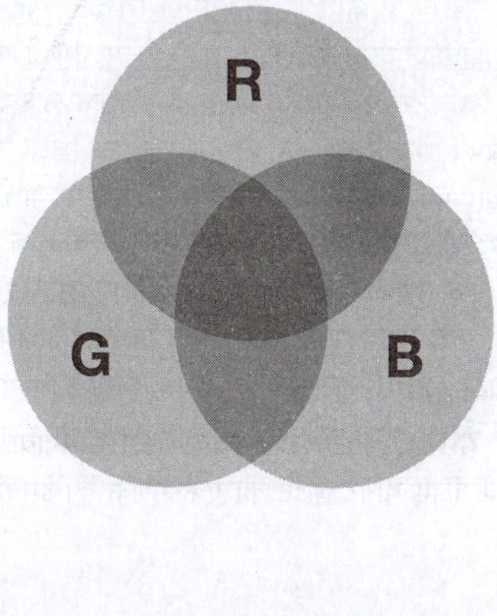

15. (d)

इंटरनेट एक्सप्लोरर: 'इंटरनेट एक्सप्लोरर' माइक्रोसॉफ्ट द्वारा निर्मित एक प्रकार का वेब ब्राउजर है।

याहू: याहू! एक इंटरनेट पोर्टल है, जिसमें एक खोज इंजन और वर्ल्ड वाइड वेब साइटों की एक निर्देशिका सम्मिलित है, जो विषय श्रेणियों के पदानुक्रम में व्यवस्थित है। yahoo.com डोमेन 18 जनवरी 1995 को बनाया गया था।

मोज़िला फ़ायरफ़ॉक्स: मोज़िला फाउंडेशन और मोज़िला कॉर्पोरेशन (सहायक कंपनी) द्वारा विकसित एक स्वतंत्र और ओपन-सोर्स वेब ब्राउज़र है। फ़ायरफ़ॉक्स वेब पेजों को प्रदर्शित करने के लिए गेको रेंडरिंग इंजन का उपयोग करता है, जो वर्तमान और प्रत्याशित वेब मानकों को लागू करता है।

गूगल क्रोम: यह गूगल द्वारा विकसित एक क्रॉस-प्लेटफ़ॉर्म वेब ब्राउज़र है। यह प्रथम बार माइक्रोसॉफ्ट विंडोज (2008) के लिए जारी किया गया था, जिसे ऐप्पल वेबकिट और मोज़िला फ़ायरफ़ॉक्स से मुफ्त सॉफ्टवेयर प्रारूपों के साथ बनाया गया था। बाद में इसे Linux, macOS, iOS और Android में पोर्ट किया गया, जहां यह एक वेब ब्राउज़र के रूप में कार्य करता है।

16. (c)

ईमेल क्लाइंट में, जब भी आप कोई भी नया संदेश लिखते हैं, तो 'प्रति' (to) फ़ील्ड के दाएं भाग में या नीचे CC और BCC फ़ील्ड होते हैं। CC का उपयोग करने से आपके प्राप्तकर्ताओं को आपके द्वारा सम्मिलित किए गए ईमेल पते दिखाई देंगे, जबकि BCC का उपयोग करने से वे गुप्त रहेंगे।

CC का अर्थ कार्बन कॉपी है- मूल रूप से, आपके संदेश की 'कार्बन कॉपी' आपके द्वारा फ़ील्ड में जोड़े गए ईमेल पतों पर भेजना।

BCC का अर्थ ब्लाइंड कार्बन कॉपी है, जिससे आप अपने द्वारा जोड़े गए ईमेल पते को निजी रखते हुए अपने संदेश की 'कार्बन कॉपी' भेज सकते हैं।

BCC का उपयोग मार्केटिंग ईमेल, न्यूजलेटर, या अन्य अवांछित ईमेल भेजते समय किया जाना चाहिए। यदि आप ऐसे विषयों में में व्यक्तिगत डेटा (ईमेल पते) साझा करते हैं, तो इसके कानूनी निहितार्थ हो सकते हैं। सहकर्मियों, ग्राहकों, भागीदारों, या किसी अन्य के प्रदर्शन के संबंध में वरिष्ठों के साथ संवेदनशील जानकारी साझा करते समय BCC का उपयोग नहीं किया जाता है।

17. (d)

एक समूह को डिजिटल प्रौद्योगिकी की उपलब्धता और दूसरे समूह को इसकी अनुपलब्धता से जो विषमता उत्पन्न होती है, उसे डिजिटल विभाजन (digital divide) कहा जाता है। डिजिटल विभाजन 'शहरी और ग्रामीण क्षेत्रों' और अमीर और गरीब के मध्य भी एक गंभीर विषय है। डिजिटल विभाजन जनसांख्यिकी और उन क्षेत्रों के मध्य अंतर को संदर्भित करता है, जिनकी आधुनिक (आईसीटी) तक पहुंच है, और जिनके पास प्रतिबंधित या पहुंच नहीं है । इस तकनीक में टेलीफोन, टेलीविजन, पर्सनल कंप्यूटर और इंटरनेट कनेक्टिविटी आदि को सम्मिलित किया जा सकता है।

18. (b)

WYSIWYG: इसे वीजी विग (wizzy-wig) भी कहा जाता है। यह इस तथ्य को संदर्भित करता है कि स्क्रीन पर जो दिखता है वास्तव में वह है।

कंप्यूटर स्क्रीन पर देखे जा सकने वाले टेक्स्ट या ग्राफिक्स, प्रिंटेड पेज पर आपके द्वारा प्राप्त आउटपुट से निकटता से सुमेलित हैं।

अत: इंटरनेट शब्दावली में परिवर्णी शब्द WYSIWYG का अर्थ 'व्हाट यू सी इज़ व्हाट यू गेट' होता है।

19. (d)

पब्लिक डोमेन सॉफ़्टवेयर (Public Domain Software) यह सॉफ्टवेयर एक सार्वजनिक डोमेन में है, यानी कोई कॉपीराइट नहीं है। यह इसके उपयोग पर बिना किसी शर्त के जारी किया जाता है और बिना किसी प्रतिबंध के उपयोग किया जा सकता है। इस प्रकार के सॉफ़्टवेयर में सामान्यत: निम्नतम स्तर का समर्थन उपलब्ध होता है।

फ्रीवेयर (Freeware): यह भी न्यूनतम लागत पर वितरित किया जाता है, लेकिन इस में लेखक अपने कार्य के लिए भुगतान की उम्मीद नहीं करते हैं। सामान्य तौर पर, फ्रीवेयर प्रोग्राम छोटी उपयोगिताओं या अधूरे प्रोग्राम होते हैं, जो लेखक दूसरों को उनके संभावित लाभ के लिए जारी करते हैं। एक फ्रीवेयर प्रोग्राम के लेखक अभी भी इसकी सामग्री पर एक कॉपीराइट बनाए रख सकते हैं और यह निर्धारित कर सकते हैं कि अन्य लोग प्रोग्राम को संशोधित नहीं करेंगे या इसके उपयोग या वितरण के लिए महत्वपूर्ण शुल्क नहीं लेंगे।

ओपन-सोर्स सॉफ्टवेयर (Open Source Software): यह संयुक्त रूप से विकसित सॉफ्टवेयर है, जो बिना किसी प्रतिबंध के प्रयोग, साझा, वृद्धि या संशोधित और पुन: वितरण के लिए उपलब्ध है। उदाहरण के लिए; लाइनैक्स ओएस।

शेयरवेयर (Shareware): यह सॉफ्टवेयर आरम्भ में निशुल्क होता है लेकिन एक निर्धारित अवधि के बाद भुगतान करने की आवश्यकता होती है। उदाहरण के लिए; एंटी वायरस सॉफ्टवेयर।

अत: शेयरवेयर एक ऐसा सॉफ्टवेयर है जिसे आप नि:शुल्क डाउनलोड कर सकते हैं, किन्तु ट्रायल अवधि के बाद इसका प्रयोग जारी रखने के लिए आपको भुगतान करना पड़ता है।

20. (c)

रैंडम एक्सेस मेमोरी (RAM): रैम कंप्यूटर की मुख्य स्मृति है यह मूलत: अस्थायी स्मृति है जिसको संगृहीत करने के लिए सतत विद्युत ऊर्जा की आवश्यकता होती है। हम जैसे ही कंप्यूटर को चालू करते हैं, निर्देशों का एक समूह हार्ड डिस्क से रैम पर कॉपी हो जाता है और जैसे ही कंप्यूटर बंद कर दिया जाता है, यह गायब हो जाता है।

यह स्मृति दो प्रकार की होती है:

1. **स्टैटिक मेमोरी (Static Memory)**: यह स्मृति अधिक स्थान लेती है इसलिए इस की निर्माण लागत अधिक होती है यह तीव्र भी है और इसको रिफ्रेश करने की आवश्यकता नहीं होती, यह दीर्घ काल तक रहती है।
2. **डायनेमिक मेमोरी (Dynamic Memory)**: इसका जीवन काल कम होता है यह आकार में छोटी होती है इसको बार बार रिफ्रेश करना पड़ता है।

यूएसबी ड्राइव (USB Drive): इसे फ्लैश ड्राइव या मेमोरी स्टिक के रूप में भी जाना जाता है, एक छोटा, पोर्टेबल डिवाइस है, जो आपके कंप्यूटर पर यूएसबी पोर्ट में प्लग करता है। USB ड्राइव का उपयोग स्टोरेज, डेटा बैकअप और डिवाइस के मध्य फाइल ट्रांसफर करने के लिए किया जाता है।

USB फ्लैश ड्राइव का आधार फ्लैश मेमोरी है, यह एक प्रकार की फ्लोटिंग-गेट सेमीकंडक्टर मेमोरी है, जिसका आविष्कार 1980 के दशक के आरंभिक वर्षों में फुजियो मासुओका द्वारा किया गया। फ्लैश मेमोरी फ्लोटिंग-गेट MOSFET ट्रांजिस्टर का उपयोग मेमोरी सेल के रूप में करती है।

सॉलिड-स्टेट ड्राइव (SSD): यह कंप्यूटर में उपयोग की जाने वाली स्टोरेज डिवाइस की एक नई विधि है। एसएसडी फ्लैश-आधारित मेमोरी का उपयोग करते हैं, जो पारंपरिक यांत्रिक हार्ड डिस्क की तुलना में बहुत तीव्र है। प्रथम वाणिज्यिक फ्लैश-आधारित एसएसडी 1991 में सैनडिस्क द्वारा प्रस्तुत किया गया था।

हार्ड डिस्क ड्राइव (HDD): हार्ड डिस्क ड्राइव को कंप्यूटर में मुख्य स्टोरेज डिवाइस के रूप में उपयोग किया जाता है। एक गैर-वाष्पशील मेमोरी हार्डवेयर डिवाइस है, जो हार्ड डिस्क की स्थिति, पढ़ने और लिखने को नियंत्रित करता है, जो डेटा स्टोरेज को प्रस्तुत करता है। यह आईबीएम द्वारा 1956 में प्रस्तुत किया गया था, यह लगभग दो मध्यम आकार के रेफ्रिजरेटर के आकार का था।

आधुनिक ड्राइव में चुंबकीय क्षेत्रों के छोटे आकार का उपयोग किया जाता है। लेकिन थर्मल प्रभाव के कारण उनकी चुंबकीय स्थिति लुप्त हो सकती है इसे 'सुपरपरामैग्नैटिक सीमा' के रूप में जाना जाता है। इससे सुरक्षा के लिए प्लेटों को दो समानांतर चुंबकीय परतों के साथ लेपित किया जाता है और गैर-चुंबकीय तत्व रूथेनियम को तीन परमाणु परतों से अलग किया जाता है एवं दो परतों को विपरीत अभिविन्यास में चुंबकित किया जाता है।

21. (b)

SWAYAM (Study Webs of Active-Learning for Young Aspiring Minds) भारत सरकार द्वारा कार्यान्वित एक कार्यक्रम है और यह नई शिक्षा नीति के तीन प्रमुख सिद्धांतों, पहुंच, समता और गुणवत्ता को प्राप्त करने के लिए डिज़ाइन किया गया है। यह आई सी टी संवर्धित एक इंटरैक्टिव लर्निंग प्रोग्राम है, जिसका उद्देश्य देश के दूरस्थ क्षेत्रों में रहने वाले विद्यार्थियों को गुणवत्तापरक शिक्षा प्रदान करना है। इसका आरंभ 9 जुलाई 2017 को माननीय राष्ट्रपति प्रणव मुखर्जी द्वारा किया गया था।

SWAYAM को मानव संसाधन विकास मंत्रालय (अब शिक्षा मंत्रालय) और AICTE (अखिल भारतीय तकनीकी शिक्षा परिषद) द्वारा Microsoft की सहायता से सहकारी रूप से विकसित किया गया है, इसमें 2,000 पाठ्यक्रमों के अधिगम की सुविधा उपलब्ध है। यह मंच सभी के लिए नि:शुल्क पहुंच प्रदान करता है, इसमें कक्षा 9 से

स्नातकोत्तर तक पाठ्यक्रमों की सुविधा उपलब्ध है। इसकी सहायता से आईआईटी, आईआईएम, आईआईएसईआर आदि जैसे केंद्रीय वित्त पोषित संस्थानों के प्रोफेसर और शिक्षक छात्रों को पढ़ा सकते हैं।

SWAYAM विभिन्न विधियों से और संरचना में MOOC द्वारा अधिगम के संसाधनों का संचालन करता है। स्वयं में सीखने के चार भाग हैं – ई-ट्यूटोरियल, ई-सामग्री, चर्चा मंच, मूल्यांकन।

22. (b)

ज्ञान वाणी (Gyan Vani): यह भारत के कई शहरों में संचालित एक शैक्षणिक एफएम रेडियो स्टेशन है। ज्ञान वाणी 105.4 मेगाहर्ट्ज (mhz) पर सुनाई देती है। यह 7 जुलाई 2003 को शाम 4 बजे प्रसारित किया गया था। यह चैनल कई शैक्षणिक संस्थानों, गैर सरकारी संगठनों और अन्य एजेंसियों के योगदान के साथ 'मीडिया सहकारी' के रूप में भी कार्य करता है।

ज्ञान दर्शन (Gyan Darshan): यह मानव संसाधन विकास मंत्रालय, सूचना एवं प्रसारण मंत्रालय, प्रसार भारती एवं इग्नू द्वारा संयुक्त रूप से 26 जनवरी 2000 को आरम्भ किया गया था।

ज्ञान धारा (Gyan Dhara): यह एक इंटरनेट ऑडियो परामर्श है, जहां छात्र किसी भी विषय पर शिक्षकों द्वारा पढ़ाई जा रही अध्ययन सामग्री को लाइव सुन सकते हैं और उनके साथ टेलीफोन, ईमेल और चैट मोड के माध्यम से वार्तालाप कर सकते हैं।

ग्लोबल इनिशिएटिव एकेडमिक नेटवर्क (GIAN): यह उच्च शिक्षा के क्षेत्र में मानव संसाधन विकास मंत्रालय द्वारा की गई एक पहल है, जो वर्ष 2015 में आरंभ की गई थी। इसका मुख्य उद्देश्य उच्च शिक्षा की गुणवत्ता में सुधार करना और अंतरराष्ट्रीय सहयोग के माध्यम से उत्कृष्टता के लिए भारत की वैज्ञानिक और तकनीकी क्षमता में वृद्धि करना है।

23. (c)

सूचना प्रौद्योगिकी पर बढ़ती निर्भरता के कारण उत्पन्न सुरक्षा खतरे और निजता या गोपनीयता संबंधी चिंताएं प्रमुख विषय हैं।

सुरक्षा खतरे कई प्रकार के हो सकते हैं:

(i) सॉफ्टवेयर पर आक्रमण
(ii) बौद्धिक संपदा की चोरी
(iii) प्रोफाइल की चोरी
(iv) सूचना उपकरणों की चोरी
(v) बलपूर्वक सूचना की वसूली आदि।

सोशल नेटवर्किंग सेवाओं के लिए गोपनीयता सुनिश्चित करने के लिए विशेष प्रावधान किए गए हैं जिसमें भंडारण, पुन: प्रयोजन, तीसरे पक्ष को वितरण के लिए प्रावधान हैं। इंटरनेट के माध्यम से प्रोफाइल संबंधित जानकारी प्रदर्शित करने से संबंधित व्यक्तिगत गोपनीयता को अनिवार्य करने का अधिकार है।

24. (c)

असमकालिक संचार या अतुल्यकालिक संचार (asynchronous media) में संदेशों का कंप्यूटर आधारित आदान-प्रदान सम्मिलित है, जिसके लिए प्रतिभागियों को एक ही समय में उपलब्ध या ऑनलाइन होने की आवश्यकता नहीं है, बल्कि उन्हें शेड्यूल परमिट के अनुसार पढ़ और प्रतिक्रिया दे सकते हैं। उदाहरण के लिए, सेल फोन (फोरम) पर ईमेल, विवाद बोर्ड और टेक्स्ट मैसेजिंग।

दूरसंचार के क्षेत्र में, अतुल्यकालिक संचार में, सामान्य तौर पर घड़ी संकेत के उपयोग के बिना डेटा का संचरण होता है, जहां डेटा को एक स्थिर प्रवाह (stream) के बजाय रुक-रुक कर प्रसारित किया जा सकता है। संचार प्रतीकों से डेटा पुनर्प्राप्त करने के लिए आवश्यक किसी भी समय को प्रतीकों में प्रयोग किया जाता है। अत: ईमेल और मंच (forums) असमकालिक संचार का उपयोग करती हैं।

इसके विपरीत, समकालिक या तुल्यकालिक संचार (synchronous media) का अर्थ हैं, एक ही समय पर घटित होना। वीडियो कॉन्फ्रेंसिंग एवं तत्क्षण संदेश समकालिक संचार के अंतर्गत आते हैं।

25. (c)

(a) जो संख्या बाइनरी में 00111 है, उसका दशमलव अंक (decimal) मान 7 है।

इसी प्रकार, 01001 = 9
और 01011 = 11
तो अगला पद 13 है, जो बाइनरी में 01101 है
$\therefore$ p = 01101

(b) बाइनरी डिजिट को बिट कहा जाता है। बिट में दो संभावित अवस्थाएँ होती हैं, जिन्हें सामान्य तौर पर 0 और 1 के रूप में व्यक्त किया जाता है। आठ बिट्स की एक श्रृंखला (एक स्ट्रिंग एक साथ) एक बाइट बनाती है।

26. (b)

(a) वॉयस ओवर इंटरनेट प्रोटोकॉल (VOIP): इसको आईपी टेलीफोन भी कहा जाता है, इंटरनेट जैसे इंटरनेट प्रोटोकॉल नेटवर्क पर आवाज संचार और मल्टीमीडिया सत्रों के वितरण के लिए प्रौद्योगिकियों का एक ढंग और समूह है। फोन कॉल करने लिए यह इंटरनेट का प्रयोग करता है।

(b) फाइबर ऑप्टिकल केबल (FOC): इसे ऑप्टिकल फाइबर केबल के रूप में भी जाना जाता है। यह विद्युत केबल के समान एक असेंबली है, लेकिन इसमें एक या एक से अधिक ऑप्टिकल फाइबर होते हैं जिनका उपयोग प्रकाश को ले जाने के लिए किया जाता है। इसमें आंकड़ा अंतरण के लिए प्रकाश पल्सों का प्रयोग किया जाता है।

(c) यूनिफ़ॉर्म रिसोर्स लोकेटर (URL): यह वेब एड्रेस के रूप में भी जाना जाता है, जब इसका उपयोग http के साथ किया जाता है। URL एक विशिष्ट वर्ण स्ट्रिंग है जिसका उपयोग वर्ल्ड वाइड वेब से डेटा तक पहुंचने के लिए किया जाता है।

(d) अनशील्ड ट्विस्टेड पेयर (UTP): एक सर्वव्यापी प्रकार की कॉपर केबलिंग है जिसका उपयोग टेलीफोन वायरिंग और लोकल एरिया नेटवर्क (LAN) में किया जाता है। किसी छोटे भवन में कंप्यूटरों को आपस में जोड़ने के लिए यूटीपी केबल का उपयोग किया जाता है।

27. (d)

इंटरनेट पर ध्वनि फाइलों के वितरण के लिए उपयुक्त फॉर्मेट की फाइलें निम्न हैं:

MIDI (Musical Instruments Digital Interface): यह इलेक्ट्रॉनिक संगीत वाद्ययंत्रों को एक दूसरे के साथ और कंप्यूटर के साथ संचार करने की अनुमति देने वाला प्रौद्योगिकी मानक है। मूल रूप से, MIDI संदेशों को मुख्य रूप से विशेष केबलों द्वारा ले जाया जाता था, लेकिन बाद के वर्षों में प्रोटोकॉल जैसे यूनिवर्सल सीरियल बस (USB), फायरवायर और ईथरनेट भी इसके सामान्य परिवहन बन गए।

WAV (या WAVE) का अर्थ वेवफॉर्म ऑडियो फाइल फॉर्मेट है। इसे IBM और Microsoft द्वारा विकसित किया गया था। फ़ाइल एक्सटेंशन .wav या .wave है। इसका उपयोग पीसी पर ऑडियो बिटस्ट्रीम को स्टोर करने के लिए किया जाता है। यह माइक्रोसॉफ्ट विंडोज सिस्टम पर असम्पीड़ित ऑडियो (uncompressed audio) के लिए उपयोग किया जाने वाला मुख्य प्रारूप है।

WMA (Windows Media Audio): यह माइक्रोसॉफ्ट द्वारा विकसित ऑडियो कोडेक्स और उनके संबंधित ऑडियो कोडिंग प्रारूपों की एक श्रृंखला है। यह एक स्वामित्तत्व तकनीक (proprietary technology) है, जो विंडोज मीडिया फ्रेमवर्क का भी भाग है।

MP3 (Media Player 3): डिजिटल ऑडियो डेटा के संपीड़न और भंडारण के लिए एक कंप्यूटर फ़ाइल स्वरूप है। यह कोडिंग प्रारूप मुख्य रूप में जर्मनी में फ्राउनहोफर सोसायटी द्वारा बड़े पैमाने पर विकसित किया गया है।

28. (c)

सूचना और संप्रेषण प्रौद्योगिकी (Information and Communication Technology)

शिक्षा में सूचना और संप्रेषण प्रौद्योगिकी का उद्देश्य अधिगम परिणामों को इष्टतम करना होता है। शोध से यह ज्ञात हुआ है कि आईसीटी श्रेष्ठतर अधिगम और श्रेष्ठतर शिक्षण विधियाँ प्रदान कर सकता है। यह मोबाइल लर्निंग और समावेशी शिक्षा को सुगम बनाकर शिक्षा के क्षेत्र में वृद्धि करता है। आईसीटी सूचना के वितरण, पहुंच और उसे अनुकूलित करने में सहायता करता है।

29. (d)

कोडेक (Codec)–एक उपकरण या कंप्यूटर प्रोग्राम है, जो डिजिटल डेटा स्ट्रीम या सिग्नल को एन्कोड या डीकोड करता है। यह कोडर–डिकोडर का संक्षिप्त रूप है। कोडेक कंप्यूटर से संबंधित गतिविधियों में किसी भाषा अनुवाद के वर्णन के लिए अनुपयुक्त (applicable) है। अन्य विकल्पों की व्याख्या इस प्रकार से की जा सकती है –

असेम्ब्लर (Assembler)–यह प्रोग्राम असेम्ब्ली भाषा का मशीन भाषा में अनुवाद करता है। यह कंप्यूटर को बूट (Boot) करने के लिए एक आवश्यक प्रोग्राम है। Linker, Loader और Debugger इसके उदाहरण हैं।

कम्पाइलर (Compiler)–ये एक प्रोग्रामिंग भाषा में लिखे गए स्रोत कोड को दूसरी कंप्यूटर भाषा में परिवर्तित करते हैं जिसे ऑब्जेक्ट कोड कहा जाता है। उदाहरण हैं ALGOL, BASIC, C++ और FORTRAN आदि।

इंटरप्रेटर (Interpreter) – यह प्रोग्राम की एक – एक लाइन को मशीनी भाषा में परिवर्तित करता है। प्रोग्राम लिखने से पहले ही इंटरप्रेटर को मेमोरी में लोड कर दिया जाता है।

30. (d)

Structured Query Language – SQL को चतुर्थ पीढ़ी की भाषा (4GL) माना जाता है, जबकि Java और C++ तृतीय पीढ़ी की भाषाएं (3GL) हैं। चतुर्थ पीढ़ी की भाषाएं प्रोग्रामिंग भाषाएं हैं जो जावा (Java) जैसी उच्च-स्तरीय भाषाओं की तुलना में मानव भाषा के अधिक निकट हैं।

चतुर्थ पीढ़ी की भाषाओं के लाभ हैं:

1. ये प्रोग्रामिंग भाषाएं विभिन्न डेटाबेस को लागू करके डेटा के कुशल उपयोग की अनुमति देती हैं।
2. विभिन्न प्रकार के सॉफ्टवेयर अनुप्रयोगों को विकसित करने के लिए उन्हें कम समय, लागत और प्रयास की आवश्यकता होती है।
3. इन भाषाओं में विकसित कार्यक्रम अन्य पीढ़ी की भाषाओं में विकसित कार्यक्रमों की तुलना में अत्यधिक संवहनीय (portable) हैं।

उदाहरण: SQL, CSS और कोल्डफ्यूज़न।

पंचम पीढ़ी की भाषा मूल रूप से आर्टिफिशियल इंटेलिजेंस भाषा है। इसके उदाहरण, मर्करी, PROLOG और OPS5 हैं।

31. (a)

स्नीफिंग दिए गए नेटवर्क से गुजरने वाले सभी डेटा पैकटों की निगरानी और उन्हें कैप्चर या अपने कब्जे में लेने के लिए एक प्रक्रिया है। आक्रमणकारी, संवेदनशील जानकारी जैसे पासवर्ड और खाता जानकारी वाले डेटा पैकेट को प्राप्त करने के लिए स्निफ़र्स का उपयोग करते हैं। स्निफ़र्स सिस्टम में स्थापित हार्डवेयर या सॉफ्टवेयर हो सकते हैं। एक पैकेट स्निफर को नेटवर्क पर भिन्न – भिन्न मोड में रखकर, दुर्भावनापूर्ण वायरस संपूर्ण नेटवर्क ट्रैफिक को कैप्चर और विश्लेषण कर सकता है। इसलिए, (A) और (R) दोनों सही हैं।

32. (c)

अभिकल्प (डिज़ाइन) के लिए 'ई-कल्प' डिजिटल लर्निंग परिवेश से संबंधित है। यह के माध्यम से शिक्षा में राष्ट्रीय मिशन के एक भाग के रूप में मानव संसाधन मंत्रालय (नया नाम – शिक्षा मंत्रालय), भारत सरकार द्वारा 'डिजाइन के लिए डिजिटल-लर्निंग परिवेश' पर एक परियोजना है।

इसके निम्नलिखित उद्देश्य हैं:

1. डिज़ाइन पर ई – लर्निंग कार्यक्रम और डिजिटल ऑनलाइन सामग्री
2. शिल्प क्षेत्र सहित डिजिटल संसाधन डेटाबेस
3. डिज़ाइन के लिए सहयोगी लर्निंग स्पेस में उच्च शिक्षा के साथ सोशल नेटवर्किंग
4. आई सी टी के माध्यम से शिक्षा में राष्ट्रीय उत्पादों के लिए डिज़ाइन

33. (b)

ए-व्यू (A-View) क्लासरूम एक ढांचा है जो ई-लर्निंग के लिए एक समृद्ध इंटरैक्टिव सामाजिक वातावरण प्रदान करता है। यह सरल,

उपयोगकर्ता के अनुकूल, वीडियो कॉन्फ्रेंसिंग सॉफ्टवेयर है, जो एक शिक्षक को पूरे भारत में विभिन्न भौगोलिक स्थानों पर 'लाइव इंटरेक्टिव मोड' में शिक्षण का एक शानदार अवसर प्रदान करता है। यह आभासी वर्ग कक्षा परिवेश प्रदान करने के लिए एक साझेदारी यंत्र है।

34. (b)

IMPRINT - प्रथम डिजिटल एमएचआरडी समर्थित पैन-आईआईटी + आईआईएससी संयुक्त पहल है। यह योजना नवंबर, 2015 में आरम्भ की गई थी। यह 10 चयनित प्रौद्योगिकी डोमेन और 142 उप - परियोजनाओं पर राज्य और जिला स्तर पर कार्य करती हैं। यह विज्ञान और इंजीनियरिंग की प्रमुख चुनौतियों का समाधान करने, समावेशी विकास और आत्मनिर्भरता के लिए राष्ट्र को सशक्त बनाने के लिए प्रोत्साहित करती है। दो गुना जनादेश के साथ इस नई पहल के उद्देश्य निम्नलिखित है:

(a) नई इंजीनियरिंग शिक्षा नीति विकसित करना।
(b) इंजीनियरिंग चुनौतियों का सामना करने के लिए रुपरेखा तैयार करना।

इस प्रकार, IMPRINT एक अतिव्यापक दृष्टि प्रदान करता है यह अनुसंधान के उन क्षेत्रों को निर्देशित करता है जो मुख्य रूप से सामाजिक रूप से प्रासंगिक क्षेत्रों में शोध का मार्गदर्शन करते हैं।

राष्ट्रीय संस्थागत रैंकिंग फ्रेमवर्क (NIRF) भारत में उच्च शिक्षा के लिए मानव संसाधन विकास मंत्रालय (MHRD) (नया नाम - शिक्षा मंत्रालय) द्वारा अनुमोदित किया गया था और 29 सितंबर 2015 को मानव संसाधन विकास मंत्री द्वारा लॉन्च किया गया था। यह रूपरेखा देश भर के संस्थानों को रैंक करने के लिए एक कार्यप्रणाली की रूपरेखा तैयार करती है। NIRF ने पहली बार विश्वविद्यालय, इंजीनियरिंग फार्मेसी और प्रबंधन,संस्थानों के लिए पहली भारतीय रैंकिंग दिनांक 4 अप्रैल 2016 को प्रस्तुत की थी और इस वर्ष इसमें - समग्र, विश्वविद्यालय, कॉलेज, इंजीनियरिंग, प्रबंधन, फार्मेसी, कानून, चिकित्सा, दंत चिकित्सा, वास्तुकला और अनुसंधान सहित 11 विषयों को सम्मिलित किया गया।

नवाचार उपलब्धियों पर संस्थानों की अटल रैंकिंग (Atal Ranking of Institutions on Innovation Achievements - ARIIA)

भारत सरकार के तहत शिक्षा मंत्रालय ने मुख्य रूप से नवाचार से संबंधित संकेतकों पर शिक्षा संस्थानों और विश्वविद्यालयों को व्यवस्थित रूप से रैंक करने के लिए 'नवाचार उपलब्धियों पर संस्थानों की अटल रैंकिंग (एआरआईआईए)' आरम्भ की है।

ARIIA मुख्य रूप से 6 मुख्य मापदंडों पर केंद्रित है और विभिन्न श्रेणियों के तहत कुल 674 HEI ने ARIIA 2020 में भाग लिया है। पिछले 5 वर्षों में, भारत ने नवाचार और उद्यमिता के क्षेत्रों में विश्व मानचित्र में काफी प्रगति की है। ग्लोबल इनोवेशन इंडेक्स (GII) रैंकिंग में भारत 2015 में 81वें स्थान से बढ़कर 2019 में 52वें स्थान पर पहुंच गया है, ग्लोबल एंटरप्रेन्योरशिप इंडेक्स (GEI) में 78वें स्थान पर है। शिक्षा मंत्रालय ने 18 अगस्त 2020 को ARIIA रैंकिंग 2020 की रिपोर्ट जारी की। ARIIA 2020 रैंक की मुख्य विशेषताएं निम्नलिखित हैं:

1. महिलाओं के लिए उच्च शिक्षण संस्थानों (HEI) के लिए एक उपश्रेणी 2020 में आरम्भ की गई।
2. IIT, मद्रास को राष्ट्रीय महत्व के संस्थान के रूप में प्रथम स्थान मिला।

स्वयं प्रभा (Swayam - Prabha) - स्वयं प्रभा प्रत्यक्ष रूप से 'डायरेक्ट टू होम' सुविधा है। कक्षा के व्याख्यान को 34 डिजिटल शैक्षिक चैनलों के माध्यम से सीधे इच्छुक छात्रों को उपलब्ध करवाया जायेगा। यह 24 × 7 शैक्षणिक सुविधा प्रदान करता है।

35. (b)

सीक्वेंस सेकेंडरी स्टोरेज से रैम में सॉफ्टवेयर लोड होता है और अंत में सीपीयू (रजिस्टर) द्वारा निष्पादित किया जाता है।

सर्च इंजन ऐसी सॉफ्टवेयर प्रणाली है जो विश्वव्यापी वेब पर सूचना खोजने के लिए अभिकल्पित किया गया है।

36. (c)

उमंग (Unified Mobile Application for New-age Governance) यह सरकारी सेवाओं का लाभ लेने के लिए सिंगल प्वाइंट इंटरफेस है। यह एक मोबाइल ऐप है। ऐप 13 भारतीय भाषाओं का समर्थन करता है और एंड्रॉइड, आईओएस और विंडोज के लिए उपलब्ध है। यह इलेक्ट्रॉनिक्स और सूचना प्रौद्योगिकी मंत्रालय (MeitY) और राष्ट्रीय ई-गवर्नेंस डिवीजन (NeGD) द्वारा विकसित किया गया है। उमंग सभी भारतीय नागरिकों को केंद्र से लेकर स्थानीय सरकारी निकायों और अन्य नागरिक केंद्रित सेवाओं तक अखिल भारतीय ई-गवर्नेंस सेवाओं तक पहुंचने के लिए एक एकल मंच प्रदान करता है।

भीम (भारत इंटरफेस फॉर मनी) यह एक ऐप है जो आपको एकीकृत भुगतान इंटरफेस का उपयोग करके सरल और तीव्र भुगतान व लेन-देन करने में सहायता करता है। आप केवल मोबाइल नंबर और वर्चुअल भुगतान पते का उपयोग करके तत्काल अपने बैंक खाते से भुगतान कर सकते हैं और और धनराशि जमा कर सकते हैं। भारतीय राष्ट्रीय भुगतान निगम (NPSE) भारत में खुदरा भुगतान और निपटान प्रणाली के संचालन के लिए एक केंद्रीय संगठन है।

eBiz: eBIZ का फुल फॉर्म इलेक्ट्रॉनिक बिजनेस है। इलेक्ट्रॉनिक व्यवसाय (ई-व्यवसाय) का तात्पर्य व्यवसाय के संचालन के लिए वेब, इंटरनेट, इंट्रानेट, एक्स्ट्रानेट या उसके कुछ संयोजन के उपयोग से है। ई-बिजनेस ई-कॉमर्स के समान है, लेकिन यह उत्पादों और सेवाओं की ऑनलाइन क्रय और विक्रय से भिन्न है।

इसे इंफोसिस टेक्नोलॉजी द्वारा औद्योगिक नीति और संवर्धन विभाग, वाणिज्य और उद्योग मंत्रालय द्वारा कार्यान्वित किया जा रहा है। भारत की eBiz का उद्देश्य व्यापार आरम्भ करने और उसे चलाने के लिए आवश्यक नियामक प्रक्रियाओं में अनावश्यक देरी को कम करके देश में कारोबारी वातावरण में सुधार करना है।

स्वयं: 'Study Webs of Active Learning for Young Aspiring Minds'(SWAYAM):

मानव संसाधन विकास मंत्रालय, जो अब शिक्षा मंत्रालय है, द्वारा स्वयं नामक एक बड़ी और नई पहल परियोजना शुरू की है। यह ऑनलाइन

पाठ्यक्रमों के लिए एक एकीकृत मंच और पोर्टल है। इसमें सभी उच्च शिक्षा विषयों और कौशल क्षेत्र के पाठ्यक्रम सम्मिलित हैं। इसका उद्देश्य यह सुनिश्चित करना है कि हमारे देश के प्रत्येक छात्र को सस्ती कीमत पर सर्वोत्तम गुणवत्ता वाली उच्च शिक्षा मिले।

37. (a)

यू आर एल हेतु घटकों की आरोही क्रम इस प्रकार है: प्रोटोकॉल, होस्ट के डोमेन के नाम, पाथ/फाइल।

1. **प्रोटोकॉल (Protocol):** प्रोटोकॉल नियमों का समूह है, जिसमें टीसीपी/आईपी सबसे महत्वपूर्ण है। प्रोटोकॉल घोषित करता है कि वेब पेज या दस्तावेज़ भेजते या लाते समय आपके वेब ब्राउज़र को वेब सेवा के साथ कैसे संवाद करना चाहिए।
2. **डोमेन नाम (Domain name):** एक डोमेन नाम अद्वितीय संदर्भ है जो इंटरनेट पर एक वेब साइट की पहचान करता है उदाहरण के लिए doepud.co.uk
3. **पाथ (Path):** पथ सामान्य तौर पर वेब सर्वर पर किसी फ़ाइल या निर्देशिका को संदर्भित करता है उदाहरण के लिए निर्देशिका फ़ाइल।

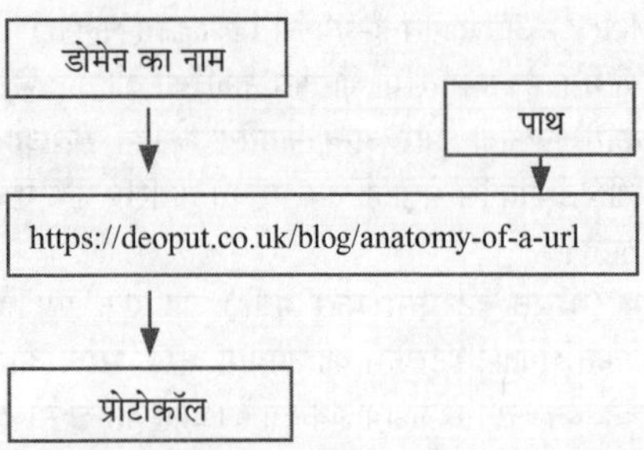

38. (a)

सोशल मीडिया के रूप में ब्लॉग में व्लॉग, वॉल पोस्टिंग, ईमेल, इंस्टेंट मैसेजिंग, म्यूजिक-शेयरिंग, क्राउड सोर्सिंग और वॉयस ओवर आईपी आदि सम्मिलित हैं। ब्लॉग सार्वजनिक दर्शकों से संवाद करने के लिए व्यक्तिगत दृष्टिकोण है।

तो 'अभिकथन (A)' और 'तर्क (R)' दोनों सत्य हैं और (R), (A) की सही व्याख्या है।

39. (c)

(a) **WWW:** वर्ल्ड वाइड वेब इंटरनेट पर सभी संसाधनों और उपयोगकर्ताओं क संयोजन है, जो हाइपरटेक्स्ट ट्रांसफर प्रोटोकॉल क उपयोग कर रहे हैं। वर्ल्ड वाइड वेब कंसोर्टियम से एक व्यापक बदलाव आता है।

(b) **जावा (JAVA):** जावा एक सामान्य-उद्देश्य वाली कंप्यूटर प्रोग्रामिंग भाषा है, जो सुविधाजनक, वर्ग आधारित और वस्तु उन्मुख है और विशेष रूप से कार्यान्वयन निर्भरता के लिए डिज़ाइन की गई है।

(c) **रैम (RAM):** रैंडम एक्सेस मेमोरी कंप्यूटर मेमोरी का एकरूप है, जिसे किसी भी क्रम में पढ़ा और बदला जा सकता है, इसे सामान्य तौर पर कार्य करने वाले डेटा और मशीन कोड को स्टोर करने के लिए उपयोग किया जाता है। एक रैंडम एक्सेस मेमोरी डिवाइस डेटा आइटम को मेमोरी के अंदर डेटा के भौतिक स्थान के बावजूद लगभग समान समय में पढ़ने या लिखने की अनुमति देता है। यह एकअस्थिर स्मृति है।

(d) **रोम (ROM):** रीड ओनली मेमोरी एक प्रकार की गैर-अस्थिर मेमोरी है, जिसका उपयोग कंप्यूटर और अन्य इलेक्ट्रॉनिक उपकरणों में किया जाता है। मेमोरी डिवाइस के निर्माण के पश्चात, **ROM** में संग्रहित डेटा को इलेक्ट्रॉनिक रूप से संशोधित नहीं किया जा सकता है।

40. (c)

नीति संरक्षण उद्यम - यह गुजरात से आरम्भ किया गया था राज्य के युवाओं के लिए रोजगार एवं स्वरोजगार के अधिकाधिक नए अवसर उपलब्ध कराने के लिए।

सुजलाम सुफलाम जल अभियान - गुजरात के 58 वें स्थापना दिवस (1 मई 2018) पर, सीएम विजय रुपाणी ने जल संरक्षण के लिए सुजलाम सुफलाम जलसंचय अभियान शुरू किया था। गुजरात सरकार ने भरूच जिले में स्थित अंकलेश्वर तहसील से इस अभियान की शुरुआत की थी। इस अभियान के तहत, सरकार का मुख्य ध्यान वर्षा जल भंडारण की 11000 लाख वर्ग फुट की अतिरिक्त क्षमता बनाने पर था।

जलयुक्त सीवर अभियान - महाराष्ट्र में लगातार सूखे का अनुभव होने के बाद दिसंबर 2014 में इसकी शुरूआत की गयी। इस परियोजना का उद्देश्य उन उपायों को शामिल करना था जो सबसे सूखा प्रभावित गाँवों में व्यवस्थित रूप से पानी की कमी को दूर कर सके।

मुख्यमंत्री जल स्वावलंबन अभियान - इस योजना को राजस्थान सरकार द्वारा 27 जनवरी 2016 को झालावाड़ जिले में गांव गर्दनखेड़ी से आरंभ किया गया था। इस अभियान के माध्यम से 2016 में 3000 प्राथमिकता वाले और 3 साल तक प्रतिवर्ष 6000 गांव को लाभन्वित करने का लक्ष्य निर्धारित किया गया था।

41. (b)

बिंग माइक्रोसॉफ्ट के स्वामित्व में संचालित एकवेब सर्च इंजन है। सेवा की उत्पत्ति माइक्रोसॉफ्ट के विंडोज लाइव सर्च और बाद में लाइव सर्च में हुई है। बिंग वेब, वीडियो, छवि और मानचित्र खोज उत्पादों सहित विभिन्न प्रकार की खोज सेवाएं प्रदान करता है। इसे ASP.NET का उपयोग करके विकसित किया गया है।

42. (b)

इंटरनेट इंटरकनेक्टेड कंप्यूटर नेटवर्क की वैश्विक प्रणाली है, जो विश्व भर में उपकरणों को जोड़ने के लिए इंटरनेट प्रोटोकॉल सूट का उपयोग करती है। यह नेटवर्कों का एक नेटवर्क है, जिसमें स्थानीय से वैश्विक सीमा के निजी, सार्वजनिक, अकादमिक, व्यावसायिक और सरकारी नेटवर्क सम्मिलित हैं, जो इलेक्ट्रॉनिक वायरलेस और ऑप्टिकल

नेटवर्किंग प्रौद्योगिकियों की एक विस्तृत श्रृंखला से जुड़ा हुआ है। इंटरनेट में सूचना संसाधनों और सेवाओं की एक विस्तृत श्रृंखला है जैसे कि वर्ल्ड वाइड वेब का अनुप्रयोग, प्रौद्योगिकी और फ़ाइल साझाकरण आदि।

वर्ल्ड वाइड वेब सिर्फ एक तरीका है जिससे इंटरनेट पर सूचना का प्रसार किया जा सकता है। तो, वेब इंटरनेट का केवल एक भाग है, इसलिए, कारण (R) सत्य है, लेकिन (A) की सही व्याख्या नहीं है।

43. (d)

ई-गवर्नेंस सूचना और संचार प्रौद्योगिकी का अनुप्रयोग है, जो सूचना और लेन-देन के आदान-प्रदान की दक्षता, प्रभावशीलता और जवाबदेही को अधिक स्पष्ट करता है और सरकारी नागरिकों की लागत को कम करता है और सूचना के उपयोग और उपयोग के माध्यम से उन्हें सशक्त बनाता है। ई-गवर्नेंस अन्य विकल्पों की तुलना में समाज की आवश्यकताओं को पूरा करने की सरकार की क्षमता से प्रत्यक्ष रूप से संबंधित है।

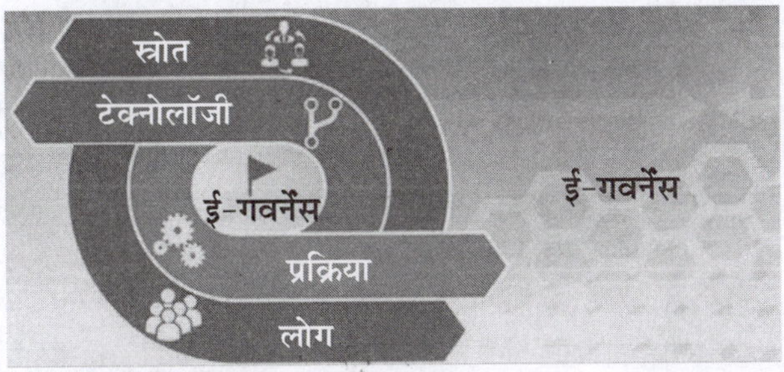

ई - गवर्नेन्स निम्नलिखित के रूप में महत्वपूर्ण भूमिका अदा कर सकता है:

i. एक जागरूक समाज का निर्माण करने के लिए
ii. सरकार और नागरिक संपर्क बढ़ाने के लिए
iii. नागरिक भागीदारी को प्रोत्साहित करने के लिए
iv. शासन प्रक्रिया में पारदर्शिता लाने के लिए
v. सरकार को जवाबदेह बनाने के लिए
vi. शासन की लागत को कम करने के लिए
vii. सरकार के प्रतिक्रिया समय को कम करने के लिए

44. (b)

वेब ब्राउजरः वेब ब्राउजर एक सॉफ्टवेयर प्रोग्राम है, जिसका उपयोग वेब पेजों को खोजने, एक्सेस करने और प्रदर्शित करने के लिए किया जाता है। ब्राउज़रों का उपयोग मुख्य रूप से इंटरनेट पर वेबसाइटों को प्रदर्शित करने और उन तक पहुंचने के लिए किया जाता है और साथ ही हाइपरटेक्स्ट, मार्कअप लैंग्वेज, एक्सटेंसिबल मार्कअप लैंग्वेज जैसी भाषाओं का उपयोग करके बनाई गई सामग्री है।

वर्ड प्रोसेसरः वर्ड प्रोसेसर या वर्ड प्रोसेसिंग प्रोग्राम शब्दों को संसाधित करता है। यह पैराग्राफ, पेज और पूरे पेपर को भी प्रोसेस करता है। वर्ड प्रोसेसिंग प्रोग्राम के कुछ उदाहरणों में Microsoft, Word Perfect, Apple-Works और openoffice.org. सम्मिलित हैं।

स्प्रैडशीटः स्प्रेडशीट एक कंप्यूटर अनुप्रयोग है, जो सारणीबद्ध रूप में डेटा के संगठन, विश्लेषण और भंडारण के लिए है। स्प्रेडशीट को पेपर अकाउंटिंग वर्कशीट के कम्प्यूटरीकृत एनालॉग के रूप में विकसित किया गया था। कार्यक्रम तालिका के कक्षों में दर्ज डेटा पर कार्य करता है।

वेब ऑथरिंगः वेब ऑथरिंग आधुनिक वेब ऑथरिंग सॉफ्टवेयर और टूल्स का उपयोग करके वेब दस्तावेज़ बनाने का अभ्यास है। वेब ऑथरिंग सॉफ्टवेयर एक प्रकार का डेस्कटॉप प्रकाशन उपकरण है जो उपयोगकर्ताओं को एक अलग तरह के ग्राफिकल यूजर इंटरफेस प्रस्तुत करके एचटीएमएल और वेब कोडिंग के कठिन वातावरण को नेविगेट करने की अनुमति देता है।

45. (d)

निम्नलिखित में एकान्तिक रूप से टेक्स्ट फॉर्मेट समाहित है - CSV, RTF, TXT.

टेक्स्ट फाइल फॉर्मेट	CSV - Comma Separated Value RTF – Rich Text Format TXT – Text Format

CSV - अल्पविराम से अलग किए गए मान (CSV) फ़ाइल में एक सीमांक क द्वारा अलग किए गए विभिन्न मान होते हैं, जो डेटाबेस तालिका या डेटाबेस तालिका के मध्यवर्ती रूप के रूप में कार्य करता है।

संपन्न पाठ्य प्रारूप (Rich Text Format या RTF) : एक प्रकार का माइक्रोसॉफ्ट द्वारा बनाया गया, लिखने हेतु एक अनुप्रयोग है। जिसके माध्यम से अलग प्रकार की रूपरेखा सहित लेख को बनाया और संचित रखा जा सकता है। इसका अन्य किसी संचालन प्रणाली में भी उपयोग किया जा सकता है।

TXT टेक्स्ट फाइल को संदर्भित करता है, जिसका मतलब text file create करना होता है यदि आप ms word, wordpad use करते होंगे तो आपने TXT file बनाया होगा क्योंकि जब आप इन softwares के जरिये documents बनाकर save करते हैं तो वे softwares automatically आपकी file में, TXT add कर देते हैं।

46. (b)

CSV (Comma Separated Values): यह सारणीबद्ध डेटा संग्रहित करता है। यह फ़ाइलों की प्रत्येक पंक्ति को एक रिकॉर्ड की तरह देखता है और CSV मानों को अलग करने के लिए अल्पविराम का उपयोग करता है। CSV सारणीबद्ध डेटा को इस तरह से संग्रहित करता है जहां प्रत्येक पंक्ति में समान संख्या फ़ील्ड हों। सीएसवी फाइलें पूरी तरह से मानकीकृत नहीं हैं। CSV में अल्पविराम द्वारा अलग किए गए फ़ील्ड आधार हैं, डेटा के मध्य अल्पविराम को विशेष रूप से नियंत्रित किया जाना चाहिए। CSV कई प्रोग्रामों के मध्य बड़ी फ़ाइलों को स्थानांतरित करने की अनुमति देता है।

RTF (Rich Text Format): यह किसी वर्ड प्रोसेसर द्वारा बनाए गए दस्तावेज़ को संग्रहित करने का एक वैकल्पिक ढंग है।

TXT: एक TXT फ़ाइल एक मानक टेक्स्ट डॉक्यूमेंट है, जिसमें अस्वरूपित टेक्स्ट होता है।

अत: CSV, RTF, TXT में एकांतिक रूप से टेक्स्ट फॉर्मेट समाहित है।

47. (a)

यदि डाटा को तकनीकी मीडिया का प्रयोग कर दर्ज किया गया है तो निम्नलिखित में इसकी व्याख्या के लिए लिप्यंकन का प्रयोग किया जाता है। यह वह प्रक्रिया है जिसके द्वारा श्रव्य फाइलों को पाठ में व्याख्यायित किया जाता है। जैसे कंप्यूटर फाइल को पाठ में या किसी भी रूप में लिप्यन्तरित किया जाता है जो कि मुद्रण के लिए उपयुक्त है।

48. (a)

सामाजिक रचनावाद के सिद्धांत को कक्षा संचार पर क्रियान्वित किया जा सकता है, क्योंकि सामाजिक रचनावाद ज्ञान का एक समाज शास्त्रीय सिद्धांत है, जिसके अनुसार मानव विकास सामाजिक रूप से स्थित है और ज्ञान का निर्माण दूसरों के साथ वार्तालाप के माध्यम से होता है।

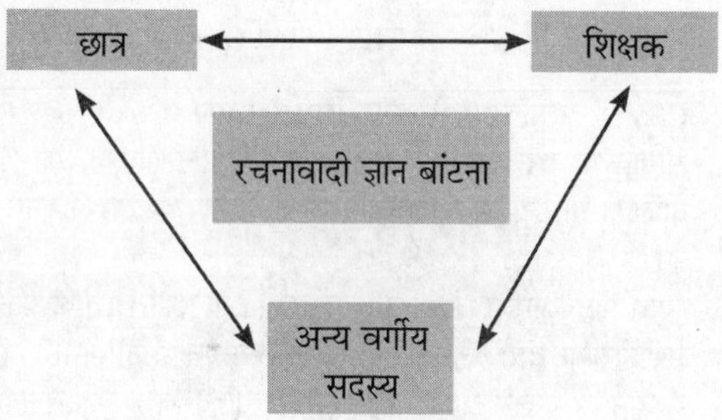

49. (b)

सर्च इंजन आमतौर पर वेब क्लाइंट्स का उपयोग करके एक्सेस किए जाते हैं जिन्हें वेब ब्राउज़र कहा जाता है। गूगल, बिंग और याहू! सबसे लोकप्रिय सर्च इंजन हैं। इसलिए बिंग एक सर्च इंजन है।

इंटरनेट: इंटरनेट वैश्विक कंप्यूटर सिस्टम है जो नेटवर्क को आपस में जोड़ता है, जो टीसीपी/आईपी इंटरनेट प्रोटोकॉल सूट के माध्यम से नेटवर्क और कंप्यूटर के बीच संचार करता है।

स्काइप: स्काइप एक दूरसंचार कार्यक्रम है जो कंप्यूटर, लैपटॉप, मोबाइल डिवाइस, एक्सबॉक्स वन और स्मार्टवॉच के बीच इंटरनेट के माध्यम से वीडियो चैट और वॉयस कॉल प्रदान करता है। स्काइप द्वारा इंस्टैंट मेसेंजर सेवाएं भी प्रदान की जाती हैं। उपयोगकर्ता चित्र, पाठ, वीडियो या ऑडियो स्थानांतरित कर सकते हैं।

एक्रोबैट रीडर: एडोब रीडर सॉफ्टवेयर के एडोब एक्रोबेट परिवार से संबंधित एक डेस्कटॉप और मोबाइल एप्लिकेशन है। Adobe Acrobat पोर्टेबल दस्तावेज़ स्वरूप में फ़ाइलों को देखने, बनाने, हेरफेर करने, प्रिंट करने और प्रबंधित करने के लिए Adobe Inc. द्वारा विकसित एप्लिकेशन सॉफ्टवेयर और वेब सेवाओं का एक परिवार है। परिवार में एक्रोबैट रीडर, एक्रोबैट और एक्रोबैट डॉट कॉम शामिल हैं।

50. (d)

कंप्यूटर में पाइथन एक प्रोग्रामिंग भाषा है, जो Guido van Rossum द्वारा बनाया गया है, और आजके समय 2023 में पाइथन सबसे लोकप्रिय कंप्यूटर प्रोग्रामिंग भाषा है। पायथन गतिशील रूप से टाइप की गई और कचरा एकत्र करने वाली प्रोग्रामिंग भाषा है। इसे 1985-1990 के दौरान गुइडो वैन रोसुम द्वारा बनाया गया था।

डीप लर्निंग एक मशीन लर्निंग तकनीक है जो कंप्यूटर को वह करना सिखाती है जो मनुष्य को स्वाभाविक रूप से आता है : उदाहरण के द्वारा सीखें। ड्राइवरलेस कारों के पीछे डीप लर्निंग एक प्रमुख तकनीक है, जो उन्हें स्टॉप साइन को पहचानने में सक्षम बनाती है, या पैदल यात्री को लैम्पपोस्ट से अलग करने में सक्षम बनाती है।

Machine Learning एक प्रकार की learning है जिसमें machine खुद अपने आप ही learn करती हैं बिना उसे explicitly programmed किये। ये एक प्रकार का application है। AI का जो की system को वो ability प्रदान करता है जिससे वो automatically learn और improve कर सकें।

51. (d)

लोकल एरिया नेटवर्क सामान्यत: अपने ब्रांड के कंप्यूटर पर अवस्थित होते है। इसके लिए किसी विशेष ब्रांड के कंप्यूटर की आवश्यकता नहीं होती है। अत: कथन-(i) असत्य है। इन्टरनेट स्टैण्डर्ड प्रोवाइडर एक संगठन है जो इन्टरनेट में एक्सेस करने, उपयोग करने या भाग लेने के लिए सेवाएँ प्रदान करता है। अत: कथन-(ii) असत्य है।

52. (a)

स्पीड को मापने वाली मूल इकाई हर्ट्ज है। अत: कथन -(i) सत्य है। ब्लूटूथ की ऊर्जा खपत कम है, जबकि यह वाई-फाई के लिए उच्च है। ब्लूटूथ वाई-फाई से कम सुरक्षित है और एन्क्रिप्शन और सत्यापन कुंजी का उपयोग करता है। हालाँकि, Wifi की बेहतर सुरक्षा है। वाई-फाई WEP (वायर्ड इक्विवेलेंसी प्राइवेसी) और WPA (वाईफाई प्रोटेक्टेड एक्सेस) का उपयोग करता है। अत: कथन-(ii) असत्य है ।

53. (b)

- **स्पैम (Spam):** स्पैम एक अवांछित वाणिज्यिक संदेश (जैसे ईमेल, टेक्स्ट संदेश, या इंटरनेट पोस्टिंग) है, जो बड़ी संख्या में प्राप्तकर्ताओं को भेजा जाता है या बड़ी संख्या में ईमेल एड्रेस पर पोस्ट किया जाता है। यह एक डिजिटल जंक मेल है, जो इंटरनेट पर या किसी इलेक्ट्रॉनिक मैसेजिंग सिस्टम के माध्यम से थोक में भेजा गया अवांछित संचार है।
- **वायरस (Virus):** कंप्यूटर वायरस एक प्रकार का दुर्भावनापूर्ण कोड या प्रोग्राम है जिसे कंप्यूटर के संचालन में परिवर्तन के लिए लिखा जाता है और इसे एक कंप्यूटर से दूसरे कंप्यूटर में फैलाने के लिए डिज़ाइन किया जाता है। एक वायरस अपने कोड को निष्पादित करने के लिए मैक्रोज़ का समर्थन करने वाले वैध प्रोग्राम या डॉक्यूमेंट में स्वयं को मिलाकर या संलग्न करके संचालित होता है। इस प्रक्रिया में, वायरस में अप्रत्याशित या हानिकारक प्रभाव उत्पन्न करने की क्षमता होती है, जैसे डेटा को दूषित या नष्ट करके सिस्टम सॉफ्टवेयर को हानि पहुंचाना।

• **आक्रमण (Attack)**: कंप्यूटर और कंप्यूटर नेटवर्क में हमला किसी संपत्ति को बेनकाब करने, परिवर्तित करने, अक्षम करने, नष्ट करने, चोरी करने या अनधिकृत पहुंच या अनधिकृत उपयोग करने का एक प्रयास है।

अत: सही विकल्प (b) है।

54. (c)

• ऑपरेटर संचालक, विशेष प्रतीक हैं जिनका उपयोग गणना करने, तुलना करने और तार्किक स्थितियों की जांच करने के लिए किया जाता है।
• इस परिशिष्ट में विभिन्न प्रकार के ऑपरेटरों की चर्चा की गई है। निम्नलिखित प्रकार प्रदान किए जाते हैं:

1. अंकगणित संचालक – गणितीय गणना करने के लिए उपयोग किया जाता है।

2. असाइनमेंट ऑपरेटर्स – किसी चर को वैल्यू असाइन करने के लिए प्रयोग किया जाता है। ये संख्यात्मक, दिनांक, प्रणाली, समय या पाठ हो सकते हैं।

3. तुलनात्मक ऑपरेटर – इसे तुलना करने के लिए उपयोग किया जाता है।

4. कोनकेटेंशन ऑपरेटर्स – स्ट्रिंग्स के संयोजन के लिए उपयोग किया जाता है।

5. लॉजिकल ऑपरेटर्स – तार्किक संचालन करने के लिए उपयोग किया जाता है और इसमें AND, OR, या NOT सम्मिलित होता है।

6. बूलियन ऑपरेटर्स – AND, OR, XOR या NOT सम्मिलित करें और दो में से एक मान सही या गलत हो सकता है।

• रिलेशनल ऑपरेटर एक प्रोग्रामिंग भाषा है जो दो संस्थाओं के मध्य किसी प्रकार के संबंध को परिभाषित करती है।
• यह मूल रूप से दो संस्थाओं की समानता या असमानता को परिभाषित करने के लिए प्रयोग किया जाता है। उदाहरण के लिए, $7 = 7$, $4 \geq 3$

अत: सही विकल्प (c) है।

55. (c)

लोकल एरिया नेटवर्क (LAN):

• एक लोकल एरिया नेटवर्क कंप्यूटरों का एक समूह है, जिसमें एक क्षेत्र में कई जुड़े हुए कंप्यूटर होते हैं। यह एक क्लाइंट-सर्वर सिस्टम है।
• सामान्य तौर पर यह क्षेत्र लगभग हजारों मीटर का होता है।
• LAN डॉक्यूमेंट प्रबंधन, एप्लिकेशन शेयरिंग, प्रिंटर शेयरिंग, ई-मेल इत्यादि सहित लक्ष्यों को प्राप्त कर सकता है।
• लैन एक बंद नेटवर्क है जिसमें एक कंपनी में दो पर्सनल कंप्यूटर या हजारों पर्सनल कंप्यूटर हो सकते हैं।
• स्थानीय क्षेत्र नेटवर्क पर एक विभाग या इकाई के स्वामित्व में होता है।
• इसका निर्माण, रखरखाव और विस्तार करना सरल है, और सिस्टम का लचीलापन अधिक है।
• यह नेटवर्किंग के लिए विशेष रखे गए ट्रांसमिशन मीडिया का उपयोग करता है, उच्च डेटा अंतरण दर (10Mbs – 10Gbs) प्रदान करता है।
• संचार विलंब समय कम और उच्च विश्वसनीयता है।
• लैन सेट करने के लिए उपयोग किए जाने वाले उपकरण कंप्यूटर, नेटवर्क स्विच, या राउटर और केबल हैं।
• लैन विभिन्न प्रकार के ट्रांसमिशन मीडिया का समर्थन कर सकता है।

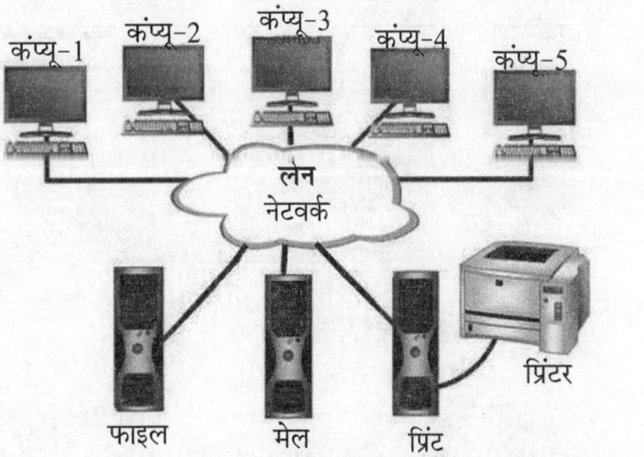

पीयर-टू-पीयर (P2P) नेटवर्किंग: कंप्यूटरों के एक समूह को डेटा प्रोसेसिंग के लिए समान अनुमतियों और निर्देशों के साथ जोड़ा जाता है। P2P नेटवर्क में कोई भी उपकरण केवल डेटा प्रदान करने या प्राप्त करने के लिए निर्दिष्ट नहीं है।

अत: सही विकल्प (c) है।

56. (b)

कंप्यूटर नेटवर्क कंप्यूटर का एक समूह है, जो नेटवर्क नोड्स पर स्थित या प्रदान किए गए संसाधनों को साझा करने के उद्देश्य से डिजिटल इंटरकनेक्शन पर सामान्य संचार प्रोटोकॉल के एक सेट का उपयोग करता है। भौतिक रूप से वायर्ड, ऑप्टिकल और वायरलेस रेडियो-फ्रीक्वेंसी विधियों के आधार पर, नोड्स के मध्य अंतर्संबंध दूरसंचार नेटवर्क प्रौद्योगिकियों के एक व्यापक स्पेक्ट्रम से बनते हैं, जिन्हें विभिन्न नेटवर्क टोपोलॉजी में व्यवस्थित किया जा सकता है।

एक कंप्यूटर नेटवर्क दो या दो से अधिक कंप्यूटरों को डेटा और हार्डवेयर संसाधनों को साझा करने में सक्षम बनाता है। कंप्यूटर एक साथ जुड़े हुए हैं ताकि वे एक दूसरे के साथ संवाद कर सकें, वे एक नेटवर्क बनाते हैं। सभी प्रकार के कंप्यूटर नेटवर्क दो या दो से अधिक कंप्यूटरों को सूचना और संसाधनों को साझा करने में सक्षम बनाते हैं। ये आंतरिक संचार स्थापित करने के लिए डिज़ाइन किए गए हैं।

नोड – कंप्यूटर और अन्य महत्वपूर्ण आउटपुट यूनिट को नोड कहा जाता है।

वर्कस्टेशन – किसी व्यक्ति के पर्सनल कंप्यूटर को वर्कस्टेशन कहा जाता है।

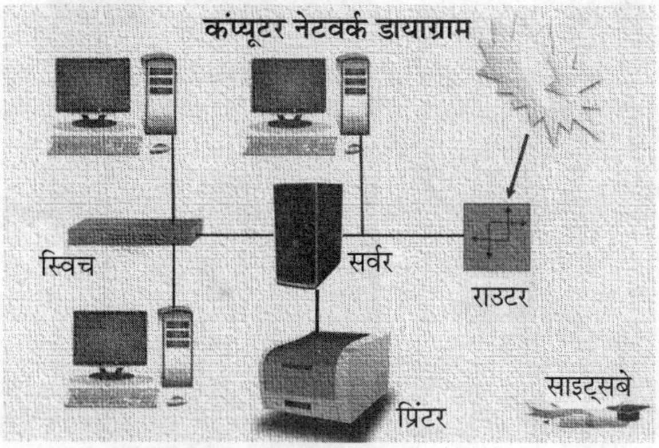

अत: सही विकल्प (b) है।

57. (a)

ऑप्टिकल कैरेक्टर रिकग्रिशन या रीडर (Optical Character Reader): यह मशीन-एन्कोडेड टेक्स्ट में टाइप, हस्तलिखित या मुद्रित टेक्स्ट की छवियों का इलेक्ट्रॉनिक या यांत्रिक रूपांतरण है, ओसीआर, स्कैन किए गए डॉक्यूमेंट, डॉक्यूमेंट की एक छवि, एक दृश्य-फोटो (उदाहरण के लिए एक लैंडस्केप फोटो में संकेतों और होर्डिंग पर लिखे कोड) या एक छवि पर आरोपित उपशीर्षक, एक टेलीविजन प्रसारण आदि से रूपांतरित कर सकता है।

ओसीआर सॉफ्टवेयर स्कैन की गई छवि को संपादन के लिए टेक्स्ट में परिवर्तित करता है।

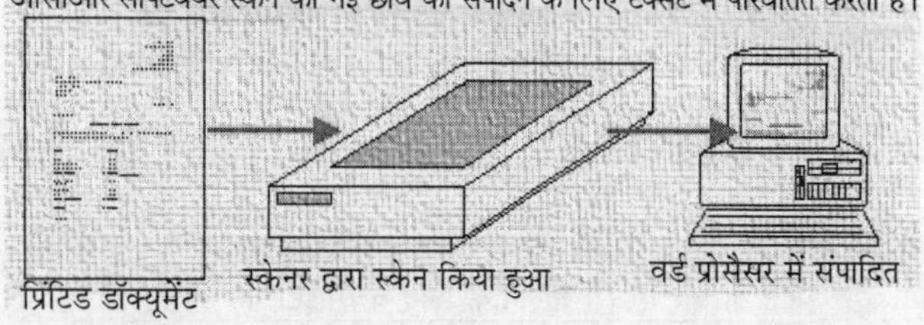

तो, सही विकल्प (a) है।

58. (d)

प्राथमिक स्टोरेज कंप्यूटर सिस्टम की मुख्य मेमोरी (main memory) होती है। प्राथमिक स्टोरेज से डेटा एक्सेस अधिक तीव्र गति से होता है, क्योंकि यह कंप्यूटर की आंतरिक स्मृति होती है। प्राथमिक मेमोरी सबसे अधिक अस्थिर होती है, जिसका अर्थ है कि प्राथमिक मेमोरी में डेटा उपस्थित नहीं रहता है। विद्युत् की आपूर्ति होने पर इसे पुन: प्राप्त (restore) नहीं किया जा सकता है। प्राथमिक स्टोरेज को सेमीकंडक्टर स्टोरेज भी कहा जाता है। यह सेकेंडरी स्टोरेज से अधिक महंगी होती है।

इस प्रकार, प्राइमरी और सेकेंडरी स्टोरेज के मध्य मुख्य अंतर यह है, कि प्राथमिक स्टोरेज तेज, अधिक खर्चीली और अनवरत (persistent) नहीं होती है।

59. (b)

स्वयं (SAWAYAM): स्वयं का अर्थ है 'स्टडी वेब्स ऑफ एक्टिव लर्निंग फॉर यंग एस्पायरिंग माइंड्स'। यह एक भारतीय व्यापक मुक्त ऑनलाइन पाठ्यक्रम (MOOC) है। यह आधुनिक शिक्षा प्रदान करने के लिए एक स्वदेशी आईटी MOOC फोरम है, जिसे आईटी सिस्टम का उपयोग करके किसी भी समय और कहीं भी पहुंचाया जा सकता है। यह भारत सरकार द्वारा शिक्षा के तीन प्रमुख सिद्धांतों - पहुंच (access), समानता (equity) और गुणवत्ता (quality) को प्राप्त करने के लिए आरंभ किया गया था। SWAYAM विभिन्न ढंगों और संरचना में MOOC अधिगम संसाधनों का संचालन करता है। स्वयं में अधिगम के चार उपभाग हैं: ई-ट्यूटोरियल, ई-सामग्री, परिचर्चा फोरम (discussion forum) तथा मूल्यांकन।

ई-यंत्र (e-Yantra): भारतीय प्रौद्योगिकी संस्थान, मुम्बई (आईआईटी बॉम्बे) में कंप्यूटर विज्ञान और इंजीनियरिंग विभाग की एक पहल है। यह NMEICT कार्यक्रम के अंतर्गत MHRD द्वारा वित्त पोषित है। इसे छात्रों को आकर्षित करने के उद्देश्य से रोबोटिक्स को इंजीनियरिंग शिक्षा में सम्मिलित करने के लिए क्रियान्वित किया गया है। इसके लिए गणित, कंप्यूटर विज्ञान और इंजीनियरिंग सिद्धांतों के रोमांचक ढंग से प्रस्तुत करने के कौशल की आवश्यकता है।

60. (b)

सर्च इंजन: यह एक वेबसाइट की तरह है जिसके माध्यम से उपयोगकर्ता (user) इंटरनेट पर उपलब्ध विषय (content) को सर्च कर सकते हैं।

वेब ब्राउज़र: यह एप्लिकेशन सॉफ़्टवेयर का एक उदाहरण है जिसे वेब सर्वर पर उपस्थित वेब पेजों या HTML फ़ाइलों से जानकारी प्राप्त करने और देखने के लिए विकसित किया गया है।

इंटरनेट प्रोटोकॉल (IP Adress): एक इंटरनेट प्रोटोकॉल, एक कंप्यूटर नेटवर्क से जुड़े प्रत्येक डिवाइस को सुपुर्द (assigned) किया गया एक संख्यात्मक लेबल है, जो संचार के लिए इंटरनेट प्रोटोकॉल का उपयोग करता है।

एक IP पता दो मुख्य कार्य करता है: होस्ट या नेटवर्क इंटरफ़ेस की पहचान करना एवं स्थान का पता करना। आईपी पते मानव-पठनीय नोटेशन में लिखे और प्रदर्शित किये जाते हैं, जैसे IPV 4 में 172.16.254.1 और IPV 6 में 2001: db8: 0: 1234: 0: 567: 8: 1 आदि। अत: कथन, एक और दो, दोनों असत्य हैं।

61. (c)

रेम (Random Access Memory): कंप्यूटर मेमोरी या रैंडम-एक्सेस मेमोरी (RAM) आपके सिस्टम का अल्पकालिक डेटा

स्टोरेज है। यह आपके कंप्यूटर द्वारा सक्रिय रूप से उपयोग की जा रही जानकारी को संग्रहित करता है ताकि इसे शीघ्रता से एक्सेस किया जा सके। रेम कंप्यूटर पर वर्तमान पर चल रहे प्रोग्राम को चालू रखता है।

डीवीडी रोम (Digital Versatile Disk - Read Only Memory): डीवीडी डिस्क का उपयोग डेटा फ़ाइलों को स्थायी रूप से संग्रहित करने के लिए किया जाता है। इसे केवल एक बार ही लिखा जा सकता है।

ए एल यू (Arithmetic Logical Unit - ALU): एक अंकगणित-तर्क इकाई एक कंप्यूटर प्रोसेसर का महत्वपूर्ण भाग है, जो कंप्यूटर निर्देशों को अपने शब्दों में कोड करके उस पर अंकगणित और तर्क संचालन करता है। यह गणना और तुलना संबंधी सभी संक्रियाएं करता है।

सी पी यू (Central Processing Unit): सेंट्रल प्रोसेसिंग यूनिट (सीपीयू), किसी भी डिजिटल कंप्यूटर सिस्टम का मुख्य भाग है, सामान्य तौर पर यह मुख्य मेमोरी, कंट्रोल यूनिट और अंकगणित-लॉजिक यूनिट से बना होता है। इसे 'कंप्यूटर का मस्तिष्क' भी कहा जाता है।

62. (a)

3G: 3G एक लंबी रेंज की बेतार प्रौद्योगिकी है। कुछ क्रियाकलापों के लिए उच्च बैंडविड्थ की आवश्यकता होती है, उन्हें 3G का उपयोग करके नहीं किया जा सकता है।

ब्लूटूथ: ब्लूटूथ एक छोटी रेंज की बेतार प्रौद्योगिकी है, जिसका उपयोग डेटा ट्रांसफर के लिए डिवाइसों को आपस में जोड़ने के लिए किया जाता है। ब्लूटूथ डेटा ट्रांसफर का निम्न कीमत वाला साधन है।

63. (a)

जीआईएफएक छवि फ़ाइल प्रारूप है जिसका उपयोग वेब पर छवियों के लिए किया जाता है और जो सॉफ्टवेयर प्रोग्राम में स्प्राइट करता है। जेपीईजी छवि प्रारूप के विपरीत, जीआईएफ दोषरहित संपीड़न (compression) का उपयोग करते हैं, जो छवि की गुणवत्ता को कम नहीं करता है।

64. (c)

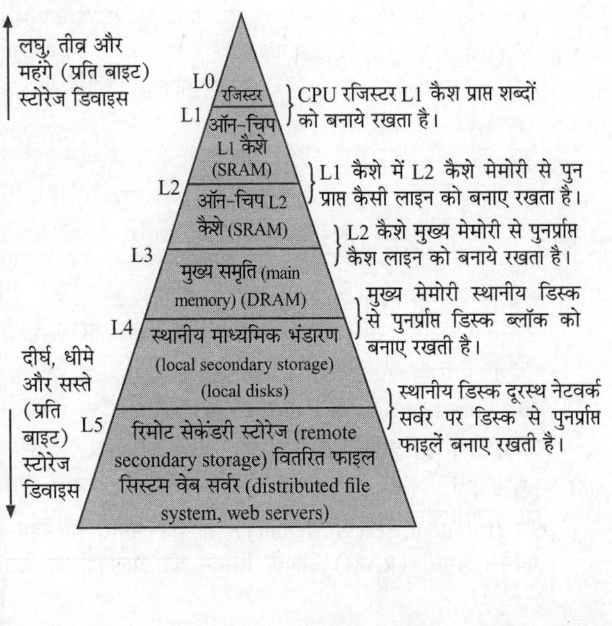

अतिरिक्त जानकारी: L1 कैशे, या प्राथमिक कैशे, अधिक तीव्र लेकिन अपेक्षाकृत छोटा है, और प्रोसेसर चिप में CPU कैशे के रूप में एम्बेडेड होता है। लेवल 3 (L3) कैशे L1 और L2 के प्रदर्शन को बेहतर बनाने के लिए विकसित की गई विशेष मेमोरी है। L1 या L2 L3 की तुलना में अधिक तीव्र हो सकती है, हालांकि L3 सामान्य तौर पर, DRAM की गति से दोगुना होता है।

अतः निम्नतम से उच्चतम स्पीड की दृष्टि से कंप्यूटर मेमोरी का सही क्रम द्वितीयक भंडारण, मुख्य स्मृति तथा कैशे स्मृति होगा।

65. (b)

GHz: यह वह दर है जिस पर एक प्रोसेसर किसी कार्य को निष्पादित करता है और उसे गीगाहट्र्ज़ (GHz) में मापा जाता है। इसलिए 2.6-गीगाहट्र्ज प्रोसेसर एक सेकंड में 2.6 बिलियन निर्देश चला सकता है, जबकि 2.3-गीगाहट्र्ज प्रोसेसर प्रति सेकंड 2.3 बिलियन निर्देश चला सकता है।

Gbps (गीगाबिट्स या गीगाबाइट्स प्रति सेकंड): एक बिलियन बिट्स या बाइट्स प्रति सेकंड। Gbps पेरिफेरल (कंप्यूटर से जुड़ा उपकरण) डेटा ट्रांसफर या नेटवर्क ट्रांसमिशन स्पीड का माप है। बिट्स के लिए सही संक्षिप्त नाम 'b' और बाइट्स के लिए 'B' है।

Gb (Gigabyte): एक गीगाबाइट (Gb) 1000 मेगाबाइट (Mb) के बराबर होता है। गीगाबाइट कंप्यूटर मेमोरी को मापने की एक इकाई है।

DPI (Dots Per Inch): यह एक मुद्रित दस्तावेज़ या डिजिटल स्कैन के लिए उपयोग किया जाता है। डॉट घनत्व जितना अधिक होगा, प्रिंट या स्कैन का वियोजन (resolution) उतना ही अधिक होगा। सामान्यतौर पर, डीपीआई डॉट्स की संख्या का माप है जिसे एक इंच या 2.54 सेंटीमीटर के पार एक पंक्ति में रखा जा सकता है।

66. (a)

मशीन लर्निंग एक प्रकार की आर्टिफिशियल इंटेलिजेंस है, जो सॉफ्टवेयर एप्लिकेशन को स्पष्ट रूप से ऐसा करने के लिए प्रोग्राम किए बिना अधिक सटीकता से परिणामों की भविष्यवाणी करने की अनुमति देता है। मशीन लर्निंग एल्गोरिदम नए आउटपुट मानों की भविष्यवाणी करने के लिए ऐतिहासिक डेटा का उपयोग इनपुट के रूप में करते हैं। मशीन लर्निंग एल्गोरिदम प्रतिदर्श आंकड़ों के आधार पर एक मॉडल का निर्माण करते हैं, जिसे 'प्रशिक्षण आंकड़े' के रूप में भी जाना जाता है, ताकि ऐसा करने के लिए स्पष्ट रूप से प्रोग्राम किए बिना भविष्यवाणियां या निर्णय किए जा सकें।

67. (a)

साइबर-वेंटिंग किसी के नियोक्ता, वरिष्ठ अधिकारियों, सहकर्मियों, आदि के बारे में बुरा बोलने के लिए वेबसाइटों का उपयोग करने और ऐसी टिप्पणियों को सार्वजनिक करने के लिए किया जाता है, ताकि सभी उन्हें देख सकें। साइबर-वेंटिंग को ऑनलाइन वेटिंग के रूप में भी जाना जाता है।

68. (a)

1. **ई - मेल (E-mail):** ई – मेल भेजना औपचारिक संदेश का माध्यम है।

2. **मौखिक अनुदेश (Verbal instruction)**: मौखिक अनुदेश अनौपचारिक के अंतर्गत आता है।
3. **संव्यवहार (Transactional)**: संव्यवहार से अभिप्राय व्यक्तियों के दो समूहों के मध्य सूचना का आदान प्रदान है। संचार का लेन-देन मॉडल प्रेषक और रिसीवर के मध्य संदेशों का आदान-प्रदान है, जहां प्रत्येक संदेश भेजने या प्राप्त करने के लिए बारी-बारी से करता है। मॉडल का उपयोग अधिकतर पारस्परिक संचार के लिए किया जाता है और इसे संचार का परिपत्र मॉडल भी कहा जाता है। संचारक सामाजिक, संबंधपरक और सांस्कृतिक संदर्भों में सामाजिक वास्तविकताओं को उत्पन्न करते हैं।
4. **सांकेतिकता (Semiotics)**: यह संकेतों और प्रतीकों का अध्ययन है। व्यावहारिक जीवन में समझे जाने वाले सामान्य संकेतों में यातायात संकेत, इमोजी और कॉर्पोरेट लोगो सम्मिलित हैं। लाक्षणिक परंपरा, संचार के एक महत्वपूर्ण भाग के रूप में संकेतों और प्रतीकों के अध्ययन की जांच करती है।

69. (b)

सॉफ्टवेयर को द्वितीयक स्टोरेज से रैम में लोड किया जाता है और उसके बाद सी पी यू द्वारा क्रियान्वित किया जाता है। स्मृति के क्रमों को हम निम्नलिखित आरेख की सहायता से समझ सकते हैं।

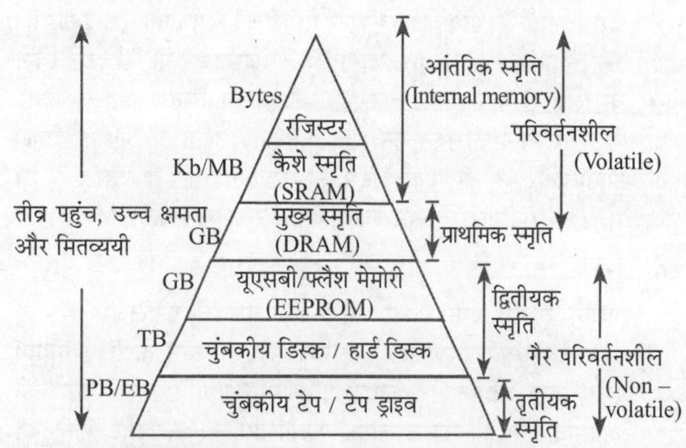

70. (c)

जब पीसी या लैपटॉप को बिजली की आपूर्ति बंद कर दी जाती है तो रैम में संग्रहीत जानकारी लुप्त जाती है। RAM में स्टोर की गई जानकारी को BIOS की सहायता से चेक किया जा सकता है। इसे सामान्य तौर पर मुख्य मेमोरी या अस्थायी मेमोरी या कैश मेमोरी या कंप्यूटर सिस्टम की वोलेटाइल मेमोरी के रूप में जाना जाता है।
अत: रेंडम एक्सेस मेमोरी सहज परिवर्तनीय होती है और इसमें वर्तमान में प्रयोग किये जानेवाले आंकड़े और प्रोग्राम स्टोर किये जाते हैं। रेम एक ऐसा स्टोरेज माध्यम है जिसमें इसके विषयवस्तु बिजली आपूर्ति बाधित हो जाने के बाद बने नहीं रहते हैं।

71. (b)

ऑपरेटिंग सिस्टम (OS): यह कंप्यूटर उपयोगकर्ता और कंप्यूटर हार्डवेयर के मध्य एक इंटरफ़ेस है। यह फ़ाइल प्रबंधन, मेमोरी प्रबंधन, प्रक्रिया प्रबंधन, इनपुट और आउटपुट को संभालने और डिस्क ड्राइव और प्रिंटर जैसे परिधीय उपकरणों को नियंत्रित करने जैसे सभी महत्वपूर्ण कार्य करता है। सबसे सामान्य ऑपरेटिंग सिस्टम में से पांच माइक्रोसॉफ्ट विंडोज, ऐप्पल मैकओएस, लिनक्स, एंड्रॉइड और ऐप्पल के आईओएस हैं।
ऑपरेटिंग सिस्टम सॉफ्टवेयर, बाह्य उपकरणों को नियंत्रित करता है तथा मेमोरी और प्रोसेसर टाइम आवंटित करता है।
WWW: ब्रिटिश वैज्ञानिक टिम बर्नर्स-ली ने वर्ष 1989 में CERN में कार्य करते हुए वर्ल्ड वाइड वेब (WWW) का आविष्कार किया था। वेब को मूल रूप से विश्व भर के विश्वविद्यालयों और संस्थानों में वैज्ञानिकों के मध्य स्वचालित सूचना-साझाकरण की मांग की पूर्ति करने के लिए विकसित किया गया था।
डिवाइस ड्राइवर: इसे हार्डवेयर ड्राइवर भी कहा जाता है, जो फाइलों का एक समूह है। यह एक या एक से अधिक हार्डवेयर डिवाइस को कंप्यूटर के ऑपरेटिंग सिस्टम के साथ संचार करने में सक्षम बनाता है। यह एक ऐसा सॉफ्टवेयर है, जो किसी हार्डवेयर को नियंत्रित करने में ओएस की सहायता करता है।
इंटरनेट प्रोटोकॉल (IP): यह नेटवर्क सीमाओं के पार डेटाग्राम को रिले करने में एक सूट है। इसका रूटिंग फ़ंक्शन इंटरनेटवर्किंग को सक्षम बनाता है और अनिवार्य रूप से इंटरनेट स्थापित करता है। एक IP पता दो मुख्य कार्य करता है: होस्ट या नेटवर्क इंटरफ़ेस पहचान और स्थान का पता।
इंटरनेट प्रोटोकॉल संस्करण 4 (IPv4): यह एक आईपी पते को 32-बिट संख्या के रूप में परिभाषित करता है। IP का एक नया संस्करण (IPv6), IP पते के लिए 128 बिट्स का उपयोग करता है जिसे 1998 में मानकीकृत किया गया था।
IP पते मानव-पठनीय नोटेशन में लिखे और प्रदर्शित किए जाते हैं, जैसे IPv4 और 2001 में 172.16.254.1:db8:0:1234: 0:567:8 :1 IPv6 में।

72. (d)

वायरलेस फिडेलिटी, वाई-फाई का पूरा नाम है और यह कंप्यूटिंग उपकरणों को लैन या इंटरनेट से कनेक्ट करने की अनुमति देने के लिए शॉर्ट रेंज तरंगों का उपयोग करने के लिए मानकों का एक सम्मुच्य (set) है।
वाई-फाई और इंटरनेट दो भिन्न – भिन्न सेवाएं हैं, जो एक साथ कार्य करती हैं। इंटरनेट को एक भाषा के रूप में और वाई-फाई को उस भाषा को संप्रेषित और अनुवाद करने के ढंग के रूप में सोचें। ऐसा करने के लिए हमें एक मॉडेम, वाई-फाई राउटर और एक इंटरनेट प्रदाता की आवश्यकता है।
लैन एक नेटवर्क है, जो उपकरणों को कनेक्ट और संचार करने की अनुमति देता है।

73. (b)

प्रश्नानुसार, दो तीव्रताओं का अनुपात 2 : 1 है। हमें डेसिबल में उनके ध्वनि स्तरों में अंतर का पता लगाना चाहिए। हम लघुगणक के गुणों का उपयोग करके इस समस्या को हल कर सकते हैं।

तीव्रता को एक तरंग द्वारा प्रति इकाई क्षेत्र की शक्ति के रूप में परिभाषित किया गया है। शक्ति वह दर है, जिस पर तरंग द्वारा ऊर्जा का स्थानांतरण होता है। यदि एक ध्वनि दूसरे की तुलना में दोगुनी तीव्र है, तो इसका ध्वनि स्तर लगभग 3 dB अधिक है।

74. (b)

वेब ब्राउज़र (web browser): वेब ब्राउज़र एक ऐसा सॉफ़्टवेयर है, जो उपयोगकर्ता को वेब पर होस्ट कंप्यूटर में संग्रहीत टेक्स्ट, वीडियो, ऑडियो और ग्राफिक्स का पता लगाने, उन्हें प्रदर्शित करने और डाउनलोड करने की अनुमति देता है। एक ब्राउज़र, इंटरनेट पर पेज खोलने और उनके नेविगेशन में भी सहायता करता है। यह उनके उपयोगकर्ता और इंटरनेट के मध्य इंटरफेस के रूप में कार्य करता है। कुछ लोकप्रिय वेब ब्राउज़र क्रोम, इंटरनेट एक्सप्लोरर, मोज़िला फ़ायरफ़ॉक्स 3.5, ओपेरा, सफारी 4.0 हैं।

ऑपरेटिंग सिस्टम (Operating system): एक OS कंप्यूटर सिस्टम के अन्य सभी संसाधनों को नियंत्रित करता है। यह 16-बिट, 32 बिट और 64 बिट हो सकता है। DOS एक ऑपरेटिंग सिस्टम है।

सेकेंडरी मेमोरी (Secondary memory): सेकेंडरी मेमोरी सबसे धीमी और सबसे सस्ती मेमोरी है। इसे प्रत्यक्ष रूप से सीपीयू द्वारा प्रोसेस नहीं किया जा सकता है और इसे प्राइमरी स्टोरेज (रैम) में कॉपी किया जाता है । सेकेंडरी मेमोरी डिवाइस के उदाहरणों में मैग्नेटिक डिस्क जैसे हार्ड ड्राइव और फ्लॉपी डिस्क, ऑप्टिकल डिस्क जैसे सीडी और सीडी.रोम आदि आते हैं। अत: हार्ड डिस्क सेकेंडरी मेमोरी का उदाहरण है।

एप्लिकेशन सॉफ्टवेयर (Application software): यह उपयोगकर्ताओं को एकल या कई संबंधित कार्यों को करने में सहायता करता है। इसे दो भागों में वर्गीकृत किया जा सकता है।

1. **उत्पादकता सॉफ्टवेयर (Utility software):** इसके उदाहरण एमएस – वर्ड, स्प्रेड शीट, शेड्यूल, डीबीएमएस, डेस्कटॉप प्रकाशन, ईआरपी और मोज़िला फ़ायरफ़ॉक्स है।
2. **सहयोगात्मक सॉफ्टवेयर (Collaborative software):** इन्हें ग्रुपवेयर सॉफ्टवेयर भी कहा जाता है। इसके लोकप्रिय उदाहरण फेसबुक एप्लिकेशन और ईथर पैड हैं।

75. (d)

सॉफ्टवेयर: सॉफ्टवेयर प्रोग्रामों, प्रक्रियाओं, एल्गोरिदम आदि का एक सेट है, जो कंप्यूटर को निर्देश प्रदान करता है कि क्या करना है, कब करना है और कैसे करना है? जब सॉफ़्टवेयर को ऐसे हार्डवेयर में संग्रहीत किया जाता है, जिसे सरलता से संशोधित नहीं किया जा सकता है (जैसे कि पीसी में BIOS, ROM) तो इसे फ़र्मवेयर (firmware) कहा जाता है। सॉफ्टवेयर तीन प्रकार के होते हैं: सिस्टम सॉफ्टवेयर, यूटिलिटी और एप्लीकेशन सॉफ्टवेयर। सॉफ्टवेयर का एक उदाहरण लाइनक्स (linux) है।

हार्डवेयर: कंप्यूटर हार्डवेयर एक भौतिक उपकरण है, जिसकी आवश्यकता इलेक्ट्रॉनिक डेटा निर्मित करने, उसका उपयोग करने, हेरफेर करने और संग्रहीत करने के लिए होती है। कंप्यूटर सिस्टम के हार्डवेयर को सीपीयू और पेरिफेरल्स में वर्गीकृत किया जा सकता है। हार्डवेयर कंप्यूटर के वे भाग होते हैं, जिन्हें देखा और स्पर्श किया जा सकता है, हार्ड डिस्क भी एक प्रकार का हार्डवेयर है।

एल्गोरिदम: एक कंप्यूटर सिस्टम में, एक एल्गोरिदम मूल रूप से सॉफ्टवेयर डेवलपर्स द्वारा लिखे गए कूट को कहा जाता है। सरल शब्दों में, एक एल्गोरिदम किसी समस्या को हल करने के लिए चरण-दर-चरण प्रक्रिया है।

डेटा: डेटा कच्चे तथ्य और आंकड़े हैं। डेटा मात्रा, वर्ण या प्रतीक हैं, जिन पर कंप्यूटर द्वारा संचालन किया जाता है। इन्हें विद्युत संकेतों के रूप में संग्रहीत और प्रसारित किया जा सकता है और चुंबकीय, ऑप्टिकल या यांत्रिक रिकॉर्डिंग मीडिया पर रिकॉर्ड किया जा सकता है।

76. (a)

जॉयस्टिक (Joystick): एक जॉयस्टिक कंप्यूटर का एक इनपुट डिवाइस है, जिसमें एक छड़ी होती है, जो अपने कक्ष पर घूर्णन करती है और अपने कोण या दिशा को उस डिवाइस को रिपोर्ट करती है, जिसे वह नियंत्रित कर रहा है। एक जॉयस्टिक को 'नियंत्रण स्तंभ' (control column) के रूप में भी जाना जाता है।

जॉयस्टिक का उपयोग क्रेन, ट्रक, जल के भीतर मानव रहित वाहन, व्हीलचेयर, निगरानी कैमरे एवं नागरिक एवं सैन्य विमानों को नियंत्रित करने के लिए किया जाता है। इलेक्ट्रिकल टू-एक्सिस जॉयस्टिक का आविष्कार सीण्बीण् मिरिक ने यूनाइटेड स्टेट्स नेवल रिसर्च लेबोरेटरी (NRL) में किया था और 1926 में इसका पेटेंट करवाया गया।

ऑथर के सौजन्य से

77. (d)

एम एस वर्ड (MS – Word): यह एक प्रकार का एप्लीकेशन सॉफ्टवेयर है। इसकी संक्षिप्त चर्चा पूर्व प्रश्न में भी की जा चुकी है।

एंड्रॉइड (Android): एंड्रॉइड एक मोबाइल ऑपरेटिंग सिस्टम है, जो लाइनक्स कर्नेल और अन्य ओपन-सोर्स सॉफ़्टवेयर के संशोधित संस्करण पर आधारित है। यह मुख्य रूप से स्मार्टफ़ोन और टैबलेट जैसे टचस्क्रीन मोबाइल उपकरणों के लिए डिज़ाइन किया गया है। इसे एंड्रॉइड डेवलपर्स के एक संघ 'ओपन हैंडसेट एलायंस' द्वारा विकसित किया गया है और Google द्वारा व्यावसायिक रूप से प्रायोजित किया जाता है। नवंबर 2007 में इसका अनावरण किया गया था, प्रथम वाणिज्यिक एंड्रॉइड डिवाइस 'एचटीसी ड्रीम' सितंबर 2008 में लॉन्च किया गया था।

आई ओ एस (iOS): आईओएस ऐप्पल इंक द्वारा निर्मित और विकसित एक मोबाइल ऑपरेटिंग सिस्टम है। यह Android के बाद, विश्व का दूसरा सबसे व्यापक रूप से स्थापित मोबाइल ऑपरेटिंग सिस्टम है। यह Apple द्वारा निर्मित तीन अन्य ऑपरेटिंग सिस्टम iPadOS, tvOS, और watchOS का भी आधार है। यह एक मालिकाना सॉफ्टवेयर (proprietary software) है। अब तक iOS मोबाइल ऐप्स को सामूहिक रूप से 130 अरब से अधिक बार डाउनलोड किया जा चुका है। iOS के प्रमुख संस्करण प्रतिवर्ष जारी किए जाते हैं। वर्तमान स्थिर संस्करण, आईओएस 15, 20 सितंबर, 2021 को जनता के लिए जारी किया गया था।

लाइनक्स (Linux): लाइनक्स ओपन-सोर्स यूनिक्स जैसे ऑपरेटिंग सिस्टम की श्रेणी में ही आता है, जो लाइनक्स कर्नेल पर आधारित है। सर्वप्रथम लिनुस टॉर्वाल्ड्स द्वारा 17 सितंबर, 1991 को जारी किया गया था। इसके स्रोत कोड का उपयोग, संशोधन और वाणिज्यिक या गैर-व्यावसायिक रूप से किसी के द्वारा GNU जनरल पब्लिक लाइसेंस की शर्तों के तहत किया जा सकता है। फाल्कन 9 और ड्रैगन 2 के एवियोनिक्स लाइनक्स के एक अनुकूलित संस्करण का उपयोग करते हैं।

78. (b)

अव्यवस्थित प्रदत्त (raw data): अव्यवस्थित प्रदत्त को प्राथमिक आंकड़े के रूप में भी जाना जाता है। यह एक स्रोत से एकत्र किए गए आंकड़े जैसे, संख्याएं, उपकरण रीडिंग और अन्य अव्यवस्थित सूचनाएं हैं। परीक्षाओं के संदर्भ में, अपरिष्कृत डेटा को रॉ स्कोर के रूप में वर्णित किया जा सकता है।

संसाधित प्रदत्त (processed data): संसाधित किए गए प्रदत्त को सूचना के रूप में जाना जाता है।

व्यतिरिक्त प्रदत्त (redundant data): यह वास्तविक डेटा के अतिरिक्त प्रदत्त है और यह संग्रहण और प्रेषण के समय त्रुटियों के सुधार की अनुमति देता है। यह उस स्थिति में अधिक उपयुक्त होता है, जब डेटा दो या दो से अधिक अलग-अलग स्थानों में जाकर संग्रहीत किया जाता है।

क्रमिक प्रदत्त (ordinal data): सामान्य डेटा एक श्रेणीबद्ध, सांख्यिकीय डेटा प्रकार होता है जहां चर में प्राकृतिक, क्रमबद्ध श्रेणियां होती हैं और श्रेणियों के मध्य की दूरी ज्ञात नहीं होती है।

79. (c)

अभिकथन (A): शोध में आईसीटी का उपयोग शोध परिणामों अभिगम्यता और परिशुद्धता सरल हो जाती है।

शोध में आईसीटी का उपयोग बहुत व्यापक है। वर्तमान में, इसके बिना वैज्ञानिक शोध की कल्पना करना कठिन है। कंप्यूटर के उपयोग के बिना कई शोध अध्ययन संभव नहीं हो सकते हैं। विशेष रूप से वैज्ञानिक शोध, जिसमें जटिल संगणना, आंकड़ों का विश्लेषण और मॉडलिंग सम्मिलित है। विभिन्न सांख्यिकीय विश्लेषण उपकरण हैं और ऑनलाइन आंकड़ों का संग्रह के लिए विभिन्न प्रकार के उपकरणों का उपयोग अनुसंधान में सटीकता सुनिश्चित करने के लिए किया जाता है। ज़ोटेरो और एवरनोट जैसे आधुनिक इलेक्ट्रॉनिक शोध उपकरण, आंकड़ों का संग्रह और सहकर्मियों के मध्य सहयोग को संभव बनाते हैं।

तर्क (R): एक शोधकर्ता को शोध-प्रबंध लेखन में संदर्भीकरण और प्रारूप की विभिन्न शैलियों का अनुपालन करना पड़ता है, ताकि आईसीटी का अनुप्रयोग किया जा सके।

एक शोधकर्ता, संदर्भीकरण के माध्यम से अपने शोध कार्य में अन्य लेखकों और शोधकर्ता के योगदान को स्वीकार करने की अनुमति देता है।

एक शोधकर्ता को थीसिस लिखते समय संदर्भ और प्रारूप की विभिन्न शैली का पालन करना पड़ता है, लेकिन यह आईसीटी से समर्थन प्राप्त करने के उद्देश्य से नहीं किया जाता, इसलिए तर्क (R) असत्य है।

80. (c)

विसिकाल्क का अर्थ 'दृश्यमान कैलकुलेटर' है। यह पर्सनल कंप्यूटर के लिए प्रथम स्प्रैडशीट कंप्यूटर प्रोग्राम है, जिसे मूल रूप से वर्ष 1979 में VICORP द्वारा Apple II के लिए क्रियान्वित किया गया था। इसे ऐसा एप्लिकेशन माना जाता है, जिसने माइक्रो कंप्यूटर को कंप्यूटर उत्साही लोगों की रूचि से, एक गंभीर व्यावसायिक उपकरण में परिवर्तित कर दिया, इसके दो वर्ष बाद IBM को IBM PC प्रस्तुत करने के लिए प्रेरित किया गया। विसिकाल्क को Apple II का किलर ऐप माना जाता है। VisiCalc ने पीसी को व्यापार के क्षेत्र में लाने में सहायता की।

81. (d)

स्वामित्व सॉफ्टवेयर (proprietary software), जिसे गैर-मुक्त सॉफ्टवेयर या बंद-स्रोत सॉफ्टवेयर के रूप में भी जाना जाता है। यह मुक्त - स्रोत सॉफ्टवेयर (open-source software) के विपरीत है।

स्वामित्व सॉफ्टवेयर, निजी स्वामित्व वाला और नियंत्रित है। अन्य कंपनियों को इसकी नकल करने से रोकने के लिए ऐसे सॉफ़्टवेयर के विनिर्देश प्रकट नहीं किए जाते हैं। स्वामित्व सॉफ़्टवेयर का उपयोग करने की हानि यह है कि यह सामान्य तौर पर मुक्त सॉफ़्टवेयर की तुलना में अधिक विस्तृत होता है।

उपयोगकर्ता सामान्यतौर पर मुक्त सॉफ़्टवेयर का उपयोग करना पसंद करते हैं क्योंकि यह सार्वजनिक रूप से सुलभ है। कोई भी इसके लिए ऐड-ऑन उत्पाद निर्मित कर सकता है और यह सरलता से समझा जा सकता है कि इसे कैसे डिज़ाइन किया गया है।

82. (c)

DOC (Document): .doc एक फ़ाइल एक्सटेंशन है, जिसका उपयोग MS Word बाइनरी फ़ाइल स्वरूप पर संग्रहीत वर्ड प्रोसेसिंग डोक्युमेन्ट के लिए किया जाता है। अत:, ऐसे अनुदेशों की मुद्रित प्रतियों में संगीत वादन कैसे करें, का सर्वाधिक उपयुक्त फ़ाइल स्वरूप DOC है।

MP3 (Media Player): MP3 (औपचारिक रूप से MPEG-1 ऑडियो लेयर III या MPEG-2 ऑडियो लेयर III) जर्मनी द्वारा बड़े पैमाने पर विकसित डिजिटल ऑडियो के लिए एक कोडिंग प्रारूप है। अत:, उसका संगीत वादन करते हुए उनकी ध्वनि फ़ाइल के लिए, सबसे उपयुक्त फ़ाइल स्वरूप MP3 है।

AVI (Audio Video Interleave): यह एक स्वामित्व मल्टीमीडिया कंटेनर प्रारूप और विंडोज मानक है जिसे माइक्रोसॉफ्ट द्वारा नवंबर 1992 में विंडोज सॉफ्टवेयर के लिए अपने वीडियो के भाग के रूप में प्रस्तुत किया था। एक फ़ाइल कंटेनर में ऑडियो और वीडियो डेटा, जो समकालिक ऑडियो के साथ वीडियो प्लेबैक की अनुमति देता है। अत: संगीत वादन करते हुए उनकी वीडियो फाइलों के लिए सर्वाधिक उपयुक्त फ़ाइल प्रारूप AVI है।

JPEG (Joint Photographic Experts Group): जेपीईजी डिजिटल छवियों के संपीड़न के लिए उपयोग किया जाता है, विशेषकर डिजिटल फोटोग्राफी द्वारा उत्पादित छवियों के लिए। जेपीईजी सामान्य तौर पर छवि गुणवत्ता में कम प्रत्यक्ष हानि के साथ 10:1 संपीड़न (compression) प्राप्त करता है। अत: जिन वाद्यों को वह रीड करते हैं उनकी छवियों के लिए सबसे उपयुक्त फ़ाइल स्वरूप JPEG है।

83. (a)

पठन / भाषा कलाएं: बेसिक पठन कौशल विकसित करने के लिए सॉफ्टवेयर प्रोग्राम

गणित: अमूर्त या कठिनता से साकार कल्पना कर पाने वाले संबंधों को स्पष्ट करने के लिए गणनाओं का प्रयोग

विज्ञान: जटिल संबंधों को स्पष्ट करने के लिए अनुरूपण

समाज अध्ययन: दूरस्थ स्थान और काल की गवेषणा करने के लिए अनुरूपण

84. (c)

आईपी पता (IP address): यह इंटरनेट पर प्रत्येक डिवाइस के लिए अंकीय आईडी है, जो विशिष्ट रूप से नेटवर्क पर एक विशिष्ट इंटरफ़ेस की पहचान करता है। IPv4 में IP पते 32-बिट्स के आकर के होते हैं। यह अधिकतम 4,294,967,296 (232) अद्वितीय पतों की अनुमति देता है। IPv6 में पते 128-बिट हैं, जो 3.4 × 1038 (2128) अद्वितीय पतों की अनुमति देता है।

मैक पता (MAC Adress): नेटवर्क इंटरफेस कार्ड (एनआईसी) के लिए अद्वितीय आईडी है। यह वह भौतिक पता है, जो किसी दिए गए नेटवर्क पर प्रत्येक डिवाइस की विशिष्ट रूप से पहचान करता है। दो नेटवर्क उपकरणों के मध्य संचार करने के लिए, हमें दो एड्रेस आईपी एड्रेस और मैक एड्रेस चाहिए । यह प्रत्येक डिवाइस के एनआईसी (नेटवर्क इंटरफेस कार्ड) को सौंपा जाता है, जिसे इंटरनेट से जोड़ा जा सकता है। यह मीडिया एक्सेस कंट्रोल के लिए है और इसे फिजिकल एड्रेस, हार्डवेयर एड्रेस या बीआई, (बर्न इन एड्रेस) के रूप में भी जाना जाता है। यह विश्व स्तर पर अद्वितीय है; इसका अर्थ यह है कि दो उपकरणों में एक ही मैक एड्रेस नहीं हो सकता है। इसे प्रत्येक डिवाइस पर हेक्साडेसिमल प्रारूप (00:0a:95:9d :67:16) में दर्शाया जाता है।

वीओआइपी (VOIP): फोन कॉल करने के लिए इंटरनेट का उपयोग वॉयस ओवर इंटरनेट प्रोटोकॉल (वीओआईपी), जिसे आईपी टेलीफ़ोनी भी कहा जाता है, इंटरनेट प्रोटोकॉल (आईपी) नेटवर्क पर आवाज संचार और मल्टीमीडिया सत्रों के वितरण के लिए प्रौद्योगिकियों का एक समूह है, जैसे कि इंटरनेट।

यूआरएल (URL): यह इंटरनेट वेब एड्रेस खोजने के लिए, वेब ब्राउज़र द्वारा प्रयुक्त विषय वाक्य है। एक यूनिफ़ॉर्म रिसोर्स लोकेटर, जिसे साधारण भाषा में वेब एड्रेस कहा जाता है। यह एक वेब रिसोर्स का संदर्भ है, जो कंप्यूटर नेटवर्क पर इसके स्थान और इसे प्राप्त करने के लिए एक तंत्र को निर्दिष्ट करता है। URL सामान्य तौर पर वेब पेजों (http) को संदर्भित करने के लिए होते हैं, लेकिन फ़ाइल स्थानांतरण (FTP), ईमेल (मेल करने के लिए), डेटाबेस एक्सेस और कई अन्य अनुप्रयोगों के लिए भी उपयोग किए जाते हैं।

85. (c)

कंप्यूटर की आंतरिक और बाह्य मेमोरी के सबंध में निम्न तथ्य सही हैं:

1. मैग्नेटिक टेप का उपयोग डेटा बैकअप के लिए किया जाता है।
2. RAM एक आंतरिक मेमोरी है
3. विद्युत् आपूर्ति बंद होने पर ROM डेटा को खो देता है।

86. (b)

200M वेबमीटिंग प्लेटफॉर्म के मूल नि:शुल्क रूपांतर एक ऑनलाइन क्लास को 40 मिनट के लिए संचालित करने की अनुमति देता है।

87. (b)

1. **सिम्प्लेक्स डाटा संचरण (Half – duplex data transmission:** सिम्प्लेक्स डेटा ट्रांसमिशन मोड है, जिसमें डेटा केवल एक दिशा में प्रवाहित हो सकता है, अर्थात संचार दिशाहीन है।
2. **अर्ध-डुप्लेक्स डाटा संचरण (Half–duplex data transmission):** अर्ध डुप्लेक्स डाटा संचरण दोनों दिशाओं में होता है, लेकिन एक ही समय में नहीं।
3. **पूर्ण डुप्लेक्स डाटा संचरण (Full duplex data transmission):** पूर्ण डुप्लेक्स डाटा संचरण एक साथ दोनों दिशाओं में होता है।
4. **श्रेणीबद्ध डाटा संचरण (Serial data transmission):** श्रेणीबद्ध डाटा संचरण तब होता है, जब एक डेटा चैनल पर एक बार में एक बिट सूचना संप्रेषित की जाती है। सीरियल इंटरफेस सामान्य तौर पर, डेटा संचार उपकरण (डीसीई) जैसे मोडम को डाटा टर्मिनल उपकरण (डीटीई) जैसे कंप्यूटर और टर्मिनल से जोड़ने और डीसीई को डीटीई से जोड़ने के लिए उपयोग किया जाता है।
5. **समानांतर डाटा संचरण (Parallel data transmission):** समानांतर ट्रांसमिशन (जैसे, 8 बिट्स) में प्रत्येक बिट एक समानांतर लिंक पर डाटा संप्रेषण के लिए एक भिन्न तार का उपयोग करता है और एक भिन्न लाइन का उपयोग क्लॉक सिग्नल के रूप में किया जाता है। यह डेटा उपलब्ध होने पर प्राप्तकर्ता को सूचित करने का कार्य करता है।

88. (a)

वर्ल्ड वाइड वेब (WWW): यह इंटरनेट का एक सबसेट है और इंटरनेट पर उपलब्ध लेखों और एप्लिकेशन का एक संग्रह है। इस प्रकार, वर्ल्ड वाइड वेब वेबसाइटों पर संग्रहित वेबपेजों का संग्रह है।

हाइपरटेक्स्ट प्रीप्रोसेसर (PHP): हाइपरटेक्स्ट प्रीप्रोसेसर (PHP) एक लोकप्रिय स्क्रिप्टिंग भाषा है, जिसका उपयोग आकर्षक, उपयोगकर्ता के अनुकूल और इंटरैक्टिव वेब पेज बनाने के लिए किया जाता है। PHP ओपन-सोर्स है जिसका अर्थ है कि यह अच्छी तरह से प्रलेखित है और इसे सरलता से वेब से नि:शुल्क डाउनलोड किया जा सकता है। इसे वर्ष 1994 में Rasmus Lerdorf द्वारा बनाया गया था।

इंटरकनेक्टेड नेटवर्क: इसका अर्थ कंप्यूटर नोड्स का एक सेट है, जिसमें व्यक्तिगत कंप्यूटर, मोबाइल डिवाइस और भौतिक या वर्चुअल सर्वर सम्मिलित हैं, लेकिन यह केवल इन्हीं तक सीमित नहीं हैं, जो उपयोगकर्ताओं के बीच डेटा के प्रसारण की सुविधा के लिए एक साथ जुड़े हुए हैं।

वेब ब्राउज़र: ब्राउज़र वर्ल्ड वाइड वेब तक पहुंचने के लिए एक एप्लीकेशन सॉफ्टवेयर है। जब कोई उपयोगकर्ता किसी विशेष वेबसाइट से वेब पेज का अनुरोध करता है, तो वेब ब्राउज़र वेब सर्वर से आवश्यक सामग्री प्राप्त करता है और फिर यह उपयोगकर्ता के डिवाइस पर पेज प्रदर्शित करता है।

वेब ब्राउज़र का उपयोग कई प्रकार के उपकरणों पर किया जाता है, जिनमें डेस्कटॉप, लैपटॉप, टैबलेट और स्मार्टफ़ोन शामिल हैं। सबसे अधिक उपयोग किया जाने वाला ब्राउज़र गूगल क्रोम (Google Chrome) है, जिसकी वैश्विक बाजार में भागीदारी 65% है, तत्पश्चात सफारी (Safari) का प्रतिशत 18% है।

एक वेब ब्राउज़र एक खोज इंजन (search engine) के समान नहीं है। एक सर्च इंजन एक वेबसाइट है जो अन्य वेबसाइटों के लिंक प्रदान करती है। हालांकि, किसी वेबसाइट के सर्वर से जुड़ने और उसके वेब पेज प्रदर्शित करने के लिए, उपयोगकर्ता के पास एक वेब ब्राउज़र स्थापित होना चाहिए।

89. (b)

ईथरनेट: ईथरनेट वायर्ड कंप्यूटर नेटवर्किंग तकनीकों का एक समूह है, जो सामान्यतौर पर लोकल एरिया नेटवर्क (LAN), मेट्रोपॉलिटन एरिया नेटवर्क (MAN), और वाइड एरिया नेटवर्क (WAN) में उपयोग किया जाता है। इसे वर्ष 1980 में व्यावसायिक रूप से प्रस्तुत किया गया था। ईथरनेट पर संचार करने वाले सिस्टम डेटा की एक धारा को छोटे टुकड़ों में विभाजित करते हैं, जिन्हें फ्रेम कहा जाता है। प्रत्येक फ्रेम में स्रोत, गंतव्य पते और त्रुटि जांच के लिए डेटा होता है, ताकि क्षतिग्रस्त फ्रेमों का पता लगाया जा सके और उन्हें त्याग दिया जा सके। उच्च-परत प्रोटोकॉल लुप्त हुए फ्रेमों के पुन: संचरण को ट्रिगर करते हैं।

ईथरनेट व्यापक रूप से घरों और उद्योग में उपयोग किया जाता है और वायरलेस वाई-फाई प्रौद्योगिकियों के साथ अच्छी तरह से कार्य करता है। इंटरनेट प्रोटोकॉल सामान्य तौर पर ईथरनेट पर ले जाया जाता है और इसलिए इसे इंटरनेट बनाने वाली प्रमुख तकनीकों में से एक माना जाता है।

90. (b)

माइंड मैपिंग: माइंड मैप एक आरेख है, जिसका उपयोग सूचनाओं को दृष्टिगत रूप से व्यवस्थित करने के लिए किया जाता है। एक माइंड मैप पदानुक्रमित होता है और संपूर्ण (whole) का भागों (parts) के मध्य संबंध दिखाता है। यह अक्सर एक एकल अवधारणा के आसपास बनाया जाता है, जो एक खाली पृष्ठ के केंद्र में एक छवि के रूप में प्रदर्शित किया जाता है, जिसमें छवियों, शब्दों और शब्दों के कुछ भागों जैसे विचारों के संबंधित प्रतिनिधित्व जोड़े जाते हैं। प्रमुख विचार प्रत्यक्ष केंद्रीय अवधारणा से जुड़े होते हैं और अन्य विचार उन प्रमुख विचारों से उत्पन्न होते हैं।

इस प्रकार, माइंड मैपिंग वह तकनीक है, जो उन छवियों का उपयोग करती है जो प्राय: शब्दों की तुलना में अधिक प्रेरक होती हैं और संक्षिप्त सोच की एक विस्तृत श्रृंखला को ट्रिगर करने में सटीक और शक्तिशाली होती हैं।

91. (d)

डिजिटल बहुमुखी डिस्क (डीवीडी): डीवीडी एक डिजिटल ऑप्टिकल डिस्क डेटा स्टोरेज प्रारूप है, जिसका आविष्कार वर्ष 1995 में किया गया था और वर्ष 1996 के अंत में जारी किया गया था। वर्तमान में इसमें 17.08 जीबी स्टोरेज कर सकता है, यह माध्यम किसी भी तरह के डिजिटल डेटा को स्टोर कर सकता है और व्यापक रूप से उपयोग किया जाता था। सॉफ्टवेयर और अन्य कंप्यूटर फ़ाइलों के साथ-साथ डीवीडी प्लेयर का उपयोग करके दृश्य वीडियो प्रोग्राम के लिए किया जाता है। डीवीडी समान आयाम वाले कॉम्पैक्ट डिस्क की तुलना में उच्च भंडारण क्षमता प्रदान करता है। डीवीडी से पूर्व ऑप्टिकल डिस्क पर वीडियो रिकॉर्ड करने के लिए कई प्रारूप विकसित किए गए थे। ऑप्टिकल रिकॉर्डिंग तकनीक का आविष्कार डेविड पॉल ग्रेग और जेम्स रसेल ने वर्ष 1963 में किया था और प्रथम बार वर्ष 1968 में पेटेंट करवाया गया।

अत: डीवीडी में डाटा को संग्रहित करने के लिए एकल बलयित ट्रैक (spiral track) का प्रयोग किया जाता है, जो केंद्र से आरंभ होकर छोर की ओर बढ़ते हुए कार्य करता है। डीवीडी केवल पठनीय (read – only) डिवाइस नहीं है। इस पर कम से कम एक बार लिखा जा सकता है, इसलिए कथन II असत्य है।

92. (c)

सिस्टम सॉफ्टवेयर (System Software): सिस्टम सॉफ्टवेयर कंप्यूटर के उपयोग के लिए आधारभूत कार्य प्रणाली प्रदान करता है और कंप्यूटर हार्डवेयर और सिस्टम को निर्देश देने में सहायता करता है। कंपाइलर (compiler) एक प्रकार का सिस्टम सॉफ्टवेयर है। वे स्रोत कोड को दूसरी कंप्यूटर भाषा में परिवर्तित करते हैं, जिसे ऑब्जेक्ट कोड कहा जाता है।

एप्लिकेशन सॉफ्टवेयर (Application Software): यह उपयोगकर्ता को एक-साथ कई कार्यों को करने में सहायता करता है। लाइब्रेरी मैनेजमेंट सिस्टम एक एप्लीकेशन सॉफ्टवेयर है।

सुरक्षा सॉफ़्टवेयर (Security Software): सुरक्षा सॉफ़्टवेयर, कंप्यूटर, नेटवर्क या किसी कंप्यूटिंग-सक्षम डिवाइस की सुरक्षा करता है। यह पहुंच नियंत्रण का प्रबंधन करता है और हमारे पीसी को सुरक्षा प्रदान करता है। फ़ायरवॉल सुरक्षा सॉफ़्टवेयर का एक उदाहरण है।

सन्निहित सॉफ्टवेयर (Embedded software): सन्निहित सॉफ्टवेयर, हार्डवेयर या गैर-पीसी उपकरणों में एम्बेडेड होता है। यह विशेष रूप

से उस विशेष हार्डवेयर के लिए लिखा गया है जिस पर यह चलता है और सामान्य तौर पर डिवाइस की सीमित कंप्यूटिंग क्षमताओं के कारण इसमें प्रोसेसिंग और मेमोरी का अभाव होता है। स्वचालित फ्रिज, एम्बेडेड सॉफ्टवेयर का एक उदाहरण है।

93. (c)

BIOS का पूरा नाम बेसिक इनपुट आउटपुट सिस्टम है। यह मूल रूप से एक फर्मवेयर है, जो मदरबोर्ड पर एक छोटी मेमोरी चिप पर संग्रहीत होता है, जिसका उपयोग OS के लिए कार्यावधि सेवाएं प्रदान करने के लिए किया जाता है। यह कंप्यूटर को बूटिंग और कीबोर्ड नियंत्रण जैसे आधारभूत कार्यों को करने का निर्देश देता है। इसका उपयोग कंप्यूटर में हार्डवेयर को पहचानने और कॉन्फ़िगर करने के लिए भी किया जाता है जैसे कि हार्ड ड्राइव, फ्लॉपी ड्राइव ऑप्टिकल ड्राइव, सीपीयू, मेमोरी और संबंधित उपकरण आदि।

जब कोई कंप्यूटर स्विच ऑन होता है, तो BIOS को ROM से लोड किया जाता है और OS को लोड करके RAM में डाल दिया जाता है, क्योंकि ROM कोई अस्थिर नहीं होता है और OS को प्रत्येक बार स्विच ऑन करने पर कंप्यूटर पर होना चाहिए, और ROM आदर्श स्थान है। OS को कंप्यूटर सिस्टम के चालू होने तक रखा जाना चाहिए।

94. (b)

कंप्यूटर भंडारण क्षमता का सही क्रम सबसे अधिक से सबसे कम तक: 1 टेरा बाइट > 100 गीगा बाइट > 10000000000 बाइट > 1000000 किलो बाइट।

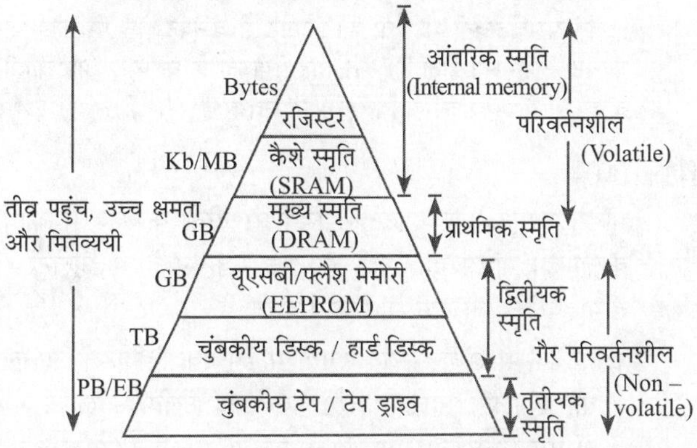

95. (c)

सर्च इंजन, एक प्रोग्राम है, जो निर्दिष्ट कीवर्ड के लिए डॉक्यूमेंट की खोज करता है और डॉक्यूमेंट की एक सूची देता है जहां कीवर्ड पाए जाते हैं। सर्च इंजन वेबसाइट है, जो प्रयोक्ता को WWW पर जानकारी सर्च करने में सहायता करती है। सबसे लोकप्रिय सर्च इंजन गूगल और याहू हैं। Baidu चीन द्वारा विकसित एक सर्च इंजन है।

किसी सर्च टर्म के लिए, सर्च इंजन सभी प्रयोक्ताओं को बिलकुल एक सामान परिणाम प्रदान करे यह आवश्यक नहीं है, अत: कथन असत्य है। एक सर्च टर्म मूल रूप से एक शब्द या शब्दों का समूह है, जिसे उपयोगकर्ता सर्च बॉक्स में टाइप करता है। सर्च इंजन सर्च टर्म की व्याख्या करते हैं और उपयोगकर्ता के आशय के अनुसार सबसे प्रासंगिक परिणाम दिखाते हैं। अत: किसी भी सर्च टर्म के लिए, सर्च इंजन सभी उपयोगकर्ताओं को समान परिणाम प्रदान नहीं करते हैं।

96. (c)

रैंडम एक्सेस मेमोरी **(RAM):** इसे मेन मेमोरी भी कहा जाता है। यह अस्थायी मेमोरी है (अस्थिर, जो सूचना को बिना हस्तक्षेप किए बेतरतीब ढंग से संग्रहीत करने और शीघ्रता और प्रत्यक्ष रूप से एक्सेस करने की अनुमति देता है।

कंप्यूटर के संबंध में, रैंडम-एक्सेस स्टोरेज डिवाइस निम्नलिखित हैं:

हार्ड डिस्क: एक कंप्यूटर रैम से डेटा लिख और पढ़ सकता है। प्रत्येक बार जब कोई उपयोगकर्ता अपना कंप्यूटर चालू करता है, तो निर्देशों का एक सेट हार्ड डिस्क से RAM में कॉपी हो जाता है। कंप्यूटर के आधारभूत कार्यों को नियंत्रित करने में सहायता करने वाले ये निर्देश कंप्यूटर के बंद होने तक रैम में बने रहते हैं, रैम में जो भी आंकड़े होते हैं, वह गायब हो जाते हैं।

पेन ड्राइव: यूएसबी फ्लैश ड्राइव एक छोटे फ्लैट पेन की तरह दिखता है। उनके पास एक बड़ी भंडारण क्षमता हो सकती है और यूएसबी सॉकेट के साथ किसी भी कंप्यूटर में प्लग किया जा सकता है। फ्लैश ड्राइवरों को सामान्य तौर पर पेन ड्राइव या मेमोरी स्टिक के रूप में भी जाना जाता है।

सीडीरॉम: कॉम्पैक्ट डिस्क रीड-ओनली मेमोरी (सीडी-रोम) एक ऑप्टिकल डिस्क है, जिसमें ऑडियो या सॉफ्टवेयर डेटा होता है। एक सीडी-रोम एक ऑडियो सीडी के समान दिखता है, लेकिन इसमें टेक्स्ट 6, ध्वनि, चित्र और गति वीडियो हो सकते हैं। इसे स्थिर और अपरिवर्तनीय बनाया जा सकता है और इसलिए, इसे (ओनली रीडेबल) कहा जाता है। सीडी-रोम ड्राइव या ऑप्टिकल ड्राइव वह उपकरण है, जिसका उपयोग पढ़ने के लिए किया जाता है लेकिन उन पर लिखा या मिटाया नहीं जा सकता।

97. (a)

मैगनेटिक टेप: डाटा आर्काइवल प्रयोजन हेतु प्रयुक्त होता है, परन्तु इसे आवश्यक रूप से क्रमानुसार एक्सेस किया जाना चाहिए।

मेमोरी कार्ड: डिजिटल कैमरा, फोटो प्रिंटर और सेल फोन में प्रयुक्त होता है।

हार्ड डिस्क: स्पिंडल पर रखा जाने वाले डिस्कों का एक समुच्चय है।

डीवीडी: डेटा पढ़ने या लिखने के लिए लेजर बीम तकनीक का उपयोग करता है।

98. (a)

सामाजिक पुस्तकचिह्न (social bookmarking) एक ऐसा सॉफ्टवेयर अनुप्रयोग है, जो सुगम पहुंच वाले पुस्तकचिह्न - भण्डारणगृह में सहायक है और जो सदस्यों अथवा सामान्य जनों द्वारा तलाश योग्य हो जाता है। यह एक केंद्रीय ऑनलाइन सेवा है, जो उपयोगकर्ताओं को वेब डॉक्यूमेंट से बुकमार्क जोड़ने, टिप्पणी करने, संपादित करने और सार्वजनिक रूप से साझा करने की अनुमति देती है।

शीर्ष सामाजिक बुकमार्क करने वाली साइटें निम्नलिखित हैं:

1. **Reddit.com:** ब्लॉग पोस्ट करने के लिए यह टॉप सोशल बुकमार्किंग साइटों में से एक है।
2. **Mix.com:** यह आपको सामग्री का भंडारण करने, खोजने और साझा करने के लिए एक आदर्श मंच प्रदान करता है।
3. **Pinterest.com:** यह ग्राफिक्स उद्योग के लिए प्रेरणा का एक प्रमुख स्रोत है। यह एक लोकप्रिय बुकमार्किंग साइट भी है और कोई भी Pinterest का उपयोग कर सकता है।

99. (b)

फ़िशिंग (Phishing): कोई व्यक्ति यदि प्रयोक्ताओं का वैध प्रतीत होने वाले ईमेल भेजता है, फिशिंग कहलाता है। उदाहरण के लिए, वीज़ा या बैंकिंग जैसी किसी ज्ञात सेवा का आधिकारिक दिखने वाला लोगो प्रयोग कर प्रयोक्ताओं को फोन या ईमेल प्रेषित किये जा सकते हैं।

100. (c)

कथन I: यदि सेंसर आंकड़े स्वीकार्य रेंज से बाहर हैं, तो माइक्रोप्रोसेसर/कंप्यूटर को आंकड़े भेजता है। इस प्रकार, कथन I सत्य है।

101. (c)

नेटवर्क इंटरफेस (Network interface): एक नेटवर्क इंटरफेस एक कंप्यूटर और एक निजी या सार्वजनिक नेटवर्क के मध्य इंटरकनेक्शन का कार्य करता है। एक नेटवर्क इंटरफेस सामान्य तौर पर एक नेटवर्क इंटरफेस कार्ड (NIC) होता है, लेकिन इसका भौतिक रूप नहीं होता है। किसी डिवाइस को नेटवर्क से कनेक्ट करने की अनुमति देने के लिए नेटवर्क इंटरफ़ेस कार्ड की आवश्यकता होती है।

राउटर (Router): राउटर एक ऐसा उपकरण है, जो दो या दो से अधिक नेटवर्क को जोड़ता है। यह एक लैन को दूसरे लैन से जोड़ता है, जो समान प्रोटोकॉल (ईथरनेट या टोकन रिंग) का उपयोग करता है। राउटर इंटरनेट पर प्राप्त डेटा पैकेट का निरीक्षण करता है।

आईपी पता (IP Address): यह इंटरनेट पर एक कंप्यूटर का अद्वितीय संख्यात्मक पता है और इसे अंकों के चार सेट (अधिकतम तीन अंक) के रूप में व्यक्त किया जाता है, उदाहरण के लिए, 150.237.176.24। इंटरनेट पर कंप्यूटरों को अधिक स्मरणीय डोमेन नामों से संदर्भित किया जाता है, जिन्हें सर्वर के रूप में ज्ञात विशेष इंटरनेट कंप्यूटरों द्वारा उनके आईपी पते पर मैप किया जाता है।

हब **(Hub):** हब अभिसरण का एक स्थान है, जहां डेटा एक या अधिक दिशाओं से आता है। हब नेटवर्क वाले कंप्यूटरों और अन्य उपकरणों के लिए एक सामान्य कनेक्शन बिंदु है। हब का उपयोग LAN में उपकरणों को जोड़ने के लिए किया जाता है।

वायरलेस लोकल एरिया नेटवर्क **(WLAN):** डब्ल्यूएलएएन वितरण पद्धति का उपयोग करके दो या दो से अधिक उपकरणों को जोड़ता है और एक व्यापक इंटरनेट तक पहुंच बिंदु के माध्यम से कनेक्शन प्रदान करता है।

102. (a)

इनपुट डिवाइस: कोई भी उपकरण जो कंप्यूटर सिस्टम में जानकारी इनपुट करने में सक्षम है, उदाहरण के लिए, कीबोर्ड, माइक्रोफोन, माउस, स्कैनर और वेब कैमरा आदि।

आउटपुट डिवाइस: आउटपुट डिवाइस मूल रूप से किसी भी चीज के लिए होती हैं जो प्रोसेस होने के बाद कंप्यूटर से निकलती है। इनमें मॉनिटर, हेडफोन, प्रिंटर, स्पीकर, प्लॉटर और विजुअल डिस्प्ले यूनिट (VDU) शामिल हैं।

पॉइंटिंग डिवाइस: यह एक ऐसा उपकरण है, जो विभिन्न दिशाओं में डिवाइस के भौतिक हेरफेर द्वारा कंप्यूटर स्क्रीन पर कर्सर की स्थिति को नियंत्रित करने की अनुमति देता है। पॉइंटिंग डिवाइस का उदाहरण ट्रैकर बॉल, जॉयस्टिक, लाइट पेन और माउस आदि हैं।

सेंसर डिवाइस: सेंसर एक प्रकार का उपकरण है, जो भौतिक वातावरण से प्राप्त कुछ इनपुट के आधार पर पता लगाता है और फिर प्रतिक्रिया करता है। सेंसर डिवाइस एकत्रित इनपुट पर कुछ प्रोसेसिंग करता है और एक आउटपुट उत्पन्न करता है, जो मानव-पठनीय रूप में होता है। इनपुट गर्मी, प्रकाश, दबाव, नमी, गति और अन्य पर्यावरणीय कारकों जैसे किसी भी रूप में हो सकता है। ट्रैफिक लाइट सिम्युलेटर, तापमान सेंसर, इन्फ्रारेड सेंसर और स्मोक डिटेक्टर सेंसर सेंसर उपकरणों के उदाहरण हैं।

103. (d)

फ़ायरवॉल (Firewall): फ़ायरवॉल एक सॉफ़्टवेयर पैकेज है, जो कंप्यूटर और इंटरनेट कनेक्शन का मध्यस्थ है, जो आने-जाने वाले ट्रैफ़िक पर दृष्टि रखता है। यह उपयोगकर्ता को कुछ संदिग्ध कार्रवाई दिखने पर चेतावनी भी देता है। इंटरनेट से कनेक्ट होने पर कोई भी कंप्यूटर असुरक्षित होता है। अत: यह प्रयोक्ता के कम्प्यूटर और बाहरी कम्प्यूटरों के मध्य का हार्डवेयर या सॉफ्टवेयर है।

104. (a)

मॉडेम इनपुट और आउटपुट डिवाइस दोनों के रूप में कार्य करता है। मॉडेम दो शब्दों का एक संकुचन है-मॉड्यूलेटर / डीमॉड्यूलेटर जो एक साथ कार्य करता है।

1. नेटवर्क से संचार भेजते समय, मॉडेम एक डिजिटल सिग्नल को एनालॉग मीडिया जैसे केबल या टेलीफोन लाइन पर ट्रांसमिशन के लिए एनालॉग सिग्नल में परिवर्तित (मॉड्यूलेट) करता है।
2. जब इंटरनेट से सिग्नल मॉडेम में आ रहे हैं, तो यह स्थानीय नेटवर्क पर ट्रांसमिशन के लिए एनालॉग सिग्नल को वापस डिजिटल सिग्नल में परिवर्तित (डिमॉड्यूलेट) करता है।

105. (a)

A. ट्रोजन हॉर्सेज (Trojan Horses)-यह एक प्रकार का मैलवेयर है जो स्वयं को वैध कोड या सॉफ़्टवेयर के रूप में प्रच्छन्न करता है। एक बार जब वे नेटवर्क के अंदर पहुंच जाते हैं, तो ये हमलावर कोई भी कार्रवाई करने में सक्षम होते हैं जो

एक वैध उपयोगकर्ता कर सकता है, जैसे कि फाइलों का निर्यात करना, डेटा को संशोधित करना, फ़ाइलों को हटाना या अन्यथा डिवाइस की सामग्री को बदलना।

B. वायरस (Virus)-एक कंप्यूटर वायरस एक प्रकार का कंप्यूटर प्रोग्राम है, जिसे निष्पादित करने पर, अन्य कंप्यूटर प्रोग्रामों को संशोधित करके और अपना कोड डालने के द्वारा स्वयं को दोहराता है। यदि यह प्रतिकृति सफल हो जाती है, तो प्रभावित क्षेत्रों को कंप्यूटर वायरस से 'संक्रमित' कहा जाता है, जो जैविक वायरस से प्राप्त एक रूपक है।

C. वेब बग्स (Web Bugs)-इसे वेब बीकन के रूप में भी जाना जाता है, एक फ़ाइल ऑब्जेक्ट है जिसे वेब पेज पर या उपयोगकर्ता व्यवहार की निगरानी के लिए एक ई-मेल संदेश में रखा जाता है।

D. जॉम्बीज (Zombies)-यह वास्तव में इंटरनेट से जुड़ा एक कंप्यूटर है जिनका हैकर द्वारा कंप्यूटर वायरस, कंप्यूटर वर्म या ट्रोजन हॉर्स प्रोग्राम के माध्यम से आपस का निपटाव किया गया है और इसका उपयोग हैकर के दूरस्थ दिशा में दुर्भावनापूर्ण कार्यों को करने के लिए किया जा सकता है।

106. (d)

2, 3, 1 सही उत्तर है।

रैंडम एक्सेस मेमोरी (RAM)-यह अनिवार्य रूप से एक शॉर्ट टर्म मेमोरी है जहां डेटा को प्रोसेसर की आवश्यकता के अनुसार स्टोर किया जाता है।

कलाई पर प्रति-स्थैतिक बैंड (anti strap band to wrist)-यह सुरक्षा गियर का एक महत्वपूर्ण टुकड़ा है जो संवेदनशील इलेक्ट्रॉनिक्स या अन्य परियोजनाओं के पास स्थैतिक बिजली के निर्माण को रोकने में मदद करता है जहां स्थिर चार्ज इलेक्ट्रॉनिक्स को नुकसान पहुंचा सकता है या सुरक्षा मुद्दों का कारण बन सकता है।

107. (b)

कथन I-आइए कुछ मूल बातें देखें जिन्हें आधिकारिक तौर पर पेश किया गया है।

SWAYAM मूल रूप से Study Webs of Active-Learning for Young Aspiring Minds है जो MOOC प्लेटफॉर्म का भाग है। इसे वर्ष 2016 में AICTE द्वारा स्वदेशी रूप से विकसित किया गया था ताकि ऑनलाइन पाठ्यक्रमों की होस्टिंग की सुविधा प्राप्त हो सके, जिसे कोई भी, कहीं भी, कभी भी नि:शुल्क प्राप्त कर सकता है। मुख्य उद्देश्य शिक्षा के संदर्भ में पहुंच, समानता और गुणवत्ता प्राप्त करना है। इसमें हाई स्कूल से लेकर उच्च शिक्षा तक के विषयों को सम्मिलित किया गया है जिसमें कौशल आधारित पाठ्यक्रम भी सम्मिलित हैं ताकि यह सुनिश्चित किया जा सके कि प्रत्येक छात्र आईसीटी के माध्यम से शिक्षण सामग्री से लाभान्वित हो।

SWAYAM पर होस्ट किए गए पाठ्यक्रम 4 भागों में विभाजित (qaudrants) में हैं-

1. वीडियो व्याख्यान
2. विशेष रूप से तैयार की गई पठन सामग्री जिसे डाउनलोड / मुद्रित किया जा सकता है
3. परीक्षणों और क्विज़ के माध्यम से स्व-मूल्यांकन परीक्षण और
4. शंका या संदेहों को दूर करने के लिए एक ऑनलाइन चर्चा मंच

इसका उद्देश्य ऑडियो-वीडियो, मल्टीमीडिया और अत्याधुनिक शिक्षाशास्त्र/प्रौद्योगिकी का उपयोग करके प्रणाली को समावेशी बनाना है।

कथन II-डिजिलॉकर मूल रूप से सुशासन से जुड़ा हुआ है। यह भारतीय डिजिटलीकरण ऑनलाइन सेवा डिजिटल भारत (इंडिया) पहल के अंतर्गत इलेक्ट्रॉनिक्स और सूचना प्रौद्योगिकी मंत्रालय (MeitY) द्वारा प्रदान की जाती है। यह प्रत्येक आधार धारक को इन प्रमाणपत्रों के मूल जारीकर्ताओं से डिजिटल प्रारूप में ड्राइविंग लाइसेंस, वाहन पंजीकरण, अकादमिक मार्कशीट तक पहुंचने के लिए सेवाएं प्रदान करने का इरादा रखता है। यह उसी के लिए 1GB स्टोरेज स्पेस भी प्रदान करता है।

डिजिलॉकर की संरचना में मेरे प्रमाणपत्र (डिजिटल और अपलोड किए गए दस्तावेज़), मेरा प्रोफ़ाइल, मेरा जारीकर्ता, मेरा अनुरोधकर्ता और निर्देशिकाएँ शामिल सम्मिलित हैं।

108. (d)

A. स्पाइवेयर (spyware)-यह दुर्भावनापूर्ण सॉफ्टवेयर हमारे कंप्यूटर डिवाइस में प्रवेश करता है, डेटा एकत्र करता है, और इसे हमारी सहमति के बिना किसी तृतीय-पक्ष को अग्रेषित करता है। यह वैध सॉफ्टवेयर विज्ञापन जैसे व्यावसायिक उद्देश्यों के लिए हमारे डेटा की निगरानी करता है।

B. फ़ायरवॉल (firewall)-कंप्यूटर सिस्टम में एक फ़ायरवॉल मूल रूप से एक नेटवर्क सुरक्षा प्रणाली है जो दो या दो से अधिक नेटवर्क के बीच डेटा के प्रवाह को नियंत्रित करती है, और नेटवर्क के बीच लिंक का प्रबंधन करती है। फ़ायरवॉल में हार्डवेयर और सॉफ़्टवेयर दोनों तत्व शामिल हो सकते हैं। इसका उदाहरण राउटर (फिजिकल या भौतिक फ़ायरवॉल), एंटी वायरस, जावा (सॉफ़्टवेयर फ़ायरवॉल) हैं।

C. ब्लूटूथ (Bluetooth)-यह एक छोटी दूरी की वायरलेस प्रौद्योगिकी मानक है जिसका उपयोग कम दूरी पर स्थिर और मोबाइल उपकरणों के बीच डेटा के आदान-प्रदान और व्यक्तिगत क्षेत्र नेटवर्क के निर्माण के लिए किया जाता है।

D. सेवा से वंचित करना (denial of service)-आक्रमण का यह रूप एक मशीन या नेटवर्क को बंद करने के लिए है, जिससे यह अपने इच्छित उपयोगकर्ताओं के लिए दुर्गम हो जाता है।

109. (b)

कंप्यूटर प्रणाली (Central Processing Unit - CPU): कंप्यूटर का यह भाग अंकगणितीय तर्क इकाइयों (Arithmetic Logic Units - ALU) नामक डिजिटल सर्किट से युक्त होता है, जो प्रति सेकेंड अरबों की संख्या में अंकगणित और तर्क संचालन करने में सक्षम होते हैं।

ALU एक डिजिटल सर्किट है जिसका उपयोग अंकगणित और तर्क संचालन करने के लिए किया जाता है। यह एक सिस्टम के CPU का मूलभूत निर्माण खंड बनाता है। आधुनिक CPU में शक्तिशाली और जटिल ALU होते हैं।

कंट्रोल यूनिट (Control Unit - CU): आधुनिक CPU में ALU के अलावा एक CU भी होता है। CU, ALU का मार्ग निर्देशन करता है कि डेटा पर कौन सा ऑपरेशन किया जाना है। ALU परिणाम को आउटपुट रजिस्टर में संग्रहीत करता है। CU इन रजिस्टरों, ALU और मेमोरी के बीच डेटा ले जाता है।

प्रोसेसर रजिस्टर्स (Process Registers): ALU इनपुट रजिस्टरों से डेटा लोड करते हैं। एक रजिस्टर CPU के भाग के रूप में उपलब्ध भंडारण की एक छोटी राशि संख्या है।

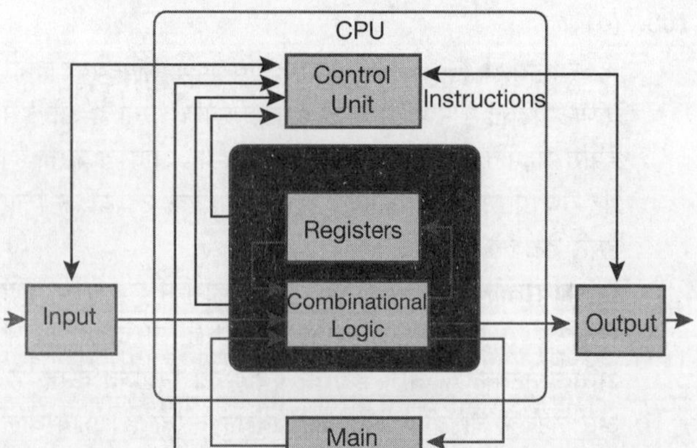

कंप्यूटर में सूचनाओं को बाइनरी नंबरों के रूप में संग्रहीत और हेरफेर किया जाता है, अर्थात 0 और 1 जो ट्रांजिस्टर स्विच द्वारा प्रबंधित होते हैं जो मुक्त या बंद (ON या OFF) होते हैं।

110. (c)

स्प्रैडशीट अनुप्रयोग में, जब भी किसी सूत्र वाले सेल को किसी अन्य सेल में कॉपी किया जाता है, तो फ़ॉर्मूला में कोई भी सेल संदर्भ कॉपी किए गए सेल और उसके गंतव्य के संदर्भ में सापेक्ष परिवर्तन के अनुसार शिफ्ट हो जाएगा।

उपरोक्त व्यवहार को कॉलम अक्षर या पंक्ति संख्या से पहले '$' वर्ण या सूत्र में सेल संदर्भों में दोनों का उपयोग करके स्पष्ट रूप से अक्षम किया जा सकता है।

हम देख सकते हैं कि C3 और D2 कक्षों में सूत्र का क्या होता है, जब उन्हें C2, से कॉपी किया जाता है

उदाहरण 1-C2 में सूत्र '= A2 + B2Ó है।

1. C3 को '= A3 + B3Ó सूत्र मिलेगा
2. D2 को '= B2 + C2Ó सूत्र मिलेगा

उदाहरण 2-C2 में सूत्र '= $A2 + B$2Ó है

1. C3 को '= $A3 + B$2Ó सूत्र मिलेगा
2. D2 को '= $A2 + C$2Ó सूत्र मिलेगा

उपरोक्त उदाहरण में, पहले संदर्भ में कॉलम A और दूसरे संदर्भ में पंक्ति संख्या 2 को सेल C 2 के मूल सूत्र में '$' चिह्न का उपयोग करके पूर्ण बनाया गया था। इस प्रकार, जब C2 को C3 और D2 में कॉपी किया गया, तो दोनों सेल संदर्भों का पूर्ण भाग सूत्र में नहीं बदला।

दिए गए प्रश्न में, सेल C4 में सूत्र का मान '= A3 + B2Ó है। जब इस सूत्र को सेल C5 में कॉपी किया जाता है, तो इसका मान ऊपर बताए गए व्यवहार के अनुसार '= A3 + B3Ó हो जाएगा। अत: C5 का मान 7 निकलता है।

111. (d)

सरकारी स्रोतों के अनुसार-डिजिलॉकर डिजिटल इंडिया कार्यक्रम के तहत इलेक्ट्रॉनिक्स और आईटी मंत्रालय (MeitY) की एक प्रमुख पहल है। डिजिलॉकर का उद्देश्य नागरिकों के डिजिटल दस्तावेज़ वॉलेट को प्रामाणिक डिजिटल दस्तावेज़ों तक पहुँच प्रदान करके नागरिकों का 'डिजिटल सशक्तिकरण' करना है। डिजिलॉकर सिस्टम को वर्ष 2017 में प्रारंभ किया गया।

नागरिकों को लाभ

1. महत्वपूर्ण दस्तावेज कभी भी, कहीं भी!
2. प्रामाणिक दस्तावेज, वैधिक रूप से मूल के बराबर
3. नागरिक की सहमति से डिजिटल दस्तावेज़ का आदान-प्रदान
4. तीव्र सेवा वितरण-सरकारी लाभ, रोजगार, वित्तीय समावेशन, शिक्षा, स्वास्थ्य आदि के संबंध में

एजेंसियों को लाभ

1. कम प्रशासनिक उपरिव्यय

2. डिजिटल परिवर्तन
3. सुरक्षित दस्तावेज़ गेटवे
4. वास्तविक समय सत्यापन

112. (c)

मैलवेयर वास्तव में चिंताजनक विषय है, यह कोई भी प्रोग्राम या फ़ाइल है जो जानबूझकर कंप्यूटर, नेटवर्क या सर्वर के लिए हानिकारक प्रमाणित होता है। मैलवेयर विभिन्न प्रकार के होते हैं, कंप्यूटर सिस्टम को संक्रमित करने के कई ढंग होते हैं। मैलवेयर में कंप्यूटर वायरस, वर्म्स, ट्रोजन हॉर्स, रैंसमवेयर, स्पाइवेयर आदि सम्मिलित हैं।

113. **(a):** कथन I: यह कथन आम तौर पर सच है क्योंकि इंटरनेट साइबरस्पेस की व्यापक अवधारणा का एक हिस्सा है, जो आभासी कंप्यूटर की दुनिया है।

कथन II: यह कथन भी सत्य है, क्योंकि साइबरस्पेस में विभिन्न डिजिटल संचार मंच और मीडिया शामिल हैं।

सही उत्तर है (a) – कथन I और कथन II दोनों ही सत्य हैं।

114. **(d):** फार्मूला को निम्न प्रकार से तोड़ा जा सकता है: =IF(B2 = "Sunny", ...): यह जांचने के लिए कि सेल B2 में मौजूद मान "Sunny" है या नहीं।

- IF(C2 = "Low", "Yes", ...): यदि B2 "Sunny" है, तो यह जांचता है कि सेल C2 में मौजूद मान "Low" है या नहीं। यदि हां, तो फार्मूला "Yes" लौटाता है। अन्यथा, यह अगले भाग पर जाता है।
- "No", ...): यदि B2 "Sunny" नहीं है या C2 "Low" नहीं है, तो फार्मूला "No" लौटाता है। जब हम D2 से D3:D6 तक फार्मूला की प्रतिलिपि बनाते हैं, तो संदर्भ आपसी स्थिति के आधार पर स्वचालित रूप से बदल जाते हैं। इस प्रकार, हम निम्नलिखित देख सकते हैं:
- D3 जांचता है कि B3 "Sunny" है और, यदि हां, तो C3 "Low" है। चूंकि B3 "Windy" है और C3 "High" है, इसलिए D3 "No" लौटाता है।
- D4 जांचता है कि B4 "Sunny" है और, यदि हां, तो C4 "Low" है। चूंकि B4 "Raining" है और C4 "Medium" है, इसलिए D4 "No" लौटाता है।
- D5 जांचता है कि B5 "Sunny" है और, यदि हां, तो C5 "Low" है। चूंकि B5 "Sunny" है और C5 "Low" है, इसलिए D5 "Yes" लौटाता है।
- D6 जांचता है कि B6 "Sunny" है और, यदि हां, तो C6 "Low" है। चूंकि B6 "Sunny" है और C6 "Medium" है, इसलिए D6 "No" लौटाता है। फार्मूला केवल सोमवार (D2), गुरुवार (D5), और शुक्रवार (D6) के लिए "Yes" बताता है, इसलिए (d) उत्तर है।

115. **(c):** डेटा संपीड़न (data compression) मूल प्रतिनिधित्व की तुलना में कम बिट्स का उपयोग करने के लिए जानकारी को कूटबद्ध करने की प्रकिया है।

116. **(c):** आइए निम्न कथनों पर एक दृष्टि डालें:

कथन I: ट्विटर वास्तव में एक वेब 2.0 एप्लिकेशन का उदाहरण है, क्योंकि यह उपयोगकर्ता इंटरैक्शन और सामग्री उत्पादन की अनुमति देता है, और साथ ही समुदाय बनाता है।

कथन II: वेब 2.0 का संदर्भ विश्व वाइड वेब की दूसरी पीढ़ी से है, जो उपयोगकर्ता द्वारा उत्पन्न सामग्री, उपयोगकर्ता अनुकूलता, और अंतर्कियाशीलता पर जोर देती है। यह स्थिर पाठ-आधारित जानकारी वेबसाइटों का संदर्भ नहीं देता है। कथन I सत्य है लेकिन कथन II असत्य है, इसलिए, सही उत्तर (c) है।

117. **(b):** समकालिक संप्रेषण या संचार वह है जहां संचार वास्तविक समय में होता है। दिए गए विकल्पों में से स्काइप वीडियो कॉल, फेसबुक चैट, स्नैपचैट संदेशन, और टेलीफोन कॉल समकालिक हैं। ईमेल असमकालिक है। यहां, 1, 2, 4, और 5 लागू होते हैं, इसलिए, सही उत्तर (b) है।

118. **(b)**

1. सॉलिड स्टेट ड्राइव (एस.एस.डी) – इसमें कोई भी घूमने वाला भाग नहीं होता है और यह बहुत सशक्त और विश्वसनीय होता है।
2. ROM - यह अपरिवर्तनीय होता है और फर्मवेयर को भंडारित करता है
3. DVD-RAM - यह ऑप्टिकल मीडिया है जो समकालिक पढ़ने-लिखने के लिए समानांतर ट्रैक का उपयोग करता है।
4. RAM - यह अस्थाई या परिवर्तनीय होता है और वर्तमान में उपयोग में आने वाले कार्यकमों और डेटा को भंडारित करता है।

इस प्रकार, A-III, B-IV, C-I, D-II और सही उत्तर (b) है।

119. **(d):** यह एमएस-एक्सेल प्रश्न काफी आसान है। सूत्र IF ($B2 = D)$1, $A2, 0) जाँच करता है कि क्या प्रत्येक पंक्ति में राज्य वर्तमान कॉलम के शीर्ष पर राज्य से मेल खाता है। यदि वे मेल खाते हैं, तो यह शहर का नाम दिखाता है; यदि नहीं, तो यह 0 दिखाता है।

1. कॉलम D (हरियाणा) केवल सोनीपत और पानीपत हरियाणा में हैं।

इसलिए, केवल D3 (सोनीपत) और D8 (पानीपत) शहर के नाम दिखाएंगे।

कॉलम D में अन्य सभी कक्ष 0 दिखाएंगे।

2. कॉलम ई (एमपी) इंदौर, सागर और ग्वालियर एमपी में हैं।

तो, E5 (इंदौर) E7 (सागर) और E9 (ग्वालियर) शहर के नाम दिखाएंगे।

कॉलम E में अन्य सभी कक्ष 0 दिखाएंगे।

3. कॉलम F (यूपी) केवल नोएडा यूपी में है।

इसलिए, केवल F4 (नोएडा) शहर का नाम दिखाएगा।

कॉलम F में अन्य सभी कक्ष 0 दिखाएंगे।

अब शून्यों की गिनती करें:

कॉलम D में, 0 के साथ 6 कक्ष हैं।

कॉलम E में, 0 के साथ 5 कक्ष हैं।

कॉलम F में, 0 के साथ 7 कक्ष हैं।

कुल शून्य = 6 (D) + 5 (E) + 7 (F) = 18

तो, उत्तर यह है कि D2: F9 की सीमा में 18 कोशिकाएँ 0 होती हैं, जो कि विकल्प (d) 18 है।

120. (b): ईमेल इन्क्रिप्शन एक ईमेल संदेश की सामग्री को एक अपठनीय प्रारूप में बदल देता है, जिससे यह केवल उन अधिकृत प्राप्तकर्ताओं के लिए सुलभ हो जाता है जिनके पास कूटलेखन कुंजी होती है। यह संवेदनशील जानकारी को अनधिकृत पक्षों द्वारा रोके जाने और पढ़े जाने से बचाता है।

(a) स्व-प्रतिकृति कार्यक्रम वायरस होते हैं, इन्क्रिप्शन नहीं।

(c) डुप्लिकेट ईमेल स्पैम होते हैं, इन्क्रिप्शन नहीं।

(d) ईमेल हेडर बदलना स्पूफिंग है, इन्क्रिप्शन नहीं।

121. (d): डब्ल्यू. ए. वी. फाइलें असंकुचित होती हैं और सभी मूल ऑडियो डेटा को बनाए रखती हैं, जिससे उच्च गुणवत्ता के साथ-साथ फ़ाइल का आकार भी बड़ा हो जाता है। एम, पी. 3, अपने संपीड़न के कारण, काफी छोटे फ़ाइल आकारों के साथ समान गुणवत्ता प्राप्त कर सकता है।

कथन I गलत है लेकिन कथन II सत्य है।

122. (c)

1. यह बात गलत है। यह वेब 1.0 होना चाहिए।
2. वेब 2.0 तकनीकों ने लोगों को विभिन्न तरीकों से जोड़ने के लिए अधिक इंटरैक्टिव और सामाजिक वेब अनुभवों को सक्षम किया है।
3. वेब 3.0 एक अधिक जुड़ा हुआ और बुद्धिमान वेब बना रहा है, जहां मशीनें अधिक मानव जैसे तरीकों से डेटा को संसाधित और विश्लेषण कर सकती हैं, जिससे अधिक परिष्कृत और निर्बाध उपयोगकर्ता अनुभव हो सकते हैं।

अत: (c) सही उत्तर है।

123. (b)

(a) IV: इंकजेट प्रिंटर बिजली से चार्ज स्याही की बूंदों का उपयोग करते हैं, पाउडर स्याही का नहीं।

(b) II: एल.सी.डी स्कीन छवियों को प्रदर्शित करने के लिए तरल किस्टल का उपयोग करते हैं, न कि एलईडी।

(c) I: एल.ई.डी स्कीन प्रकाश उत्सर्जक डायोड की सरणी पर पिक्सेल के रूप में निर्भर करते हैं, न कि मॉड्यूलेटिंग लाइट पर।

(d) III: लेजर प्रिंटर बिजली से चार्ज की गई पाउडर स्याही को कागज पर स्थानांतरित करते हैं, न कि स्याही की बूंदों को।

अत: (b) सही उत्तर है।

अध्याय

9 लोग विकास और पर्यावरण

सीखने के उद्देश्य

- विकास और पर्यावरण: मिलेनियम विकास और सतत विकास का लक्ष्य
- मानव और पर्यावरण संव्यवहार: नृजातीय क्रियाकलाप और पर्यावरण पर उनके प्रभाव
- पर्यावरणपरक मुद्दे: स्थानीय, क्षेत्रीय और वैश्विक, वायु प्रदूषण, जल प्रदूषण, मृदा प्रदूषण, ध्वान प्रदूषण, अपाशिष्ट (ठोस, तरल, बायो-मेडिकल, जोखिमपूर्ण, इलेक्ट्रॉनिक) जलवायु परिवर्तन और इसके सामाजिक आर्थिक तथा राजनीतिक आयाम
- मानव स्वास्थ्य पर प्रदूषकों का प्रभाव
- प्राकृतिक और ऊर्जा के स्रोत, सौर, पवन, मृदा, जल भू-ताप, बायोमास, नाभिकी और वन
- प्राकृतिक जोखिम और आपदाएं: न्यूनीकरण की युक्तियां
- पर्यावरण (संरक्षण) अधिनियम (1986), जलवायु परिवर्तन संबंधी राष्ट्रीय कार्य योजना, अंतर्राष्ट्रीय समझौते/प्रयास-मोंट्रीयल प्रोटोकॉल, रियो सम्मेलन, जैव विविधता सम्मेलन, क्योटो प्रोटोकॉल, पेरिस समझौता, अंतर्राष्ट्रीय सौर संधि

1. ताप विद्युत संयंत्रों में उत्पादित 'फ्लाई ऐश' एक पर्यावरण हितैषी संसाधन है, जिसका किसमें उपयोग किया किया जाता है? **[Jul 2018]**

(1) सूक्ष्म पोषक के रूप में कृषि में जाता है।
(2) बंजर भूमि के विकास में
(3) बांध और जल धारण संरचनाओं में
(4) ईंट उद्योग में

नीचे दिए गए कूट में से सही उत्तर चुनिए :

(a) केवल (1), (2) और (4)
(b) केवल (2), (3) और (4)
(c) केवल (1), (3) और (4)
(d) (1), (2), (3) और (4)

2. प्राकृतिक विपदाओं के निम्नलिखित प्रकारों में से किसका निश्चित प्रारम्भ और अंत नहीं होता है? **[Jul 2018]**

(a) भूकम्प (b) भूस्खलन
(c) प्रभंजन (हरीकेन) (d) सूखा

3. **अभिकथन (A) :** अंत: वायु प्रदूषण स्वास्थ्य के लिए एक गंभीर खतरा है। **[Jul 2018]**

तर्क (R) : अंत: पर्यावरण में वायु प्रदूषकों का विसर्जन अपेक्षाकृत सीमित होता है।

नीचे दिए गए कूट में से सही उत्तर को चुनिए :

(a) (A) एवं (R) दोनों सही हैं और (R), (A) की सही व्याख्या है।
(b) (A) एवं (R) दोनों सही हैं, लेकिन (R), (A) की सही व्याख्या नहीं है।
(c) (A) सही है और (R) गलत है।
(d) (A) और (R) दोनों गलत हैं।

4. भारत में कुल विद्युत उत्पादन में इनके योगदान के परिप्रेक्ष्य में ऊर्जा स्रोतों के सही क्रम की पहचान कीजिए: ताप विद्युत संयंत्र (TPP), विशाल जल विद्युत परियोजनाएँ (LHP), परमाणु ऊर्जा (NE) और नवीकरणीय ऊर्जा (RE), जिसमें सौर ऊर्जा, वायु ऊर्जा, जैव मात्रा और लघु जल विद्युत परियोजनाएँ सम्मिलित हैं। **[Jul 2018]**

(a) TPP > RE > LHP > NE
(b) TPP > LHP > RE > NE
(c) LHP > TPP > RE > NE
(d) LHP > TPP > NE > RE

5. भारत की नदियों में निम्नलिखित में से किसको प्रदूषण का प्रमुख स्रोत माना जाता है? **[Jul 2018]**

(a) अविनियमित लघु स्तरीय उद्योग
(b) अशोधित वाहितमल

(c) कृषि अपवाह
(d) ताप विद्युत संयंत्र

6. निम्नलिखित में से किस प्रदूषक को भारत में वायु गुणवत्ता सूचकांक में शामिल किया गया है? **[Jun 2019]**
(a) कार्बन डॉयक्साइड
(b) क्लोरोफ्लोरो कार्बन
(c) सल्फर डॉयक्साइड
(d) मीथेन

7. अन्तरराष्ट्रीय सौर्य संधि (इन्टरनेशनल सोलर एलायन्स) की स्थापना हेतु संयुक्त रूप से किसने प्रयास किया था? **[Jun 2019]**
(a) यू एस ए और भारत (b) फ्रांस और भारत
(c) स्वीडेन और भारत (d) चीन और भारत

8. जलवायु परिवर्तन के संबंध में राष्ट्रीय कार्य योजना के अंतर्गत निम्नलिखित में से कौन मिशन है/हैं? **[Jun 2019]**
(1) हिमालयी पारिस्थितिकी तंत्र को सम्पोषण करना
(2) सतत वन प्रबंधन
(3) जलवायु परिवर्तन हेतु रणनीतिक जानकारी
सही उत्तर चुनिये:
(a) केवल (1) और (2) (b) केवल (2)
(c) केवल (2) और (3) (d) केवल (1) और (3)

9. निम्नलिखित में से कौन नगरपालिका वाले ठोस कचरे की जैववैज्ञानिक विधि है? **[Jun 2019]**
(a) भू-भरन
(b) चूर्णन (पल्वराइजेशन)
(c) कम्पोस्ट तैयार करना
(d) श्रेडिंग

10. पानी में किसकी अधिकता से ब्ल्यू बेबी सिन्ड्रोम होता है? **[Jun 2019]**
(a) कैल्सियम (b) मैग्नेशियम
(c) नाइट्रेट (d) कृमिनाशक (पेस्टिसाइड)

11. वर्ष 2022 तक पवन ऊर्जा से बिजली उत्पन्न करने के लिए भारत सरकार ने क्या लक्ष्य निर्धारित किया है? **[Jun 2019]**
(a) 60 GW (b) 50 GW
(c) 40 GW (d) 15 GW

12. कौन प्रदूषक समुद्री प्रदूषण का सबसे बड़ा स्रोत है? **[Jun 2019]**
(a) कृषि अपवाह (b) तेल रिसाव
(c) औद्योगिक अकृष्ट जल (d) सीवेज

13. पर्माफ्रोस्ट किस बायोम की विशेषता को बताता है? **[Jun 2019]**
(a) टैगा (b) टुंड्रा
(c) घास के मैदान (d) मरुस्थल

14. कच्छ वनस्पति कहाँ मिलती हैं? **[Jun 2019]**
(a) ताजा जल प्रणाली
(b) संतापक्षेत्र
(c) अर्द्धशुष्क क्षेत्र
(d) खारा जल

15. निम्नलिखित में से कौन-सा कथन सतत विकास को श्रेष्ठ रूप से व्याख्यायित करता है? **[Jun 2019]**
(a) प्राकृतिक संसाधनों का न्यूनतम उपयोग
(b) प्राकृतिक संसाधनों का अपने लाभ के लिए उपयोग
(c) प्राकृतिक संसाधनों का न्यायपूर्ण उपयोग जिससे कि वे भविष्य की पीढ़ियों के लिए उपलब्ध रहें।
(d) अपने प्राकृतिक संसाधनों को भविष्य की अपनी पीढ़ियों के लिए संरक्षित करना।

16. रिओ +20 सम्मेलन का एक मुख्य परिणाम किसके समुच्चय का विकास करना था: **[Jun 2019]**
(a) समर्थनीय विकास लक्ष्य
(b) सहस्त्राब्दि विकास लक्ष्य
(c) राष्ट्रीय विकास रणनीति
(d) राष्ट्रीय भूमि पुनर्स्थापना रणनीति

17. सहस्त्राब्दि विकास लक्ष्यों के कार्यान्वयन की समय-सीमा क्या है: **[Jun 2019]**
(a) 2000-2005 (b) 2000-2015
(c) 2005-2010 (d) 2010-2020

18. निम्नलिखित में से किस उपयोग्य कम्पोस्ट निर्माण की अवधि 3-6 माह की होती है: **[Jun 2019]**
(a) वर्मी कम्पोस्टिंग
(b) अर्द्ध-स्वचालित वर्ज्य संपखिर्तक
(c) पिट कम्पोस्टिंग
(d) स्वचलित वर्ज्य संपखिर्तक

19. ओलिगोट्रॉफिक झीलों की विशेषता होती है। **[Jun 2019]**

(a) पोषकों का उच्च स्तर

(b) पोषकों का निम्न स्तर

(c) पोषकों का अभाव

(d) जैविक पदार्थों का उच्च स्तर

20. तापमान में वृद्धि के साथ जल निकाय में विघटित ऑक्सीजन अंश **[Jun 2019]**

(a) घटता है।

(b) बढ़ता है।

(c) स्थिर रहता है।

(d) तापमान परास के अनुसार बढ़ता या घटता है।

21. बायोमास ईंधन में संधारणीय कार्बन न्यूट्रल ऊर्जा के सृजन की क्षमता होती है क्योंकि: **[Dec 2019]**

(a) ये उपभोग और वृद्धि की मात्रा के आधार पर दहन में कार्बन डाई ऑक्साइड का उत्सर्जन हैं।

(b) ये अपनी वृद्धि के दौरान उपयोग की गई मात्रा की तुलना में दहन में कम कार्बन डाई आक्साइड का उत्सर्जन करते हैं।

(c) इनमें जैव ईंधन की तरह कार्बन की मात्रा होती है।

(d) ये दहन होने पर खतरनाक उत्सर्जन नहीं करते हैं।

22. शुद्ध जल प्रणालियों में ऑक्सीजन की माँग करने वाले अपशिष्ट के मुख्य स्रोत कौन-कौन से हैं? **[Dec 2019]**

(1) कृषि अपशिष्ट

(2) खाद्य प्रसंस्करण

(3) अयस्क खनन

(4) मल-जल बहिस्त्राव

(5) भूमि भराव स्थल

नीचे दिए गए विकल्पों में से सही विकल्प का चयन करें-

(a) (1), (4) और (5) (b) (2), (4) और (5)

(c) (1), (2) और (4) (d) (1), (2), (3) और (4)

23. निम्नलिखित में से कौन नवीकरणीय प्राकृतिक संसाधन है? **[Dec 2019]**

(a) जैव विविधता (b) टिन

(c) प्राकृतिक गैस (d) लवण

24. निम्नलिखित में से कौन-सा प्राकृतिक संकट है, जो अपेक्षाकृत भन्द-आरम्भिकता रखता है? **[Dec 2019]**

(a) ज्वालामुखी विस्फोट

(b) सूखा

(c) दावाग्नि (वाइल्ड फॉयर)

(d) भूस्खलन

25. क्योटो प्रोटोकाल के अंतर्गत दूसरी प्रतिबद्धता अवधि में 1990 के स्तर तक कम से कम कितने प्रतिशत हरित गृह गैस की कटौती की जायेगी? **[Dec 2019]**

(a) 10% (b) 12%

(c) 15% (d) 18%

26. मीथेन, एक ग्रीन हाउस गैस, निम्नलिखित में से किससे उत्सर्जित होती है? **[Dec 2019]**

(1) लैंडफिल्स

(2) निर्माण कार्य के मलबे

(3) आर्द्रभूमि

(4) ई-अपशिष्ट

निम्नलिखित में से सही विकल्प चुनें:

(a) (1), (2) और (4)

(b) (1), (3) और (4)

(c) केवल (1) और (3)

(d) केवल (1) और (4)

27. भारत में विद्युत उत्पादन में वर्तमान में निम्नलिखित में किस ऊर्जा स्रोत की भागीदारी निम्नतम है? **[Dec 2019]**

(a) तापीय (b) सौर और पवन

(c) पनबिजली (d) नाभिकीय

28. जैव आरक्षित क्षेत्र (बायोस्फैयर रिजर्व्स) हैं: **[Dec 2019]**

(i) भू-भागीय, सामुद्रिक और तटवर्ती पारितंत्र वाले क्षेत्र

(ii) राष्ट्रीय सरकारों द्वारा परिवीक्षित

(iii) वे क्षेत्र जहां संकट ग्रस्त पशुओं को उनके पर्यावास में रखा जाता है।

(iv) वन्यजीव अभ्यारण्य

निम्नलिखित विकल्पों में से सही कथन चुनें:

(a) (i) और (ii) (b) (ii) और (iii)

(c) (iii) और (iv) (d) (i) और (iv)

29. एक पर्यावरण अनुकूल भवन (ग्रीन बिल्डिंग): **[Dec 2019]**

(i) न्यूनतम ऊर्जा का उपयोग करता है।

(ii) अपशिष्ट सृजित करता है।

(iii) बहुत अधिक जल की खपत करता है।

(iv) प्राकृतिक संसाधनों का संरक्षण करता है।

(v) स्वस्थ जीवन के लिए स्थान मुहैया कराता है।

निम्नलिखित विकल्पों में से सही कथन चुनें:

(a) (i), (ii) और (iii)

(b) (i), (iv) और (v)

(c) (ii), (iii) और (v)

(d) (ii), (iv) और (v)

30. राष्ट्रीय आपदा प्रबंधन प्राधिकरण निम्नलिखित में से किस मंत्रालय की एक एजेंसी है? **[Dec 2019]**

(a) जल शक्ति

(b) गृह कार्य

(c) पृथ्वी विज्ञान

(d) आवास और शहरी कार्य

31. भारत में मार्च 2011 तक कितने राष्ट्रीय उद्यान और वन्य जीव अभ्यारण्य थे? **[Dec 2019]**

(a) केवल 8 और 421

(b) केवल 10 और 75

(c) केवल 75 और 421

(d) केवल 102 और 515

32. सामाजिक विज्ञान में केन्द्रीय मुद्दा यह प्रश्न है कि क्या प्राकृतिक विज्ञान की विधियों का प्रयोग कर सामाजिक दुनिया का अध्ययन किया जा सकता है। यह कथन किस की ओर संकेत करता है? **[Dec 2019]**

(a) सत्तामीमांसा (b) मूल्य मीमांसा

(c) ज्ञानमीमांसा (d) व्युत्पत्ति-मूलकता

33. ईंधन प्रकोष्ठ के बारे में निम्नलिखित कथनों में से कौन से सही हैं? **[Dec 2019]**

(1) यह एक ऐसी युक्ति है जो विद्युत करेंट उत्पन्न करने के लिए विद्युत-रासायनिक प्रतिक्रिया का प्रयोग करती है।

(2) इसमें एक पॉजिटिव इलेक्ट्रॉड और एक नेगेटिव इलेक्ट्रॉड होता है जो इलेक्ट्रोलाइट से एक दूसरे से विलग होते हैं।

(3) बैटरी की तरह इसको भी विद्युत करेंट से चार्ज किए जाने की आवश्यकता होती है।

नीचे दिये गये विकल्पों में से सही विकल्प का चयन कीजिए:

(a) केवल (1) और (2)

(b) केवल (2) और (3)

(c) केवल (1) और (3)

(d) (1), (2) और (3)

34. निम्नलिखित मृदा क्रम को उनके वर्णन के अनुरूप सजाइए: **[Dec 2019]**

(1) हिस्टोसोल	(i) इस मृदा क्रम में ज्वालामुखी से निकली राख शामिल होती है
(2) एंडीसोल	(ii) परमाफ्रास्ट द्वारा ढकी हुई मृदा सहित शीत क्षेत्रों की मृदा
(3) जेलीसोल	(iii) शुष्क जलवायु के मृदा क्रम को जोड़ने वाले मृदा क्रम
(4) एरिडसोल	(iv) मृदा क्रम जिसमें ऊपरी परत में जैविक पदार्थ हों

निम्नलिखित दिए गए विकल्पों में से सही विकल्प का चयन करें:

(a) (1)-(iv), (2)-(i), (3)-(ii), (4)-(iii)

(b) (1)-(ii), (2)-(iv), (3)-(i), (4)-(iii)

(c) (1)-(i), (2)-(ii), (3)-(iii), (4)-(iv)

(d) (1)-(i), (2)-(ii), (3)-(iv), (4)-(iii)

35. निम्नलिखित में से कौन-सा अनुक्रम छोटे आकार से बड़े आकार के कणों के मृदा कण के क्रम का सही विवरण करता है? **[Dec 2019]**

(a) बजरी, गाद, मिट्टी, बालू

(b) गाद, मिट्टी, बजरी, बालू

(c) मिट्टी, गाद, बालू, बजरी

(d) गाद, मिट्टी, बालू, बजरी

36. नीचे दो कथन दिए गए हैं- एक को अभिकथन (A) और दूसरे तर्क (R) कहा गया है: **[Dec 2019]**

अभिकथन (A) : प्रत्येक व्यक्ति के जीवन में कौशल विकास एक प्रमुख अभिलक्षण है।

तर्क (R) : रोजगार प्राप्त करने की इच्छा वाले व्यक्ति को केवल अच्छी शिक्षा की आवश्यकता होती है।

उपर्युक्त दोनों कथनों के संदर्भ में, सही विकल्प चुनिए:

(a) (A) और (R) दोनों सही हैं और (A) की सही व्याख्या (R) है।

(b) (A) और (R) दोनों सही हैं परन्तु, (A) की सही व्याख्या (R) नहीं है।

(c) (A) सही है, परन्तु (R) गलत है।

(d) (A) गलत है, किंतु (R) सही है।

37. पेरिस समझौते के अनुसार राष्ट्रीय रूप से निर्धारित अभिप्रेत अंशदान (आईएनडीसिज़) की पुनरीक्षा प्रत्येक वर्ष बाद की जाएगी **[Dec 2019]**

(a) 15 वर्ष (b) 10 वर्ष
(c) 5 वर्ष (d) 3 वर्ष

38. प्रदूषित जल के कारण होने वाले मानव रोगों के सही समूह को पहचानें: **[Dec 2019]**

(a) हैज़ा, अतिपाती अतिसार, आन्तज्वर (टाइफाइड) और पोलियो,
(b) हैज़ा, आन्तज्वर (टाइफाइड), आन्तशोध (एंट्राइटिस) और तपेदिक
(c) आन्तज्वर (टाइफाइड), आन्तशोध (एंट्राइटिस) और तपेदिक
(d) हैज़ा, अतिपाती अतिसार, आन्तज्वर (टाइफाइड) और तपेदिक

39. नीचे दो कथन दिए गए हैं, एक को अभिकथन (A) और दूसरे को तर्क (R) कहा गया है: **[Dec 2019]**

अभिकथन (A) : इंटरनेट अंत: संयोजित कम्प्यूटर नेटवर्कों का एक समुच्चय है जो तांबे के तार, फाइबर ऑप्टिक केबल, वायरलेस कनेक्शन, इत्यादि जैसे संचरण माध्यमों से जुड़ा होता है।

तर्क (R) : वर्ल्ड वाइड वेब अंत: संयोजित प्रलेखों का एक समुच्चय है।

उपर्युक्त दोनों कथनों के आलोक में सही उत्तर चुनें:

(a) (A) और (R) दोनों सही हैं और (R), (A) की सही व्याख्या है।
(b) (A) और (R) दोनों सही हैं और (R), (A) की सही व्याख्या नहीं है।
(c) (A) सही है, किंतु (R) सही नहीं है।
(d) (A) सही नहीं है, किंतु (R) सही है।

40. औद्योगिक शहरी स्रोतों से प्राप्त होने वाले काम ख़तरनाक ठोस अपशिष्ट के निम्नलिखित निस्तारण अनुक्रमों में से कौन सा क्रम बढ़ती वांछनीयता के अनुक्रम में है? **[Dec 2019]**

(a) अव्यवस्थित डम्पिंग < भूमिभराव < भस्मीकरण < पुन: प्रयोग
(b) कम्पोस्ट खाद बनाना < भूमिभराव < पुन: प्रयोग < भस्मीकरण
(c) भूमिभराव < कम्पोस्ट खाद बनाना < पुन: प्रयोग < भस्मीकरण
(d) भस्मीकरण < कम्पोस्ट खाद बनाना < पुन: प्रयोग < भूमिभराव

41. मान लीजिए कि जलवायु परिवर्तन के लिए उत्तरदायी कार्बन डाइऑक्साइड (एक ग्रीन हाउस गैस) की सान्द्रता 400 पी.पी.एम. है। प्रतिशतता के रूप में हवा में इसकी कितनी सान्द्रता होगी? **[Dec 2019]**

(a) 0.04 प्रतिशत (b) 0.4 प्रतिशत
(c) 0.004 प्रतिशत (d) 4.0 प्रतिशत

42. निम्नलिखित में से संधारणीय विकास के लक्ष्यों की पहचान कीजिए: **[Dec 2019]**

(1) क्षुधा शून्यता (जीरो हंगर)
(2) गुणवत्तापूर्ण शिक्षा
(3) सार्वभौम प्राथमिक शिक्षा
(4) स्वच्छ जल और स्वच्छता
(5) हरित कृषि
(6) जलवायु संक्रिया

निम्नलिखित विकल्पों में से सही उत्तर का चयन कीजिए:

(a) (1), (2), (3) और (4)
(b) (2), (3), (4) और (5)
(c) (3), (4), (5) और (1)
(d) (1), (2), (4) और (6)

43. भारत के बड़े शहरों में सघन यातायात क्षेत्रों में औसत ध्वनि स्तर आम तौर पर निम्नलिखित में से किस ध्वनि स्तरों की रेंज में रहता है? **[Dec 2019]**

(a) 31–40 dBA (b) 41–50 dBA
(c) 70–95 dBA (d) 110–120 dBA

44. बायोमास ईंधनों के उनके प्रति इकाई परिमाण में ऊर्जा के अंश के संबंध में, सही क्रम को पहचानें: **[Dec 2019]**

(a) गोबर (सूखा) > नारियल खोल > छंटनी न किया गया घरेलू कचरा
(b) छंटनी न किया गया घरेलू कचरा > नारियल खोल > गोबर (सूखा)
(c) सूखी लकड़ी > नारियल खोल > छंटनी न किया गया घरेलू कचरा
(d) नारियल खोल > गोबर (सूखा) > छंटनी न किया गया घरेलू कचरा

45. निम्नलिखित में से किस देश ने इंटरनेशनल सोलर अलायंस फेमवर्क एग्रीमेंट पर हस्ताक्षर/का अनुसमर्थन नहीं किया है? **[2020]**

(a) आस्ट्रेलिया (b) यूनाइटेड किंगडम
(c) जापान (d) चीन

46. नीचे दो कथन दिए गए हैं। एक को अभिकथन (A) और दूसरे को तर्क (R) कहा गया है। **[2020]**

अभिकथन (A) : बायोमास से ऊर्जा उत्पादन को पारंपरिक रूप से कार्बन न्यूट्रल माना जाता है।

कथन (R) : बायोमास के दहन से उत्सर्जित कार्बन डाईऑक्साइड का विकासशील बायोमास द्वारा उपयोग कर लिया जाता है।

उपर्युक्त कथनों के आलोक में निम्नांकित विकल्पों में से सही चुनें:

(a) (A) और (R) दोनों सही हैं और (R), (A) की सही व्याख्या है।

(b) (A) और (R) दोनों सही हैं परन्तु (R), (A) की सही व्याख्या नहीं है।

(c) (A) सही हैं परन्तु (R), गलत है।

(d) (A) गलत हैं परन्तु (R), सही है।

47. पवन ऊर्जा उत्पादन हेतु निम्नलिखित में से किस प्रकार के घूर्णक (रोटर) का आम तौर पर सर्वाधिक प्रयोग किया जाता है? **[2020]**

(a) मल्टीब्लेड रोटर (b) प्रोपेलर रोटर

(c) सैवोनियस रोटर (d) डैरियस रोटर

48. नीचे दो कथन दिए गए हैं: **[2020]**

कथन (I) : काफी अधिक विषाक्त पदार्थ के सिंगल डोज या लगभग घातक पदार्थ के सतत डोज की परिणति क्रोनिक विषैले प्रभाव के रूप में होती है।

कथन (II) : एक्यूट विषाक्त प्रभाव दीर्घावधिक और अनुत्क्रमणीय होते हैं। ये प्रभाव लम्बे समय तक विषैले पदार्थों के सम्पर्क में होने से प्रतिफलित होते हैं तथा इन मामलों में जीवन के बच पाने की दर कम होती है।

उपर्युक्त कथनों के आलोक में निम्नांकित विकल्पों में से सही उत्तर चुनें:

(a) कथन (I) और (II) दोनों सही हैं।

(b) कथन (I) और (II) दोनों गलत हैं।

(c) कथन (I) सत्य है किंतु कथन (II) गलत है।

(d) कथन (I) असत्य है किंतु कथन (II) सही है।

49. निम्नलिखित में से कौन-से उद्देश्य सहस्त्राब्दि विकास लक्ष्यों से संबंधित हैं? **[2020]**

(1) मातृ स्वास्थ्य में सुधार

(2) ओजोन परत में क्षरण को नियंत्रित करना

(3) मलिन बस्तियों में रहने वाले लोगों के जीवन में सुधार लाना

(4) स्मार्ट सिटी अवसंरचना सृजित करना

(5) लैंगिक समानता को बढ़ावा देना और महिलाओं का सशक्तीकरण

नीचे दिए गए विकल्पों में से सही उत्तर चुनिए:

(a) केवल (1), (3) और (5)

(b) केवल (1), (3), (4) और (5)

(c) केवल (1), (2), (3) और (5)

(d) केवल (1), (2), (4) और (5)

50. निम्नलिखित ईंधनों को उनके दहन पर प्रति इकाई ऊर्जा प्राप्ति पर उत्सर्जित होने वाली कार्बन डाइऑक्साइड की मात्रा के संदर्भ में अवरोही क्रम में व्यवस्थित करें: **[2020]**

(1) प्राकृतिक गैस

(2) कोयला (लिग्नाइट)

(3) गैसोलिन (एथेनॉल रहित)

(4) प्रोपेन

नीचे दिये गये विकल्पों में से सही उत्तर चुनिए:

(a) (1) > (2) > (4) > (3)

(b) (2) > (1) > (3) > (4)

(c) (2) > (3) > (4) > (1)

(d) (4) > (2) > (3) > (1)

51. निम्नलिखित में से किनके लक्ष्यों और उद्देश्यों के सतत विकास लक्ष्यों के साथ सह लाभ हैं? **[2020]**

(1) इंटरनेशनल सोलर अलायंस

(2) मॉन्ट्रियल प्रोटोकॉल

(3) पेरिस समझौता

(4) जैव विविधता संबंधी अभिसमय

(5) राष्ट्रीय जलवायु परिवर्तन संबंधी अभिसमय

नीचे दिये गये विकल्पों में से सही उत्तर चुनिए:

(a) केवल (1), (2), (3), (5)

(b) केवल (1), (3), (4), (5)

(c) केवल (1), (3), (5)

(d) केवल (2), (3), (4), (5)

52. नीचे दो कथन दिए गए हैं: **[2020]**

कथन (I) : डीजल वाहन अत्यधिक मात्रा में नाइट्रोजन के आक्साइड्स और सूक्ष्म कण (फाइन पार्टिकुलेट मैटर) उत्सर्जित करते हैं।

कथन (II) : डीजल ईंजन उच्च वायु ईंधन अनुपात वाले सांद्र मिश्रण से चलते हैं।

उपर्युक्त कथनों के आलोक में निम्नांकित विकल्पों में से सही सर्वाधिक उपयुक्त उत्तर चुनें:

(a) कथन I और II दोनों सही हैं।
(b) कथन I और II दोनों सही नहीं हैं।
(c) कथन I सही है किंतु कथन II सही नहीं है।
(d) कथन I सही नहीं है किंतु कथन II सही है।

53. किसी शहर में 8 घंटों की अवधि के दौरान उसके शोर स्तरों को समकक्ष ध्वनि दाब स्तर के माध्यम से 80 डेसिबल (A) बताया गया। यहां (A) किसको संदर्भित करता है? **[2020]**

(a) माप में प्रयुक्त होनेवाले एक प्रकार के प्रवर्धक को
(b) माप में प्रयुक्त होने वाले एक प्रकार के माइक्रोफोन को
(c) दिन की अधि की माप को
(d) माप में प्रयुक्त होनेवाले एक प्रकार के भार को

54. नीचे दो कथन दिए गए हैं: एक को (A) और दूसरे को तर्क (R) कहा गया है। **[2020]**

अभिकथन (A): नदियों में कार्बनिक प्रदूषण की समस्या प्राय: गर्मी के महीनों में बदतर हो जाती है।

तर्क (R): अपेक्षाकृत अधिक जल तापमान की वजह से आक्सीजन की मात्रा में गिरावट की स्थिति तीव्रतर हो जाती है।

उपर्युक्त कथनों के आलोक में निम्नांकित विकल्पों में से सर्वाधिक उपयुक्त उत्तर चुनें:

(a) (A) और (R) दोनों सही हैं और (R), (A) की व्याख्या सही है।
(b) (A) और (R) दोनों सही हैं परन्तु (R), (A) की व्याख्या सही नहीं है।
(c) (A) सही है परन्तु (R) सही नहीं है।
(d) (A) सही नहीं है परन्तु (R) सही है।

55. नीचे दो कथन दिए गए हैं: एक को अभिकथन (A) और दूसरे को तर्क (R) कहा गया है: **[2020]**

अभिकथन (A): नदियों की अपेक्षा झीलों के प्रदूषित होने की अधिक संभावना होती है।

तर्क (R): झीलों के जल को प्रतिस्थापित होने में दशकों लग सकते हैं।

उपयुक्त कथनों के आलोक में निम्नांकित विकल्पों में से सर्वाधिक उपयुक्त उत्तर चुनें:

(a) (A) और (R) दोनों सही हैं और (R), (A) की सही व्याख्या है।
(b) (A) और (R) दोनों सही हैं और (R), (A) की सही व्याख्या नहीं है।
(c) (A) सही है परन्तु (R) सही नहीं है।
(d) (A) सही नहीं है परन्तु (R) सही है।

56. थर्मल रिएक्टर निम्नलिखित ईंधन के विखंडन से ऊर्जा उत्पन्न करते हैं: **[2020]**

1. यूरेनियम – 235 (235 यू)/(^{235}U)
2. यूरेनियम – 233 (233 यू)/(^{233}U)
3. यूरेनियम – 238 (238 यू)/(^{238}U)
4. थोरियम – 232 (232 टी एच)/(^{235}Th)
5. प्लूटोनियम – 239 (239 पी यू)/(^{239}Pu)

निम्नलिखित विकल्पों में से सही उत्तर का चयन करें:

(a) केवल 1, 2, 3 और 5 (b) केवल 1, 2, 3, 4 और 5
(c) केवल 1, 2, 4 और 5 (d) केवल 1, 2 और 5

57. ध्वनि प्रदूषण को निम्नलिखित आयाम की मानक ध्वनि तीव्रता के संदर्भ के साथ डेसिबल (डी बी) में मापा जाता है: **[2020]**

(a) 1 पिकोवाट प्रति मीटर^2 (b) 1 मिलिवाट प्रति मीटर^2
(c) 1 नैनोवाट प्रति मीटर^2 (d) 1 माइक्रोवाट प्रति मीटर^2

58. प्रदूषित शहरी क्षेत्र में फोटोकैमिकल धूम-कोहरे में निम्नलिखित में से किस की उच्चतम सांद्रता (पी पी वी) होती है? **[2020]**

(a) ओशोन
(b) पी ए एन
(c) हाइड्रोकार्बन्स (बिना मीथेन के)
(d) कार्बन मोनोक्साईड

59. सूची-I को सूची-II के साथ सुमेलित कीजिए: **[2020]**

सूची-I प्रोटोकॉल/ समझौता योजना	सूची-II प्रावधान
1. मान्ट्रियल प्रोटोकॉल	I. समेकित जलसंसाधन प्रबंधन
2. पेरिस समझौता	II. उत्सर्जन व्यापार
3. जलवायु कार्य योजना	III. ओजोन को कम करने वाले पदार्थों को समाप्त करना
4. क्योटो प्रोटोकाल	IV. वांछित राष्ट्रीय निर्धारित योगदान

निम्नलिखित विकल्पों में से सही उत्तर चुनें:

(a) 1 – III, 2 – II, 3 – I, 4 – IV

(b) 1 – II, 2 – III, 3 – I, 4 – IV

(c) 1 – II, 2 – IV, 3 – III, 4 – I

(d) 1 – III, 2 – IV, 3 – I, 4 – II

60. सूची-I और सूची-II का सुमेलन कीजिए: सूची-I में पर्यावरणीय शिक्षा के उद्देश्यों की श्रेणियाँ दी गयी हैं और सूची-II में उन उद्देश्यों के उदाहरण दिये गये हैं: **[2020]**

सूची-I		सूची-II
1. पर्यावरणीय जागरुकता	I.	पर्यावरणीय समस्याओं को पहचानने और समाधान निकालने के लिए सामाजिक समूहों और व्यक्तियों की सहायता करना।
2. पर्यावरणीय ज्ञान	II.	पर्यावरण के लिए मूल्यों (वैल्यूज) के सेट को प्राप्त करने के हेतु सामाजिक समूहों और व्यक्तियों की सहायता करना।
3. पर्यावरणीय दृष्टिकोण	III.	संपूर्ण पर्यावरण के लिए संवेदनशीलता प्राप्त करने के लिए सामाजिक समूहों और व्यक्तियों की सहायता करना।
4. पर्यावरणीय कौशल	IV.	पर्यावरण और इससे जुड़ी समस्याओं में अनुभव की विविधता प्राप्त करने के लिए सामाजिक समूहों तथा व्यक्तियों की सहायता करना।

निम्नलिखित विकल्पों में से सही उत्तर का चयन करें:

(a) 1 – II, 2 – I, 3 – III, 4 – IV

(b) 1 – I, 2 – III, 3 – IV, 4 – II

(c) 1 – IV, 2 – II, 3 – I, 4 – III

(d) 1 – III, 2 – IV, 3 – II, 4 – I

61. मास्लो के अधिक्रम में निम्नलिखित कौन से आवश्यकता बल उच्च स्तरीय अधिगम से संबंधित हैं? **[2020]**

(1) शरीर क्रियात्मक आवश्यकताएं

(2) सुरक्षा की आवश्यकताएं

(3) सामाजिक आवश्यकताएं

(4) आत्म सम्मान की आवश्यकताएं

(5) आत्म सिद्धि की आवश्यकताएं

नीचे दिये गये विकल्पों में से सही उत्तर चुनिये:

(a) केवल (1) और (2)

(b) केवल (2) और (3)

(c) केवल (3) और (4)

(d) केवल (4) और (5)

62. पॉलीक्लोरिनेटेड बाइफेनाइल्स (PCBs) द्वारा जलीय पर्यावरण का प्रदूषण निम्नलिखित में से किनके द्वारा घटित हो सकता है? **[2020]**

(1) सीवेज बहिस्राव (2) अपशिष्ट भस्मक

(3) विषाक्त कचरा (4) तापविद्युत संयंत्र

(5) परिवहन क्षेत्र

नीचे दिये गये विकल्पों में से सही उत्तर चुनिए:

(a) केवल (1), (3), (5)

(b) केवल (1), (2), (4), (5)

(c) केवल (2), (3), (4)

(d) केवल (1), (2), (3)

63. नीचे दो कथन दिए गए हैं: **[2020]**

कथन (I) : स्वाभाविक रूप से डीजल वाहनों से हाइड्रोकार्बनों और कार्बन मोनो ऑक्साइड का उत्सर्जन काफी कम होता है।

कथन (II) : डीजल चालित वाहन स्वाभाविक रूप से पेट्रोल चालित वाहन की तुलना में अधिक ईंधनक्षम होते हैं।

उपर्युक्त कथनों के आलोक में निम्नांकित विकल्पों में से सर्वाधिक उपयुक्त उत्तर चुनें:

(a) कथन I और II दोनों सही हैं।

(b) कथन I और II दोनों गलत हैं।

(c) कथन I सत्य है किंतु कथन II गलत है।

(d) कथन I असत्य है किंतु कथन II सही है।

64. निम्नलिखित में से किस ऊर्जा स्रोत के दहन पर प्रति इकाई ऊर्जा आउटपुट या उष्मा की मात्रा पर कार्बन डाईआक्साइड का उत्पादन अधिकतम होता है? **[2020]**

(a) कोयला (सब-बिटुमिनस)

(b) प्राकृतिक गैस

(c) डीजल ईंधन और हीटिंग ऑयल

(d) गैसोलीन (एथेनॉल रहित)

65. प्रत्येक देश द्वारा दीर्घावधि-कम उत्सर्जन विकास रणनीतियाँ बनाए जाने का सुझाव निम्नलिखित में से किसके अंतर्गत दिया गया? **[2020]**

(a) पेरिस समझौता
(b) मॉन्ट्रियल प्रोटोकॉल
(c) इंटरनेशनल सोलर अलायंस
(d) क्योटो प्रोटोकॉल

66. स्थलीय वातावरण में कार्बन के निम्नलिखित भंडारों के प्रति इकाई द्रव्यमान की कार्बन मात्रा के बढ़ते हुए क्रम का सही अनुक्रम चिह्नित कीजिए: **[2020]**

1. पौधे
2. पांस (पीट)
3. मृदा के कार्बनिक पदार्थ
4. जीवाश्म ईंधन

नीचे दिए गए विकल्पों में से सही उत्तर चुनिये:

(a) 2, 1, 3, 4 (b) 1, 3, 2, 4
(c) 2, 3, 4, 1 (d) 2, 1, 4, 3

67. नीचे दो कथन दिए गए हैं: एक को अभिकथन (A) और दूसरे को तर्क (R) कहा गया है: **[2020]**

अभिकथन (A): झीलें नदियों की अपेक्षा कम प्रदूषित होने की ओर प्रवृत्त हैं।

तर्क (R): झीलों में जल प्राकृतिक प्रक्रियाओं द्वारा परिवर्तित होता है।

उपयुक्त कथनों के आलोक में निम्नांकित विकल्पों में से सर्वाधिक उपयुक्त उत्तर चुनें:

(a) (A) और (R) दोनों सही हैं और (R), (A) की सही व्याख्या है।
(b) (A) और (R) दोनों सही हैं और (R), (A) की सही व्याख्या नहीं है।
(c) (A) सही है पर (R) सही नहीं है।
(d) (A) सही नहीं है पर (R) सही है।

68. सहस्राब्दि (मिलेनियम) विकास लक्ष्य 5 के अंतर्गत, 1990 और 2015 के मध्य मातृ मृत्युदर कितनी कम करना अपेक्षित था? **[2020]**

(a) 50% (b) 75%
(c) 66% (d) 40%

69. नव तथा नवीकरणीय ऊर्जा मंत्रालय और भारतीय केन्द्रीय विद्युत प्राधिकरण के वर्गीकरण के अनुसार लघु जल शक्ति संयंत्र की क्षमता की सीमा है: **[2020]**

(a) 1-25 मेगावाट
(b) 100-1000 किलोवाट
(c) 1-50 मेगावाट
(d) 1-100 किलोवाट

70. नीचे दो कथन दिए गए हैं: एक को अभिकथन (A) और दूसरे को तर्क (R) कहा गया है: **[2020]**

अभिकथन (A): कार्बन डाई ऑक्साइड का सार्वभौमिक उत्सर्जन वर्ष 2014-2016 के दौरान स्थिर था।

तर्क (R): 2014-2016 के दौरान ऊर्जा दक्षता सुधार उपाय और निम्न कार्बन तकनीकियाँ मजबूती से परिनियोजित हुई।

उपयुक्त कथनों के आलोक में निम्नांकित विकल्पों में से सर्वाधिक उपयुक्त उत्तर चुनें:

(a) (A) और (R) दोनों सही हैं और (R), (A) की सही व्याख्या है।
(b) (A) और (R) दोनों सही हैं लेकिन (R), (A) की सही व्याख्या नहीं है।
(c) (A) सही है परन्तु (R) सही नहीं है।
(d) (A) सही नहीं है परन्तु (R) सही है।

71. भारतीय मानक [IS: 10500], के अनुसार पेय जल की अनुमेय सीमा कितनी है? **[2021]**

(a) 0.05 Mg/L (b) 0.5 Mg/L
(c) 0.01 Mg/L (d) 2.0 Mg/L

72. लाल (रेड) सूची के अनुसार विश्व में लुप्तप्राय: (थ्रेटंड) स्तनधारियों का प्रतिशत लगभग कितना है? **[2021]**

(a) 20% (b) 25%
(c) 40% (d) 45%

73. ऊर्जा सुरक्षा परिप्रेक्ष्य से भारत के लिए निम्नलिखित में से किस स्रोत को सर्वाधिक सुरक्षित माना जाता है? **[2021]**

(a) भूतापीय (b) जल
(c) सौर (d) पवन

74. मांट्रियल प्रोटोकॉल में हुए किगाली संशोधन में एचएफसी के उपयोग में 2040 के दशक के उत्तरार्द्ध तक निम्नलिखित में से किस सीमा तक कमी करने का विचार किया गया है? **[2021]**

(a) 50.55% (b) 65.70%
(c) 80.85% (d) 90.95%

75. सतत विकास रिपोर्ट (2020) के अनुसार सतत विकास लक्ष्य सूचकांक (उच्चतम से निम्नतम) के सन्दर्भ BRICS देशों के सही अनुक्रम की पहचान कीजिए। **[2021]**

(A) चीन (B) भारत

(C) दक्षिण अफ्रीका (D) ब्राजील

(E) रूसी फेडरेशन

नीचे दिए गए विकल्पों में से सही उत्तर का चयन कीजिए:

(a) (A) > (D) > (E) > (C) > (B)

(b) (C) > (D) > (E) > (A) > (B)

(c) (C) > (E) > (B) > (D) > (A)

(d) (E) > (D) > (C) > (A) > (B)

76. नीति आयोग के एसडीजी सूचकांक (2019-20) के अनुसार भारत में एसडीजी. 9 (उद्योग, नवाचार व इंफ्रास्ट्रक्चर) पर सबसे बेहतर निष्पादन करने वाला राज्य कौन-सा है? **[2021]**

(a) गुजरात (b) कर्नाटक

(c) केरल (d) तेलंगाना

77. भू स्तर से 100 मी. की ऊंचाई पर पवन ऊर्जा क्षमता के सही अवरोही क्रम की पहचान करें: **[2021]**

A. कर्नाटक B. आंध्र प्रदेश

C. गुजरात D. तामिलनाडु

E. अंडमान व निकोबार द्वीपसमूह

नीचे दिए गए विकल्पों में से सही उत्तर का चयन कीजिए:

(a) A>B>C>E>D

(b) C>A>B>D>E

(c) C>E>B>D>A

(d) D>C>A>B>E

78. निम्नलिखित में से किस प्रकार के ऊर्जा संयंत्र 24 घंटे प्रति दिन और 7 दिन प्रति सप्ताह चलते हुए नियमित रूप से बिजली प्रदान करते हैं? **[2021]**

(a) भू - तापीय (b) जल

(c) सौर (d) पवन

79. कृषि क्षेत्रों में भूजल में किस प्रदूषक की यथेष्ट मात्रा हो सकती है? **[2021]**

(a) कैडमियम (b) सीसा

(c) नाइट्रेट (d) सेलेनियम

80. निम्नलिखित में से कौन-सी ग्रीन हाउस गैसें वे लक्षित गैसें थीं जिनके उत्सर्जन को क्योटो प्रोटोकॉल के प्रथम प्रतिबद्धता काल के दायरे में लाया जाना था? **[2021]**

A. SO_2 B. CO_2

C. N_2O D. NH_3

E. CH_4

(a) केवल-(A) और (D)

(b) केवल-(B) और (C)

(c) केवल-(D) और (E)

(d) केवल-(B), (C) और (E)

81. दो स्वतंत्र स्रोतों से सृजित 81 डेसीबल और 90 डेसीबल के ध्वनि स्तरों का परिणाम क्या होगा? **[2021]**

(a) ~96 dB (b) ~91 dB

(c) ~98 dB (d) ~118 dB

82. सूची-I के साथ सूची-II का मिलान कीजिए: **[2021]**

सूची-I	सूची-II
(1) क्योटो प्रोटोकॉल	(i) स्वच्छ और सस्ती ऊर्जा
(2) मांट्रियल प्रोटोकॉल	(ii) स्वच्छ विकास तंत्र
(3) पेरिस समझौता	(iii) राष्ट्रीय रूप से विनिश्चित योगदान
(4) अन्तर्राष्ट्रीय सौर संगठन	(iv) क्लोरीनयुक्त यौगिकों की चरणबद्ध समाप्ति

नीचे दिये गए विकल्पों में से सही उत्तर का चयन कीजिए:

(a) (1)-(ii), (2)-(iv), (3)-(iii), (4)-(i)

(b) (1)-(i), (2)-(iii), (3)-(iv), (4)-(ii)

(c) (1)-(ii), (2)-(iv), (3)-(i), (4)-(iii)

(d) (1)-(iii), (2)-(iv), (3)-(i), (4)-(ii)

83. नीचे दो कथन दिए गए हैं: **[2021]**

कथन (I) : सौर समतल प्लेट संग्राहक ग्रीनहाउस प्रभाव के सिद्धांत पर ही कार्य करते हैं।

कथन (II) : ब्लैक एब्जार्बर प्लेट से इन्फ्रारेड विकिरण निकलता है।

उपरोक्त कथन के आलोक में, नीचे दिए गए विकल्पों में से सही उत्तर का चयन कीजिए:

(a) कथन I और II दोनों सत्य हैं।

(b) कथन I और II दोनों गलत हैं।

(c) कथन I सत्य है, लेकिन कथन II असत्य है।

(d) कथन I असत्य है, लेकिन कथन II सत्य है।

84. विश्व के कुल जल प्रतिशत को निम्नांकित स्थानों की दृष्टि से अवरोही क्रम में व्यवस्थित कीजिए: **[2021]**

(1) वायुमंडल
(2) नदियां और जलधाराएँ
(3) भूजल
(4) झील (ताजा पानी)
(5) हिमशीर्ष और हिमनद

नीचे दिए गए विकल्पों में से सही उत्तर का चयन कीजिए:

(a) (5), (3), (2), (4), (1)
(b) (5), (2), (3), (4), (1)
(c) (5), (4), (3), (2), (1)
(d) (5), (3), (4), (1), (2)

85. वर्ष 2030 तक, संधारणीय विकास लक्ष्य-7 का उद्देश्य ऊर्जादक्षता की वैश्विक दर में कितने गुणा की वृद्धि करना है? **[2021]**

(a) दो (b) तीन
(c) चार (d) पाँच

86. सतत विकास रिपोर्ट (2020) के अनुसार एसडीजी सूचकांक के आधार पर सर्वोच्च स्थानवाला देश है: **[2021]**

(a) भूटान (b) न्यूजीलैण्ड
(c) स्वीडन (d) यूनाइटेड किंगडम

87. निम्नलिखित में से किस जल जनित रोग के प्रसार के लिए जल से प्रत्यक्ष संपर्क की नहीं वरन एक वाहक (होस्ट) की आवश्यकता होती है: **[2021]**

(a) हैजा (b) मलेरिया
(c) ट्रकोमा (d) सिस्टोनिआसिस

88. निम्न में से न्यूनतम कितने प्रतिशत उत्सर्जन करने वाले कम से कम 55 देशों द्वारा अनुसमर्थन के प्रपत्र जमा कराने के बाद पेरिस समझौता प्रवृत्त हुआ? **[2021]**

(a) वैश्विक CO_2 उत्सर्जन का 50%
(b) वैश्विक CO_2 उत्सर्जन का 55%
(c) वैश्विक CO_2 उत्सर्जन का 60%
(d) वैश्विक CO_2 उत्सर्जन का 75%

89. बायोगैस का कैलोरीय मान लगभग कितना है? **[2021]**

(a) 5000 कि. कैल. प्रति घन मीटर
(b) 3000 कि. कैल. प्रति घन मीटर
(c) 2500 कि. कैल. प्रति घन मीटर
(d) 1800 कि. कैल. प्रति घन मीटर

90. निम्नलिखित में से किस समझौते के अधीन वैश्विक औसत तापमान में वृद्धि को 2°C से काफी नीचे सीमित रखने का निर्णय किया गया था? **[2021]**

(a) पेरिस समझौता
(b) क्योटो प्रोटोकाल
(c) मांट्रियल प्रोटोकाल
(d) रिओ शिखर सम्मेलन

91. निम्नगत में से कौन सा प्रदूषक मनुष्य में कैंसर का कारण बन सकता है? **[2022]**

(a) कार्बन मोनोक्साइड (b) एस्बेस्टस
(c) नाइट्रोजन डाइऑक्साइड (d) सल्फर डाइऑक्साइड

92. भारत के कौन से क्षेत्र में चक्रवात सर्वाधिक संख्या में होते हैं? **[2022]**

(a) पूर्वी घाट (b) पश्चिमी घाट
(c) मध्य भारत (d) उत्तर भारत

93. निम्नगत कथनों में से जैव-विविधता के बारे में कौन से सही हैं? **[2022]**

(1) पारिस्थितिकी के स्थायित्व में जैव विविधता सहायक होती है।
(2) मानवीय गतिविधियों ने प्रजातियों की विलुप्तता को तेजी से बढ़ा दिया है।
(3) प्राकृतिक आवास के विखंडन का जैव-विविधता पर कोई दुष्प्रभाव नहीं पड़ता है।
(4) लगभग 70 प्रतिशत प्रजातियां अपृष्ठवंशी (इन्वर्टिब्रेट) हैं।

नीचे दिए गए विकल्पों में से सही उत्तर चुनें:

(a) केवल (1), (2) और (3)
(b) केवल (1), (2) और (4)
(c) केवल (2), (3) और (4)
(d) केवल (1), (3) और (4)

94. मीथेन उत्सर्जन के प्रमुख स्रोतों को पहचानिए: **[2022]**

(1) लैंड फिल (2) पर्वतीय नदियाँ
(3) धान के खेत (4) जलमय भूमि

नीचे दिए गए विकल्पों में से सही उत्तर चुनें:

(a) केवल (1), (2) और (3)
(b) केवल (2), (3) और (4)
(c) केवल (1), (2) और (4)
(d) केवल (1), (3) और (4)

95. सूची-I को सूची-II से सुमेलित कीजिए: **[2022]**

सूची-I (उद्देश्य/प्रावधान)	सूची-II (अंतर्राष्ट्रीय संधियाँ/समझौते)
(1) उत्सर्जन व्यापार	(i) पैरिस समझौता
(2) संसाधनों का सतत प्रबंध	(ii) क्योटो प्रोटोकॉल
(3) स्वच्छ वहनीय ऊर्जा	(iii) अंतर्राष्ट्रीय सौर गठबंधन
(4) इच्छित राष्ट्रीय तौर पर निर्धारित योगदान	(iv) रियो शिखर सम्मेलन

नीचे दिए गए विकल्पों में से सही उत्तर चुनिए:

(a) (1)–(ii), (2)–(iv), (3)–(i), (4)–(iii)
(b) (1)–(ii), (2)–(iv), (3)–(iii), (4)–(i)
(c) (1)–(i), (2)–(iv), (3)–(iii), (4)–(ii)
(d) (1)–(i), (2)–(iv), (3)–(ii), (4)–(iii)

96. खाद्य श्रृंखला में निम्नलिखित में से किस नाशक जीवनाशी के न्यूनतम जैव संचयन की संभावना होगी? **[2022]**

(a) क्लोरडेन (b) एल्ड्रिन
(c) कार्बारिल (d) एन्ड्रिन

97. नीचे दो कथन दिए गए हैं: **[2022]**

कथन I: सतत विकास की नैतिक रूपरेखा हमारे पर्यावरण के साथ संबंध के बारे में मानकीय मार्गदर्शन प्रदान करती है।

कथन II: मानव-केंद्रित निदर्श भ्रामक है, जैसा कि उसके पर्यावरणीय परिणामों से सुस्पष्ट है।

उपर्युक्त कथनों के आलोक में निम्नलिखित विकल्पों में से सही उत्तर चुनें:

(a) कथन I और II दोनों सत्य हैं।
(b) कथन I और II दोनों असत्य हैं।
(c) कथन I सत्य है, लेकिन कथन II असत्य है।
(d) कथन I असत्य है, लेकिन कथन II सत्य है।

98. एक पात्र में जीवाणुओं (बैक्टीरिया) की संख्या प्रत्येक एक मिनट में दुगुनी हो जाती है। यदि पात्र 30 मिनट में जीवाणुओं से पूरी तरह भर जाता है, तो कितने मिनटों में पात्र का 1/4 भाग जीवाणुओं से भर जाएगा? **[2022]**

(a) 15 मिनट (b) 16 मिनट
(c) 28 मिनट (d) 25 मिनट

99. निम्नलिखित कौन से खतरे मानवोत्पतिक कारणों से उत्पन्न हो सकते हैं? **[2022]**

(1) चक्रवात (2) नाभिकीय आपदा
(3) बाढ़ (4) ज्वालामुखी
(5) जंगल की आग

नीचे दिए गए विकल्पों में से सही उत्तर चुनें:

(a) केवल (1), (2) और (4)
(b) केवल (2), (3) और (4)
(c) केवल (2), (4) और (5)
(d) केवल (2), (3) और (5)

100. नीचे दो कथन दिए गए हैं: एक अभिकथन (Assertion A) के रूप में लिखित है तो दूसरा उसके कारण (Reason R) के रूप में; **[2022]**

अभिकथन (A): अधिकतर चक्रवातों से तटवर्ती क्षेत्रों में भारी पैमाने पर नुकसान होता है।

कारण (R): स्थालावतरण के बाद अधिकतर चक्रवातों की ऊर्जा में वृद्धि होती है।

उपर्युक्त कथनों के आलोक में निम्नलिखित विकल्पों में से सही उत्तर का चयन कीजिए:

(a) (A) और (R) दोनों सही हैं और (R), (A) की सही व्याख्या है।
(b) (A) और (R) दोनों सही हैं परन्तु (R), (A) की सही व्याख्या नहीं है।
(c) (A) सही है, लेकिन (R) सही नहीं है।
(d) (A) सही नहीं है, लेकिन (R) सही है।

101. ताजा पानी की मात्रा की धारणीयता के बढ़ते क्रम में निम्नलिखित जल निकायों को व्यवस्थित करें: **[2022]**

(1) बर्फ (आइस) और हिम (स्नो)
(2) ताजा पानी की झीलें और जलसंग्रहण क्षेत्र
(3) भूमिगत जल
(4) नदियाँ और जल-धाराएँ

नीचे दिए गए विकल्पों में से सही उत्तर चुनें:

(a) (4), (2), (3), (1) (b) (2), (3), (4), (1)
(c) (2), (4), (1), (3) (d) (4), (2), (1), (3)

102. सतत विकास लक्ष्यों में निम्नलिखित में से किसकी परिकल्पना की गई है? **[2022]**

(a) वर्ष 2020 तक, कम से कम 50% तटीय और समुद्री क्षेत्रों का संरक्षण करना।
(b) वर्ष 2030 तक, खुदरा और उपभोक्ता स्तरों पर प्रतिव्यक्ति वैश्विक खाद्य बर्बादी में एक तिहाई तक कमी लाना।

(c) वर्ष 2030 तक, ऊर्जा दक्षता में सुधार की वैश्विक दर को दोगुना करना।

(d) वर्ष 2030 तक, गैर-संक्रामक रोगों से समयपूर्व मृत्यु दर में पाँचवे हिस्से तक कमी लाना।

103. पानी का क्लोरीनीकरण किसलिए किया जाता है? **[2023]**

(a) सूक्ष्म जीवाणुओं (माइक्रोब) को दूर करने के लिए

(b) कठोरता दूर करने के लिए

(c) लवण के अंश में वृद्धि करने के लिए

(d) गंदलापन कम करने के लिए

104. ओजोन परत की औसत मोटाई कितनी है? **[2023]**

(a) > 1 सेमी (b) < 1 सेमी

(c) 1 सेमी से 1 मीटर (d) > 1 मीटर

105. नीचे दो कथन दिए गए हैं: **[2023]**

कथन I: आयन विनिमय, तृतीयक अपशिष्ट जल शोधन प्रक्रिया का उदाहरण है।

कथन II: आयन विनिमय का प्रयोग अवशिष्ट निलंबित ठोस के अपनयन के लिए किया जाता है।

उपरोक्त कथन के आलोक में, नीचे दिए गए विकल्पों में से सही उत्तर का चयन कीजिए:

(a) कथन I और II दोनों सत्य हैं।

(b) कथन I और II दोनों असत्य हैं।

(c) कथन I सत्य है, लेकिन कथन II असत्य है।

(d) कथन I असत्य है, लेकिन कथन II सत्य है।

106. नीचे दो कथन दिए गए हैं: **[2023]**

कथन I: मांट्रियल प्रोटोकॉल समझौता वर्ष 1987 में हुआ था और वर्ष 1990 में अस्तित्व में आया।

कथन II: क्योटो प्रोटोकॉल समझौता वर्ष 1997 में हुआ था और वर्ष 2005 में अस्तित्व में आया।

उपरोक्त कथन के आलोक में, नीचे दिए गए विकल्पों में से सही उत्तर का चयन कीजिए:

(a) कथन I और II दोनों सत्य हैं।

(b) कथन I और II दोनों असत्य हैं।

(c) कथन I सत्य है, लेकिन कथन II असत्य है।

(d) कथन I असत्य है, लेकिन कथन II सत्य है।

107. नीचे दो कथन दिए गए हैं: **[2023]**

कथन I: कार्बन टेट्राक्लोराइड (CCl_4) कीटनाशकों और भारी धातुओं जैसे प्रदूषक यकृत को क्षति पहुँचाते हैं।

कथन II: यकृत को क्षति पहुँचाने वाले विषैले रसायनों को रक्तविषकारी (हिमैटोटोक्सिन्स) कहा जाता है।

उपरोक्त कथन के आलोक में, नीचे दिए गए विकल्पों में से सही उत्तर का चयन कीजिए:

(a) कथन I और II दोनों सत्य हैं।

(b) कथन I और II दोनों असत्य हैं।

(c) कथन I सत्य है, लेकिन कथन II असत्य है।

(d) कथन I असत्य है, लेकिन कथन II सत्य है।

108. वायुमंडलीय धुंध का प्रमुख कारण कौन सा है? **[2023]**

(a) परासूक्ष्म आकार के विविक्त पदार्थ

(b) नाइट्रोजन और सल्फर के आक्साइड

(c) ओजोन

(d) कार्बन डाई आक्साइड और कार्बन मोनो आक्साइड

109. नीचे दो कथन दिए गए हैं: **[2023]**

कथन I: नैनो स्केल धात्विक और द्वि-धात्विक कण पोली क्लोरो बेन्जीन्स (पी.सी.बी.) ओर्गेनो क्लोरीन कीटनाशकों और हैलोजनित कार्बनिक विलायकों जैसे सामान्य जल प्रदूषकों को कार्यकुशल ढंग से हटा सकते हैं।

कथन II: नैनो स्केल धात्विक और द्वि-धात्विक कण निकेल, आर्सेनिक, पारा आदि जैसी भारी धातुओं को नहीं घटा सकते हैं।

उपरोक्त कथनों के आलोक में, नीचे दिए गए विकल्पों में से सही उत्तर का चयन कीजिए:

(a) कथन I और II दोनों सही हैं।

(b) कथन I और II दोनों गलत हैं।

(c) कथन I सही है, लेकिन कथन II गलत है।

(d) कथन I गलत है, लेकिन कथन II सही है।

110. नीचे दो कथन दिए गए हैं: एक अभिकथन (Assertion) A के रूप में लिखित है तो दूसरा उसके कारण (Reason) · के रूप में;

अभिकथन (A): किसी तटीय स्थान पर समुद्र स्तर में परिवर्तन वैश्विक, क्षेत्रीय एवं स्थानीय कारकों के योग पर निर्भर करता है।

कारण (R): इसलिए, वैश्विक माध्यम समुद्र तल में वृद्धि, समग्र विष्व में समुद्र स्तर में एक समान वृद्धि के रूप में रूपांतरित होती है।

उपरोक्त कथनो के आलोक में, नीचे दिए गए विकल्पों में से सही उत्तर का चयन कीजिए: **[2023]**

(a) (A) और (R) दोनों सत्य हैं और (R), (A) की सही व्याख्या है।

(b) (A) और (R) दोनों सत्य हैं, लेकिन (R), (A) की सही व्याख्या नहीं है।

(c) (A) सत्य है, लेकिन (R) असत्य है।

(d) (A) असत्य है, लेकिन (R) सत्य है।

111. आक्सीजन मांग वाले अपशिष्ट: **[2023]**

(a) जल में आक्सीजन-स्तर को घटाते हैं।

(b) जल में आक्सीजन-स्तर को बढ़ाते हैं।

(c) जल में आक्सीजन-स्तर को परिवर्तित नहीं करते हैं।

(d) जल के तापमान को बढ़ाते हैं।

112. सूची I के साथ सूची II का मिलान कीजिए: **[2023]**

सूची-I (संधारणीय विकास लक्ष्य (एस.डी.जी.) संख्या)	सूची-II (लक्ष्य)
(1) एस. डी. जी. 2	(i) संधारणीय नगर और समुदाय
(2) एस. डी. जी. 3	(ii) शून्य भुखमरी
(3) एस. डी. जी. 6	(iii) अच्छा स्वास्थ्य और आरोग्य
(4) एस. डी. जी. 11	(iv) शुद्ध जल और स्वच्छता

निम्नलिखित विकल्पों में से सही उत्तर का चयन कीजिए:

(a) (1)–(i), (2)–(iii), (3)–(ii), (4)–(iv)

(b) (1)–(iii), (2)–(ii), (3)–(i), (4)–(iv)

(c) (1)–(ii), (2)–(iii), (3)–(iv), (4)–(i)

(d) (1)–(ii), (2)–(iii), (3)–(i), (4)–(iv)

उत्तरमाला

1. (d)	**2.** (d)	**3.** (a)	**4.** (a)	**5.** (b)	**6.** (c)	**7.** (b)	**8.** (d)	**9.** (c)	**10.** (c)
11. (a)	**12.** (a)	**13.** (b)	**14.** (d)	**15.** (c)	**16.** (a)	**17.** (b)	**18.** (c)	**19.** (b)	**20.** (a)
21. (a)	**22.** (c)	**23.** (a)	**24.** (b)	**25.** (d)	**26.** (c)	**27.** (d)	**28.** (a)	**29.** (b)	**30.** (b)
31. (d)	**32.** (c)	**33.** (a)	**34.** (a)	**35.** (c)	**36.** (c)	**37.** (c)	**38.** (a)	**39.** (b)	**40.** (a)
41. (a)	**42.** (d)	**43.** (c)	**44.** (c)	**45.** (d)	**46.** (a)	**47.** (c)	**48.** (c)	**49.** (a)	**50.** (c)
51. (b)	**52.** (c)	**53.** (d)	**54.** (a)	**55.** (a)	**56.** (d)	**57.** (a)	**58.** (d)	**59.** (d)	**60.** (d)
61. (d)	**62.** (d)	**63.** (a)	**64.** (a)	**65.** (a)	**66.** (a)	**67.** (d)	**68.** (b)	**69.** (a)	**70.** (a)
71. (c)	**72.** (b)	**73.** (c)	**74.** (c)	**75.** (a)	**76.** (a)	**77.** (b)	**78.** (a)	**79.** (c)	**80.** (d)
81. (b)	**82.** (a)	**83.** (a)	**84.** (d)	**85.** (a)	**86.** (c)	**87.** (b)	**88.** (b)	**89.** (a)	**90.** (a)
91. (b)	**92.** (a)	**93.** (b)	**94.** (d)	**95.** (b)	**96.** (c)	**97.** (a)	**98.** (c)	**99.** (d)	**100.** (c)
101. (a)	**102.** (c)	**103.** (a)	**104.** (b)	**105.** (b)	**106.** (d)	**107.** (c)	**108.** (a)	**109.** (c)	**110.** (c)
111. (a)	**112.** (c)								

संकेत और स्पष्टीकरण

1. (d)

ताप विद्युत संयत्रों में उत्पादित 'फ्लाई ऐश' एक पर्यावरण - हितैषी संसाधन है, जिसका उपयोग निम्न प्रकार से किया जा सकता है:

1. सूक्ष्म पोषक के रूप में कृषि में
2. बंजर भूमि के विकास में
3. बांध और जल धारण संरचनाओं में
4. ईंट उद्योग में

फ्लाई ऐश का सबसे अधिक उपयोग कंक्रीट के उत्पादन में प्रयुक्त पोर्टलैंड सीमेंट के आंशिक प्रतिस्थापन के रूप में किया जाता है।

2. (d)

सूखा एक लंबी अवधि में औसत से काफी नीचे वर्षा के स्तर के कारण मिट्टी की असामान्य सूखापन है। गर्म शुष्क हवाएं, जल का अभाव, उच्च तापमान और इसके परिणामस्वरूप पृथ्वी से नमी का वाष्पीकरण भी सूखे की स्थिति में योगदान कर सकता है। सूखे के कारण फसल नष्ट हो जाती है और जल की कमी हो जाती है। अत: सूखा एक ऐसी प्राकृतिक विपदा है, जिसका कोई निश्चित प्रारम्भ या अंत नहीं होता है। अन्य विकल्पों की व्याख्या इस प्रकार की जा सकती है:

(a) भूकंप पृथ्वी की सतह में अचानक ऊर्जा के निर्गमन (release) का परिणाम है, जो भूकंपीय तरंगें उत्पन्न करता है। पृथ्वी की सतह पर, भूकंप कंपन, कंपन और कभी-कभी जमीन के विस्थापन से प्रकट होते हैं। भूकंप, भूगर्भीय प्लेटों के प्रतिस्थापन के कारण आते हैं।

(b) एक भूस्खलन को चट्टान, मिट्टी, कृत्रिम, या यहां तक कि इन चीजों के संयोजन सहित ढलान बनाने वाली सामग्री की एक बाह्य और नीचे की ओर ढलान के रूप में वर्णित किया जाता है।

(c) एक तूफान उच्च गति हवाओं के साथ एक बड़ा घूर्णन तूफान है, जो उष्णकटिबंधीय क्षेत्रों में गर्म जल के ऊपर बनता है।

3. (a)

अंत: वायु प्रदूषण (indoor air pollution) स्वास्थ्य के लिए एक गंभीर खतरा है, क्योंकि अंत: पर्यावरण में वायु प्रदूषकों का विसर्जन अपेक्षाकृत सीमित होता है। अत: (A) एवं (R) दोनों सही हैं और (R), (A) की सही व्याख्या है।

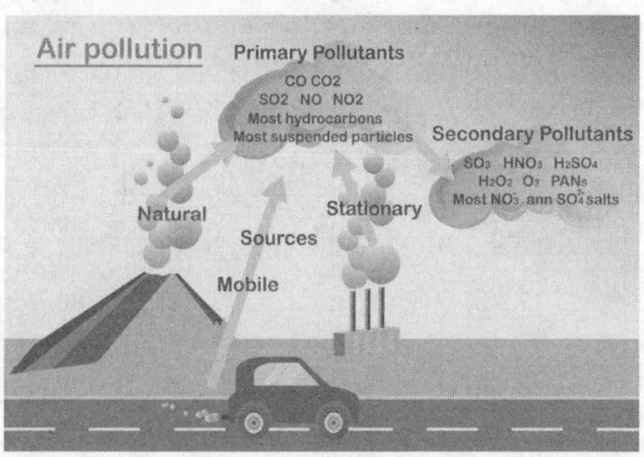

Photo credit: danylyukk1 / Shutterstock

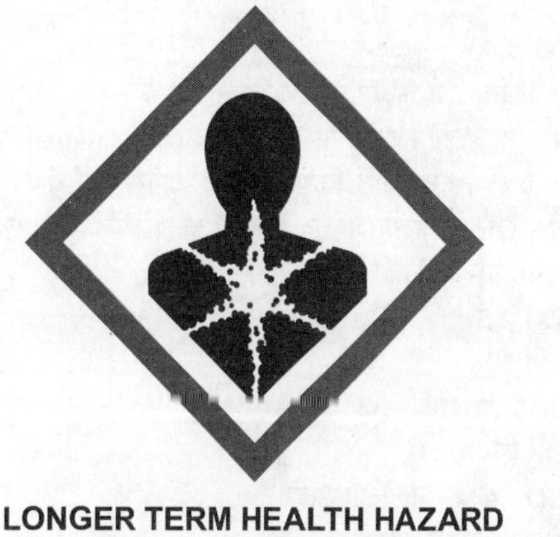

LONGER TERM HEALTH HAZARD

Photo credit: Standard Studio / Shutterstock

4. (a)

ईंधन (Fuel)	मेगावाट (MW)	कुल ईंधन (%)
थर्मल (thermal)	2,22,693	64.8%
कोयला (Coal)	1,96,958	57.3%
गैस (Gas)	24,897	7.2%
तेल (Oil)	838	0.2%
हाइड्रो (नवीकरणीय) (Renewable)	45,403	13.2%
आणविक (Nuclear)	780	2.0%
आरईएस '	69,022	20.1%
कुल	343,899	100%

* 31.03.2018 को आरईएस (MNRE) के संबंध में स्थापित क्षमता

अत: कुल विद्युत उत्पादन में ऊर्जा स्रोतों के योगदान का सही क्रम ताप विद्युत संयंत्र (Thermal Power Plants) > नवीकरणीय ऊर्जा (renewable energy) > विशाल जल विद्युत परियोजनाएं (large hydro power plants) > परमाणु ऊर्जा (nuclear energy) होगा।

5. (b)

भारत में जल प्रदूषण प्रमुख पर्यावरणीय मुद्दा है। भारत में जल प्रदूषण का सबसे बड़ा स्रोत अनुपचारित सीवेज (unregulated sewage) है। प्रदूषण के अन्य स्रोतों में कृषि अपवाह और अनियमित लघु उद्योग सम्मिलित हैं। भारत में अधिकांश नदियां, झीलें और सतही जल, उद्योगों से निकले अपशिष्ट, अनुपचारित सीवेज (unregulated sewage) और ठोस अपशिष्ट हैं।

भारत में सतही और भूजल के प्रदूषण का सबसे महत्वपूर्ण स्रोत भारत में घरेलू अपशिष्ट जल के उत्पादन और उपचार के मध्य एक बड़ा अंतर है। समस्या केवल यह नहीं है कि भारत में पर्याप्त उपचार क्षमता का

अभाव है, बल्कि यह भी है कि जो सीवेज उपचार संयंत्र लगाए गए हैं, वे संचालित नहीं होते हैं और उनका रखरखाव (maintance) नहीं किया जाता है।

6. (c)

केंद्र सरकार ने केंद्रीय प्रदूषण नियंत्रण बोर्ड के तहत सार्वजनिक सूचना के लिए राष्ट्रीय वायु गुणवत्ता सूचकांक (National Air Quality Index - AQI) जारी किया है। इस 'राष्ट्रीय वायु गुणवत्ता सूचकांक' (NAQI) के अंतर्गत 8 वायु प्रदूषकों को शामिल किया गया है, जिनकी सूची निम्नलिखित है–

PM 2.5
PM 10
SO2 (सल्फर डाइऑक्साइड)
O3 (ओज़ोन)
CO (कार्बन मोनोऑक्साइड)
NH3 (अमोनिया)
NO2 (नाइट्रोजन डाइऑक्साइड)
Pb (सीसा)

भारत सरकार वायु गुणवत्ता और मौसम पूर्वानुमान तथा अनुसंधान प्रणाली सफर पर वायु गुणवत्ता स्तर का मापन करती है। जिसमें 1 से लेकर 500 अंकों तक हवा की गुणवत्ता का आकलन किया जाता है।

7. (b)

अन्तर्राष्ट्रीय सौर्य संधि की स्थापना हेतु संयुक्त प्रयास भारत और फ्रांस देश के बीच किया गया। इसमें कहा गया है कि जलवायु परिवर्तन की वैश्विक चुनौतियों से निपटने के लिये सभी देश अपने राष्ट्रीय ऊर्जा मिश्रण में अंतिम ऊर्जा खपत के रूप में सौर ऊर्जा के हिस्से को बढ़ाने का प्रयास करेंगे। इसमें यह भीं कहा गया कि ISA निरंतर विकास के लिये संयुक्त राष्ट्र एजेंडा-2030 की अपनी प्रतिबद्धता को दोहराता है। इस प्रतिबद्धता में सभी रूपों और आयामों में गरीबी का उन्मूलन, दुनिया को बदलने के लिये प्रौद्योगिकी का विकासए एक सुदृढ़ और पारदर्शी अंतर्राष्ट्रीय वित्तीयन व्यवस्था, संयुक्त शोध एवं विकास आदि शामिल है।

8. (d)

जलवायु परिवर्तन के संबंध में राष्ट्रीय कार्य योजना (NPCC) औपचारिक रूप से 30 जून 2008 को आरम्भ की गई थी। यह जलवायु परिवर्तन, अनुकूलन और शमन, ऊर्जा दक्षता और प्राकृतिक संसाधन संरक्षण की समझ को बढ़ावा देने पर ध्यान केंद्रित करती है। इसके अंतर्गत निम्नलिखित आठ मिशन हैं:

(1) राष्ट्रीय सौर मिशन
(2) उन्नत ऊर्जा दक्षता के लिए राष्ट्रीय मिशन
(3) सतत पर्यावास पर राष्ट्रीय मिशन
(4) राष्ट्रीय जल मिशन
(5) हिमालयी पारिस्थितिकी तंत्र को बनाए रखने के लिए राष्ट्रीय मिशन
(6) हरित भारत के लिए राष्ट्रीय मिशन
(7) सतत कृषि के लिए राष्ट्रीय मिशन
(8) जलवायु परिवर्तन के लिए सामरिक ज्ञान पर राष्ट्रीय मिशन

अभी अगस्त 15, 2021 को इसमें नेशनल हाइड्रोजन मिशन को भी जोड़ दिया गया। राष्ट्रीय हाइड्रोजन ऊर्जा मिशन का उद्देश्य हाइड्रोजन ऊर्जा के लिए भारत सरकार के दृष्टिकोण, मंशा और दिशा को निर्धारित करना और दृष्टिकोण को साकार करने के लिए रणनीति और दृष्टिकोण बताना और निर्धारित करना होगा। मिशन अल्पावधि (4 वर्ष) के लिए विशिष्ट रणनीति और लंबी अवधि (10 वर्ष और उससे अधिक) के लिए व्यापक स्ट्रोक सिद्धांतों को सामने रखेगा।

इसका उद्देश्य मूल्य श्रृंखला में हाइड्रोजन और ईंधन सेल प्रौद्योगिकियों के निर्माण के लिए भारत को एक वैश्विक केंद्र के रूप में विकसित करना है। इस दिशा में, 'मेक इन इंडिया' और 'आत्मनिर्भर भारत' के साथ गठबंधन में उपयुक्त प्रोत्साहन और सुविधा के माध्यम से विनिर्माण का समर्थन करने के लिए एक ढांचा विकसित किया जाएगा।

9. (c)

भू-भरन (Land Filling): भू-भरन दफ्न (भूमि में दबाने) द्वारा अपशिष्ट पदार्थों के निपटान के लिए एक साइट है। भू-भरन या लैंडफिलिंग को अपने स्वयं के इनपुट और आउटपुट के साथ अपशिष्ट उपचार प्रक्रिया के रूप में माना जाता है, न कि ठोस कचरे के लिए अंतिम निपटान विधि के रूप में। यह कचरे को इस तरह से दबाता है कि निम्नलिखित शर्तें पूरी होती हैं।

1. इसे भूजल से अलग किया जाएगा।
2. इसे सूखा रखा जाएगा।
3. यह हवा के संपर्क में नहीं होगा।

उर्वरक के ढेर के विपरीत, एक लैंडफिल को कचरे को लोगों से दूर रखने के लिए डिज़ाइन किया गया है, लेकिन यह इसे शीघ्रता से सड़ने नहीं देता है।

चूर्णन (Pulverization): एक पल्वराइज़र मूल रूप से विभिन्न प्रकार की सामग्रियों को पीसने के लिए एक यांत्रिक प्रकार का उपकरण है। उदाहरण के लिए, इसका उपयोग जीवाश्म ईंधन बिजली संयंत्रों की भाप पैदा करने वाली भट्टियों में दहन के लिए कोयले को चूर्णित करने के लिए किया जाता है।

कम्पोस्ट तैयार करना (Composting): कम्पोस्टिंग नियंत्रित एरोबिक (ऑक्सीजन की उपस्थिति में होने वाली) स्थितियों के तहत बैक्टीरिया, कवक, कीड़े और अन्य जीवों द्वारा जैविक कचरे जैसे भोजन या पौधों की सामग्री का जैविक अपघटन है। कंपोस्टिंग का अंतिम परिणाम आंशिक रूप से सड़े हुए कार्बनिक पदार्थों का एक संचय है जिसे ह्यूमस कहा जाता है। कृमियों के साथ खाद, जिसे वर्मीकल्चर (vermiculture) भी कहा जाता है, के परिणामस्वरूप पोषक तत्वों से भरपूर कृमि की परत होती है।

श्रेडिंग (Shredding): श्रेडर एक यांत्रिक उपकरण है जिसका उपयोग कागज या इस प्रकार की सामग्री को स्ट्रिप्स या महीन कणों में काटने के लिए किया जाता है।

10. (c)

ब्लू बेबी सिंड्रोम (Blue Baby Syndrome) पेय जल में नाइट्रेट की अधिकता के कारण भी हो सकता है, जिससे मेथेमोग्लोबिनेमिया हो सकता है। प्रदूषित पेयजल से नाइट्रेट शरीर में यौगिक बनाते हैं जो

हीमोग्लोबिन को मेथेमोग्लोबिन में परिवर्तित कर देते हैं, जिससे रक्त की ऑक्सीजन ले जाने की क्षमता कम हो जाती है। शिशुओं में, ऐसी स्थिति घातक हो सकती है।

11. (a)

वर्तमान में, भारत के पास विश्व में चौथी सबसे बड़ी स्थापित पवन ऊर्जा क्षमता है। वर्तमान में, तमिलनाडु, महाराष्ट्र, गुजरात, राजस्थान, कर्नाटक, आंध्र प्रदेश और मध्य प्रदेश पवन ऊर्जा उत्पादित करने वाले प्रमुख राज्य हैं। पवन ऊर्जा भारत की कुल स्थापित विद्युत क्षमता का 10% है।

भारत में वर्ष 2022 के लिए अक्षय ऊर्जा लक्ष्य

Source	2022 Target (MW)
पवन ऊर्जा	60,000
सौर ऊर्जा	100,000
बायोमास ऊर्जा	10,000
वेस्ट-टू-पावर	5,000
लघु जल विद्युत	175,000

12. (a)

तटीय क्षेत्रों के लिए खेतों से कृषि अपवाह एक गंभीर समस्या है। जल में अतिरिक्त पोषक तत्व यूट्रोफिकेशन का कारण बनते हैं, जो पानी में घुली ऑक्सीजन को खत्म कर देते हैं और अन्य समुद्री जीवों का दम घोंट देते हैं, जिससे उन्हें श्वसन करने में समस्या होती है। यूट्रोफिकेशन के कारण मेक्सिको की खाड़ी और बाल्टिक सागर सहित विश्व के कई भागों में बड़े पैमाने पर मृत क्षेत्र बन गए हैं। अत: समुद्री प्रदूषण का सबसे बड़ा स्त्रोत कृषि अपवाह है।

13. (b)

टुंड्रा, एक वृक्षविहीन ध्रुवीय रेगिस्तान है जो मुख्य रूप से अलास्का, कनाडा, रूस, ग्रीनलैंड, आइसलैंड और उप-अंटार्कटिक द्वीपों में ध्रुवीय क्षेत्रों में उच्च अक्षांशों में पाया जाता है। इस क्षेत्र की लंबी, शुष्क सर्दियां महीनों पूर्ण अंधकार और अत्यधिक सर्द तापमान को दर्शाती हैं। आर्कटिक टुंड्रा उत्तरी गोलार्ध के सुदूर उत्तर में स्थित है। सामान्य तौर पर, टुंड्रा की उप-भूमि पर्माफ्रॉस्ट या स्थायी रूप से जमी हुई जमीन होती है। दो या अधिक वर्षों के लिए 0 डिग्री सेल्सियस पर या उससे नीचे की कोई भी जमीन पर्माफ्रॉस्ट होती है, यह एक मीटर से कम से लेकर 1,000 मीटर तक मोटी हो सकती है।

14. (d)

मैंग्रोव एकमात्र ऐसे वृक्ष हैं, जो खारे पानी में पनपने में सक्षम हैं। वे भूमि और समुद्र के किनारे पर अद्वितीय अंतर्ज्वारीय वन बनाते हैं। तमिलनाडु में 'पिचवरम मैंग्रोव' भारत के सर्वाधिक बड़े मैंग्रोव वनों में से एक है। बंगाल की खाड़ी के निकट ओडिशा का भितरकनिकाक मैंग्रोव वन भारत का दूसरा सबसे बड़ा मैंग्रोव वन है। अन्य प्रमुख मैंग्रोव अंडमान और निकोबार द्वीप समूह और गुजरात में कच्छ की खाड़ी में पाए जाते हैं।

15. (c)

सतत विकास की परिभाषा प्रश्न कथन में ही दी गई है। सतत विकास से अभिप्राय संसाधनों का न्यायपूर्ण ढंग से उपयोग करना है, जिससे कि वे भविष्य की पीढ़ियों के लिए उपलब्ध रहें।

सतत विकास लक्ष्य (एसडीजी) को वैश्विक लक्ष्यों के रूप में भी जाना जाता है, इनका आरम्भ वर्ष 2015 में संयुक्त राष्ट्र के सभी सदस्यों द्वारा गरीबी को समाप्त करने, पृथ्वी की रक्षा करने और इसे सुनिश्चित करने के लिए एक सार्वभौमिक आह्वान के रूप में अपनाया गया था ताकि वर्ष 2030 तक सभी लोगों के लिए शांति और समृद्धि का जीवन व्यतीत करना संभव हो सके।

17 एसडीजी लक्ष्य एकीकृत हैं, वे मानते हैं कि एक क्षेत्र में कार्रवाई दूसरों में परिणामों को प्रभावित करेगी और विकास को सामाजिक, आर्थिक और पर्यावरणीय स्थिरता को संतुलित करना चाहिए। सभी सदस्य देश 'किसी को पीछे न छोड़ें' की प्रतिज्ञा के माध्यम से अल्पविकसित देशों को तीव्र गति से प्रगति करने में सहायता करने के लिए प्रतिबद्ध हैं । यही कारण है कि एसडीजी जाँचें गरीबी, भूख, एड्स और महिलाओं व लड़कियों के खिलाफ भेदभाव सहित विश्व को कई जीवन परिवर्तित करने वाले 'शून्य' में लाने के लिए डिज़ाइन की गई हैं।

16. (a)

समर्थनीय विकास लक्ष्य या सतत विकास लक्ष्य (Sustainable Development Goals) पर संयुक्त राष्ट्र सम्मेलन, जिसे रियो 2012, रियो +20, या पृथ्वी शिखर सम्मेलन 2012 के रूप में भी जाना जाता है, वैश्विक समुदाय के आर्थिक और पर्यावरणीय लक्ष्यों को प्राप्त करने के उद्देश्य से सतत विकास पर तृतीय अंतर्राष्ट्रीय सम्मेलन था। इसे 1992 के एजेंडा 21 से जोड़ा जा सकता है। अगस्त 2015 में 193 देश 17 विकास लक्ष्य के निम्न उद्देश्यों के लिए सहमत हुए थे।

हालाँकि CDP (Conference of Parties) का सर्वप्रथम आयोजन वर्ष 1995 में किया गया था, इसका उद्गम वर्ष 1992 में रियो डी जनेरियो में आयोजित पृथ्वी शिखर सम्मेलन से हुआ। वर्ष 1997 में जलवायु परिवर्तन से संबंध विषयों से निपटने के लिए एक क्योटो प्रोटोकॉल तैयार किया गया था। यह कुछ कारणों से इतना सफल नहीं हो पाया। अठारह वर्ष पश्चात, वर्ष 2015 में ग्लोबल वार्मिंग को 2 डिग्री सेल्सियस तक सीमित करने का लक्ष्य निर्धारित करने के लिए फ्रांस में प्रसिद्ध पेरिस समझौते पर हस्ताक्षर किए गए।

17. (b)

सहस्त्राब्दि विकास लक्ष्यों (Millennium Development Goals-MDG) को वर्ष 2015 तक विश्व विकास के लिए 'रोडमैप' के रूप में वर्णित किया गया है। सितंबर 2000 में विश्व के 189 देश संयुक्त राष्ट्र मुख्यालय में MDG पर हस्ताक्षर करने के लिए एकत्रित हुए।

सहस्त्राब्दी विकास लक्ष्य कुल आठ थे, वे यथार्थवादी तथा सरल भाषा में थे। इनमें पर्याप्त प्रगति भी हुई। विश्व में वर्ष 2015 तक अत्यधिक गरीबी दर को आधा करने में इनका महत्वपूर्ण योगदान रहा। ये आठ लक्ष्य निम्न रूप में दिए गए हैं:

लक्ष्य 1: अत्यधिक गरीबी और भूख मिटाना

लक्ष्य 2: सार्वभौमिक प्राथमिक शिक्षा प्रदान करना

लक्ष्य 3: लैंगिक समानता को बढ़ावा देना और महिलाओं को सशक्त बनाना

लक्ष्य 4: बाल मृत्यु दर में कमी

लक्ष्य 5: मातृ स्वास्थ्य में सुधार

लक्ष्य 6: एचआईवी/एड्स, मलेरिया, और अन्य बीमारियों का मुकाबला

लक्ष्य 7: पर्यावरणीय स्थिरता सुनिश्चित करें

लक्ष्य 8: विकास के लिए वैश्विक साझेदारी विकसित करना

वर्ष 2015 के बाद, ध्यान एक स्थायी विश्व के निर्माण पर है, जहां पर्यावरणीय स्थिरता, सामाजिक समावेश और आर्थिक विकास को समान रूप से महत्व दिया जाता है। इसके लिए रियो डी जनेरियो, जून 2012 में रियो + 20 सम्मेलन (सतत विकास पर संयुक्त राष्ट्र का सम्मेलन) ने सतत विकास लक्ष्यों (Sustainable Development Goals) के लिए 17 लक्ष्य तय किये जो कि वर्ष 2030 तक प्राप्त करने है।

भारत ने 26वीं ग्लासगो बैठक में वर्ष 2030 तक अपने लक्ष्यों और प्राथमिकताओं को काफी सीमा तक परिवर्तित किया। उनका पृथक ज्ञान बहुत ही आवश्यक है।

18. (c)

कम्पोस्टिंग कार्बनिक ठोस कचरे को विघटित करने की एक एरोबिक विधि है। एरोबिक का अर्थ है, इसमें हवा की उपस्थिति की आवश्यकता होती है। इसलिए इसका उपयोग जैविक सामग्री को पुन: चक्रित (recycle) करने के लिए किया जा सकता है।

इस प्रक्रिया में कार्बनिक पदार्थ का अपघटन एक ह्यूमस जैसी सामग्री में होता है, जिसे जैविक खाद कहा जाता है, जो पौधों के लिए एक अच्छा उर्वरक है। खाद बनाने वाले जीवों को चार महत्वपूर्ण अवयवों कार्बन, नाइट्रोजन, ऑक्सीजन और जल की समान मात्रा में आवश्यकता होती है।

19. (b)

ओलिगोट्रॉफिक (oligotrophic lake) या अल्पपोषी झील वह झील होती है, जिसमें पोषक तत्व कम होने के कारण प्राथमिक उत्पादकता कम होती है। इन झीलों में कम शैवाल उत्पादन होता है और इसके परिणामस्वरूप जल बहुत स्वच्छ होता है, जिसमें पीने के जल की उच्च गुणवत्ता होती है।

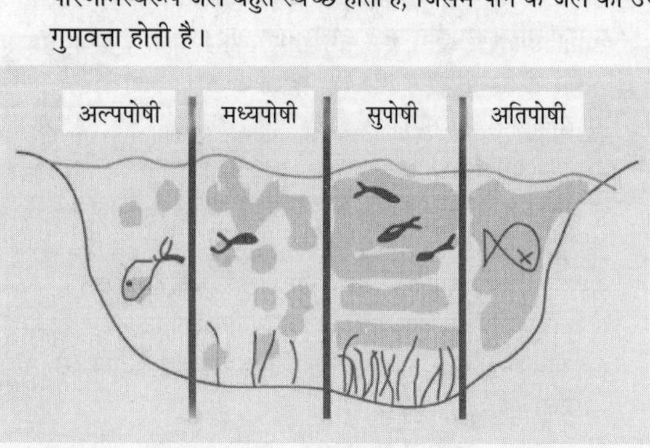

20. (a)

जल की अच्छी गुणवत्ता के लिए पर्याप्त घुलित ऑक्सीजन (dissolved oxygen) आवश्यक है। यह जल की गुणवत्ता का आकलन करने के लिए महत्वपूर्ण मानक है, कि जल में कितना ऑक्सीजन घुल गया है। यह एक मुक्त एवं गैर - यौगिक ऑक्सीजन है। यह जल में उपस्थित किसी अन्य तत्व से संबंधित नहीं होता है। यदि जल में घुलित ऑक्सीजन का स्तर 5.0 मिलीग्राम/लीटर से नीचे चला जाता है, तो जलीय जीवों को श्वसन क्रिया में समस्या आने लगती है। सघनता (concentration) जितनी कम होगी, तनाव उतना ही अधिक होगा। ऑक्सीजन का स्तर जब कुछ घंटों के लिए 1-2 मिलीग्राम/लीटर से नीचे रहता है, वह बड़ी मछलियों की मौत का कारण बन सकता है।

इसके अतिरिक्त, तापमान भी जलीय जीवन को काफी सीमा तक प्रभावित करता है, अधिकांश जलीय जीवों के शरीर का तापमान जल के तापमान के अनुसार ऊपर नीचे होता रहता है। तापमान बढ़ने के साथ साथ ऑक्सीजन की घुलनशीलता कम हो जाएगी यानी यदि जल अधिक गर्म होगा, तो जलीय जीवों को पर्याप्त ऑक्सीजन की पूर्ति नहीं हो पायेगी।

21. (a)

बायोमास, पौधे या पशु अपशिष्ट से प्राप्त सामग्री है जिसका उपयोग बिजली या ईंधन के रूप में किया जाता है। उदाहरण – लकड़ी, फसलें, और जंगलों या खेतों से निकलने वाला अपशिष्ट। बायोमास ईंधन कार्बन डाइऑक्साइ (ग्रीनहाउस गैस) का उत्सर्जन करता है। हालांकि, जो पौधे ऊर्जा के लिए बायोमास के स्रोत हैं, प्रकाश संश्लेषण के माध्यम से लगभग उतनी ही मात्रा में CO2 प्राप्त करते हैं, जब बायोमास को जलाया जाता है, जो बायोमास को कार्बन-न्यूट्रल ऊर्जा स्रोत बना सकता है।

अत: बायोमास ईंधन में संधारणीय कार्बन न्यूट्रल ऊर्जा के सृजन की क्षमता होती है क्योंकि ये उपभोग और वृद्धि की मात्रा के आधार पर दहन में कार्बन डाईऑक्साइड का उत्सर्जन करते हैं।।

IPCC बायोमास को ऊर्जा के नवीकरणीय रूप में परिभाषित करता है। 2017 में IEA (इंटरनेशनल एनर्जी एजेंसी) ने यह भी सुझाव कि बायोएनर्जी परिनियोजन की वर्तमान दर निम्न कार्बन परिदृश्यों में आवश्यक स्तरों से काफी निम्न है और बढ़ते प्रदूषण और वातावरणीय असंतुलन पर नियंत्रण पाने के लिए यह अत्यंत आवश्यक है।

बायोमास के स्रोत के आधार पर, जैव ईंधन को तीन प्रमुख श्रेणियों में वर्गीकृत किया गया है:

प्रथम पीढ़ी: प्रथम पीढ़ी के जैव ईंधन गन्ना और मकई स्टार्च जैसे खाद्य स्रोतों से प्राप्त होते हैं। इस बायोमास में विद्यमान शर्करा को बायोएथेनॉल का उत्पादन करने के लिए किण्वित किया जाता है, एक अल्कोहल ईंधन जो गैसोलीन में एक योजक के रूप में या बिजली उत्पादन के लिए ईंधन सेल में कार्य करता है।

द्वितीय पीढ़ी: द्वितीय पीढ़ी के जैव ईंधन गैर-खाद्य-आधारित बायोमास स्रोतों का उपयोग करते हैं जैसे बारहमासी ऊर्जा फसलें (कम इनपुट फसलें) और कृषि/नगरपालिका अपशिष्ट।

तृतीय पीढ़ी: तृतीय पीढ़ी के जैव ईंधन उन लोगों को संदर्भित करते हैं जो सूक्रम शैवाल से प्राप्त होते हैं।

22. (c)

शुद्ध जल प्रणालियों में ऑक्सीजन की मांग करने वाले अपशिष्ट के मुख्य स्रोत निम्नलिखित हैं -

कृषि अपशिष्ट (Agricultral run-off) – यह सिंचाई, बारिश, या पिघली हुई बर्फ के कारण खेतों से होकर भेजा गया जलीय अपशिष्ट है। इस अपवाह जल में उर्वरक, कीटनाशक, पशु अपशिष्ट या मिट्टी के कण हो सकते हैं, जो पीने के जल स्रोतों में प्रवेश कर जल को और दूषित कर सकते हैं। ऑक्सीजन की मांग के लिए झीलों और नदियों के लिए कृषि अपशिष्ट एक चिंता का विषय रहा है।

खाद्य प्रसंस्करण (Food processing) – खाद्य प्रसंस्करण उद्योगों में, कार्बनिक पदार्थ अपने स्थान पर उच्च ऑक्सीजन की मांग कर सकते हैं।

मल – जल बहिस्राव (Sewage effluent) – सीवेज अपशिष्ट भी कार्बनिक पदार्थों से भरपूर होते हैं।

23. (a)

जैव विविधता (biodiversity) एक नवीनीकरणीय प्राकृतिक संसाधन है जिसे पुन: निर्मित किया जा सकता है। इस प्रकार के प्राकृतिक संसाधन को पुन: उत्पन्न करना या पुन: निर्मित करना सरल है।

जैव विविधता का अर्थ है सभी स्रोतों और पारिस्थितिक परिसरों से जीवित जीवों के मध्य परिवर्तनशीलता, जिसका वे हिस्सा हैं।

जैविक संसाधन (Biological Resources): जैविक संसाधनों का अर्थ पौधों, जानवरों और सूक्ष्म जीवों या उनके भागों, उनकी आनुवंशिक सामग्री और उप-उत्पादों को सम्मिलित किया जाता है।

जैविक विविधता अधिनियम, 2002 का उद्गम जैव विविधता पर संयुक्त राष्ट्र सम्मेलन – 1992 (convention on biodiversity - CBD) में निहित उद्देश्यों को साकार करने के लिए भारत के प्रयास से हुआ था। यह अधिनियम राज्यों को स्वयं के जैविक संसाधनों का उपयोग करने के संप्रभु अधिकारों को मान्यता देता है।

जैव विविधता पृथ्वी पर जीवन की जैविक विविधता और परिवर्तनशीलता है। जैव विविधता आनुवंशिक, प्रजातियों और पारिस्थितिकी तंत्र के स्तर पर भिन्नता का एक उपाय है। स्थलीय जैव विविधता भूमध्य रेखा के पास अधिक होती है, जो गर्म जलवायु और उच्च प्राथमिक उत्पादकता का परिणाम है।

24. (b)

सूखा पानी की आपूर्ति में लंबे समय तक कमी के कारण पड़ता है, चाहे वायुमंडलीय (औसत से कम वर्षा) हो या सतही जल या भूजल। सूखा महीनों या वर्षों तक रह सकता है, या कम से कम 15 दिनों के बाद सूखा घोषित किया जा सकता है। अत: सूखा एक ऐसा प्राकृतिक संकट है जो मंद रूप में – आरम्भिकता रखता है। जबकि ज्वालामुखी विस्फोट, दावाग्नि (वाइल्ड फायर) और भूस्खलन बहुत तीव्र – आरम्भिकता रखते हैं।

सूखा तीन प्रकार का हो सकता है:

मौसम संबंधी सूखा (Meteorological drought) यह तब होता है जब लम्बे समय तक औसत से कम वर्षा होती है। मौसम संबंधी सूखा अन्य प्रकार के सूखे से पूर्व होता है।

कृषि सूखा (Agricultural drought) यह फसल उत्पादन या पारिस्थितिकी को प्रभावित करता है। यह स्थिति वर्षा के स्तर में किसी भी परिवर्तन से स्वतंत्र रूप से भी उत्पन्न हो सकती है जब या तो सिंचाई या मिट्टी की स्थिति में वृद्धि और खराब नियोजित कृषि प्रयासों से उत्पन्न क्षरण फसलों के लिए उपलब्ध पानी में कमी का कारण बनता है।

जलीय सूखा (Hydrological drought): जब जलभृत, झीलों और जलाशयों जैसे स्रोतों में उपलब्ध जल भंडार स्थानीय रूप से महत्वपूर्ण सीमा से नीचे गिर जाता है, उसे जलीय सूखा कहते हैं। इसका प्रभाव धीरे-धीरे दिखाई देता है क्योंकि इसमें संग्रहित पानी होता है जिसे उपयोग में लाया जाता है लेकिन इसकी भरपाई नहीं की जा सकती।

26. (d)

क्योटो प्रोटोकॉल के अंतर्गत, दूसरी प्रतिबद्धता अवधि में सदस्यों को अपने ग्रीनहाउस गैस उत्सर्जन को वर्ष 1990 के स्तर के संदर्भ में कम से कम 18% कटौती करने का उद्देश्य था। यह ग्रीनहाउस गैस उत्सर्जन को कम करने के लिए एक अंतरराष्ट्रीय संधि है। क्योटो प्रोटोकॉल 6 ग्रीनहाउस गैसों पर क्रियान्वित किया जाता है; कार्बन डाइऑक्साइड, मीथेन, नाइट्रस ऑक्साइड, हाइड्रोफ्लोरोकार्बन, पेरफ्लूरोकार्बन, सल्फर हेक्साफ्लोराइड। इसे 11 दिसंबर 1997 को क्योटो, जापान में अपनाया गया। इसमें अनुसमर्थन (ratification) जैसी कुछ समस्याएं आने के कारण, क्योटो प्रोटोकॉल 16 फरवरी 2005 को लागू हुआ। संयुक्त राज्य अमेरिका ने प्रोटोकॉल की पुष्टि नहीं की है, यह वर्ष 2001 में बाहर हो गया था। प्रोटोकॉल ने अनिवार्य रूप से 37 औद्योगिक देशों और यूरोपीय समुदाय को अपने ग्रीनहाउस गैस उत्सर्जन में कटौती करने के लिए अनिवार्य किया। कनाडा, एंडोरा (यूरोप का एक देश) और दक्षिण सूडान क्योटो प्रोटोकॉल के पक्षकार नहीं रहे।

दोहा संशोधन (Doha Amendment) – क्योटो प्रोटोकॉल की प्रथम प्रतिबद्धता अवधि समाप्त होने के बाद, एक संशोधन के माध्यम से क्योटो प्रोटोकॉल में परिवर्तन किया गया। इस संशोधन में दूसरी प्रतिबद्धता अवधि के लिए उत्सर्जन में कमी के लक्ष्य निर्धारित किये गए। वर्ष 2012 से 2020 क्योटो प्रोटोकॉल का दूसरा चरण था। अब पेरिस समझौता कार्बन उत्सृजन कम करने की श्रेणी में मुख्य संधि है।

26. (c)

मीथेन (CH_4) वातावरण में उपस्थित ट्रेस गैसों में से एक है जो 'ग्रीनहाउस प्रभाव' में एक प्रमुख भूमिका निभाती है। वायुमंडलीय मीथेन के छह प्रमुख स्रोत हैं जिनसे यह उत्सर्जित होती है:

1. प्राकृतिक आर्द्रभूमि।
2. धान (चावल)।
3. पशुधन उत्पादन प्रणाली से उत्सर्जन (आंतरिक किण्वन और पशु अपशिष्ट)।
4. जैव ईंधन (जंगल की आग और जलाऊ लकड़ी आदि)।
5. लैंडफिल में जैविक कचरे का अवयवीय अपघटन।
6. जीवाश्म ईंधन के स्पष्टीकरण और परिवहन प्रदूषण से मीथेन उत्सर्जन।

निर्माण कार्य के मलबे और ई-अपशिष्ट से मीथेन उत्सर्जन नहीं होता लेकिन यह पर्यावरण प्रदूषण के लिए उत्तरदायी हैं।

27. (d)

देश की कुल स्थापित क्षमता में तापीय ऊर्जा की 63.84 फीसदी, नाभिकीय ऊर्जा की 1.95 फीसदी, पनबिजली की 13.09 फीसदी और नवीकरणीय ऊर्जा की हिस्सेदारी 21.12 फीसदी है। साथ ही यह भी निर्धारित किया गया है कि 2022 तक 175 गीगावाट नवीकरणीय ऊर्जा क्षमता स्थापित की जाएगी। इसमें सौर ऊर्जा से 100 गीगावाट, पवन ऊर्जा से 60 गीगावाट, बायो-पावर से 10 गीगावाट और छोटी पनबिजली परियोजनाओं से 5 गीगावाट क्षमता शामिल है।

28. (a)

बायोस्फीयर रिजर्व स्थलीय और तटीय पारिस्थितिक तंत्र के क्षेत्र हैं जो जैव विविधता के संरक्षण, प्रकृति के संरक्षण के साथ-साथ आर्थिक और सामाजिक विकास और संबद्ध सांस्कृतिक मूल्यों के रखरखाव को संतुलित करने का प्रयास करता है। इसमें लोगों और प्रकृति दोनों के लिए विशेष वातावरण हैं और एक दूसरे की आवश्यकताओं का सम्मान करते हुए मनुष्य और प्रकृति कैसे सह-अस्तित्व में रह सकते हैं, इसके जीवंत उदाहरण हैं। जैव आरक्षित क्षेत्र में भू- भागीय, सामुद्रिक और तटवर्ती पारितंत्र वाले क्षेत्र और राष्ट्रीय सरकारों द्वारा परिवीक्षित क्षेत्र आते हैं और यह यूनेस्को द्वारा संचालित हैं। भारत में 18 बायोस्फीयर रिजर्व हैं।

जैव आरक्षित क्षेत्रों के कार्य

संरक्षण (Conservation): बायोस्फीयर रिजर्व के आनुवंशिक संसाधनों, स्थानिक प्रजातियों, पारिस्थितिक तंत्र और परिदृश्य का प्रबंधन। इसके अतिरिक्त, वन्य जीवन के साथ-साथ आदिवासियों की संस्कृति और रीति-रिवाजों की भी रक्षा की जाती है।

विकास (Development): यह सतत विकास के तीन स्तंभों को मजबूत करना चाहता है: सामाजिक, आर्थिक और पर्यावरण की सुरक्षा।

लॉजिस्टिक सपोर्ट (Logistic support): स्थानीय, राष्ट्रीय और अंतर्राष्ट्रीय संरक्षण और सतत विकास के संदर्भ में अनुसंधान गतिविधियों, पर्यावरण शिक्षा, प्रशिक्षण और निगरानी को बढ़ावा देना।

भारत सरकार द्वारा बायोस्फीयर संरक्षण योजना 1986 से क्रियान्वित की जा रही है, इसके अंतर्गत रखरखाव, सुधार और विकास के लिए पूर्वोत्तर क्षेत्र के राज्यों और तीन हिमालयी राज्यों को 90 : 10 के अनुपात में और अन्य राज्यों को 60:40 के अनुपात में वित्तीय सहायता दी जाती है।

वन्यजीव अभ्यारण्य (Wildlife Sancturies) - एक वन्यजीव अभ्यारण्य वनस्पतियों, जीवों के लिए एक संरक्षित क्षेत्र है, जो आरक्षित और प्रबंधित है और अध्ययन या अनुसंधान के अवसर प्रदान करता है। भारत में वन्य जीवन (संरक्षण) अधिनियम, 1972 संरक्षित क्षेत्रों की स्थापना का प्रावधान करता है। दिसंबर 2020 तक, भारत में कुल 553 वन्यजीव अभ्यारण्य हैं जो 119,776 किमी 2 (46,246 वर्ग मील) में फैले हुए हैं।

29. (b)

एक पर्यावरण अनुरक्षण भवन (ग्रीन बिल्डिंग) संरचना और प्रक्रियाओं के अनुप्रयोग दोनों को संदर्भित करती है जो कि योजना बनाने से लेकर डिजाइन, निर्माण संचालन रखरखाव, नवीनीकरण और विध्वंस तक पूरे भवन जीवन चक्र में पर्यावरणीय रूप से जिम्मेदार और संसाधन-कुशल हैं। ग्रीन बिल्डिंग को ग्रीन कंस्ट्रक्शन या सस्टेनेबल बिल्डिंग के रूप में भी जाना जाता है। पर्यावरण अनुरक्षण भवन का सामान्य उद्देश्य निम्नलिखित को पूरा करके मानव स्वास्थ्य और प्राकृतिक पर्यावरण पर निर्मित पर्यावरण के समग्र प्रभाव को कम करना है।

1. न्यून ऊर्जा, पानी और अन्य संसाधनों का कुशलता से उपयोग करना।
2. निवासी के स्वास्थ्य की रक्षा करना और कर्मचारी उत्पादकता में सुधार करना।
3. कचरे , प्रदूषण और पर्यावरणीय गिरावट को कम करना।
4. प्राकृतिक संसाधनों का संरक्षण करना।

30. (b)

राष्ट्रीय आपदा प्रबंधन प्राधिकरण (NDMA) गृह मंत्रालय की एक एजेंसी है जो प्राकृतिक या मानव निर्मित आपदाओं की प्रतिक्रिया पर नियोजन करती है और आपदा प्रबंधन और संकट के समय में क्षमता निर्माण के लिए है। राष्ट्रीय आपदा प्रबंधन प्राधिकरण भारत में आपदा प्रबंधन के लिए सर्वोच्च वैधानिक निकाय है। इसका औपचारिक रूप से गठन, 27 सितंबर 2006 को आपदा प्रबंधन अधिनियम(2005) के अनुसार प्रधानमंत्री द्वारा इसके अध्यक्ष और नौ अन्य सदस्यों के साथ गठित किया गया था।

31. (d)

'राष्ट्रीय उद्यान' और 'वन्यजीव अभ्यारण्य' के मध्य अंतर इस प्रकार है।

राष्ट्रीय उद्यान (National Park)	वन्यजीव अभ्यारण्य (Wildlife Sanctaury)
राष्ट्रीय उद्यान वन्यजीव अभ्यारण्य की तुलना में अधिक प्रतिबंधित क्षेत्र है। लोगों के लिए यादृच्छिक पहुंच की अनुमति नहीं है	वन्यजीव अभ्यारण्य बहुत प्रतिबंधित क्षेत्र नहीं है। यह आम जनता के लिए खुला है।
राष्ट्रीय उद्यान में प्रवेश करने के लिए टिकट या अनुमति की आवश्यकता होती है।	वन्यजीव अभ्यारण्य की यात्रा के लिए टिकट या अनुमति की आवश्यकता नहीं है।
राष्ट्रीय उद्यान की एक निश्चित सीमा होती है।	एक वन्यजीव अभ्यारण्य की कोई विशिष्ट सीमा नहीं होती है।
आम जनता पार्क का उपयोग फल, जलाऊ लकड़ी जैसी किसी भी सामग्री को एकत्रित करने के लिए नहीं कर सकती है।	आम जनता पार्क का उपयोग फल, जलाऊ लकड़ी जैसी किसी भी सामग्री को एकत्रित करने के लिए नहीं कर सकती है।
उदाहरण: जिम कॉर्बेट राष्ट्रीय उद्यान (नैनीताल, उत्तराखंड)	**उदाहरण:** कृष्णा वन्यजीव अभ्यारण्य (आंध्र प्रदेश)

भारत में मार्च 2011 तक, केवल 102 राष्ट्रीय उद्यान और 515 वन्यजीव अभ्यारण्य थे।

राष्ट्रीय वन्यजीव डेटाबेस, दिसंबर 2020 के अनुसार, वर्तमान में भारत में 104 राष्ट्रीय उद्यान हैं जो 43,716 किमी2 के क्षेत्र को कवर करते हैं, जो कि देश के भौगोलिक क्षेत्र का 1.33% है।

भारत में वर्तमान में 566 वन्यजीव अभ्यारण्य हैं जो 122420 किमी2 के क्षेत्र को कवर करते हैं, और देश के भौगोलिक क्षेत्र का 3.72% है।

32. (c)

सामाजिक विज्ञान में केंद्रीय मुद्दा यह प्रश्न है कि क्या प्राकृतिक विज्ञान की विधियों का प्रयोग कर सामाजिक दुनिया का अध्ययन किया जा सकता है। यह कथन ज्ञान मीमांसा की ओर संकेत करता है।

(a) ज्ञान मीमांसा (Epistemology): विज्ञान प्रकृति और ज्ञान के दायरे में उचित तथ्यों का अध्ययन है।

(b) ओन्टोलॉजी (Ontology): यह तत्वमीमांसा का भाग है। दर्शन की एक शाखा जो चीजों की प्रकृति, उनके अस्तित्व, कारण या पहचान को देखती है।

(c) एक्सियोलॉजी (Axiology): दर्शनशास्त्र की वह शाखा है जो मूल्य की प्रकृति और किस प्रकार की चीजों के मूल्य पर विचार करती है। Axios का अर्थ है मूल्य।

(d) व्युत्पत्ति – मूलकता (Etymology): शब्दों की उत्पत्ति का अध्ययन और जिस तरह से उनके अर्थ पूरे इतिहास में परिवर्तित हो गए हैं।

33. (a)

एक ईंधन प्रकोष्ठ एक इलेक्ट्रोकेमिकल सेल है जो एक ईंधन (हाइड्रोजन) और एक ऑक्सीकरण एजेंट (ऑक्सीजन) की रासायनिक ऊर्जा को रेडॉक्स प्रतिक्रियाओं की एक जोड़ी के माध्यम से विद्युत् में परिवर्तित करता है। ईंधन सेल लगातार उतनी देर तक बिजली का उत्पादन कर सकते हैं जब तक ईंधन और ऑक्सीजन की आपूर्ति की जाती है। प्रत्येक ईंधन सेल में दो इलेक्ट्रोड होते हैं, जिन्हें क्रमश: एनोड और कैथोड कहा जाता है।

34. (a)

यहां मृदा के प्रकार संयुक्त राज्य अमेरिका के अनुसार दिए गए हैं, जिनकी अधिक जानकारी https://www.sciencedirect.com/ पर प्राप्त की जा सकती है।

हिस्टोसोल्स (histosols)

1. यह जैविक पीट भूमि, या दलदली मिट्टी है।
2. इस मृदा में स्तरित कार्बनिक पदार्थ (द्रव्यमान द्वारा 20% से अधिक कार्बनिक पदार्थ) होते हैं।
3. यह मृदा शांत, आर्द्रभूमि वातावरण में बनते हैं
4. इनमें परमाफ्रॉस्ट नहीं होता है।
5. यह मुख्य रूप से भौगोलिक दृष्टि से उच्च अक्षांश क्षेत्रों या अन्य दलदली आर्द्रभूमि में पाए जाते हैं।

एंडिसोल्स (andisols)

1. यह मृदा हाल के ज्वालामुखी के क्षेत्रों में पाया जाता है।
2. यह मूल रूप से ज्वालामुखी सामग्री है।
3. यह आम तौर पर प्राकृतिक उर्वरता में उच्च होते हैं।
4. यह 'हल्की' मिट्टी हैं, जिनकी खेती सरलता से की जाती है।
5. यह संभावित रूप से बहुत उत्पादक मिट्टी हैं।
6. उनका सीमित भौगोलिक वितरण है।

जेलिसोल (gellsols)

1. यह जमी हुई उप-मृदा (परमाफ्रेस्ट) वाली मिट्टी हैं।
2. उनके पास सीमित प्रोफ़ाइल विकास है।
3. यह मिट्टी के कार्बनिक पदार्थों के सतही संचय हैं।
4. उनकी उत्पादकता कम बढ़ते मौसम तक सीमित है।
5. यह उच्च अक्षांशों में विस्तृत हैं।

एरीडिसोल्स (aridisols)

1. यह शुष्क, मरुस्थलीय जलवायु की मिट्टी हैं।
2. यह विविध मूल सामग्री हैं।
3. उनमें अक्सर चूने (CaCO3) सोडियम या लवण का संचय होता है।
4. इनको सिंचाई का पानी उपलब्ध होने पर उन्हें उत्पादक बनाया जा सकता है।
5. यह बड़े पैमाने पर उष्णकटिबंधीय अक्षांशों, वर्षा छाया और शुष्क जलवायु में पाए जाते हैं।

35. (c)

मिट्टी के कणों का आकार ही मिट्टी को बनावट देता है। यह मिट्टी में उपस्थित हवा और नमी की मात्रा को भी निर्धारित करता है। उन्हें आकार के संदर्भ में निम्नलिखित क्रम में व्यवस्थित किया जा सकता है।

1. **मिट्टी (Clay):** मिट्टी में सबसे महीन कण होते हैं। एक कण 0.002 मिमी से कम होता है। यह गीला करने पर चिपचिपा होने लगता है। यह जल को पूर्ण रूप से सोख लेता है और पोषक तत्वों से भरपूर होता है।
2. **गाद (Silt):** गाद के कण 0.06 से 0.002 मिमी में मापते हैं। गाद के कण मिट्टी के कणों से बड़े होते हैं लेकिन रेत के कणों से छोटे होते हैं।
3. **रेत या बालू (Sand):** रेत के कण 2.0 मिमी से 0.06 मिमी तक में मापते हैं। रेत मिट्टी का सबसे बड़ा प्रकार का कण है। यह त्वरित जल निकासी और भरपूर वायु प्रवाह की अनुमति देता है।
4. **बजरी (Gravel):** बजरी चट्टान के टुकड़ों का एक ढीला एकत्रीकरण है। बजरी को कण आकार सीमा द्वारा वर्गीकृत किया जाता है और इसमें ग्रेन्युल से लेकर बोल्डर आकार के टुकड़ों तक के आकार वर्ग होते हैं।

36. (c)

अभिकथन (A) किसी भी नौकरी, पेशे या उद्यमिता के किसी भी तरीके में अपने करियर को व्यवस्थित करने के लिए सही है। यानी प्रत्येक व्यक्ति के जीवन में कौशल विकास एक प्रमुख अभिलक्षण है कारण (R) में, हमें 'केवल' शब्द पर ध्यान देने की आवश्यकता है। इससे यह असत्य हो जाता है। नौकरी या उद्यमिता के लिए शिक्षा की आवश्यकता होती है।

37. (c)

पेरिस समझौता एक महत्वपूर्ण पर्यावरणीय समझौता है जिसे जलवायु परिवर्तन और उसके नकारात्मक प्रभावों से निपटने के लिये वर्ष 2015 में दुनिया के लगभग प्रत्येक देश द्वारा अपनाया गया था। इस समझौते का उद्देश्य वैश्विक ग्रीनहाउस गैस उत्सर्जन को काफी हद तक कम करना है, ताकि इस सदी में वैश्विक तापमान वृद्धि को पूर्व-औद्योगिक स्तर (Pre-Industrial level) से 2 डिग्री सेल्सियस कम रखा जा सके। पेरिस समझौते के अनुसार राष्ट्रीय रूप में निर्धारित अभिप्रेत अंशदान की पुनरीक्षा प्रत्येक 5 वर्ष बाद की जाएगी, जिससे संभावित खतरे और चुनौतियों के लिए तैयार हो सके।

38. (a)

प्रदूषित जल के कारण होने वाले मानव रोगों का सही समूह हैजा, अतिपाती अतिसार, आंत्रज्वर और पोलियो है:

1. हैजा **(Cholera):** हैजा एक संक्रामक रोग है, जो गंभीर पानी वाले दस्त का कारण बनता है, जो निर्जलीकरण का कारण बन सकता है और अगर इलाज न किया जाए तो मृत्यु भी हो सकती है। यह विब्रियो हैजा नामक जीवाणु से दूषित पेयजल के रूप में भोजन करने के कारण होता है।

2. अतिपाती अतिसार **(Acute diarrhoea):** अतिपाती अतिसार में आपको दस्त के 3 या अधिक एपिसोड हो सकते हैं और इसे नियंत्रित करना कठिन हो सकता है। आपको निम्न में से कोई भी लक्षण हो सकता है:

बुखार और ठंड लगना, सिरदर्द या पेट में दर्द, मतली और उल्टी, निर्जलीकरण के लक्षण जैसे प्यास, पेशाब में कमी, शुष्क त्वचा, धँसी हुई आँखें या तेज़ दिल की धड़कन आदि।

3. आन्तज्वर **(Typhoid):** टाइफाइड का जीवाणु दूषित भोजन या पानी के सेवन से फैलता है। खाद्य पदार्थों में संक्रामक एजेंटों के स्थानांतरण के माध्यम से मक्खियां मानव संक्रमण का कारण बन सकती हैं। जल स्रोतों का प्रदूषण टाइफाइड बुखार की महामारी उत्पन्न कर सकता है जब बड़ी संख्या में लोग पीने के जल के एक ही स्रोत का उपयोग करते हैं।

4. पोलियो **(Polio):** पोलियो एक संक्रामक वायरल बीमारी है जो अपने सबसे गंभीर रूप में तंत्रिका की चोट का कारण बनती है जिससे पक्षाघात, सांस लेने में कठिनाई और कभी-कभी मृत्यु हो जाती है।

39. (b)

इन्टरनेट अंत: संयोजित कंप्यूटर नेटवर्क का एक समुच्चय है एजो तांबे के तार, फाइबर-ऑप्टिक्स केबल, वायरलेस कनेक्शन आदि जैसे संचरण माध्यमों से जुड़ा होता है। इसके अंतर्गत प्रत्येक नेटवर्क के कंप्यूटर किसी भी नेटवर्क के किसी भी कंप्यूटर से सूचना का आदान-प्रदान कर सकते हैं। अत: अभिकथन सही है। वर्ल्ड वाइड वेब अत: संयोजित प्रलेखों का एक समुच्चय है। यह विशेष रूप से स्वरूपित डाक्यूमेंट्स का समर्थन करने वाले इन्टरनेट सर्वर्स की एक प्रणाली है। अत: तर्क भी सत्य है, परन्तु तर्क, अभिकथन की व्याख्या नहीं है।

40. (a)

अवयवस्थित डंपिंग -यह ठोस अपशिष्ट प्रबंधन में सबसे अवांछित और खतरनाक व्यवहार है। यह तब होता है जब कचरे को सड़क या नदी के किनारे फेंक दिया जाता है।

भूमि भराव- कचरे के निपटान का सबसे आसान तरीका भूमि भराव है। आंशिक रूप से खोदी गई कोशिकाओं, खदानों या प्राकृतिक अवसादों में भूमिगत है।

भस्मीकरण- यह विधि उन कचरे के निपटान के लिए अपनाई जाती है जिन्हें पुन: उपयोग के लिए जमा नहीं किया जाता है। यह स्वयं प्रदूषण का श्रोत बन सकता है।

पुन: प्रयोग - पुन: प्रयोग उन सामग्रियों को बदल देता है जो मूल्यवान सामग्रियों में अपना महत्व खो देती है।

अत: पुन: प्रयोग सबसे कम खतरनाक है और अवयवस्थित डंपिंग सबसे अधिक खतरनाक है।

41. (a)

कार्बन डाइऑक्साइड की सांद्रता = 400 पी.पी.एम्

$$\% \text{ में} = \frac{400}{1000000} \times 100 = 0.04\%$$

42. (d)

सतत् विकास लक्ष्यों (SDG) को वैश्विक लक्ष्यों के रूप में भी जाना जाता है, वर्ष 2015 में संयुक्त राष्ट्र द्वारा गरीबी को समाप्त करने, ग्रह की रक्षा करने और वर्ष 2030 तक सभी की शांति एवं समृद्धि को सुनिश्चित करने के लिये इसे एक सार्वभौमिक आह्वान के रूप में अपनाया गया था। संयुक्त राष्ट्र के एजेंडा 2030, में कुल 17 लक्ष्यों का निर्धारण किया गया था जो इस प्रकार से हैं:

(i) गरीबी के सभी रूपों की पूरे विश्व से समाप्ति।
(ii) भूख समाप्ति, खाद्य सुरक्षा और बेहतर पोषण और टिकाऊ कृषि को बढ़ावा।
(iii) सभी उम्र के लोगों में स्वास्थ्य सुरक्षा और स्वस्थ जीवन को बढ़ावा।
(iv) समावेशी और न्यायसंगत गुणवत्ता युक्त शिक्षा सुनिश्चित करने के साथ ही सभी को सीखने का अवसर देना।
(v) लैंगिक समानता प्राप्त करने के साथ ही महिलाओं और लड़कियों को सशक्त करना।
(vi) सभी के लिये स्वच्छता और पानी के सतत प्रबंधन की उपलब्धता सुनिश्चित करना।
(vii) सस्ती, विश्वसनीय, टिकाऊ और आधुनिक ऊर्जा तक पहुँच सुनिश्चित करना।
(viii) समावेशी और सतत आर्थिक विकास को बढ़ावा देना।
(ix) लचीली बुनियादी ढांचे, समावेशी और सतत औद्योगीकरण को बढ़ावा।
(x) देशों के बीच और भीतर असमानता को कम करना।
(xi) सुरक्षित, लचीला और टिकाऊ शहर और मानव बस्तियों का निर्माण।
(xii) स्थायी खपत और उत्पादन पैटर्न को सुनिश्चित करना।

(xiii) जलवायु परिवर्तन और उसके प्रभावों से निपटने के लिये तत्काल कार्रवाई करना।

(xiv) स्थायी सतत विकास के लिये महासागरों, समुद्र और समुद्री संसाधनों का संरक्षण और उपयोग।

(xv) सतत उपयोग को बढ़ावा देने वाले स्थलीय पारिस्थितिकी प्रणालियों, सुरक्षित जंगलों और जैव विविधता के बढ़ते नुकसान को रोकने का प्रयास करना।

(xvi) सतत विकास के लिये शांतिपूर्ण और समावेशी समितियों को बढ़ावा देने के साथ ही सभी स्तरों पर इन्हें प्रभावी, जवाबदेही बनाना ताकि सभी के लिये न्याय सुनिश्चित हो सके।

(xvii) सतत विकास के लिये वैश्विक भागीदारी को पुनर्जीवित करने के अतिरिक्ति कार्यान्वयन के साधनों को मज़बूत बनाना।

43. (c)

भारत के बड़े शहरों में सघन यातायात क्षेत्रों में औसत ध्वनि स्तर आम तौर पर 70 – 95 dBA ध्वनि स्तरों के रेंज में रखा जाता है।

44. (c)

- बायोमास का उपयोग बिजली, प्रकाश, गर्मी, गति और ईंधन उत्पन्न करने के लिए किया जा सकता है।
- **कैलोरी मान** एक महत्वपूर्ण पैरामीटर है जिसे बायोमास के संभावित ईंधन के रूप में मूल्यांकन करते समय माना जाता है।
- **यह प्रति दहन पर ऊर्जा की मात्रा प्रति इकाई द्रव्यमान या आयतन का एक माप है।** यह किसी पदार्थ के 1 ग्राम के जलने से उत्पन्न ऊष्मा की मात्रा है और इसे जूल प्रति ग्राम (J/g) में मापा जाता है।
- नारियल के खोल का उच्च कैलोरी मान 20.8 MJ/g है जबकि गोबर लगभग 2100 KJ की ऊर्जा और सूखी लकड़ी (घरेलू अपशिष्ट) लगभग 19 से 20 MJ/g देता है।

इसलिए, (d) नारियल खोल > गोबर (सूखा)> अवर्गीकृत घरेलू कचरा सही अनुक्रम है।

45. (d)

अंतर्राष्ट्रीय सौर गठबंधन (International Solar Alliance - ISA) एक संधि-आधारित अंतर्राष्ट्रीय संगठन है जिसे पेरिस में संयुक्त राष्ट्र जलवायु परिवर्तन सम्मेलन में प्रधान मंत्री नरेंद्र मोदी और श्री फ्रेंक्रोइस ओलांद (फ्रांस के पूर्व राष्ट्रपति) द्वारा लॉन्च किया गया था। इसका मुख्य उद्देश्य विश्व भर में सौर ऊर्जा की आवश्यकताओं के अंतर को पूरा करना है।

आईएस, की प्रथम सभा अक्टूबर 2018 में आयोजित की गई थी। अंतर्राष्ट्रीय सौर गठबंधन का मुख्यालय गुरुग्राम (हरियाणा) में स्थित है। अत: सही विकल्प (d) है।

46. (a)

बायोमास (Biomass) एक प्रकार का ईंधन है जो कार्बनिक पदार्थों से बनता है, यह ऊर्जा का एक नवीकरणीय और टिकाऊ स्रोत है, जिसका उपयोग बिजली या अन्य प्रकार की ऊर्जा बनाने के लिए किया जाता है। बायोमास ऊर्जा का उत्पादन करने के लिए ईंधन का नवीकरणीय स्रोत है क्योंकि अपशिष्ट अवशेष (अधिक वन, फसलें और जैविक पदार्थ अपशिष्ट) सदैव उपलब्ध रहते हैं।

'रीएनर्जी होल्डिंग्स' एक एकीकृत अपशिष्ट ईंधन/ बायोमास अक्षय ऊर्जा कंपनी है। यह अपशिष्ट को एकत्र करता है और ईंधन के रूप में उपयोग के लिए पुन:चक्रित करता है, साथ ही साथ हरित ऊर्जा सुविधाएं प्रदान करता है, जो उस कचरे से बिजली उत्पन्न करती हैं।

- जैव ईंधन के दहन से निकलने वाली CO2, बायोमास में संचित CO2 की मात्रा के लगभग समान होती है।
- पौधे जो ऊर्जा के लिए बायोमास के स्रोत हैं, प्रकाश संश्लेषण के माध्यम से लगभग उतनी ही मात्रा में CO2 प्राप्त करते हैं, जितना कि बायोमास के जलने पर निष्कासित होती है, जो बायोमास को कार्बन-तटस्थ ऊर्जा स्रोत बना सकता है।
- जैव ईंधन का उपयोग जीवाश्म ईंधन के वैकल्पिक ऊर्जा स्रोतों के रूप में किया जाता है।

अत: सही विकल्प (a) है।

47. (c)

प्रोपेलर रोटर: यह एक इंजन या अन्य शक्ति स्रोत से रोटरी गति को एक घूर्णन स्लिपस्ट्रीम में परिवर्तित करता है जो प्रोपेलर को आगे या पीछे की ओर धकेलता है। इसमें एक घूर्णन शक्ति द्वारा चालित हब होता है, जिसमें कई रेडियल एयर फ़ॉइल-सेक्शन ब्लेड जुड़े होते हैं जैसे कि संपूर्ण असेंबली एक अनुदैर्ध्य अक्ष के चारों ओर घूमती है। ब्लेड पिच को कुछ सेट स्थितियों या स्वचालित रूप से परिवर्तनीय 'स्थिर-गति' प्रकार के लिए मैन्युअल रूप से परिवर्तित किया जा सकता है।

अत: सही विकल्प (c) है।

48. (c)

व्यवस्थित विषाक्तता: कई स्थानों पर होने वाले जहरीले प्रभावों को व्यवस्थित विषाक्तता के रूप में जाना जाता है।

व्यवस्थित विषाक्तता के प्रकार

(a) जीर्ण विषाक्त प्रभाव: विशिष्ट अंग प्रणालियों को संचयी क्षति और एक पहचानने योग्य नैदानिक रोग बनने में कई महीनों या वर्षों का समय लगता है। यह बहुत अधिक जहरीले पदार्थ की एकल खुराक या उप-घातक खुराक के निरंतर संपर्क के परिणामस्वरूप होता है।

(b) तीव्र विषाक्त प्रभाव: यह रोग के एक्सपोजर के तुरंत बाद होता है, सामान्य तौर पर, एक खुराक या खुराक की एक श्रृंखला 24 घंटों के अंदर प्राप्त होती है। इसमें जीवित रहने की दर बहुत कम है, यह एक प्रमुख चिंता का विषय है।

(c) कैंसरजन्यता

(d) विकासात्मक विषाक्त प्रभाव

(e) आनुवंशिक विषाक्तता

अत: सही विकल्प (c) है।

49. (a)

सहस्त्राब्दी विकास लक्ष्यों के तहत 17 लक्ष्य तथा 169 उपलक्ष्य निर्धारित किये गए थे जिन्हें 2016-2030 की अवधि में प्राप्त करना है। उल्लेखनीय है कि इसमें से 8 लक्ष्य सहस्त्राब्दि विकास लक्ष्यों से लिये गए हैं, जिन्हें और व्यापक बनाते हुए अपनाया गया है। सहस्त्राब्दी विकास लक्ष्यों में निम्नलिखित को शामिल किया गया है - मातृ स्वास्थ्य में सुधार, मलिन बस्तियों में रहने वाले लोगों के जीवन में सुधार लाना, तथा लैंगिक समानता को बढ़ावा देना और महिलाओं का सशक्तिकरण।

50. (c)

ईंधनों का दहन करने पर उनके द्वारा उत्पादित ऊर्जा के संबंध में CO2 उत्सर्जन भिन्न - भिन्न होता है। ईंधनों द्वारा, प्रति यूनिट ऊर्जा उत्पादन में उत्सर्जित CO2 की मात्रा को अवरोही क्रम में इस प्रकार व्यवस्थित कर सकते हैं:

कोयला (Lignite- लिग्नाइट) - 215.4

गैसोलीन (एथेनॉल रहित) - Gasoline - without gasoline - 157.2

प्रोपेन (Propane) - 139.0

प्राकृतिक गैस (Natural gas) - 117.0

अत: कोयला (लिग्नाईट) > गैसोलीन (एथेनॉल रहित) > प्रोपेन > प्राकृतिक गैस सही क्रम होगा।

51. (b)

वर्ष 2000 से 2015 तक सहस्त्राब्दी लक्ष्यों (MDG) को अगले पंद्रह वर्षों के लिए सतत विकास की दिशा में अंतर्राष्ट्रीय समुदाय और राष्ट्रीय सरकारों का मार्गदर्शन करने के उद्देश्य से सतत विकास लक्ष्यों (SDG) द्वारा प्रतिस्थापित किया गया था। वर्ष 2015 में विश्व सरकारों द्वारा17 एसडीजी और 169 लक्ष्यों का एक नया सेट अपनाया गया। निम्नलिखित के लक्ष्यों और उद्देश्यों के सतत विकास लक्ष्यों के साथ सह-लाभ हैं:

इंटरनेशनल सोलर एलायंस (ISA): भारत सरकार द्वारा एक ऐतिहासिक अंतर्राष्ट्रीय सौर गठबंधन क्रियान्वित किया गया, जिसकी परिकल्पना सौर संसाधन संपन्न देशों के गठबंधन के रूप में उनकी विशेष ऊर्जा आवश्यकताओं की पूर्ति करने के लिए की गई है और यह एक साझा एवं सहमत दृष्टिकोण के माध्यम से पहचाने गए अंतराल को दूर करने के लिए, अन्य देशों का सहयोग प्राप्त करने के लिए एकल मंच प्रदान करेगा।

मॉन्ट्रियल प्रोटोकॉल (Montreal Protocol) : वर्ष 1987 में मॉन्ट्रियल प्रोटोकॉल को अंतिम रूप दिया गया। यह एक वैश्विक समझौता है, जो ओजोन क्षयकारी पदार्थ के उत्पादन और खपत को चरणबद्ध ढंग से समाप्त करके समताप मंडलीय ओजोन परत की रक्षा करने के लिए है।

स्ट्रैटोस्फेरिक ओजोन (stratospheric ozone) परत हानिकारक यूवी विकिरणों को निस्पंदित करती है, जो त्वचा के कैंसर, मोतियाबिंद, कृषि उत्पादकता में कमी और समुद्री पारिस्थितिकी तंत्र के विघटन से संबंधित है। 15 अक्टूबर 2016 को, मॉन्ट्रियल प्रोटोकॉल के सदस्य देशों ने विश्व भर में हाइड्रोक्लोरोफ्लोरोकार्बन (HFC) के उत्पादन और खपत को कम करने के लिए किगाली संशोधन (Kigali Agreement) को अपनाया।

पेरिस समझौता (Paris Agreement): यह समझौता विकासशील देशों के विकास के अधिकार को मान्यता देते हुए विकास की अनिवार्यता को स्वीकार करता है और सबसे निर्बल लोगों के हितों की रक्षा करते हुए पर्यावरण के साथ सामंजस्य स्थापित करने के उनके प्रयासों को स्वीकार करता है।

जैव विविधता संबंधी अभिसमय (Convention on Biodiversity - CoB): यह जैविक विविधता के संरक्षण, इसके घटकों के सतत उपयोग और आनुवंशिक संसाधनों के उपयोग से उत्पन्न होने वाले लाभों के उचित और न्यायसंगत बंटवारे के लिए अंतरराष्ट्रीय कानून है, जिसकी पुष्टि 196 राष्ट्रों द्वारा की गई है।

राष्ट्रीय जलवायु परिवर्तन संबंधी अभिसमय (National Action Plan on Climate Change - NAPCC): जलवायु परिवर्तन के विरुद्ध भारत की निजी कार्रवाइयों का एक प्रमुख घटक जलवायु परिवर्तन पर राष्ट्रीय कार्य योजना है। जलवायु परिवर्तन पर प्रधान मंत्री परिषद (पीएमसीसीसी) ने एनएपीसीसी के अंतर्गत मिशनों को अनुकूलन, शमन और क्षमता निर्माण के संबंध में उनकी महत्वाकांक्षा में वृद्धि करने और वर्तमान के अतिरिक्त कुछ नए मिशनों की स्थापना की अनुशंसा करने एवं उन्हें प्राथमिकता देने का निर्देश दिया है।

52. (c)

डीजल वाहन, प्रत्यक्ष रूप से वायु में अपने कणों को उत्सर्जित करके समस्या उत्पन्न करते हैं। यह दहन के समय नाइट्रोजन ऑक्साइड और सल्फर ऑक्साइड का उत्सर्जन करता है, जो वातावरण में द्वितीयक कणों (secondary particulate) में परिवर्तित हो जाते हैं। वायु-ईंधन अनुपात (Air – Fuel Ratio) एक दहन प्रक्रिया में उपस्थित ठोस, तरल या गैसीय ईंधन के लिए वायु का द्रव्यमान अनुपात है।

पूर्ण दहन (combustion) के लिए आदर्श वायु-ईंधन अनुपात, स्टोइकोमेट्रिक वायु-ईंधन अनुपात कहलाता है। गैसोलीन (पेट्रोल) इंजन के लिए, स्टोइकोमेट्रिक वायु-ईंधन अनुपात लगभग 14.7: 1 है। इसका अर्थ यह है कि 1 किलो ईंधन को पूर्ण रूप से दहन के लिए हमें 14.7 किलो वायु और 1 किलो डीजल ईंधन के दहन के लिए 14.5 किलो वायु की आवश्यकता होती है।

अत: डीजल वाहन अत्यधिक मात्रा में नाइट्रोजन के ऑक्साइड्स और सूक्ष्म कण (फाइन पार्टिकुलेट मैटर) उत्सर्जित करते हैं।

53. (d)

हमारे कान 500Hz और 6Hz के मध्य की आवृत्तियों के प्रति सर्वाधिक संवेदनशील होते हैं और इससे ऊपर और नीचे की आवृत्तियों के प्रति कम संवेदनशील होते हैं।

जो कुछ भी हम सुनते हैं, उसे ध्वनि स्तर मीटर या शोर डोसीमीटर उपकरण पर शोर के स्तर को मापने और रिपोर्ट करने के लिए आवृत्ति भार का उपयोग किया जाता है।

मानव कान द्वारा महसूस की जाने वाली सापेक्ष ध्वनि की प्रबलता को ध्यान में रखते हुए मापे गए ध्वनि स्तरों के लिए एक भार (weight) निर्दिष्ट किया जाता है, क्योंकि कान कम ऑडियो आवृत्तियों के प्रति कम संवेदनशील होता है।

यह अंकगणितीय रूप से डीबी में मापित ध्वनि दाब स्तरों के लिए, ऑक्टेव या तीसरे सप्तक बैंड द्वारा सूचीबद्ध मूल्यों की एक तालिका को जोड़कर नियोजित किया जाता है।

यदि किसी शहर में 8 घंटों की अवधि के दौरान उसके शोर स्तरों को समकक्ष ध्वनि दाब स्तर के माध्यम से 80 डेसीबल (A) बताया गया। अतः यहां (A) माप में प्रयुक्त होने वाले एक प्रकार के भार को संदर्भित करता है।

54. (a)

मानव गतिविधियों के कारण अपशिष्ट जल के निर्वहन से नदियों का जैविक प्रदूषण लोगों और पारिस्थितिक तंत्र पर नकारात्मक रूप से प्रभाव डालता है। जल प्रदूषण का स्तर, प्रदूषक की प्रचुरता, प्रदूषक के पारिस्थितिक प्रभाव और जल के उपयोग पर निर्भर करता है। यह सामान्य तौर पर, गर्मियों के समय अधिक बदतर होती है। वायु के तापमान में वृद्धि से जल के तापमान में भी वृद्धि होगी। जैसे-जैसे जल का तापमान बढ़ेगा, जल प्रदूषण की समस्याएं भी बढ़ेंगी और कई जलीय आवास नकारात्मक रूप से प्रभावित होंगे।

अतः नदियों में कार्बनिक प्रदूषण की समस्या प्रायः गर्मी के महीनों में बदतर हो जाती हैं क्योंकि अपेक्षाकृत अधिक तापमान की वजह से ऑक्सीजन की मात्रा में गिरावट की स्थिति तीव्रतर हो जाती है।

55. (a)

झीलों के प्रबंधन में झीलों की पोषी स्थितियां केंद्रीय अवधारणा हैं। यह एक झील की पोषक स्थिति और झील में कार्बनिक पदार्थों की वृद्धि के मध्य संबंध का वर्णन करता है। यूट्रोफिकेशन पोषक तत्वों के योग द्वारा एक पोषी अवस्था से उच्च पोषी अवस्था में परिवर्तन की प्रक्रिया है। सतही जल के सुपोषण में कृषि एक प्रमुख कारक है।

अतः झीलों के आसपास के परिदृश्य और पर्यावरण में, अन्य जल निकायों के सापेक्ष उच्च प्रदूषण स्तर होते हैं। नदियां प्रदूषकों को उस परिदृश्य से बाहर निकालती हैं, जबकि झीलों और अन्य जल निकायों में प्रदूषक केंद्रित होते हैं। झीलों के जल को प्रतिस्थापित करने में दशकों लग सकते हैं।

56. (d)

अधिकांश परमाणु रिएक्टर समृद्ध यूरेनियम (U-235) या पुनर्संसाधित प्लूटोनियम (Pu-239) को ईंधन के रूप में उपयोग करते हैं, और केवल कुछ ही थोरियम का उपयोग करते हैं। थोरियम स्वयं विभाजित होकर ऊष्मा जारी नहीं कर सकता है। लेकिन जब यह न्यूट्रॉन के संपर्क में आता है, तो यह परमाणु प्रतिक्रियाओं की एक श्रृंखला से गुजरकर अंततः यू -233 नामक यूरेनियम के एक आइसोटोप के रूप में उभर कर सामने नहीं आता है, जो अगली बार न्यूट्रॉन को अवशोषित करने पर सरलता से विभाजित और ऊर्जा जारी करेगा। इसलिए थोरियम को अधिक प्रचुर कहा जाता है, जबकि U-233 को विखंडनीय कहा जाता है। चीन और भारत दोनों के पास थोरियम युक्त खनिजों का पर्याप्त भंडार है । भारत में थोरियम का विश्व का तीसरा सबसे बड़ा भंडार है। जैसा कि चर्चा की गई है, थोरियम को उसकी प्राकृतिक अवस्था में ईंधन के रूप में उपयोग नहीं किया जा सकता है। प्रक्रियाओं की एक श्रृंखला के बाद इसे अपने प्रयोग करने योग्य 'विखंडनीय' रूप में परिवर्तित करने की आवश्यकता होती है।

अतः न्यूक्लियर विखंडन बिजली संयंत्रों में, यूरेनियम -235, यूरेनियम -233 और यूरेनियम -239 की परमाणु विखंडन प्रतिक्रिया से तापीय ऊर्जा (ऊष्मा) उत्पन्न होती है। तीन सबसे प्रासंगिक विखंडनीय समस्थानिक यूरेनियम-233, यूरेनियम-235 और प्लूटोनियम-239 हैं।

57. (a)

ध्वनि की तीव्रता के माप का SI मात्रक PW/m2 (पिको वाट प्रति वर्ग मीटर) है। 0 डेसिबल प्रति वर्ग मीटर 1 पिको वाट के बराबर होता है। यह वह सबसे कम ध्वनि है जिसे अच्छी तरह से सुनाई देने वाले व्यक्ति द्वारा पहचाना जा सकता है। एक शांत कमरे में लगभग 40 डेसिबल की सामान्य ध्वनि तीव्रता होती है, जो सबसे कम बोधगम्य ध्वनि की तुलना में दस हजार गुना तीव्र होती है, और एक गड़गड़ाहट की तीव्रता 120 डेसिबल हो सकती है, जो सबसे निर्बल ध्वनि से एक ट्रिलियन गुना तीव्र होती है।

अतः ध्वनि प्रदूषण को 1 पिको वाट प्रति मीटर2 आयाम की मानक ध्वनि तीव्रता के साथ डेसिबल (db) में भी मापा जाता है।

58. (d)

फोटोकैमिकल धूम - कोहरा (smog), नाइट्रोजन के ऑक्साइड पर सूर्य के प्रकाश के साथ रासायनिक प्रक्रिया और हाइड्रोकार्बन के साथ बाद की प्रतिक्रियाओं से बनता है। वाहनों से कार्बन मोनोऑक्साइड उत्सर्जन की उच्च दर के साथ प्रदूषित शहरी क्षेत्र में फोटोकैमिकल स्मॉग की सघनता सबसे अधिक पाई जाती है। फोटोकैमिकल स्मॉग सर्वप्रथम 1940 के दशक के मध्य में लॉस एंजिल्स में दिखाई दिया। ये स्मॉग ब्रोन्कियल इरिटेंट के रूप में कार्य करते हैं और आंखों में जलन कर सकते हैं। फोटोकैमिकल स्मॉग प्रदूषकों में ओजोन, नाइट्रोजन डाइऑक्साइड और पैराएक्सियल नाइट्रेट (PAN) सम्मिलित होते हैं।

अतः प्रदूषित शहरी क्षेत्र में फोटोकैमिकल धूम - कोहरे में कार्बन डाईऑक्साइड की उच्चतम सांद्रता होती है।

59. (d)

सूची-I को सूची-II का सही सुमेलन इस प्रकार है

मौन्ट्रियल प्रोटोकॉल - ओजोन को कम करने वाले पदार्थों को कम करना

पेरिस समझौता - वांछित राष्ट्रीय निर्धारित योगदान
जलवायु कार्य समझौता - समेकित जलसंसाधन प्रबंधन
क्योटो प्रोटोकॉल - उत्सर्जन व्यापार

क्योटो प्रोटोकॉल: यह एक अंतरराष्ट्रीय समझौता है जिसका उद्देश्य कार्बन डाइऑक्साइड (CO2) उत्सर्जन और वातावरण में ग्रीनहाउस गैसों (GHG) की उपस्थिति को कम करना है। इस प्रोटोकॉल के अनुसार औद्योगिक देशों को अपने CO2 उत्सर्जन की मात्रा को पिछले वर्ष के स्तर तक कम करने की आवश्यकता है। इसे वर्ष 1997 में UNFCC के एक भाग के रूप में हस्ताक्षरित किया गया था और इसे वर्ष 2005 से क्रियान्वित किया जाना था। क्योटो प्रोटोकॉल अनुलग्नक A में सूचीबद्ध छह ग्रीनहाउस गैसों पर क्रियान्वित किया जाता है: कार्बन डाइऑक्साइड (CO2), मीथेन (CH4), नाइट्रस ऑक्साइड (N2O), हाइड्रोफ्लोरोकार्बन (HFC), पेरफ्लूरोकार्बन (PFC), और सल्फर हेक्साफ्लोराइड (SF6)।

60. (d)

पर्यावरण से संबंधित कुछ गुणात्मक अवधारणाओं की व्याख्या निम्नलिखित हैं:

पर्यावरणीय जागरूकता (Environmental awareness): पर्यावरणीय जागरूकता का अर्थ है प्राकृतिक पर्यावरण के सामान्य मुद्दों के बारे में जागरूक होना। हमें ऐसे चुनाव करने की आवश्यकता है जो पृथ्वी को क्षति पहुंचाने के बजाय उसे लाभ पहुंचाएं। अत: पर्यावरणीय जागरूकता से अभिप्राय कुल पर्यावरण के लिए संवेदनशीलता प्राप्त करने के लिए सामाजिक समूहों और व्यक्तियों की सहायता करना है।

पर्यावरणीय ज्ञान (Environmental knowledge): पर्यावरणीय ज्ञान पर्यावरण के बारे में जानकारी और समाज और पर्यावरण पर इसके प्रभाव को समझने और मूल्यांकन करने की क्षमता है। अत: पर्यावरणीय ज्ञान से अभिप्राय पर्यावरण और इससे जुड़ी समस्याओं में अनुभव की विविधता प्राप्त करने के लिए सामाजिक समूहों तथा व्यक्तियों की सहायता करने से है।

पर्यावरणीय दृष्टिकोण (Environmental attitude): पर्यावरणीय दृष्टिकोण एक मनोवैज्ञानिक प्रवृत्ति है जो प्राकृतिक पर्यावरण के प्रति मूल्यांकनात्मक अनुक्रियाओं द्वारा कुछ अंश के पक्ष या प्रतिकूलता के साथ व्यक्त की जाती है। अत: पर्यावरणीय दृष्टिकोण पर्यावरण के लिए मूल्यों के सेट को प्राप्त करने हेतु सामाजिक समूहों और व्यक्तियों की सहायता करना है।

पर्यावरणीय कौशल (Environmental skill): पर्यावरणीय कौशल एक ऐसे समाज में रहने, विकसित करने और समर्थन करने के लिए आवश्यक ज्ञान, क्षमताओं, मूल्यों और दृष्टिकोण को संदर्भित करता है जो पर्यावरण पर मानव गतिविधि के प्रभाव को कम करता है। अत: पर्यावरणीय कौशल का संबंध पर्यावरणीय समस्याओं को पहचानने और समाधान निकालने के लिए सामाजिक समूहों और व्यक्तियों की सहायता करने से है।

61. (d)

मैस्लो के अनुसार, आवश्यकताओं के पांच सेट हैं – शारीरिक आवश्यकताएं (निम्न क्रम की आवश्यकताएं), सुरक्षा आवश्यकताएं, सामाजिक आवश्यकताएं, आत्म – सम्मान की आवश्यकताएं और आत्म- सिद्धि (उच्च क्रम की आवश्यकताएं)।

उच्च क्रम का अर्थ है कि हमें चिंतनशील होने की आवश्यकता है। आत्म-साक्षात्कार और आंतरिक रूप से निर्देशित सम्मान आवश्यकताओं के माध्यम से प्रतिबिंबित आवश्यकताओं को चित्रित किया जाता है।

इसकी व्याख्या निम्न आरेख के माध्यम से की जा सकती है:

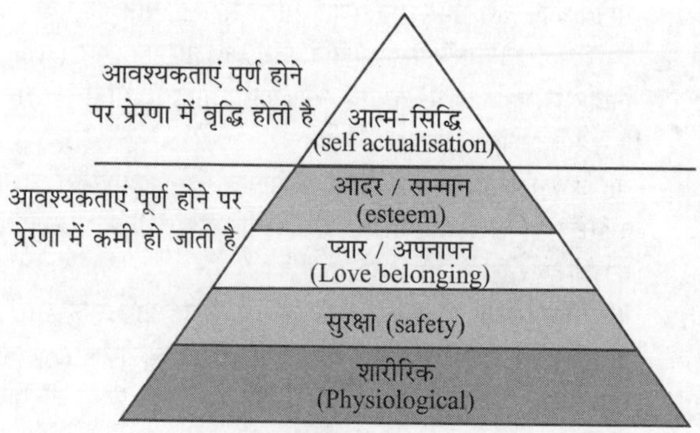

मानव आवश्यकताओं का पदानुक्रम - मैस्लो
(Maslow hierarchy of human needs)

62. (d)

पॉलीक्लोराइनेटेड बाइफिनाइल अधिक सिरप वाले हाइड्रोकार्बनिक पदार्थ होते हैं, वे गर्मी का संचालन करते हैं, लेकिन विद्युत और जल में अघुलनशील, अग्नि प्रतिरोधी और उच्च तापमान की स्थिति में अधिक स्थिर होते हैं। उनका उपयोग शीतलन प्रणाली और विद्युत उपकरण (ट्रांसफॉर्मर और कैपेसिटर) में घटकों के निर्माण के लिए और सीलेंट, रबर, पेंट, प्लास्टिक, स्याही और कीटनाशकों की संरचना में भी किया जाता है।

वर्ष 1979 में पीसीबी पर प्रतिबंध लगा दिया गया था, क्योंकि शोधकर्ताओं ने उन्हें मनुष्यों में कैंसर और विकास संबंधी समस्याओं से संबंधित किया गया था। उनमें वसा के प्रति आकर्षण होता है, इसलिए वे जीवित जीवों में जमा होने के लिए अधिक समय तक रह सकते हैं। जैसे-जैसे वे खाद्य श्रृंखला में बढ़ते हैं, वे खतरनाक होते जाते हैं। वे गोदामों, लैंडफिल और यहां तक कि नदियों में पाए जाते हैं, अनियंत्रित या परित्यक्त खतरनाक अपशिष्ट अभी भी बने हुए हैं। उन्हें नियंत्रित करने के लिए, पर्यावरण संरक्षण एजेंसी (Environment Protection Agency) द्वारा सुपरफंड प्रोग्राम आरम्भ किया गया।

63. (a)

कथन I: डीजल इंजन, अन्य आंतरिक दहन इंजनों की तरह, ईंधन में निहित रासायनिक ऊर्जा को यांत्रिक शक्ति/ ऊर्जा में परिवर्तित करता है। डीजल ईंधन हाइड्रोकार्बन का मिश्रण है, जो एक आदर्श दहन प्रक्रिया के दौरान केवल कार्बन डाइऑक्साइड (CO2) और जल वाष्प (H2O) का उत्पादन करेगा।

सामान्य प्रदूषकों में असंतृप्त हाइड्रोकार्बन (HC), कार्बन मोनोऑक्साइड (CO), नाइट्रोजन ऑक्साइड (NOx) या पार्टिकुलेट मैटर (PM) सम्मिलित हैं।

कथन II: डीजल निकास गैसों में प्रदूषकों की कुल सांद्रता सामान्य तौर पर एक प्रतिशत के दसवें भाग के समान होती है। एनओएक्स रिडक्शन उत्प्रेरक और पार्टिकुलेट फिल्टर जैसे उत्सर्जन के आधुनिक डीजल इंजनों से प्रदूषकों के बहुत कम, 'लगभग-शून्य' स्तर उत्सर्जित होते हैं।

अतः दोनों कथन सत्य हैं। स्वाभाविक रूप से डीज़ल वाहनों से हाइड्रोकार्बनों और कार्बन मोनो ऑक्साइड का उत्सर्जन काफी कम होता है एवं डीज़ल चालित वाहन स्वाभाविक रूप से पेट्रोल चालित वाहनों की तुलना में अधिक ईंधनक्षम (fuel efficient) होते हैं।

64. (a)

बिटुमिनस कोयला या काला कोयला एक अपेक्षाकृत नरम कोयला होता है, जिसमें तारकोल जैसा पदार्थ होता है, जिसे बिटुमेन या डामर कहा जाता है। यह लिग्नाइट और सब-बिटुमिनस कोयले की तुलना में उच्च गुणवत्ता का है, लेकिन की तुलना में खराब गुणवत्ता का है एन्थ्रेसाइट का निर्माण सामान्य तौर पर लिग्नाइट पर उच्च दबाव के कारण होता है। कार्बन सामग्री में 60 – 80 प्रतिशत कार्बन सामग्री होती है। इसमें राख की मात्रा 6-12 प्रतिशत है। कार्बन डाइऑक्साइड की उच्च मात्रा उच्च कार्बन सामग्री का परिणाम है।

अतः ऊर्जा के कोयला (सब – बिटुमिनस) के दहन पर प्रति इकाई ऊर्जा आउटपुट या उष्मा की मात्रा पर करबान डाईऑक्सइड का उत्पादन अधिकतम होता है।

65. (a)

पेरिस समझौते के अंतर्गत, विभिन्न राष्ट्रीय परिस्थितियों के संदर्भ में, सभी देशों को उनकी सामान्य लेकिन भिन्न – भिन्न जिम्मेदारियों और संबंधित क्षमताओं को ध्यान में रखते हुए, दीर्घकाल में कम ग्रीनहाउस गैस उत्सर्जन विकास रणनीतियों (एलईडीएस) को संवाद करने के लिए आमंत्रित किया गया था।

यह एक ऐतिहासिक पर्यावरणीय समझौता है, जिसे जलवायु परिवर्तन और इसके नकारात्मक प्रभावों को दूर करने के लिए वर्ष 2015 में लगभग प्रत्येक देश द्वारा अपनाया गया था। इस समझौते का उद्देश्य 21वीं शताब्दी में वैश्विक तापमान वृद्धि को पूर्व-औद्योगिक स्तरों से 2 डिग्री सेल्सियस तक सीमित करने के प्रयास में वैश्विक ग्रीनहाउस गैस उत्सर्जन को कम करना है, जबकि आर्थिक वृद्धि को 1.5 डिग्री तक सीमित करना है।

66. (a)

स्थलीय वातावरण में कार्बन कोष के प्रति इकाई द्रव्यमान में कार्बन सामग्री के बढ़ते क्रम में सही क्रम इस प्रकार से दर्शाया जा सकता है:
पीट > पौधे > मृदा कार्बनिक पदार्थ > जीवाश्म ईंधन।

पीट (Peat): इसे टर्फके रूप में भी जाना जाता है। यह आंशिक रूप से सड़ी हुई वनस्पति या कार्बनिक पदार्थों का संचय है। यह लगभग 415 गीगाटन (Gt) कार्बन (लगभग 46 गुना – 2019 वैश्विक CO2 उत्सर्जन) संग्रहीत करता है।

पौधे (Plants): भूमि पर पौधे मानव उत्सर्जित लगभग 25% कार्बन डाइऑक्साइड को अवशोषित करने का कार्य करते हैं। पौधों द्वारा उपयोग की जाने वाली कार्बन की मात्रा साल-दर-साल बहुत भिन्न होती है। लेकिन सामान्य तौर पर, वैश्विक स्तर पर वृक्षों ने वर्ष 1960 के बाद, अवशोषित कार्बन डाइऑक्साइड की मात्रा में वृद्धि की है।

मृदा कार्बनिक पदार्थ (Soil organic matter): यह कार्बनिक यौगिकों से बना है और इसमें पौधे, पशु और सूक्ष्मजीव सामग्री, जीवित और मृत दोनों सम्मिलित हैं। एक विशिष्ट मिट्टी में 70% सूक्ष्मजीवों, 22% मैक्रोफ़ौना और 8% जड़ों की बायोमास संरचना होती है।

जीवाश्म ईंधन (Fossil fuel): एक जीवाश्म ईंधन एक हाइड्रोकार्बन युक्त सामग्री है, जो मृत पौधों और जानवरों के अवशेषों से भूमिगत होती है, जिसे मनुष्य ऊर्जा और ईंधन के रूप में उपयोग करता है। मुख्य जीवाश्म ईंधन कोयला, पेट्रोलियम और प्राकृतिक गैस हैं। जीवाश्म ईंधन गंभीर पर्यावरणीय क्षति का कारण बनते हैं और स्थानीय समुदायों पर उनके उपयोग के हर चरण में प्रत्यक्ष नकारात्मक परिणाम होते हैं। सबसे महत्वपूर्ण रूप से, जीवाश्म ईंधन के दहन से प्रति वर्ष लगभग 35 बिलियन टन (35 Gt) CO2 या सभी कार्बन डाइऑक्साइड उत्सर्जन का लगभग 89% उत्पादन होता है।

67. (d)

अभिकथन (A): झीलों में नदी की तुलना में प्रदूषित होने की संभावना कम होती है।

व्याख्या: सीवेज या अपशिष्ट जल के कारण, नदी और झीलें समान रूप से प्रदूषित होने की संभावना हैं क्योंकि घरों, कारखानों या कृषि भूमि से अपशिष्ट नदियों या झीलों में प्रवाहित कर दिया जाता है। इसके अतिरिक्त, औद्योगिक अपशिष्ट और यूट्रोफिकेशन भी जल निकायों में प्रदूषण का मुख्य कारण है।

तर्क (R): झीलों में जल का स्थान प्राकृतिक प्रक्रिया द्वारा ले लिया जाता है।

अतः अभिकथन (A) असत्य है एवं तर्क सत्य है।

68. (b)

सहस्राब्दी विकास लक्ष्य 5 (Millennium Development Goal 5) के अंतर्गत, वर्ष 1990 से 2015 तक मातृ मृत्यु अनुपात (Maternal Mortality Rate) को 75% तक कम करना था।

नोट: मातृ मृत्यु दर एक दर है, जिसमें अंश एक वर्ष में प्रसवकालीन कारणों से होने वाली मातृ मृत्यु की संख्या है। किसी विशेष देश या क्षेत्र में मातृ मृत्यु दर की गणना करने के लिए, निम्न सूत्र का उपयोग किया जाता है:

MMR = [एक निश्चित समय में मातृ मृत्यु की कुल संख्या] / [उसी समय में जीवित जन्मों की कुल संख्या] x100,000

69. (a)

नवीन और नवीकरणीय ऊर्जा मंत्रालय और भारतीय केंद्रीय विद्युत प्राधिकरण के वर्गीकरण के अनुसार, लघु पनबिजली संयंत्रों (small hydropower plants) की क्षमता 1 से 25 मेगा वाट (Mega Watt – MW) के मध्य निर्धारित की गई है।

70. (a)

एक वैश्विक रिपोर्ट के अनुसार पिछले महीने छह से 12 अप्रैल 2015 के बीच के सप्ताह में पृथ्वी के वातावरण में कार्बन डाइऑक्साइड का स्तर 404.02 पार्ट्स प्रति मिलियन (पीपीएम) पहुँच गया, जो मानव इतिहास में सर्वाधिक है। वैज्ञानिकों के अनुसार पृथ्वी के लिए कार्बन डाइऑक्साइड के मानक स्तर (350 पीपीएम) से यह 15 फीसदी अधिक है। कार्बन डाइऑक्साइड का सर्वाधिक उत्सर्जन वर्ष 2014 –2016 के दौरान स्थिर था। अत: अभिकथन सत्य है। वर्ष 2014–2016 के दौरान उर्जा दक्षता सुधार उपाय और निम्न कार्बन तकनीकि मजबूती से परिनियोजित हुई है। सभी सरकारे सौर उर्जा और बायो गैस जैसे अन्य उर्जा स्रोतों को अपना कर कार्बन उत्सर्जन को कम करने का प्रयास कर रही है। अत: तर्क, अभिकथन की सही व्याख्या है।

71. (c)

एक संदूषक के रूप में आर्सेनिक विषाक्तता के अत्यधिक विविध अभिव्यक्तियों के साथ अपनी विषाक्त प्रकृति के संदर्भ में महत्वपूर्ण है। भारतीय मानक ब्यूरो (IS 10500:2012) के अनुसार, आर्सेनिक की स्वीकार्य सीमा 0.01 मिलीग्राम/लीटर है और वैकल्पिक स्रोत के अभाव में अनुमेय सीमा भी 0.01 मिलीग्राम/लीटर है।

भूजल में आर्सेनिक की उच्च सांद्रता भारत के विभिन्न भागों से रिपोर्ट की गई है, लेकिन विशेष रूप से गंगा-ब्रह्मपुत्र के मैदानों के बड़े भाग को प्रभावित कर रही है। भारत में 18 राज्यों से भूजल में 0.01 मिलीग्राम / लीटर की अनुमेय सीमा से अधिक आर्सेनिक की उच्च सांद्रता की सूचना मिली है।

72. (b)

IUCN रेड लिस्ट के अनुसार, विश्व में लुप्तप्राय: (threatened) स्तनधारियों का प्रतिशत लगभग 25% है। लाल सूची के अनुसार, विश्व भर में 15,500 से अधिक प्रजातियां विलुप्त होने के खतरे का सामना कर रही हैं। वर्तमान में, सभी पक्षी प्रजातियों में से 12%, सभी स्तनपायी प्रजातियों में से 23%, उभयचर (amphibian)प्रजातियों के 32% और सभी जिम्नोस्पर्म प्रजातियों में से 31% विलुप्त होने के खतरे का सामना कर रहे हैं।

73. (c)

औद्योगिक क्रांति ने, हमें सूर्य के प्रकाश की ऊर्जा स्रोत के रूप में समझ प्रदान की। भारत सौर ऊर्जा क्षमता से संपन्न है। भारत के भूमि क्षेत्र में प्रति वर्ष लगभग 5,000 ट्रिलियन kWh ऊर्जा का प्रतिपादन किया जाता है, जिसमें अधिकांश भाग 4.7 kWh प्रति वर्ग मीटर प्रति दिन प्राप्त करते हैं। भारत में विशाल मापनीयता प्रदान करते हुए सौर फोटोवोल्टिक शक्ति का प्रभावी ढंग से उपयोग किया जा सकता है। ऊर्जा सुरक्षा के दृष्टिकोण से, सौर ऊर्जा सभी स्रोतों में सबसे सुरक्षित है, क्योंकि यह प्रचुर मात्रा में उपलब्ध है। सैद्धांतिक रूप से, कुल सौर ऊर्जा का एक लघु अंश संपूर्ण देश की विद्युत आवश्यकताओं की पूर्ति कर सकता है।

पिछले कुछ वर्षों के दौरान, भारतीय ऊर्जा परिदृश्य में सौर ऊर्जा का प्रत्यक्ष प्रभाव देखा गया है। सौर ऊर्जा आधारित विकेन्द्रीकृत और वितरित अनुप्रयोगों ने पर्यावरण के अनुकूल ढंग से खाना पकाने, प्रकाश व्यवस्था और अन्य ऊर्जा आवश्यकतों की पूर्ति करके भारतीय गांवों में लाखों लोगों को लाभान्वित किया है। सामाजिक और आर्थिक लाभों में ग्रामीण महिलाओं और लड़कियों के मध्य श्रम का अभाव है, जो लंबी दूरी से ईंधन की लकड़ी के संग्रह और धुएं की रसोई में खाना पकाती हैं, सोलर कुकर को उपयोग में लाने से फेफड़ों और आंखों की बीमारियों के अनुबंध के जोखिम को कम किया जा सकता है, ग्रामीण स्तर पर रोजगार सृजन, और अंतत:, जीवन स्तर में सुधार और ग्राम स्तर पर आर्थिक गतिविधियों के लिए अवसरों का सृजन करने में भी सक्षम है।

इस प्रकार, ऊर्जा सुरक्षा के दृष्टिकोण से, सौर ऊर्जा को भारत के लिए सबसे सुरक्षित माना जाता है।

74. (c)

मॉन्ट्रियल प्रोटोकॉल में किगाली संशोधन में 2040 के दशक के अंत तक HFC के उपभोग में 80 – 85% की कमी की परिकल्पना की गई है।

किगाली संशोधन (सबसे वर्तमान संशोधन), ने वर्ष 2016 में हाइड्रोफ्लोरोकार्बन (एचएफसी) के चरण-डाउन का प्रतिपादन किया। इसके दौरान, एचएफसी को मूल मॉन्ट्रियल प्रोटोकॉल द्वारा समाप्त किए गए ओजोन – क्षय पदार्थों के एक बैच के प्रतिस्थापन के रूप में उपयोग किया गया था। हालांकि, वे ओजोन परत का क्षरण नहीं करते हैं, वे शक्तिशाली ग्रीनहाउस गैसों के रूप में जाने जाते हैं और इस प्रकार, जलवायु परिवर्तन में योगदानकर्ता हैं।

मॉन्ट्रियल प्रोटोकॉल ने व्यावहारिक, कार्रवाई योग्य कार्यों का एक सेट प्रदान किया, जिस पर सार्वभौमिक रूप से सहमति हुई थी। प्रोटोकॉल अब तक अपने उद्देश्यों को सफलतापूर्वक पूरा कर चुका है और आज भी ओजोन परत की रक्षा में कार्यरत है।

75. (a)

सतत विकास रिपोर्ट (2020) के अनुसार, सतत विकास लक्ष्य सूचकांक (उच्चतम से निम्नतम) के संदर्भ में BRICS देशों का सही अनुक्रम चीन > ब्राजील > रूसी फेडरेशन > दक्षिण अफ्रीका > भारत है।

76. (a)

एसडीजी भारत सूचकांक, संयुक्त राष्ट्र द्वारा आरंभ किए गए सतत विकास लक्ष्यों (एसडीजी) के आधार पर देश और भिन्न-भिन्न राज्यों की प्रगति को मापने के लिए नीति आयोग द्वारा तैयार किया जाने वाला एक सूचकांक है। नीति आयोग सूचकांक का उद्देश्य भारतीय राज्यों और केंद्र शासित प्रदेशों की प्रगति का आकलन एक एकल मापनीय सूचकांक के माध्यम से करना है, जो एक नीति उपकरण के रूप में कार्य करेगा और राज्य स्तर पर सुधारात्मक उपायों के लिए उत्तरदायी है। भारत में नीति आयोग के एसडीजी सूचकांक के अनुसार, गुजरात राज्य एसडीजी-9 (उद्योग, नवाचार और इंफ्रास्ट्रक्चर) पर सबसे बेहतर निष्पादन करने वाला राज्य है।

यहां हम सुशासन सूचकांक (Good Governance Index) - 2021 की बात भी कर रहे हैं, जिसके अंतर्गत गुजरात को शीर्ष स्थान मिला है। दूसरे स्थान पर महाराष्ट्र और तीसरे स्थान पर गोवा रहे हैं। गुजरात ने आर्थिक प्रशासन, मानव संसाधन विकास, सार्वजनिक अवसंरचना और सुविधाएं, समाज कल्याण और विकास, न्यायिक और जन सुरक्षा में श्रेष्ठ प्रदर्शन किया।

77. (b)

वर्तमान में, देश में 39.25 GW (31 मार्च 2021 तक) की कुल स्थापित क्षमता के साथ विश्व स्तर पर चतुर्थ, पवन ऊर्जा स्थापित क्षमता है और वर्ष 2020-21 के दौरान लगभग 60.149 बिलियन यूनिट का उत्पादन किया गया।

भारत में पवन ऊर्जा की संभाव्यता **(Potential of wind energy of India)**

सरकार ने राष्ट्रीय पवन ऊर्जा संस्थान (NIWE) के माध्यम से पूरे देश में 800 से अधिक पवन-निगरानी स्टेशन स्थापित किए हैं और भूमि स्तर से 50 मीटर, 80 मीटर, 100 मीटर और 120 मीटर ऊपर पवन संभावित मानचित्र जारी किए हैं। वर्तमान आकलन के अनुसार, देश में 302 गीगावाट की सकल पवन ऊर्जा क्षमता को 100 मीटर और 695. 50 गीगावाट भूमि स्तर से 120 मीटर ऊपर इंगित करता है। इस क्षमता का अधिकांश भाग सात तीव्र हवाओं वाले राज्यों में उपलब्ध है। इसकी व्याख्या निम्नलिखित सारणी के माध्यम से की जा सकती है:

क्र. सं.	राज्य (State)	पवन ऊर्जा क्षमता 100 m GW	पवन ऊर्जा क्षमता 120 m GW
1.	गुजरात	84.43	142.56
2.	राजस्थान	18.77	127.75
3.	महाराष्ट्र	45.39	98.21
4.	तमिलनाडु	33.79	68.75
5.	मध्य प्रदेश	10.48	15.40
6.	कर्नाटक	55.85	124.15
7.	आंध्र प्रदेश	44.22	74.90

इस प्रकार, घटते क्रम में जमीनी स्तर से 100 मीटर ऊपर पवन ऊर्जा क्षमता का सही क्रम गुजरात > कर्नाटक > आंध्र प्रदेश > तमिलनाडु > अंडमान और निकोबार द्वीप समूह है।

78. (a)

भूतापीय ऊर्जा संयंत्र (geothermal power plant) मौसम की स्थिति की परवाह किए बिना, 24 घंटे प्रति दिन, 7 दिन प्रति सप्ताह चलते हुए नियमित रूप से बिजली प्रदान करते हैं। भू - तापीय ऊर्जा संयंत्र का विद्युत उत्पादन अत्यधिक अनुमानित और स्थिर होता है।

भू-तापीय विद्युत संयंत्र का प्रमुख दोष यह है कि यह एक विशिष्ट स्थान पर ही निर्मित किये जा सकते हैं, इन्हें सरलता से स्थानांतरित नहीं किया जा सकता है। इसके अतिरिक्त, भूतापीय बिजली संयंत्र भूकंप को ट्रिगर करते हैं, जो खुदाई के परिणामस्वरूप पृथ्वी की संरचना में परिवर्तन के कारण उत्पन्न होता है।

इसके अलावा, परमाणु ऊर्जा एकमात्र ऊर्जा स्रोत है, जो 24 घंटे कार्बन मुक्त एवं विश्वसनीय ऊर्जा प्रदान करती है। पवन, सौर और ऊर्जा भंडारण के साथ-साथ हमारे कार्बन मुक्त भविष्य में परमाणु की महत्वपूर्ण भूमिका है। यह एक कार्बन-मुक्त ऊर्जा है, जिसे हम 24/7/ 365 दिन प्राप्त कर सकते हैं।

79. (c)

कृषि क्षेत्रों में, भूजल में नाइट्रेट प्रदूषक की महत्वपूर्ण सांद्रता (concentration) हो सकती है। जब प्रदूषक पृथ्वी की सतह पर मुक्त किये जाते हैं, तो यह भूजल में प्रविष्ट हो जाते हैं, इसे भूजल प्रदूषण कहा जाता है। प्रदूषण कार्यस्थल पर स्वच्छता प्रणालियों, लैंडफिल, अपशिष्ट जल उपचार संयंत्रों से निकलने वाले अपशिष्ट, सीवरों के रिसाव, पेट्रोल फिलिंग स्टेशनों या कृषि में उर्वरकों के अधिक उपयोग से हो सकता है। अत: कृषि क्षेत्रों में भूजल में नाइट्रेट प्रदूषक की यथेष्ट मात्रा हो सकती है।

कैडमियम (cadmium): कैडमियम एक रासायनिक तत्व है, जिसका प्रतीक Cd और परमाणु संख्या 48 है।

सीसा **(lead):** सीसा एक प्राकृतिक रूप से पाई जाने वाली जहरीली धातु है, जो पृथ्वी की पर्पटी (crust) में पाई जाती है। इसके व्यापक उपयोग के परिणामस्वरूप विश्व के कई भागों में व्यापक पर्यावरणीय प्रदूषण, मानव जोखिम और सार्वजनिक स्वास्थ्य समस्याएं हुई हैं।

सेलेनियम (selenium): सेलेनियम एक जहरीला तत्व है और इसकी उच्च सांद्रता न केवल पर्यावरण के लिए बल्कि मानव स्वास्थ्य के लिए भी हानिकारक है। यह थायराइड विकार, वायरल संक्रमण और प्रीक्लेम्पसिया (उच्च रक्तचाप), सूजन आदि का कारण बनता है।

80. (d)

निम्नलिखित ग्रीन हाउस गैसों के उत्सर्जन को क्योटो प्रोटोकोल के प्रथम प्रतिबद्धता काल के दायरे में लाया जाने का लक्ष्य था - कार्बन डाइऑक्साइड (CO2) , मीथेन (CH4), नाइट्रस ऑक्साइड (N2O), हाइड्रोफ्लोरोकार्बन (HFC) पैरफ्लुरोकार्बन (PFC), और सल्फर हेक्साफ्लुरोराइड (SF6)।

81. (b)

ध्वनि की प्रबलता को ध्वनि की तुलना सबसे कम श्रव्य ध्वनि से करने वाले अनुपात के रूप में व्यक्त की जाती है। दो स्वतंत्र स्रोतों द्वारा सृजित 8 1 डेसीबल और 90 डेसीबल के दो शोर स्तरों का परिणाम 91 डीबी होगा।

82. (a)

मॉन्ट्रियल प्रोटोकॉल (1987): ओजोन परत का क्षय करने वाले पदार्थों पर मॉन्ट्रियल प्रोटोकॉल (1987) को मानवजनित ओजोन-क्षयकारी पदार्थों (ओडीएस) और कुछ हाइड्रोफ्लोरोकार्बन (एचएफसी) की खपत और उत्पादन को नियंत्रित करने के लिए अंतिम रूप दिया गया था। 16 सितंबर को विश्व ओजोन दिवस के रूप में मनाया जाता है। संयुक्त राष्ट्र के एक अध्ययन 'ओजोन की कमी का वैज्ञानिक आकलन: 2018' ने दिखाया है कि ओजोन परत प्रति दशक 1-3% की दर से ठीक हो रही है। समताप मंडल की ओजोन परत हानिकारक यूवी विकिरण से पृथ्वी पर जीवन की रक्षा करती है।

पेरिस समझौता: पेरिस समझौता जलवायु परिवर्तन पर कानूनी रूप से बाध्यकारी अंतरराष्ट्रीय संधि है। इसे 12 दिसंबर 2015 को पेरिस में COP21 में 196 पार्टियों द्वारा अपनाया गया था और इसे 4 नवंबर 2016 को क्रियान्वित किया गया। इसका लक्ष्य पूर्व-औद्योगिक स्तरों की तुलना में ग्लोबल वार्मिंग को 2 से नीचे, अनुमानत: 1.5 डिग्री सेल्सियस तक सीमित करना है। विभिन्न देशों द्वारा राष्ट्रीय स्तर पर योगदान निर्धारित किये गए हैं ताकि वे अधिक गंभीर हों।

अंतर्राष्ट्रीय सौर गठबंधन: अंतर्राष्ट्रीय सौर गठबंधन (आईएसए), 121 सौर संसाधन समृद्ध देशों का एक गठबंधन है जो पूर्ण या आंशिक रूप से कर्क और मकर रेखा के मध्य स्थित है। अंतर्राष्ट्रीय सौर गठबंधन का आरंभ संयुक्त रूप से प्रधान मंत्री श्री नरेंद्र मोदी और फ्रांस के तत्कालीन राष्ट्रपति श्री फ्रांस्वा ओलांद द्वारा 30 नवंबर 2015 को पेरिस (फ्रांस) में COP21 के दौरान किया गया था। आईएसए फ्रेमवर्क समझौता 15 नवंबर 2016 को मोरक्को के माराकेश में सीओपी-22 के अधिवेशन पर हस्ताक्षर के लिए खोला गया था।

क्योटो प्रोटोकॉल: यह एक स्वच्छ विकास तंत्र है, जिसका उद्देश्य कार्बन डाइऑक्साइड (CO2) उत्सर्जन और वातावरण में ग्रीनहाउस गैसों (GHG) की उपस्थिति को कम करना है। क्योटो प्रोटोकॉल संयुक्त राष्ट्र के पर्यावरण बदलाव पर एक अंतर्राष्ट्रीय संधि है। इस प्रोटोकॉल के अनुसार, औद्योगिक देशों को अपने CO2 उत्सर्जन की मात्रा को पिछले वर्ष के स्तर तक कम करने की आवश्यकता है। इसे 1997 में UNFCCC के एक भाग के रूप में हस्ताक्षरित किया गया था और इसे 2005 से क्रियान्वित किया जाना था। क्योटो प्रोटोकॉल अनुलग्नक् में सूचीबद्ध छह ग्रीनहाउस गैसों पर क्रियान्वित होता है: कार्बन डाइऑक्साइड (CO2), मीथेन (CH4), नाइट्रस ऑक्साइड (N2O), हाइड्रोफ्लोरोकार्बन (एचएफसी), पेरफ्लूरोकार्बन (पीएफसी), और सल्फर हेक्साफ्लोराइड (एसएफ6)।

83. (a)

सोलर समतल प्लेट संग्राहक ग्रीन हाउस प्रभाव के सिद्धांत पर ही कार्य करते हैं।

ब्लैक एब्जॉर्बर प्लेट से इन्फ्रारेड विकिरण निकलता है। इस प्रकार, कथन I और II दोनों सत्य हैं।

84. (d)

विश्व के कुल जल प्रतिशत का निम्नांकित स्थानों की दृष्टि से अवरोही क्रम निम्नलिखित है:

हिमशीर्ष और हिमनद > भूजल > झील (ताजा जल) > वायुमंडल > नदी और जलधाराएं।

85. (a)

एसडीजी 7: 'सभी के लिए सस्ती, विश्वसनीय, टिकाऊ और आधुनिक ऊर्जा तक पहुंच सुनिश्चित करना'

वर्ष 2030 तक एसडीजी 7 के अंतर्गत निम्न लक्ष्य हैं:

(1) सस्ती, विश्वसनीय और आधुनिक ऊर्जा सेवाओं तक सार्वभौमिक पहुंच सुनिश्चित करना।

(2) वैश्विक ऊर्जा मिश्रण में अक्षय ऊर्जा की हिस्सेदारी में पर्याप्त वृद्धि।

(3) ऊर्जा दक्षता में सुधार की वैश्विक दर को दोगुना करना।

(4) अक्षय ऊर्जा, ऊर्जा दक्षता और उन्नत और स्वच्छ जीवाश्म-ईंधन प्रौद्योगिकी सहित स्वच्छ ऊर्जा अनुसंधान और प्रौद्योगिकी तक पहुंच को सुविधाजनक बनाने के लिए अंतर्राष्ट्रीय सहयोग बढ़ाना, और ऊर्जा आधारभूत ढांचे और स्वच्छ ऊर्जा प्रौद्योगिकी में निवेश को बढ़ावा देना।

(5) विकासशील देशों, कम से कम विकसित देशों, छोटे द्वीप विकासशील राज्यों और भूमि से घिरे विकासशील देशों में सभी के लिए समर्थन के अपने संबंधित कार्यक्रमों के अनुसार आधुनिक और टिकाऊ ऊर्जा सेवाओं की आपूर्ति के लिए आधारभूत ढांचे का विस्तार और प्रौद्योगिकी का उन्नयन।

इस प्रकार, वर्ष 2030 तक, सतत विकास लक्ष्य 7 का उद्देश्य ऊर्जा दक्षता में सुधार की वैश्विक दर को दो गुना बढ़ाना है।

86. (c)

सतत विकास रिपोर्ट (2020) के अनुसार, SDG इंडेक्स के आधार पर शीर्ष स्थान पर रहने वाला देश स्वीडन (85.61) है। फ़िनलैंड (8 5.90) प्रथम स्थान पर है। भारत (60.07) ने 120वां स्थान प्राप्त किया है और मध्य अफ्रीकी गणराज्य सबसे खराब प्रदर्शन करने वाला देश है।

SDG रिपोर्ट (2020) के प्रमुख निष्कर्ष निम्नलिखित हैं:

1. अनुमानित तौर पर, वर्ष 2020 में वैश्विक स्तर पर 71 मिलियन लोगों को अत्यधिक गरीबी से जूझना पड़ेगा। लुप्त आय, सीमित सामाजिक सुरक्षा और बढ़ती कीमतों का अर्थ है कि जो लोग पहले सुरक्षित थे वे स्वयं को गरीबी और भूख के जोखिम में पा सकते हैं।
2. महामारी के कारण, अनौपचारिक अर्थव्यवस्था का लगभग 1.6 बिलियन कमजोर श्रमिक वर्ग (वैश्विक कार्यबल का आधा-हिस्सा) महत्वपूर्ण रूप से प्रभावित हो सकता है और पहले महीने में उनकी आय में 60% की गिरावट का अनुमान है।
3. महिलाएं और बच्चे भी महामारी के प्रभाव से सबसे अधिक प्रभावित होने वालों में से हैं। स्वास्थ्य और टीकाकरण सेवाओं में व्यवधान और आहार और पोषण सेवाओं तक सीमित पहुंच से 2020 में हजारों 5 वर्ष तक के बच्चों की मौतों और दसियों हजार अतिरिक्त मातृ मृत्यु होने की संभावना है। कई देशों में महिलाओं और बच्चों के खिलाफ घरेलू हिंसा की रिपोर्ट में वृद्धि देखी गई है।
4. स्कूल बंद होने के कारण, विश्व भर में 90 प्रतिशत छात्र (1.57 बिलियन) स्कूल से बाहर हो गए हैं और 370 मिलियन से अधिक बच्चे स्कूल के भोजन से वंचित रह गए हैं, जिस पर वे निर्भर हैं।
5. जैसे-जैसे अधिक परिवार अत्यधिक गरीबी में आते हैं, गरीब और वंचित समुदायों के बच्चों को बाल श्रम, बाल विवाह और बाल तस्करी का अधिक खतरा होता है। वास्तव में, बाल श्रम को कम करने में वैश्विक लाभ 20 वर्षों में पहली बार विपरीत होने की संभावना है।

87. (b)

विभिन्न प्रकार के जलजनित रोग इस प्रकार हैं:

1. **टाइफाइड बुखारः** यह एक अत्यधिक संक्रामक रोग है और सामान्य तौर पर असुरक्षित जल, दूषित भोजन और खराब स्वच्छता के माध्यम से फैलता है।
2. **हैजाः** यह दूषित जल से फैलता है और गंभीर निर्जलीकरण और दस्त का कारण बनता है। यह रोग उन क्षेत्रों में अधिक प्रमुख है, जहां खराब स्वच्छता और गरीबी व्याप्त है।
3. **जिआर्डियाः** यह रोग दूषित जल तथा तालाबों तथा स्वीमिंग पूलों के माध्यम से होता है। यह एक परजीवी के कारण फैलता है।
4. **पेचिशः** यह गंभीर दस्त के कारण होने वाला आंतों का संक्रमण है।
5. **हेपेटाइटिस एः** यह लीवर का संक्रमण है जो तब होता है जब आप संक्रमित भोजन और पानी का सेवन करते हैं।
6. **मलेरियाः** मलेरिया एक प्रकार का जलजनित रोग है जिसके लिए जल से प्रत्यक्ष संपर्क की आवश्यकता नहीं होती है बल्कि फैलने के लिए एक वाहक (होस्ट) की आवश्यकता होती है।

88. (b)

वैश्विक CO2 उत्सर्जन का कम से कम 55% उत्सर्जन करने वाले कम से कम 55 देशों द्वारा अनुसमर्थन के प्रपत्र जमा करने के पश्चात् पेरिस समझौता प्रवृत हुआ था।

89. (a)

बायोगैस उन गैसों का एक मिश्रण है, जो कार्बनिक पदार्थों, उदाहरण के लिए, कृषि अपशिष्ट, पौधों के अवशेष, नगरपालिका अपशिष्ट, खाद्य अपशिष्ट आदि के अवायवीय अपघटन से उत्पन्न होता है। सर्वप्रथम, मनुष्यों और जानवरों के मल गोबर के साथ प्रक्रिया में जीवाणु क्रिया आरंभ की जाती है और सीवेज का अपघटन मीथेन उत्पन्न करता है, जिसका उपयोग खाना पकाने और ईंधन के लिए किया जाता है। भारत में बायोमास ईंधन देश में उपयोग किए जाने वाले कुल ईंधन का लगभग एक-तिहाई हिस्सा है, जो 90% से अधिक ग्रामीण घरों और 15% शहरी घरों में सबसे महत्वपूर्ण ईंधन है। बायोगैस का ऊष्मीय मान लगभग 5000 किलो कैलोरी प्रति घन मीटर है। एक ऊष्मीय मान किसी ईंधन के पूर्ण रूप से जलने पर उत्पन्न ऊष्मा की मात्रा को दर्शाता है।

बायोगैस प्रक्रिया

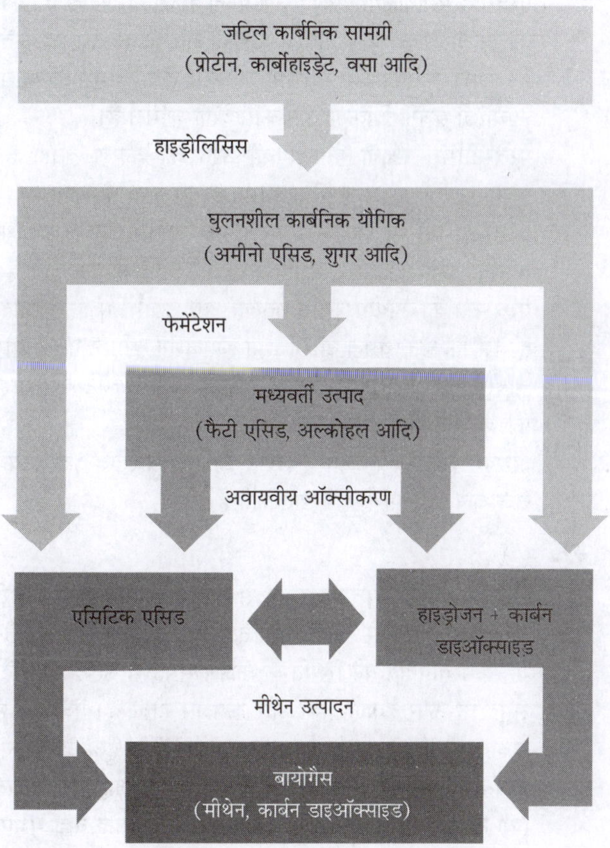

90. (a)

वर्ष 2015 में, वैश्विक GHG को कम करने के उद्देश्य से पेरिस समझौते पर एक अंतरराष्ट्रीय समझौते के रूप में हस्ताक्षर किए गए थे और यह जलवायु परिवर्तन से संबंधित है। समझौते में 29 अनुच्छेद हैं। पेरिस समझौते का मुख्य उद्देश्य इस सदी में वैश्विक औसत तापमान वृद्धि को पूर्व औद्योगिक स्तर से 2°C से नीचे सीमित करना है। तापमान वृद्धि को और भी 1.5°C तक सीमित करने के प्रयास किए जाने चाहिए।

91. (b)

एस्बेस्टस मेसोथेलियोमा का कारण बनता है, जो कि पतली झिल्लियों का एक अपेक्षाकृत दुर्लभ कैंसर है जो छाती और पेट को रेखाबद्ध करता है। फेफड़े, स्वरयंत्र और अंडाशय के कैंसर होते हैं। मेसोथेलियोमा उपचार में सर्जरी, विकिरण और कीमोथेरेपी शामिल हैं।

एस्बेस्टोसिस स्थायी फेफड़ों की क्षति का कारण बनता है। फुफ्फुस बहाव में, फेफड़ों के आसपास द्रव जमा हो जाता है।

एस्बेस्टस को 'द मैजिक मिनरल' का उपनाम दिया गया था क्योंकि इसमें अद्वितीय रासायनिक और भौतिक गुण होते हैं। एस्बेस्टस का उपयोग हजारों उत्पादों और उद्योगों में किया जाता है जैसे कि छत, थर्मल और विद्युत इन्सुलेशन, सीमेंट पाइप और चादरें, फर्श, प्लास्टिक, कपड़ा, कागज आदि। छोटे एस्बेस्टस फाइबर फेफड़ों में इकट्ठा होते हैं।

अभ्रक के निक्षेप आंध्र प्रदेश, बिहार, झारखंड, कर्नाटक, राजस्थान और मणिपुर में पाए जाते हैं।

92. (a)

चूँकि चक्रवात की घटना समुद्र से जुड़ी हुई है, इसलिए उत्तरी और मध्य भारत से इसकी उत्पत्ति की कोई संभावना नहीं है। यह कम वायुदाब की स्थिति के कारण समुद्र में उत्पन्न होता है, समुद्र के ऊपर हवाएँ धीमी और कमजोर होती हैं। पूर्वी तट न केवल अंडमान सागर में उत्पन्न चक्रवातों से जुड़ा हुआ है, बल्कि प्रशांत महासागर से भी चक्रवात प्राप्त करता है, जहां से चक्रवात (या टाइफून) के हस्तांतरण को रोकने के लिए कोई बड़ा भूभाग नहीं है। बंगाल की खाड़ी में पश्चिमी तट की तुलना में वर्षा भी बहुत अधिक होती है। यह भाग गंगा और ब्रह्मपुत्र नदियों द्वारा भी पोषित होता है।

सतही समुद्री तापमान और आर्द्रता भी एक महत्वपूर्ण भूमिका निभाते हैं। औसत तापमान लगभग 28° सेंटीग्रेड है जो गर्म हवा की धाराओं से तेज होता है।

ओडिशा राज्य चक्रवात से सबसे ज्यादा प्रभावित है। पूर्वी तटों में चक्रवात पश्चिमी तटों की तुलना में चार गुना अधिक आते हैं। शुष्क हवा के प्रवेश के कारण पश्चिमी तट में उष्णकटिबंधीय चक्रवात कम होते हैं क्योंकि शुष्क हवाएँ पश्चिम से पूर्व की ओर बहती हैं। अरब प्रायद्वीप पहले से ही शुष्क है। तेज हवा का झोंका है जो चक्रवात के विकास को बाधित करता है।

चक्रवातों का नामकरण विश्व मौसम विज्ञान संगठन (WMO) द्वारा योजनाबद्ध तरीके से किया जाता है, जिसे वर्ष 1950 में स्थापित किया गया था, जिसकी जड़ें 1873 में वियना अंतर्राष्ट्रीय मौसम विज्ञान कांग्रेस में लगाई गई थीं। World Meteorological Organization - WMO नामों की घूर्णन सूची (rotating list) रखता है जो प्रत्येक उष्णकटिबंधीय चक्रवात बेसिन के लिए उपयुक्त हैं।

93. (b)

(1) पारिस्थितिक तंत्र, प्रजातियों और व्यक्तियों में अधिक जैव विविधता अधिक स्थिरता की ओर ले जाती है। उदाहरण के लिए, उच्च आनुवंशिक विविधता वाली प्रजातियां और कई आबादी जो विभिन्न प्रकार की परिस्थितियों के अनुकूल हैं, वे मौसम की गड़बड़ी, बीमारी और जलवायु परिवर्तन में सक्षम होने की अधिक संभावना रखते हैं। दूसरे शब्दों में, पारिस्थितिकी तंत्र की स्थिरता के दो प्रमुख घटक लचीलापन (resilience) और प्रतिरोध (resistance) हैं। किसी विक्षोभ का सामना करने पर प्रतिरोध एक पारिस्थितिकी तंत्र की स्थिर रहने की क्षमता है। लचीलापन वह गति है जिस पर एक पारिस्थितिकी तंत्र एक गड़बड़ी से ठीक हो जाता है।

(2) विलुप्त होना पौधों, जानवरों या अन्य जीवों की एक प्रजाति के सभी सदस्यों की मृत्यु को दर्शाता है। विलुप्त होने के तीन प्रकार हैं–बड़े पैमाने पर विलुप्त होने, पृष्ठभूमि विलुप्त होने, और मानव नेतृत्व विलुप्त होने। यदि औसत वैश्विक तापमान वृद्धि 4.3 डिग्री सेल्सियस से अधिक हो जाती है तो पृथ्वी अपनी प्रजातियों का 16% खो सकती है।

मानव गतिविधियों या क्रियाकलापों के रूप में मानवीय गतिविधियाँ मूल रूप से मानवीय हस्तक्षेप हैं। विलुप्त होने के मुख्य आधुनिक कारण शहरीकरण, औद्योगीकरण, आवास की हानि और गिरावट (मुख्य रूप से वनों की कटाई के कारण), अत्यधिक शोषण (शिकार, अधिक मछली पकड़ना), आक्रामक प्रजातियां, जलवायु परिवर्तन और नाइट्रोजन प्रदूषण हैं। हमारी वैश्विक खाद्य प्रणाली जैव विविधता के नुकसान का प्राथमिक चालक है, जिसमें विलुप्त होने के जोखिम में 28,000 (86%) प्रजातियों में से 24,000 के लिए अकेले कृषि की पहचान की गई है।

(3) प्राकृतिक आवास के विखंडन वास्तव में कई अन्य प्रजातियों के लिए समर्थन प्रणालियों को वापस लेने की ओर ले जाता है जो उनके अस्तित्व को दांव पर लगा देते हैं।

(4) अपृष्ठवंशी या अकशेरूकीय प्रजातियां (invertebrates) पारिस्थितिक तंत्र के कामकाज के लिए केंद्रीय हैं, और जैव विविधता का महत्वपूर्ण भाग हैं, फिर भी उनकी भूमिका को पूर्ण रूप से समझा नहीं गया। प्रकृति के संरक्षण के लिए अंतर्राष्ट्रीय संघ (International Union for Conservation of Nature - IUCN) की खतरे वाली प्रजातियों की लाल सूची प्रजातियों (Red List species) के खतरे के लिए एक महत्वपूर्ण संदर्भ है, लेकिन यह संगठन भी शायद कशेरुकियों (vertebrates) के प्रति भारी पक्षपाती है, जिसमें अपृष्ठवंशी विशेष रूप से कम प्रतिनिधित्व करते हैं।

94. (d)

लैंडफिल–दबे हुए जैविक कचरे के जैविक क्षरण के दौरान उत्पन्न होने वाली लैंडफिल गैसों में मीथेन मुख्य रूप से विद्यमान होती है, जब यह वातावरण में जाती है, तो इसका वैश्विक जलवायु परिवर्तन में योगदान होता है। मीथेन की उत्पति खाद या उर्वरक प्रबंधन (manure management) के एक भाग के रूप में भी होती है। गायें अपने पाचन तंत्र के माध्यम से मीथेन के उत्सर्जन में महत्वपूर्ण योगदान देती हैं।

मीथेन कार्बन डाइऑक्साइड के बाद वातावरण में दूसरी सबसे प्रचुर मात्रा में ग्रीनहाउस गैस है।

मीथेन ग्लोबल वार्मिंग पोटेंशियल (GWP) में कार्बन डाइऑक्साइड से 80 गुना अधिक खतरनाक है।

International Panel on Climate Change (IPCC) की रिपोर्ट के अनुसार, 40 प्रतिशत से अधिक मीथेन का उत्सर्जन कृषि से आता है या यह पीटलैंड के विनाश का परिणाम है।

गाय, भैंस, बकरी आदि जुगाली करने वाले शाकाहारी स्तनधारियों के एक समूह को कवर करते हैं जो आर्टियोडैक्टिल से संबंधित हैं, इस मीथेन पैदा करने वाली प्रक्रिया को मेथानोजेनेसिस (methanogenesis) कहा जाता है। इस प्रकार के प्राणी उनके द्वारा प्राप्त की गयी ऊर्जा का 4 से 12 प्रतिशत इसी प्रक्रिया में हानि करवा बैठते हैं। यह सब कृषि से संबंधित हैं।

धान के खेत और जलमय भूमि–मीथेन (CH4) एक संतृप्त कार्बनिक गैस है। यह स्पष्ट है कि कुल उत्सर्जन के 70% में मानवजनित स्रोत हैं। धान के खेतों से उत्पन्न कुल मीथेन का एक महत्वपूर्ण हिस्सा होता है। कुल मीथेन का लगभग 18-20% धान के खेतों से उत्पन्न होता है।

धान के खेतों में, मीथेन उत्सर्जन को नियंत्रित करने की कुंजी सिंचाई के पानी के नियंत्रण में निहित है। यदि खेत जोतने के अंत में कुछ दिनों के लिए शुष्क परिस्थितियों में हो तो मीथेन उत्सर्जन में भारी कमी आ सकती है।

वैश्विक मीथेन प्रतिज्ञा (Global Methane Project)–ग्लासगो (Glasgow) की वर्ष 2021 की Conference of Parties बैठक के दौरान, अमेरिका और यूरोपीय संघ ने वैश्विक मीथेन प्रतिज्ञा का विचार रखा ताकि वैश्विक तापमान वृद्धि सीमा 1.5^o सेंटीग्रेड में योगदान दिया जा सके। प्रतिज्ञा में शामिल होने वाले प्रतिभागी वर्ष 2030 तक वर्ष 2020 की तुलना में वैश्विक मीथेन उत्सर्जन को कम से कम 30 प्रतिशत कम करने के सामूहिक प्रयास में योगदान करने के लिए स्वैच्छिक कार्रवाई करने के लिए सहमत हैं, जो 2050 तक 2° सेल्सियस से अधिक वार्मिंग को समाप्त कर सकता है। यह एक वैश्विक प्रतिज्ञा है, न कि एक राष्ट्रीय स्तर पर कमी। इस प्रतिज्ञा पत्र पर रूस, चीन और भारत ने हस्ताक्षर नहीं किये।

THE EMISSIONS SHARE

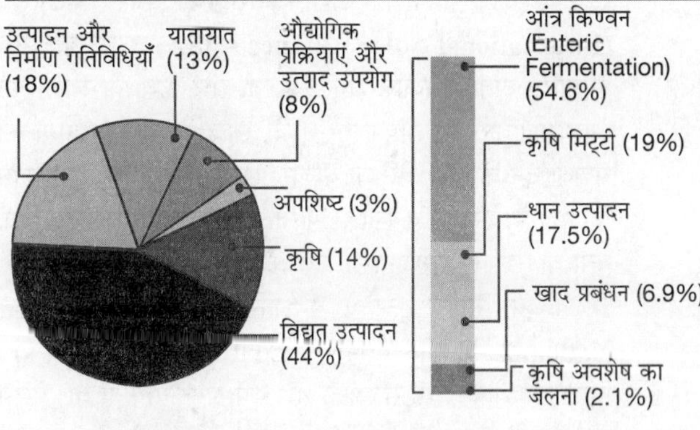

Source: MoEFC, (2021), India: Third Biennial Update Report to the United Nations Framework Convention

95. (b)

A. उत्सर्जन व्यापार (emissions trading)- क्योटो प्रोटोकॉल–यह प्रोटोकॉल 11 दिसंबर 1997 को क्योटो, जापान में अपनाया गया था और 16 फरवरी 2005 को लागू हुआ। क्योटो प्रोटोकॉल का मुख्य उद्देश्य ग्रीनहाउस गैसों (Green House Gases) के उत्सर्जन को कम करना था। GHG उत्सर्जन को सीमित करने और कम करने के लिए संक्रमण में औद्योगिक देशों और अर्थव्यवस्थाओं को प्रतिबद्ध करके इसे व्यवहार में लाया गया था। क्योटो प्रोटोकॉल के प्रमुख उद्देश्य निम्नलिखित थे।

1. अंतर्राष्ट्रीय उत्सर्जन व्यापार
2. स्वच्छ विकास तंत्र (Clean Development Mechanism)
3. संयुक्त कार्यान्वयन (Joint Implementation)

गैसों को कम करने के उद्देश्य से एनेक्स (annexed) किए गए राष्ट्र थे। मुख्य अवधारणा 'सामान्य लेकिन विभेदित उत्तरदायित्व (Common But Differentiated Responsibilities)Ó की थी। मुख्य GHG कार्बन डाइऑक्साइड, मीथेन, नाइट्रस ऑक्साइड, हाइड्रोफ्लोरोकार्बन, पेरफ्लूरोकार्बन और सल्फर हेक्साफ्लोराइड थी। नाइट्रोजन ट्रीफ्लूओरीड गैस को बाद में इन छह गैसों की लिस्ट में जोड़ा गया।

B. संसाधनों का सतत प्रबंधन-रियो शिखर सम्मेलन (1992)–इस सम्मेलन के एजेंडा 21 (Agenda 21) ने इसके बारे में बात की। 'पृथ्वी वार्ता (Earth Summit) ने निष्कर्ष निकाला कि सतत विकास की अवधारणा दुनिया के सभी लोगों के लिए एक प्राप्य लक्ष्य था, चाहे वे स्थानीय, राष्ट्रीय, क्षेत्रीय या अंतर्राष्ट्रीय स्तर पर हों। इसने यह भी माना कि हमारी जरूरतों को

पूरा करने में आर्थिक, सामाजिक और पर्यावरणीय चिंताओं को एकीकृत और संतुलित करना ग्रह पर मानव जीवन को बनाए रखने के लिए महत्वपूर्ण है और ऐसा एकीकृत दृष्टिकोण संभव है।

C. स्वच्छ वहनीय ऊर्जा-अंतर्राष्ट्रीय सौर गठबंधन (International Solar Alliance - ISA)-यह एक संधि आधारित अंतर-सरकारी संगठन है जो सौर ऊर्जा के लाभों को आत्मसात करने या शोषण करने और स्वच्छ ऊर्जा अनुप्रयोगों को बढ़ावा देने के लिए वैश्विक बाजार प्रणाली बनाने के लिए काम कर रहा है। इसे मुख्य रूप से भारत और फ्रांस द्वारा बढ़ावा दिया गया था। इसकी शुरुआत 30 नवंबर 2015 को हुई थी।

D. इच्छित राष्ट्रीय स्तर पर निर्धारित योगदान (Intended Nationally Determined Contributions-INDCs)- पेरिस समझौता - यह समझौता 2015 में अपनाया गया था। पेरिस समझौते के सार के रूप में हम उत्सर्जन में कमी, बेहतर ऊर्जा उपायों, वन संसाधनों आदि के दीर्घकालिक उद्देश्यों की उपलब्धि को सुविधाजनक बना सकने की बातें करते हैं। INDCs में प्रत्येक देश द्वारा राष्ट्रीय उत्सर्जन को कम करने और जलवायु परिवर्तन के प्रभावों के अनुकूल होने के प्रयास सम्मिलित हैं, इसका दीर्घकालिक उद्देश्य वैश्विक औसत तापमान में वृद्धि को अधिकतम 2 डिग्री सेल्सियस से नीचे रखना, वृद्धि को यथा संभव 1.5 डिग्री सेल्सियस तक सीमित करने के प्रयासों को आगे बढ़ाना और इस शताब्दी के उत्तरार्ध में शुद्ध शून्य उत्सर्जन प्राप्त करना है। हम 2021 में ग्लासगो में पार्टियों के 26वें सम्मेलन का अध्ययन करके संशोधित लक्ष्यों का मूल विचार प्राप्त कर सकते हैं।

96. (c)

जैवसंचय पर्यावरण के सापेक्ष जीवों में संदूषकों के संचय और संवर्धन का वर्णन करता है। जैवसंचय सभी उठाव और हानि प्रक्रियाओं का शुद्ध परिणाम है। अपटेक श्वसन और आहार हैं। हानि उत्सर्जन, निष्क्रिय प्रसार, चयापचय, संतान में स्थानांतरण और वृद्धि से होती है।

97. **(a)**

कथन I-सतत विकास के एजेंडे को सतत विकास लक्ष्यों (Sustainable Development Goals) की सहायता से आगे बढ़ाया जा रहा है, जिसका उद्देश्य 2030 तक सभी लोगों के लिए शांति और समृद्धि लाना है। SDG को वर्ष 2015 में आरंभ किया गया था। यह एजेंडा पृथ्वीवासियों, पृथ्वी ग्रह और सबकी समृद्धि के लिए है। यह व्यापक परिस्थितियों में सार्वभौमिक शांति को सशक्त करने का भी प्रयास करता है। इससे पहले मिलेनियम डेवलपमेंट गोल्स थे जो वर्ष 2000 से 2015 के मध्य की अवधि के लिए निर्धारित किए गए थे।

कुल 17 एसडीजी हैं, जो विकसित और विकासशील, सभी देशों द्वारा कार्रवाई के लिए एक तत्काल कॉल हैं। सरल शब्दों में, सतत विकास का अर्थ समाज के आर्थिक, सामाजिक और पर्यावरणीय उद्देश्यों को एकीकृत करना है, ताकि भविष्य की पीढ़ियों की आवश्यकताओं को पूरा करने की क्षमता से समझौता किए बिना वर्तमान में मानव कल्याण को अधिकतम किया जा सके।

कथन II-मानव-केंद्रित निदर्श भ्रामक हैं, इनका मुख्य उद्देश्य केवल मानव जीवन को आरामदायक बनाने का एक प्रयास है, ऐसी गतिविधियाँ प्रकृति में मानवीय रुकावट हैं, ये गतिविधियाँ प्रदूषण, खतरों आदि के रूप में भी दुख लाती हैं। हमें निम्नलिखित आरेख पर एक दृष्टि डालने की आवश्यकता है।

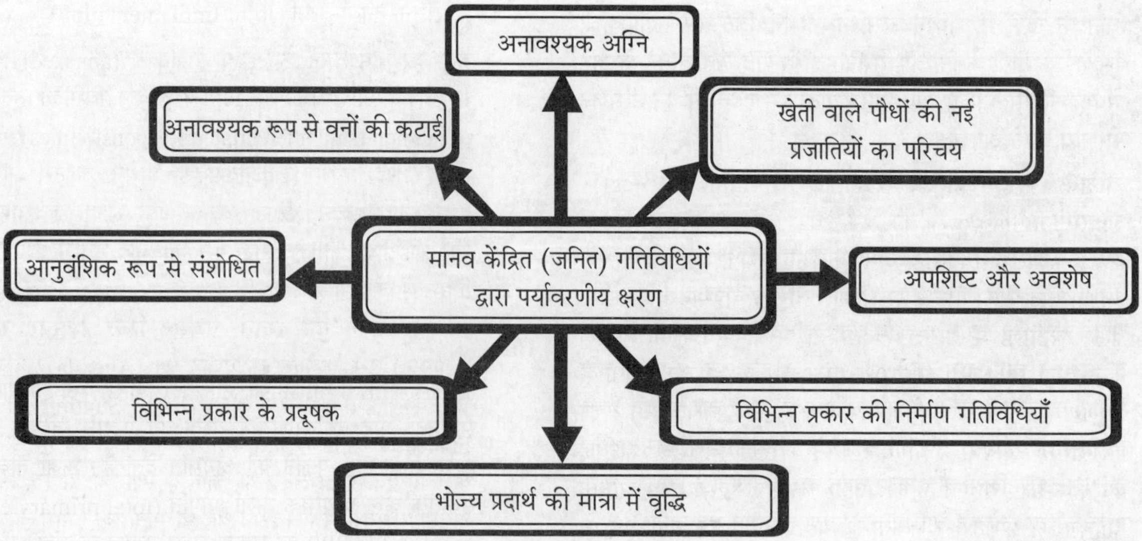

98. (c)

यदि 30 मिनट में पात्र (container) पूरी तरह से बैक्टीरिया से भर जाता है, तो 29 मिनट के अंत में इसे आधा भर दिया गया। यदि हम समय के अनुसार, 28 मिनट तक पीछे की ओर जाते हैं, तो इस पात्र का 1/4 भाग जीवाणुओं से भर गया होगा।

99. (d)

मानवोत्पतिक या मानवजनित (anthropogenic) का अर्थ है कि मनुष्य अपने विकास के लिए उद्योगीकरण, शहरीकरण, और अन्य विकास प्रक्रियाओं में प्रकृति के साथ खिलवाड़ कर बैठता है। यह मूल रूप से पर्यावरण की संभावना (environmental possibilism) पर आधारित है ताकि मनुष्य यह निर्धारित कर सके कि पर्यावरण को किस दिशा में जाना चाहिए। उससे पहले पर्यावरण नियतिवाद (environmental determinism) की अवधारणा थी जिसमें कहा गया था कि अंततः पर्यावरण को अपना मार्ग स्वयं तय करना चाहिए, इसमें प्राथमिकता प्रकृति को ही दी जाती रही है।

हमें प्रश्न में दी गयी सभी घटनाओं को देखने की जरूरत है।

A. चक्रवात (Cyclones)-वे सागर जल के तापमान और दबाव की स्थिति से जुड़े होते हैं। इससे पहले वाले पेपर में चक्रवातों के बारे में विस्तृत चर्चा की गई है। हाल के दशकों में चक्रवातों की आवृत्ति में वृद्धि हुई है।

B. नाभकीय आपदा (Nuclear Disaster)-परमाणु रिएक्टर सहित परमाणु ईंधन चक्र की किसी भी परमाणु सुविधा में, या रेडियोधर्मी स्रोतों का उपयोग करने वाली सुविधा में होने वाली दुर्घटना, जिससे पर्यावरण में बड़े पैमाने पर रेडियोधर्मिता का उत्सर्जन होता है।

C. बाढ़ (Floods)-हाल के दिनों में बाढ़ की आवृत्ति में वृद्धि हुई है क्योंकि इमारतों, सड़कों, कारखानों आदि के रूप में प्राकृतिक संसाधनों के कंक्रीटीकरण के कारण पानी का प्राकृतिक मार्ग बाधित हो गया है। वनों की कटाई बड़े पैमाने पर हुई है। अधिक से अधिक अचानक बाढ़ आती है जो अधिक विनाश का कारण बनती है।

D. ज्वालामुखी (Volcanoes)-वे पृथ्वी के तापमान और दबाव की स्थिति के अनुसार पृथ्वी के भीतर से फूटते हैं, इसलिए मानवजनित गतिविधियाँ इसमें कोई भूमिका नहीं निभाती हैं।

E. जंगल की आग (Forest Fires)-यह मूल रूप से बड़े पैमाने पर जंगल के पेड़ों को जलाना है, कई बार मनुष्य ऐसा विकास या कृषि के क्षेत्र को बढ़ाने के लिए भी ऐसा कर सकता है। ऐसा ऑस्ट्रेलिया के वनों में बहुत बार होता रहा है कि जलवायु परिवर्तन या ग्लोबल वार्मिंग के कारण तापमान बढ़ जाता है।

100. (c)

अभिकथन (A)-चक्रवात समुद्र के स्तर में आश्चर्यजनक वृद्धि का कारण बनते हैं। चक्रवात मिश्रित घटनाएं हैं, जिनमें हवाएं, कई तूफानी तरंगे, तूफानी लहरें (जो सामान्य तौर पर, कई घंटों से लेकर एक दिन तक चलती हैं) और भारी वर्षा से उत्पन्न अंतर्देशीय बाढ़ सम्मिलित हैं। चक्रवात आम तौर पर बड़े पैमाने पर क्षरण या जमाव का कारण बनते हैं-दोनों लंबे और क्रॉस-शोर (किनारा पार करते हुए)। मैंग्रोव जैसे वन और हरित क्षेत्र आमतौर पर हमें बड़ी हानि से बचाते हैं।

कारण (R)-चक्रवात के चार चरण होते हैं-प्रारंभिक अवस्था, अपरिपक्व अवस्था, परिपक्व अवस्था और क्षय अवस्था।

स्थालावतरण (Landfall): यह तब होता है जब तूफान का केंद्र तट के पार चला जाता है। यह अक्सर भारी हवाएं, भारी बारिश, समुद्र के स्तर में वृद्धि करता है जो तटवर्ती क्षेत्र में रहने वाले लोगों के लिए खतरा पैदा कर सकता है।

एक बार जब कोई चक्रवात लैंडफॉल करता है, तो वह अपनी सागरीय ऊर्जा स्रोतों से अलग हो जाता है। जब उष्णकटिबंधीय चक्रवात भूमि की सतह पर पहुँचते हैं, तो वे अपनी ऊर्जा खोने लगते हैं और टिक नहीं पाते हैं। ऐसा इसलिए है क्योंकि उन्हें अब समुद्र से ऊष्मा ऊर्जा और नमी नहीं मिल रही है, जो उन्हें चलाने के लिए आवश्यक है।

101. (a)

पृथ्वी को 'जल ग्रह' के रूप में जाना जाता है, क्योंकि हमारे ग्रह में भूमि से अधिक क्षेत्रफल जल का है।

1. वास्तव में, पृथ्वी का तीन प्रतिशत से भी कम पानी ताजा पानी है, और उसमें से अधिकांश तीन प्रतिशत दुर्गम है।

2. पृथ्वी पर ताजा पानी का 68 प्रतिशत से अधिक बर्फ और हिम आदि (ग्लेशियर सहित) में पाया जाता है।

3. लगभग 30 प्रतिशत ताजा पानी भूमिगत जल है।

3. ताजा पानी का लगभग 0.3 प्रतिशत ही झीलों, नदियों और दलदलों के सतही जल में पाया जाता है।

4. कुल मिलाकर, पृथ्वी का 99 प्रतिशत से अधिक पानी मनुष्यों और कई अन्य जीवित चीजों के लिए अनुपयोगी है।

चूँकि प्रश्न बढ़ती हुए क्रम के रूप में है, अतः (a) सही उत्तर है।

102. (c)

ऊर्जा वह सुनहरा धागा है जो आर्थिक विकास, बढ़ी हुई सामाजिक समानता और पर्यावरणीय स्थिरता को परस्पर जोड़ता है और विश्व को फलने-फूलने की अनुमति देता है। ऊर्जा तीव्रता का संकेतक कुल प्राथमिक ऊर्जा आपूर्ति (total primary energy supply) और PPP पर सकल घरेलू उत्पाद के संदर्भ में है।

सतत विकास लक्ष्यों के लक्ष्य संख्या 7 के तहत, हमें वर्ष 2030 तक ऊर्जा दक्षता में सुधार की वैश्विक दर को दोगुना करने की आवश्यकता है।

NTA परीक्षा में ऊर्जा से संबंधित एक या दो प्रश्न पूछने की संभावना बनी रहती है, इसलिए पारंपरिक ऊर्जा, नवीकरणीय ऊर्जा जैसे सोलर ऊर्जा, वायु ऊर्जा, कार्बन और मीथेन गैस के उत्सृजन, भारत और अन्य देशों के संशोधित लक्ष्य, मुख्य प्रोटोकॉल और समझौते आदि का अध्ययन अवश्य करें।

103. **(a):** जल के क्लोरीनेशन का मुख्य उद्देश्य जीवाणुओं को हटाना या मारना है। इस प्रकार यह एक जल उपचार प्रकिया है जो जल को विषैला होने से रोकती है, जो प्रभावी रूप से हानिकारक बैक्टीरिया, वायरस, और प्रोटोजोआ को नष्ट करती है, जिससे जल का सेवन सुरक्षित हो जाता है। इसके अतिरिक्त, जल उपचार प्रकिया में क्लोरीन का उपयोग लौह और मैंगनीज जैसी अशुद्धियों को ऑक्सीकरण करने में मदद करता है, जिससे कुल जल गुणवत्ता में सुधार होता है। इसके अलावा, क्लोरीनेशन निलंबित कणों को बैठने और हटाने में सहायता करता है, जिससे जल स्पष्ट और सुरक्षित हो जाता है, जिसका विभिन्न उपयोगों, जैसे पीने के लिए, किया जा सकता है।

104. **(b):** ओजोन परत की औसत मोटाई 1 सेमी से कम है। सही उत्तर है (b) <1 सेमी।

105. **(b):** आइए आयन आदान के बारे में कथनों पर एक दृष्टि डालें:

कथन I: आयन आदान को आमतौर पर तृतीय अपशिष्ट जल उपचार प्रकिया के रूप में श्रेणीबद्ध नहीं किया जाता है; यह अक्सर प्राथमिक या द्वितीय उपचार का भाग होता है।

कथन II: आयन आदान का उपयोग आयनों (जैसे कैल्शियम और मैग्नेशियम) को हटाने के लिए किया जाता है, अवशिष्ट निलंबित ठोसों के लिए अनिवार्य नहीं है। कथन I और कथन II दोनों गलत हैं, इसलिए सही उत्तर है (b)।

106. **(d):** कथन I: मॉन्ट्रियल समझौता वास्तव में वर्ष 1987 में हुआ था और 1 जनवरी, 1989 को लागू हुआ था। यह वर्ष 1990 नहीं था, इसलिए यह कथन गलत है।

कथन II: क्योटो समझौता वर्ष 1997 में हुआ था और वर्ष 2005 में लागू हुआ था। यह कथन सत्य है। इसलिए, (d) सही उत्तर है।

107. **(c):** कथन I: यह सत्य है कि कुछ प्रदूषक, जैसे कार्बन टेट्राक्लोराइड, कीटनाशक, और भारी धातुएं, लीवर को नुकसान पहुंचा सकते हैं।

कथन II: यकृत (liver) को नुकसान पहुंचाने वाले विषैले रसायनों को हेपेटोटॉक्सिन, न कि हेमेटोटॉक्सिन कहा जाता है। कथन I सत्य है लेकिन कथन II असत्य है, इसलिए सही उत्तर (c) है।

108. **(a):** 'वायुमंडलीय धुंध' परा सूक्ष्म आकार के विविक्त पदार्थ (ultra fine particulate matter) के कारण होती है, जिसका व्यास 2.5 माइकोन (PM2.5) से कम होता है, ये छोटे कण प्रकाश को बिखेरते और अवशोषित करते हैं, दृश्यता को कम करते हैं, इस प्रकार धुंध जैसी स्थिति पैदा करते हैं। वे श्वसन संबंधी समस्याओं का कारण बनते हैं क्योंकि वे फेफड़ों, रक्त प्रवाह और अन्य अंगों में जाते हैं।

नाइट्रोजन और सल्फर के ऑक्साइड धुंध के निर्माण में योगदान करते हैं लेकिन मुख्य दोषी नहीं हैं। ओजोन धुंध को खराब कर सकती है लेकिन प्राथमिक कारण नहीं है। कार्बन डाइऑक्साइड और कार्बन मोनोऑक्साइड GHG हैं लेकिन सीधे धुंध में योगदान नहीं करती हैं।

109. **(c):** कथन I मुख्य रूप से उनके बड़े सतह क्षेत्र और अद्वितीय रासायनिक गुणों के कारण सही है जो उन्हें प्रश्न कथन में उल्लिखित इन प्रदूषकों को अवशोषित या नीचा करने की अनुमति देते हैं।

कथन II गलत है क्योंकि कुछ धातु के नैनोकण कुछ भारी धातुओं के विरुद्ध प्रभावी हो सकते हैं, अन्य नहीं हैं और उनकी विषाक्तता को बढ़ा भी सकते हैं। सभी नैनो-कण सभी भारी धातुओं के विरुद्ध अप्रभावी नहीं होते हैं।

110. **(c)**

अभिकथन (A): यह मुख्य रूप से जलवायु परिवर्तन, भूमि अवक्रमण या उत्थान जैसे क्षेत्रीय कारकों और ज्वार-भाटा, तूफान और नदी इनपुट जैसे स्थानीय कारकों के कारण वैश्विक औसत समुद्र के स्तर में वृद्धि के कारण होता है।

कारण (R): प्रभाव स्थान के आधार पर काफी भिन्न हो सकता है। उदाहरण के लिए, आर्कटिक और अंटार्कटिक महासागरों के पिघलने का प्रभाव अलग-अलग हो सकता है।

111. **(a):** जल में कार्बनिक पदार्थों में पादप सामग्री, सूक्ष्मजीव (जैसे बैक्टीरिया और शैवाल) पशु अपशिष्ट, और सीवेज और उद्योग से प्रदूषक जैसी चीजें शामिल हैं। जब ये कार्बनिक पदार्थ टूट जाते हैं, तो वे जल में ऑक्सीजन का उपयोग करते हैं। यह एक समस्या हो सकती है क्योंकि यह जलीय जीवन के लिए उपलब्ध ऑक्सीजन को कम कर देता है, जिससे बहुत कम ऑक्सीजन वाले क्षेत्रों में जीव जीवित नहीं रह सकते हैं। इसलिए, जल ऑक्सीजन के स्तर को कम करने में कार्बनिक पदार्थ एक मुख्य कारक है।

112. **(c):** 1 - II, 2 - III, 3 - IV, 4 - I

इनको यूनिट 9 में दी गई सूची से पहचान सकते हैं।

अध्याय

10 उच्च शिक्षा प्रणाली

सीखने के उद्देश्य

- उच्च अधिगम संस्थाएं और प्राचीन भारत में शिक्षा
- स्वतंत्रता के बाद भारत में उच्च अधिगम और शोध का उद्भव
- भारत में प्राचीन, पारंपरिक और गैर-पारंपरिक अधिगम कार्यक्रम
- व्यावसायिक/तकनीकी और कौशल आधारित शिक्षा
- मूल्य शिक्षा और पर्यावरणपरक शिक्षा

1. विश्व में भारत की विशालतम उच्च शिक्षा प्रणाली किन देशों के बाद आती है? **[Jul 2018]**

(1) संयुक्त राज्य अमेरिका (2) ऑस्ट्रेलिया
(3) चीन (4) यूनाइटेड किंग्डम (यू.के.)

नीचे दिए गए कूट में से सही उत्तर को चुनिए :

(a) (1), (2), (3) और (4)
(b) केवल (1), (2) और (3)
(c) केवल (1), (3) और (4)
(d) केवल (1) और (3)

2. प्रधानमंत्री शोध फेलोशिप निम्नलिखित में से किसमें पीएच.डी. कार्यक्रम करने वाले छात्रों के लिये है? **[Jul 2018]**

(a) राज्य और केन्द्रीय विश्वविद्यालय
(b) केन्द्रीय विश्वविद्यालय, आई.आई.एस.सी., आई.आई.टी., एन.आई.टी., आई.आई.एस.ई.आर. और आई.आई.आई.टी.
(c) आई.आई.एस.सी., आई.आई.टी., एन.आई.टी., आई.आई.एस.ई.आर., आई.आई.आई.टी., राज्य और केन्द्रीय विश्वविद्यालय
(d) आई.आई.टी. और आई.आई.एस.सी.

3. विपक्ष का नेता उन समितियों का एक सदस्य होता है, जो चयन करती हैं: **[Jul 2018]**

(1) केन्द्रीय सूचना आयुक्त का
(2) केन्द्रीय सतर्कता आयुक्त का
(3) राष्ट्रीय मानव अधिकार आयोग के अध्यक्ष का
(4) राष्ट्रीय महिला आयोग के अध्यक्ष का

नीचे दिए गए कूट में से सही उत्तर को चुनिए :

(a) (1), (2), (3) और (4)
(b) केवल (1), (2) और (3)
(c) केवल (1), (3) और (4)
(d) केवल (1), (2) और (4)

4. जेन्डर बजटिंग के बारे में निम्नलिखित में से कौनसा कथन सही है? **[Jul 2018]**

(1) यह एक अलग बजट है, जिसमें महिलाओं की विशिष्ट आवश्यकताओं पर ध्यान दिया जाता है।
(2) इसमें महिलाओं पर सरकार के बजट के प्रभाव का मूल्यांकन किया जाता है।
(3) यह एक लेखाविधि कार्य है।
(4) यह एक और बजटिंग-नवोन्मेष है।

नीचे दिए गए कूट में से सही उत्तर को चुनिए:

(a) केवल (2) और (4)
(b) केवल (1) और (4)
(c) केवल (1), (3) और (4)
(d) केवल (2), (3) और (4)

5. भारत में नागरिक-केन्द्रित प्रशासन में निम्नलिखित में से कौनसी बाधाएँ हैं? **[Jul 2018]**

(1) सरकारी नौकरशाहों की सख्त और अनम्य अभिवृत्ति
(2) कानूनों और नियमों का अप्रभावी कार्यान्वयन
(3) नागरिकों के अधिकारों और कर्तव्यों के बारे में जागरुकता
(4) युवाओं के लिए नौकरी के अवसरों का अभाव

नीचे दिए गए कूट में से सही उत्तर को चुनिए :

(a) (1), (2), (3) और (4)

(b) केवल (1), (2) और (3)

(c) केवल (1), (2) और (4)

(d) केवल (1) और (2)

6. वैदिक शिक्षा पद्धति में शिक्षा का माध्यम था: **[Jun 2019]**

(a) संस्कृत (b) पाली

(c) हिन्दी (d) उर्दू

7. अतीत काल में भारत में उच्चतर शिक्षा के अन्तर्गत अधिगम की विधि में शामिल रहा है: **[Jun 2019]**

(a) याद करना, विचारावेशी प्रक्रिया (ब्रेन स्टॉर्मिंग) तथा सेमिनार

(b) याद करना, समीक्षात्मक विश्लेषण तथा कथा वाचन

(c) समीक्षात्मक विश्लेषण, समनुदेश लेखन तथा मौखिक रिपोर्ट

(d) कथावाचन, विचारावेशी प्रक्रिया (ब्रेन स्टॉर्मिंग) तथा सेमिनार

8. 'इन्सपायर स्कॉलरशिप' का किस एजेंसी से वित्तपोषण होता है? **[Jun 2019]**

(a) भारतीय समाज विज्ञान और अनुसंधान परिषद (आईसीएसएसआर)

(b) विश्वविद्यालय अनुदान आयोग (यूजीसी)

(c) विज्ञान और प्रौद्योगिकी विभाग (डीएसटी)

(d) राष्ट्रीय शैक्षणिक अनुसंधान और प्रशिक्षण परिषद् (एनसीईआरटी)

9. राष्ट्रीय पाठ्यचर्चा फ्रेमवर्क का निर्माण किसने किया था? **[Jun 2019]**

(a) यूजीसी (b) एनसीईआरटी

(c) एनसीटीई (d) सीबीएसई

10. यूट्राफिक जल में कैमिकल ऑक्सीजन की मांग होती है- **[Jun 2019]**

(a) निम्न (b) उच्च

(c) मध्यम (d) बिल्कुल निम्न

11. नीचे दिए गए किस काल में भारत में शिक्षा को धक्का लगा? **[Jun 2019]**

(a) ब्रिटिश काल (b) बौद्ध काल

(c) मुगल काल (d) स्वातंत्र्योत्तर काल

12. आधुनिक भारतीय विश्वविद्यालय की स्थापना किस वर्ष में हुई? **[Jun 2019]**

(a) 1957 (b) 1857

(c) 1947 (d) 1964

13. निम्नलिखित में से किस शिक्षा आयोग की रिपोर्ट में उपशीर्षक 'राष्ट्रीय विकास के लिए शिक्षा' दिया गया था? **[Jun 2019]**

(a) राधाकृष्णन आयोग

(b) मुदालियर आयोग

(c) कलकत्ता विश्वविद्यालय शिक्षा आयोग

(d) कोठारी आयोग

14. SANKALP का विस्तार है: **[Jun 2019]**

(a) संस्कृत अवेयरनेस एण्ड नॉलिज एक्विजीशन ऑफ लेंग्वेज प्रोग्राम

(b) स्किल्स, एक्वीजीशन एण्ड कराटे अवेयरनेस फोर लाइवलीहुड प्रोमोशन

(c) स्किल्स, एक्वीजीशन एण्ड नॉलेज अवेयरनेस फोर लाइवलीहुड प्रोमोशन

(d) संस्कृत अवेयरनेस एण्ड नॉलेज एक्वीजीशन फोर लाइवलीहुड प्रोमोशन

15. भारत का संविधान सभी अल्पसंख्यकों द्वारा अपनी पसंद का शैक्षणिक संस्थान स्थापित करने के अधिकार का उपबंध करता है। **[Jun 2019]**

(a) अनुच्छेद 30(1) (b) अनुच्छेद 29

(c) अनुच्छेद 33 (d) अनुच्छेद 16(2)

16. एसडब्ल्यूएवाईएम (स्वयं) का अर्थ है: **[Jun 2019]**

(a) स्टडी वर्ल्ड ऑफ ऐक्शन-लर्निंग फॉर यंग एस्पायरिंग माइन्डस

(b) स्टडी वेब्स ऑफ ऐक्टिव-लर्निंग फॉर यंग एस्पायरिंग माइन्डस

(c) स्टुडेन्ट वर्ल्ड ऑफ ऐक्शन-लर्निंग फॉर यंग एलिंग माइन्डस

(d) स्टडी वेब्स ऑफ ऐक्टिव-लर्निंग फॉर यूथ अवेयरनेस माइन्डस

17. निम्नलिखित प्रतिवेदनों में से किसने परीक्षा प्रणाली की शैक्षणिक, तकनीकी और प्रशासनिक समस्याओं को सम्बोधित किया? **[Jun 2019]**

(a) रिपोर्ट ऑन स्टैन्डर्ड्स ऑफ द एजुकेशनल सिस्टम (1965)

(b) रिपोर्ट ऑफ यूनिवर्सिटी एजुकेशन कमीशन (1948-49)

(c) सार्जेन्ट रिपोर्ट (1944)
(d) हार्टाग कमिटी रिपोर्ट (1929)

18. भारत में महाविद्यालयों से सम्बद्धता की वर्तमान प्रणाली किस वर्ष शुरू हुई: **[Jun 2019]**

(a) 1857 (b) 1948
(c) 1928 (d) 1966.

19. बाजार अर्थव्यवस्था की मांग को पूरा करने एवं योग्य स्नातक तैयार करने हेतु, जो अंतर्राष्ट्रीय बाजार में अपने समकक्षों से प्रतिस्पर्द्धा कर सके, वर्तमान भारतीय उच्च शिक्षा में सर्वप्रथम और महत्वपूर्ण परिवर्तन निम्नलिखित में से किससे जुड़ा है? **[Dec 2019]**

(a) प्रवेश प्रक्रिया
(b) पाठ्यक्रम
(c) शैक्षिक प्रौद्योगिकी
(d) शिक्षकों की नियुक्ति

20. इनमें से कौनसी कौशल विकास और उद्यमिता मंत्रालय की अग्रणी योजना है जिसका क्रियान्वयन राष्ट्रीय कौशल विकास निगम द्वारा किया गया है? **[Dec 2019]**

(a) रोबोटिक्स इंडिया
(b) आर्टिफिशियल इंटेलीजेंस @ स्कूल
(c) मेक इन इंडिया
(d) प्रधान मंत्री कौशल विकास योजना

21. चार वेदों के काल में विद्यार्थियों को निम्नलिखित में से किस संस्कार के उपरांत वैदिक विद्यालयों में भेजा जाता था? **[Dec 2019]**

(a) उपनयन संस्कार (b) उत्सर्जन संस्कार
(c) शत्पथ ब्राह्मण (d) धनुर्विधा संस्कार

22. राष्ट्रीय मानक एवं गुणवत्ता सुनिश्चित करने की दृष्टि से निम्नलिखित में से किसमें एक राष्ट्र एक मानक का मंत्र के रूप में उल्लेख किया गया है? **[Dec 2019]**

(a) राष्ट्रीय शिक्षा नीति - 1968
(b) राष्ट्रीय शिक्षा नीति - 1986
(c) राष्ट्रीय कौशल विकास एवं उद्यमिता नीति - 2015
(d) नीति आयोग त्रिवर्षीय कार्यक्रम सूची 2017-18 से 2019 - 2020

23. अपारंपरिक शिक्षण तथा अधिगम रणनीतियों में बल दिया गया है: **[Dec 2019]**

(i) छात्रों की आवश्यकता आधारित संसाधन सामग्री तथा अधिगम मानकों पर
(ii) कौशल, अभिवृत्ति तथा मूल्यों के विकास पर
(iii) संवृत चिंतन प्रक्रिया के संवर्धन पर
(iv) व्याख्यान आधारित मॉडल पर
(v) सृजनात्मक तरीके से प्रतिक्रिया देने हेतु आवश्यक ज्ञान प्राप्त करने पर

निम्नलिखित विकल्पों में से सही उत्तर का चयन कीजिए:

(a) (i), (ii) और (v)
(b) (ii), (iii) और (iv)
(c) (iii), (iv) और (v)
(d) (i), (iv) और (v)

24. नीचे दी गयी सूची में से विशेष रूप से संगठनात्मक विशिष्टाचार (ईथॉस) से संबंधित मूल्यों की पहचान कीजिए: **[Dec 2019]**

(i) उपागम में टीम वर्क
(ii) कार्य की उत्पादकता
(iii) वैश्विक विषय सामग्री में बदलाव
(iv) वित्तीय सुरक्षा
(v) दूसरों की चिंताओं के शमन में विनम्रता दिखाना
(vi) प्रौद्योगिक संसाधन

निम्नलिखित विकल्पों में से सही उत्तर का चयन कीजिए:

(a) (i), (iii) और (vi)
(b) (iii), (iv) और (v)
(c) (ii), (iii) और (iv)
(d) (i), (ii) और (v)

25. निम्नलिखित में से कौन सा सहस्त्राब्दि विकास लक्ष्य (एम डी जी) नहीं है? **[Dec 2019]**

(a) अत्यधिक निर्धनता और भूख का उन्मूलन
(b) मातृ स्वास्थ्य में सुधार
(c) सभी आयु-वर्ग के व्यक्तियों के लिए स्वस्थ जीवन को सुनिश्चित करना और खुशहाली को बढ़ाना
(d) पर्यावरणीय संपोषणीयता को सुनिश्चित करना

26. निम्नलिखित से उस कालावधि को चुनिए जिसमें भारत उच्च शिक्षा का केन्द्र बना: **[Dec 2019]**

(a) गुप्त काल (b) बुद्ध काल
(c) मुगल काल (d) ब्रिटिश काल

27. निम्नलिखित में से ऐसी वैकल्पिक विशिष्टताओं को चुनिए जो मुक्त विश्वविद्यालयों को गैर पारंपरिक विश्वविद्यालय बनाती है: **[Dec 2019]**

(1) शिक्षण और ज्ञानार्जन के नवाचारी तरीके
(2) प्रवेश, पाठ्यक्रम और मूल्यांकन के नवाचारी तरीके

(3) आधुनिक संप्रेषण तकनीक

(4) शिक्षकों का मित्रवत व्यवहार

सही विकल्प चुनिए:

(a) केवल (2), (3) और (4)

(b) केवल (1), (2) और (3)

(c) केवल (1), (3) और (4)

(d) केवल (1), (2) और (4)

28. ई-शासन के संबंध में निम्नलिखित में से कौन से कथन सही हैं? **[Dec 2019]**

(1) ह्रासमान पारदर्शिता ई-शासन का एक आईसीटी समर्थित लाभ है।

(2) ई-शासन का संबंध सरकारी प्रक्रियाओं और कार्यों में आईसीटी के क्रियान्वयन से संबंधित है।

(3) सामूहिक सेवा केन्द्र (सीएसी) ई-शासन संबंधित सेवाओं को उपलब्ध कराने और उनके प्रयोग में सहायक है।

सही विकल्प चुनिए:

(a) (1), (2) और (3)
(b) केवल (2) और (3)
(c) केवल (1) और (3)
(d) केवल (1) और (2)

29. निम्नलिखित स्थानों को ज्ञानार्जन के उनके विशिष्ट विषयों के साथ सुमेलित कीजिए: **[Dec 2019]**

सूची-I (ऐतिहासिक स्थान)	सूची-II (विद्या)
(1) तक्षशिला	(i) खगोल शास्त्र
(2) उज्जैन	(ii) बौद्धधर्म
(3) सारनाथ	(iii) कला, वास्तुकला और चित्रकला
(4) अजंता	(iv) चिकित्सा

निम्नलिखित में से सही विकल्प चुनिए:

(a) (1)-(i), (2)-(ii), (3)-(iii), (4)-(iv)

(b) (1)-(ii), (2)-(i), (3)-(iv), (4)-(iii)

(c) (1)-(iii), (2)-(iv), (3)-(ii), (4)-(i)

(d) (1)-(iv), (2)-(i), (3)-(ii), (4)-(iii)

30. नीचे दो कथन दिए गए हैं- एक को अभिकथन (A) और दूसरे तर्क (R) कहा गया है: **[Dec 2019]**

अभिकथन (A) : भारत सरकार ने शिक्षा की गुणवत्ता सुनिश्चित करने के लिए उच्च शिक्षा के सर्वाधिक निकायों की स्थापना की है।

तर्क (R) : भारत में कुछ शैक्षणिक संस्थान ऐसे हैं जो गुणवत्तापूर्ण शिक्षा प्रदान नहीं करते हैं।

उपर्युक्त दोनों कथनों के संदर्भ में, सही विकल्प चुनिए:

(a) (A) और (R) दोनों सही हैं और (A) की सही व्याख्या (R) है।

(b) (A) और (R) दोनों सही हैं परन्तु, (A) की सही व्याख्या (R) नहीं है।

(c) (A) सही है परन्तु, (R) गलत है।

(d) (A) गलत है परन्तु, (R) सही है।

31. 'ई-गवर्नेंस' के लिए निम्नलिखित में से कौन सा विवरण उपयुक्त है? **[Dec 2019]**

(a) नागरिकों को भागीदार, सक्षम और सशक्त बनाना

(b) नागरिकों को उचित और पक्षपात रहित सेवायें देना

(c) प्रौद्योगिकी चालित प्रशासन देना

(d) ई-कॉमर्स अनुप्रयोगों में जनता का विश्वास सुनिश्चित करना

32. भारत में उच्चतर शिक्षा के क्षेत्र में वर्तमान में क्या चुनौतियां हैं? **[Dec 2019]**

(1) विस्तार
(2) साम्यता
(3) निधियां
(4) परीक्षा सुधार
(5) उत्कृष्टता
(6) प्रवेश परीक्षाएं

नीचे दिए गए विकल्पों में से सही उत्तर चुनिए:

(a) (1), (2) और (6)

(b) (2), (3) और (5)

(c) (3), (4) और (6)

(d) (1), (2) और (5)

33. निम्नलिखित में से किसने प्रत्येक राज्य में राज्य उच्च शिक्षा परिषद् की स्थापना की सिफारिश की थी? **[Dec 2019]**

(a) प्राक्कलन समिति (1965-66) की रिपोर्ट

(b) यूजीसी (1977) शिक्षा मंत्रालय की समीक्षा समिति

(c) राष्ट्रीय शिक्षा निति (1986)

(d) यूजीसी समिति की रिपोर्ट (1990)

34. निम्नलिखित में से यूजीसी के सांविधिक कार्य क्या हैं? **[Dec 2019]**

(a) विश्वविद्यालयों में शिक्षक संकाय की नियुक्ति करना।

(b) विश्वविद्यालयों में परीक्षा आयोजन को नियंत्रित करना।

(c) विश्वविद्यालयों में शिक्षण और शोध के स्तर का निर्धारण करना और उसे बनाए रखना।

(d) विश्वविद्यालय पाठ्यक्रम के लिए पाठ्यचर्या का निर्माण करना।

35. निम्नलिखित में से कौन विद्वान नालंदा विश्वविद्यालय से धर्मग्रंथ अपने साथ वापस ले गये और इस विश्वविद्यालय की वास्तुकला और अधिगम के बारे में लिखा ? **[Dec 2019]**

(a) किम हुआंग (कोरिया)
(b) जिन टैन यान (कोरिया)
(c) व्हैंग सांग (चीन)
(d) जुन्हा मेंग (चीन)

36. प्राचीन भारत में विहार केन्द्रित विश्वविद्यालय निम्नलिखित में से किन स्थानों पर स्थित थे ? **[2020]**

(1) नवदीप (2) नालंदा
(3) वल्लभी (4) जगदला
(5) काँची

नीचे दिए गए विकल्पों में से सही उत्तर चुनिए:

(a) केवल (1), (2) (3)
(b) केवल (2), (3), (4)
(c) केवल (3), (4), (5)
(d) केवल (4), (5), (1)

37. मूल्य स्पष्टीकरण प्रक्रिया में अपनाए जानेवाले चरणों को व्यवस्थित करें। **[2020]**

(1) विद्यार्थियों को एक मुद्दा दिया जाता है।
(2) विद्यार्थी वैकल्पिक समाधान सुझाते हैं।
(3) विद्यार्थी प्रत्येक विकल्प के बारे में अपनी भावनाएं प्रकट करते हैं।
(4) विद्यार्थी प्रत्येक विकल्प के परिणामों पर विचार करते हैं।
(5) विद्यार्थी अपनी प्राथमिकताएं व्यक्त करते हैं और एक विकल्प चुनते हैं।

नीचे दिए गए विकल्पों में से सही उत्तर चुनिए:

(a) (1), (2), (3), (4), (5)
(b) (1), (2), (4), (3), (5)
(c) (1), (3), (2), (4), (5)
(d) (1), (2), (5), (3), (4)

38. शिक्षा के संबंध में हाल ही में किए गए अखिल भारत सर्वेक्षण के अनुसार, भारत में वर्ष 2018-19 हेतु उच्च शिक्षा में सकल नामांकन अनुपात (जीईआर) है- **[2020]**

(a) 24.6% (b) 25.6%
(c) 26.3% (d) 27.8%

39. यूजीसी पोर्टल 'e-STARTS' निम्नलिखित में से किसके लिए है? **[2020]**

(a) विज्ञान और प्रौद्योगिकी में अनुसंधान के लिए विशेष सहायता
(b) विज्ञान में प्रशिक्षण और अनुसंधान के लिए विशेष सहायता
(c) समाज विज्ञान में शैक्षिक एवं शोध प्रशिक्षण के लिए समर्थन
(d) स्कॉलरशिप फेलोशिप अवार्ड रजिस्ट्रेशन ट्रेकिंग सिस्टम

40. उच्च शिक्षा के क्षेत्र में मानित विश्वविद्यालय (डिम्ड टू बी यूनिवर्सिटी) का दर्जा पाने की इच्छा रखने वाली किसी संस्था को निम्नलिखित मानदंड पूरे करने होते हैं: **[2020]**

(1) संस्था को कम से कम दस वर्ष पुराना होना चाहिए।
(2) उसका नैक (NAAC) का सीजीपीए कम से कम 3.26 हो।
(3) संस्थाओं और विश्वविद्यालयों की समग्र श्रेणियों में एन आई आर एफ के शीर्ष 100 रैंक में उसका नाम होना चाहिए।
(4) संस्था में शिक्षक-विद्यार्थी अनुपात कम से कम 1:20 होना चाहिए।
(5) शिक्षकों (संकाय) की संख्या कम से कम 50 हो।

नीचे दिए गए विकल्पों में से सही उत्तर चुनिए:

(a) केवल (1), (2) (3) और (4)
(b) केवल (2), (3) और (4)
(c) केवल (2), (3), (4) और (5)
(d) केवल (1), (3), (4) और (5)

41. प्राचीन भारत में निम्नलिखित में से शिक्षा का प्रमुख लक्ष्य क्या था ? **[2020]**

(a) मुक्ति या उद्धार
(b) शारीरिक विकास
(c) व्यावसायिक आवश्यकताओं की पूर्ति
(d) सामाजिक मूल्यों का अंर्तनिविष्टीकरण

42. उच्चतर शिक्षा तक पहुंच के अवसर विस्तारित करने के लिए मुक्त विश्वविद्यालय प्रणाली का आरंभ करने की आवश्यकता है। निम्नलिखित में से किसके द्वारा उस पर बल दिया गया: **[2020]**

(a) विश्वविद्यालय शिक्षा आयोग (1948-49)
(b) शिक्षा आयोग (1964-66)
(c) शिक्षा पर राष्ट्रीय नीति (1968)
(d) शिक्षा पर राष्ट्रीय नीति (1986)

43. भारतीय दर्शन की निम्नलिखित कौन सी प्रणाली वेदों के प्रति विरोधात्मक है? **[2020]**

(1) पूर्व मीमांसा (2) उत्तर मीमांसा
(3) बौद्ध मत (4) जैन मत
(5) चार्वाक

नीचे दिये गये विकल्पों से सही उत्तर चुनिये:

(a) केवल (1), (2) और (3)
(b) केवल (2), (3) और (4)
(c) केवल (3), (4) और (5)
(d) केवल (4), (5) और (1)

44. नीचे दो कथन दिए गए हैं: **[2020]**

कथन (I): संस्थागत स्वायत्तता, शैक्षणिक स्वतंत्रता की गारंटी देती है।

कथन (II): संस्थागत स्वायत्तता के बिना शैक्षणिक स्वतंत्रता संभव नहीं है।

उपर्युक्त कथनों के आलोक में निम्नांकित विकल्पों में से सही सर्वाधिक उपर्युक्त उत्तर चुनें:

(a) कथन I और II दोनों सही हैं।
(b) कथन I और II दोनों सही नहीं हैं।
(c) कथन I सही है किंतु कथन II सही नहीं है।
(d) कथन I सही नहीं है किंतु कथन II सही है।

45. डेलर्स आयोग की रिपोर्ट में वर्णित 'शिक्षा के चार स्तम्भों' में से निम्नलिखित कौन सा स्तम्भ 'वसुधैव कुटुम्बकम' के भारतीय मूल्य को दर्शाता है? **[2020]**

(a) जानने के लिए अधिगम
(b) करने के लिए अधिगम
(c) होने के लिए अधिगम
(d) सहयोग के साथ जीने के लिए अधिगम

46. चीन के विद्वान ई-किंग और जुआन -जैंग ने ऐतिहासिक नालंदा विश्वविद्यालय में दौरा किया: **[2020]**

(a) 5वीं शताब्दी ई. में
(b) 7वीं शताब्दी ई. में
(c) 105वीं शताब्दी ई. में
(d) 12वीं शताब्दी ई. में

47. किस वर्ष में, केंद्र सरकार ने यह निर्णय लिया कि लोक विधियों से केन्द्रीय विश्वविद्यालयों और अन्य विश्वविद्यालयों तथा उच्चतर शिक्षण संस्थानों को सहायता अनुदान के आवंटन से संबंधित सभी मामले विश्वविद्यालय अनुदान आयोग को भेजे जाएं? **[2020]**

(a) 1952 (b) 1953
(c) 1954 (d) 1956

48. नीचे दो कथन दिए गए हैं: **[2020]**

कथन I: केंद्रीय/ राज्य

कथन II: यूजीसी अधिनियम, 1956 की धारा (3) के अंतर्गत यूजीसी की सलाह पर केंद्र सरकार की अधिसूचना द्वारा मानित विश्वविद्यालय घोषित किए जाते हैं।

उपर्युक्त कथनों के आलोक में निम्नांकित विकल्पों में से सही उत्तर चुनें:

(a) कथन-I और II दोनों सही हैं।
(b) कथन-I और II दोनों गलत हैं।
(c) कथन-I सही है, किन्तु कथन-II सही नहीं है।
(d) कथन-I सही नहीं है, किन्तु कथन-II सही है।

49. जेक्स डेलर्स की अध्यक्षता वाले इक्कीसवीं सदी के लिए शिक्षा संबंधी अंतर्राष्ट्रीय आयोग के अनुसार 21वीं सदी के दौरान निम्नलिखित में से कौन से तनाव देखे जाएंगे? **[2020]**

1. वैश्विक और स्थानिक के बीच तनाव
2. पारंपरिक और आधुनिकता के बीच तनाव
3. आध्यात्मिक और भौतिक के बीच तनाव
4. गरीब और अमीर के बीच तनाव
5. विकसित और विकासशील समाजों के बीच तनाव

नीचे दिए गए विकल्पों में से सर्वाधिक उपयुक्त उत्तर चुनें:

(a) केवल 1, 2 और 3
(b) केवल 2, 3 और 4
(c) केवल 3, 4 और 5
(d) केवल 4, 5 और 1

50. नीचे दो कथन दिए गए हैं: **[2020]**

कथन (I) : 'स्वयम् (SWAYAM)' भारत सरकार की एक पहल है जिसका उद्देश्य नागरिकों को सामर्थ्यनुसार और गुणवत्तापरक शिक्षा मुहैया कराना है।

कथन (II) : 'स्वयम् (SWAYAM)' का उद्देश्य किशोरियों के बीच शिक्षा और स्वास्थ्य को बढ़ावा देना है।

उपर्युक्त कथनों के आलोक में निम्नांकित विकल्पों में से सही उत्तर चुनें:

(a) कथन I और II दोनों सही हैं।
(b) कथन I और II दोनों गलत हैं।
(c) कथन I सत्य है किंतु कथन II गलत है।
(d) कथन I असत्य है किंतु कथन II सही है।

51. निम्नलिखित में से किस प्रकार की संस्थाएं राष्ट्रीय प्रमाणन बोर्ड (एन बी ए) के क्षेत्राधिकार के अंतर्गत आती हैं? **[2020]**

(a) शिक्षक शिक्षण संस्थाएं
(b) तकनीकी संस्थाएं
(c) कृषि संस्थाएं
(d) चिकित्सा संस्थाएं

52. किसी विश्वविद्यालय के किस सांविधिक निकाय के पास अध्ययन कार्यक्रमों और पाठ्यक्रमों को औपचारिक अनुमोदन देने की शक्ति होती है? **[2020]**

(a) सीनेट (b) सिण्डीकेट
(c) विद्वत परिषद (d) बोर्ड आफ स्टडीज

53. शिक्षा पर भारत की पहली राष्ट्रीय नीति निम्नलिखित किस समिति/आयोग की अनुशंसाओं का परिणाम थी? **[2020]**

(a) कोठारी आयोग
(b) मुदालियर आयोग
(c) राममूर्ति पुनरीक्षण समिति
(d) राधाकृष्णन आयोग

54. एम एच आर डी की योजना 'एन ई ए टी' का लक्ष्य है: **[2020]**

(a) उच्च शिक्षा में बेहतर अधिगम परिणाम
(b) मेडिकल प्रवेश परीक्षा को सरल बनाना
(c) बेहतर वित्तीय संसाधन प्रबंधन
(d) स्वच्छ भारत अभियान के अंतर्गत 'स्वच्छ' परिसरों का संस्थापन

55. प्रथम राष्ट्रीय खेल विश्वविद्यालय (केंद्रीय विश्वविद्यालय) किस राज्य में है? **[2020]**

(a) हरियाणा (b) मणिपुर
(c) अरुणाचल प्रदेश (d) पंजाब

56. निम्नलिखित समितियों/आयोगों में से किसने अपने प्रतिवेदन में अनुशंसा की कि राष्ट्रीय अर्थव्यवस्था को तीव्र करने के लिए विज्ञान शिक्षा एवं शोध को उच्च प्राथमिकता प्राप्त होना चाहिए? **[2020]**

(a) आचार्य नरेन्द्रदेव समिति
(b) मुदालियर आयोग
(c) राधाकृष्णन आयोग
(d) कोठारी आयोग

57. निम्नलिखित में से कौन-कौन 'समविश्वविद्यालय' है: **[Nov 2021]**

(A) एन सी ई आर टी
(B) नीपा (एन आई ई पी ए)
(C) जामिया हमदर्द
(D) जामिया मिलिया इस्लामिया
(E) आईआईटी

नीचे दिए गए विकल्पों में से सही उत्तर का चयन कीजिए:

(a) केवल A और B (b) केवल B और C
(c) केवल B और D, (d) केवल D, और E,

58. रूसा (RUSA) का प्रमुख उद्देश्य है निम्नलिखित का सुधार करना: **[Nov 2021]**

(A) पहुँच (B) शब्द जाँच लें
(C) गुणवत्ता (D) आधरिक संरचना
(E) पाठ्यचर्या

नीचे दिए गए विकल्पों में से सही उत्तर का चयन कीजिए:

(a) केवल A, B और E, (b) केवल A, B, और C,
(c) केवल B, C और D, (d) केवल C, D, और E,

59. सूची-I को सूची-II से सुमेलित कीजिए: **[Nov 2021]**

सूची-I (विवरण)	सूची-II (उपयुक्त तकनीकी शब्द)
(A) एन आई ई पी ए	I. तकनीकी शिक्षा में गुणवत्ता
(B) एन ए ए सी	II. समाज विज्ञान में शोध को बढ़ावा देना
(C) ए आई सी टी ई	III. शिक्षा नियोजन व प्रबंधन
(D) आई सी एस एस आर	IV. उच्च शिक्षा संस्थाओं का प्रत्यायन

निम्नलिखित विकल्पों में से सही उत्तर चुनिए:

(a) (A)–(III), (B)–(IV), (C)–(I), (D)–(II)
(b) (A)–(III), (B)–(IV), (C)–(II), (D)–(I)
(c) (A)–(IV), (B)–(II), (C)–(I), (D)–(III)
(d) (A)–(IV), (B)–(III), (C)–(II), (D)–(I)

60. एन ई पी- 2020 की अनुशंसा है कि बी.एड. कार्यक्रम की अवधि निम्नलिखित होगी: **[Nov 2021]**

(A) एक वर्ष (B) दो वर्ष
(C) तीन वर्ष (D) चार वर्ष
(E) पांच वर्ष

नीचे दिए गए विकल्पों में से सही उत्तर चुनिए:
(a) केवल A, B और D,
(b) केवल A, B और C
(c) केवल B, C और D
(d) केवल C, D, और E,

61. सी.बी.एस.सी. अपने विद्यार्थियों को निम्नलिखित में से कोर्स चुनने का अवसर प्रदान करता है: **[Nov 2021]**

(A) मूल (कोर) कोर्स
(B) पर्यावरणीय शिक्षा
(C) तीन वर्ष
(D) ऐच्छिक कोर्स
(E) योग्यता संवर्धन कोर्स

नीचे दिए गए विकल्पों में से सही उत्तर चुनिए:
(a) केवल A, B और C
(b) केवल A, D और E
(c) केवल B, C और D
(d) केवल C, D, और E

62. सूची-I को सूची-II से सुमेलित कीजिए: **[Nov 2021]**

सूची-I (शक्ति सम्प्रेषण की संकल्पना)	सूची-II (लक्षण की विवरण)
(A) वैध शक्ति	I. विशिष्टीकृत ज्ञान
(B) प्रतीक शक्ति	II. पद हैसियत के कारण
(C) पुरस्कार शक्ति	III. जब दूसरे आप जैसा होना चाहते हैं
(D) विशेषज्ञ शक्ति	IV. उस पर नियंत्रण जो दूसरे चाहते हैं

निम्नलिखित विकल्पों में से सही उत्तर चुनिए:
(a) (A)–(I), (B)–(II), (C)–(III), (D)–(IV)
(b) (A)–(II), (B)–(III), (C)–(IV), (D)–(I)
(c) (A)–(III), (B)–(IV), (C)–(I), (D)–(II)
(d) (A)–(IV), (B)–(I), (C)–(II), (D)–(III)

63. प्राचीन काल के वे विश्वविद्यालय जिन्हें यूनेस्को ने धरोहर स्थल घोषित किया है: **[2021]**

A. मिथिला B. वल्लभी
C. पुष्पगिरी D. तक्षशिला
E. नालंदा

नीचे दिए गए विकल्पों में से सही उत्तर का चयन कीजिए:
(a) केवल A और B
(b) केवल B और C
(c) केवल C और D
(d) केवल D और E

64. सूची-I को सूची-II से सुमेलित कीजिए: **[2021]**

सूची-I	सूची-II
A. विधि शिक्षा के मानक स्थापित करना।	I. एन सी टी ई
B. तकनीकी शिक्षा की गुणवत्ता को बनाए रखना।	II. ए आई सी टी ई
C. शिक्षक शिक्षा के मानकों को बनाए रखना।	III. एन एम सी
D. गुणवत्तापूर्ण और वहन करने योग्य चिकित्सा शिक्षा तक पहुँच।	IV. बी सी आई

नीचे दिए गए विकल्पों में से सही उत्तर चुनिए:
(a) A-I, B-II, C-IV, D-III
(b) A-II, B-III, C-IV, D-I
(c) A-III, B-IV, C-I, D-II
(d) A-IV, B-II, C-I, D-III

65. 'स्वयंप्रभा' के प्रेषण और प्रसारण के लिए प्रयोग किए जाने वाले उपग्रह को कहते हैं- **[2021]**

(a) एडुसैट उपग्रह
(b) जीसैट - 15 उपग्रह
(c) जीसैट - 3 उपग्रह
(d) एसपी - एडु - 15 उपग्रह

66. निम्नलिखित में से केंद्रीय विश्वविद्यालय कौन - से हैं? **[2021]**

A. डॉ. बाबासाहेब अंबेडकर मुक्त विश्वविद्यालय
B. जामिया मिलिया इस्लामिया
C. पंजाब विश्वविद्यालय
D. पंजाबी विश्वविद्यालय
E. मुंबई विश्वविद्यालय

नीचे दिए गए विकल्पों में से सही उत्तर का चयन कीजिए:

(a) केवल A और B (b) केवल B और C

(c) केवल C और D (d) केवल C और E

67. स्वतंत्र भारत में पहला शिक्षा आयोग है? **[2021]**

(a) राष्ट्रीय ज्ञान आयोग

(b) माध्यमिक शिक्षा आयोग

(c) शिक्षा आयोग

(d) विश्वविद्यालय शिक्षा आयोग

68. भारत में उच्च शिक्षा में लिंग समानता सूचकांक है: **[2021]**

(a) $\frac{0.98}{0.98}$ (b) $\frac{0.99}{0.99}$

(c) $\frac{1.1}{1.1}$ (d) $\frac{1}{1}$

69. राष्ट्रीय शिक्षा नीति-20 के अनुसार एन. आर. एफ की प्राथमिक गतिविधियाँ होंगी - **[2021]**

(1) प्रतियोगी संवर्गियों द्वारा पुनर्वेक्षित उत्कृष्ट-कोटि के प्रस्तावों को जो सभी प्रकार के विषयों से संबद्ध होंगे, वित्तीय सहायता प्रदान करना।

(2) शोध और नवाचार के नए संस्थानों की स्थापना करना।

(3) शोधकर्ताओं और संबद्ध सरकारी प्रभागों और उद्यमों के बीच कड़ी के रूप में कार्य करना।

(4) स्कूल स्तर पर पाठ्यक्रम में शोध को शामिल करना।

नीचे दिए गए विकल्पों में से सबसे उपयुक्त उत्तर का चयन कीजिए:

(a) केवल (1) और (2)

(b) केवल (1) और (3)

(c) केवल (2) और (3)

(d) केवल (3) और (4)

70. निम्नलिखित में से उन मूल्यों की पहचान कीजिए जिन्हें 'सात्विक मूल्य' की संज्ञा दी गई है। **[2021]**

(A) करुणा (B) ईर्ष्या

(C) सम्मान (D) असत्यता

नीचे दिए गए विकल्पों में से सबसे उपयुक्त उत्तर का चयन कीजिए:

(a) केवल (A) और (B)

(b) केवल (B) और (C)

(c) केवल (C) और (D)

(d) केवल (A) और (C)

71. नई शिक्षा नीति के अनुसार माध्यमिक शिक्षा में निम्नलिखित कक्षाएँ शामिल हैं - **[2021]**

(a) VIII – X (b) X–XII

(c) IX–X (d) IX–XII

72. प्राकृत भाषा की संस्कृत के साथ बहुत से स्तरों पर समानताएँ और विभिन्नताएँ हैं। प्राकृत भाषा जब साहित्यिक प्रयोग के लिए सूत्रबद्ध की गई तब जिस पारंपरिक वैदिक भाषा से उसकी भिन्नता थी, वह थी - **[2021]**

(a) पाली (b) अर्द्धमगधी

(c) अपभ्रंश (d) हिन्दी

73. वुड के घोषणापत्र के परिणामस्वरूप, निम्नलिखित में से कौन से विश्वविद्यालय की स्थापना सन् 1857 में हुई? **[2021]**

(a) कलकत्ता, बम्बई और मद्रास

(b) बम्बई, मद्रास और दिल्ली

(c) दिल्ली, बम्बई और कलकत्ता

(d) मद्रास, कलकत्ता और दिल्ली

74. 'स्वयं' प्लेटफार्म पर आरंभ किए जाने वाले पाठ्यक्रमों का राष्ट्रीय समन्वयक कौन है? **[2021]**

(a) एआईसीटीई (b) एनसीईआरटी

(c) एनपीटीईएल (d) यूजीसी

75. सूची-I को सूची-II से सुमेलित कीजिए: **[2021]**

सूची-I	सूची-II
(1) विश्वविद्यालयों की अधिकतम संख्या वाला राज्य	(i) सिक्किम
(2) विश्वविद्यालयों की न्यूनतम संख्या वाला राज्य	(ii) राजस्थान
(3) उच्च शिक्षा में उच्चतम जीईआर वाला राज्य	(iii) बिहार
(4) उच्च शिक्षा में निम्नतम जीईआर वाला राज्य	(iv) मिजोरम

नीचे दिए गए विकल्पों में से सही उत्तर चुनिए:

(a) (1)–(i), (2)–(ii), (3)–(iv), (4)–(iii)

(b) (1)–(ii), (2)–(iv), (3)–(iii), (4)–(i)

(c) (1)–(iii), (2)–(iv), (3)–(i), (4)–(ii)

(d) (1)–(ii), (2)–(iv), (3)–(i), (4)–(iii)

76. भारत में सबसे पुराना विश्वविद्यालय कौन सा था? [2021]

(a) नालंदा (b) तक्षशिला

(c) विक्रमशिला (d) मिथिला

77. केंद्रीय विश्वविद्यालय - [2021]

(1) यूजीसी द्वारा स्थापित किए जाते हैं।

(2) संसद के एक अधिनियम द्वारा स्थापित किए जाते हैं।

(3) भारत सरकार के शिक्षा विभाग द्वारा स्थापित किए जाते हैं।

(4) केंद्रीय सरकार द्वारा वित्त पोषित होते हैं।

(5) 'नीति आयोग' द्वारा वित्त पोषित होते हैं।

नीचे दिए गए विकल्पों में से सही उत्तर का चयन कीजिए:

(a) केवल (1) और (4) (b) केवल (3) और (5)

(c) केवल (2) और (4) (d) केवल (2) और (5)

78. उच्च शिक्षा में सफल नामांकन अनुपात (जीईआर) की गणना निम्नानुसार की जाती है : [2021]

(a) $\frac{\text{उच्च शिक्षा में नामांकन की संख्या}}{\text{18- 23 के आयु समूह में कुल जनसंख्या}} \times 100$

(b) $\frac{\text{उच्च शिक्षा में नामांकन की संख्या}}{\text{18- 23 के आयु समूह में कुल जनसंख्या}}$

(c) $\frac{\text{18 - 23 के आयु समूह में उच्च शिक्षा में नामांकन की संख्या}}{\text{18- 23 के आयु समूह में कुल जनसंख्या}}$

(d) $\frac{\text{18 - 23 के आयु समूह में उच्च शिक्षा में नामांकन की संख्या}}{\text{18- 23 के आयु समूह में कुल जनसंख्या}} \times 100$

79. अवर स्नातक स्तर पर चयन आधारित क्रेडिट प्रणाली (सीबीसीएस) में निम्नलिखित शामिल हैं: [2021]

(1) मूल (कोर) कोर्स

(2) ऐच्छिक कोर्स

(3) योग्यता संवर्धन कोर्स

(4) पर्यावरण शिक्षा कोर्स

(5) अंग्रेजी संप्रेषण कोर्स

नीचे दिए गए विकल्पों में से सही उत्तर का चयन कीजिए:

(a) केवल (1), (2) और (3)

(b) केवल (2) (3) और (4)

(c) केवल (3), (4) और (5)

(d) केवल (1), (2) और (5)

80. निम्नलिखित में से किसको 7 मार्च 1835 को भारत के गवर्नर-जनरल बेंटिनेक द्वारा जारी किये गए आवश्यक आदेश के माध्यम से आधिकारिक रूप से भारत में अंग्रेजी शिक्षा प्रणाली लागू कराने का पूर्ण श्रेय दिया जाता है? [2022]

(a) जाकारी मेकॉले (b) थॉमस बेबिंगटन मेकॉले

(c) एलेक्जेंडर डफ (d) चार्ल्स ट्रेवेल्यान

81. जुआंग झांग और आई क्यूइंग निम्नलिखित में से किस विश्वविद्यालय में आए थे? [2022]

(a) नालंदा विश्वविद्यालय

(b) तक्षशिला विश्वविद्यालय

(c) बनारस हिन्दू विश्वविद्यालय

(d) विक्रमशिला विश्वविद्यालय

82. राष्ट्रीय ज्ञान आयोग द्वारा परिकल्पित एन एस एस एफ का पूरा नाम है: [2022]

(a) नेशनल साइंस एंड सोशल साइंस फॉउंडेशन

(b) नेशनल साइंटिफिक एंड सोशल साइंस फाउंडेशन

(c) नेशनल साइंटिस्ट्स एंड सोशल साइंटिस्ट्स फाउंडेशन

(d) नेशनल स्पेस साइंस एंड सोसाइटी फोरम

83. एन ई पी 2020 के अनुसार राष्ट्रीय शैक्षिक प्रौद्योगिकी फोरम (एन ई टी एफ) के निम्नलिखित में से कौन से कार्य होंगे? [2022]

(1) प्रौद्योगिकी-आधारित पहलों के बारे में केंद्रीय और राज्य की एजेंसियों को साक्ष्य-आधारित स्वतंत्र सलाह प्रदान करना।

(2) शोध और नवोन्मेष के नए अनुदेशों को सुस्पष्ट करना।

(3) शैक्षिक प्रौद्योगिकी के क्षेत्र में रणनीतिक रूप से मुख्य विषय-क्षेत्रों की परिकल्पना करना।

(4) तकनीकी पाठ्यक्रमों के लिए पाठ्यचर्चा विकसित करना।

(5) शैक्षिक प्रौद्योगिकी में बौद्धिक एवं संस्थागत क्षमताओं का निर्माण।

नीचे दिए गए विकल्पों में से सही उत्तर चुनें:

(a) केवल (1), (2), (3) और (4)

(b) केवल (2), (3), (4) और (5)

(c) केवल (1), (2), (3) और (5)

(d) केवल (1), (2), (4) और (5)

84. निम्नलिखित में से कौन से पाठ्यचर्चा संशोधन के मुख्य उद्देश्य हैं? **[2022]**

(1) संस्था की दूरदृष्टि (विजन) और मिशन के रूप में बेहतर रूप से सामन्जस्य बनाना।

(2) अधिगम को परिणाम-आधारित बनाना।

(3) कार्यक्रम के परिणामों की तुलना में स्तर प्राप्ति के सुधार में अधिक प्रभावी बनाना।

(4) प्रतियोगी परीक्षाओं के लिए छात्रों की क्षमताओं को विकसित करना।

(5) सभी हितधारकों की अपेक्षाओं की पूर्ति करना।

नीचे दिए गए विकल्पों में से सही उत्तर चुनें:

(a) केवल (1), (2), (3) और (4)

(b) केवल (1), (2), (3) और (5)

(c) केवल (1), (3), (4) और (5)

(d) केवल (2), (3), (4) और (5)

85. भारत में प्राचीन काल में उद्धिकास करने वाले कुछ सर्वाधिक उल्लेखनीय विश्वविद्यालय कहां स्थित थे? **[2022]**

(1) तक्षशिला (2) विक्रमशिला

(3) जगदल्ला (4) उदांतपुरी

(5) नालंदा

नीचे दिए गए विकल्पों में से सही उत्तर चुनें:

(a) (1), (2), (3), (4) और (5)

(b) केवल (1), (2) और (5)

(c) केवल (1), (2), (3) और (5)

(d) केवल (1), (2), (4) और (5)

86. राष्ट्रीय अध्यापक शिक्षा परिषद अधिनियम, 1993 के अनुरूप एन.सी.टी.ई. की किस वर्ष में स्थापना हुई थी? **[2022]**

(a) 1995 (b) 1993

(c) 1994 (d) 1996

87. गुणवत्तापरक उच्च शिक्षा को प्रोत्साहित करने के लिए मूल्यों और नैतिकता के निम्नलिखित में से किन मुख्य आयामों पर आवश्यक रूप से फोकस करना चाहिए? **[2023]**

(1) उत्तरदायित्व (2) सहभागिता

(3) सत्यनिष्ठा (4) सक्षमता

(5) पारदर्शिता

नीचे दिए गए विकल्पों में से सबसे उपयुक्त उत्तर का चयन कीजिए:

(a) केवल (1), (4) और (5)

(b) केवल (3) और (5)

(c) केवल (2), (3) और (4)

(d) (1), (2), (3), (4) और (5)

88. शिक्षा के उद्देश्य वाली प्रथम बौद्ध परिषद कहाँ गठित की गई थी? **[2023]**

(a) 1871 ई. में मांडले में

(b) 383 ई. पू. में वैशाली में

(c) 483 ई. पू. में सत्तपणी में

(d) 250 ई. पू में पाटलिपुत्र में

89. नीचे दो कथन दिए गए हैं: **[2023]**

कथन I: राष्ट्रीय शिक्षक शिक्षा परिषद (एनसीटीई) को वर्ष 1993 में संसद के अधिनियम द्वारा सांविधिक निकाय बनाया गया था।

कथन II: वर्ष 1948 में स्थापित विश्वविद्यालय शिक्षा आयोग के अध्यक्ष डॉ. एस. राधाकृष्णन थे।

उपरोक्त कथन के आलोक में, नीचे दिए गए विकल्पों में से सबसे उपयुक्त उत्तर का चयन कीजिए:

(a) कथन I और II दोनों सही हैं।

(b) कथन I और II दोनों गलत हैं।

(c) कथन I सही है, लेकिन कथन II गलत है।

(d) कथन I गलत है, लेकिन कथन II सही है।

90. भारत में वर्ष 1902 में निम्नलिखित में से कौन से इंजीनियरिंग कॉलेज थे? **[2023]**

(1) रुड़की (2) सिबापुर

(3) पूना (4) मद्रास

नीचे दिए गए विकल्पों में से सही उत्तर का चयन कीजिए:

(a) केवल (1), (2) और (4)

(b) (1), (2), (3) और (4)

(c) केवल (1) और (4)

(d) केवल (1) और (3)

91. सूची I के साथ सूची II का मिलान कीजिए। **[2023]**

सूची-I	सूची-II
(1) शास्त्र	(i) तर्क
(2) वार्ता	(ii) अधिगमित विषय

सूची-I	सूची-II
(3) काव्य	(iii) कृषि, व्यापार, वाणिज्य और पशु-पालन
(4) अन्विक्सिकी	(iv) कल्पनाशील और सृजनात्मक साहित्य

निम्नलिखित विकल्पों में से सही उत्तर का चयन कीजिए:

(a) (1)–(ii), (2)–(i), (3)–(iii), (4)–(iv)

(b) (1)–(ii), (2)–(iii), (3)–(i), (4)–(iv)

(c) (1)–(ii), (2)–(iii), (3)–(iv), (4)–(i)

(d) (1)–(iii), (2)–(ii), (3)–(iv), (4)–(i)

92. 'एस. पी. ए. आर. सी.' (SPARC) का पूरा नाम क्या है? **[2023]**

(a) स्टैन्डर्ड फॉर प्रोफेशन ऑफ असेसमेन्ट एंड रिसर्च कम्युनिकेशन

(b) स्कीम फॉर प्रोमोशन ऑफ एकेडमिक एंड रिसर्च कॉलेबोरेशन

(c) स्कूल फॉर प्रोमोशन ऑफ असेसमेन्ट एंड राइट टू कमिटमेंट

(d) सोशल प्रोटेक्शन ऑफ एडवांसमेंट एंड रिलेशनशिप कॉम्प्लेक्स

93. नई शिक्षा नीति (एन. ई. पी.) 2020 के अनुसार भारत वहनीय लागतों पर प्रीमियम शिक्षा प्रदान करने वाले एक वैश्विक अध्ययन गंतव्य के रूप में समुन्नत (वर्धक) होगा, जिससे उसको .... के रूप में अपनी भूमिका पुन: प्रतिष्ठापित करने में सहायता प्राप्त होगी। **[2023]**

(a) आर्थिक शक्ति (b) ज्ञान-आधारित अर्थव्यवस्था

(c) विश्व गुरु (d) शिक्षा गुरु

94. एन. सी. आई. वी. ई (NCIVE) का पूर्ण रूप क्या है? **[2023]**

(a) नॉन-गवर्नमेन्टल कोर्स फॉर द इनिशिएशन ऑफ वोकेशनल एन्हासमेन्ट

(b) नेशनल कमेटी फॉर द इन्टिग्रेशन ऑफ वोकेशनल एजुकेशन

(c) नॉन-गवर्नमेन्टल काउंसिल फॉर द इन्टिग्रेशन ऑफ वेटरिनरी एजूकेशन

(d) नेशनल कमिशन फॉर द इन्फोर्मेशन ऑफ वेटरिनरी एजूकेशन

95. भारत सरकार ने किस वर्ष विज्ञान एवं प्रौद्योगिकी विभाग की स्थापना की? **[2023]**

(a) 1990 (b) 1985

(c) 1978 (d) 1971

96. भारत की प्राचीन शिक्षा पद्धति में निम्नलिखित में से कौन से प्राचीन ग्रंथों की शिक्षा शामिल थी? **[2023]**

(1) वेद (2) ब्रह्मानास

(3) उपनिषद (4) धर्मसूत्र

नीचे दिए गए विकल्पों में से सही उत्तर का चयन कीजिए:

(a) केवल (1) और (3)

(b) केवल (2) और (4)

(c) केवल (1), (3) और (4)

(d) (1), (2), (3) और (4)

उत्तरमाला

1. (a)	**2.** (d)	**3.** (b)	**4.** (a)	**5.** (d)	**6.** (a)	**7.** (b)	**8.** (c)	**9.** (b)	**10.** (b)
11. (c)	**12.** (b)	**13.** (d)	**14.** (c)	**15.** (a)	**16.** (b)	**17.** (a)	**18.** (a)	**19.** (b)	**20.** (d)
21. (a)	**22.** (c)	**23.** (a)	**24.** (d)	**25.** (c)	**26.** (a)	**27.** (b)	**28.** (b)	**29.** (d)	**30.** (a)
31. (d)	**32.** (d)	**33.** (c)	**34.** (c)	**35.** (a)	**36.** (b)	**37.** (c)	**38.** (c)	**39.** (d)	**40.** (b)
41. (a)	**42.** (d)	**43.** (c)	**44.** (c)	**45.** (d)	**46.** (b)	**47.** (a)	**48.** (a)	**49.** (a)	**50.** (c)
51. (b)	**52.** (c)	**53.** (a)	**54.** (a)	**55.** (b)	**56.** (c)	**57.** (b)	**58.** (b)	**59.** (a)	**60.** (a)
61. (b)	**62.** (b)	**63.** (d)	**64.** (d)	**65.** (b)	**66.** (b)	**67.** (d)	**68.** (d)	**69.** (b)	**70.** (d)
71. (d)	**72.** (c)	**73.** (a)	**74.** (c)	**75.** (c)	**76.** (b)	**77.** (c)	**78.** (a)	**79.** (a)	**80.** (b)
81. (a)	**82.** (a)	**83.** (c)	**84.** (b)	**85.** (a)	**86.** (a)	**87.** (d)	**88.** (c)	**89.** (d)	**90.** (c)
91. (b)	**92.** (b)	**93.** (c)	**94.** (a)	**95.** (c)	**96.** (d)				

संकेत और स्पष्टीकरण

1. (a)

'यूनिवर्सिटीज 21' की रिपोर्ट के अनुसार, भारत उच्च शिक्षा प्रणाली में सभी उल्लिखित चार देशों से नीचे के स्तर पर आता है।

क्यूएस उच्च शिक्षा प्रणाली रैंकिंग 2018 में भारत की उच्च शिक्षा प्रणाली विश्व में 26 वें स्थान पर थी।

अत: सही क्रम संयुक्त राज्य अमेरिका > ऑस्ट्रेलिया > चीन > यूनाईटेड किंगडम होगा।

2. (d)

प्रधानमंत्री शोध फेलोशिप (PMRF) योजना का उद्देश्य भारतीय प्रौद्योगिकी संस्थानों (IIT) और भारतीय विज्ञान संस्थान (IISc) के डॉक्टरेट (Ph.D) कार्यक्रमों के लिए देश की प्रतिभा को आकर्षित करना है।

3. (b)

विपक्ष के नेता के बारे में कुछ महत्वपूर्ण बातें इस प्रकार हैं।

(a) लोकसभा और राज्यसभा में विपक्ष के नेताओं (एलओपी) को वर्ष 1977 में वैधानिक मान्यता दी गई थी।

(b) एलओपी बनने के लिए, एक राजनीतिक दल को सदन की कम से कम 10% ताकत की आवश्यकता होती है। लोकसभा अध्यक्ष विपक्ष के नेता के बारे में निर्णय लेने वाला अंतिम न्यायाधीश होता है। 16वीं लोकसभा (2014-2019) में कोई एलओपी नहीं है क्योंकि कोई भी दल इस शर्त को पूरा नहीं कर सका।

(c) विपक्ष के नेता को वही वेतन और भत्ते मिलते हैं जो कैबिनेट मंत्री को मिलते हैं।

(d) उच्च पदों पर उम्मीदवार के चयन में जनता का विश्वास सुनिश्चित करने के लिए विपक्षी नेता आवश्यक है। वह सीआईसी, सीवीसी, एनएचआरसी, लोकपाल और एनजेएसी का चयन करने वाली समितियों के सदस्य हैं। उच्च पदों पर उम्मीदवार के चयन में जनता का विश्वास सुनिश्चित करना आवश्यक है।

(e) विधि आयोग ने मार्च 2015 की अपनी रिपोर्ट में अनुशंसा की थी कि CEC सहित सभी चुनाव आयुक्तों की नियुक्ति राष्ट्रपति द्वारा तीन सदस्यीय कॉलेजियम के परामर्श से की जानी चाहिए, जिसमें पीएम, लोकसभा में विपक्ष के नेता (या) निम्न सदन में सबसे बड़े विपक्षी दल के नेता और CJI सम्मिलित हों।

4. (a)

'जेंडर बजटिंग' को 'बजट फॉर जेंडर इक्विटी' के रूप में भी जाना जाता है। भारत में वर्ष 2005-06 में प्रस्तुत किया गया था। यह जेंडर को मुख्यधारा में लाने के लिए एक शक्तिशाली उपकरण है, ताकि यह सुनिश्चित किया जा सके कि विकास का लाभ पुरुषों की तरह महिलाओं तक भी पहुंचे। इसका आरंभ दो प्रकार की योजनाओं जैसे महिला विशिष्ट योजनाएं (महिलाओं के लिए 100% आवंटन) और महिला समर्थक योजनाएं (महिलाओं के लिए आवंटन का कम से कम 30%)से हुआ।

अत: जेंडर बजटिंग एक भिन्न बजट है, जिसमें महिलाओं की विशिष्ट आवश्यकताओं पर ध्यान दिया जाता है और यह एक और बजटिंग - नवोन्मेष है।

5. (d)

नागरिक केंद्रित प्रशासन में सरकारी नौकरशाहों की सख्त और अनम्य अभिवृति और कानूनों और नियमों का अप्रभावी कार्यान्वन जैसी बाधाएं हैं।

इसके विपरीत, नागरिकों के अधिकारों और कर्तव्यों के बारे में जागरूकता भारत में नागरिक केंद्रित प्रणाली का पूर्वाधार है।

6. (a)

वैदिक शिक्षा पद्धति में शिक्षा का माध्यम संस्कृत था। संस्कृत दूसरी सहस्राब्दी ईसा पूर्व में वैदिक संस्कृत के रूप में जाना जाती है, जिसमें ऋग्वेद सर्वप्रथम ज्ञात रचना है। बुद्ध के सूत्र सर्वप्रथम पाली में लिखे गए थे।

नई शिक्षा नीति, 2020 स्कूलों और उच्च शिक्षा दोनों में बहुभाषावाद को बढ़ावा देती है। पाली, फारसी और प्राकृत के लिए राष्ट्रीय संस्थान, भारतीय अनुवाद और व्याख्या संस्थान की स्थापना की जाएगी

7. (b)

'शिक्षण के स्मृति स्तर' के अनुसार, क्रम में सबसे पहले याद आना चाहिए। जो याद किया जाता है उसका 'समीक्षापूर्वक विश्लेषण' किया जाता है और फिर ऐसे कई उदाहरण सामान्यीकरण की ओर ले जाते हैं, एक तरह की 'कहानी सुनाना'। अत: अतीत काल में उच्चतर शिक्षा के अंतर्गत अधिगम का क्रम याद करना, समीक्षात्मक विश्लेषण तथा कथा वाचन को सम्मिलित किया जाता है।

8. (c)

'इनोवेशन इन साइंस परस्यूट फॉर इंस्पायर्ड रिसर्च (इंस्पायर)' विज्ञान और प्रौद्योगिकी विभाग (DST) द्वारा विज्ञान के प्रति प्रतिभा को आकर्षित करने के लिए प्रायोजित और प्रबंधित एक अभिनव कार्यक्रम है।

INSPIRE योजना के मूल उद्देश्य निम्नलिखित हैं:

(i) देश के युवाओं को विज्ञान की रचनात्मक खोज के उत्साह के बारे में बताना

(ii) कम उम्र में विज्ञान के अध्ययन के लिए प्रतिभा को आकर्षित करना

(iii) विज्ञान और प्रौद्योगिकी को मजबूत और विस्तारित करने के लिए आवश्यक महत्वपूर्ण मानव संसाधन पूल का निर्माण करना और अनुसंधान एवं विकास कार्यक्रमों को बढ़ावा देना।

9. (b)

एनसीईआरटी (National Council for Research and Training): राष्ट्रीय शैक्षिक अनुसंधान और प्रशिक्षण परिषद भारत सरकार का एक स्वायत्त संगठन है जिसकी स्थापना 1961 में सोसायटी पंजीकरण अधिनियम के तहत एक साहित्यिक, वैज्ञानिक और धर्मार्थ

सोसायटी के रूप में की गई थी। इसका मुख्यालय नई दिल्ली में श्री अरबिंदो मार्ग पर स्थित है।

यूजीसी (University Grant Commission): विश्वविद्यालय अनुदान आयोग 28 दिसंबर, 1953 को अस्तित्व में आया और विश्वविद्यालय में शिक्षण, परीक्षा और अनुसंधान के मानकों के समन्वय, निर्धारण और रखरखाव के लिए 1956 में संसद के एक अधिनियम द्वारा भारत सरकार का एक वैधानिक संगठन बन गया।

एनसीटीई (National Council on Teacher Education): राष्ट्रीय शिक्षक शिक्षा परिषद 1995 में राष्ट्रीय शिक्षक शिक्षा परिषद अधिनियम (1993) के तहत स्थापित एक वैधानिक निकाय है, जो औपचारिक रूप से भारतीय शिक्षा प्रणाली में मानकों, और प्रक्रियाओं की देखरेख करता है। यह केंद्रीय परिषद है, साथ ही राज्य शिक्षक शिक्षा और उसके सचिवालय के संबंध में सभी विषयों पर शिक्षक शिक्षा विभाग और राष्ट्रीय शैक्षिक अनुसंधान और प्रशिक्षण परिषद (एनसीईआरटी) में स्थित हैं।

सीबीएसई (Central Board for School Education): केंद्रीय माध्यमिक शिक्षा बोर्ड (सीबीएसई) भारत सरकार द्वारा नियंत्रित और प्रबंधित सार्वजनिक और निजी स्कूलों के लिए भारत में एक राष्ट्रीय स्तर का शिक्षा बोर्ड है। 1929 में सरकार के एक प्रस्ताव द्वारा स्थापित किया गया था। भारत में लगभग 26,054 स्कूल और 28 विदेशी देशों में 240 स्कूल सीबीएसई से संबद्ध (affliated) हैं। सीबीएसई से संबद्ध सभी स्कूल एनसीईआरटी पाठ्यक्रम का पालन करते हैं। सीबीएसई के वर्तमान अध्यक्ष मनोज आहूजा हैं। वर्ष 1952 के संवैधानिक संशोधन के बाद इसका नाम केंद्रीय माध्यमिक शिक्षा बोर्ड रखा गया। 1 जुलाई 1962 को बोर्ड का पुनर्गठन किया गया, ताकि पूरे देश में छात्रों और विभिन्न शैक्षणिक संस्थानों को इसकी सेवाएं उपलब्ध कराई जा सकें।

10. (b)

रासायनिक ऑक्सीजन मांग या युट्रोफिक जल (Chemical Oxygen Demand - COD) जैव निम्नीकरणीय और अजैव निम्नीकरणीय कार्बनिक पदार्थों के रासायनिक रूप से ऑक्सीकरण करने के लिए आवश्यक ऑक्सीजन की कुल मात्रा है।

COD अपशिष्ट जल और साधारण जल की गुणवत्ता के स्तर को मापने की एक विधि है। इस परीक्षण का उपयोग जल संयंत्र की दक्षता की निगरानी के लिए किया जाता है। COD को मिलीग्राम/लीटर में व्यक्त किया जाता है। COD परीक्षण कम समय के कारण जैविक ऑक्सीजन मांग (Biological Oxygen Demand - BOD) के विकल्प के रूप में प्रयोग किया जाता है। अत: युट्रोफिक जल में ऑक्सीजन की मांग उच्च होती है।

11. (c)

अंग्रेजों ने आधुनिक शिक्षा प्रणाली आरम्भ की, लेकिन यह शिक्षा अधिकांश भारतीयों की पहुंच से बाहर थी। मुगलों ने वैज्ञानिक और आधुनिक शिक्षा की उपेक्षा की। बौद्धों के समय, शिक्षा हमारी व्यवस्था का अंतर्निहित हिस्सा थी और जनता की आवश्यकता के अनुसार थी। स्वतंत्रता के बाद के युग में, शिक्षा फिर से लोकतांत्रिक मांग की शर्तों के अनुसार थी। कई सरकारी संस्थान स्थापित किए गए।

12. (b)

भारतीय विधान परिषद द्वारा कलकत्ता में एक विश्वविद्यालय की स्थापना के लिए विश्वविद्यालय अधिनियम 1857 पारित किया गया था और इसे 24 जनवरी 1857 को गवर्नर जनरल की सहमति प्राप्त हुई थी। इसके तहत तीन विश्वविद्यालय, कलकत्ता, बॉम्बे और मद्रास में स्थापित किए गए थे। कलकत्ता विश्वविद्यालय को 24 जनवरी 1857 को सम्मिलित किया गया था, जबकि मद्रास विश्वविद्यालय (चेन्नई) ने 5 सितंबर 1857 को अपना संचालन आरम्भ किया था।

13. (d)

राधाकृष्णन आयोग: इसे विश्वविद्यालय शिक्षा आयोग के नाम से भी जाना जाता है। इसका उद्देश्य भारतीय विश्वविद्यालय शिक्षा व्यवस्था की समस्याओं, वर्तमान परिस्थितियों का अध्ययन एवं उनमें सुधार करना था। इस आयोग ने विश्वविद्यालय अनुदान आयोग की स्थापना करके, माध्यमिक और उच्च शिक्षा के एकीकरण का सुझाव दिया।

मुदालियर आयोग: माध्यमिक शिक्षा के ढांचे में सुधार के लिए डॉ. लक्ष्मण स्वामी मुदालियर की अध्यक्षता में वर्ष 1952 में माध्यमिक शिक्षा आयोग की स्थापना की गयी। इस आयोग ने तीन वर्ष की माध्यमिक शिक्षा और चार वर्ष की उच्च शिक्षा की अनुशंसा की और वस्तुनिष्ठ परीक्षण – पद्धति को अपनाने का सुझाव दिया।

कलकत्ता विश्वविद्यालय आयोग: वर्ष 1917 में सरकार ने विश्वविद्यालय शिक्षा की समस्या के अध्ययन और रिपोर्ट के लिए कलकत्ता विश्वविद्यालय आयोग की नियुक्ति की। आयोग को इसके अध्यक्ष डॉ. माइकल ई. सैडलर, लीड्स विश्वविद्यालय के कुलपति के नाम पर सैडलर आयोग के रूप में भी जाना जाता है।

कोठारी आयोग: इसे राष्ट्रीय शिक्षा आयोग (1964-1966) के रूप में भी जाना जाता है, भारत में शैक्षिक क्षेत्र के सभी पहलुओं की जांच करने, शिक्षा का एक सामान्य पैटर्न विकसित करने और दिशा-निर्देशों और नीतियों को सलाह देने के लिए स्थापित किया गया । इस आयोग को शिक्षा और राष्ट्रीय विकास रिपोर्ट के नाम से भी जाना जाता है। इस आयोग की अनुशंसाएं इस प्रकार थीं:

1. शिक्षा, विज्ञान और तकनीकी में सुधार
2. राष्ट्रीय शिक्षा प्रणाली का विकास
3. धर्म निरपेक्ष लोकतान्त्रिक शिक्षा
4. शिक्षा में गुणात्मक विकास
5. शिक्षा स्तरों का विकास

14. (c)

SANKALP का पूरा नाम 'स्किल्स, एक्विजिशन एन्ड नॉलेज अवेयरनेस फॉर लाईवलीहुड प्रमोशन' है।

संकल्प, आजीविका के लिए विकेन्द्रीकृत योजना है और गुणवत्ता सुधार पर विशेष ध्यान देने के साथ कौशल विकास और उद्यमिता मंत्रालय (MSDE) का एक प्रमुख कार्यक्रम है। यह एक केंद्र प्रायोजित योजना है, जिसे विश्व बैंक के सहयोग से कार्यान्वित किया गया है। इस योजना के मुख्य उद्देश्य निम्नलिखित हैं:

इसका उद्देश्य राष्ट्रीय कौशल विकास मिशन (NSDM) के अधिदेश को लागू करना है।

(i) अभिसरण (convergence): राज्य स्तर पर सभी कौशल प्रशिक्षण गतिविधियों, राज्य के नेतृत्व वाली और भारत सरकार द्वारा वित्त पोषित, के मध्य अभिसरण बनाना।

(ii) गुणवत्ता (Quality) गुणवत्ता वाले प्रशिक्षकों का एक पूल बनाकर, मॉडल पाठ्यक्रम और सामग्री विकसित करके कौशल विकास कार्यक्रमों की गुणवत्ता में सुधार करना। इसका उद्देश्य मूल्यांकन और प्रमाणन का मानकीकरण करना है।

(iii) मूल्यांकन प्रणाली (Evaluation System): कौशल प्रशिक्षण कार्यक्रमों के लिए एक मजबूत प्रबंधन और मूल्यांकन प्रणाली की स्थापना।

(iv) समावेशिता और अवसर (Inclusiveness and opportunity): वंचित वर्गों को कौशल प्रशिक्षण के अवसरों तक पहुंच प्रदान करना। उद्योग आधारित और मांग आधारित कौशल प्रशिक्षण क्षमता का सृजन करना।

15. (a)

अनुच्छेद 30(1) भाषाई या धार्मिक अल्पसंख्यकों को निम्नलिखित दो अधिकार देता है:

- स्थापित करने का अधिकार
- अपनी पसंद के शिक्षण संस्थानों को संचालित करने का अधिकार।

अनुच्छेद 30(2) राज्य को शैक्षणिक संस्थानों को सहायता प्रदान करते समय किसी भी शैक्षणिक संस्थान के साथ इस आधार पर भेदभाव करने से रोकता है कि यह एक भाषाई या धार्मिक अल्पसंख्यक के प्रबंधन के अंतर्गत आता है।

16. (b)

SWAYAM (Study Webs of Active-Learning for Young Aspiring Minds) भारत सरकार द्वारा कार्यान्वित एक कार्यक्रम है और यह नई शिक्षा नीति के तीन प्रमुख सिद्धांतों, पहुंच, समता और गुणवत्ता को प्राप्त करने के लिए डिज़ाइन किया गया है। यह आई सी टी संवर्धित एक इंटरैक्टिव लर्निंग प्रोग्राम है, जिसका उद्देश्य देश के दूरस्थ क्षेत्रों में रहने वाले विद्यार्थियों को गुणवत्तापरक शिक्षा प्रदान करना है। इसका आरंभ 9 जुलाई 2017 को माननीय राष्ट्रपति प्रणव मुखर्जी द्वारा किया गया था।

SWAYAM को मानव संसाधन विकास मंत्रालय (अब शिक्षा मंत्रालय) और AICTE (अखिल भारतीय तकनीकी शिक्षा परिषद) द्वारा Microsoft की सहायता से सहकारी रूप से विकसित किया गया है, इसमें 2,000 पाठ्यक्रमों के अधिगम की सुविधा उपलब्ध है। यह मंच सभी के लिए नि:शुल्क पहुंच प्रदान करता है, इसमें कक्षा 9 से स्नातकोत्तर तक पाठ्यक्रमों की सुविधा उपलब्ध है। इसकी सहायता से आईआईटी, आईआईएम, आईआईएसईआर आदि जैसे केंद्रीय वित्त पोषित संस्थानों के प्रोफेसर और शिक्षक छात्रों को पढ़ा सकते हैं।

SWAYAM विभिन्न विधियों से और संरचना में MOOC द्वारा अधिगम के संसाधनों का संचालन करता है। स्वयं में सीखने के चार भाग हैं – ई-ट्यूटोरियल, ई-सामग्री, चर्चा मंच, मूल्यांकन।

17. (a)

शैक्षणिक प्रणाली के मानकों पर रिपोर्ट: विश्वविद्यालय शिक्षा समिति के मांगों की रिपोर्ट (1965) विश्वविद्यालय शिक्षा के प्रचार और समन्वय एवं विश्वविद्यालय में शिक्षा और अनुसंधान के मानकों के निर्धारण और रख रखाव के लिए वर्ष 1965 में प्रकाशित की गई। इस समिति ने स्नातक, स्नातकोत्तर और अनुसंधान स्तर और परीक्षा प्रणाली की तकनीकी और प्रशासनिक समस्याओं का विश्लेषण किया। दिल्ली, बड़ौदा, गुवाहाटी और अलीगढ़ के विश्वविद्यालयों में आयोग के समर्थन के साथ परीक्षा सुधार समिति स्थापित की गई।

हर्टोग समिति रिपोर्ट (1929): इस समिति ने विश्वविद्यालय स्तर की शिक्षा की गुणवत्ता और मानकों में सुधार पर ध्यान केंद्रित किया। और केंद्रीय सलाहकार बोर्ड ऑफ एजुकेशन (CABE) की स्थापना की अनुशंसा की, जिसे वर्ष 1935 में पुन: स्थापित किया गया।

सार्जेंट रिपोर्ट (1944): सार्जेंट रिपोर्ट को भारत में विश्व युद्ध के बाद शैक्षिक विकास की योजना भी कहा जाता है। इसके द्वारा यूजीसी की स्थापना और 3 वर्षीय डिग्री पाठ्यक्रम की अनुशंसा की गई।

विश्वविद्यालय शिक्षा आयोग की रिपोर्ट (Report of University Education Commission 1948-49): इसे राधाकृष्णन आयोग के नाम से भी जाना जाता है। इसमें यूजीसी की स्थापना करके माध्यमिक और उच्च शिक्षा के एकीकरण का सुझाव दिया गया था। इसने ग्रामीण विश्वविद्यालयों की स्थापना का सुझाव दिया।

18. (a)

भारत में महाविद्यालयों की संबद्धता की वर्तमान प्रणाली वर्ष 1857 तक स्थापित तीन विश्वविद्यालयों के साथ आरंभ हुई। भारत के तीन सबसे प्राचीन आधुनिक राज्य विश्वविद्यालयों में मद्रास विश्वविद्यालय, कलकत्ता विश्वविद्यालय और मुंबई विश्वविद्यालय हैं, इनकी स्थापना वर्ष 1857 में की गयी थी।

19. (b)

एक पाठ्यक्रम (curriculum) को मुख्य तौर पर शैक्षिक प्रक्रिया में होने वाले छात्र अनुभवों की समग्रता के रूप में परिभाषित किया जाता है। पाठ्यक्रम निर्देशों के नियोजित अनुक्रम या शिक्षक या कॉलेज के निर्देशात्मक लक्ष्यों के संदर्भ में छात्र के अनुभवों को देखने के लिए संदर्भित करता है। शिक्षक द्वारा क्या पढ़ाया जाना है यह पाठ्यक्रम निर्धारित करता है, इसके अंतर्गत अधिगम संबंधी परिकल्पनाएं की जाती हैं। आधुनिक बाजार अर्थव्यवस्था की मांग को पूरा करने एवं योग्य स्नातक तैयार करने हेतु, जो अंतर्राष्ट्रीय बाजार में अपने समकक्षों से प्रतिस्पर्धा कर सके, वर्तमान भारतीय उच्च शिक्षा में सर्वप्रथम और महत्वपूर्ण परिवर्तन पाठ्यक्रम से संबंधित है।

20. (d)

प्रधानमंत्री कौशल विकास योजना (PMKVY) राष्ट्रीय कौशल विकास निगम द्वारा कार्यान्वित है। यह कौशल विकास और उद्यमिता मंत्रालय की अग्रणी योजना है। इसका आरंभ माननीय प्रधानमंत्री नरेंद्र मोदी द्वारा 15 जुलाई, 2015 (विश्व युवा कौशल दिवस) को किया गया था। इसका उद्देश्य बड़ी संख्या में भारतीय युवाओं को उद्योग से

संबंधित कौशल प्रशिक्षण लेने में सक्षम बनाना है, जो उन्हें बेहतर आजीविका प्राप्त करने में सहायता करेगा। पूर्व अधिगम के अनुभव या कौशल वाले व्यक्तियों का भी मूल्यांकन किया जाएगा और पूर्व शिक्षा की मान्यता के तहत प्रमाणित किया जाएगा।

मेक इन इंडिया (Make in India) – यह भारत में बने उत्पादों को विकसित करने, निर्माण करने और एकत्रित करने के लिए कंपनियों को प्रोत्साहित करने के लिए भारत सरकार की एक पहल है। यह विनिर्माण क्षेत्र में निवेश को भी प्रोत्साहित करती है। नीति के दृष्टिकोण से निवेश के लिए एक आधुनिक, कुशल और अनुकूल वातावरण विकसित करना है। आधारभूत ढांचे और विदेशी पूंजी के लिए नए क्षेत्रों को खोलना। इस पहल ने रोजगार सृजन और कौशल वृद्धि के लिए 25 आर्थिक क्षेत्रों को लक्षित किया और इसका उद्देश्य भारत को 'वैश्विक डिजाइन और विनिर्माण निर्यात केंद्र' बनाना है।

'मेक इन इंडिया' के तीन घोषित उद्देश्य निम्नलिखित हैं:

1. विनिर्माण क्षेत्र की विकास दर में वृद्धि कर 12.14% प्रति वर्ष करना।
2. वर्ष 2022 तक अर्थव्यवस्था में 100 मिलियन अतिरिक्त विनिर्माण रोजगार सृजित करना।
3. वर्ष 2022 तक विनिर्माण क्षेत्र का सकल घरेलू उत्पाद में योगदान बढ़ाकर 25% करना।

अन्य विकल्प, रोबोटिक्स इंडिया और आर्टिफिशियल इंटेलिजेंस @ स्कूल योजनाएं नहीं हैं।

21. (a)

उपनयन पारंपरिक संस्कारों में से एक है जो एक शिक्षक या शिक्षक द्वारा एक छात्र की स्वीकृति और एक स्कूल में शिष्य के प्रवेश के समय किया जाता है। यह समारोह 12 वर्ष की आयु से पूर्व किया जाना चाहिए। उपनयन एक विस्तृत समारोह है जिसमें परिवार, बच्चे और शिक्षक से जुड़े अनुष्ठान सम्मिलित होते हैं। एक लड़का इस समारोह के दौरान 'यज्ञोपवीत' नामक एक पवित्र धागा प्राप्त करता है और पहनता है। यज्ञोपवीत समारोह में यह उद्घोषणा की जाती है कि बच्चे ने औपचारिक शिक्षा में प्रवेश पा लिया है।

22. **(c)**

राष्ट्रीय कौशल विकास और उद्यमिता नीति 2015, 'सबका साथ, सबका विकास' पर सरकार की नीति और जनसंख्या लाभांश का लाभ उठाने के लिए समग्र मानव संसाधन विकास के लिए प्रतिबद्धता का एक अभिन्न अंग है। भारत की सबसे बड़ी कौशल प्रमाणन योजना – प्रधानमंत्री कौशल विकास योजना (PMKVY) 15 जुलाई, 2015 (विश्व युवा कौशल दिवस) को आरम्भ की गई थी।

हाल ही में, 15 जनवरी 2021 को कौशल विकास और उद्यमिता मंत्रालय (MSDE) द्वारा भारत के युवाओं को 300 से अधिक कौशल पाठ्यक्रम उपलब्ध करवाकर रोजगार योग्य कौशल के साथ सशक्त बनाने के लिए प्रधानमंत्री कौशल विकास योजना (PMKVY) 3.0 का अनुमोदन किया। इसका उद्देश्य 2022 तक भारत में 40 करोड़ से अधिक लोगों को विभिन्न कौशल में प्रशिक्षित करना है। इसे 717 जिलों, 28 राज्यों/आठ केंद्र शासित प्रदेशों में लॉन्च किया गया, पीएमकेवीवाई 3.0 'आत्मनिर्भर भारत' की दिशा में एक कदम है।

स्किल इंडिया के तहत 729 प्रधानमंत्री कौशल केंद्र और 200 से अधिक औद्योगिक प्रशिक्षण संस्थान (आईटीआई) कुशल पेशेवरों का एक मजबूत पुल बनाने के लिए पीएमकेवीवाई 3.0 प्रशिक्षण केंद्र आरम्भ किये जायेंगे। यह अधिक प्रशिक्षु और शिक्षार्थी केंद्रित होंगे। प्रशिक्षण के लिए ऊर्ध्वगामी दृष्टिकोण अपनाकर, यह उन नौकरी की भूमिकाओं की पहचान करेगा जिनकी स्थानीय स्तर पर मांग है और युवाओं को वोकल फॉर लोकल से जोड़ते हुए कौशल प्रदान करेंगे।

23. **(a)**

अपारंपरिक या गैर-पारंपरिक शिक्षण तथा अधिगम की रणनीतियां छात्रों की आवश्यकता-आधारित संसाधन सामग्री और सीखने के मानकों और कौशल अभिवृत्ति तथा मूल्यों के विकास पर जोर देती हैं और सृजनात्मक ढंग से प्रतिक्रिया देने हेतु आवश्यक ज्ञान प्राप्त करने पर बल देती हैं। यह अधिक छात्र केंद्रित है।

24. **(d)**

ग्रीक भाषा में इथोस (Ethos) का अर्थ प्रथा या चरित्र है। मूल रूप से इसका उपयोग अरस्तू द्वारा किया गया था, यह किसी व्यक्ति के चरित्र या व्यक्तित्व को संदर्भित करता है। यह विशेष रूप से जुनून और सावधानी के मध्य संतुलन के संदर्भ में उपयोग किया जाता था। वर्तमान में, इथोस का उपयोग उस अभ्यास या मूल्यों को संदर्भित करने के लिए किया जाता है जो एक व्यक्ति, संगठन या समाज को दूसरों से अलग करता है। इसी प्रकार, संगठनात्मक विशिष्टाचार वे आचार संहिता और सिद्धांत हैं जो एक संगठन में कर्मचारियों और प्रबंधन के व्यवहार का मार्गदर्शन करते हैं। इसके अंतर्गत निम्नलिखित मूल्यों को सम्मिलित किया जा सकता है:

1. उपागम में टीम वर्क
2. कार्य की उत्पादकता
3. दूसरों की चिंताओं के शमन में विनम्रता दिखाना

25. **(c)**

आठ सहस्राब्दी विकास लक्ष्य हैं:

1. अत्यधिक गरीबी और भूख मिटाना।
2. सार्वभौमिक प्राथमिक शिक्षा प्राप्त करना।
3. लैंगिक समानता को बढ़ावा देना और महिलाओं को सशक्त बनाना।
4. बाल मृत्यु दर को कम करना।
5. मातृ स्वास्थ्य में सुधार।
6. एचआईवी/एड्स, मलेरिया और अन्य बीमारियों से निपटना।
7. पर्यावरणीय स्थिरता सुनिश्चित करना
8. विकास के लिए वैश्विक साझेदारी विकसित करना।

इस प्रकार 'स्वस्थ जीवन सुनिश्चित करना और हर समयावधि में सभी के लिए कल्याण को बढ़ावा देना' एक 'सहस्राब्दी विकास लक्ष्य' नहीं था।

26. (a)

गुप्त कालावधि में, नालंदा, तक्षशिला, उज्जैन, विक्रमशिला और वल्लभी आदि में उच्च शिक्षा के केंद्रों को संरक्षण देने पर ध्यान केंद्रित किया गया था। इन केंद्रों ने भारत के सभी भागों और कई विदेशी देशों के विद्वानों को आकर्षित किया।

27. (b)

यहां, गैर-पारंपरिक शिक्षा का अर्थ है 'मुक्त और दूरस्थ शिक्षा' (Open and Distance Learning)। यह भावी शिक्षार्थियों तक पहुंचने के लिए सदैव 'शिक्षा के नवीन ढंगों' पर ध्यान केंद्रित करता है। प्रवेश, पाठ्यक्रम और मूल्यांकन के नवाचारी तरीके गैर – पारंपरिक विश्वविद्यालयों की प्रमुख विशेषता है।

28. (b)

पारदर्शिता बढ़ाना ई–गवर्नेंस के मुख्य लाभों में से एक है। हम सामान्य तौर पर 'पारदर्शी शासन' के बारे में बात करते हैं। आरटीआई, सुशासन भी इसका महत्वपूर्ण भाग है। ई– शासन का संबंध सरकारी प्रक्रियाओं और कार्यों में ICT के क्रियान्वन से संबंधित है।

सामूहिक सेवा केंद्र ई – शासन संबंधित सेवाओं को उपलब्ध कराने और उनके प्रयोग में सहायक है।

29. (d)

तक्षशिला

तक्षशिला प्राचीन भारत का एक प्रसिद्ध विश्वविद्यालय था, जो सिंधु नदी के पूर्वी तट पर स्थित था। यह गांधार राज्य की राजधानी और शिक्षा का एक बड़ा केंद्र था लेकिन यह एक स्थान पर केंद्रित नहीं था।

उन्नीसवीं शताब्दी के मध्य में, प्रसिद्ध पुरातत्वविद् सर अलेक्जेंडर कनिंघम ने तक्षशिला के अवशेषों का खुलासा किया।

चाणक्य के महान ग्रंथ अर्थशास्त्र को तक्षशिला में लिखे जाने का दावा किया जाता है। माना जाता है कि मौर्य साम्राज्य के संस्थापक चंद्रगुप्त मौर्य के शक्तिशाली प्रधान मंत्री चाणक्य ने भी तक्षशिला में पढ़ाया था। संस्कृत के प्रसिद्ध विद्वान और व्याकरणविद् पाणिनी ने भी तक्षशिला में पढ़ाया। वहाँ उन्होंने अपनी सर्वश्रेष्ठ कृति अष्टाध्यायी (आठ अध्याय) लिखी।

तीसरी शताब्दी के चीनी बौद्ध भिक्षु और यात्री युआन च्वांग के अनुसार, सौत्रान्तिका स्कूल के संस्थापक कुमारलता भी तक्षशिला विश्वविद्यालय में एक असाधारण शिक्षक थे और उन्होंने चीन से छात्रों को आकर्षित किया।

जीवक का संबंध तक्षशिला से भी था जो राजगृह का दरबारी चिकित्सक और बुद्ध का निजी चिकित्सक था।

भारतीय 'चिकित्सा के पिता' और सबसे प्रमुख आयुर्वेदिक गुरुओं में से एक चरक के बारे में भी बताया जाता है कि उन्होंने तक्षशिला में अध्ययन और अभ्यास किया था।

तीसरी शताब्दी के चीनी बौद्ध भिक्षु और यात्री युआन च्वांग के अनुसार, सौत्रान्तिका स्कूल के संस्थापक कुमारलता भी तक्षशिला विश्वविद्यालय में एक असाधारण शिक्षक थे और उन्होंने चीन से छात्रों को आकर्षित किया।

ऐसा प्रतीत होता है कि 5वीं शताब्दी ईस्वी में तोरामना द्वारा किए गए विनाश के साथ विश्वविद्यालय का संचालन समाप्त हो गया है।

सारनाथः सारनाथ वाराणसी में स्थित एक बौद्ध स्थल है। ज्ञान प्राप्त करने के पश्चात् यहीं पर महात्मा बुद्ध जी ने अपना प्रथम उपदेश दिया था, जिसे धर्मचक्र प्रवर्तन के नाम से जाना जाता है। सारनाथ मंदिर सम्राट अशोक द्वारा बनवाया गया था तथा यहीं पर अशोक स्तम्भ भी स्थित है।

उज्जैनः वराहमिहिर (505 - 587), जिसे वराह या मिहिरा भी कहा जाता है, एक प्राचीन भारतीय ज्योतिषी और खगोलशास्त्री थे जो उज्जैन में रहते थे। वराहमिहिर की सबसे उल्लेखनीय कृतियाँ बृहत संहिता थीं, जो वास्तुकला, मंदिरों, ग्रहों की गति, ग्रहण, समय-पालन, ज्योतिष, मौसम, बादल निर्माण, वर्षा, कृषि, गणित, रत्न विज्ञान, इत्र और कई अन्य विषयों पर एक विश्वकोशीय कार्य है। कुछ उनका नाम सिर्फ शिल्प शास्त्र के साथ जोड़ते हैं।

अजंताः अजंता और एलोरा की गुफाएं प्राचीनतम बौद्ध स्थापत्य कलाओं में से एक हैं। अजंता-एलोरा की गुफाएं दूसरी शताब्दी ईसा पूर्व से छठी शताब्दी ईस्वी की अवधि के दौरान विकसित हुई हैं। अजंता और एलोरा की गुफाओं की पेंटिंग और मूर्तियां 1983 से यूनेस्को की विश्व धरोहर स्थल हैं और बौद्ध धार्मिक कला की उत्कृष्ट कृतियाँ मानी जाती हैं जिनका भारत में कला के विकास में बहुत प्रभाव रहा है।

30. (a)

यहां, हम यूजीसी का उदाहरण ले सकते हैं जो विश्वविद्यालय शिक्षा के मानक के समन्वय, निर्धारण और रखरखाव के लिए 1956 में संसद के एक अधिनियम द्वारा स्थापित एक वैधानिक संगठन है। वे वित्त पोषण भी प्रदान करते हैं। संसाधनों और पर्यवेक्षण की कमी के कारण संस्थान गुणवत्तापूर्ण शिक्षा प्रदान करने में सक्षम नहीं हैं क्योंकि उनकी संख्या बहुत अधिक है। सरकार ने उनकी ग्रेडिंग के लिए अन्य संस्थान स्थापित किए हैं।

31. (d)

भारतीय विश्वविद्यालय संघः यह भारत के प्रमुख विश्वविद्यालयों का एक संगठन और संघ है। यह दिल्ली में स्थित है। यह विदेशों में चल रहे विदेशी विश्वविद्यालयों के पाठ्यक्रमों, मानकों और क्रेडिट का मूल्यांकन करता है और भारतीय विश्वविद्यालयों द्वारा प्रस्तुत किए जाने वाले विभिन्न पाठ्यक्रमों के संबंध में उनकी बराबरी करता है।

एआईयू मुख्य रूप से भारत में विश्वविद्यालयों द्वारा प्रदान की जाने वाली डिग्री/डिप्लोमा की मान्यता से संबंधित है, जिन्हें विश्वविद्यालय अनुदान आयोग, नई दिल्ली और विदेशों में भारतीय विश्वविद्यालयों में उच्च डिग्री पाठ्यक्रमों में प्रवेश के उद्देश्य से मान्यता प्राप्त है। एआईयू शिक्षा के क्षेत्र में भारत और अन्य देशों के मध्य निष्पादित सांस्कृतिक आदान-प्रदान कार्यक्रमों के अंतर्गत हस्ताक्षरित समझौतों के लिए एक कार्यान्वयन एजेंसी भी है।

32. (d)

भारत के उच्चतर शिक्षा के क्षेत्र में वर्तमान में विस्तार, साम्यता और उत्कृष्टता प्रमुख चुनौतियाँ है। इन चुनौतियों के अतिरिक्त भी कुछ अन्य चुनौतियाँ हैं - जैसे - नामांकन, आधारभूत संरचना का अभाव, राजनीतिक हस्तक्षेप, अपर्याप्त शोध गुणवत्तापूर्ण शिक्षा आदि।

33. (c)

राष्ट्रीय शिक्षा नीति (1986) ने प्रत्येक राज्य में उच्च शिक्षा के लिए राज्य परिषद की स्थापना की अनुशंसा की।

शिक्षा पर राष्ट्रीय नीति भारत के लोगों के मध्य शिक्षा को बढ़ावा देने के लिए भारत सरकार द्वारा तैयार किया गया एक फ्रेमवर्क है। यह नीति ग्रामीण और शहरी भारत दोनों में कॉलेज में प्रारंभिक शिक्षा को कवर करती है। प्रथम एनपीई 1968 में प्रधान मंत्री इंदिरा गांधी की सरकार द्वारा और दूसरा प्रधान मंत्री राजीव गांधी द्वारा वर्ष 1986 में प्रख्यापित की गई।

34. (c)

विश्वविद्यालय अनुदान आयोग का कार्य-क्षेत्र निम्नलिखित है - शिक्षा स्तर में सुधार, गर्मी की संस्थायें व पाठशालायें, पुनरावलोकन समिति, परीक्षा प्रणाली में सुधार, क्षेत्रीय अध्ययन, शोधात्मक कार्यों में सहायता, शिक्षकों के आमन्त्रण हेतु, अवकाश ग्रहण शिक्षकों की सेवाओं को संगठित करना तथा विश्वविद्यालय में शिक्षण और शोध के स्तर का निर्धारण करना और उसे बनाये रखना आदि।

35. (a)

किम हुआंग कोरिया के प्रख्यात विद्वान थे। वे नालंदा विश्वविद्यालय से अपने धर्मग्रंथ अपने साथ वापस ले गए और उन्होंने इस विश्व विद्यालय की वास्तुकला और अधिगम के बारे में लिखा। इन्होंने कई सौ मूर्तियां वापस ले लीं, जिनका बाद में चीनी भाषा में अनुवाद किया गया था। नालंदा पूर्ण रूप से एक आवासीय विश्वविद्यालय था, जिसके बारे में माना जाता है कि इसमें 2000 शिक्षक और 10000 छात्र थे।

36. (b)

इस अवधि के दौरान उच्च शिक्षा के लिए विकसित सबसे उल्लेखनीय विश्वविद्यालय तक्षशिला, नालंदा, वल्लभी, विक्रमशिला, ओदंतपुरी और जगदला में स्थित थे। ये विश्वविद्यालय विभिन्न विहारों से जुड़े हुए (affiliated) थे। बनारस, नवदीप और कांची मंदिरों से जुड़े थे।

विहार मूल रूप से मठ थे, जो बौद्ध भिक्षुओं और भिक्षुणियों के आवास गृह होते थे, जो एक निश्चित अवधि के दौरान ज्ञान प्राप्ति के लिए विद्वानों के साथ विचार – विमर्श और चर्चा करते थे।

समय के साथ इन विहारों के आसपास उच्च शिक्षा के शैक्षिक केंद्र विकसित हुए। इनमें चीन, कोरिया, तिब्बत, बर्मा, सीलोन, जावा, नेपाल सहित अन्य देशों के छात्रों ने दाखिला लिया था।

अत: सही विकल्प (b) है।

37. (c)

वायस्कोसिलोवा (2015) के अनुसार – ''मूल्य हमारी मानसिक प्रक्रियाओं और व्यवहार का मार्गदर्शन करने वाले मौलिक दृष्टिकोण हैं जो यह विश्वास उत्पन्न करते हैं कि जीवन सार्थक है और मूल्य किसी बात के माप के रूप में कार्य करता है कि किसी व्यक्ति के कार्य कितने सार्थक हैं, जो उस व्यक्ति की मूल्य प्रणाली के अनुरूप है।''

मूल्य स्पष्टीकरण संज्ञानात्मक-व्यवहार परीक्षण (Cognitive Behaviour Testing – CBT) में उपयोग की जाने वाली एक तकनीक है जिसका उद्देश्य लोगों को उनके मूल्य प्रणालियों को समझने में सहायता करना है।

(1), (3), (2), (4) और (5) का सही क्रम है जो हमें ऐसे निर्णयों पर पहुंचने में सहायता करता है।

अत: सही विकल्प (c) है।

38. (c)

उच्च शिक्षा पर अखिल भारतीय सर्वेक्षण के अनुसार, उच्च शिक्षा में सकल नामांकन अनुपात (जीईआर) 2017-18 में 25.8 प्रतिशत से बढ़कर 2018-19 में 26.3 प्रतिशत हो गया है, जबकि पूर्ण रूप से नामांकन 3.66 करोड़ से बढ़कर 3.74 करोड़ छात्रों तक पहुंच गया है। नई शिक्षा नीति का लक्ष्य वर्ष 2035 तक उच्च शिक्षा GER को 50% तक बढ़ाना है। NEP 2020 का उद्देश्य शिक्षा बजट को सकल घरेलू उत्पाद के 6% के स्तर तक बढ़ाकर शिक्षा पर होने वाले व्यय में वृद्धि करना भी है।

अत: सही विकल्प (c) है।

39. (d)

यूजीसी पोर्टल ''e-SARTS'' (e–Scholarship–Fellowship Award Registration Tracking), यूजीसी की विभिन्न योजनाओं के तहत छात्रों, विद्वानों और संकायों के लिए उपलब्ध सभी छात्रवृत्ति/फैलोशिप के लिए सिंगल – विंडो प्लेटफार्म प्रदान करता है।

- योजना की विभिन्न विशेषताएं और ई-सार्ट्स प्लेटफॉर्म की कार्यप्रणाली, कार्यप्रणाली में इनफ्लिबनेट केंद्र की भूमिका और ई-एसएआरटी के तहत कवर की गई 13 छात्रवृत्तियों/ अध्येतावृत्तियों में से प्रत्येक पर एक संक्षिप्त लेखन सम्मिलित है।
- इसका मुख्य उद्देश्य पात्र छात्रों, विद्वानों और संकायों तक पहुंचना है जो इन योजनाओं से लाभान्वित हो सकते हैं।
- ई-सार्ट्स पंजीकरण ट्रैकिंग प्रणाली के लिए एक वेब आधारित उपयोगकर्ता के अनुकूल ग्राफिकल यूजर इंटरफेस है जो आवेदकों को ऑनलाइन आवेदन करने और उनके आवेदन की स्थिति को ट्रैक करने की सुविधा प्रदान करता है। इंटरफ़ेस व्यक्तिगत योजनाओं, पात्रता, छात्रवृत्ति / फैलोशिप की राशि, पंजीकरण के लिए लिंक, परिणाम, डाउनलोड, आवेदन की वर्तमान विधियों आदि के लिए सभी आवश्यक जानकारी प्रदान करता है।

अत: सही विकल्प (d) है।

40. (b)

डीम्ड-टू-बी-यूनिवर्सिटी का दर्जा यूजीसी अधिनियम, 1956 की धारा 3 के अनुसार प्रदान किया जाता है।

किसी संस्थान को 'डीम्ड-टू-बी-यूनिवर्सिटी' घोषित किए जाने के योग्य होने के लिए उसे निम्नलिखित मानदंडों को पूरा करना चाहिए:

1. इसे NAAC द्वारा लगातार पांच वर्षों में उच्चतम ग्रेड के साथ मान्यता दी गई हो। संस्थान किसी विशिष्ट श्रेणी में शीर्ष 20 में या आवेदन के समय और ठीक पिछले दो वर्षों में राष्ट्रीय संस्थान रैंकिंग फ्रेमवर्क रैंकिंग के शीर्ष 100 में होना चाहिए।
2. विविध पाठ्यचर्या प्रावधानों, शिक्षण में योगदान और सत्यापन योग्य अनुसंधान आउटपुट के माध्यम से एक विश्वविद्यालय की विशेषताओं का प्रदर्शन किया हो।
3. अनुसंधान कार्यक्रमों के साथ 3 वर्ष के लिए स्नातक और कम से कम पांच स्नातकोत्तर विभाग अस्तित्व में होने चाहिये।
4. शोध गतिविधियों, प्रकाशनों और विद्वतापूर्ण कार्यों में लगे रहेंगे और डॉक्टरेट/ पोस्ट – डॉक्टरेट अनुसंधान कार्यक्रम होने चाहिये। मानविकी, सामाजिक विज्ञान, भाषा के संकाय में कम से कम 10 प्रकाशन हों और विज्ञान/ चिकित्सा/इंजीनियरिंग संकाय में यूजीसी द्वारा सूचीबद्ध रेफर की गई पत्रिकाओं में प्रति वर्ष कम से कम 15 प्रकाशन होने चाहिए।
5. यूजीसी/संबंधित सांविधिक परिषदों के मानदंडों के अनुसार शिक्षण और अनुसंधान के लिए पर्याप्त संख्या में पूर्णकालिक पूर्णत: योग्य संकाय हों।
6. गुणवत्तापूर्ण अनुसंधान और आधुनिक सूचना संसाधनों तक निर्बाध पहुंच के लिए आवश्यक आधारभूत ढांचा हो।
7. विभिन्न सार्वजनिक/निजी एजेंसियों से योग्यता.आधारित बाह्य अनुसंधान निधि प्राप्त करने का एक प्रमाणित रिकॉर्ड होना चाहिए।
8. विस्तार सेवाओं और सामाजिक सबंधों का रिकॉर्ड होना चाहिए।
9. मूल प्रस्ताव में सम्मिलित प्रत्येक घटक इकाई को उच्चतम ग्रेड के साथ दो वर्षों के लिए निरंतर मान्यता प्राप्त होनी चाहिए और तीसरे वर्ष के लिए वैध उच्चतम ग्रेड भी प्राप्त होना चाहिए, या तो राष्ट्रीय मूल्यांकन और प्रत्यायन परिषद (NAAC) और/या इसके सभी पात्र पाठ्यक्रमों से उच्चतम ग्रेड के साथ दो चक्रों (पांच वर्ष प्रत्येक) के लिए लगातार मान्यता प्राप्त हो और तीसरे चक्र में उच्चतम ग्रेड भी प्राप्त हो जो वर्तमान में राष्ट्रीय प्रत्यायन बोर्ड (NBA) या समय-समय पर आयोग द्वारा मान्यता प्राप्त एक मान्यता एजेंसी द्वारा मानित किया गया हो।
10. डिस्टेंस मोड में कोई भी कार्यक्रम प्रस्तुत नहीं करने के लिए प्रतिबद्ध हों।

अत: सही विकल्प (b) है।

41. (a)

वैदिक युग में, भारतीय शिक्षा की मुख्य अवधारणा यह रही है कि शिक्षा उज्वलता का एक स्रोत है, जो जीवन के विभिन्न क्षेत्रों में सही नेतृत्व प्रदान करता है। भारतीय शास्त्रीय परंपरा के अनुसार, 'सा विद्या या विमुक्तये' यानी जो हमें मुक्त करता है वह शिक्षा है।

अत: प्राचीन शिक्षा का प्रमुख लक्ष्य मुक्ति या उद्धार करना था।

42. (d)

शिक्षा पर राष्ट्रीय नीति (1986) के अंतर्गत मुक्त विश्वविद्यालय और दूरस्थ शिक्षा में निम्नलिखित विशेषताएं थीं:

(i) उच्च शिक्षा के अवसरों में वृद्धि करने और शिक्षा को लोकतांत्रिक बनाने के लिए मुक्त विश्वविद्यालय प्रणाली आरंभ की जाएगी।
(ii) वर्ष 1985 में स्थापित इग्नू को उपरोक्त उद्देश्यों की पूर्ति के लिए सुदृढ़ किया जाएगा।
(iii) दूरस्थ शिक्षा प्रणाली को सावधानी से विकसित करना होगा।

अत: राष्ट्रीय शिक्षा नीति के अनुसार, उच्चतर शिक्षा तक पहुंच के अवसर विस्तारित करने के लिए मुक्त विश्वविद्यालय प्रणाली का आरंभ करने की आवश्यकता है।

43. (c)

भारतीय दर्शन में दर्शन की छह रूढ़िवादी विचारधाराएँ हैं, जो वेदों के अधिकार को दैवीय रहस्योद्घाटन के रूप में पहचानती हैं। इसके विपरीत, जैन तथा बौद्ध (दोनों अरूढ़िवादी) और चार्वाक (भौतिकवादी) मत वेदों के प्रति विरोधात्मक थे।

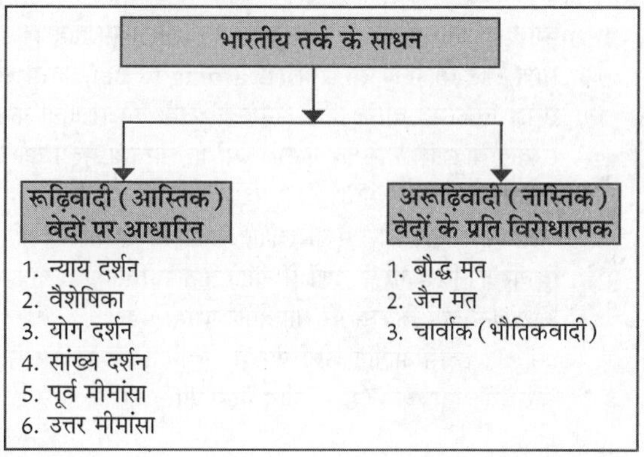

44. (c)

संस्थागत स्वायत्तता का अर्थ है, कि शिक्षण और वाद – विवाद के लिए विश्वविद्यालय के अपने स्वयं के प्रोटोकॉल तैयार करने का अधिकार होना। अध्ययन, अध्यापन और शोध की स्वतंत्रता सुनिश्चित करने के लिए शैक्षणिक स्वतंत्रता आवश्यक होती है। वर्ष 1966 में उच्च शिक्षा पर कोठारी आयोग द्वारा स्वायत्तता की प्रकृति को परिभाषित किया गया है इसके अनुसार किसी भी शैक्षणिक संस्थान को मुख्य रूप से तीन क्षेत्रों में स्वायत्तता होनी चाहिए:

1. छात्रों का चयन
2. संकाय का चयन
3. पाठ्यक्रमों एवं अनुसंधान के विषयों का चयन।

45. (d)

डेलर्स रिपोर्ट 1966 में डेलर्स आयोग (Delors's Commission) द्वारा बनाई गई थी। इसने दो प्रमुख अवधारणाओं पर आधारित शिक्षा का एक एकीकृत दृष्टिकोण प्रस्तावित किया था:

1. जीवन भर सीखना
2. शिक्षा के चार स्तंभों को जानना, करना, होना और एक साथ रहना।

डेलर्स रिपोर्ट को नैतिक और बौद्धिक सिद्धांत के साथ संबंधित किया गया क्योंकि यह यूनेस्को को रेखांकित करता है और इसलिए इसका विश्लेषण और अनुशंसाएं अन्य शैक्षिक सुधारों की तुलना में अधिक मानवीय और कम सहायक और बाजार संचालित थीं।

शिक्षा के चार स्तंभ इस प्रकार हैं:

यह डेलर्स रिपोर्ट की सबसे प्रभावशाली अवधारणाओं में से एक थी। रिपोर्ट के अनुसार, औपचारिक शिक्षा द्वारा केवल कुछ ही प्रकार के ज्ञान पर अधिक ध्यान केंद्रित किया गया, जो मानव विकास को बनाए रखने के लिए आवश्यक हैं।

जानने के लिए सीखना (Learning to know): विषयों की एक छोटी संख्या में गहनता से कार्य करने के अवसर के साथ एक व्यापक ज्ञान की प्राप्ति।

करना सीखना (Learning to Do): न केवल व्यावसायिक कौशल उपलब्ध करना, बल्कि कई स्थितियों से निपटने और टीमों में कार्य करने की क्षमता भी विकसित करना।

व्यक्तित्व विकास के लिए सीखना (Learning to Be): किसी के व्यक्तित्व का विकास करना और बढ़ती स्वायत्तता, निर्णय और व्यक्तिगत उत्तरदायित्व के साथ कार्य करने में सक्षम होना।

साथ रहने के लिए सीखना (Learning to Be): अन्य लोगों की समझ विकसित करना और अन्योन्याश्रितता की सराहना करना। यह संस्कृत वाक्यांश 'वसुधैव कुटुम्बकम' के भारतीय मूल्य को दर्शाता है जिसका अर्थ है कि संपूर्ण विश्व एक एकल परिवार है।

अधिगम के चार स्तंभों में परिलक्षित एक एकीकृत शैक्षिक दृष्टिकोण के विचार का विश्व भर के देशों में नीतिगत तर्क-वितर्क, शिक्षक प्रशिक्षण और पाठ्यक्रम विकास पर महत्वपूर्ण प्रभाव पड़ा।

इसलिए, डेलर्स आयोग की रिपोर्ट में उल्लिखित एक साथ रहना सीखना 'वसुधैव कुटुम्बकम' के भारतीय मूल्य को दर्शाता है।

46. (b)

ऐसा माना जाता है कि चीनी विद्वानों और यात्री ई-किंग और जुआन जैंग ने 685 ईस्वी में नालंदा का दौरा किया और प्राचीन नालंदा विश्वविद्यालय का विस्तृत विवरण दिया और इस प्रकार इसे विश्व मानचित्र पटल पर रखा गया।

जुआन जैंग का जन्म 602 ईस्वी में हुआ था, वह ह्वेन त्सांग के रूप में भी लोकप्रिय एक चीनी यात्री था। इसलिए उन्हें 'तीर्थयात्रियों के राजकुमार' के रूप में वर्णित किया गया है। जुआन जैंग राजा हर्षवर्धन के शासनकाल में भारत आए थे। इन्होंने उन दिनों की राजनीतिक, धार्मिक, आर्थिक, सामाजिक स्थितियों के कई मूल्यवान विवरण लिखे। एक अन्य चीनी द्वारा लिखित ह्वेन त्सांग की जीवनी भी भारतीय इतिहास का एक अन्य मूल्यवान स्रोत है। वे नालंदा विश्वविद्यालय में करीब पांच वर्ष तक रहे।

47. (a)

यहां पर यूजीसी के उद्भव और विकास (Origin and evolution) की विस्तृत व्याख्या की गई है, जो अन्य प्रश्नों के लिए भी महत्वपूर्ण है:

1. उच्च शिक्षा की वर्तमान प्रणाली माउंटस्टुअर्ट एलफिंस्टन द्वारा वर्ष 1823 में स्थापित की गई।
2. वर्ष 1854 के सर चार्ल्स वुड के डिस्पैच ने शिक्षा की एक सुसंगत नीति के निर्माण का सुझाव दिया । इसे 'भारत में अंग्रेजी शिक्षा के मैग्ना कार्टा' के रूप में भी जाना जाता है। इसके बाद, वर्ष 1857 में कलकत्ता, बॉम्बे (अब मुंबई) और मद्रास विश्वविद्यालय स्थापित किए गए, इसके बाद वर्ष 1887 में इलाहाबाद विश्वविद्यालय स्थापित किया गया।
3. अंतर-विश्वविद्यालय बोर्ड की स्थापना वर्ष 1925 में शिक्षा, संस्कृति, खेल और संबद्ध क्षेत्रों में सूचना और सहयोग साझा करके विश्वविद्यालय की गतिविधियों को बढ़ावा देने के लिए की गई थी। इसे भारतीय विश्वविद्यालयों के संघ (Association of Indian Universities) के रूप में भी जाना जाता है।
4. वर्ष 1944 में, सार्जेंट रिपोर्ट ने एक विश्वविद्यालय अनुदान समिति के गठन की अनुशंसा की, जिसका गठन वर्ष 1945 में अलीगढ़, बनारस और दिल्ली के तीन केंद्रीय विश्वविद्यालयों के कार्य की देखरेख के लिए किया गया था। वर्ष 1947 में, समिति को तत्कालीन सभी वर्तमान विश्वविद्यालयों से निपटने का उत्तरदायित्व सौंपा गया।
5. वर्ष 1948 में, डॉ. एस. राधाकृष्णन की अध्यक्षता में एक रिपोर्ट ने अनुशंसा की, कि विश्वविद्यालय अनुदान समिति को यूनाइटेड किंगडम के विश्वविद्यालय अनुदान आयोग के सामान्य मॉडल पर पुनर्गठित किया जाए।
6. वर्ष 1952 में, केंद्र सरकार ने निर्णय लिया कि केंद्रीय विश्वविद्यालयों और अन्य विश्वविद्यालयों और उच्च शिक्षा के संस्थानों को सार्वजनिक धन से सहायता अनुदान के आवंटन से संबंधित सभी विषयों को यूजीसी को भेजा जा सकता है।
7. परिणामस्वरूप, विश्वविद्यालय अनुदान आयोग (यूजीसी) का औपचारिक रूप से 28 दिसंबर 1953 को उद्घाटन किया गया। यूजीसी औपचारिक रूप से एक वैधानिक निकाय के रूप में नवंबर 1956 में संसद के एक अधिनियम के माध्यम से विश्वविद्यालय शिक्षा के मानकों के समन्वय, निर्धारण और रखरखाव के लिए स्थापित किया गया। भारत में यूजीसी ने नई दिल्ली में मुख्यालय के साथ पुणे, हैदराबाद, कोलकाता, भोपाल, गुवाहाटी और बैंगलोर में छह क्षेत्रीय केंद्र स्थापित करके अपने कार्यों का विकेंद्रीकरण किया है।

48. (a)

यूजीसी अधिनियम, 1956 की धारा 2(एफ) के तहत केंद्रीय/राज्य अधिनियम द्वारा विश्वविद्यालयों की स्थापना की जाती है जबकि यूजीसी अधिनियम, 1956 की धारा 3 के तहत यूजीसी की सलाह पर केंद्र सरकार की एक अधिसूचना द्वारा डीम्ड विश्वविद्यालय घोषित किया जाता है।

49. (a)

जैक्स डेलर्स ने विश्व में संभावित संघर्ष स्थितियों पर कार्य किया। डेलर्स रिपोर्ट ने तकनीकी, आर्थिक और सामाजिक परिवर्तन से उत्पन्न कई तनावों की पहचान की।

उनमें निम्नलिखित तनाव सम्मिलित थे:

1. वैश्विक और स्थानीय
2. सार्वभौमिक और विशेष

3. परंपरा और आधुनिकता
4. आध्यात्मिक और सामग्री
5. दीर्घकालिक और अल्पकालिक विचार
6. प्रतिस्पर्धा की आवश्यकता और अवसर की समानता का आदर्श
7. ज्ञान का विस्तार और इसे आत्मसात करने की हमारी क्षमता।

उन्होंने 'लर्निंग: द ट्रेजर विदिन' में महत्वपूर्ण भूमिका निभाई। यह एक ऐसी शिक्षा को प्रस्तुत करता है जो प्रत्येक व्यक्ति की व्यक्तिगत प्रतिभाओं के उद्भव का समर्थन करती है, लोगों को नागरिकों, परिवार और समुदाय के सदस्यों और आर्थिक एजेंटों के रूप में जीवन के लिए तैयार करती है।

50. (c)

SWAYAM भारत सरकार द्वारा आरंभ किया गया एक कार्यक्रम है और शिक्षा नीति के तीन प्रमुख सिद्धांतों, पहुंच, समानता और गुणवत्ता को प्राप्त करने के लिए डिज़ाइन किया गया है। इस का उद्देश्य सबसे अधिक वंचितों सहित सभी के लिए सर्वोत्तम शिक्षण संसाधन उपलब्ध करवाना है। SWAYAM उन छात्रों के लिए डिजिटल डिवाइड को समाप्त करना चाहता है, जो अब तक डिजिटल क्रांति से अछूते रहे हैं और ज्ञान अर्थव्यवस्था की मुख्यधारा में सम्मिलित नहीं हो पाए हैं।

SWAYAM पर होस्ट किए गए कोर्स के चार चतुर्थांश हैं:

1. वीडियो व्याख्यान
2. विशेष रूप से तैयार की गई पठन सामग्री, जिसे डाउनलोड/मुद्रित किया जा सकता है।
3. परीक्षण और प्रश्नोत्तरी के माध्यम से स्व-मूल्यांकन परीक्षण
4. शंकाओं को दूर करने के लिए एक ऑनलाइन चर्चा मंच।

SWAYAM को NPTEL द्वारा सुविधा प्रदान की गई है, यह MHRD की एक पहल है, जिसे वर्ष 2003 में सात भारतीय प्रौद्योगिकी संस्थानों बॉम्बे, दिल्ली, कानपुर, खड़गपुर, मद्रास, गुवाहाटी और रुड़की द्वारा भारतीय विज्ञान संस्थान बैंगलोर के साथ आरंभ किया गया था।

51. (b)

प्रत्यायन गुणवत्ता, आश्वासन और सुधार की एक प्रक्रिया है, जिसके द्वारा एक अनुमोदित संस्थान में एक कार्यक्रम का गंभीर रूप से मूल्यांकन किया जाता है, ताकि यह सत्यापित किया जा सके कि संस्थान या कार्यक्रम समय-समय पर नियामक द्वारा निर्धारित मानदंडों और मानकों को पूरा करता है और/या उससे अधिक है। यह एक प्रकार की मान्यता है, जो इंगित करती है कि कोई कार्यक्रम या संस्थान कुछ मानकों को पूरा करता है।

NBA उन दो प्रमुख निकायों में से एक है, जो राष्ट्रीय मूल्यांकन और प्रत्यायन परिषद (NAAC) के साथ भारत में उच्च शिक्षा संस्थानों की मान्यता के लिए उत्तरदायी है। एनबीए को अखिल भारतीय तकनीकी शिक्षा परिषद (AICTE) द्वारा वर्ष 1994 में स्थापित किया गया था और वर्ष 2010 से एक स्वायत्त निकाय के रूप में संचालित किया गया था। वर्ष 2014 में, इसे वाशिंगटन समझौते में पूर्ण सदस्यता प्रदान की गई। एनबीए तकनीकी कार्यक्रमों, जैसे इंजीनियरिंग और प्रबंधन कार्यक्रमों को मान्यता देता है, जबकि एनएएसी सामान्य कॉलेजों और विश्वविद्यालयों को मान्यता देता है। एनबीए कार्यक्रमों को मान्यता देता है न कि संस्थानों को। इनमें डिप्लोमा, स्नातक और स्नातकोत्तर कार्यक्रम सम्मिलित हैं। NBA का मुख्य कार्यालय दिल्ली में है।

52. (c)

अकादमिक परिषद विश्वविद्यालय संस्थान का प्रमुख शैक्षणिक निकाय है। वे मेमोरेंडम ऑफ एसोसिएशन के प्रावधानों के अधीन हो सकते हैं। वे शिक्षा, शिक्षण और प्रशिक्षण, अंतर विभागीय समन्वय, अनुसंधान आदि के मानकों के रखरखाव के लिए उत्तरदायी हैं।

अत: किसी विश्व विद्यालय के विद्वेत परिषद (academic council) के पास अध्ययन कार्यक्रमों और पाठ्यक्रमों को औपचारिक अनुमोदन देने की शक्ति होती है।

53. **(a)**

शिक्षा पर भारत की प्रथम राष्ट्रीय नीति कोठारी आयोग की सिफारिशों पर आधारित थी। इस आयोग की रिपोर्ट को 'शैक्षिक और राष्ट्रीय विकास रिपोर्ट' कहा जाता है। **कोठरी आयोग की मुख्य अनुशंसाएं निम्न रूप में दी गयी है।**

1. **नि:शुल्क और अनिवार्य शिक्षा का प्रावधान** – कोठारी आयोग ने 6 से 14 वर्ष की आयु के बच्चों के लिए नि:शुल्क और अनिवार्य शिक्षा प्रदान करने की अनुशंसा की।
2. **भाषा संबंधी अनुशंसा** – कोठारी आयोग ने राज्य स्तर पर त्रिभाषा सूत्र अपनाने की अनुशंसा की। इसका उद्देश्य हिंदी भाषी राज्यों में दक्षिणी राज्यों की भाषा को बढ़ावा देना था। इसका उद्देश्य गैर-हिंदी भाषी राज्यों में हिंदी, अंग्रेजी और एक क्षेत्रीय भाषा को बढ़ावा देना था।
3. कोठारी आयोग ने क्षेत्रीय भाषाओं, संस्कृत के साथ-साथ अंतर्राष्ट्रीय भाषाओं, अधिमानत: अंग्रेजी को बढ़ावा देने की अनुशंसा की।
4. कोठारी आयोग ने शिक्षकों के लिए अनुकूल और पर्याप्त सेवा शर्तें प्रदान करने और उन निष्कर्षों को संचालित करने और प्रकाशित करने के लिए आवश्यक स्वतंत्रता प्रदान करने की अनुशंसा की।
5. सामाजिक न्याय को बढ़ावा देने के लिए, कोठारी आयोग ने कन्याओं की शिक्षा, पिछड़े वर्गों की शिक्षा, आदिवासी लोगों की शिक्षा, शारीरिक और मानसिक रूप से विकलांग बच्चों पर ध्यान केंद्रित किया।
6. चूंकि विज्ञान और गणित किसी भी राष्ट्र के विकास का एक अभिन्न अंग हैं, इसलिए कोठारी आयोग ने गणित और विज्ञान को शिक्षा का अभिन्न अंग बनाने की अनुशंसा की।
7. आयोग ने स्नातकोत्तर स्तर के अनुसंधान, प्रशिक्षण, पर्याप्त पुस्तकालय, प्रयोगशालाएं और धन उपलब्ध कराने पर विशेष ध्यान देकर विश्वविद्यालय स्तर पर शिक्षा में सुधार के लिए सुधारों की अनुशंसा की।
8. सकल घरेलू उत्पाद का 6 प्रतिशत शिक्षा पर व्यय किया जाना चाहिए।

कोठारी आयोग की अनुशंसाओं के परिणाम

1. राष्ट्रीय स्तर पर शिक्षा प्रणाली को कोठारी आयोग द्वारा अनुशंसित 10+2+3 पैटर्न में सरेखित किया गया था।
2. कोठारी आयोग की सबसे महत्वपूर्ण सिफारिशों में से एक राष्ट्रीय शिक्षा नीति थी। यह विधेयक भारत की पूर्व प्रधान मंत्री इंदिरा गांधी के नेतृत्व में संसद में पारित किया गया था।
3. यह बताया गया है कि 1986 में शिक्षा पर राष्ट्रीय नीति, कोठारी आयोग की सिफारिशों से प्रभावित थी।
4. कोठारी आयोग की अनुशंसाओं के अनुसार, भारत में शिक्षा क्षेत्र को राष्ट्रीय निकायों, राज्य निकायों और केंद्रीय बोर्ड में विभाजित किया गया था।

54. (a)

NEAT एक शिक्षा मंत्रालय (पूर्व नाम मानव संसाधन विकास मंत्रालय - Ministry of Human Resource Development - MHRD) द्वारा अधिनियमित एकयोजना है, जिसका उद्देश्य उच्च शिक्षा में बेहतर अधिगम परिणाम प्राप्त करना है। NEAT का पूरा नाम National Education Alliance for Technology है।

शिक्षा मंत्रालय ने अपनी कार्यान्वयन एजेंसी AICTE और भारत की शिक्षा प्रौद्योगिकी कंपनियों के सहयोग से एक सार्वजनिक-निजी भागीदारी के रूप में प्रौद्योगिकी के लिए राष्ट्रीय शैक्षणिक सहयोग (NEAT) की घोषणा की है।

NEAT के मुख्य उद्देश्य है:

1. शिक्षार्थियों की सुविधा के लिए शिक्षा अध्यापन में सर्वोत्तम तकनीकी उत्पादों को एकल मंच पर लाना।
2. अनुकूलित अधिगम के लिए आर्टिफिशियल इंटेलिजेंस का उपयोग करने वाले प्रौद्योगिकी उत्पाद का उपयोग करना।
3. इस योजना में समाज के कमजोर वर्गों की उच्च शिक्षा के लिए छात्रों के लिए मुफ्त सीटें भी सम्मिलित हैं।

55. (b)

सर्वप्रथम, राष्ट्रीय खेल विश्वविद्यालय (केंद्रीय विश्वविद्यालय) मणिपुर राज्य में है।

प्रधानमंत्री नरेंद्र मोदी द्वारा 16 मार्च 2018 को इंफाल में स्थित राष्ट्रीय खेल विश्वविद्यालय (NSU) की स्थापना की गयी। यह विश्वविद्यालय पूर्ण रूप से खेल शिक्षा पर केंद्रित है। राष्ट्रीय खेल विश्वविद्यालय, मणिपुर द्वारा प्रस्तुत किए जाने वाले लोकप्रिय पाठ्यक्रमों में B.Sc. स्पोर्ट्स कोचिंग, BPES, और M.Sc. स्पोर्ट्स कोचिंग आदि हैं।

56. (c)

राधाकृष्णन आयोग (1948) ने अपने प्रतिवेदन में अनुशंसा की कि राष्ट्रीय अर्थव्यवस्था को तीव्र करने के लिए विज्ञान शिक्षा और शोध को उच्च प्राथमिकता दी जानी चाहिए।

57. (b)

समविश्वविद्यालय (Deemed University): समविश्वविद्यालय, या 'डीम्ड-टू-बी-यूनिवर्सिटी', यूजीसी अधिनियम, 1956 की धारा 3 के अंतर्गत यूजीसी की अनुशंसा पर उच्च शिक्षा विभाग द्वारा प्रदान की गई स्वायत्तता की स्थिति है।

NIEPA (नेशनल इंस्टीट्यूट ऑफ एजुकेशनल प्लानिंग एंड एडमिनिस्ट्रेशन) नई दिल्ली में स्थित एक शोध केंद्रित विश्वविद्यालय और दिल्ली में स्थित जामिया हमदर्द, को समविश्वविद्यालय माना जाता है।

58. (b)

राष्ट्रीय उच्चतर शिक्षा अभियान (रूसा) का मुख्य उद्देश्य राज्य स्तर पर उच्च शिक्षा के नियोजित विकास के माध्यम से उच्च शिक्षा में पहुंच (access), समानता/साम्या (equity) और गुणवत्ता (quality) में सुधार करना है। इसके उद्देश्यों में नए शैक्षणिक संस्थानों का निर्माण, वर्तमान संस्थानों का विस्तार और उन्नयन (upgrading), गुणवत्तापूर्ण शिक्षा के विषय में आत्मनिर्भर, पेशेवर रूप से प्रबंधित और शोध केंद्रित संस्थानों को विकसित करना और छात्रों को ऐसी शिक्षा प्रदान करना सम्मिलित है, जो उनके साथ-साथ राष्ट्र के लिए भी प्रासंगिक हो।

59. (a)

NIEPA: राष्ट्रीय शैक्षिक योजना और प्रशासन संस्थान (एनआईईपीए) मानव संसाधन विकास मंत्रालय द्वारा स्थापित एक विश्वविद्यालय है। यह दक्षिण एशिया में शिक्षा के नियोजन और प्रबंधन में क्षमता निर्माण और अनुसंधान से संबंधित एक प्रमुख संगठन है। भारत सरकार द्वारा अगस्त 2006 में इसे 'डीम्ड विश्वविद्यालय' का दर्जा प्रदान किया गया। केंद्रीय विश्वविद्यालय, एनआईईपीए पूर्ण रूप से भारत सरकार द्वारा संचालित है।

NAAC: एनपीई 1986 और कार्य योजना (पीओए, 1992) ने नीतियों के लिए रणनीतिक योजनाओं के कार्यान्वन के लिए एक स्वतंत्र मानित एजेंसी की स्थापना की अनुशंसा की। परिणामस्वरूप, नेशनल असेसमेंट एंड एक्रीडिएशन काउंसिल (NAAC) की स्थापना वर्ष 1994 में UGC के एक स्वायत्त संस्थान के रूप में हुई थी, जिसका मुख्यालय बेंगलुरु में है।

NAAC का उद्देश्य उच्च शिक्षा संस्थानों (HEI) की गुणवत्ता बनाये रखने के लिए उच्च शिक्षा संस्थानों का प्रत्यायन (accredation) करना है।

AICTE: AICTE की स्थापना वर्ष 1987 में हुई थी, इसका मुख्यालय नई दिल्ली में है। AICTE के महत्वपूर्ण उद्देश्य निम्नलिखित हैं:

प्रथम नियमों और मानकों के नियोजन, निर्माण और रखरखाव के लिए सांविधिक प्राधिकरण।

द्वितीय प्रत्यायन के माध्यम से गुणवत्ता को बढ़ावा देना

iii. प्राथमिकता वाले क्षेत्रों में वित्त पोषण, निगरानी और मूल्यांकन

iv. प्रमाणन और पुरस्कारों की समानता बनाए रखना।

v. देश में तकनीकी शिक्षा का प्रबंधन।

ICSSR: भारतीय सामाजिक विज्ञान अनुसंधान परिषद (ICSSR) की स्थापना वर्ष 1969 में भारत सरकार द्वारा देश में सामाजिक विज्ञान में अनुसंधान को बढ़ावा देने के लिए की गई थी।

यह भारत में सामाजिक विज्ञान में अनुसंधान को बढ़ावा देने के लिए परियोजनाओं, फेलोशिप अंतर्राष्ट्रीय सहयोग, क्षमता निर्माण, सर्वेक्षण, प्रकाशन आदि के लिए अनुदान प्रदान करता है। इस केंद्र की स्थापना भारतीय सामाजिक विज्ञान अनुसंधान परिषद (आइ सी एस एस आर) के एक प्रभाग के रूप में की गयी, जिसका उद्देश्य सामाजिक विज्ञान में शोध करने वाले युवक-युवतियों को, शैक्षणिक संस्थानों में, स्वायत्त अनुसंधान संगठनों में, नीति निर्माण में, सरकारी विभागों की योजना और अनुसंधान इकाइयों में, व्यवसायों और उद्योगों आदि में कार्यरत सभी शोधकर्ताओं को पुस्तकालय और सूचना समर्थन सेवाएँ उपलब्ध करवाना है।

60. **(a)**

NEP - 2020 अनुशंसा करता है कि बी.एड की अवधि एक वर्ष, दो वर्ष और चार वर्ष होगी। वर्ष 2030 तक शिक्षक शिक्षा को धीरे-धीरे बहु-विषयक कॉलेजों और विश्वविद्यालयों में स्थानांतरित कर दिया जाएगा। एनईपी, 2020 ने 4-वर्षीय एकीकृत बी.एड कार्यक्रम के आरंभ की अनुशंसा की। शिक्षा के साथ-साथ एक विशेष विषय में एक दोहरे प्रमुख समग्र स्नातक की डिग्री के रूप में और 2030 तक बहु-विषयक संस्थानों / विश्वविद्यालयों में प्रस्तुत किया जाएगा। इस कार्यक्रम के अतिरिक्त, इस नीति ने 2-वर्षीय बी.एड कार्यक्रम आरंभ करने का भी सुझाव दिया है, यह उन छात्रों के लिए कार्यक्रम है जो पहले से ही एक विशेष विषय में स्नातक की डिग्री प्राप्त कर चुके हैं और 1 वर्षीय बी.एड कार्यक्रम उन छात्रों के लिए जिन्होंने किसी विशेष विषय में 4 वर्ष की स्नातक की डिग्री प्राप्त की है या स्कूल विषय में स्नातकोत्तर है, जो उस विशेषता में विषय शिक्षक बनना चाहते हैं।

61. **(b)**

CBCS छात्रों को मूल (कोर) कोर्स, ऐच्छिक कोर्स और योग्यता संवर्धन कोर्स में से कोर्स चुनने का अवसर प्रदान करता है।

62. **(b)**

वैध शक्ति (Legitimate power): यह वह शक्ति है, जिसे आप अपनी औपचारिक स्थिति या संगठन के अधिकार के पदानुक्रम के आधार पर प्राप्त करते हैं।

प्रतीक शक्ति (Referent power): जब दूसरे आप जैसा होना चाहते हैं। यह एक प्रकार की शक्ति या प्रभाव है जो पसंद या प्रशंसा किए जाने से आती है। इसके लिए मजबूर या असाइन नहीं किया जा सकता है।

पुरस्कार शक्ति (Reward power): उस पर नियंत्रण जो दूसरे चाहते हैं । यह एक प्रबंधक की शक्ति है, जो कर्मचारियों को उनके व्यवहार को प्रभावित करने के लिए पुरस्कार प्रदान करती है। ये पुरस्कार या तो मूर्त या अमूर्त रूप में हो सकते हैं।

विशेषज्ञ शक्ति: इससे अभिप्राय विशेषीकृत ज्ञान से है। जब व्यक्तियों को किसी विशेष विषय में उच्च स्तर का ज्ञान होता है या किसी विशिष्ट कार्य में असाधारण रूप से कुशल होते हैं । किसी भी संगठन की सफलता के लिए विशेषज्ञ शक्ति अमूल्य है।

63. (d)

यूनेस्को विश्व विरासत स्थल ऐसे विशेष स्थानों को कहा जाता है, जो विश्व विरासत स्थल समिति द्वारा चयनित होते हैं। इस कार्यक्रम का उद्देश्य विश्व के ऐसे स्थलों को चयनित एवं संरक्षित करना होता है जो विश्व संस्कृति की दृष्टि से मानवता के लिए महत्वपूर्ण हैं। उदाहरण के लिए वन क्षेत्र, पर्वत, झील, मरुस्थल, स्मारक, विश्वविद्यालय, भवन, नगर इत्यादि।

प्रत्येक विरासत स्थल उस देश विशेष की संपत्ति होती है, जिस देश में वह स्थल स्थित हो। अंतर्राष्ट्रीय समुदाय का हित भी इसी में होता है कि वे आनेवाली पीढ़ियों के लिए और मानवता के हित के लिए इनका संरक्षण करें। इस प्रकार इनके संरक्षण की जिम्मेवारी पूरे विश्व समुदाय की होती है।

कुछ खास परिस्थितियों में ऐसे स्थलों को इस समिति द्वारा आर्थिक सहायता भी दी जाती है। अब तक (जुलाई 2021 तक) पूरे विश्व में लगभग 1154 स्थलों को विश्व विरासत स्थल घोषित किया जा चुका है जिसमें 897 सांस्कृतिक, 218 प्राकृतिक, 39 मिले-जुले और 138 अन्य स्थल हैं।

प्राचीन काल के तक्षशिला और नालंदा विश्वविद्यालय को यूनेस्को द्वारा धरोहर स्थल घोषित किया गया है।

नालंदा: नालंदा महाविहार पटना से 98 किमी दूर विश्व धरोहार स्थल है। यह भारतीय उपमहाद्वीप के प्राचीनतम विश्व विद्यालयों में से एक है। यह 800 वर्षों की बाधित अवधि में ज्ञान के संगठित प्रसारण में लगा हुआ है। 800 वर्षों पुरानी इस साइट का ऐतिहासिक विकास बौद्ध धर्म के धर्म में विकास और मठवासी और शैक्षिक परंपराओं के साक्ष्य प्राप्त होते हैं।

तक्षशिला: यह पंजाब, पाकिस्तान में एक महत्वपूर्ण पुरातात्विक स्थल है। तक्षशिला को यूनेस्को की विश्व धरोहर स्थल घोषित किया गया था। वर्ष 2006 में इसे गार्जियन अखबार द्वारा पाकिस्तान में शीर्ष पर्यटन स्थल के रूप में स्थान दिया गया था। कुछ लेखों के अनुसार, प्राचीन तक्षशिला विश्वविद्यालय को विश्व के आरम्भिक विश्वविद्यालयों में से एक माना जाता था।

तक्षशिला एक महान प्राचीन भारतीय शैक्षिक केंद्र रहा था, जिसकी स्थापना 1000 ईसा पूर्व में हुई थी। यह कई प्रभावशाली ऐतिहासिक व्यक्तित्वों की उद्गम स्थली बनी:

(a) कौटिल्य: अर्थशास्त्र की रचना करने वाले
(b) पाणिनी: संस्कृत व्याकरण 'अष्टाध्यायी' के संकलनकर्ता
(c) चरक (चरक संहिता के लेखक): महान आयुर्वेदिक चिकित्सक
(d) जीवक: जिन्होंने कभी बुद्ध पर बहुत कुछ लिखा

लेकिन तक्षशिला में शिक्षा की अधिक औपचारिक (या केंद्रीकृत) व्यवस्था नहीं थी। इसने अपने छात्रों को डिग्री प्रदान नहीं की। वहां की शिक्षा प्रणाली लचीली थी, और छात्रों के अनुकूल थी। यहां के शिक्षकों ने पूरी स्वायत्तता के साथ काम किया, अपने विशिष्ट नियमों और ढंगों से अधिगम विद्यालयों की रचना की।

तक्षशिला के कामकाज का ढंग नालंदा विश्वविद्यालय से काफी भिन्न था जो कि तक्षशिला से अधिक संरचित था।

पुष्पगिरी: पुष्पगिरी विहार (या स्मारकों का समूह) एक प्राचीन बौद्ध महाविहार था। इसे ओडिशा के जाजपुर जिले में लांगुडी हिल के ऊपर स्थित मठवासी परिसर भी कहा जाता है। चीनी विद्वान सुआनज़ांग (Xuanzang) की पुष्पगिरी विहार की यात्रा इंगित करती है कि यह प्राचीन भारत में एक महत्वपूर्ण बौद्ध स्थल था। नालंदा, विक्रमशिला, ओदंतपुरी, तक्षशिला और वल्लभी की तरह, यह शिक्षा का एक प्रमुख प्राचीन केंद्र था। इसने तीसरी और ग्यारहवीं शताब्दी CE के समय काल में काफी प्रगति की।

पुष्पगिरी वन्यजीव अभयारण्य भारत के कर्नाटक राज्य के 21 वन्यजीव अभयारण्यों में से एक है। यह दुर्लभ और लुप्तप्राय पक्षी जीवन का आवास है। पुष्पगिरी वन्यजीव अभयारण्य को विश्व धरोहर स्थलों में से एक के रूप में प्रस्तावित किया गया है।

वल्लभी: वल्लभी विश्वविद्यालय बौद्ध शिक्षा का एक महत्वपूर्ण केंद्र था और 600 ce और 1200 ce के मध्य हीनयान बौद्ध धर्म का समर्थन करता था। 480-775 ce की अवधि के दौरान वल्लभी मैत्रक साम्राज्य की राजधानी थी।

मिथिला: प्राचीन मिथिला विश्वविद्यालय न्याय शास्त्र और तार्किक विज्ञान के लिए प्रसिद्ध था।

64. (d)

बीसीआई (BCI): बार काउंसिल ऑफ इंडिया अधिवक्ता अधिनियम 1961 की धारा 4 के अंतर्गत स्थापित एक वैधानिक निकाय है, जो भारत में कानूनी अभ्यास और कानूनी शिक्षा को नियंत्रित करता है। यह वृत्तिक आचरण (professional ethics) एवं शिष्टाचार के मानकों को निर्धारित करता है और बार काउंसिल पर अनुशासनात्मक अधिकार क्षेत्र का प्रयोग करता है। यह कानूनी शिक्षा के लिए मानक भी निर्धारित करता है और विश्वविद्यालयों को मान्यता प्रदान करता है।

एनसीटीई (NCTE): राष्ट्रीय शिक्षक शिक्षा परिषद, वर्ष 1973 से अपनी पूर्व स्थिति में, शिक्षक शिक्षा से संबंधित सभी विषयों पर केंद्र और राज्य सरकारों के लिए एक सलाहकार निकाय थी, जिसका सचिवालय राष्ट्रीय शैक्षिक अनुसंधान और प्रशिक्षण (एनसीईआरटी) परिषद के शिक्षक शिक्षा विभाग में था। राष्ट्रीय शिक्षक शिक्षा परिषद एक वैधानिक निकाय के रूप में राष्ट्रीय शिक्षक शिक्षा परिषद अधिनियम (1993) के अनुसरण में 17 अगस्त, 1995 को अस्तित्व में आया। एनसीटीई का मुख्य उद्देश्य पूरे देश में शिक्षक शिक्षा प्रणाली के नियोजित और समन्वित विकास को प्राप्त करना, शिक्षक शिक्षा प्रणाली में मानदंडों और मानकों का विनियमन और उचित रखरखाव और उससे संबंधित विषयों के लिए है।

एआईसीटीई (AICTE): अखिल भारतीय तकनीकी शिक्षा परिषद (AICTE) की स्थापना नवंबर वर्ष 1945 में एक राष्ट्रीय स्तर के शीर्ष सलाहकार निकाय के रूप में की गई थी, जो तकनीकी शिक्षा के लिए उपलब्ध सुविधाओं पर एक सर्वेक्षण करने और देश में समन्वित और एकीकृत ढंग से विकास को बढ़ावा देने के लिए थी।

एनएमसी (NMC): राष्ट्रीय चिकित्सा आयोग (National Medical Council) 33 सदस्यों का एक भारतीय नियामक निकाय है, जो चिकित्सा शिक्षा और चिकित्सा पेशेवरों को नियंत्रित करता है। 25 सितंबर 2020 को इसका नाम 'भारतीय चिकित्सा परिषद' कर दिया गया। आयोग चिकित्सा योग्यताओं को मान्यता प्रदान करता है, चिकित्सा विद्यालयों को मान्यता देता है, चिकित्सा चिकित्सकों को पंजीकरण अनुदान देता है और चिकित्सा प्रणाली की निगरानी और चिकित्सा आधारभूत ढांचे का मूल्यांकन करता है।

65. (b)

स्वयंप्रभा उपग्रह (SAWAYAMPRABHA Satellite): स्वयं प्रभा 34 DTH चैनलों का एक समूह है, जो जीसैट-15 उपग्रह का उपयोग करके 24 × 7 आधार पर उच्च गुणवत्ता वाले शैक्षिक कार्यक्रमों के प्रसारण के लिए समर्पित है। प्रत्येक दिन, कम से कम (4) घंटे के लिए नई सामग्री होगी, जिसे एक दिन में 5 बार दोहराया जाएगा जिससे छात्र अपनी सुविधानुसार समय चुन सकेंगे। सभी चैनल BISAG गांधीनगर से अपलिंक किए गए हैं। पठन - सामग्री एनपीटीईएलए आईआईटी, यूजीसी, सीईसी, इग्नू द्वारा प्रदान की जाती है। इनफ्लिबनेट केंद्र वेब पोर्टल का रखरखाव करता है।

66. (b)

केंद्रीय विश्वविद्यालय (Central universities): भारत में केंद्रीय विश्वविद्यालय संसद के एक अधिनियम द्वारा स्थापित किए जाते हैं और MoE में उच्च शिक्षा विभाग के अधिकार क्षेत्र में आते हैं। सामान्य तौर पर, भारत में विश्वविद्यालयों को (यूजीसी) द्वारा मान्यता प्राप्त है, जो यूजीसी अधिनियम 1956 से अपनी शक्ति प्राप्त करता है।

31 मार्च 2021 तक यूजीसी द्वारा प्रकाशित केंद्रीय विश्वविद्यालयों की सूची में 54 केंद्रीय विश्वविद्यालय हैं।

राज्य विश्वविद्यालय (State universities): राज्य विश्वविद्यालय भारत के प्रत्येक राज्य और क्षेत्र की राज्य सरकार द्वारा चलाए जाते हैं, और सामान्य तौर पर स्थानीय विधान सभा अधिनियम द्वारा स्थापित किए जाते हैं।

डीम्ड विश्वविद्यालय (Deemed universities): डीम्ड विश्वविद्यालय या ''डीम्ड-टू-बी-यूनिवर्सिटी'', यूजीसी अधिनियम, 1956 की धारा 3 के अंतर्गत यूजीसी के सुझाव के आधार पर उच्च शिक्षा विभाग द्वारा दी गई स्वायत्तता की स्थिति है।

राज्य के राज्यपाल डीम्ड विश्वविद्यालयों के कुलाधिपति होते हैं। एक डीम्ड विश्वविद्यालय का दर्जा पाठ्यक्रम, पाठ्यक्रम, प्रवेश और शुल्क में पूर्ण स्वायत्तता की अनुमति देता है। जनवरी, 2019 में नए मानदंडों के अनुसार, डीम्ड विश्वविद्यालय का दर्जा पाने के लिए आवेदक संस्थान को कम से कम 20 वर्षों से संचालन में होना चाहिए, 100 शिक्षक और 2,000 छात्र होने चाहिए, न्यूनतम शिक्षक-छात्र अनुपात 1:20 होना चाहिए। एक तिहाई छात्रों को शोध या स्नातकोत्तर पाठ्यक्रमों में जाना चाहिए।

निजी विश्वविद्यालय (Private universities): निजी विश्वविद्यालय यूजीसी द्वारा अनुमोदित हैं। वे डिग्री दे सकते हैं लेकिन उन्हें ऑफ-कैंपस संबद्ध कॉलेज रखने की अनुमति नहीं है।

स्वायत्त संस्थान (Autonomous institutions): उपरोक्त विश्वविद्यालयों के अलावा, अन्य संस्थानों को स्वायत्त रूप से डिग्री प्रदान करने की अनुमति दी जाती है। ये संस्थान कॉलेजों से संबद्ध

नहीं हैं और इन्हें आधिकारिक तौर पर ''विश्वविद्यालय'' नहीं बल्कि 'स्वायत्त संगठन या संस्थान' कहा जाता है। वे उच्च शिक्षा विभाग के प्रशासनिक नियंत्रण में आते हैं।

इन संगठनों में भारतीय प्रौद्योगिकी संस्थान, राष्ट्रीय प्रौद्योगिकी संस्थान, भारतीय विज्ञान शिक्षा और अनुसंधान संस्थान, भारतीय इंजीनियरिंग विज्ञान और प्रौद्योगिकी संस्थान, भारतीय प्रबंधन संस्थान, राष्ट्रीय कानून विद्यालय, अखिल भारतीय चिकित्सा विज्ञान और अन्य स्वायत्त संस्थान सम्मिलित हैं।

67. (d)

विश्वविद्यालय शिक्षा आयोग (1948–49) स्वतंत्रता के पश्चात् प्रथम शिक्षा आयोग था। इसका ध्यान उच्च शिक्षा पर केंद्रित था। डॉ. एस. राधाकृष्णन की अध्यक्षता में, इस आयोग ने अनुशसा की थी कि विश्वविद्यालय के पाठ्यक्रमों में प्रवेश का मानक इंटरमीडिएट परीक्षा के अनुरूप होना चाहिए। इस आयोग ने सुझाव दिया कि एक स्कूल और एक विश्वविद्यालय के कार्य भिन्न-भिन्न होने चाहिए।

68. **(d)**

यदि हम लिंग समानता सूचकांक (Gender Parity Index – GPI) को सकल नामांकन अनुपात (Gross Enrollment Ratio) के संदर्भ में परिभाषित करें तो यह शिक्षण संस्थानों में नामांकित लड़कों (या पुरुषों) के लिए लड़कियों (या महिलाओं) के लिए अनुपात को दर्शाता है। उच्च शिक्षा में, यह नामांकित महिला से पुरुष अनुपात को मापता है। यह शिक्षा के सापेक्ष पहुंच का एक माप है। यदि GPI 1 से कम है तो संस्थान तक पहुंच के संदर्भ में लड़कियां लड़कों की तुलना में अधिक वंचित हैं। यदि दोनों समान हैं तो दोनों लिंगों की सापेक्ष पहुंच एक समान है, यदि GPI 1 से अधिक है तो यह लड़कियों की अधिक सापेक्ष पहुंच को दर्शाता है।

उच्च शिक्षा में लिंग समानता सूचकांक (GPI) की गणना 18–23 वर्ष आयु वर्ग के लिए की जाती है। यह अनुपात लिंग समानता की दिशा में प्रगति को दर्शाता है। यह समाज में महिलाओं के सशक्तिकरण के एक महत्वपूर्ण संकेतक के रूप में भी कार्य करता है। डेटा सभी श्रेणियों, एससी और एसटी के लिए राज्यवार लिंग समानता सूचकांक प्रदान करता है।

जून, 2021 में जारी, वर्ष 2019–20 के लिए उच्च शिक्षा पर अखिल भारतीय सर्वेक्षण (All india survery on Higher Education) ने यह दर्शाया कि भारत ने (GPI) में महत्वपूर्ण सुधार अनुभव किया। यह इंगित करता है कि भारत सरकार ने महिला शिक्षा पर उचित ध्यान दिया। यूजीसी ने 'एकल बालिका के लिए स्नातकोत्तर इंदिरा गांधी छात्रवृत्ति योजना' और भारत सरकार 'बेटी बचाओ बेटी पढ़ाओ' जैसी योजनाएं लागू की हुई हैं, जिनका शिक्षा और समाज पर गहन प्रभाव पड़ता है और महिला समावेश (women inclusion) के उद्देश्य को परिपूर्ण करता है। 2015–16 से 2019–20 तक पिछले पांच वर्षों में छात्र नामांकन में 11.4% की वृद्धि हुई है।

इस अवधि के दौरान उच्च शिक्षा में महिला नामांकन में 18.2% की वृद्धि हुई है। सरकार ने लड़कियों की शिक्षा, महिला सशक्तिकरण और सामाजिक रूप से पिछड़े वर्गों के सशक्तिकरण पर अधिक ध्यान केंद्रित किया है। उच्च शिक्षा में महिलाओं, अनुसूचित जातियों और अनुसूचित जनजातियों की आबादी में वृद्धि हुई है।

2019–20 रिपोर्ट में उच्च शिक्षा में जीपीआई 1.01 है, जो 2018–19 में 1.00 की तुलना में पुरुषों की तुलना में पात्र आयु वर्ग की महिलाओं के लिए उच्च शिक्षा के सापेक्ष पहुंच में सुधार को दर्शाता है।

69. (b)

NEP-2020 में राज्य के विश्वविद्यालयों और कॉलेजों पर ध्यान देने के साथ सभी शैक्षणिक विषयों में देश भर में शोध और नवाचार को उत्प्रेरित करने और सक्रिय करने पर बल दिया गया है। प्रणालीगत स्तर पर, शोध और नवाचार अंतरराष्ट्रीय ख्याति के अत्याधुनिक शोध पारिस्थितिकी तंत्र को बढ़ाने में महत्वपूर्ण योगदान देते हैं। उच्च शैक्षणिक संस्थानों के लिए अपनी शोध उत्पादकता बढ़ाने के लिए, ऐसा पारिस्थितिकी तंत्र महत्वपूर्ण है। यह अंतरराष्ट्रीय और राष्ट्रीय रेटिंग, रैंकिंग और मान्यता प्रक्रिया के लिए एक महत्वपूर्ण विचार है। मैक्रो स्तर पर, ऐसा पारिस्थितिकी तंत्र एक बड़े और जीवंत ज्ञान समाज को विकसित करने और बनाए रखने के लिए केंद्रीय है। भारत में शिक्षा संस्थानों में शोध और नवाचार, विशेष रूप से जो उच्च शिक्षा में लगे हुए हैं, महत्वपूर्ण हैं।

इसे साकार करने के लिए, NEP-2020 में एक राष्ट्रीय अनुसंधान फाउंडेशन (NRF) की स्थापना की परिकल्पना की गई है। इसका व्यापक लक्ष्य विश्वविद्यालयों के माध्यम से शोध की संस्कृति का निर्माण करना है। NRF का व्यापक लक्ष्य हमारे विश्वविद्यालयों के माध्यम से शोध की संस्कृति को व्याप्त करने में सक्षम बनाना होगा।

NEP-20 के अनुसार NRF (नेशनल रिसर्च फाउंडेशन) की प्राथमिक गतिविधियां निम्नलिखित होंगी:

(i) प्रतियोगी संवर्गियों द्वारा पुनर्वेक्षित उत्कृष्ट कोटि के प्रस्तावों को, जो सभी प्रकार के विषयों से संबंध होंगे, वित्तीय सहायता प्रदान करना।

(ii) शोधकर्ताओं और संबद्ध सरकारी प्रभागों और उद्यमों के मध्य कड़ी के रूप में कार्य करना।

(iii) शैक्षणिक संस्थानों में, विशेष रूप से विश्वविद्यालयों और कॉलेजों में, जहां शोध अभी प्रारंभिक अवस्था में है, ऐसे संस्थानों के परामर्श के माध्यम से शोध को अंकुर, विकसित और सुविधा प्रदान करें।

संक्षेप में, एनआरएफ योग्यता-आधारित लेकिन समान सहकर्मी-समीक्षित शोध निधि का एक विश्वसनीय आधार प्रदान करेगा जो ''उत्कृष्ट शोध के लिए उपयुक्त प्रोत्साहन और मान्यता'' के माध्यम से देश में शोध की संस्कृति को विकसित करने में सहायता करेगा।

70. (d)

सात्विक मूल्य करुणा और सम्मान हैं। जब व्यक्तित्व में सत्त्व प्रधान होता है, तो व्यक्ति दैवीय और आध्यात्मिक मूल्यों को स्वीकार करता है। शक्ति गुरु के प्रति सम्मान, अहिंसा, ध्यान, दया, मौन, आत्मसंयम और चरित्र की पवित्रता सात्विक क्रिया की प्रेरक शक्ति है। सात्विक गुण की एक सीमा यह भी है कि यह व्यक्ति को सुख और ज्ञान के मोह से बांधता है।

आप तभी उत्कृष्टता प्राप्त कर सकते हैं जब आप अपने सत्व से बाहर कार्य करते हैं, जब मन शांत, बुद्धि स्पष्ट और कार्य शानदार होते हैं। सत्त्व शांति की वह प्राचीन अवस्था है, जो चिंतन और उच्च पर लीन होने से आती है। रजस लालच, तृष्णा और वासना से उत्पन्न मानसिक व्याकुलता की अवस्था है। तमस में श्रेष्ठ गुण खो जाते हैं, और आपकी अंतर्निहित प्रतिभा निष्क्रिय हो जाती है।

71. (d)

नई शिक्षा नीति (NEP)-20 के अनुसार, माध्यमिक शिक्षा में कक्षा 9 से 12 तक की कक्षाएं सम्मिलित हैं।

72. (c)

प्राकृत शब्द 'प्रकृति' शब्द से बना है जिसका अर्थ 'प्रकृति' या 'मूल/व्युत्पत्ति' है ।

इस प्रकार, प्राकृत का अर्थ दो ढंग से निकाला जा सकता है:

(i) भाषाओं का एक समूह, जो प्राकृतिक था जो आम जनता के सामान्य भाषण पर आधारित था।

(ii) इसे संस्कृत से प्राप्त भाषाओं के समूह के रूप में भी देखा जा सकता है।

प्राकृत भाषा का संस्कृत के साथ बहुत से स्तरों पर समानताएं और विभिन्नताएं हैं, प्राकृत भाषा जब साहित्यिक प्रयोग के लिए सूत्रबद्ध की गई, तब अपभ्रंश नामक पारम्परिक वैदिक भाषा से उनकी भिन्नता थी। अपभ्रंश: अपभ्रंश को कुछ व्याकरणविदों द्वारा प्राकृत भाषा की एक बोली के रूप में माना जाता था, और श्वेतांबर और दिगंबर जैनियों द्वारा समान रूप से धार्मिक उद्देश्यों के लिए इस भाषा का उपयोग किया गया। हरिवंशपुराण और भविष्यत्तकह जैसे कार्य दिगंबर शौरसेनी अपभ्रंश साहित्य की श्रेणी में आते हैं, जबकि सनतकुमारचरित और कुमारपालप्रतिबोध श्वेतांबर महाराष्ट्री अपभ्रंश साहित्यिक कार्यों के समूह के अंतर्गत आते हैं; एक पूर्वी अपभ्रंश किस्म बौद्ध ग्रंथ दोहाकोश में भी पाई गई थी। यद्यपि, अपभ्रंश का उपयोग केवल धार्मिक लेखन तक ही सीमित नहीं था इसके अतिरिक्त अपभ्रंश कालिदास के नाटक विक्रमोवर्षीय में, स्वयंभूदेव द्वारा लिखित पौमाचिरिउ जैसे कथा साहित्य; और अब्द-उर रहमान द्वारा संदेशसारसाक जैसी संदेशवाहक कविताओं में भी थी।

73. (a)

वर्ष 1854 के सर चार्ल्स वुड, जिसे 'भारत में अंग्रेजी शिक्षा का मैग्ना कार्टा' भी कहा जाता है, ने प्राथमिक विद्यालय से विश्वविद्यालय तक शिक्षा की एक उचित रूप से स्पष्ट योजना बनाने की अनुशंसा की। इसने स्वदेशी शिक्षा को प्रोत्साहित करने और शिक्षा की सुसंगत नीति के निर्माण की मांग की। यह उच्च शिक्षा के विषय में पहली नीति थी। इसके बाद, वर्ष 1857 में तीन विश्वविद्यालयों की स्थापना की गई:

(1) कलकत्ता विश्वविद्यालय

(2) बॉम्बे विश्वविद्यालय (अब मुंबई में)

(3) मद्रास विश्वविद्यालय।

74. (c)

नेशनल प्रोग्राम ऑनटेक्नोलॉजी एनहांसिंग लर्निंग (NPTEL): यह मानव संसाधन विकास मंत्रालय की एक परियोजना है, जिसे 2003 में सात भारतीय प्रौद्योगिकी संस्थानों (आईआईटी-बॉम्बे, दिल्ली, कानपुर, खड़गपुर, मद्रास, रूड़की और गुवाहाटी) और इंडियन इंस्टीट्यूट ऑफ साइंस, बैंगलोर द्वारा आरंभ किया गया था। यह भारत सरकार के MHRD द्वारा वित्त पोषित परियोजना है, जो सभी के लिए मल्टीमीडिया और वेब प्रौद्योगिकी आधारित लर्निंग को विकसित करने और बढ़ावा देने के लिए है। वर्तमान में 940 से अधिक पाठ्यक्रम वेब पोर्टल (http://nptel.ac.in) पर उपलब्ध हैं, इन्हें देखने व डाउनलोड करने के लिए NPTEL ने प्रमाणन के साथ मुक्त ऑनलाइन पाठ्यक्रम आरंभ किए हैं।

पाठ्यक्रम नामांकन के लिए स्वतंत्र हैं और http://onlinecourses.nptel.ac.in पर उपलब्ध हैं । SAWAYAM प्लेटफॉर्म पर आरंभ किये जाने वाले इंजीनियरिंग पाठ्यक्रमों के लिए राष्ट्रीय समन्वयक NPTEL है।

75. **(c)**

A. राजस्थान में विश्वविद्यालयों की अधिकतम संख्या है।

B. मिजोरम में विश्वविद्यालयों की न्यूनतम संख्या है।

C. उच्च शिक्षा में सिक्किम का GER उच्चतम है।

D. उच्च शिक्षा में बिहार का GER निम्नतम है।

76. **(b)**

तक्षशिला (Taxila) भारत का सबसे प्राचीन विश्वविद्यालय है। यह गांधार राज्य में 600 be से 500 ce तक फला-फूला। यह ब्राह्मणवादी और बौद्ध शिक्षा के लिए प्रसिद्ध था। न्यूनतम प्रवेश आयु 16 वर्ष थी। कौटिल्य (अर्थशास्त्र के लेखक), पाणिनि (संस्कृत के व्याकरणविद्), चरक और विष्णु शर्मा (पंचतंत्र के लेखक और संकलक) तक्षशिला विश्वविद्यालय के प्रमुख विद्वान हैं।

77. **(c)**

भारत में एक केंद्रीय विश्वविद्यालय या एक संघ विश्वविद्यालय की स्थापना संसद के एक अधिनियम द्वारा की जाती है, जिसे केंद्र सरकार द्वारा वित्त पोषित किया जाता है और यह उच्च शिक्षा विभाग (MoE) के अधिकार क्षेत्र में आता है।

06-08 - 2021 तक विश्वविद्यालयों की कुल संख्या (1008) निम्नानुसार है:

केंद्रीय विश्वविद्यालय: 54

राज्य विश्वविद्यालय: 437

मानित विश्वविद्यालय: 126

निजी विश्वविद्यालय: 388

78. (a)

संयुक्त राष्ट्र शैक्षिक वैज्ञानिक और सांस्कृतिक संगठन (यूनेस्को) के अनुसार, 'सकल नामांकन अनुपात' 'एक देश के भीतर कुल नामांकन के रूप में ''शिक्षा के एक विशिष्ट स्तर में, आयु की परवाह किए बिना, शिक्षा के स्तर के अनुरूप आधिकारिक आयु वर्ग में जनसंख्या के प्रतिशत के रूप में व्यक्त किया जाता है''।

उच्च शिक्षा में सकल नामांकन अनुपात (Gross Enrolment Ratio) की गणना इस प्रकार की जाती है:

सकल नामांकन अनुपात (GER) =

$$\frac{\text{उच्च शिक्षा में नामांकन की संख्या}}{\text{18-23 के आयु समूह में कुल नामांकन}} \times 100$$

एक उच्च जीईआर उच्च स्तर की भागीदारी को इंगित करता है।

79. (a)

शिक्षा मंत्रालय भारतीय शिक्षा प्रणाली में सुधार लाने के लिए नई शिक्षा नीति लाई है। चयन आधारित क्रेडिट प्रणाली (Choice Based Credit System) एक अंतरराष्ट्रीय स्तर पर स्वीकृत प्रणाली है। यह न केवल विषयों को अधिगम के अवसर प्रदान करता है बल्कि किसी व्यक्ति के समग्र विकास के लिए मुख्य विषयों से परे अधिगम के अतिरिक्त अवसर भी प्रदान करता है। CBCS शिक्षा को व्यापक और वैश्विक मानकों के अनुरूप बनाता है। यह छात्रों को एक कोर्स पूरा करने के लिए भिन्न-भिन्न समय पर और विभिन्न संस्थानों में अध्ययन करने के लिए लचीलापन प्रदान करता है।

अवर स्नातक स्तर की चयन आधारित क्रेडिट प्रणाली में सम्मिलित हैं: मूल (कोर) कोर्स: एक कोर्स, जिसे एक अभ्यर्थी द्वारा अनिवार्य रूप से एक मुख्य आवश्यकता के रूप में अध्ययन किया जाना चाहिए, उसे कोर कोर्स कहा जाता है।

ऐच्छिक कोर्स (Elective Course): सामान्य तौर पर, कोई भी पाठ्यक्रम जिसे कुछ पाठ्यक्रमों के समूह द्वारा चुना जाता है, वह उसे एक विस्तारित दायरा प्रदान करता है, जो कि बहुत विशिष्ट, उन्नत अध्ययन के विषय के लिए सहायक हो सकता है, तो ऐसा अनुशासन या विषय एक वैकल्पिक पाठ्यक्रम कहलाता है।

योग्यता संवर्धन कोर्स **(Ability Enhancement Course):** इसमें दो प्रकार के पाठ्यक्रम हैं:

(i) **योग्यता संवर्धन अनिवार्य पाठ्यक्रम** (AECC): AECC उस सामग्री पर आधारित है, जो प्रतिभागियों के ज्ञान में वृद्धि की ओर ले जाती है।

(ii) **कौशल संवर्धन पाठ्यक्रम** (SEC): इन पाठ्यक्रमों को मूल्य-आधारित और/या कौशल-आधारित ज्ञान प्रदान करने के लिए डिज़ाइन किए गए पाठ्यक्रमों के पूल से चुना जा सकता है।

80. (b)

इस दिन 1835 में, थॉमस बबिंगटन मैकाले ने भारत में शिक्षा का सफलतापूर्वक पश्चिमीकरण (westernization) का प्रयास किया। आंग्ल भाषा को सरकार और अदालतों के लिए आधिकारिक भाषा बना दिया गया था, और इसे शिक्षा के आधिकारिक माध्यम के रूप में अपनाया गया था। मैकाले मिनट्स में यह बिंदु विशेष रूप से महत्वपूर्ण है-वर्तमान में हमें व्यक्तियों का एक ऐसा वर्ग बनाने का पूर्ण प्रयास करना चाहिए, जो रक्त और रंग में भारतीय हो, लेकिन स्वाद, राय, नैतिकता और बुद्धि में अंग्रेजी हो।

81. (a)

नालंदा विश्वविद्यालय सही उत्तर है। नालंदा 427 से 1197 तक बिहार में उच्च शिक्षा का एक प्राचीन केंद्र था । नालंदा की स्थापना 5 वीं शताब्दी ईस्वी में बिहार, भारत में हुई थी। 2010 में बिहार में हाल ही में एक नया नालंदा विश्वविद्यालय विकसित किया गया है।

जुआंग झांग (या उन्हें ह्वेन त्सांग भी कहते हैं) ने 7 वीं शताब्दी में नालंदा विश्वविद्यालय का दौरा किया। वह सोलह वर्षों तक भारत में रहा और यात्रा की। उन्होंने बौद्ध धर्मग्रंथों का अनुवाद किया। उन्होंने भारत में तर्क, संस्कृत व्याकरण, योगकारा का भी अध्ययन किया। उन्होंने सांख्य और वैशेषिका का विरोध किया कि वे बौद्ध दर्शन का विरोध करते हैं।

आई क्यूइंग ने बोध धर्म के 'वाहन'-हीनयान और महायान दोनों के बारे में बात की। उत्तरी भारत और दक्षिण समुद्र के अधिकांश द्वीपों (जैसे सुमात्रा, जावा-वर्तमान इंडोनेशिया के कुछ हिस्सों) ने हीनयान मत का अभ्यास किया। चीन में बौद्ध ने महायान का अभ्यास किया।

भविष्य के प्रश्नों के लिए, ध्यान दें कि

1. फाह्यान (Fa-Hien) ने पांचवीं शताब्दी की शुरुआत में भारत आने वाले पहले चीनी यात्री थे। उनकी यात्रा का उद्देश्य बौद्ध धर्म के लिए पवित्र ग्रंथों की तलाश करना था।
2. तक्षशिला विश्वविद्यालय दुनिया के सबसे पुराने विश्वविद्यालयों में से एक था।
3. नालंदा विश्वविद्यालय बिहार राज्य में नालंदा जिले के राजगीर में स्थित एक सार्वजनिक केंद्रीय / संघ विश्वविद्यालय है। इसे राष्ट्रीय महत्व के संस्थान (Institute of National Importance - INI) और उत्कृष्टता के रूप में नामित किया गया है। यह अंतर्राष्ट्रीय विश्वविद्यालय 18 सदस्य देशों द्वारा समर्थित है, 2010 में भारतीय संसद के एक अधिनियम द्वारा स्थापित किया गया था। भारत के राष्ट्रपति नालंदा विश्वविद्यालय के आगंतुक हैं।

82. (a)

राष्ट्रीय ज्ञान आयोग (National Knowledge Commission - NKC) का निर्माण वर्ष 2006 में भारत के प्रधान मंत्री के लिए

एक उच्च स्तरीय सलाहकार निकाय के रूप में किया गया था, जिसका उद्देश्य भारत को एक ज्ञान समाज में बदलना था। यह सैम पित्रोदा की मौलिक विचार (brain child) थी। NKC ने 27 फोकस क्षेत्रों पर लगभग 300 अनुशंसाएं प्रस्तुत कीं। NKC ने ज्ञान प्रतिमान के पांच प्रमुख क्षेत्रों पर ध्यान केंद्रित किया-ज्ञान तक पहुंच, ज्ञान अवधारणा, ज्ञान निर्माण, ज्ञान अनुप्रयोग और बेहतर ज्ञान सेवाओं का विकास।

NKC ने अनुसंधान कार्य के निर्माण के लिए एक राष्ट्रीय विज्ञान और सामाजिक विज्ञान फाउंडेशन (National Science and Social Science Foundation -NSSF) की स्थापना की अनुशंसा की, जो एक भारतीय वैज्ञानिक के लिए नोबेल पुरस्कार प्राप्त कर सकता है।

83. (c)

राष्ट्रीय शिक्षा नीति, 2020 में एक स्वायत्त निकाय-राष्ट्रीय शैक्षिक प्रौद्योगिकी मंच (एनईटीएफ) की स्थापना की परिकल्पना की गई है, जो सीखने, मूल्यांकन, योजना, प्रशासन आदि को बढ़ाने के लिए प्रौद्योगिकी के उपयोग पर विचारों के मुक्त आदान-प्रदान के लिए एक मंच प्रदान करेगा। स्कूल और उच्च शिक्षा।

राष्ट्रीय शैक्षिक प्रौद्योगिकी फोरम (National Education Technology Forum - NETF -एनईटीएफ) का उद्देश्य: एनईटीएफ का उद्देश्य शिक्षा संस्थानों, राज्य और केंद्र सरकारों और अन्य हितधारकों के नेतृत्व को नवीनतम ज्ञान और अनुसंधान के साथ.साथ अवसर प्रदान करके प्रौद्योगिकी के समावेश, तैनाती और उपयोग पर निर्णय लेने की सुविधा प्रदान करना होगा। सर्वोत्तम प्रथाओं से परामर्श करने और साझा करने के लिए। एनईटीएफके निम्नलिखित कार्य होंगे:

चूंकि पाठ्यचर्या छात्रों के समग्र विकास का सबसे अच्छा साधन है। और शिक्षक, विश्वविद्यालय, शैक्षणिक संस्थान, उद्योग, क्षेत्र और राज्य क्षेत्र में आते हैं। पाठ्यक्रम और छात्रों के बीच कई हितधारक हैं। पाठ्यचर्या विकास गतिशील प्रक्रिया है। एक निजी विश्वविद्यालय और आईआईटी से बीटेक का पाठ्यक्रम पूरी तरह से अलग हो सकता है। तो, विकल्प डी तार्किक रूप से अलग लग रहा था। यदि वह निकाल लिया जाता है, तो A, B, C और E उत्तर का हिस्सा हैं। अत: (c) सही उत्तर है।

जुलाई, 2021 में, प्रधानमंत्री ने कहा कि राष्ट्रीय डिजिटल शिक्षा वास्तुकला (एनडीईएआर) और राष्ट्रीय शिक्षा प्रौद्योगिकी मंच (एनईटीएफ) देश भर में डिजिटल और आर्थिक ढांचा बनाने के लिए काम करेंगे।

आइए हम भारत सरकार द्वारा शिक्षा क्षेत्र में शुरू की गई कुछ अन्य पहलों पर नजर डालें।

अकादमिक बैंक ऑफ क्रेडिट (Academic Bank of Credit)-इसका उद्देश्य उच्च शिक्षा में छात्रों के लिए कई प्रवेश और निकास विकल्प प्रदान करना और क्षेत्रीय भाषाओं में प्रथम वर्ष के इंजीनियरिंग कार्यक्रम और उच्च शिक्षा के अंतर्राष्ट्रीयकरण के लिए दिशानिर्देश प्रदान करना है।

विद्या प्रवेश (Vidya Pravesh)-यह पहल ग्रेड 1 के छात्रों के लिए तीन महीने का प्ले-आधारित स्कूल तैयारी मॉड्यूल है।

भारतीय सांकेतिक भाषा (Indian Sign Language)-भारतीय सांकेतिक भाषा को माध्यमिक स्तर पर एक विषय के रूप में लॉन्च किया गया है।

निष्ठा (Nishtha) 2.0-यह NCERT द्वारा डिज़ाइन किया गया शिक्षक प्रशिक्षण का एक एकीकृत कार्यक्रम है।

सफल (SAFAL -सीखने के स्तर के विश्लेषण के लिए संरचित मूल्यांकन)-सफल एक योग्यता-आधारित मूल्यांकन ढांचा है, जिसे सीबीएसई स्कूलों में ग्रेड 3, 5 और 8 के लिए लॉन्च किया गया है।

आर्टिफिशियल इंटेलिजेंस वेबसाइट (Artificial Intelligence Websites)-आर्टिफिशियल इंटेलिजेंस को समर्पित एक वेबसाइट भी लॉन्च की गई है।

84. (b)

पाठ्यचर्या संशोधन का अर्थ है समीक्षा से डेटा का उपयोग करके मौजूदा पाठ्यक्रम को संशोधित करना। समीक्षा और पुनरीक्षण महत्वपूर्ण हैं क्योंकि वे शिक्षकों को वास्तविक शिक्षण अधिगम वातावरण में पाठ्यचर्या के वास्तविक छात्रों के साथ अंत:क्रिया करने के तरीकों पर विचार करने में सक्षम बनाते हैं। दृष्टि और मिशन भी परिवर्तित होते रहते हैं। शिक्षण अधिगम प्रक्रिया को अधिक प्रभावी बनाने के लिए सामाजिक, राजनीतिक, आर्थिक और सबसे बढ़कर दार्शनिक वातावरण हमेशा परिवर्तनशील होता है। इस प्रकार, विभिन्न हितधारक हैं। उद्योग की मांगें भी बदलती हैं, जिससे पाठ्यक्रम अधिक परिणाम-आधारित नागरिक पैदा करता है।

85. (a)

ये सभी विश्वविद्यालय वास्तव में प्राचीन विश्वविद्यालय हैं। भारत दुनिया की सबसे पुरानी सभ्यताओं में से एक है। भारत प्राचीन काल में उच्च शिक्षा का केंद्र था। भारत ने गणित, ज्योतिष, खगोल विज्ञान और अन्य विज्ञानों के क्षेत्र में बहुत योगदान दिया है। वैदिक विज्ञान इतना उन्नत था कि इसकी तुलना आज के वैज्ञानिक आविष्कारों से की जा सकती है।

तक्षशिला विश्वविद्यालय दुनिया के सबसे पुराने विश्वविद्यालयों में से एक था लेकिन वह पूरी तरह से केंद्रीकृत नहीं था। सरकार

ने बिहार में नालंदा विश्वविद्यालय की अवधारणा को पुनर्जीवित करने का प्रयास किया है।

86. (a)

राष्ट्रीय शिक्षक शिक्षा परिषद (National Council of Teacher Education - NCTE) 1995 में राष्ट्रीय शिक्षक शिक्षा परिषद अधिनियम (1993) के अंतर्गत स्थापित भारत सरकार का एक वैधानिक निकाय है, जो औपचारिक रूप से भारतीय शिक्षा प्रणाली में मानकों, प्रक्रियाओं और प्रक्रियाओं की देखरेख करता है

87. **(d):** इन मूल्यों और नैतिकता के सभी महत्वपूर्ण आयामों का उच्च शिक्षा की गुणवत्ता को बढ़ावा देने में महत्व है। यूजीसी के मुल्य प्रवाह 2.0 पर दिशानिर्देशों के अनुसार, जो उच्च शिक्षा संस्थानों में मानवीय मूल्यों और व्यावसायिक नैतिकता को स्थापित करने का उद्देश्य रखते हैं, इन आयामों का संस्थानों में एक मूल्य-आधारित वातावरण और संस्कृति बनाने के लिए आवश्यक है।

88. **(c):** पहला बौद्ध परिषद् का गठन 483 ईसा पूर्व सत्तपणी में हुआ। इसके बारे में परंपरागत रूप से यह कहा जाता है कि यह बुद्ध के अंतिम निर्वाण के तुरंत बाद हुआ था, और इसकी अध्यक्षता बुद्ध के सबसे वरिष्ठ शिष्यों में से एक महाकाश्यप ने की थी, जो राजगृह (आज का राजगीर) के पास एक गुफा में राजा अजातशत्रु के समर्थन से हुआ था। इसका उद्देश्य बुद्ध के कथनों (सूत्र) और मठीय अनुशासन या नियमों (विनय) को संरक्षित करना था।

89. **(d):** कथन I: राष्ट्रीय शिक्षक शिक्षा परिषद (NCTE) वास्तव में संसद के एक अधिनियम द्वारा एक वैधानिक निकाय के रूप में स्थापित की गई थी। वर्ष 1995 था, न कि 1993।

कथन II: डॉ. एस. राधाकृष्णन 1948 में स्थापित विश्वविद्यालय शिक्षा आयोग के अध्यक्ष थे। कथन I गलत है लेकिन कथन II सही है। सही उत्तर (d) है।

90. **(c):** 1 और 3 सही उत्तर हैं। वर्ष 1902 में रुड़की और पुणे भारत के सबसे पुराने और प्रतिष्ठित इंजीनियरिंग कॉलेजों में से थे। उन्हें 19वीं शताब्दी में ब्रिटिश द्वारा स्थापित किया गया था और उन्होंने नागरिक, यांत्रिक, और विद्युत इंजीनियरिंग के कोर्स प्रदान किए थे।

91. **(b):**शास्त्र, वार्ता, काव्य, और अन्विक्षिकी प्राचीन भारत में शिक्षा की कुछ शाखाएं थीं, जैसा कि पाठ में उल्लेख किया गया है।

- शास्त्र वे विद्वत पोषण थे जो विभिन्न ज्ञान क्षेत्रों, जैसे तर्क, व्याकरण, ज्योतिष, चिकित्सा, आदि को ढकते थे।
- वार्ता वह शाखा थी जो व्यावहारिक कौशलों, जैसे कृषि, व्यापार, वाणिज्य, और पशुपालन से निपटती थी।
- काव्य वे कल्पनाशील और रचनात्मक साहित्य थे जो कवियों और लेखकों की भावनाओं, विचारों, और अनुभवों को व्यक्त करते थे।
- अन्विक्षिकी वह शाखा थी जो तर्क और तर्कशीलता पर ध्यान केंद्रित करती थी, और इसे 'सभी ज्ञान शाखाओं की आँख' माना जाता था।

92. **(b):** एस. पी. ए. आर. सी. का अर्थ (b) से पहचाना जा सकता है, जिसका आंग्ल भाषा में रूपान्तरण है -Scheme for Promotion of Academic and Research Collaboration जिसका उद्देश्य भारतीय संस्थानों और उनके अंतर्राष्ट्रीय समकक्षों के बीच अनुसंधान और अकादमिक सहयोग को बढ़ाना है।

93. **(c):** विश्व गुरु का अर्थ है विश्व शिक्षक। NEP 2020 में भारत को शिक्षा और ज्ञान में एक वैश्विक नेता के रूप में अपनी ऐतिहासिक स्थिति को फिर से प्राप्त करने की परिकल्पना की गई है।

94. **(a):** एनसीआईवीई (NCIVE) का अर्थ है व्यावसायिक शिक्षा के एकीकरण के लिए राष्ट्रीय समिति। NCIVE जैसा कि NEP 2020 में उल्लिखित है, चरणबद्ध तरीके से सभी स्कूलों और उच्च शिक्षा संस्थानों में व्यावसायिक शिक्षा के एकीकरण की देखरेख और सुविधा प्रदान करना है।

95. **(c):** विज्ञान और प्रौद्योगिकी विभाग की स्थापना भारत सरकार द्वारा 1978 में की गई थी।

96. **(d):** सभी सूचीबद्ध ग्रंथ-वेद, ब्राह्मण, उपनिषद और धर्म सूत्र-प्राचीन भारतीय शिक्षा प्रणाली के अभिन्न अंग थे। वेदों ने मूलभूत ग्रंथों के रूप में कार्य किया, ब्राह्मणों ने अनुष्ठानों और प्रथाओं को प्रदान किया, उपनिषदों ने दार्शनिक पूछताछ पर ध्यान केंद्रित किया, और धर्म सूत्रों ने नैतिक और सामाजिक संहिताओं को निर्धारित किया।